中國國家圖書館編

國家圖書館藏敦煌遺書

第三十冊　北敦〇二二二四號——北敦〇二三〇〇號

北京圖書館出版社

圖書在版編目(CIP)數據

國家圖書館藏敦煌遺書·第三十册/中國國家圖書館編;任繼愈主編.—北京:北京圖書館出版社,2006.4

ISBN 7-5013-2972-9

Ⅰ.國… Ⅱ.①中…②任… Ⅲ.敦煌學—文獻 Ⅳ.K870.6

中國版本圖書館 CIP 數據核字(2006)第 017845 號

ISBN 7-5013-2972-9

9 787501 329724 >

書　名	國家圖書館藏敦煌遺書·第三十册
著　者	中國國家圖書館編　任繼愈主編
責任編輯	徐　蜀　孫　彦
封面設計	李　璀

出　版	北京圖書館出版社　(100034　北京西城區文津街 7 號)
發　行	010-66139745　66151313　66175620　66126153 66174391(傳真)　66126156(門市部)
E-mail	cbs@nlc.gov.cn(投稿)　btsfxb@nlc.gov.cn(郵購)
Website	www.nlcpress.com
經　銷	新華書店
印　刷	北京文津閣印務有限責任公司

開　本	八開
印　張	58.5
版　次	2006 年 4 月第 1 版第 1 次印刷
印　數	1-150 册(套)

書　號	ISBN 7-5013-2972-9/K·1255
定　價	990.00 圓

編輯委員會

主　編　任繼愈
常務副主編　方廣錩
副 主 編　李際寧　張志清
編委（按姓氏筆畫排列）　王克芬　王姿怡　吳玉梅　胡新英　陳　穎　黄　霞（常務）　劉玉芬

出版委員會

主　任　詹福瑞
副主任　陳　力
委　員（按姓氏筆畫排列）　李　健　姜　紅　郭又陵　徐　蜀　孫　彦

攝製人員（按姓氏筆畫排列）

于向洋　王富生　王遂新　谷韶軍　張　軍　張紅兵　張　陽　曹　宏　郭春紅　楊　勇　嚴　平

目錄

妙法……
如是我聞一時佛……
大比丘衆万二千人俱皆……漏已
盡无復煩惱逮得己利盡諸有結心得自在
其名曰阿若憍陳如摩訶迦葉優樓頻螺迦
葉伽耶迦葉那提迦葉舍利弗大目揵連摩
訶迦旃延阿㝹樓馱劫賓那憍梵波提離婆
多畢陵伽婆蹉薄拘羅摩訶拘絺羅難陀
孫陀羅難陀富樓那彌多羅尼子須菩提阿
難羅睺羅如是衆所知識大阿羅漢等復有
學无學二千人摩訶波闍波提比丘尼與眷
屬六千人俱羅睺羅母耶輸陀羅比丘尼亦
與眷屬俱菩薩摩訶薩八万人皆於阿耨多
羅三菩提不退轉皆得陀羅尼樂說辯才轉
不退轉法輪供養无量百千諸佛於諸佛所
殖衆德本常為諸佛之所稱歎以慈修身善
入佛慧通達大智到於彼岸名稱普聞无量
世界能度无數百千衆生其名曰文殊師利
菩薩觀世音菩薩得大勢菩薩常精進菩
薩不休息菩薩寶掌菩薩藥王菩薩勇施
菩薩寶月菩薩月光菩薩滿月菩薩大
力菩薩无量力菩薩越三界菩薩跋陀婆
羅菩薩彌勒菩薩寶積菩薩導師菩薩是等菩薩摩

BD02124號　妙法蓮華經卷一

（24-1）

菩薩觀世音菩薩得大勢菩薩常精進菩
薩不休息菩薩寶掌菩薩藥王菩薩勇施
菩薩寶月菩薩月光菩薩滿月菩薩大
力菩薩无量力菩薩越三界菩薩跋陀婆
羅菩薩彌勒菩薩寶積菩薩導師菩薩如是等菩薩摩
訶薩八万人俱介時釋提桓因與其眷屬二
万天子俱復有名月天子普香天子寶光天
子四大天王與其眷屬万天子俱自在天子
大自在天子與其眷屬三万天子俱娑婆世
界主梵天王尸棄大梵光明大梵等與其眷
屬万二千天子俱有八龍王難陀龍王跋難陀
龍王娑伽羅龍王和脩吉龍王德叉迦龍王
阿那婆達多龍王摩那斯龍王優鉢羅龍王
等各與若干百千眷屬俱有四緊那羅王法
緊那羅王妙法緊那羅王大法緊那羅王持
法緊那羅王各與若干百千眷屬俱有四乾闥婆
王樂乾闥婆王樂音乾闥婆王美乾闥婆王
美音乾闥婆王各與若干百千眷屬俱有四
阿脩羅王婆稚阿脩羅王佉羅騫馱阿脩羅
王毗摩質多羅阿脩羅王羅睺阿脩羅王各
與若干百千眷屬俱有四迦樓羅王大威德
迦樓羅王大身迦樓羅王大滿迦樓羅王如
意迦樓羅王各與若干百千眷屬俱韋提希子
阿闍世王與若干百千眷屬俱各禮佛足退
坐一面介時世尊四衆圍繞供養恭敬尊重
讚歎為諸菩薩說大乘經名无量義教菩薩
法佛所護念佛說此經已結跏趺坐入於无

BD02124號　妙法蓮華經卷一

（24-2）

阿闍世王與若干百千眷屬俱各禮佛足退
坐一面尒時世尊四衆圍繞供養恭敬尊重
讚歎為諸菩薩說大乘經名无量義教菩薩
法佛所護念佛說此經已結跏趺坐入於无
量義處三昧身心不動是時天雨曼陀羅華
摩訶曼陀羅華曼殊沙華摩訶曼殊沙華而
散佛上及諸大衆普佛世界六種震動尒時
會中比丘比丘尼優婆塞優婆夷天龍夜叉
乾闥婆阿脩羅迦樓羅緊那羅摩睺伽人非
人及諸小王轉輪聖王是諸大衆得未曾有
歡喜合掌一心觀佛尒時佛放大眉間白豪
相光照東方万八千世界靡不周遍下至阿
鼻地獄上至阿迦尼吒天於此世界盡見彼
土六趣衆生又見彼土現在諸佛及聞諸佛
所說經法并見諸比丘比丘尼優婆塞優婆
夷諸脩行得道者復見諸菩薩摩訶薩種種
因緣種種信解種種相貌行菩薩道復見諸
佛般涅槃者復見諸佛般涅槃後以佛舍利起七寶塔尒時彌
勒菩薩作是念今者世尊現神變相以何因緣
而有此瑞今佛世尊入于三昧是不可思
議現希有事當以問誰誰能荅者復作此念是
文殊師利法王之子已曾親近供養過去无
量諸佛必應見此希有之相我今當問尒時
比丘比丘尼優婆塞優婆夷及諸天龍鬼神
等咸作此念是佛光明神通之相今當問誰
尒時彌勒菩薩欲自決疑又觀四衆比丘比
丘尼優婆塞優婆夷及諸天龍鬼神等衆會
之心而問文殊師利言以何因緣而有此瑞

BD02124號　妙法蓮華經卷一　（24–3）

比丘比丘尼優婆塞優婆夷及諸天龍鬼神
等咸作此念是佛光明神通之相今當問誰
尒時彌勒菩薩欲自決疑又觀四衆比丘比
丘尼優婆塞優婆夷及諸天龍鬼神等衆會
之心而問文殊師利言以何因緣而有此瑞
神通之相放大光明照于東方万八千土悉見
彼佛國界莊嚴於是彌勒菩薩欲重宣此義
以偈問曰
文殊師利　導師何故　眉間白豪　大光普照
雨曼陀羅　曼殊沙華　栴檀香風　悅可衆心
以是因緣　地皆嚴淨　而此世界　六種震動
時四部衆　咸皆歡喜　身意快然　得未曾有
眉間光明　照于東方　万八千土　皆如金色
從阿鼻獄　上至有頂　諸世界中　六道衆生
生死所趣　善惡業緣　受報好醜　於此悉見
又覩諸佛　聖主師子　演說經典　微妙第一
其聲清淨　出柔軟音　教諸菩薩　无數億万
梵音深妙　令人樂聞　各於世界　講說正法
種種因緣　以无量喻　照明佛法　開悟衆生
若人遭苦　猒老病死　為說涅槃　盡諸苦際
若人有福　曾供養佛　志求勝法　為說緣覺
若有佛子　脩種種行　求无上慧　為說淨道
文殊師利　我住於此　見聞若斯　及千億事
如是衆多　今當略說　我見彼土　恒沙菩薩
種種因緣　而求佛道　或有行施　金銀珊瑚
真珠摩尼　車璖馬瑙　金剛諸珎　奴婢車乘
寶飾輦轝　歡喜布施　迴向佛道　願得是乘

BD02124號　妙法蓮華經卷一　（24–4）

文殊師利 我住於此 見聞若斯 及千億事
如是衆多 今當略說 我見彼土 恒沙菩薩
種種因緣 而求佛道 或有行施 金銀珊瑚
真珠摩尼 車𤦲馬瑙 金剛諸珎 奴婢車乘
寶飾輦輿 歡喜布施 迴向佛道 願得是乘
三界第一 諸佛所歎 或有菩薩 駟馬寶車
欄楯華蓋 軒飾布施 復見菩薩 身肉手足
及妻子施 求无上道 又見菩薩 頭目身體
欣樂施與 求佛智慧 文殊師利 我見諸王
往詣佛所 問无上道 便捨樂土 宮殿臣妾
剃除鬚髮 而被法服 或見菩薩 而作比丘
獨處閑靜 樂誦經典 又見菩薩 勇猛精進
入於深山 思惟佛道 又見離欲 常處空閑
深脩禪定 得五神通 又見菩薩 安禪合掌
以千万偈 讚諸法王 復見菩薩 智深志固
能問諸佛 聞悉受持 又見佛子 定慧具足
以无量喻 為衆生法 欣樂說法 化諸菩薩
破魔兵衆 而擊法鼓 又見菩薩 寂然宴默
天龍恭敬 不以為喜 又見菩薩 處林放光
濟地獄苦 令入佛道 又見佛子 未曾睡眠
經行林中 懃求佛道 又見具戒 威儀无缺
淨如寶珠 以求佛道 住忍辱力 又見佛子
增上慢人 惡罵捶打 皆悉能忍 以求佛道
又見菩薩 離諸戲咲 及癡眷屬 親近智者
一心除亂 攝念山林 億千万歲 以求佛道
或見菩薩 餚饍飲食 百種湯藥 施佛及僧
名衣上服 價直千万 或无價衣 施佛及僧

BD02124號　妙法蓮華經卷一　（24–5）

一心除亂 攝念山林 億千万歲 以求佛道
或見菩薩 餚饍飲食 百種湯藥 施佛及僧
名衣上服 價直千万 或无價衣 施佛及僧
千万億種 栴檀寶舍 衆妙卧具 施佛及僧
清淨園林 華菓茂盛 流泉浴池 施佛及僧
如是等施 種種微妙 歡喜无猒 求无上道
或有菩薩 說寂滅法 種種教詔 无數衆生
或見菩薩 觀諸法性 无有二相 猶如虛空
又見佛子 心无所著 以此妙慧 求无上道
文殊師利 又有菩薩 佛滅度後 供養舍利
又見佛子 造諸塔廟 无數恒沙 嚴飾國界
寶塔高妙 五千由旬 縱廣正等 二千由旬
一一塔廟 各千幢幡 珠交露幔 寶鈴和鳴
諸天龍神 人及非人 香華伎樂 常以供養
文殊師利 諸佛子等 為供舍利 嚴飾塔廟
國界自然 殊特妙好 如天樹王 其華開敷
佛放一光 我及衆會 見此國界 種種殊妙
諸佛神力 智慧希有 放一淨光 照无量國
我等見此 得未曾有 佛子文殊 願決衆疑
四衆欣仰 瞻仁及我 世尊何故 放斯光明
佛子時答 決疑令喜 何所饒益 演斯光明
佛坐道場 所得妙法 為欲說此 為當授記
示諸佛土 衆寶嚴淨 及見諸佛 此非小緣
文殊當知 四衆龍神 瞻察仁者 為說何等
尒時文殊師利語彌勒菩薩摩訶薩及諸大
士善男子等如我惟忖今佛世尊欲說大法

BD02124號　妙法蓮華經卷一　（24–6）

示諸佛土　衆寶嚴淨　及見諸佛　此非小緣
文殊當知　四衆龍神　瞻察仁者　爲說何等
尒時文殊師利語弥勒菩薩摩訶薩及諸大
士善男子等如我惟忖今佛世尊欲說大法
雨大法雨吹大法螺擊大法鼓演大法義諸
善男子我於過去諸佛曾見此瑞放斯光已
即說大法是故當知今佛現光亦復如是欲
令衆生咸得聞知一切世間難信之法故現
斯瑞諸善男子如過去无量无邊不可思議
阿僧祇劫尒時有佛号日月燈明如來應供
正遍知明行足善逝世間解无上士調御丈
夫天人師佛世尊演說正法初善中善後善
其義深遠其語巧妙純一无雜具足清白梵
行之相爲求聲聞者說應四諦法度生老病
死究竟涅槃爲求辟支佛者說應十二因緣
法爲諸菩薩說應六波羅蜜令得阿耨多羅
三藐三菩提成一切種智次復有佛亦名日
月燈明次復有佛亦名日月燈明如是二万
万佛皆同一字号日月燈明又同一姓姓頗
羅墮弥勒當知初佛後佛皆同一字名日月
燈明十号具足所可說法初中後善其最後
佛未出家時有八子一名有意二名善意三
名无量意四名寶意五名增意六名除疑意
七名響意八名法意是八王子威德自在各
領四天下是諸王子聞父出家得阿耨多羅
三藐三菩提悉捨王位亦隨出家發大乘意
常脩梵行皆爲法師已於千万佛所殖諸善

七名響意八名法意是八王子威德自在各
領四天下是諸王子聞父出家得阿耨多羅
三藐三菩提悉捨王位亦隨出家發大乘意
常脩梵行皆爲法師已於千万佛所殖諸善
本是時日月燈明佛說大乘經名无量義敎
菩薩法佛所護念說是經已即於大衆中結
跏趺坐入於无量義處三昧身心不動是時
天雨曼陁羅華摩訶曼陁羅華曼殊沙華摩
訶曼殊沙華而散佛上及諸大衆普佛世界
六種震動尒時會中比丘比丘尼優婆塞優婆
夷天龍夜叉乾闥婆阿脩羅迦樓羅緊那羅
摩睺羅伽人非人及諸小王轉輪聖王等是
諸大衆得未曾有歡喜合掌一心觀佛尒時
如來放眉間白豪相光照東方万八千佛土
靡不周遍如今所見是諸佛土弥勒當知尒
時會中有二十億菩薩樂欲聽法是諸菩薩
見此光明普照佛土得未曾有欲知此光所
爲因緣時有菩薩名日妙光有八百弟子是
時日月燈明佛從三昧起因妙光菩薩說大
乘經名妙法蓮華敎菩薩法佛所護念六十小
劫不起于座時會聽者亦坐一處六十小劫
身心不動聽佛所說謂如食頃是時衆中无
有一人若身若心而生懈惓日月燈明佛於
六十小劫說是經已即於魔梵沙門婆羅門
及天人阿脩羅衆中而宣此言如來於今日
中夜當入无餘涅槃時有菩薩名日德藏日
月燈明即佛授其記告諸比丘是德藏菩薩

六十小劫說是經已，即於魔梵沙門婆羅門
及天人阿脩羅眾中，而宣此言：如來於今日
中夜當入无餘涅槃。時有菩薩名曰德藏，日
月燈明佛即授其記，告諸比丘：是德藏菩薩
次當作佛，号曰淨身多陀阿伽度阿羅訶三
藐三菩提。佛授記已，便於中夜入无餘
涅槃。佛滅度後，妙光菩薩持妙法蓮華經滿
八十小劫為人演說。日月燈明佛八子皆師
妙光，妙光教化令其堅固阿耨多羅三藐三
菩提。是諸王子供養无量百千万億佛已，皆
成佛道。其最後成佛者名曰然燈。八百弟子中
有一人号曰求名，貪着利養，雖復讀誦眾經
而不通利，多所忘失，故号求名。是人亦以種
諸善根因緣故，得值无量百千万億諸佛，供
養恭敬，尊重讚歎。彌勒當知，尒時妙光菩薩
豈異人乎？我身是也。求名菩薩，汝身是也。今
見此瑞，與本无異，是故惟忖，今日如來當說
大乘經，名妙法蓮華，教菩薩法，佛所護念。尒
時文殊師利於大眾中重宣此義，而說偈言：

我念過去世　无量无數劫　有佛人中尊　号日月燈明
世尊演說法　度无量眾生　无數億菩薩　令入佛智慧
佛未出家時　所生八王子　見大聖出家　亦隨脩梵行
時佛說大乘　經名无量義　於諸大眾中　而為廣分別
佛說此經已　即於法座上　跏趺坐三昧　名无量義處
天雨曼陀華　天鼓自然鳴　諸天龍鬼神　供養人中尊
一切諸佛土　即時大震動　佛放眉間光　現諸希有事
此光照東方　万八千佛土　示一切眾生　生死業報處

BD02124號　妙法蓮華經卷一　（24-9）

時佛說大乘　經名无量義　於諸大眾中　而為廣分別
佛說此經已　即於法座上　跏趺坐三昧　名无量義處
天雨曼陀華　天鼓自然鳴　諸天龍鬼神　供養人中尊
一切諸佛土　即時大震動　佛放眉間光　現諸希有事
此光照東方　万八千佛土　示一切眾生　生死業報處
有見諸佛土　以眾寶莊嚴　瑠璃頗梨色　斯由佛光照
及見諸天人　龍神夜叉眾　乾闥緊那羅　各供養其佛
又見諸如來　自然成佛道　身色如金山　端嚴甚微妙
如淨瑠璃中　內現真金像　世尊在大眾　敷演深法義
一一諸佛土　聲聞眾无數　因佛光所照　悉見彼大眾
或有諸比丘　在於山林中　精進持淨戒　猶如護明珠
又見諸菩薩　行施忍辱等　其數如恒沙　斯由佛光照
又見諸菩薩　深入諸禪定　身心寂不動　以求无上道
又見諸菩薩　知法寂滅相　各於其國土　說法求佛道
尒時四部眾　見日月燈佛　現大神通力　其心皆歡喜
各各自相問　是事何因緣　天人所奉尊　適從三昧起
讚妙光菩薩　汝為世間眼　一切所歸信　能奉持法藏
如我所說法　唯汝能證知　世尊既讚歎　令妙光歡喜
說是法華經　滿六十小劫　不起於此座　所說上妙法
是妙光法師　悉皆能受持　佛說是法華　令眾歡喜已
尋即於是日　告於天人眾　諸法實相義　已為汝等說
我今於中夜　當入於涅槃　汝一心精進　以求无上道
諸佛甚難值　億劫時一遇　世尊諸子等　聞佛入涅槃
各各懷悲惱　佛滅一何速　聖主法之王　安慰无量眾
我若滅度時　汝等勿憂怖　是德藏菩薩　於无漏實相
心已得通達　其次當作佛　号曰為淨身　亦度无量眾
佛此夜滅度　如薪盡火滅　分布諸舍利　而起无量塔

BD02124號　妙法蓮華經卷一　（24-10）

各各懷悲惱　佛滅一何速　聖主法之王　安慰无量衆
我若滅度時　汝等勿憂怖　是德藏菩薩　於无漏實相
心已得通達　其次當作佛　号曰爲淨身　亦度无量衆
佛此夜滅度　如薪盡火滅　分布諸舍利　而起无量塔
比丘比丘尼　其數如恒沙　倍復加精進　以求无上道
是妙光法師　奉持佛法藏　八十小劫中　廣宣法華經
是諸八王子　妙光所開化　堅固无上道　當見无數佛
供養諸佛已　隨順行大道　相繼得成佛　轉次而授記
最後天中天　号曰燃燈佛　諸仙之導師　度脫无量衆
是妙光法師　時有一弟子　心常懷懈怠　貪著於名利
求名利无厭　多遊族姓家　棄捨所習誦　廢忘不通利
以是因緣故　号之爲求名　亦行衆善業　得見无數佛
供養於諸佛　隨順行大道　具六波羅蜜　今見釋師子
其後當作佛　号名曰弥勒　廣度諸衆生　其數无有量
彼佛滅度後　懈怠者汝是　妙光法師者　今則我身是
我見燈明佛　本光瑞如此　以是知今佛　欲說法華經
今相如本瑞　是諸佛方便　今佛放光明　助發實相義
諸人今當知　合掌一心待　佛當雨法雨　充足求道者
諸求三乘人　若有疑悔者　佛當爲除斷　令盡无有餘

妙法蓮華經方便品第二

尒時世尊從三昧安詳而起告舍利弗諸
佛智慧甚深无量其智慧門難解難入一切
聲聞辟支佛所不能知所以者何佛曾親近
百千万億无數諸佛盡行諸佛无量道法勇
猛精進名稱普聞成就甚深未曾有法隨宜
所說意趣難解舍利弗吾從成佛已來種種
因緣種種譬喻廣演言教无數方便引導衆

百千万億无數諸佛盡行諸佛无量道法勇
猛精進名稱普聞成就甚深未曾有法隨宜
所說意趣難解舍利弗吾從成佛已來種種
因緣種種譬喻廣演言教无數方便引導衆
生令離諸著所以者何如來方便知見波羅
蜜皆已具足舍利弗如來知見廣大深遠无
量无礙力无所畏禪定解脫三昧深入无際
成就一切未曾有法舍利弗如來能種種分
別巧說諸法言辭柔軟悅可衆心舍利弗取
要言之无量无邊未曾有法佛悉成就止舍
利弗不須復說所以者何佛所成就第一希
有難解之法唯佛與佛乃能究盡諸法實相
所謂諸法如是相如是性如是體如是力如
是作如是因如是緣如是果如是報如是本
末究竟等尒時世尊欲重宣此義而說偈言
世雄不可量　諸天及世人　一切衆生類　无能知佛者
佛力无所畏　解脫諸三昧　及佛諸餘法　无能測量者
本從无數佛　具足行諸道　甚深微妙法　難見難可了
於无量億劫　行此諸道已　道場得成果　我已悉知見
如是大果報　種種性相義　我及十方佛　乃能知是事
是法不可示　言辭相寂滅
諸餘衆生類　无有能得解　除諸菩薩衆　信力堅固者
諸佛弟子衆　曾供養諸佛　一切漏已盡　住是最後身
如是諸人等　其力所不堪
假使滿世間　皆如舍利弗　盡思共度量　不能測佛智
政使滿十方　皆如舍利弗　及餘諸弟子　亦滿十方刹
盡斯共度量　亦復不能知

諸佛弟子衆 曾供養諸佛 一切漏已盡 住是最後身
如是諸人等 其力所不堪
假使滿世間 皆如舍利弗 盡思共度量 不能測佛智
政使滿十方 皆如舍利弗 及餘諸弟子 亦滿十方刹
盡思共度量 亦復不能知
辟支佛利智 无漏最後身 亦滿十方界 其數如竹林
斯等共一心 於億无量劫 欲思佛實智 莫能知少分
新發意菩薩 供養无數佛 了達諸義趣 又能善說法
如稻麻竹葦 充滿十方刹 一心以妙智 於恒河沙劫
咸皆共思量 不能知佛智
不退諸菩薩 其數如恒沙 一心共思求 亦復不能知
又告舍利弗 无漏不思議 甚深微妙法 我今已具得
唯我知是相 十方佛亦然
舍利弗當知 諸佛語无異 於佛所說法 當生大信力
世尊法久後 要當說真實
告諸聲聞衆 及求緣覺乘 我令脫苦縛 逮得涅槃者
佛以方便力 示以三乘教 衆生處處著 引之令得出
尒時大衆中有諸聲聞漏盡阿羅漢阿若憍
陳如等千二百人及發聲聞辟支佛心比丘
比丘尼優婆塞優婆夷各作是念今者世尊
何故慇勤稱歎方便而作是言佛所得法甚
深難解有所言說意趣難知一切聲聞辟支
佛所不能及佛說一解脫義我等亦得此法
到於涅槃而今不知是義所趣尒時舍利弗
知四衆心疑自亦未了而白佛言世尊何因
何緣慇勤稱歎諸佛聞知是說今者四衆咸
皆有疑唯願世尊敷演斯事世尊何故慇勤

到於涅槃而今不知是義所趣尒時舍利弗
知四衆心疑自亦未了而白佛言世尊何因
何緣慇勤稱歎諸佛聞知是說今者四衆咸
皆有疑唯願世尊敷演斯事世尊何故慇勤
稱歎甚深微妙難解之法尒時舍利弗欲重
宣此義而說偈言
慧日大聖尊 久乃說是法 自說得如是 力无畏三昧
禪定解脫等 不可思議法 道場所得法 无能發問者
我意難可測 亦无能問者
无問而自說 稱歎所行道 智慧甚深妙 諸佛之所得
无漏諸羅漢 及求涅槃者 今皆墮疑網 佛何故說是
其求緣覺者 比丘比丘尼 諸天龍鬼神 及乾闥婆等
相視懷猶豫 瞻仰兩足尊 是事為云何 願佛為解說
於諸聲聞衆 佛說我第一 我今自於智 疑惑不能了
為是究竟法 為是所行道
佛口所生子 合掌瞻仰待 願出微妙音 時為如實相
諸天龍神等 其數如恒沙 求佛諸菩薩 大數有八万
又諸万億國 轉輪聖王至 合掌以敬心 欲聞具足道
尒時佛告舍利弗止止不須復說若說是事
一切世間諸天及人皆當驚疑
舍利弗重白佛言世尊唯願說之唯願說之
所以者何是會无數百千万億阿僧祇衆生
曾見諸佛諸根猛利智慧明了聞佛所說則
能敬信尒時舍利弗欲重宣此義而說偈言
法王无上尊 唯說願勿慮 是會无量衆 有能敬信者
佛復止舍利弗若說是事一切世間天人阿
脩羅皆當驚疑增上慢比丘將墜於大坑尒

能敬信尒時舍利弗欲重宣此義而說偈言
法王无上尊 唯說願勿慮 是會无量衆 有能敬信者
佛復止舍利弗若說是事一切世間天人阿
脩羅皆當驚疑增上慢比丘將墜於大坑尒
時世尊重說偈言
止止不須說 我法妙難思 諸增上慢者 聞必不敬信
尒時舍利弗重白佛言世尊唯願說之唯願
說之今此會中如我等比百千万億世世已
曾從佛受化如此人等必能敬信長夜安隱
多所饒益尒時舍利弗欲重宣此義而說偈
言
无上兩足尊 願說第一法 我為佛長子 唯垂分別說
是會无量衆 能敬信此法 佛已曾世世 教化如是等
皆一心合掌 欲聽受佛語 我等千二百 及餘求佛者
願為此衆故 唯垂分別說 是等聞此法 則生大歡喜
尒時世尊告舍利佛汝已慇勤三請豈不說
汝今諦聽善思念之吾當為汝分別解脫說
此語時會中有比丘比丘尼優婆塞優婆夷
五千人等即從座起礼佛而退所以者何此
輩罪根深重及增上慢未得謂得未證謂
證有如此失是以不住世尊默然而不制止
尒時佛告舍利弗我今此衆无復枝葉淳有
貞實舍利弗如是增上慢人退亦佳矣汝今
善聽當為汝說舍利弗言唯然世尊願樂欲
聞佛告舍利弗如是妙法諸佛如來時乃說
之如優曇鉢華時一現耳舍利弗汝等當信
佛之所說言不虛妄舍利弗諸佛隨宜說法

貞實舍利弗如是增上慢人退亦佳矣汝今
善聽當為汝說舍利弗言唯然世尊願樂欲
聞佛告舍利弗如是妙法諸佛如來時乃說
之如優曇鉢華時一現耳舍利弗汝等當信
佛之所說言不虛妄舍利弗諸佛隨宜說法
意趣難解所以者何我以无數方便種種因
緣譬喻言辞演說諸法是法非思量分別之
所能解唯有諸佛乃能知之所以者何諸佛
世尊唯以一大事因緣故出現於世舍利弗
云何名諸佛世尊唯以一大事因緣故出現
於世諸佛世尊欲令衆生開佛知見使得清
淨故出現於世欲示衆生佛知見故出於世
欲令衆生性知見故出現於世欲令衆生入
佛知見道故出現於世舍利弗是為諸佛以
一大事因緣故出現於世佛告舍利弗諸如
來但教化菩薩諸有所作常為一事唯以
佛之知見示悟衆生舍利弗如來但以一佛
乘故為衆生說法无有餘乘若二若三舍利
弗一切十方諸佛亦如是舍利弗過去諸佛
以无量无數方便種種因緣譬喻言辞而為
衆生演說諸法是法皆為一佛乘故是諸衆生
從佛聞法究竟皆得一切種智舍利弗未來
諸佛當出於世亦以无量无數方便種種因
緣譬喻言辞而為衆生演說諸法是法皆為
一佛乘故是諸衆生從佛聞法究竟皆得一
切種智舍利弗現在十方无量百千万億佛
土中諸佛世尊多所饒益安樂衆生是諸佛

諸佛當出於世亦以无量无數方便種種因
緣譬喻言辭而為眾生演說諸法是法皆為
一佛乘故是諸眾生從佛聞法究竟皆得一
切種智舍利弗現在十方无量百千万億佛
土中諸佛世尊多所饒益安樂眾生是諸佛
亦以无量无數方便種種因緣譬喻言辭而
為眾生演說諸法是法皆為一佛乘故是諸
眾生從佛聞法究竟皆得一切種智舍利弗
現在十方无量百千万億佛土中諸佛世尊
多所饒益安樂眾生是諸佛亦以无量无數
方便種種因緣譬喻言辭而為眾生演說諸
法是法皆為一佛乘故是諸眾生從佛聞法
究竟皆得一切種智舍利弗是諸佛但教
化菩薩欲以佛之知見示眾生故欲以之佛
知見悟眾生故欲令眾生入佛知見故舍利
弗我今亦復如是知諸眾生有種種欲深心
所著隨其本性以種種因緣譬喻言辭方便
力而為說法舍利弗如此皆為得一佛乘一
切種智舍利弗十方世界中尚无二乘何況
有三舍利弗諸佛出於五濁惡世所謂劫濁
煩惱濁眾生濁見濁命濁如是舍利弗劫濁
亂時眾生垢重慳貪嫉妬成就諸不善根故
諸佛以方便力於一佛乘分別說三舍利弗
若我弟子自謂阿羅漢辟支佛者不聞不知
諸佛如來但教化菩薩事此非佛弟子非阿羅
漢非辟支佛又舍利弗是諸比丘比丘尼自
謂已得阿羅漢是最後身究竟涅槃便不復

BD02124號　妙法蓮華經卷一　（24–17）

若我弟子自謂阿羅漢辟支佛者不聞不知
諸佛如來但教化菩薩事此非佛弟子非阿羅
漢非辟支佛又舍利弗是諸比丘比丘尼自
謂已得阿羅漢是最後身究竟涅槃便不復
志求阿耨多羅三藐三菩提當知此輩皆是
增上慢人所以者何若有比丘實得阿羅漢
若不信此法无有是處除佛滅度後現前无佛
所以者何佛滅度後如是等經受持讀誦解
義者是人難得若遇餘佛於此法中便得決
了舍利弗汝等當一心信解受持佛語諸佛如
來言无虛妄无有餘乘唯一佛乘尒時世尊
欲重宣此義而說偈言
比丘比丘尼　有懷增上慢　優婆塞我慢　優婆夷不信
如是四眾等　其數有五千
不自見其過　於戒有缺漏　護惜其瑕疵　是小智已出
眾中之糟糠　佛威德故去　斯人尠福德　不堪受是法
此眾无枝葉　唯有諸貞實
舍利弗善聽　諸佛所得法　无量方便力　而為眾生說
眾生心所念　種種所行道　若干諸欲性　先世善惡業
佛悉知是已　以諸緣譬喻　言辭方便力　令一切歡喜
或說修多羅　伽陀及本事　本生未曾有　亦說於因緣
譬喻并祇夜　優波提舍經
鈍根樂小法　貪著於生死　於諸无量佛　不行深妙道
眾苦所惱亂　為是說涅槃
我設是方便　令得入佛慧　未曾說汝等　當得成佛道
所以未曾說　說時未至故　今正是其時　決定說大乘
我此九部法　隨順眾生說　入大乘為本　以故說是經

BD02124號　妙法蓮華經卷一　（24–18）

衆苦所惱亂 為是說涅槃
我設是方便 令得入佛慧 未曾說汝等 當得成佛道
所以未曾說 說時未至故 今正是其時 決定說大乘
我此九部法 隨順衆生說 入大乘為本 以故說是經
有佛子心淨 柔軟亦利根 无量諸佛所 而行深妙道
為此諸佛子 說是大乘經
我記如是人 來世成佛道 以深心念佛 脩持淨戒故
此等聞得佛 大喜充遍身 佛知彼心行 故為說大乘
聲聞若菩薩 聞我所說法 乃至於一偈 皆成佛无疑
十方佛土中 唯有一乘法 无二亦无三 除佛方便說
但以假名字 引導於衆生
說佛智慧故 諸佛出於世 唯此一事實 餘二則非真
終不以小乘 濟度於衆生
佛自住大乘 如其所得法 定慧力莊嚴 以此度衆生
自證无上道 大乘平等法 若以小乘化 乃至於一人
我則墮慳貪 此事為不可
若人信歸佛 如來不欺誑 亦无貪嫉意 斷諸法中惡
故佛於十方 而獨无所畏
我以相嚴身 光明照世間 无量衆所尊 為說實相印
舍利弗當知 我本立誓願 欲令一切衆 如我等无異
如我昔所願 今者已滿足 化一切衆生 皆令入佛道
若我遇衆生 盡教以佛道 无智者錯亂 迷惑不受教
我知此衆生 未曾脩善本 堅著於五欲 癡愛故生惱
以諸欲因緣 墜墮三惡道 輪轉六趣中 備受諸苦毒
受胎之微形 世世常增長 薄德少福人 衆苦所逼迫
入邪見稠林 若有若无等 依止此諸見 具足六十二
深著虛妄法 堅受不可捨 我慢自矜高 諂曲心不實

BD02124號　妙法蓮華經卷一

（24-19）

以諸欲因緣 墜墮三惡道 輪轉六趣中 備受諸苦毒
受胎之微形 世世常增長 薄德少福人 衆苦所逼迫
入邪見稠林 若有若无等 依止此諸見 具足六十二
深著虛妄法 堅受不可捨 我慢自矜高 諂曲心不實
於千万億劫 不聞佛名字 亦不聞正法 如是人難度
是故舍利弗 我為設方便 說諸盡苦道 示之以涅槃
我雖說涅槃 是亦非真滅 諸法從本來 常自寂滅相
佛子行道已 來世得作佛
我有方便力 開示三乘法 一切諸世尊 皆說一乘道
今此諸大衆 皆應除疑惑 諸佛語无異 唯一无二乘
過去无數劫 无量滅度佛 百千万億種 其數不可量
如是諸世尊 種種緣譬喻 无數方便力 演說諸法相
是諸世尊等 皆說一乘法 化无量衆生 令入於佛道
又諸大聖主 知一切世間 天人群生類 深心之所欲
更以異方便 助顯第一義
若有衆生類 值諸過去佛 若聞法布施 或持戒忍辱
精進禪智等 種種脩福德 如是諸人等 皆已成佛道
諸佛滅度後 若人善軟心 如是諸衆生 皆已成佛道
諸佛滅度已 供養舍利者 起万億種塔 金銀及頗梨
車璖與馬瑙 玫瑰琉璃珠 清淨廣嚴飾 莊校於諸塔
或有起石廟 栴檀及沈水 木櫁并餘材 塼瓦泥土等
若於曠野中 積土成佛廟 乃至童子戲 聚沙為佛塔
如是諸人等 皆已成佛道
若人為佛故 建立諸形像 刻雕成衆相 皆已成佛道
或以七寶成 鍮石赤白銅 白鑞及鉛錫 鐵木及與泥
或以膠漆布 嚴飾作佛像 如是諸人等 皆已成佛道
綵畫作佛像 百福莊嚴相 自作若使人 皆已成佛道

BD02124號　妙法蓮華經卷一

（24-20）

若人為佛故　建立諸形像　刻雕成衆相　皆已成佛道
或以七寶成　鍮石赤白銅　白鑞及鉛錫　鐵木及與泥
或以膠漆布　嚴飾作佛像　如是諸人等　皆已成佛道
綵畫作佛像　百福莊嚴相　自作若使人　皆已成佛道
乃至童子戲　若草木及筆　或以指爪甲　而畫作佛像
如是諸人等　漸漸積功德　具足大悲心　皆已成佛道
但化諸菩薩　度脫无量衆
若人於塔廟　寶像及畫像　以華香幡蓋　敬心而供養
若使人作樂　擊鼓吹角貝　簫笛琴箜篌　琵琶鐃銅鈸
如是衆妙音　盡持以供養
或以歡喜心　歌唄頌佛德　乃至一小音　皆已成佛道
若人散亂心　乃至以一華　供養於畫像　漸見无數佛
或有人禮拜　或復但合掌　乃至舉一手　或復小低頭
以此供養像　漸見无量佛　自成无上道　廣度无數衆
入无餘涅槃　如薪盡火滅
若人散亂心　入於塔廟中　一稱南无佛　皆已成佛道
於諸過去佛　現在或滅度　若有聞是法　皆已成佛道
未來諸世尊　其數无有量　是諸如來等　亦方便說法
一切諸如來　以无量方便　度脫諸衆生　入佛无漏智
若有聞法者　无一不成佛
諸佛本誓願　我所行佛道　普欲令衆生　亦同得此道
未來世諸佛　雖說百千億　无數諸法門　其實為一乘
諸佛兩足尊　知法常无性　佛種從緣起　是故說一乘
是法住法位　世間相常住　於道場知已　導師方便說
天人所供養　現在十方佛　其數如恒沙　出現於世間
安隱衆生故　亦說如是法
知第一寂滅　以方便力故　雖示種種道　其實為佛乘

BD02124號　妙法蓮華經卷一　（24-21）

是法住法位　世間相常住　於道場知已　導師方便說
天人所供養　現在十方佛　其數如恒沙　出現於世間
安隱衆生故　亦說如是法
知第一寂滅　以方便力故　雖示種種道　其實為佛乘
知衆生諸行　深心之所念　過去所習業　欲性精進力
及諸根利鈍　以種種因緣　譬喻亦言辭　隨應方便說
今我亦如是　安隱衆生故　以種種法門　宣示於佛道
我以智慧力　知衆生性欲　方便說諸法　皆令得歡喜
舍利弗當知　我以佛眼觀　見六道衆生　貧窮无福慧
入生死險道　相續苦不斷　深著於五欲　如犛牛愛尾
以貪愛自蔽　盲瞑无所見　不求大勢佛　及與斷苦法
深入諸邪見　以苦欲捨苦　為是衆生故　而起大悲心
我始坐道場　觀樹亦經行　於三七日中　思惟如是事
我所得智慧　微妙最第一
衆生諸根鈍　著樂癡所盲　如斯之等類　云何而可度
尒時諸梵王　及諸天帝釋　護世四天王　及大自在天
并餘諸天衆　眷屬百千万　恭敬合掌礼　請我轉法輪
我即自思惟　若但讚佛乘　衆生沒在苦　不能信是法
破法不信故　墜於三惡道　我寧不說法　疾入於涅槃
尋念過去佛　所行方便力　我今所得道　亦應說三乘
作是思惟時　十方佛皆現　梵音慰喻我　善哉釋迦文
第一之導師　得是无上法　隨諸一切佛　而用方便力
我等亦皆得　最妙第一法　為諸衆生類　分別說三乘
少智樂小法　不自信作佛　是故以方便　分別說諸果
雖復說三乘　但為教菩薩
舍利弗當知　我聞聖師子　深淨微妙音　稱南无諸佛
復作如是念　我出濁惡世　如諸佛所說　我亦隨順行

BD02124號　妙法蓮華經卷一　（24-22）

雖復說三乘 但為教菩薩
舍利弗當知 我聞聖師子 深淨微妙音 稱南无諸佛
復作如是念 我出濁惡世 如諸佛所說 我亦隨順行
思惟是事已 即趣波羅㮈 諸法寂滅相 不可以言宣
以方便力故 為五比丘說
是名轉法輪 便有涅槃音 及以阿羅漢 法僧差別名
從久遠劫來 讚示涅槃法 生死苦永盡 我常如是說
舍利弗當知 我見佛子等 志求佛道者 无量千万億
咸以恭敬心 皆來至佛所 曾從諸佛聞 方便所說法
我即作是念 如來所以出 為說佛慧故 今正是其時
舍利弗當知 鈍根小智人 著相憍慢者 不能信是法
今我喜无畏 於諸菩薩中 正直捨方便 但說无上道
菩薩聞是法 疑網皆已除 千二百羅漢 悉亦當作佛
如三世諸佛 說法之儀式 我今亦如是 說无分別法
諸佛興出世 懸遠值遇難 正使出于世 說是法復難
无量无數劫 聞是法亦難 能聽是法者 斯人亦復難
譬如優曇華 一切皆愛樂 天人所希有 時時乃一出
聞法歡喜讚 乃至發一言 則為已供養 一切三世佛
是人甚希有 過於優曇華
汝等勿有疑 我為諸法王 普告諸大眾 但以一乘道
教化諸菩薩 无聲聞弟子
汝等舍利弗 聲聞及菩薩 當知是妙法 諸佛之所要
以五濁惡世 但樂著諸欲 如是等眾生 終不求佛道
當來世惡人 聞佛說一乘 迷惑不信受 破法墮惡道
有慚愧清淨 求佛道 當為如是等 廣讚一乘道
舍利弗當知 諸佛法如是 以万億方便 隨宜而說法
其不習學者 不能曉了此

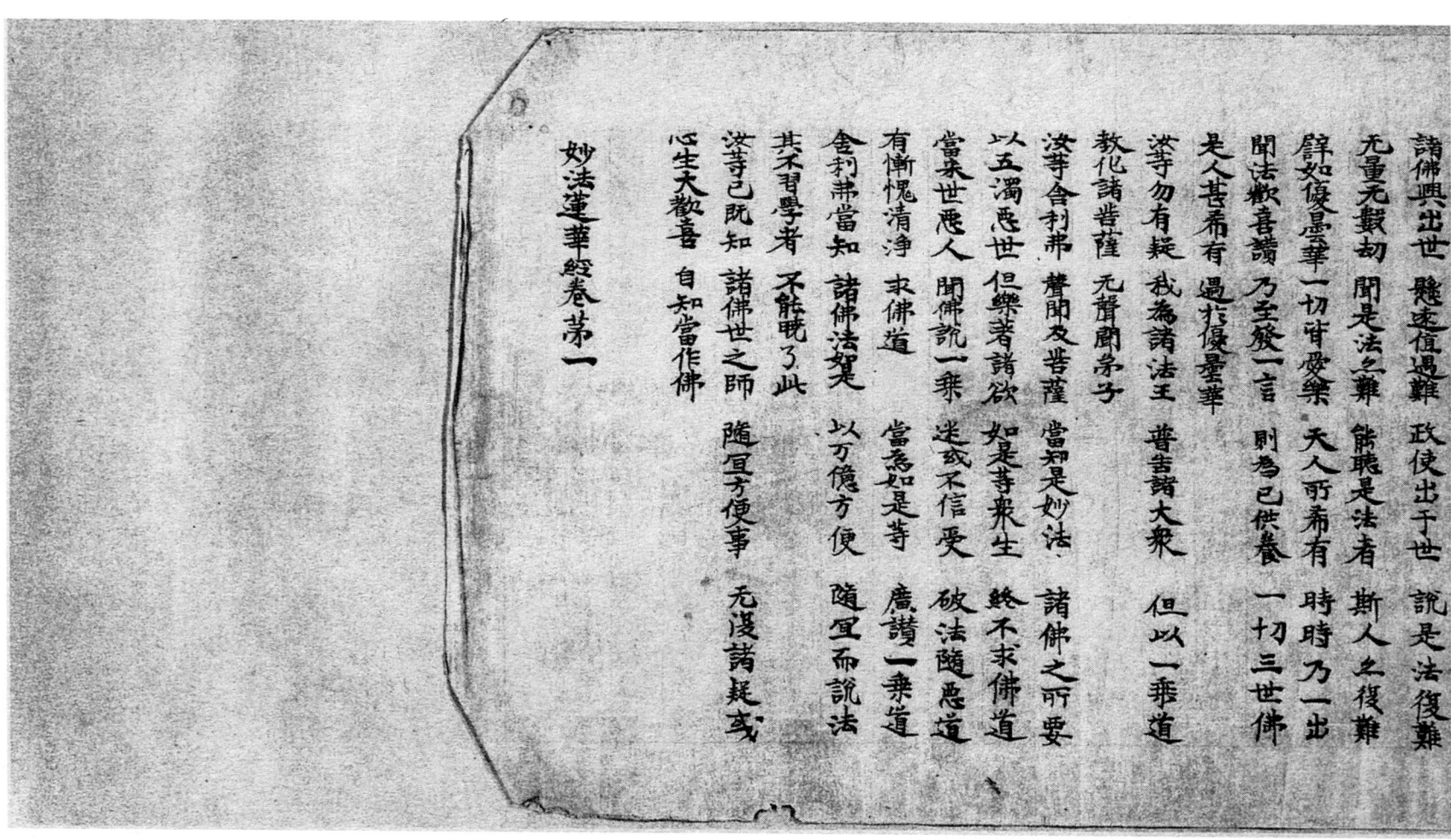

BD02124號　妙法蓮華經卷一　（24–23）

諸佛興出世 懸遠值遇難 正使出于世 說是法復難
无量无數劫 聞是法亦難 能聽是法者 斯人亦復難
譬如優曇華 一切皆愛樂 天人所希有 時時乃一出
聞法歡喜讚 乃至發一言 則為已供養 一切三世佛
是人甚希有 過於優曇華
汝等勿有疑 我為諸法王 普告諸大眾 但以一乘道
教化諸菩薩 无聲聞弟子
汝等舍利弗 聲聞及菩薩 當知是妙法 諸佛之所要
以五濁惡世 但樂著諸欲 如是等眾生 終不求佛道
當來世惡人 聞佛說一乘 迷惑不信受 破法墮惡道
有慚愧清淨 求佛道 當為如是等 廣讚一乘道
舍利弗當知 諸佛法如是 以万億方便 隨宜而說法
其不習學者 不能曉了此
汝等已既知 諸佛世之師 隨宜方便事 无復諸疑惑
心生大歡喜 自知當作佛

妙法蓮華經卷苐一

BD02124號　妙法蓮華經卷一　（24–24）

是比丘不專讀誦經典但行礼拜乃至遠見
四衆亦復故往礼拜讃嘆而作是言我不敢
軽於汝等汝等皆當作佛四衆之中有生瞋
恚心不淨者悪口罵詈言是无智比丘従何
所来自言我不軽汝而與我等受記當得作
佛我等不用如是虚妄受記如此經歷多年
常被罵詈不生瞋恚常作是言汝當作佛説
是語時衆人或以杖木瓦石而打擲之避走
遠住猶高聲唱言我不敢軽汝汝等皆當作
佛以其常作是語故増上慢比丘比丘尼優
婆塞優婆夷皆号之為常不軽是比丘臨欲
終時於虚空中具聞威音王佛先所説法華
經廿千万億偈悉能受持即得如上眼根清
淨耳鼻舌身意根清淨得是六根清淨已更
増壽命二百万億那由他歳廣為人説是法
華經於時増上慢四衆比丘比尼優婆塞優
婆夷軽賎是人為作不軽名者見其得大神
通力樂説辯才大善寂力聞其所説皆信伏
随従是菩薩復化千万億衆生住阿耨多羅
三藐三菩提命終之後得值二千億佛皆号
日月燈明於其法中説是法華經以是因縁
復值二千億佛同号雲自在燈王於此諸佛

BD02125號A　妙法蓮華經卷六　（2–1）

佛以其常作是語故増上慢比丘比丘尼優
婆塞優婆夷皆号之為常不軽是比丘臨欲
終時於虚空中具聞威音王佛先所説法華
經廿千万億偈悉能受持即得如上眼根清
淨耳鼻舌身意根清淨得是六根清淨已更
増壽命二百万億那由他歳廣為人説是法
華經於時増上慢四衆比丘比尼優婆塞優
婆夷軽賎是人為作不軽名者見其得大神
通力樂説辯才大善寂力聞其所説皆信伏
随従是菩薩復化千万億衆生住阿耨多羅
三藐三菩提命終之後得值二千億佛皆号
日月燈明於其法中説是法華經以是因縁
復值二千億佛同号雲自在燈王於此諸佛
法中受持讀誦為諸四衆説此經典故得是
常眼清淨耳鼻舌身意諸根清淨於四衆中
説法心无所畏得大勢是常不軽菩薩摩訶
薩供養如是若干諸佛恭敬尊重讃嘆種諸
善根於後復值千万億佛亦於諸佛法中説
是經典功徳成就當得作佛得大勢於意云

BD02125號A　妙法蓮華經卷六　（2–2）

妙法蓮華經囑累品第二十二
尒時釋迦牟尼佛從法座起現大神力以右
手摩无量菩薩摩訶薩頂而作是言我於无
量百千万億阿僧祇劫脩習是難得阿耨多
羅三藐三菩提法今以付囑汝等汝等應當
一心流布此法廣令增益如是三摩諸菩薩
摩訶薩頂而作是言我於无量百千万億阿
僧祇劫脩習是難得阿耨多羅三藐三菩提
法今以付囑汝等汝等當受持讀誦廣宣此
法令一切眾生普得聞知所以者何如來有
大慈悲无諸慳悋亦无所畏能與眾生佛之
智慧如來智慧自然智慧如來是一切眾生
之大施主汝等亦應隨學如來之法勿生慳
悋於未來世若有善男子善女人信如來智
慧者當為演說此法華經使得聞知為令其
人得佛慧故若有眾生不信受者當於如來
餘深法中示教利喜汝等若能如是則為已
報諸佛之恩時諸菩薩摩訶薩聞佛作是說
已皆大歡喜遍滿其身益加恭敬曲躬低頭
合掌向佛俱發聲言如世尊勑當具奉行唯
然世尊願不有慮諸菩薩摩訶薩眾如是三
反俱發聲言如世尊勑當具奉行唯然世尊

BD02125 號 B　妙法蓮華經卷六　（3–1）

悋於未來世若有善男子善女人信如來智
慧者當為演說此法華經使得聞知為令其
人得佛慧故若有眾生不信受者當於如來
餘深法中示教利喜汝等若能如是則為已
報諸佛之恩時諸菩薩摩訶薩聞佛作是說
已皆大歡喜遍滿其身益加恭敬曲躬低頭
合掌向佛俱發聲言如世尊勑當具奉行唯
然世尊願不有慮諸菩薩摩訶薩眾如是三
反俱發聲言如世尊勑當具奉行唯然世尊
願不有慮尒時釋迦牟尼佛令十方來諸分
身佛各還本土而作是言諸佛各隨所安多
寶佛塔還可如故說是語時十方无量分身
諸佛坐寶樹下師子座上者及多寶佛并上
行等无邊阿僧祇菩薩大眾舍利弗等聲聞
四眾及一切世間天人阿脩羅等聞佛所說
皆大歡喜
妙法蓮華經藥王菩薩本事品第二十三
尒時宿王華菩薩白佛言世尊藥王菩薩云
何遊於娑婆世界世尊是藥王菩薩有若干
百千万億那由他難行苦行善哉世尊願少
解說諸天龍神夜叉乾闥婆阿脩羅迦樓羅
緊那羅摩睺羅伽人非人等又他國土諸來
菩薩及此聲聞眾聞皆歡喜尒時佛告宿王
華菩薩乃往過去无量恒河沙劫有佛号日
月淨明德如來應供正遍知明行足善逝世
間解无上士調御丈夫天人師佛世尊其佛
有八十億大菩薩摩訶薩七十二恒河沙大
聲聞眾佛壽四万二千劫菩薩壽命亦等彼

BD02125 號 B　妙法蓮華經卷六　（3–2）

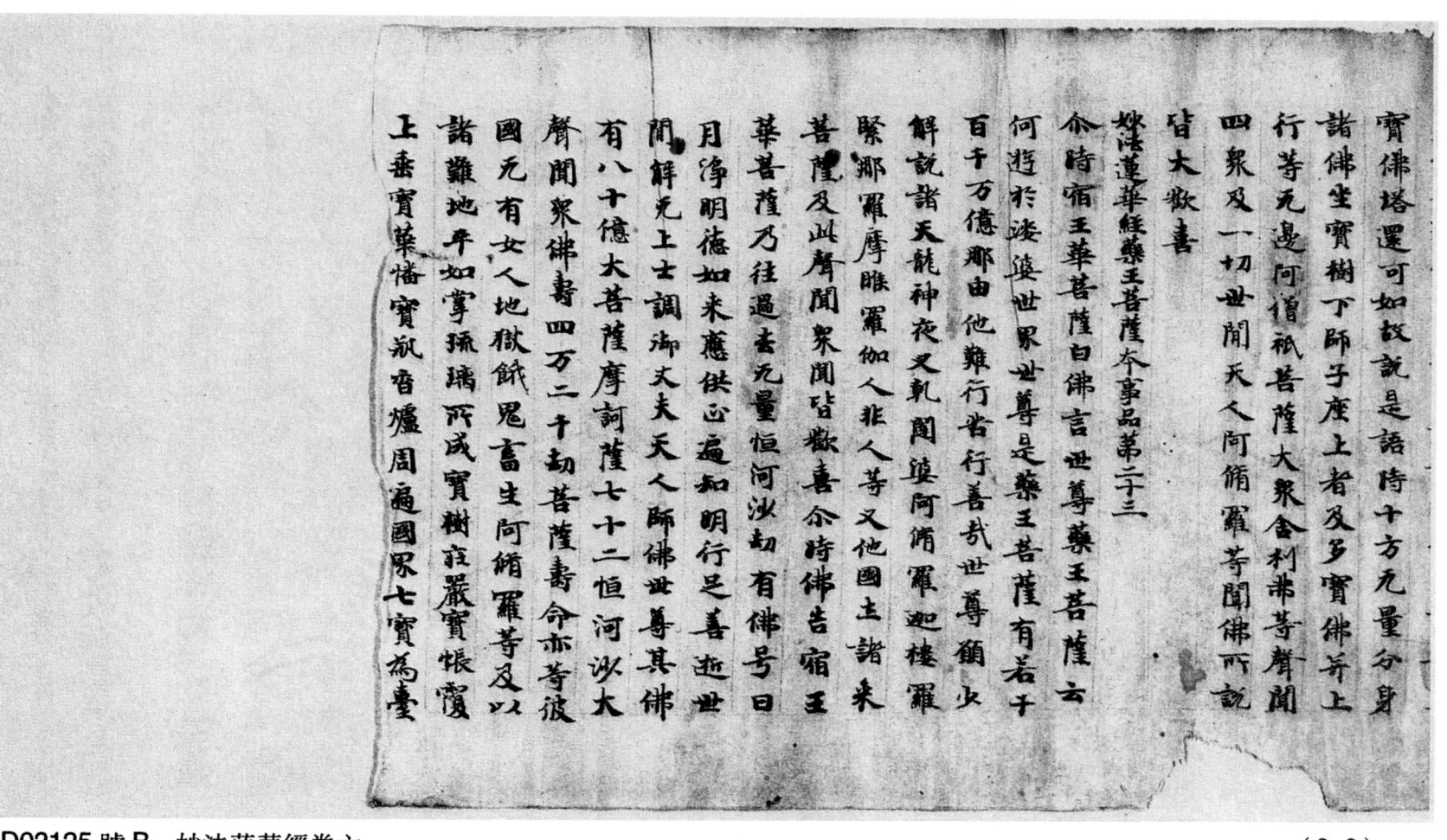

寶佛塔還可如故說是語時十方无量分身
諸佛坐寶樹下師子座上者及多寶佛并上
行等无邊阿僧祇菩薩大衆舍利弗等聲聞
四衆及一切世間天人阿脩羅等聞佛所說
皆大歡喜
妙法蓮華經藥王菩薩本事品第二十三
尒時宿王華菩薩白佛言世尊藥王菩薩云
何遊於娑婆世界世尊是藥王菩薩有若干
百千万億那由他難行苦行善哉世尊願少
解說諸天龍神夜叉乾闥婆阿脩羅迦樓羅
緊那羅摩睺羅伽人非人等又他國土諸來
菩薩及此聲聞衆聞皆歡喜尒時佛告宿王
華菩薩乃往過去无量恒河沙劫有佛号日
月淨明德如來應供正遍知明行足善逝世
間解无上士調御丈夫天人師佛世尊其佛
有八十億大菩薩摩訶薩七十二恒河沙大
聲聞衆佛壽四万二千劫菩薩壽命亦等彼
國无有女人地獄餓鬼畜生阿脩羅等及以
諸難地平如掌琉璃所成寶樹莊嚴寶帳覆
上垂寶華幡寶瓶香爐周遍國界七寶為臺

BD02125號B　妙法蓮華經卷六　（3–3）

甲歸依佛
爲和上如來
是三說
我某甲歸依佛竟
來出家竟某甲爲和上
我世尊如是第二第三說已
盡形壽不得煞生是沙彌戒能持不　答言能
盡形壽不得偷盜是沙彌戒能持不　答言能
盡形壽不得婬欲心是沙彌戒能持不　答言能
盡形壽不得妄語是沙彌戒能持不　答言能
盡形壽不得飲酒是沙彌戒能持不　答言能
盡形壽不得著花鬘香油塗身是沙彌戒能持不
答言能
盡形壽不得歌儛倡伎及往觀聽是沙彌戒持
能不　答言能
盡形壽不得高廣大床上坐是沙彌戒能持不
答言能
盡形壽不得非時食是沙彌戒能持不　答言能
盡形壽不得執持生像金銀寶物是沙彌戒能
持不　答言能
此是沙彌十戒盡形壽不得犯能持不　答言能

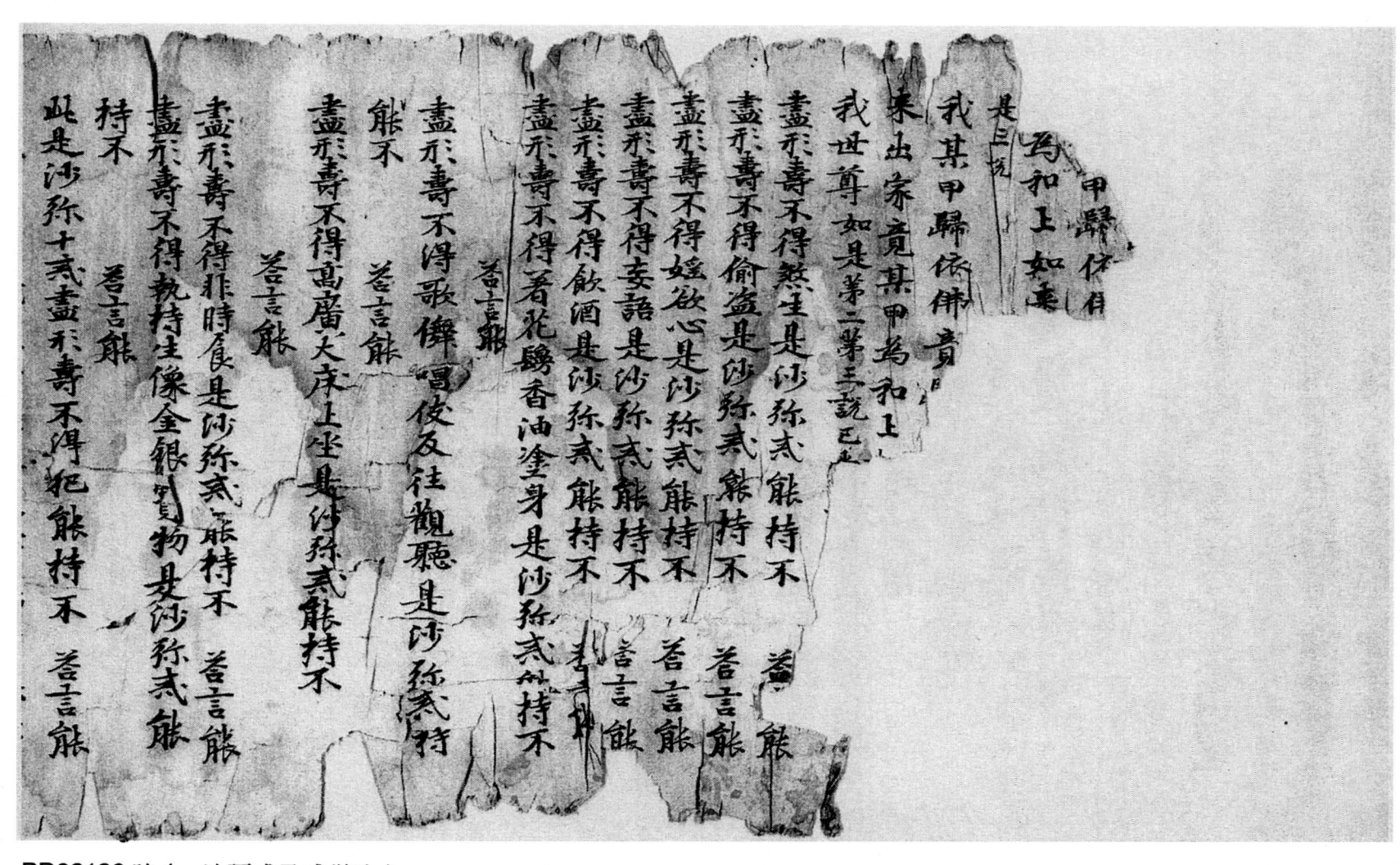

BD02126號1　沙彌戒及威儀法文　（7–1）

盡形壽不得非時食是沙彌戒能持不 答言能
盡形壽不得執持生像金銀寶物是沙彌戒能
持不 答言能
此是沙彌十戒盡形壽不得犯能持不 答言能
沙彌汝受十戒竟當供養三寶佛寶法寶
僧寶勤修三業坐禪誦經勸作衆事堅勞
禁戒不不得犯
次行五德十數 五德者 一者發心出家懷佩道故
二者毀其形好應法服故 三者委棄身命尊崇道故
四者永割親愛無適莫故 五者志求大乘為度人故
十數者 一者不煞慈愍衆生故 二者不盜饒益有情故
三者不婬修淨行故 四者不妄語離口過故
五者不飲酒離愚癡故 六者不著花鬘香油塗身離放
逸故 七者不歌舞唱伎離亂故 八者不坐臥高廣大床離
憍慢故 九者不非時食為知足故 十者不捉持生像金銀寶物離
積聚故 次沙彌威儀法 沙彌事和上有十事
一當早起洗手撓已前 二當三彈指先右腳入戶
三當出大小便器 四當受楊枝澡水 五當灑掃戶內
六當疊衣熟衣臥具 七當送食 八當問法
九當和上教戒時當念奉行 十却行出戶 沙彌事闍梨亦如是
沙彌事和上復有五事 一當敬如佛想 二不得和上前調戲語笑
三設和上呵責嘿然受之 四和上前不得覆頭肩 五當案摩
事闍梨亦如是 沙彌事和上復有五事
一和上若欲入聚落當授僧伽梨 二行時持尼師壇隨後
三行時離和上相去一舒手 四和上還至住處當授常所著衣
五疊僧伽梨置常處 事闍梨亦如是

BD02126 號 1　沙彌戒及威儀法文　（7–2）

一和上若欲入聚落當授僧伽梨 二行時持尼師壇隨後
三行時離和上相去一舒手 四和上還至住處當授常所著衣
五疊僧伽梨置常處 事闍梨亦如是
沙彌所行事有五 一不得輕呵大比丘 二不得臥大比丘床褥
三不得調弄大比丘 四不得在比丘前行 五見大比丘來當起住
沙彌應行事有十 一若有所造要當白師
二若受經戒亦當白師 三若授他經亦當白師
四若與他共行亦當白師 五他請共行亦當白師
六與他迎食亦當白師 七他請迎食亦當白師
八熏鉢時亦當白師 九與他熏鉢亦當白師
十浣染衣時自他俱總白師 沙彌應行事有五
一當與師熏鉢 三當與師浣染衣服 四朝旦中晡請受教誡
五師若苦患當竭力瞻視 沙彌洗鉢有七事
一鉢有殘食不得棄地 二若餘殘食當以湯取置淨地[illegible]
三不得在屋簷下果樹下 四不得危險處 五離地一搩手
六不得以水棹空中接取 七者當在屏處不得衆前洗
沙彌入衆有七事 一當袒右肩頭面禮僧
二大比丘上坐未坐不得先坐 四不得跨謎大坐
五不得高聲語笑 六上坐來當客坐處
七若無患不得數起除僧使 沙彌作當直有八事
一當愛護僧物不得私受用 二不得當路作
三所作未竟不得捨置 四和上闍梨如法教令不得違戾
五當善知淨法 六洗器令淨 七當塞鼠孔 八當覆蓋
沙彌道行有五事 一不得左右顧視若有所覩當迴身向所看處
二不得大高視亦不得大低視當平行如擔輦之法視前七步
三若迴時當右旋不得左迴 四不得大急大行除難事不得大

BD02126 號 1　沙彌戒及威儀法文　（7–3）

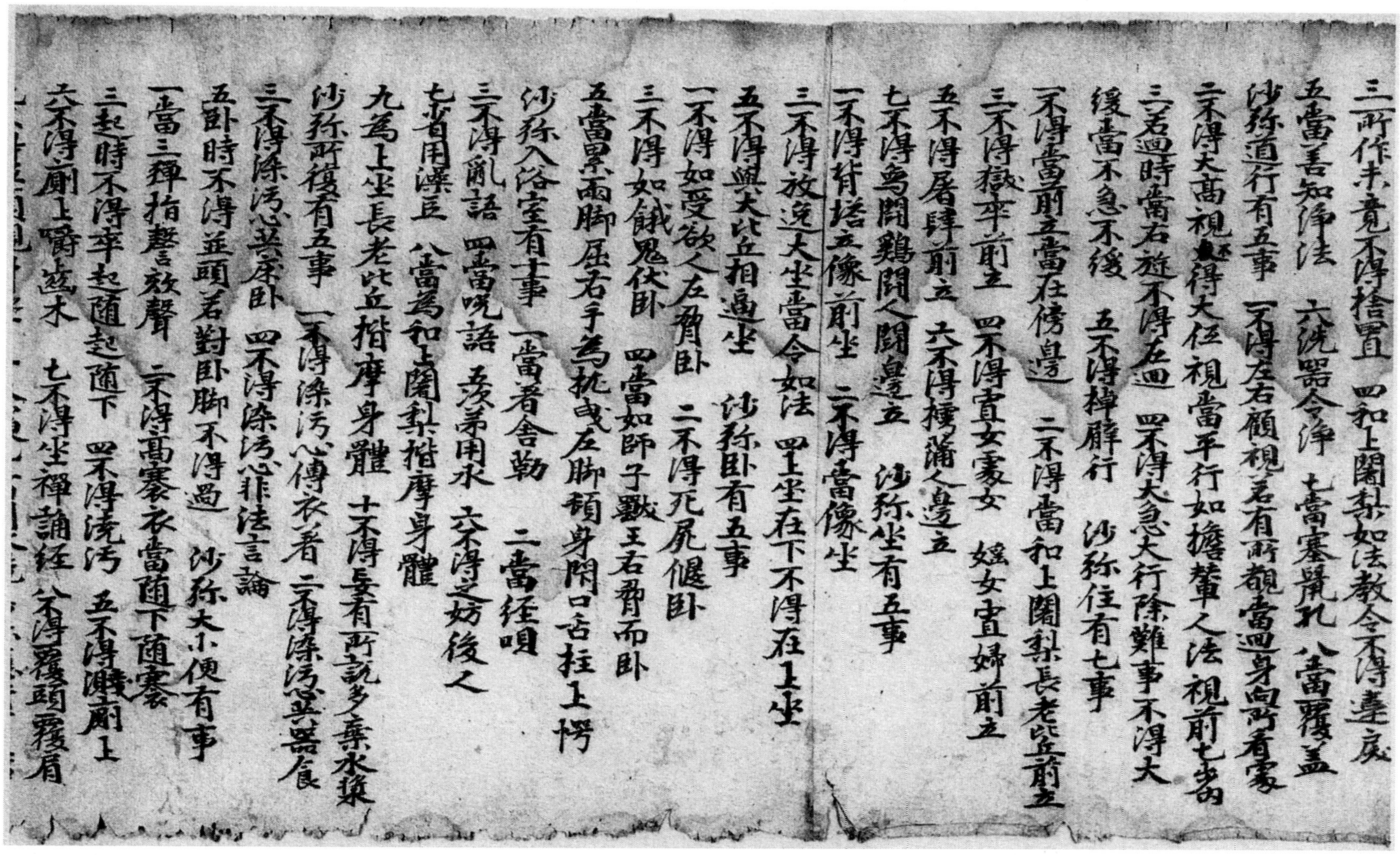

三所作未竟不得捨置　四和上闍梨如法教令不得違戾
五當善知淨法　六洗器令淨　七當塞叢孔　八當覆蓋
沙弥道行有五事　一不得左右顧視若有所覩當迴身向所看處
二不得大高視亦不得大低視當平行如擔輦人法視前七尺
三若迴時當右旋不得左迴　四不得大急大行除難事不得大
緩當不急不緩　五不得棹臂行　沙弥住有七事
一不得當前立當在傍邊　二不得當和上闍梨長老比丘前立
三不得獄卒前立　四不得寡女處女　婬女寡婦前立
五不得屠肆前立　六不得樗蒲人邊立
七不得鬪雞鬪人邊立
一不得背塔立像前坐　二不得當像坐　沙弥坐有五事
三不得放逸大坐當令如法　四上坐在下不得在上坐
五不得與大比丘相逼坐　沙弥臥有五事
一不得如受欲人左脅臥　二不得死屍偃臥
三不得如餓鬼伏臥　四當如師子獸王右脅而臥
五當累兩腳屈右手為枕或左腳頓身閉口舌拄上腭
沙弥入浴室有十事　一當着舍勒　二當經唄
三不得亂語　四當咒語　五節用水　六不得之妨後人
七當用澡豆　八當為和上闍梨揩摩身體
九為上坐長老比丘揩摩身體　十不得長有所說多棄水漿
沙弥所復有五事　一不得涂汚心傳衣者　二不得涂汚心與器食
三不得涂汚心與床臥　四不得涂汚心非法言論
五臥時不得並頭若對臥腳不得過　沙弥大小便有事
一當三彈指聲欬聲　二不得高褰衣當隨下隨褰
三起時不得卒起隨起隨下　四不得涴汚　五不得濺廁上
六不得廁上嚼齒木　七不得坐禪誦經　八不得覆頭覆肩

BD02126 號 1　沙彌戒及威儀法文　　（7–4）

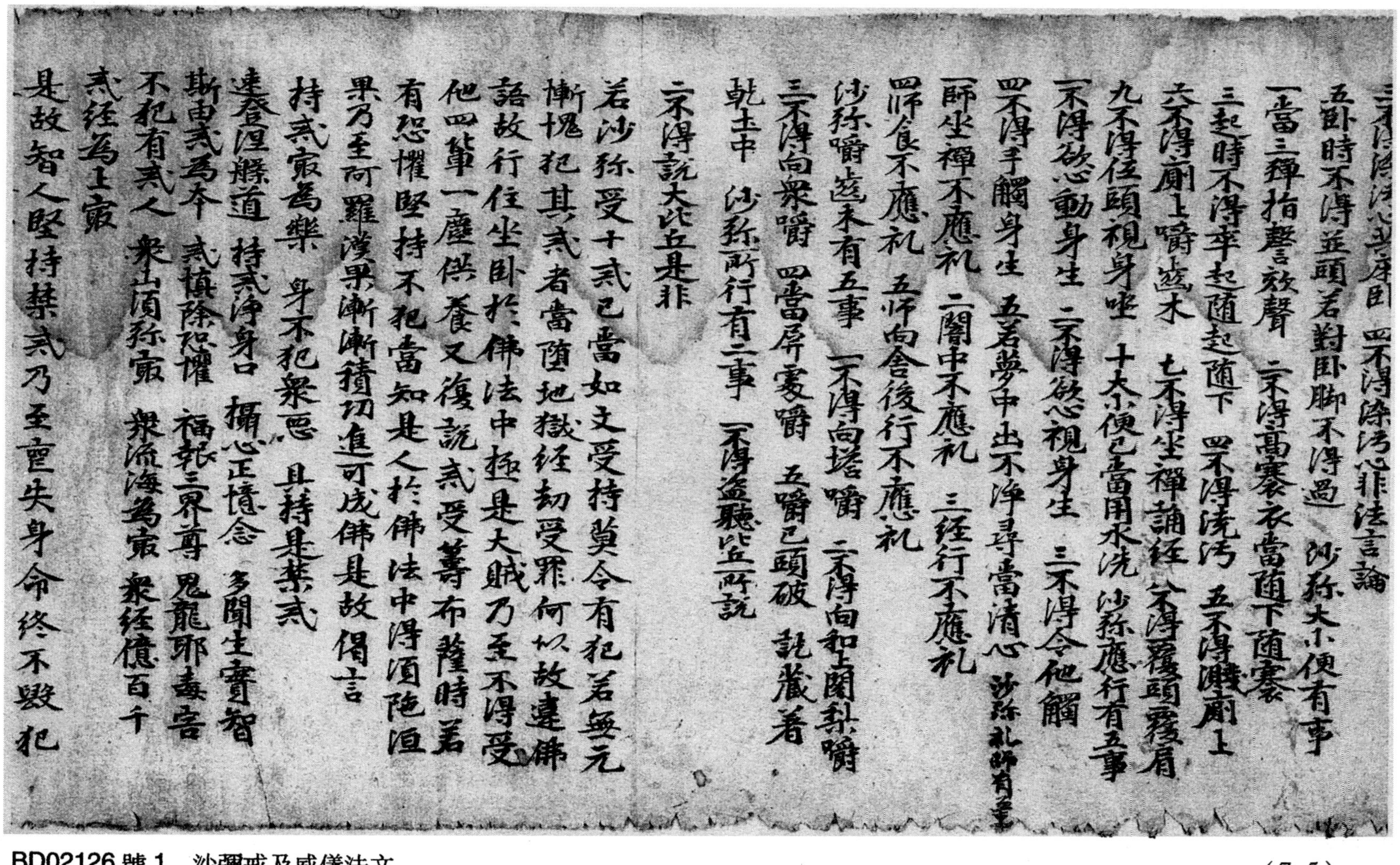

三不得涂汚心與床臥　四不得涂汚心非法言論
五臥時不得並頭若對臥腳不得過　沙弥大小便有事
一當三彈指聲欬聲　二不得高褰衣當隨下隨褰
三起時不得卒起隨起隨下　四不得涴汚　五不得濺廁上
六不得廁上嚼齒木　七不得坐禪誦經　八不得覆頭覆肩
九不得仰頭視身坐　十大小便已當用水洗　沙弥應行有五事
一不得欲心動身生　二不得欲心視身生　三不得令他觸
四不得手觸身生　五若夢中出不淨尋當清心　沙弥礼師有五事
一師坐禪不應礼　二闇中不應礼　三經行不應礼
四師食不應礼　五師向舍後行不應礼
沙弥嚼齒木有五事　一不得向塔嚼　二不得向和上闍梨嚼
三不得向眾嚼　四當屏處嚼　五嚼已頭破　訖藏着
乾土中　沙弥所行有二事　一不得盜聽比丘所說
二不得說大比丘是非
若沙弥受十戒已當如文受持莫令有犯若無元
慚愧犯其戒者當墮地獄經劫受罪何以故違佛
語故行住坐臥於佛法中極是大賊乃至不得受
他四事一塵供養又復說戒受籌布薩時若
有恐懼堅持不犯當知是人於佛法中得須陁洹
果乃至阿羅漢果漸漸積功進可成佛是故偈言
持戒最為樂　身不犯眾惡　且持是禁戒
速登涅槃道　持戒淨身口　攝心正憶念　多聞生實智
斯由戒為本　戒慎除恐懼　福報三界尊　鬼龍邪毒害
不犯有戒人　眾山須弥最　眾流海為最　眾經億百千
戒經為上最
是故智人堅持禁戒乃至喪失身命終不毀犯

BD02126 號 1　沙彌戒及威儀法文　　（7–5）

其自戒爲本 戒慎除恐懼 福報三界尊 鬼龍耶毒害
不犯有戒人 衆山須彌最 衆流海爲最 衆經億百千
戒經爲上最
是故智人堅持禁戒 乃至喪失身命 終不毀犯
故經云 大惡病中戒爲良藥 大黑闇中戒爲明
燈 生死海中戒爲橋船 遊諸天堂戒爲梯隥 欲
壞魔軍戒爲勇將 心精聖道持戒必到 戒有如
是功德不可思議
努力專心受持讀誦 如說脩行
沙彌戒及威儀法文
大德僧聽 沙彌某甲等稽首和南大德僧衆
沙彌某甲等自維宿慶 思會此生 遇大覺之
餘暉 預法流之將漸 一心慕道 割愛辭親 依佛
出家 供養三寶 但以年支有闕 未躍戒津 清
淨僧倫 莫霑其位 今僧布薩 濟大比丘勝妙
獨尊 故非我分法 有簡退 今欲辭僧 然佛制
沙彌誦五德十數
言五德者 一者出家離俗懷佩道故
二者毀其形好應法服故 三者永割親愛无適莫故
四者委棄身命遵崇道故 五者志求大乘爲度人故
尒時世尊而說偈言 毀形守志節 割愛无所親
出家弘聖道 願度一切人 五德超俗務
是名良福田 供養獲永安 其福第一尊
言十數者 一者一切衆生皆依飲食而存
二者名色 三者三受 四者四諦 五者五蘊
六者六入 七者七覺分 八者八聖道 ……

BD02126 號 1　沙彌戒及威儀法文　（7–6）
BD02126 號 2　沙彌誦五德十數文（擬）

尒時世尊而說偈言 毀形守志節 割愛无所親
出家弘聖道 願度一切人 五德超俗務
是名良福田 供養獲永安 其福第一尊
言十數者 一者一切衆生皆依飲食而存
二者名色 三者三受 四者四諦 五者五蘊
六者六入 七者七覺分 八者八聖道
九者九衆生居 十者十一切入
已說五德十數 竟唯願三寶久住世間
弘濟有情 此心无盡 願大衆弘慈布
施歡喜

BD02126 號 2　沙彌誦五德十數文（擬）　（7–7）

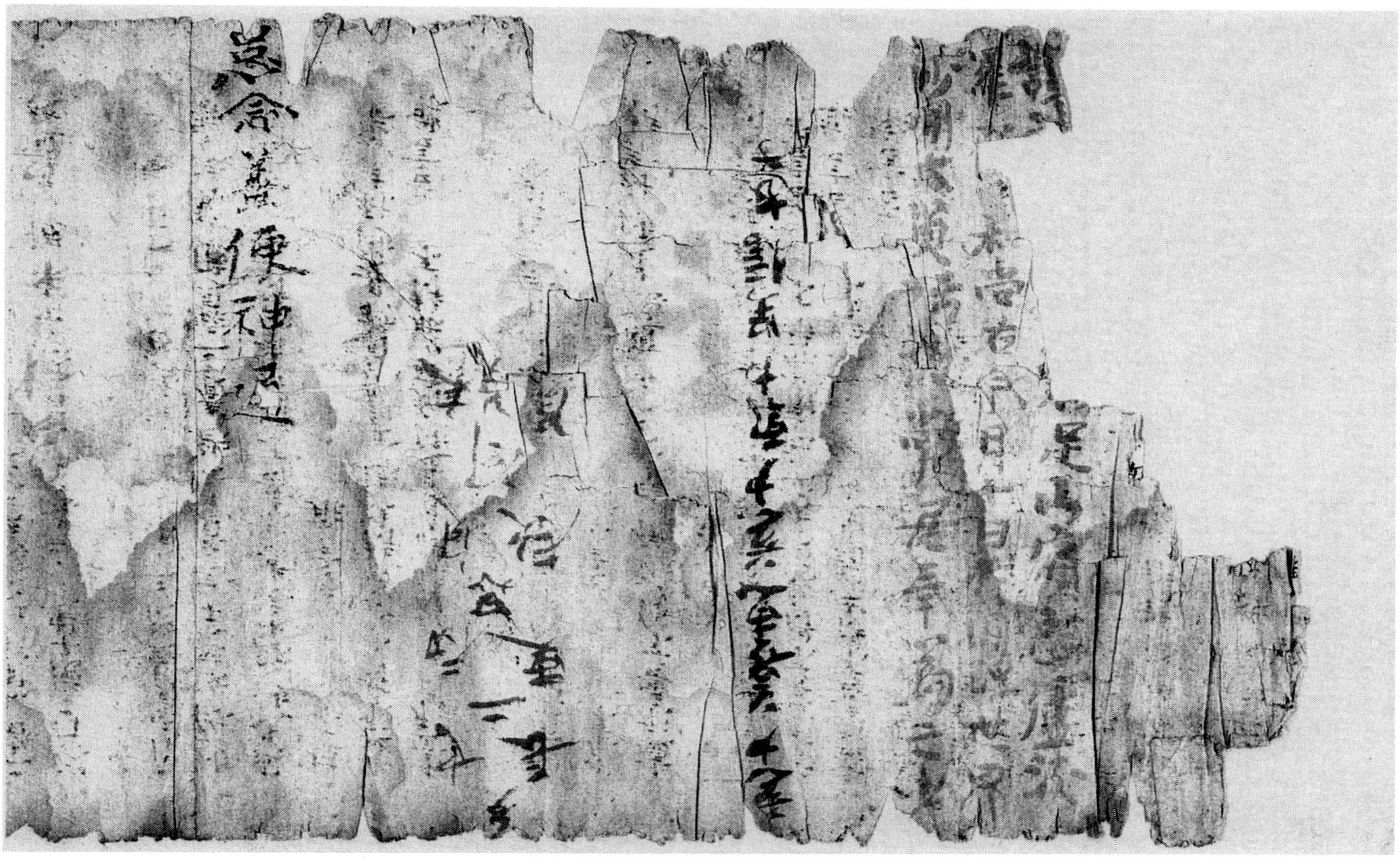

BD02126 號背 1　血書光啓三年僧善惠為母大祥追福請賓頭羅疏稿（擬）　（6–1）
BD02126 號背 2　僧名錄（擬）
BD02126 號背 3　迴文詩（擬）

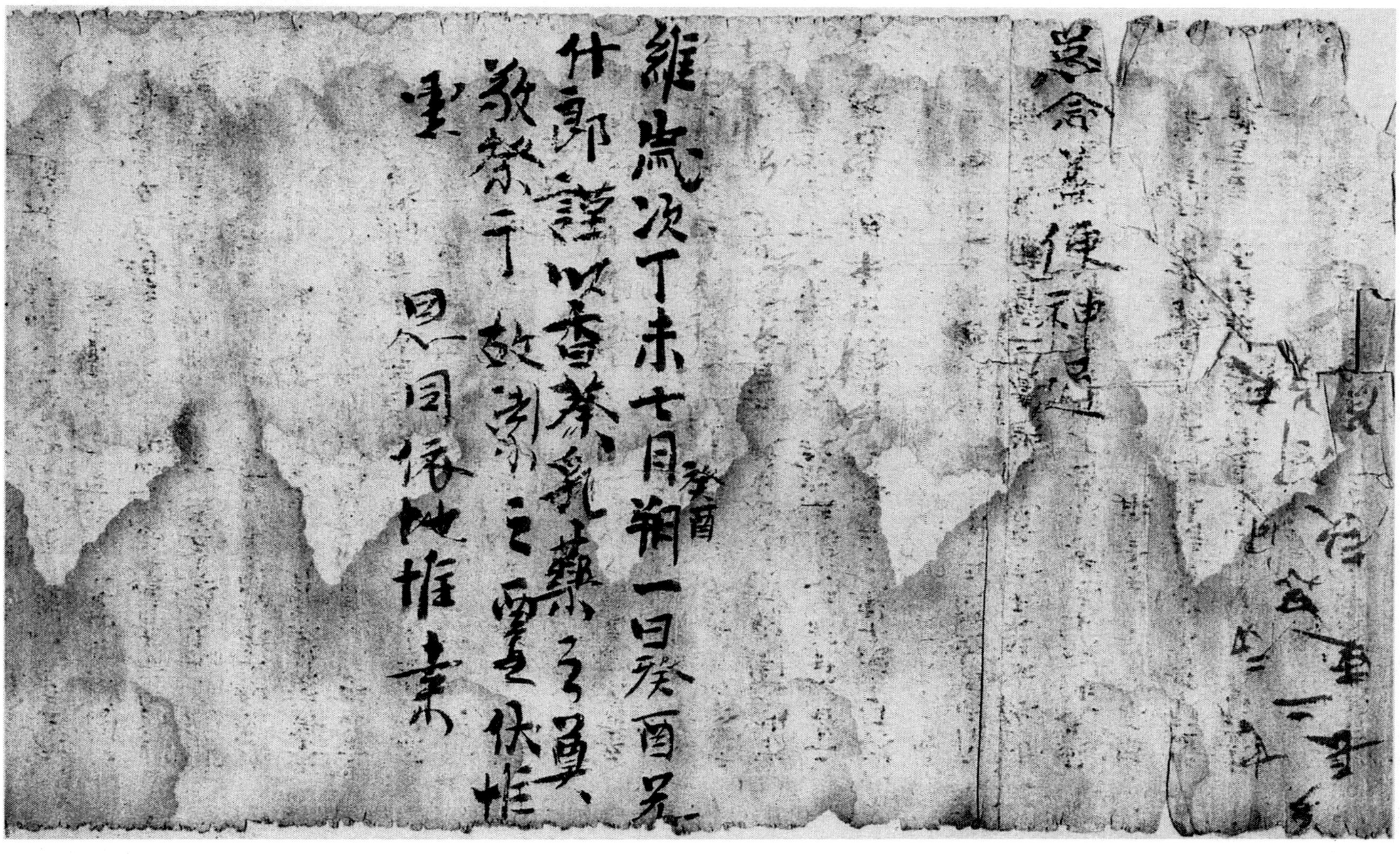

BD02126 號背 4　血書五行（擬）　（6–2）
BD02126 號背 5　祭妹文（擬）

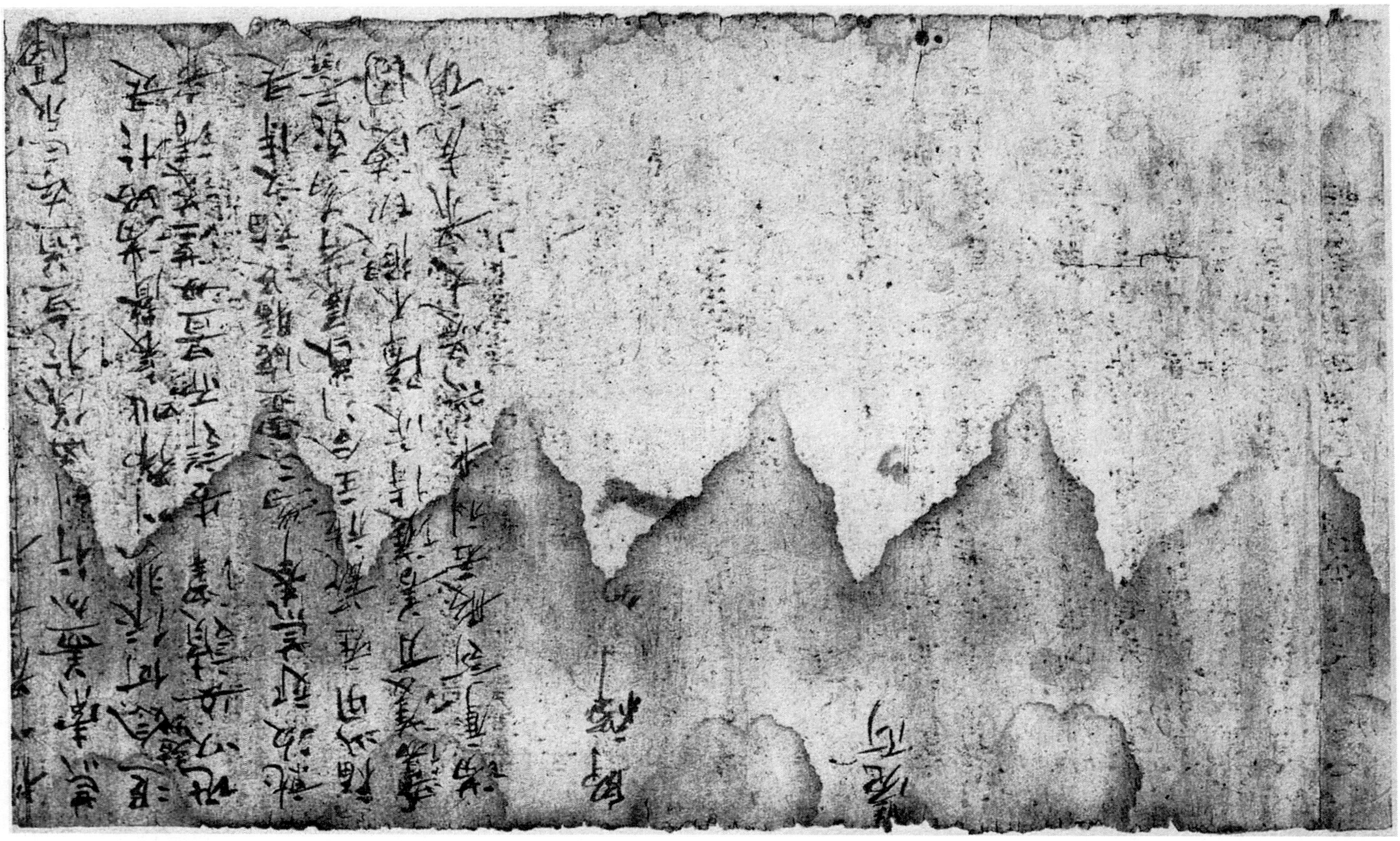

BD02126 號背 6　臨曠文　　　　（6–3）

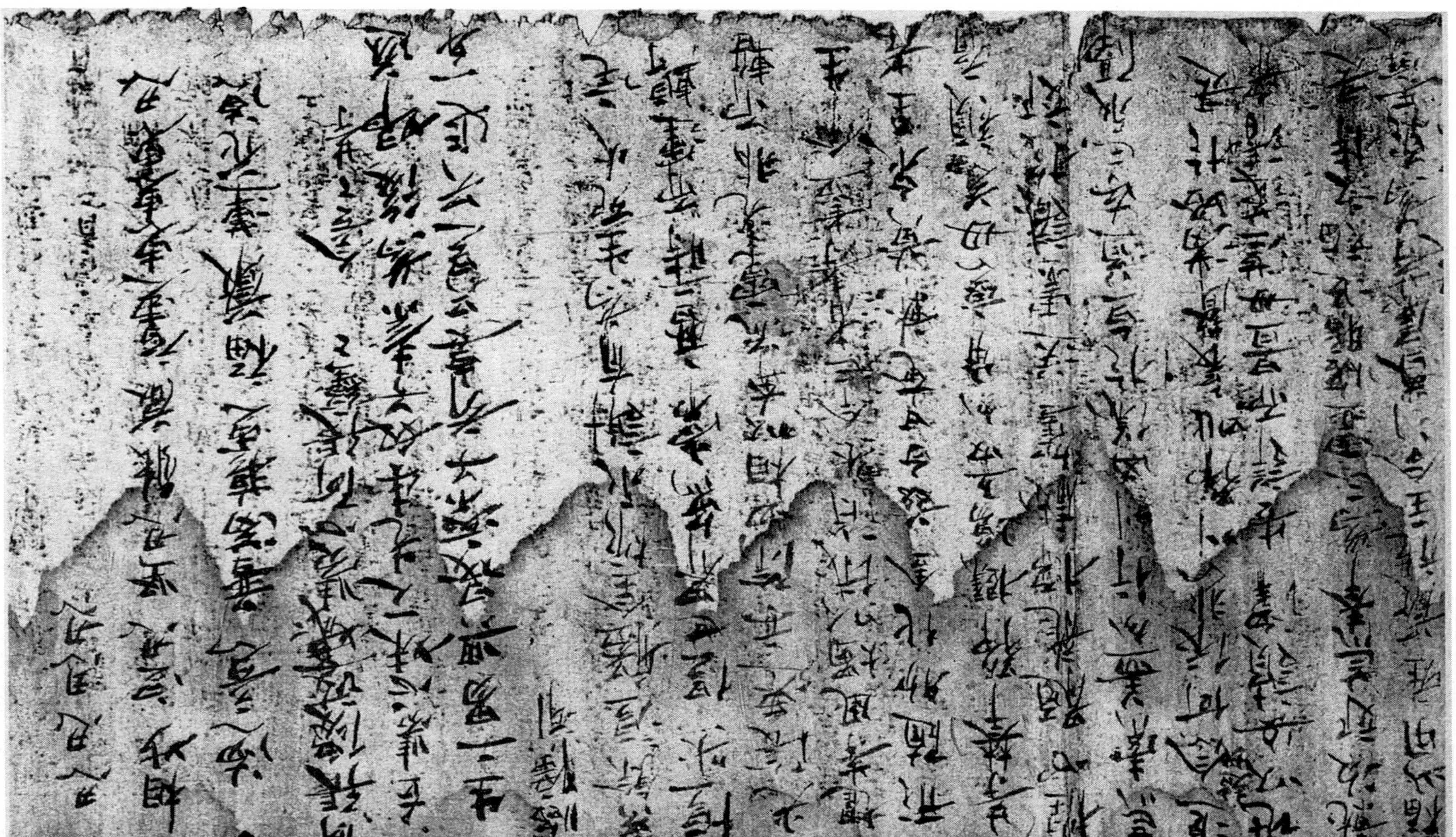

BD02126 號背 6　臨曠文　　　　（6–4）
BD02126 號背 7　為覺心妹致阿張傻婆姨等函稿（擬）
BD02126 號背 8　尼名錄（擬）

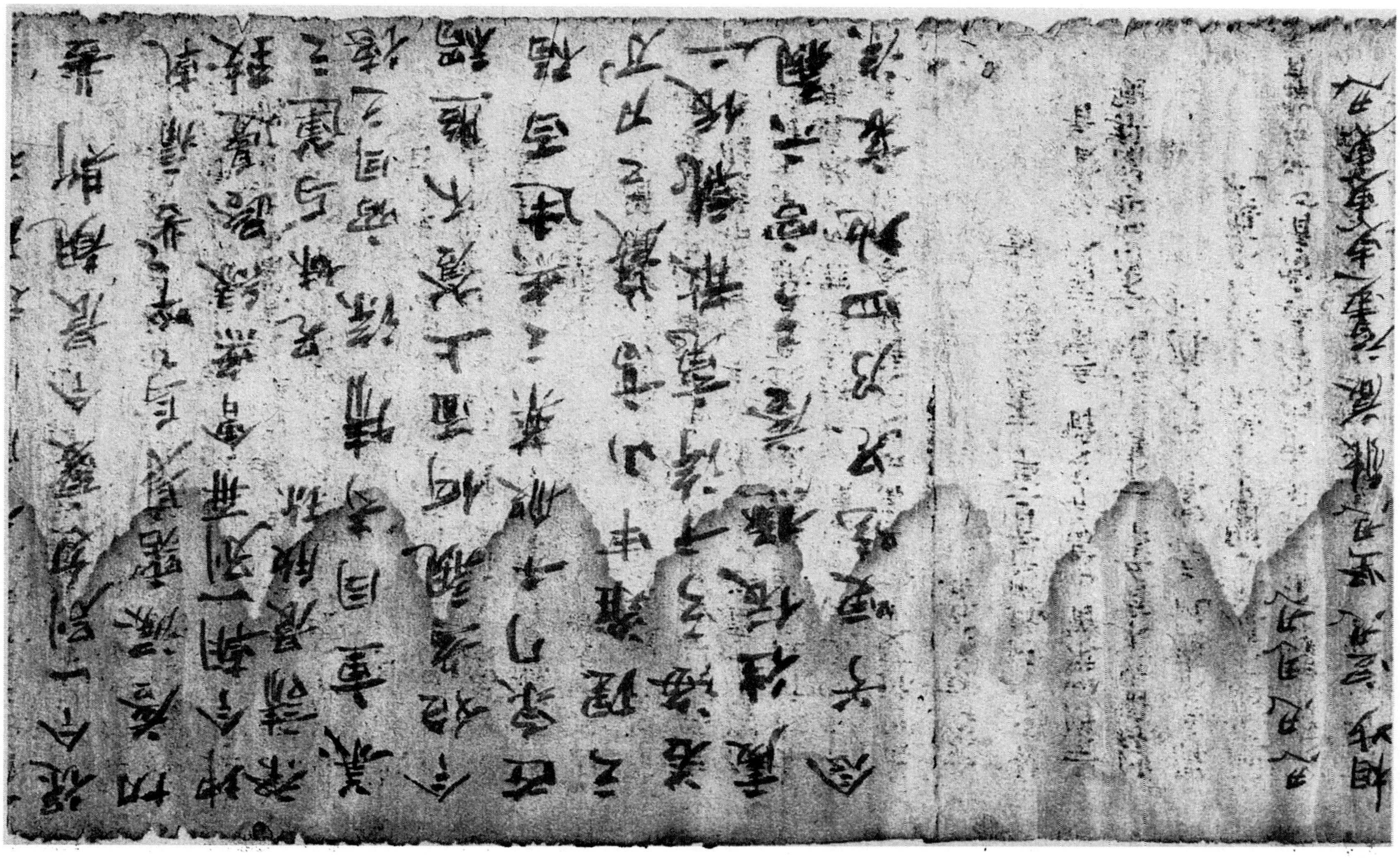

BD02126 號背 9　悼妹文（擬）　（6–5）

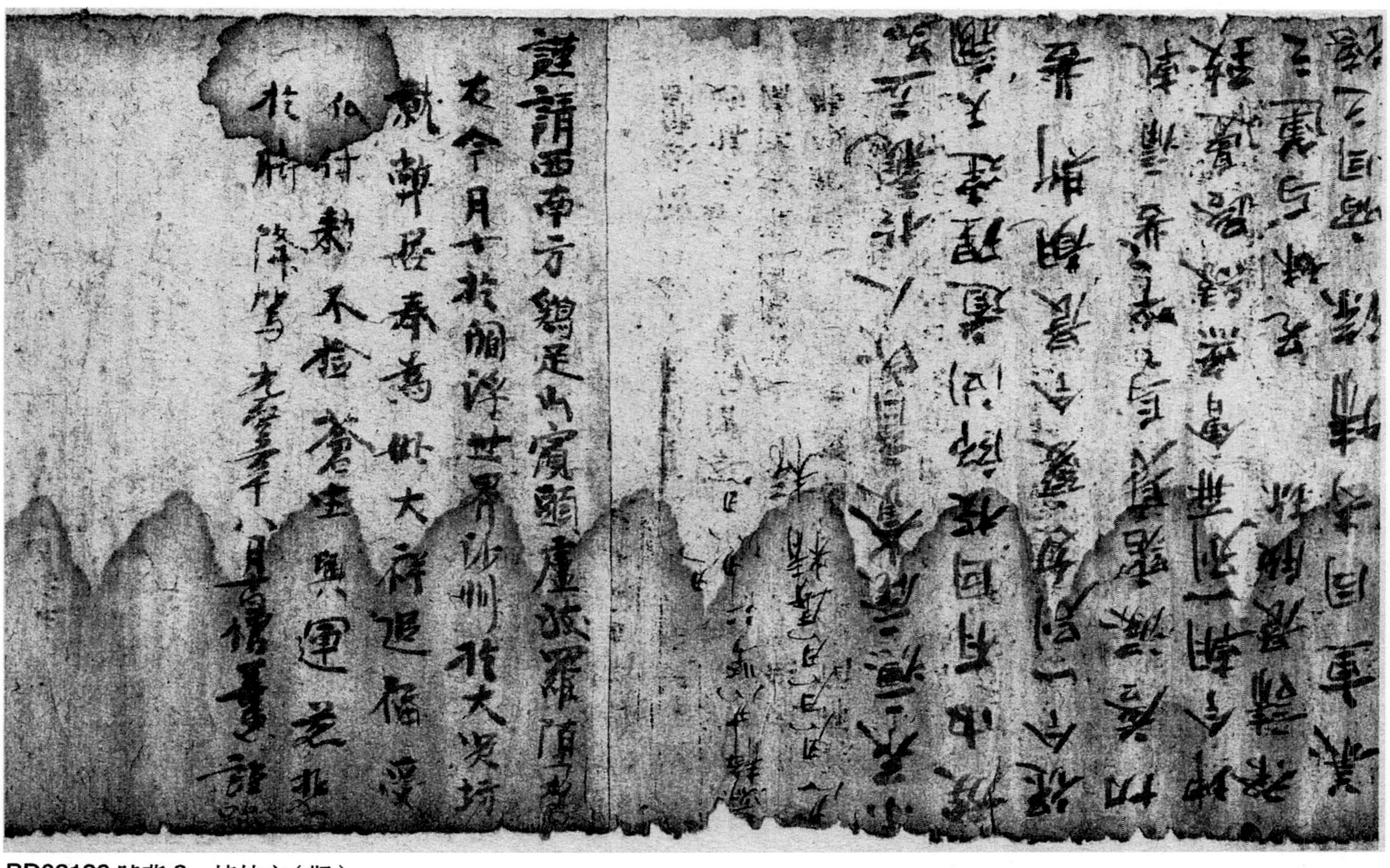

BD02126 號背 9　悼妹文（擬）　（6–6）

BD02126 號背 10　光啓三年僧善惠為母大祥追福請賓頭羅疏（擬）

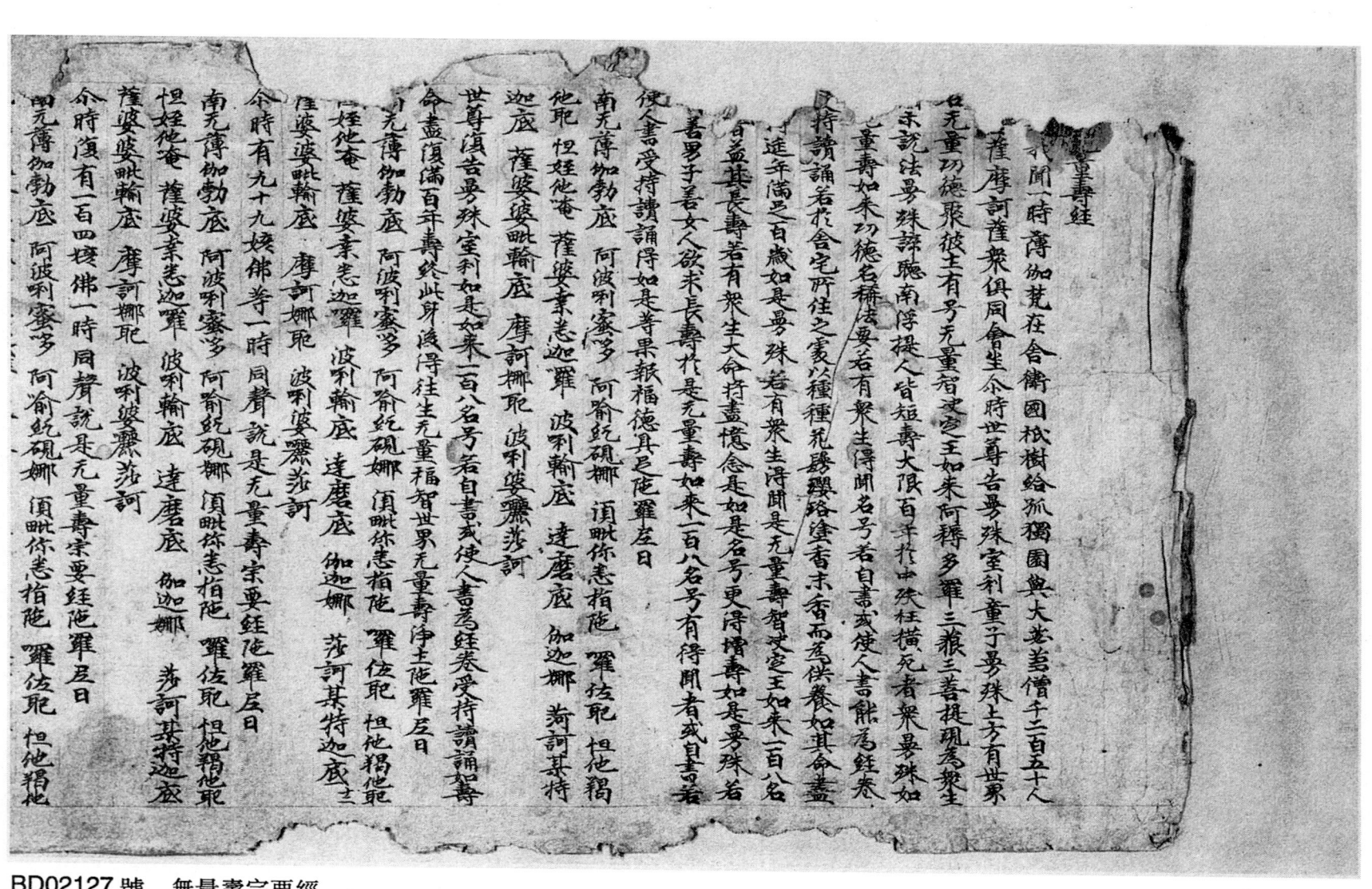

□量壽經
我聞一時薄伽梵在舍衛國秪樹給孤獨園與大苾蒭僧千二百五十人
薩摩訶薩衆俱同會坐尒時世尊告曼殊室利童子曼殊上方有世界
□无量功德聚彼土有号无量智决定王如來阿耨多羅三藐三菩提現為衆生
□說法曼殊諦聽南浮提人皆短壽大限百年於中殀枉橫死者衆曼殊如
□量壽如來功德名稱法要若有衆生得聞名号若自書或使人書能為經卷
□持讀誦若於舍宅所住之處以種種花鬘瓔珞塗香末香而為供養如其命盡
□延年滿足百歲如是曼殊若有衆生得聞是无量壽智决定王如來一百八名
□者益其長壽若有衆生大命將盡憶念是如是名号更得增壽如是曼殊若
善男子善女人欲求長壽於是无量壽如來一百八名号有得聞者或自書若
使人書受持讀誦得如是等果報福德具足陁羅尼曰
南无薄伽勃底　阿波唎蜜多　阿喻紇硯娜　須毗你恙指陁　囉佐耶　怛他羯
他耶　怛姪他唵　薩婆桑悉迦羅　波唎輸底　達磨底　伽迦娜　莎訶其特
迦底　薩婆婆毗輸底　摩訶娜耶　波唎婆囇莎訶
世尊復告曼殊室利如是如來一百八名号若自書或使人書為經卷受持讀誦如壽
命盡復滿百年壽終此身後得往生无量福智世界无量壽淨土陁羅尼曰
南无薄伽勃底　阿波唎蜜多　阿喻紇硯娜　須毗你恙指陁　囉佐耶　怛他羯他耶
怛姪他唵　薩婆桑悉迦羅　波唎輸底　達磨底　伽迦娜　莎訶其特迦底　十二
薩婆婆毗輸底　摩訶娜耶　波唎婆囇莎訶
尒時有九十九姟佛等一時同聲說是无量壽宗要經陁羅尼曰
南无薄伽勃底　阿波唎蜜多　阿喻紇硯娜　須毗你恙指陁　囉佐耶　怛他羯他耶
怛姪他唵　薩婆桑悉迦羅　波唎輸底　達磨底　伽迦娜　莎訶其特迦底
薩婆婆毗輸底　摩訶娜耶　波唎婆囇莎訶
尒時復有一百四姟佛一時同聲說是无量壽宗要經陁羅尼曰
南无薄伽勃底　阿波唎蜜多　阿喻紇硯娜　須毗你恙指陁　囉佐耶　怛他羯他

BD02127 號　無量壽宗要經

（6–1）

□□□毗輸底　摩訶娜耶　波唎婆囇莎訶
尒時有九十九姟佛等一時同聲說是无量壽宗要經陁羅尼曰
南无薄伽勃底　阿波唎蜜多　阿喻紇硯娜　須毗你恙指陁　囉佐耶　怛他羯他耶
怛姪他唵　薩婆桑悉迦羅　波唎輸底　達磨底　伽迦娜　莎訶其特迦底
薩婆婆毗輸底　摩訶娜耶　波唎婆囇莎訶
尒時復有一百四姟佛一時同聲說是无量壽宗要經陁羅尼曰
南无薄伽勃底　阿波唎蜜多　阿喻紇硯娜　須毗你恙指陁　囉佐耶　怛他羯他
耶　怛姪他唵　薩婆桑悉迦羅　波唎輸底　達磨底　伽迦娜　莎訶其特
迦底　摩訶娜耶　波唎婆囇莎訶
尒時復有七姟佛一時同聲說是无量壽宗要經陁羅尼曰
南无薄伽勃底　阿波唎蜜多　阿喻紇硯娜　須毗你恙指陁　囉佐耶　怛他羯他耶
怛姪他唵　薩婆桑迦羅　波唎輸底　達磨底　伽迦娜　莎訶其特迦底　十二
薩婆婆毗輸底　摩訶娜耶　波唎婆囇莎訶
尒時復有六十五姟佛一時同聲說是无量壽宗要經陁羅尼曰
南无薄伽勃底　阿波唎蜜多　阿喻紇硯　須毗你恙指陁　囉佐耶　怛他羯他耶
怛姪他唵　薩婆桑悉迦羅　波唎輸底　達磨底　伽迦娜　莎訶其特迦底
薩婆婆毗輸底　摩訶娜耶　波唎婆囇莎訶
尒時復有五十五姟佛一時同聲說是无量壽宗要經陁羅尼曰
南无薄伽勃底　阿波唎蜜多　阿喻紇硯娜　須毗你恙指陁　囉佐耶　怛他羯他
耶　怛姪他唵　薩婆桑悉迦羅　波唎輸底　達磨底　伽迦娜　莎訶其特迦
底　薩婆婆毗輸底　摩訶娜耶　波唎婆囇莎訶
尒時復有四十五姟佛一時同聲說是无量壽宗要經陁羅尼曰
南无薄伽勃底　阿波唎蜜多　阿喻紇硯娜　須毗你恙指陁　囉佐耶　怛他羯他
耶　怛姪他唵　薩婆桑悉迦羅　波唎輸底　達磨底　伽迦娜　莎訶其特迦
底　薩婆婆毗輸底　摩訶娜耶　波唎婆囇莎訶
尒時復有三十六姟佛一時同聲說是无量壽宗要經陁羅尼曰
南无薄伽勃底　阿波唎蜜多　阿喻紇硯娜　須毗你恙指陁　囉佐耶　怛他羯他耶　怛
姪他唵　薩婆桑悉迦羅　波唎輸底　達磨底　伽迦娜　莎訶其特迦底　薩
婆婆毗輸底　摩訶娜耶　波唎婆囇莎訶
尒時復有二十五姟佛一時同聲說是无量壽宗要經陁羅尼曰
南无薄伽勃底　阿波唎蜜多　阿喻紇硯娜　須毗你恙指陁　囉佐耶　怛他羯他
耶　怛姪他唵　薩婆桑悉迦羅　波唎輸底　達磨底　伽迦娜　莎訶其特迦底

BD02127 號　無量壽宗要經

（6–2）

姪他奄 薩婆桒志迦羅 波唎輸底 達磨底 伽迦娜 莎訶其特迦底 薩
婆婆毗輸底 摩訶娜耶 波唎婆驪莎訶
尒時復有二十五殑伽佛一時同聲說是无量壽宗要経陁羅尼曰
南无薄伽勃底 阿波唎蜜多 阿喻紇硯娜 須毗你志指陁 囉佐耶 怛他羯他
耶 怛姪他奄 薩婆桒志迦羅 波唎輸底 達磨底 伽迦娜 莎訶其特迦底
薩婆婆毗輸底 摩訶娜耶 波唎婆驪莎訶
尒時復有恒河殑伽佛一時同聲說是无量壽宗要経陁羅尼曰
南无薄伽勃底 阿波唎蜜多 阿喻紇硯娜 須毗你志指陁 囉佐耶 怛他羯他耶
怛姪他奄 薩婆桒志迦羅 波唎輸底 達磨底 伽迦娜 莎訶其特迦底 十三
薩婆婆毗輸底 摩訶娜耶 波唎婆驪莎訶
善男子若有自書寫教人書寫是无量壽宗要経如其命盡復得長壽而滿
百年陁羅尼曰 南无薄伽勃 阿波唎蜜多 阿喻紇硯娜 須毗你志指陁 囉
佐耶 怛他羯他耶 怛姪他奄 薩婆桒志迦羅 波唎輸底 達磨底 伽迦
娜 薩婆婆毗輸底 摩訶娜耶 波唎婆驪莎訶
若有自書寫教人書寫是无量壽宗要経讀誦受持畢竟不墮地獄在
在所生得宿命智陁羅尼曰
南无薄伽勃底 阿波唎蜜多 阿喻紇硯娜 須毗你志指陁 囉佐耶 怛他羯他
耶 怛姪他奄 薩婆桒志迦羅 波唎輸底 達磨底 伽迦娜 莎訶其特迦底 十三
薩婆婆毗輸底 摩訶娜耶 波唎婆驪莎訶
若有自書寫教人書寫是无量壽宗要経受持讀誦如同書寫八万四千一切経典
陁羅尼曰
南无薄伽勃底 阿波唎蜜多 阿喻紇硯娜 須毗你志指陁 囉佐耶 怛他羯他耶
怛姪他奄 薩婆桒志迦羅 波唎輸底 達磨底 伽迦娜 莎訶其特迦底 十三
薩婆婆毗輸底 摩訶娜耶 波唎婆驪莎訶
若有自書寫教人書寫是无量壽宗要経即是書寫八万四千部経建立塔廟陁羅尼曰
南无薄伽勃底 阿波唎蜜多 阿喻紇硯娜 須毗你志指陁 囉佐耶 怛他羯他耶 怛
姪他奄 薩婆桒志迦羅 波唎輸底 達磨底 伽迦娜 莎訶其特迦底 薩婆
婆毗輸底 摩訶娜耶 波唎婆驪莎訶
若有自書寫教人書寫是无量壽宗要経能消五无間等一切重罪陁羅尼曰
南无薄伽勃底 阿波唎蜜多 阿喻紇硯娜 須你志指陁 囉佐耶 怛他羯他耶 怛
姪他奄 薩婆桒志迦羅 波唎輸底 達磨底 伽迦娜 莎訶其特迦底 薩婆

BD02127 號　無量壽宗要經　　（6–3）

姪他奄 薩婆桒志迦羅 波唎輸底 達磨底 伽迦娜 莎訶其特迦底 薩婆
婆毗輸底 摩訶娜耶 波唎婆驪莎訶
若有自書寫教人書寫是无量壽宗要経能消五无間等一切重罪陁羅尼曰
南无薄伽勃底 阿波唎蜜多 阿喻紇硯娜 須你志指陁 囉佐耶 怛他羯他耶 怛
姪他奄 薩婆桒志迦羅 波唎輸底 達磨底 伽迦娜 莎訶其特迦底 薩婆
婆毗輸底 摩訶娜耶 波唎婆驪莎訶
若有自書寫教人書寫是无量壽宗要経受持讀誦設有重罪猶如須弥盡能除滅陁
羅尼曰 南无薄伽勃底 阿波唎蜜多 阿喻紇硯娜 須毗你志指陁 囉佐耶 怛他
羯他耶 怛姪他奄 薩婆桒志迦羅 波唎輸底 達磨底 伽迦娜 莎訶其特迦
底 薩婆婆毗輸底 摩訶娜耶 波唎婆驪莎訶
若有自書寫教人書寫是无量壽宗要経受持讀誦若魔子之眷屬夜叉羅
剎不得其便終无枉死陁羅尼曰
南无薄伽勃底 阿波唎蜜多 阿喻紇硯娜 須毗你志指陁 囉佐耶 怛他羯他耶
怛姪他奄 薩婆桒志迦羅 波唎輸底 達磨底 伽迦娜 莎訶其特迦底 薩
婆婆毗輸底 摩訶娜耶 波唎婆驪莎訶
若有自書寫教人書寫是无量壽宗要経受持讀誦當命終時有九十九殑伽佛現
其人前蒙千佛授手能遊一切佛剎莫於此経生於疑惑陁羅尼曰
南无薄伽勃底 阿波唎蜜多 阿喻紇硯娜 須毗你志指陁 囉佐耶 怛他羯他耶
怛姪他奄 薩婆桒志迦羅 波唎輸底 達磨底 伽迦娜 莎訶其特迦底 薩
婆婆毗輸底 摩訶娜耶 波唎婆驪莎訶
若有自書寫教人書寫是无量壽宗要経受持讀誦常得四天王隨其衛護陁羅尼曰
南无薄伽勃底 阿波唎蜜多 阿喻紇硯娜 須毗你志指陁 囉佐耶 怛他羯他耶 怛
姪他奄 薩婆桒志迦羅 波唎輸底 達磨底 伽迦娜 莎訶其特迦底 薩
婆婆毗輸底 摩訶娜耶 波唎婆驪莎訶
若有自書寫教人書寫是无量壽宗要経受持讀誦當得往生西方極樂世界阿弥
陁淨土陁羅尼曰
南无薄伽勃底 阿波唎蜜多 阿喻紇硯娜 須毗你志指陁 囉佐耶 怛他羯他耶
怛姪他奄 薩婆桒志迦羅 波唎輸底 達磨底 伽迦娜 莎訶其特迦底 薩
婆婆毗輸底 摩訶娜耶 波唎婆驪莎訶
若有方所自書寫使人書寫是无量壽経典之處則為是塔皆應恭敬作礼若是
畜生或為鳥獸得聞是経如是等類皆當不久得成一切種智陁羅尼曰

BD02127 號　無量壽宗要經　　（6–4）

婆婆毗輸底 摩訶娜耶 波唎婆囇莎訶
若有方所自書寫使人書寫是无量壽經典之處則為是塔皆應恭敬作礼若是
畜生或為鳥獸得聞是經如是等類皆當不久得成一切種智陀羅尼曰
南无薄伽勃底 阿波唎蜜多 阿喻紇硯娜 須毗你悉指陀 囉佐耶 怛他羯他耶
怛姪他奄 薩婆桒悉迦羅 波唎輸底 達磨底 伽迦娜 莎訶其特迦底 十
薩婆婆毗輸底 摩訶娜耶 波唎婆囇莎訶
若有於是无量壽經自書寫若使人書畢竟不受女人之身陀羅尼曰
南无薄伽勃底 阿波唎蜜多 阿喻紇硯娜 須毗你悉指陀 囉佐耶 怛他羯他
耶 怛姪他奄 薩婆桒悉迦羅 波唎輸底 達磨底 伽迦娜 莎訶其特迦底
薩婆婆毗輸底 摩訶娜耶 波唎婆囇莎訶
若有能於是經少分能恵施者等於三千大千世界滿中七寶布施陀羅尼曰
南无薄伽勃底 阿波唎蜜多 阿喻紇硯娜 須毗你悉指陀 囉佐耶 怛他羯他耶
怛姪他奄 薩婆桒悉迦羅 波唎輸底 達磨底 伽迦娜 莎訶其特迦底
薩婆婆毗輸底 摩訶娜耶 波唎婆囇莎訶
若有能供養是經者則是供養一切諸經等无有異陀羅尼曰
南无薄伽勃底 阿波唎蜜多 阿喻紇硯娜 須毗你悉指陀 囉佐耶 怛他羯
他耶 怛姪奄 薩婆桒悉迦羅 波唎輸底 達磨底 伽迦娜 莎訶其特迦
底 薩婆婆毗輸底 摩訶娜耶 波唎婆囇莎訶
如是毗婆尸佛 尸弃佛 毗舍浮佛 俱留孫佛 俱那含牟尼佛 迦葉佛 釋迦牟尼佛
若有以七寶供養如是七佛其福有限書寫受持是无量壽經典所生功德不
可限量陀羅尼曰
南无薄伽勃底 阿波唎蜜多 阿喻紇硯娜 須毗你悉指陀 囉佐耶 怛他羯
他耶 怛姪他奄 薩婆婆桒悉迦羅 波唎輸底 達磨底 伽迦娜 莎訶其特
迦底 薩婆婆毗輸底 摩訶娜耶 波唎婆囇莎訶
若有七寶等於須弥以用布施其福上能知其限量是无量壽經典其福不可知數陀羅尼曰
南无薄伽勃底 阿波唎蜜多 阿喻紇硯娜 須毗你悉指陀 囉佐耶 怛他羯他耶 怛
姪他奄 薩婆桒悉迦羅 波唎輸底 達磨底 伽迦娜 莎訶其特迦底 薩
婆婆毗輸底 摩訶娜耶 波唎婆囇莎訶
如是四大海水可知滴數是无量壽經典所生果報不可數量陀羅尼曰
南无薄伽勃底 阿波唎蜜多 阿喻紇硯娜 須毗你悉指陀 囉佐耶 怛他羯他
耶 怛姪他奄 薩毗桒悉迦羅 波唎輸底 達磨底 伽迦娜 莎訶其特迦底

BD02127 號 無量壽宗要經

（6–5）

南无薄伽勃底 阿波唎蜜多 阿喻紇硯娜 須毗你悉指陀 囉佐耶 怛他羯
他耶 怛姪他奄 薩婆桒悉迦羅 波唎輸底 達磨底 伽迦娜 莎訶其特
迦底 薩婆婆毗輸底 摩訶娜耶 波唎婆囇莎訶
若有七寶等於須弥以用布施其福上能知其限量是无量壽經典其福不可知數陀羅尼曰
南无薄伽勃底 阿波唎蜜多 阿喻紇硯娜 須毗你悉指陀 囉佐耶 怛他羯他耶 怛
姪他奄 薩婆桒悉迦羅 波唎輸底 達磨底 伽迦娜 莎訶其特迦底 薩
婆婆毗輸底 摩訶娜耶 波唎婆囇莎訶
如是四大海水可知滴數是无量壽經典所生果報不可數量陀羅尼曰
南无薄伽勃底 阿波唎蜜多 阿喻紇硯娜 須毗你悉指陀 囉佐耶 怛他羯他
耶 怛姪他奄 薩毗桒悉迦羅 波唎輸底 達磨底 伽迦娜 莎訶其特迦底
薩婆婆毗輸底 摩訶娜耶 波唎婆囇莎訶
若有自書使人書寫是无量壽經典又能讙持供養即如恭敬供養一切十方佛
土如來无有別異陀羅尼曰
南无薄伽勃底 阿波唎蜜多 阿喻紇硯娜 須毗你悉指陀 囉佐耶 怛他羯他耶
怛姪他奄 薩婆桒悉迦羅 波唎輸底 達磨底 伽迦娜 莎訶其特迦底 薩婆
婆毗輸底 摩訶娜耶 波唎婆囇莎訶
布施力能成正覺 悟布施力人師子 布施力能聲善聞 慈悲階漸最能入
持戒力能成正覺 悟持戒力人師子 持戒力能聲善聞 慈悲階漸最能入
忍辱力能成正覺 悟忍辱力人師子 忍辱力能聲善聞 慈悲階漸最能入
精進力能成正覺 悟精進力人師子 精進力能聲善聞 慈悲階漸最能入
禪定力能成正覺 悟禪定力人師子 禪定力能聲善聞 慈悲階漸最能入
智慧力能成正覺 悟智慧力人師子 智慧力能聲善聞 慈悲階漸最能入
尒時如來說是經已一切世間天人阿脩羅揵闥婆等聞佛所說皆大歡喜信
受奉行
佛說无量壽宗要經

BD02127 號 無量壽宗要經

（6–6）

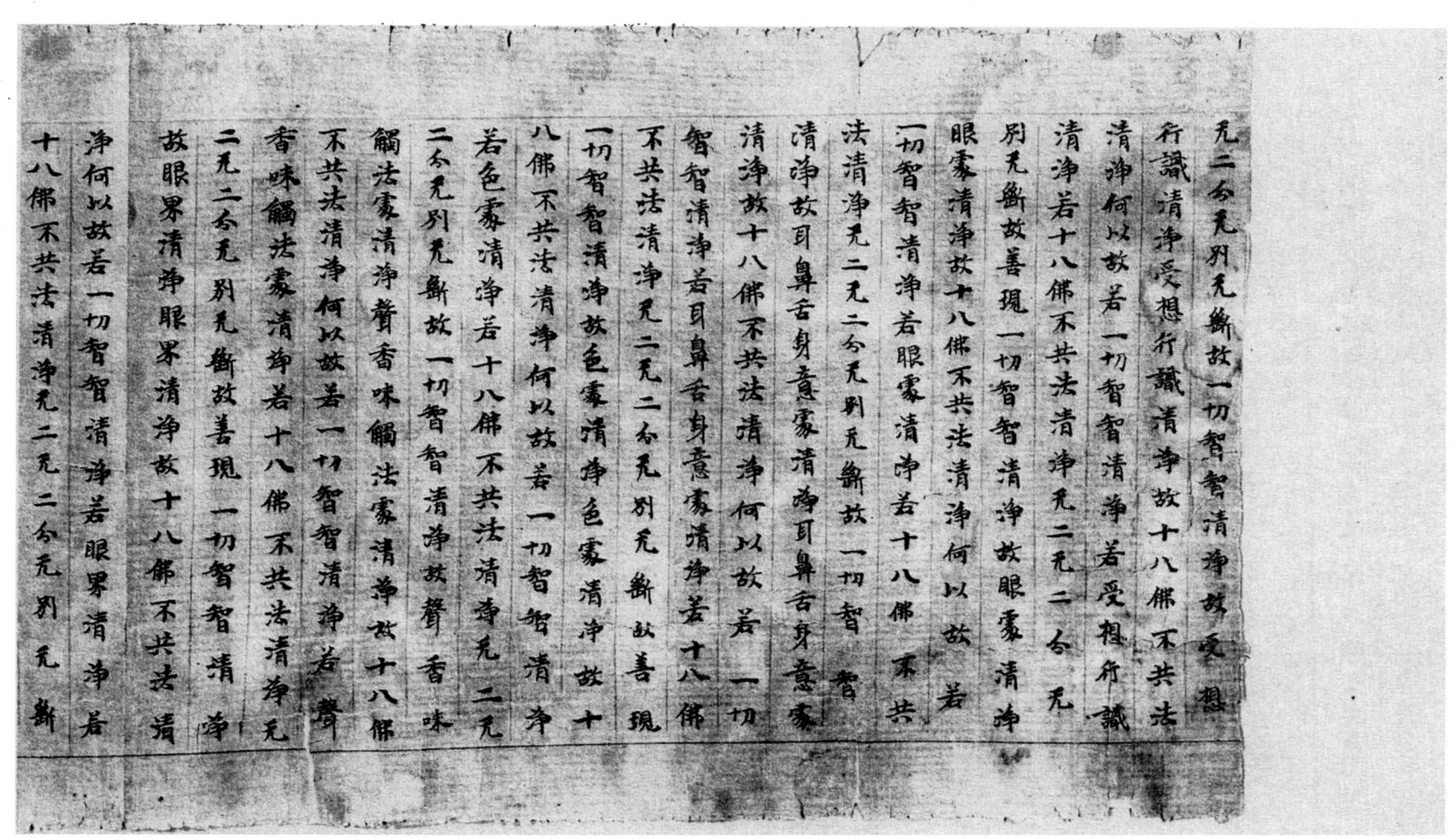

无二分无別无斷故一切智智清淨故受想
行識清淨受想行識清淨故十八佛不共法
清淨何以故若一切智智清淨若受想行識
清淨若十八佛不共法清淨无二无二分无
別无斷故善現一切智智清淨故眼處清淨
眼處清淨故十八佛不共法清淨何以故若
一切智智清淨若眼處清淨若十八佛不共
法清淨无二无二分无別无斷故一切智智
清淨故耳鼻舌身意處清淨耳鼻舌身意處
清淨故十八佛不共法清淨何以故若一切
智智清淨若耳鼻舌身意處清淨若十八佛
不共法清淨无二无二分无別无斷故善現
一切智智清淨故色處清淨色處清淨故十
八佛不共法清淨何以故若一切智智清淨
若色處清淨若十八佛不共法清淨无二无
二分无別无斷故一切智智清淨故聲香味
觸法處清淨聲香味觸法處清淨故十八佛
不共法清淨何以故若一切智智清淨若聲
香味觸法處清淨若十八佛不共法清淨无
二无二分无別无斷故善現一切智智清淨
故眼界清淨眼界清淨故十八佛不共法清
淨何以故若一切智智清淨若眼界清淨若
十八佛不共法清淨无二无二分无別无斷

BD02128號　大般若波羅蜜多經卷二七八　（19–1）

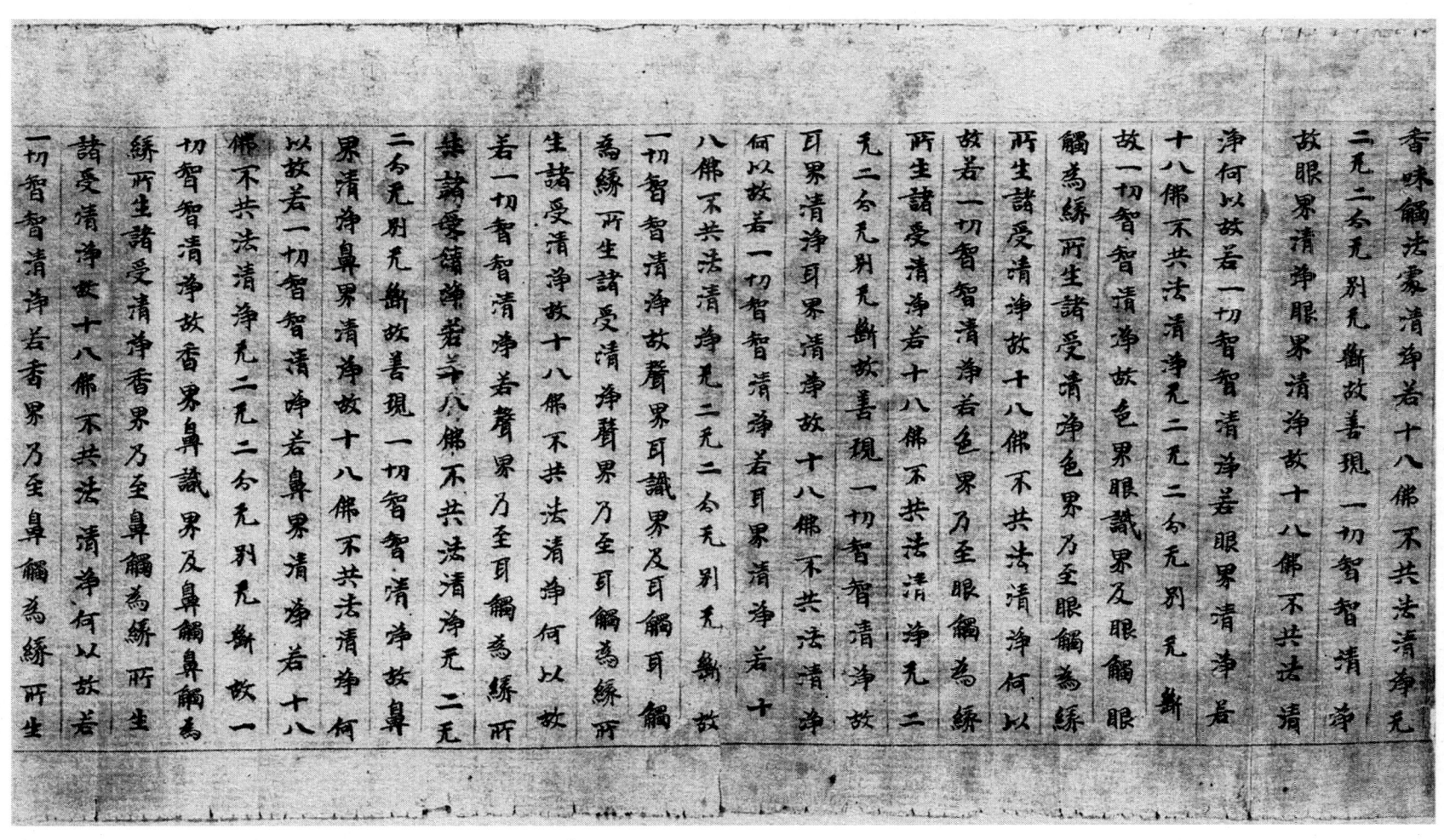

香味觸法處清淨若十八佛不共法清淨无
二无二分无別无斷故善現一切智智清淨
故眼界清淨眼界清淨故十八佛不共法清
淨何以故若一切智智清淨若眼界清淨若
十八佛不共法清淨无二无二分无別无斷
故一切智智清淨故色界眼識界及眼觸眼
觸為緣所生諸受清淨色界乃至眼觸為緣
所生諸受清淨故十八佛不共法清淨何以
故若一切智智清淨若色界乃至眼觸為緣
所生諸受清淨若十八佛不共法清淨无二
无二分无別无斷故善現一切智智清淨故
耳界清淨耳界清淨故十八佛不共法清淨
何以故若一切智智清淨若耳界清淨若十
八佛不共法清淨无二无二分无別无斷故
一切智智清淨故聲界耳識界及耳觸耳觸
為緣所生諸受清淨聲界乃至耳觸為緣所
生諸受清淨故十八佛不共法清淨何以故
若一切智智清淨若聲界乃至耳觸為緣所
生諸受清淨若十八佛不共法清淨无二无
二分无別无斷故善現一切智智清淨故鼻
界清淨鼻界清淨故十八佛不共法清淨何
以故若一切智智清淨若鼻界清淨若十八
佛不共法清淨无二无二分无別无斷故一
切智智清淨故香界鼻識界及鼻觸鼻觸為
緣所生諸受清淨香界乃至鼻觸為緣所生
諸受清淨故十八佛不共法清淨何以故若
一切智智清淨若香界乃至鼻觸為緣所生

BD02128號　大般若波羅蜜多經卷二七八　（19–2）

切智智清淨故香界鼻識界及鼻觸鼻觸為
緣所生諸受清淨香界乃至鼻觸為緣所生
諸受清淨故十八佛不共法清淨何以故若
一切智智清淨若香界乃至鼻觸為緣所生
諸受清淨若十八佛不共法清淨无二无二
分无別无斷故善現一切智智清淨故舌界
清淨舌界清淨故十八佛不共法清淨何以
故若一切智智清淨若舌界清淨若十八佛
不共法清淨无二无二分无別无斷故一切
智智清淨故味界舌識界及舌觸舌觸為緣
所生諸受清淨味界乃至舌觸為緣所生諸
受清淨故十八佛不共法清淨何以故若一
切智清淨若味界乃至舌觸為緣所生諸受
清淨若十八佛不共法清淨无二无二分无
別无斷故善現一切智智清淨故身界清淨
身界清淨故十八佛不共法清淨何以故若
一切智智清淨若身界清淨若十八佛不共
法清淨无二无二分无別无斷故一切智智
清淨故觸界身識界及身觸身觸為緣所生
諸受清淨觸界乃至身觸為緣所生諸受清
淨故十八佛不共法清淨何以故若一切智
智清淨若觸界乃至身觸為緣所生諸受清
淨若十八佛不共法清淨无二无二分无別
无斷故善現一切智智清淨故意界清淨意
界清淨故十八佛不共法清淨何以故若一
切智智清淨若意界清淨若十八佛不共法
清淨无二无二分无別无斷故一切智智清
淨故法界意識界及意觸意觸為緣所生諸

BD02128號　大般若波羅蜜多經卷二七八　（19-3）

界清淨故十八佛不共法清淨何以故若一
切智智清淨若意界清淨若十八佛不共法
清淨无二无二分无別无斷故一切智智清
淨故法界意識界及意觸意觸為緣所生諸
受清淨法界乃至意觸為緣所生諸受清淨
故十八佛不共法清淨何以故若一切智智
清淨若法界乃至意觸為緣所生諸受清淨
若十八佛不共法清淨无二无二分无別无
斷故善現一切智智清淨故地界清淨地界
清淨故十八佛不共清淨何以故若一切
智智清淨若地界清淨若十八佛不共法清
淨无二无二分无別无斷故一切智智清淨
故水火風空識界清淨水火風空識界清淨
故十八佛不共法清淨何以故若一切智智
清淨若水火風空識界清淨若十八佛不共
法淨清无二无二分无別无斷故善現一切
智智清淨故无明清淨无明清淨故十八佛
不共法清淨何以故若一切智智清淨若无
明清淨若十八佛不共法清淨无二无二分
无別无斷故一切智智清淨故行識名色六
處觸受愛取有生老死愁歎苦憂惱清淨行
乃至老死愁歎苦憂惱清淨故十八佛不共
法清淨何以故若一切智智清淨若行乃至
老死愁歎苦憂惱清淨若十八佛不共法清
淨无二无二分无別无斷故
善現一切智智清淨故布施波羅蜜多清淨
布施波羅蜜多清淨故十八佛不共法清淨

BD02128號　大般若波羅蜜多經卷二七八　（19-4）

老死愁歎苦憂惱清淨若十八佛不共法清
淨无二无二分无別无斷故
善現一切智智清淨故布施波羅蜜多清淨
布施波羅蜜多清淨故十八佛不共法清淨
何以故若一切智智清淨若布施波羅蜜多
清淨若十八佛不共法清淨无二无二分无
別无斷故一切智智清淨故淨戒安忍精進
靜慮般若波羅蜜多清淨淨戒乃至般若波
羅蜜多清淨故十八佛不共法清淨何以故
若一切智智清淨若淨戒乃至般若波羅蜜
多清淨若十八佛不共法清淨无二无二分
无別无斷故善現一切智智清淨故內空清
淨內空清淨故十八佛不共法清淨何以故
若一切智智清淨若內空清淨若十八佛不
共法清淨无二无二分无別无斷故一切智
智清淨故外空內外空空空大空勝義空有
為空无為空畢竟空无際空散空无變異空
本性空自相空共相空一切法空不可得空
无性空自性空无性自性空清淨外空乃至
无性自性空清淨故十八佛不共法清淨何
以故若一切智智清淨若外空乃至无性自
性空清淨若十八佛不共法清淨无二无二
分无別无斷故善現一切智智清淨故真如
清淨真如清淨故十八佛不共法清淨何以
故若一切智智清淨若真如清淨若十八佛
不共法清淨无二无二分无別无斷故一切
智智清淨故法界法性不虛妄性不變異性

BD02128號　大般若波羅蜜多經卷二七八　（19–5）

分无別无斷故善現一切智智清淨故真如
清淨真如清淨故十八佛不共法清淨何以
故若一切智智清淨若真如清淨若十八佛
不共法清淨无二无二分无別无斷故一切
智智清淨故法界法性不虛妄性不變異性
平等性離生性法定法住實際虛空界不思
議界清淨法界乃至不思議界清淨故十八
佛不共法清淨何以故若一切智智清淨若
法界乃至不思議界清淨若十八佛不共法
清淨无二无二分无別无斷故善現一切智
智清淨故苦聖諦清淨苦聖諦清淨故十八
佛不共法清淨何以故若一切智智清淨若
苦聖諦清淨若十八佛不共法清淨无二无
二分无別无斷故一切智智清淨故集滅道
聖諦清淨集滅道聖諦清淨故十八佛不共
法清淨何以故若一切智智清淨若集滅道
聖諦清淨若十八佛不共法清淨无二无二
分无別无斷故善現一切智智清淨故四靜
慮清淨四靜慮清淨故十八佛不共法清淨
何以故若一切智智清淨若四靜慮清淨若
十八佛不共法清淨无二无二分无別无斷
故一切智智清淨故四无量四无色定清淨
四无量四无色定清淨故十八佛不共法清
淨何以故若一切智智清淨若四无量四无
色定清淨若十八佛不共法清淨无二无二
分无別无斷故善現一切智智清淨故八
解脫清淨八解脫清淨故十八佛不共法清

BD02128號　大般若波羅蜜多經卷二七八　（19–6）

淨何以故若一切智智清淨若四无量四无
色定清淨若十八佛不共法清淨无二无二
分无別无斷故善現一切智智清淨故八
解脫清淨八解脫清淨故十八佛不共法清
淨何以故若一切智智清淨若八解脫清淨
若十八佛不共法清淨无二无二分无別无斷
故一切智智清淨故八勝處九次第定十遍
處清淨八勝處九次第定十遍處清淨故十
八佛不共法清淨何以故若一切智智清淨
若八勝處九次第定十遍處清淨若十八佛
不共法清淨无二无二分无別无斷故善現
一切智智清淨故四念住清淨四念住清淨
故十八佛不共法清淨何以故若一切智智
清淨若四念住清淨若十八佛不共法清淨
无二无二分无別无斷故一切智智清淨故
四正斷四神足五根五力七等覺支八聖道
支清淨四正斷乃至八聖道支清淨故十八
佛不共法清淨何以故若一切智智清淨若
四正斷乃至八聖道支清淨若十八佛不共
法清淨无二无二分无別无斷故善現一切
智智清淨故空解脫門清淨空解脫門清淨
故十八佛不共法清淨何以故若一切智智
清淨若空解脫門清淨若十八佛不共法清
淨无二无二分无別无斷故一切智智清淨
故无相无願解脫門清淨无相无願解脫門
清淨故十八佛不共法清淨何以故若一切
智智清淨若无相无願解脫門清淨若十八

BD02128號　大般若波羅蜜多經卷二七八

（19–7）

故无相无願解脫門清淨无相无願解脫門
清淨故十八佛不共法清淨何以故若一切
智智清淨若无相无願解脫門清淨若十八
佛不共法清淨无二无二分无別无斷故善
現一切智智清淨故菩薩十地清淨菩薩十
地清淨故十八佛不共法清淨何以故若一
智智清淨若菩薩十地清淨若十八佛不
共法清淨无二无二分无別无斷故
善現一切智智清淨故五眼清淨五眼清淨
故十八佛不共法清淨何以故若一切智智
清淨若五眼清淨若十八佛不共法清淨无
二无二分无別无斷故一切智智清淨故六
神通清淨六神通清淨故十八佛不共法清
淨何以故若一切智智清淨若六神通清淨
若十八佛不共法清淨无二无二分无別无
斷故善現一切智智清淨故佛十力清淨佛
十力清淨故十八佛不共法清淨何以故若
一切智智清淨若佛十力清淨若十八佛不
共法清淨无二无二分无別无斷故一切智
智清淨故四无所畏四无礙解大慈大悲大
喜大捨清淨四无所畏乃至大捨清淨故十
八佛不共法清淨何以故若一切智智清淨
若四无所畏乃至大捨清淨若十八佛不共
法清淨无二无二分无別无斷故善現一切
智智清淨故无忘失法清淨无忘失法清
淨故十八佛不共法清淨何以故若一切智智
清淨若无忘失法清淨若十八佛不共法清

BD02128號　大般若波羅蜜多經卷二七八

（19–8）

智智清淨故无忘失法清淨无忘失法清
淨故十八佛不共法清淨何以故若一切智智
清淨若无忘失法清淨若十八佛不共法清
淨无二无二分无別无斷故一切智智清淨
故恒住捨性清淨恒住捨性清淨故十八佛
不共法清淨何以故若一切智智清淨若恒
住捨性清淨若十八佛不共法清淨无二无
二分无別无斷故善現一切智智清淨故一
切智清淨一切智清淨故十八佛不共法清
淨何以故若一切智智清淨若一切智清淨
若十八佛不共法清淨无二无二分无別无
斷故一切智智清淨故道相智一切相智清
淨道相智一切相智清淨故十八佛不共法
清淨何以故若一切智智清淨若道相智一
切相智清淨若十八佛不共法清淨无二无
二分无別无斷故善現一切智智清淨故一切
陁羅尼門清淨一切陁羅尼門清淨故十
八佛不共法清淨何以故若一切智智清淨
若一切陁羅尼門清淨若十八佛不共法清
淨无二无二分无別无斷故一切智智清淨
故一切三摩地門清淨一切三摩地門清淨
故十八佛不共法清淨何以故若一切智智
清淨若一切三摩地門清淨若十八佛不共
法清淨无二无二分无別无斷故
善現一切智智清淨故預流果清淨預流果
清淨故十八佛不共法清淨何以故若一切
智智清淨若預流果清淨若十八佛不共法

BD02128號　大般若波羅蜜多經卷二七八　（19–9）

法清淨无二无二分无別无斷故
善現一切智智清淨故預流果清淨預流果
清淨故十八佛不共法清淨何以故若一切
智智清淨若預流果清淨若十八佛不共法
清淨无二无二分无別无斷故一切智智清
淨故一来不還阿羅漢果清淨一来不還阿
羅漢果清淨故十八佛不共法清淨何以故
若一切智智清淨若一来不還阿羅漢果清
淨若十八佛不共法清淨无二无二分无別
无斷故善現一切智智清淨故獨覺菩提清
淨獨覺菩提清淨故十八佛不共法清淨何
以故若一切智智清淨若獨覺菩提清淨若
十八佛不共法清淨无二无二分无別无斷
故善現一切智智清淨故一切菩薩摩訶薩
行清淨一切菩薩摩訶薩行清淨故十八佛
不共法清淨何以故若一切智智清淨若一
切菩薩摩訶薩行清淨若十八佛不共法清
淨无二无二分无別无斷故善現一切智智
清淨故諸佛无上正等菩提清淨諸佛无上
正等菩提清淨故十八佛不共法清淨何以
故若一切智智清淨若諸佛无上正等菩提
清淨若十八佛不共法清淨无二无二分无
別无斷故
復次善現一切智智清淨故色清淨色清淨
故无忘失法清淨何以故若一切智智清淨
若色清淨若无忘失法清淨无二无二分无
別无斷故一切智智清淨故受想行識清

BD02128號　大般若波羅蜜多經卷二七八　（19–10）

復次善現一切智智清淨故色清淨色清淨
故无忘失法清淨何以故若一切智智清淨
若色清淨若无忘失法清淨无二无二分无
別无斷故一切智智清淨故受想行識清
淨受想行識清淨故无忘失法清淨何以故若
一切智智清淨若受想行識清淨若无忘失
法清淨无二无二分无別无斷故善現一切
智智清淨故眼處清淨眼處清淨故无忘失
法清淨何以故若一切智智清淨若眼處清
淨若无忘失法清淨无二无二分无別无斷
故一切智智清淨故耳鼻舌身意處清淨耳
鼻舌身意處清淨故无忘失法清淨何以故
若一切智智清淨若耳鼻舌身意處清淨若
无忘失法清淨无二无二分无別无斷故善
現一切智智清淨故色處清淨色處清淨故
无忘失法清淨何以故若一切智智清淨若
色處清淨若无忘失法清淨无二无二分无
別无斷故一切智智清淨故聲香味觸法處
清淨聲香味觸法處清淨故无忘失法清淨
何以故若一切智智清淨若聲香味觸法處
清淨若无忘失法清淨无二无二分无別无
斷故善現一切智智清淨故眼界清淨眼界
清淨无忘失法清淨何以故若一切智智
清淨若眼界清淨若无忘失法清淨无二无
二分无別无斷故一切智智清淨故色界眼
識界及眼觸眼觸為緣所生諸受清淨色界
乃至眼觸為緣所生諸受清淨故无忘失法

BD02128號　大般若波羅蜜多經卷二七八　（19–11）

二分无別无斷故一切智智清淨故色界眼
識界及眼觸眼觸為緣所生諸受清淨色界
乃至眼觸為緣所生諸受清淨故无忘失法
清淨何以故若一切智智清淨若色界乃至
眼觸為緣所生諸受清淨若无忘失法清淨
无二无二分无別无斷故善現一切智智清
淨故耳界清淨耳界清淨故无忘失法清淨
何以故若一切智智清淨若耳界清淨若无
忘失法清淨无二无二分无別无斷故一切
智智清淨故聲界耳識界及耳觸耳觸為緣
所生諸受清淨聲界乃至耳觸為緣所生諸
受清淨故无忘失法清淨何以故若一切智
智清淨若聲界乃至耳觸為緣所生諸受清
淨若无忘失法清淨无二无二分无別无斷
故善現一切智智清淨故鼻界清淨鼻界
清淨故无忘失法清淨何以故若一切智智清
清若鼻界清淨若无忘失法清淨无二无二
分无別无斷故一切智智清淨故香界鼻識
界及鼻觸鼻觸為緣所生諸受清淨香界乃
至鼻觸為緣所生諸受清淨故无忘失法清
淨何以故若一切智智清淨若香界乃至鼻
觸為緣所生諸受清淨若无忘失法清淨无
二无二分无別无斷故善現一切智智清
淨故舌界清淨舌界清淨故无忘失法清淨
何以故若一切智智清淨若舌界清淨若
忘无失法清淨无二无二分无別无斷故一
切智智清淨故味界舌識界及舌觸舌觸為緣

BD02128號　大般若波羅蜜多經卷二七八　（19–12）

何以故若一切智智清淨若舌界清淨若
忘失法清淨无二无二分无別无斷故一
切智智清淨故味界舌識界及舌觸舌觸為緣
所生諸受清淨味界乃至舌觸為緣所生諸
受清淨故无忘失法清淨何以故若一切智
智清淨若味界乃至舌觸為緣所生諸受清
淨若无忘失法清淨无二无二分无別无斷
故善現一切智智清淨故身界清淨身界清
淨故无忘失法清淨何以故若一切智智清
淨若身界清淨若无忘失法清淨无二无二
分无別无斷故一切智智清淨故觸界身識
界及身觸身觸為緣所生諸受清淨觸界乃
至身觸為緣所生諸受清淨故无忘失法清
淨何以故若一切智智清淨若觸界乃至身
觸為緣所生諸受清淨若无忘失法清淨无
二无二分无別无斷故善現一切智智清淨
故意界清淨意界清淨故无忘失法清淨何
以故若一切智智清淨若意界清淨若无忘
失法清淨无二无二分无別无斷故一切智智
清淨故法界意識界及意觸意觸為緣所
生諸受清淨法界乃至意觸為緣所生諸受
清淨故无忘失法清淨何以故若一切智智
清淨若法界乃至意觸為緣所生諸受清淨
若无忘失法清淨无二无二分无別无斷故
善現一切智智清淨故地界清淨地界清淨
故无忘失法清淨何以故若一切智智清淨
若地界清淨若无忘失法清淨无二无二分

BD02128號　大般若波羅蜜多經卷二七八　（19–13）

若无忘失法清淨无二无二分无別无斷故
善現一切智智清淨故地界清淨地界清淨
故无忘失法清淨何以故若一切智智清淨
若地界清淨若无忘失法清淨无二无二分
无別无斷故一切智智清淨水火風空識
界清淨水火風空識界清淨故无忘失法清
淨何以故若一切智智清淨若水火風空識界
清淨若无忘失法清淨无二无二分无別无
斷故善現一切智智清淨故无明清淨无
明清淨故无忘失法清淨何以故一切智
智清淨若无明清淨若无忘失法清淨无二
无二分无別无斷故一切智智清淨故行識
名色六處觸受愛取有生老死愁歎苦憂惱
清淨行乃至老死愁歎苦憂惱清淨无忘
失法清淨何以故若一切智智清淨若行乃至
老死愁歎苦憂惱清淨若无忘失法清淨
无二无二分无別无斷故
善現一切智智清淨故布施波羅蜜多清淨
布施波羅蜜多清淨故无忘失法清淨何以
故若一切智智清淨若布施波羅蜜多清淨
若无忘失法清淨无二无二分无別无斷故
一切智智清淨故淨戒安忍精進靜慮般若
波羅蜜多清淨淨戒乃至般若波羅蜜多清
淨故无忘失法清淨何以故若一切智智清
淨若淨戒乃至般若波羅蜜多清淨若无忘
失法清淨无二无二分无別无斷故善現一
切智智清淨故內空清淨內空清淨故无忘

BD02128號　大般若波羅蜜多經卷二七八　（19–14）

波羅蜜多清淨戒乃至般若波羅蜜多清
淨故无忘失法清淨何以故若一切智智清
淨若淨戒乃至般若波羅蜜多清淨若无忘
失法清淨无二无二分无別无斷故善現一
切智智清淨故內空清淨內空清淨故无忘
失法清淨何以故若一切智智清淨若內空
清淨若无忘失法清淨无二无二分无別无
斷故一切智智清淨故外空內外空空空大
空勝義空有為空无為空畢竟空无際空散
空无變異空本性空自相空共相空一切法
空不可得空无性空自性空无性自性空清
淨外空乃至无性自性空清淨故无忘失法
清淨何以故若一切智智清淨若外空乃至
无性自性空清淨若无忘失法清淨无二无
二分无別无斷故善現一切智智清淨故真
如清淨真如清淨故无忘失法清淨何以故
若一切智智清淨若真如清淨若无忘失法
清淨无二无二分无別无斷故一切智智清
淨故法界法性不虛妄性不變異性平等性
離生性法定法住實際虛空界不思議界清
淨法界乃至不思議界清淨故无忘失法清
淨何以故若一切智智清淨若法界乃至不
思議界清淨若无忘失法清淨无二无二分
无別无斷故善現一切智智清淨故苦聖諦
清淨苦聖諦清淨故无忘失法清淨何以故
若一切智智清淨若苦聖諦清淨若无忘失
法清淨无二无二分无別无斷故一切智智
清淨故集滅道聖諦清淨集滅道聖諦清淨

BD02128號　大般若波羅蜜多經卷二七八　（19–15）

清淨苦聖諦清淨故无忘失法清淨何以故
若一切智智清淨若苦聖諦清淨若无忘失
法清淨无二无二分无別无斷故一切智智
清淨故集滅道聖諦清淨集滅道聖諦清淨
故无忘失法清淨何以故若一切智智清淨
若集滅道聖諦清淨若无忘失法清淨无二
无二分无別无斷故善現一切智智清淨故
四靜慮清淨四靜慮清淨故无忘失法清淨
何以故若一切智智清淨若四靜慮清淨若
无忘失法清淨无二无二分无別无斷故一切
智智清淨故四无量四无色定清淨四无量
四无色定清淨故无忘失法清淨何以故若
一切智智清淨若四无量四无色定清淨
若无忘法清淨无二无二分无別无斷故
善現一切智智清淨故八解脫清淨八解脫
清淨故忘失法清淨何以故若一切智智
清淨若八解脫清淨若无忘失法清淨无二
无二分无別无斷故一切智智清淨故八勝
處九次第定十遍處清淨八勝處九次第定
十遍處清淨故无忘失法清淨何以故若一
切智智清淨若八勝處九次第定十遍處清
淨若无忘失法清淨无二无二分无別无斷
故善現一切智智清淨故四念住清淨四念
住清淨故无忘失法清淨何以故若一切智
智清淨若四念住清淨若无忘失法清淨无
二无二分无別无斷故一切智智清淨故四
正斷四神足五根五力七等覺支八聖道支

BD02128號　大般若波羅蜜多經卷二七八　（19–16）

住清淨故无忘失法清淨何以故若一切智
智清淨若四念住清淨若无忘失法清淨无
二无二分无別无斷故一切智智清淨故四
正斷四神足五根五力七等覺支八聖道支
清淨四正斷乃至八聖道支清淨故无忘失
法清淨何以故若一切智智清淨若四正斷
乃至八聖道支清淨若无忘失法清淨无二
无二分无別无斷故善現一切智智清淨故
空解脫門清淨空解脫門清淨故无忘失法
清淨何以故若一切智智清淨若空解脫門
清淨若无忘失法清淨无二无二分无別无
斷故一切智智清淨故无相无願解脫門清
淨无相无願解脫門清淨故无忘失法清淨
何以故若一切智智清淨若无相无願解脫
門清淨若无忘失法清淨无二无二分无別
无斷故善現一切智智清淨故菩薩十地清
淨菩薩十地清淨故无忘失法清淨何以故
若一切智智清淨若菩薩十地清淨若无忘
失法清淨无二无二分无別无斷故
善現一切智智清淨故五眼清淨五眼清淨
故无忘失法清淨何以故若一切智智清淨
若五眼清淨若无忘失法清淨无二无二分
无別无斷故一切智智清淨故六神通清淨
六神通清淨故无忘失法清淨何以故若一
切智智清淨若六神通清淨若无忘失法清
淨无二无二分无別无斷故善現一切智智
清淨故佛十力清淨佛十力清淨故无忘失

BD02128號　大般若波羅蜜多經卷二七八　（19–17）

切智智清淨若六神通清淨若无忘失法清
淨无二无二分无別无斷故善現一切智智
清淨故佛十力清淨佛十力清淨故无忘失
法清淨何以故若一切智智清淨若佛十力
清淨若无忘失法清淨无二无二分无別无
斷故一切智智清淨故四无所畏四无礙解
大慈大悲大喜大捨十八佛不共法清淨四
无所畏乃至十八佛不共法清淨故无忘失
法清淨何以故若一切智智清淨若四无所
乃至十八佛不共法清淨若无忘失法清
淨无二无二分无別无斷故善現一切智智
清淨故恒住捨性清淨恒住捨性清淨故无
忘失法清淨何以故若一切智智清淨若恒
住捨性清淨若无忘失法清淨无二无二分
无別无斷故善現一切智智清淨故一切智
清淨一切智清淨故无忘失法清淨何以故
若一切智智清淨若一切智清淨若无忘失
法清淨无二无二分无別无斷故一切智智
清淨故道相智一切相智清淨道相智一切
相智清淨故无忘失法清淨何以故若一切
智智清淨若道相智一切相智清淨若无忘
失法清淨无二无二分无別无斷故善現一
切智智清淨故一切陁羅尼門清淨一切陁
羅尼門清淨故无忘失法清淨何以故若一
切智智清淨若一切陁羅尼門清淨若无忘
失法清淨无二无二分无別无斷故一切智
智清淨故一切三摩地門清淨一切三摩地

BD02128號　大般若波羅蜜多經卷二七八　（19–18）

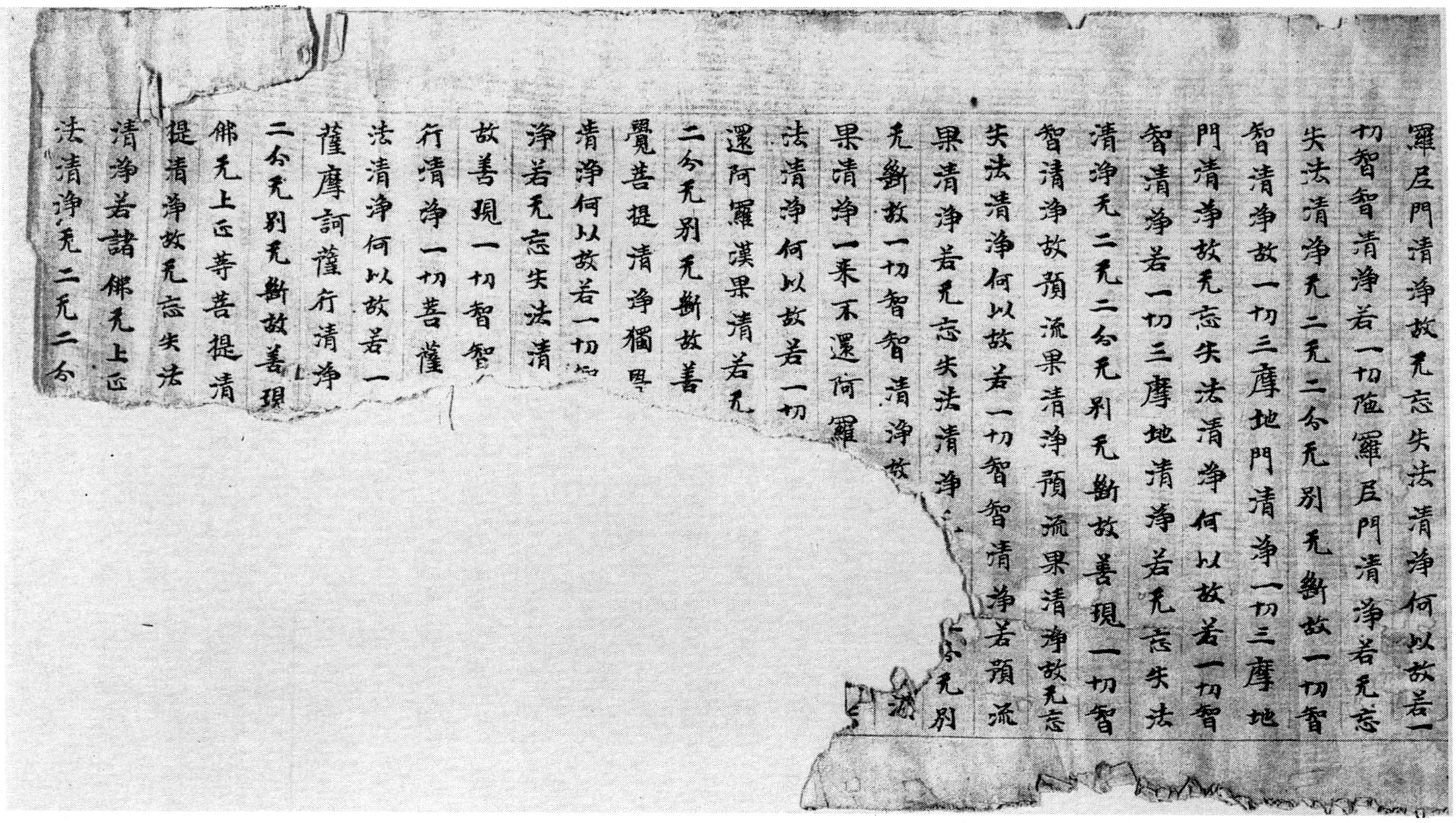

羅尼門清淨故无忘失法清淨何以故若一
切智智清淨若一切陁羅尼門清淨若无忘
失法清淨无二无二分无別无斷故一切智
智清淨故一切三摩地門清淨一切三摩地
門清淨故无忘失法清淨何以故若一切智
智清淨若一切三摩地清淨若无忘失法
清淨无二无二分无別无斷故善現一切智
智清淨故預流果清淨預流果清淨故无忘
失法清淨何以故若一切智智清淨若預流
果清淨若无忘失法清淨…分无別
无斷故一切智智清淨故…流
果清淨一來不還阿羅
法清淨何以故若一切
還阿羅漢果清若无
二分无別无斷故善
覺菩提清淨獨覺
清淨何以故若一切
淨若无忘失法清
故善現一切智智
行清淨一切菩薩
法清淨何以故若一
薩摩訶薩行清淨
二分无別无斷故善現
佛无上正等菩提清
提清淨故无忘失法
清淨若諸佛无上正
法清淨无二无二分

BD02128號　大般若波羅蜜多經卷二七八　（19–19）

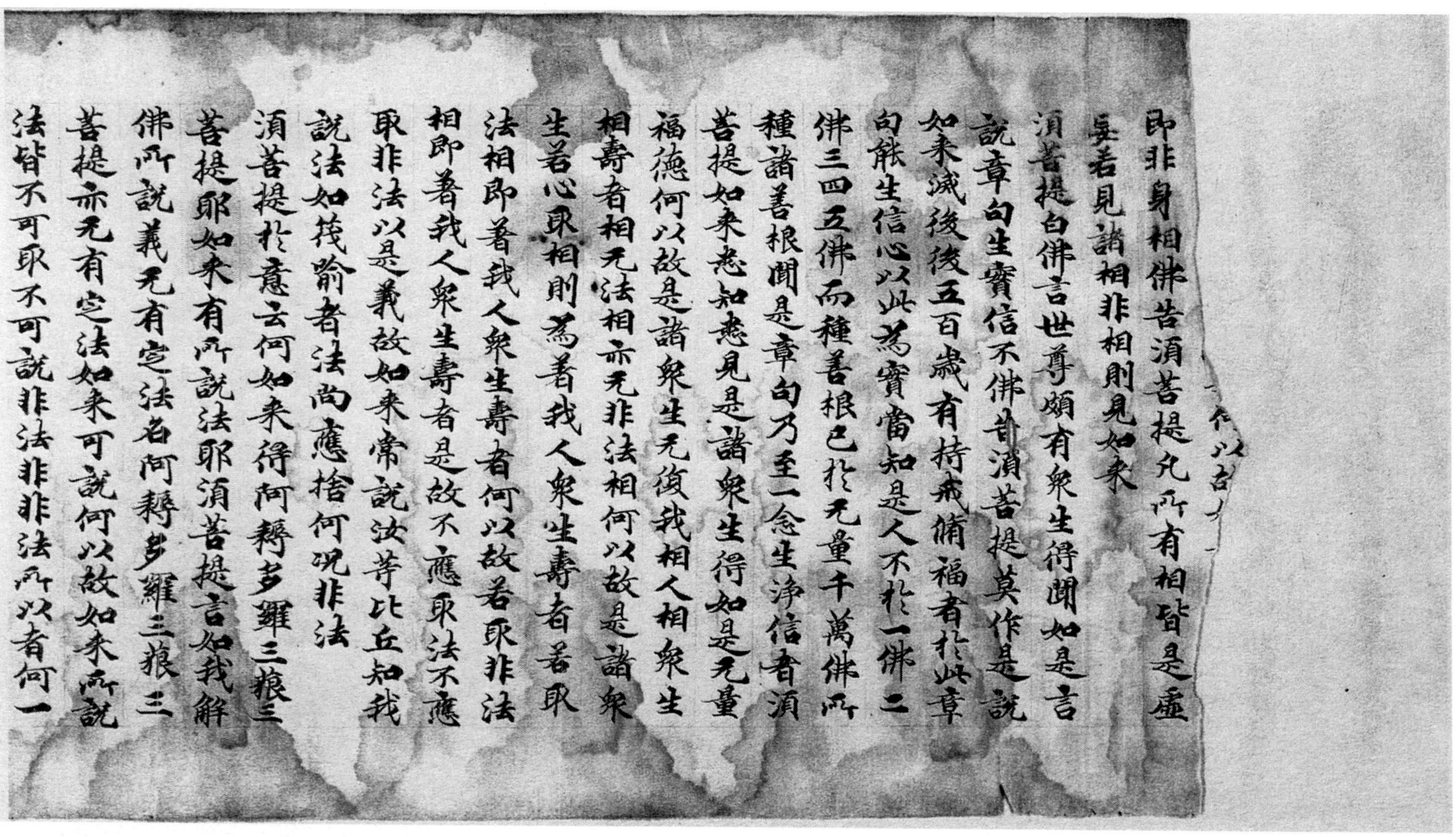

即非身相佛告須菩提凡所有相皆是虛
妄若見諸相非相則見如來
須菩提白佛言世尊頗有衆生得聞如是言
說章句生實信不佛告須菩提莫作是說
如來滅後後五百歲有持戒脩福者於此章
句能生信心以此爲實當知是人不於一佛二
佛三四五佛而種善根已於无量千萬佛所
種諸善根聞是章句乃至一念生淨信者須
菩提如來悉知悉見是諸衆生得如是无量
福德何以故是諸衆生无復我相人相衆生
相壽者相无法相亦无非法相何以故是諸衆
生若心取相則爲著我人衆生壽者若取
法相即著我人衆生壽者何以故若取非法
相即著我人衆生壽者是故不應取法不應
取非法以是義故如來常說汝等比丘知我
說法如筏喻者法尚應捨何況非法
須菩提於意云何如來得阿耨多羅三藐三
菩提耶如來有所說法耶須菩提言如我解
佛所說義无有定法名阿耨多羅三藐三
菩提亦无有定法如來可說何以故如來所說
法皆不可取不可說非法非非法所以者何一

BD02129號　金剛般若波羅蜜經　（3–1）

菩提耶如来有所說法耶須菩提言如我解
佛所說義无有定法名阿耨多羅三藐三
菩提亦无有定法如来可說何以故如来所說
法皆不可取不可說非法非非法所以者何一
切賢聖皆以无為法而有差別
須菩提於意云何若人滿三千大千世界七
寶以用布施是人所得福德寧為多不須
菩提言甚多世尊何以故是福德即非福德
性是故如来說福德多若復有人於此經中
受持乃至四句偈等為他人說其福勝彼何
以故須菩提一切諸佛及諸佛阿耨多羅三藐
三菩提法皆從此經出須菩提所謂佛法者
即非佛法
須菩提於意云何須陁洹能作是念我得須
陁洹果不須菩提言不也世尊何以故須陁洹
名為入流而无所入不入色聲香味觸法是名
須陁洹須菩提於意云何斯陁含能作是
念我得斯陁含果不須菩提言不也世尊何
以故斯陁含名一往来而實无往来是名斯
陁含須菩提於意云何阿那含能作是念我
得阿那含果不須菩提言不也世尊何以故
阿那含名為不来而實无来是故名阿那含
須菩提於意云何阿羅漢能作是念我得
阿羅漢道不須菩提言不也世尊何以故實
无有法名阿羅漢世尊若阿羅漢作是念我

BD02129號　金剛般若波羅蜜經　（3–2）

須陁洹須菩提於意云何斯陁含能作是
念我得斯陁含果不須菩提言不也世尊何
以故斯陁含名一往来而實无往来是名斯
陁含須菩提於意云何阿那含能作是念我
得阿那含果不須菩提言不也世尊何以故
阿那含名為不来而實无来是故名阿那含
須菩提於意云何阿羅漢能作是念我得
阿羅漢道不須菩提言不也世尊何以故實
无有法名阿羅漢世尊若阿羅漢作是念我
得阿羅漢道即為著我人衆生壽者世尊佛
說我得无諍三昧人中最為第一是第一離
欲阿羅漢我不作是念我是離欲阿羅漢世
尊我若作是念我得阿羅漢道世尊則不
說須菩提是樂阿蘭那行者以須菩提實无
所行而名須菩提是樂阿蘭那行
佛告須菩提於意云何如来昔在燃燈佛所
於法有所得不世尊如来在燃燈佛所於法
實无所得須菩提於意云何菩薩莊嚴佛土
不不也世尊何以故莊嚴佛土者則非莊嚴

BD02129號　金剛般若波羅蜜經　（3–3）

第九願者使我来世摧伏惡魔
揚清淨无上道法使入正真无
菩提八正覺路
第十願者使我来世若有衆生王法所加臨
當刑戮无量怖畏愁憂苦惱若復鞭撻枷鏁
其體種種恐懼逼切其身　是无邊諸苦惱
等悉令解脫无有衆難
第十一願者使我来世若有衆生飢火所惱
令得種種甘美飲食天諸餚饍種種无數悉
持施與令身充足
第十二願者使我来世若有貧凍裸露衆生
即得衣服窮乏之者施與珎寶倉庫盈溢无
所乏少一切皆受无量快樂乃至无有一人
受苦使諸衆生和顏悅色形貌端嚴人所憙

BD02130號　灌頂章句拔除過罪生死得度經

（5–1）

令得種種甘美飲食天諸餚饍種種无數悉
持施與令身充足
第十二願者使我来世若有貧凍裸露衆生
即得衣服窮乏之者施與珎寶倉庫盈溢无
所乏少一切皆受无量快樂乃至无有一人
受苦使諸衆生和顏悅色形貌端嚴人所憙
見琴瑟鼓吹如是无量最上音聲施與一切
无量衆生是為十二微妙上願
佛告文殊師利此藥師瑠璃光本願功德如
是我今為汝略說其國莊嚴之事此藥師瑠
璃光如来國土清淨无五濁无愛欲无意垢
以白銀瑠璃為地宮殿樓閣悉用七寶亦如
西方无量壽國无有異也有二菩薩一名日
曜二名月淨是二菩薩次補佛處諸善男子
及善女人亦當願生彼國土也文殊師利白
佛言唯願演說藥師瑠璃光如来无量功德
饒益衆生令得佛道
佛言若有善男子善女人新破衆魔來入正
道得聞我說藥師瑠璃光如来名字者魔家
眷屬退散馳走如是无量枝衆生苦我今說之
佛告文殊師利世間有人不解罪福慳貪不
知布施令世後世當得其福世人愚癡但知
貪惜寧自割身肉而噉食之不肯持錢財布
施求後世之福世複有人身不衣食此大慳
貪命終以後當墮餓鬼及在畜生中聞我說
是藥師瑠璃光如来名字之時亦不墮就

BD02130號　灌頂章句拔除過罪生死得度經

（5–2）

佛告文殊師利世間有人不解罪福慳貪不
知布施令世後世當得其福世人愚癡但知
貪惜寧自割身肉而噉食之不肯持錢財布
施求後世之福世復有人身不衣食此大慳
貪命終以後當墮餓鬼及在畜生中聞我說
是藥師瑠璃光如来名字之時无不解脫憂
苦者也皆作信心貪福畏罪人從索頭與頭
索眼與眼乞妻與妻乞子與子求金銀珎寶
皆大布施一時歡喜即發无上正真道意
佛言若復有人受持淨戒遵奉明法不解罪
福雖知明經不及中義不能分別曉了中事
以自貢高恒當瞻憒乃與世間衆魔從事更
作縛着不解行之癒著婦女恩愛之情口為
說空行在有中不能發覺復不自知但能論
說他人是非如此人輩皆當墮三惡道中聞
我說是藥師瑠璃光本願功德无不歡喜念
欲捨家行作沙門者也
佛言世間有人好自稱譽皆自貢高當墮三
惡道中後還為人牛馬奴婢生下賤中人當
乘其力負重而行困苦疲極亡失人身聞我說
是藥師瑠璃光如来本願功德者皆當一心
歡喜踊躍更作謙敬即得解脫衆苦之患難長
得歡樂聰明智慧遠離惡道得生善處與善
知識共相值遇无復憂惱離諸魔縛
佛言世間愚癡人輩兩舌鬬諍惡口罵詈更

BD02130 號　灌頂章句拔除過罪生死得度經　（5–3）

是藥師瑠璃光如来本願功德者皆當一心
歡喜踊躍更作謙敬即得解脫衆苦之患難長
得歡樂聰明智慧遠離惡道得生善處與善
知識共相值遇无復憂惱離諸魔縛
佛言世間愚癡人輩兩舌鬬諍惡口罵詈更
相嫌恨或就山神樹下鬼神日月之神南斗
北辰諸鬼神書所作諸呪詛或作人名字或作
人形像或作符書以相厭禱呪咀言說聞我
說是藥師瑠璃光本願功德无不兩作和解
俱生慈心惡意悉滅各各歡喜无復惡念
佛言若四輩弟子比丘比丘尼清信士清信
女常脩月六齋年三長齋或晝夜精勤一心
苦行願欲往生西方阿弥陁佛國者憶念晝
夜若一日二日三日四日五日六日七日或
復中悔聞我說是藥師瑠璃光本願功德盡
其壽命欲終之日有八菩薩
文殊師利菩薩　觀世音菩薩　大勢至菩薩　无盡意菩薩
寶檀華菩薩　藥王菩薩　藥上菩薩　弥勒菩薩
是八菩薩皆當飛往迎其精神不逕八難生
蓮華中自然音樂而相娛樂
佛言假使壽命自欲盡時臨終之日得聞我
說是藥師瑠璃光佛本願功德者命終皆得
上生天上不復逕歷三惡道中天上福盡若
下生人間當為帝王家作子或生豪姓長者
居士富貴家生皆當端正聰明智慧高才勇
猛若是女人化成男子无復憂苦患難者也

BD02130 號　灌頂章句拔除過罪生死得度經　（5–4）

說是藥師瑠璃光佛本願功德者命終皆得
上生天上不復逶應三惡道中天上福盡若
下生人間當為帝王家作子或生豪姓長者
居士冨貴家生皆當端正聰明智慧高才勇
猛若是女人化成男子无復憂苦患難者也
佛語文殊師利我稱譽顯說藥師瑠璃光佛
至真等正覺本所脩集无量行願功德如是
文殊師利從坐而起長跪叉手白佛言世尊
佛去世後當以此法開化十方一切衆生使
其受持是經典者若有善男子善女人愛樂
是經受持讀誦宣通之者復能專念若一日
二日三日四日乃至七日憶念不忘能以好
素帛書取是經五色雜綵作囊盛之者是時
當有諸天善神四天大王龍神八部常来營
衛愛敬此經能日日作礼持是經者不墮横
死所在安隱惡氣消滅諸魔鬼神亦不中害
佛言如是如是如汝所說文殊師利言世尊
所說言无不善
佛告文殊師利若有善男子善女人等發心
造立藥師瑠璃光如来形像供養礼拜懸雜
色幡蓋燒香散華歌詠讚歎圍遶百迊還坐
本處端坐思惟念藥師瑠璃光佛无量功德
若有善男子善女人七日七夜菜食長齋供
養礼拜藥師瑠璃光佛求心中所願者无不

BD02130號　灌頂章句拔除過罪生死得度經

（5–5）

无二无
无忘失法清淨无忘失法清
淨何以故是生者清淨與无忘
无二分无別无斷故生者清淨
淨恒住捨性清淨
者清淨與恒住捨、
无斷故善現生者清淨即
智清淨即生者清淨何以故
與一切智清淨无二无二分无別无斷故生
者清淨即道相智一切相智清淨道相智一
切相智清淨即生者清淨何以故是生者清
淨與道相智一切相智清淨无二无二分无別
无斷故善現生者清淨即一切陁羅尼門清
淨一切陁羅尼門清淨即生者清淨何以故
是生者清淨與一切陁羅尼門清淨无二无二
分无別无斷故生者清淨即一切三摩地門
清淨一切三摩地門清淨即生者清淨何以
故是生者清淨與一切三摩地門清淨无二
无二分无別无斷故
善現生者清淨即預流果清淨預流果清淨
即生者清淨何以故是生者清淨與預流果
清淨无二无二分无別无斷故生者清淨即
一来不還阿羅漢果清淨一来不還阿羅漢

BD02131號　大般若波羅蜜多經卷一九一

（9–1）

无二分无别无斷故
善現生者清淨即預流果清淨預流果清淨
即生者清淨何以故是生者清淨與預流果
清淨无二无二分无别无斷故生者清淨即
一来不還阿羅漢果清淨一来不還阿羅漢
果清淨即生者清淨何以故是生者清淨與
一来不還阿羅漢果清淨无二无二分无别无
斷故善現生者清淨即獨覺菩提清淨獨
覺菩提清淨即生者清淨何以故是生者清
淨與獨覺菩提清淨无二无二分无别无斷故
善現生者清淨即一切菩薩摩訶薩行清
淨一切菩薩摩訶薩行清淨即生者清淨何
以故是生者清淨與一切菩薩摩訶薩行清
淨无二无二分无别无斷故善現生者清淨
即諸佛无上正等菩提清淨諸佛无上正等
菩提清淨即生者清淨何以故是生者清淨
與諸佛无上正等菩提清淨无二无二分无
别无斷故
復次善現養育者清淨即色清淨色清淨即
養育者清淨何以故是養育者清淨與色
清淨无二无二分无别无斷故養育者清淨即
受想行識清淨受想行識清淨即養育者清
淨何以故是養育者清淨與受想行識清淨
无二无二分无别无斷故善現養育者清淨
即眼處清淨眼處清淨即養育清淨何
以故是養育者清淨與眼處清淨无二无

受想行識清淨即養育者清
淨何以故是養育者清淨與受想行識清淨
无二无二分无别无斷故善現養育者清淨
即眼處清淨眼處清淨即養育清淨何
以故是養育者清淨與眼處清淨无二无
二分无别无斷故養育者清淨即耳鼻舌身
意處清淨耳鼻舌身意處清淨即養育者
清淨何以故是養育者清淨與耳鼻舌身
意處清淨无二无二分无别无斷故善現養
育者清淨即色處清淨色處清淨即養育
者清淨何以故是養育者清淨與色處清
淨无二无二分无别无斷故養育者清淨即
聲香味觸法處清淨聲香味觸法處清淨
即養育者清淨何以故是養育者清淨與
聲香味觸法處清淨无二无二分无别无斷故
善現養育者清淨即眼界清淨眼界清淨即
養育者清淨何以故是養育者清淨與眼界
清淨无二无二分无别无斷故養育者清淨
即色界眼識界及眼觸眼觸爲緣所生諸受
清淨色界乃至眼觸爲緣所生諸受清
淨即養育者清淨何以故是養育者清淨
與色界乃至眼觸爲緣所生諸受清淨无二
无二分无别无斷故善現養育者清淨即
耳界清淨耳界清淨即養育者清淨何以
故是養育者清淨與耳界清淨无二无二分
无别无斷故養育者清淨即聲界耳識界

无二分无別无斷故善現養育者清淨即
耳界清淨耳界清淨即養育者清淨何以
故是養育者清淨與耳界清淨无二无二分
无別无斷故養育者清淨即聲界耳識界
及耳觸耳觸為緣所生諸受清淨聲界乃
至耳觸為緣所生諸受清淨即養育者清
淨何以故是養育者清淨與聲界乃至耳
觸為緣所生諸受清淨无二无二分无別无
斷故善現養育者清淨即鼻界清淨鼻界
清淨即養育者清淨何以故是養育者清
淨與鼻界清淨无二无二分无別无斷故養育
者清淨即香界鼻識界及鼻觸鼻觸為緣
所生諸受清淨香界乃至鼻觸為緣所生諸
受清淨即養育者清淨何以故是養育者
清淨與香界乃至鼻觸為緣所生諸受清淨
无二无二分无別无斷故善現養育者清淨即
舌界清淨舌界清淨即養育者清淨何以故
是養育者清淨與舌界清淨无二无二分无別
无斷故養育者清淨即味界舌識界及舌觸
舌觸為緣所生諸受清淨味界乃至舌觸為
緣所生諸受清淨即養育者清淨何以故是
養育者清淨與味界乃至舌觸為緣所生諸
受清淨无二无二分无別无斷故善現養育
者清淨即身界清淨身界清淨即養育者清
淨何以故是養育者清淨與身界清淨无二
无二分无別无斷故養育者清淨即觸界身

BD02131 號　大般若波羅蜜多經卷一九一

（9–4）

養育者清淨與味界乃至舌觸為緣所生諸
受清淨无二无二分无別无斷故善現養育
者清淨即身界清淨身界清淨即養育者清
淨何以故是養育者清淨與身界清淨无二
无二分无別无斷故養育者清淨即觸界身
識界及身觸身觸為緣所生諸受清淨觸界
乃至身觸為緣所生諸受清淨即養育者
清淨何以故是養育者清淨與觸界乃至身
觸為緣所生諸受清淨无二无二分无別无
斷故善現養育者清淨即意界清淨意界
清淨即養育者清淨何以故是養育者清淨
與意界清淨无二无二分无別无斷故養育
者清淨即法界意識界及意觸意觸為緣所
生諸受清淨法界乃至意觸為緣所生諸受清淨
即養育者清淨何以故是養育者清淨與
界乃至意觸為緣所生諸受清淨无二无二
分无別无斷故善現養育者清淨即地界清
淨地界清淨即養育者清淨何以故是養
育者清淨與地界清淨无二无二分无別无斷
故養育者清淨即水火風空識界清淨水火
風空識界清淨即養育者清淨何以故是養
育者清淨與水火風空識界清淨无二无二分
无別无斷故善現養育者清淨即无明清
淨无明清淨即養育者清淨何以故是養
育者清淨與无明清淨无二无二分无別
无斷故養育者清淨即行識名色六處觸

BD02131 號　大般若波羅蜜多經卷一九一

（9–5）

无別无斷故善現養育者清淨即无明清
淨无明清淨即養育者清淨何以故是養
育者清淨與无明清淨无二无二分无別
无斷故養育者清淨即行識名色六處觸
受愛取有生老死愁歎苦憂惱清淨行乃至
老死愁歎苦憂惱清淨即養育者清淨何
以故是養育者清淨與行乃至老死愁歎
苦憂惱清淨无二无二分无別无斷故
善現養育者清淨即布施波羅蜜多清淨布
施波羅蜜多清淨即養育者清淨何以故是
養育者清淨與布施波羅蜜多清淨无二
无二分无別无斷故養育者清淨即淨
戒安忍精進靜慮般若波羅蜜多清淨淨
戒乃至般若波羅蜜多清淨即養育者
清淨何以故是養育者清淨與淨戒乃至般
若波羅蜜多清淨无二无二分无別无斷故善
現養育者清淨即內空清淨內空清淨
即養育者清淨何以故是養育者清淨與
內空清淨无二无二分无別无斷故養育者
清淨即外空內外空空空大空勝義空有
為空无為空畢竟空无際空散空无變異
空本性空自相空共相空一切法空不可
得空无性空自性空无性自性空清淨外
空乃至无性自性空清淨即養育者清淨
何以故是養育者清淨與外空乃至无性自

BD02131 號　大般若波羅蜜多經卷一九一　（9-6）

得空无性空自性空无性自性空清淨外
空乃至无性自性空清淨即養育者清淨
何以故是養育者清淨與外空乃至无性自
性空清淨无二无二分无別无斷故善現
養育者清淨即真如清淨真如清淨即
養育者清淨何以故是養育者清淨與
真如清淨无二无二分无別无斷故養育者
清淨即法界法性不虛妄性不變異性平等
性離生性法定法住實際虛空界不思議界清
淨法界乃至不思議界清淨即養育者清淨
何以故是養育者清淨與法界乃至不思議
界清淨无二无二分无別无斷故善現養育
者清淨即苦聖諦清淨苦聖諦清淨即養
育者清淨何以故是養育者清淨與苦聖諦
清淨无二无二分无別无斷故養育者清
淨即集滅道聖諦清淨集滅道聖諦清淨
即養育者清淨何以故是養育者清淨與
集滅道聖諦清淨无二无二分无別无斷故
善現養育者清淨即四靜慮清淨四靜慮
清淨即養育者清淨何以故是養育者清淨
與四靜慮清淨无二无二分无別无斷故養
育者清淨即四无量四无色定清淨四无量
四无色定清淨即養育者清淨何以故是
養育者清淨與四无量四无色定清淨无二
无二分无別无斷故善現養育者清淨即
八解脫清淨八解脫清淨即養育者清淨

BD02131 號　大般若波羅蜜多經卷一九一　（9-7）

養育者清淨與四无量四无色定清淨无二
无二分无别无斷故善現養育者清淨即
八解脫清淨八解脫清淨即養育者清淨
何以故是養育者清淨與八解脫清淨无
二无二分无别无斷故養育者清淨即八
勝處九次第定十遍處清淨八勝處九次第
定十遍處清淨即養育者清淨何以故是
養育者清淨與八勝處九次第定十遍處
清淨无二无二分无别无斷故善現養育者
清淨即四念住清淨四念住清淨即養育
者清淨何以故是養育者清淨與四念住
清淨无二无二分无别无斷故養育者清淨
即四正斷四神足五根五力七等覺支八聖
道支清淨四正斷乃至八聖道支清淨即
養育者清淨何以故是養育者清淨與四
正斷乃至八聖道支清淨无二无二分无别无
斷故善現養育者清淨即空解脫門清
淨空解脫門清淨即養育者清淨何以故
是養育者清淨與空解脫門清淨无二无
二分无别无斷故養育者清淨即无相无
願解脫門清淨无相无願解脫門清淨即
養育者清淨何以故是養育者清淨與无相
无願解脫門清淨无二无二分无别无斷故善
現養育者清淨即菩薩十地清淨菩薩十
地清淨即養育者清淨何以故是養育者

BD02131號　大般若波羅蜜多經卷一九一　（9–8）

養育者清淨何以故是養育者清淨與四
正斷乃至八聖道支清淨无二无二分无别无
斷故善現養育者清淨即空解脫門清
淨空解脫門清淨即養育者清淨何以故
是養育者清淨與空解脫門清淨无二无
二分无别无斷故養育者清淨即无相无
願解脫門清淨无相无願解脫門清淨即
養育者清淨何以故是養育者清淨與无相
无願解脫門清淨无二无二分无别无斷故善
現養育者清淨即菩薩十地清淨菩薩十
地清淨即養育者清淨何以故是養育者
清淨與菩薩十地清淨无二无二分无别无
斷故

大般若波羅蜜多經卷第一百九十一

BD02131號　大般若波羅蜜多經卷一九一　（9–9）

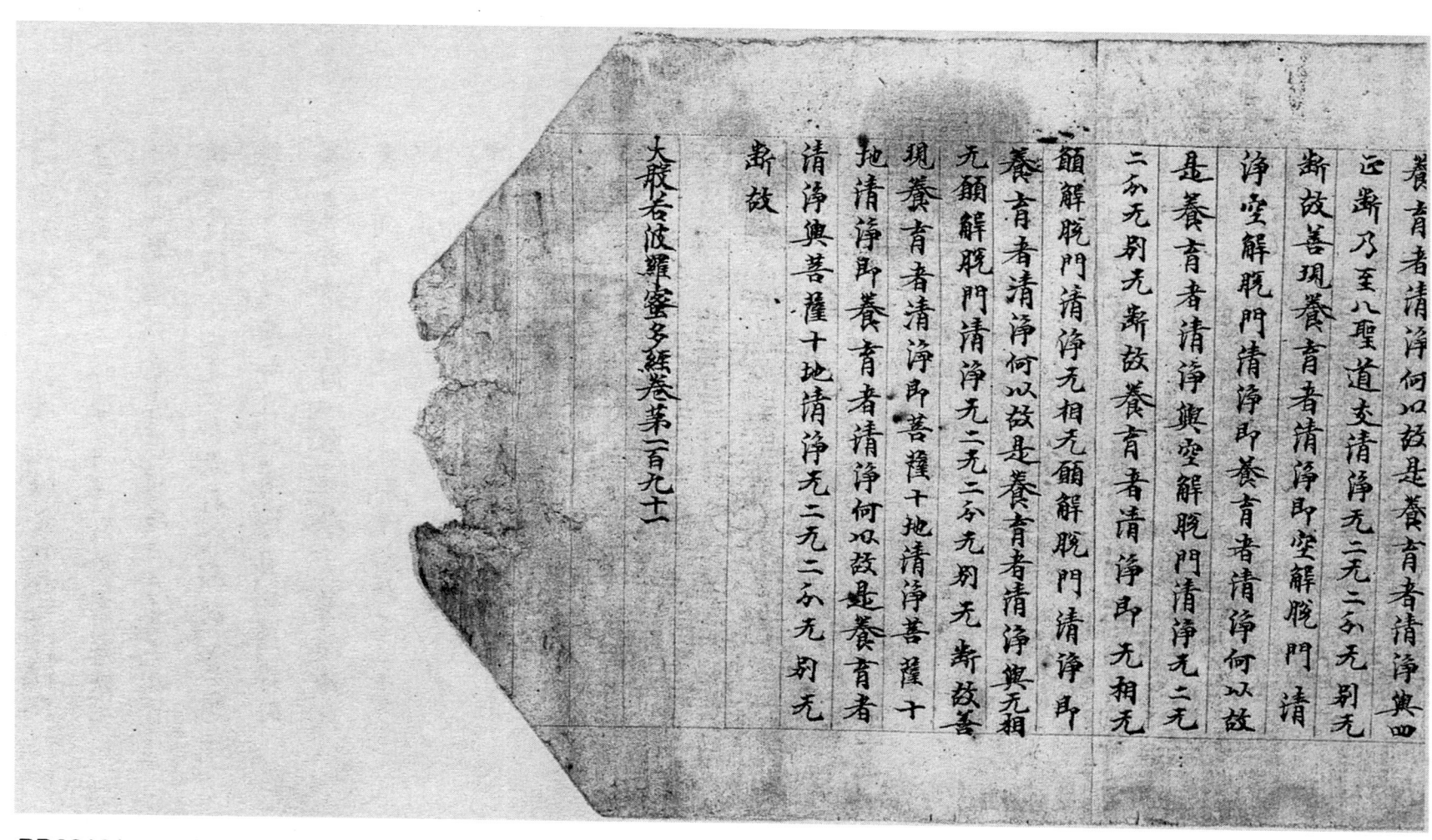

有魔事

欲重宣此義而說偈言

佛 見是迦葉 於未來世

過去數劫 當得作佛 而於來世 供養奉覲

三百万億 諸佛世尊 為佛智慧 淨脩梵行

供養最上 二足尊已 脩習一切 无上之慧

於最後身 得成為佛 其土清淨 琉璃為地

多諸寶樹 行列道側 金繩界道 見者歡喜

常出好香 散衆名華 種種奇妙 以為莊嚴

其地平正 无有丘坑 諸菩薩衆 不可稱計

其心調柔 逮大神通 奉持諸佛 大乘經典

諸聲聞衆 无漏後身 法王之子 亦不可計

乃以天眼 不能數知 其佛當壽 十二小劫

正法住世 二十小劫 像法亦住 二十小劫

光明世尊 其事如是

尒時大目揵連須菩提摩訶迦栴延等皆悉

悚慄一心合掌瞻仰世尊目不蹔捨即共同

聲而說偈言

大雄猛世尊 諸釋之法王 哀愍我等故 而賜佛音聲

若知我深心 見為授記者 如以甘露灑 除熱得清涼

如從飢國來 忽遇大王饍 心猶懷疑懼 未敢即便食

若復得王教 然後乃敢食 我等亦如是 每惟小乘過

BD02132號　妙法蓮華經卷三　（20–1）

聲而說偈言

大雄猛世尊 諸釋之法王 哀愍我等故 而賜佛音聲

若知我深心 見為授記者 如以甘露灑 除熱得清涼

如從飢國來 忽遇大王饍 心猶懷疑懼 未敢即便食

若復得王教 然後乃敢食 我等亦如是 每惟小乘過

不知當云何 得佛无上慧 雖聞佛音聲 言我等作佛

心常懷憂懼 如未敢便食 若蒙佛授記 尒乃快安樂

大雄猛世尊 常欲安世間 願賜我等記 如飢須教食

尒時世尊知諸大弟子心之所念告諸比丘

是須菩提於當來世奉覲三百万億那由他

佛供養恭敬尊重讚歎常脩梵行具菩薩道

於最後身得成為佛号曰名相如來應供正

遍知明行足善逝世間解无上士調御丈夫

天人師佛世尊劫名有寶國名寶生其土平

正頗梨為地寶樹莊嚴无諸丘坑沙礫荊棘

便利之穢寶華覆地周遍清淨其土人民皆

處寶臺珍妙樓閣聲聞弟子无量无邊筭數

譬喻所不能知諸菩薩衆无數千万億那由

他佛壽十二小劫正法住世二十小劫像法

亦住二十小劫其佛常處虛空為衆說法度

脫无量菩薩及聲聞衆尒時世尊欲重宣此

義而說偈言

諸比丘衆 今告汝等 皆當一心 聽我所說

我大弟子 須菩提者 當得作佛 号曰名相

當供无數 万億諸佛 隨佛所行 漸具大道

BD02132號　妙法蓮華經卷三　（20–2）

義而說偈言
諸比丘衆　今告汝等　皆當一心　聽我所說
我大弟子　須菩提者　當得作佛　號曰名相
當供无數　万億諸佛　隨佛所行　漸具大道
㝡後身得　三十二相　端政姝妙　猶如寶山
其佛國土　嚴淨第一　衆生見者　无不愛樂
佛於其中　度无量衆　其佛法中　多諸菩薩
皆悉利根　轉不退輪　彼國常以　菩薩莊嚴
諸聲聞衆　不可稱數　皆得三明　具六神通
住八解脫　有大威德　其佛說法　現於无量
神通變化　不可思議　諸天人民　數如恒沙
皆共合掌　聽受佛語　其佛當壽　十二小劫
正法住世　二十小劫　像法亦住　二十小劫
尒時世尊復告諸比丘衆我今語汝是大迦
旃延於當來世以諸供具供養奉事八千億
佛恭敬尊重諸佛滅後各起塔廟高千由旬
縱廣正等五百由旬以金銀琉璃車𤦲馬瑙
真珠玫瑰七寶合成衆華瓔珞塗香末香燒
香繒蓋幢幡供養塔廟過是已後當復供養
二万億佛亦復如是供養是諸佛已具菩薩
道當得作佛號曰閻浮那提金光如來應供
正遍知明行足善逝世間解无上士調御丈
夫天人師佛世尊其土平正頗梨為地寶樹
莊嚴黄金為繩以界道側妙華覆地周遍清
淨見者歡喜无四惡道地獄餓鬼畜生阿脩
羅道多有天人諸聲聞衆及諸菩薩无量万

BD02132號　妙法蓮華經卷三　（20-3）

夫天人師佛世尊其土平正頗梨為地寶樹
莊嚴黄金為繩以界道側妙華覆地周遍清
淨見者歡喜无四惡道地獄餓鬼畜生阿脩
羅道多有天人諸聲聞衆及諸菩薩无量万
億莊嚴其國佛壽十二小劫正法住世二十
小劫像法亦住二十小劫尒時世尊欲重宣
此義而說偈言
諸比丘衆　皆一心聽　如我所說　真實无異
是迦旃延　當以種種　妙好供具　供養諸佛
諸佛滅後　起七寶塔　亦以華香　供養舍利
其㝡後身　得佛智慧　成等正覺　國土清淨
度脫无量　万億衆生　皆為十方　之所供養
佛之光明　无能勝者　其佛號曰　閻浮金光
菩薩聲聞　斷一切有　无量无數　莊嚴其國
尒時世尊復告大衆我今語汝是大目揵連
當以種種供具供養八千諸佛恭敬尊重諸
佛滅後各起塔廟高千由旬縱廣正等五百
由旬以金銀琉璃車𤦲馬瑙真珠玫瑰七寶
合成衆華瓔珞塗香末香燒香繒蓋幢幡
以用供養過是已後當復供養二百万億諸佛
亦復如是當得成佛號曰多摩羅跋栴檀香
如來應供正遍知明行足善逝世間解无上
士調御丈夫天人師佛世尊劫名喜滿國名
意樂其土平正頗梨為地寶樹莊嚴散真
珠華周遍清淨見者歡喜多諸天人菩薩聲
聞衆其數无量佛壽二十四小劫正法住世四十

BD02132號　妙法蓮華經卷三　（20-4）

士調御丈夫天人師佛世尊劫名喜滿國名
意樂其土平正頗梨為地寶樹莊嚴散真
珠華周遍清淨見者歡喜多諸天人菩薩聲
聞其數无量佛壽二十四小劫正法住世四十
小劫像法亦住四十小劫尒時世尊欲重宣
此義而說偈言
我此弟子　大目揵連　捨是身已　得見八千
二百万億　諸佛世尊　為佛道故　供養恭敬
諸於佛所　常脩梵行　於无量劫　奉持佛法
諸佛滅後　起七寶塔　長表金刹　華香伎樂
而以供養　諸佛塔廟　漸漸具足　菩薩道已
於意樂國　而得作佛　号多摩羅　栴檀之香
其佛壽命　二十四劫　常為天人　演說佛道
聲聞无量　如恒河沙　三明六通　有大威德
菩薩无數　志固精進　於佛智慧　皆不退轉
佛滅度後　正法當住　四十小劫　像法亦尒
我諸弟子　威德具足　其數五百　皆當授記
於未來世　咸得成佛　我及汝等　宿世因緣
吾今當說　汝等善聽
妙法蓮華經化城喻品第七
佛告諸比丘乃往過去无量无邊不可思議
阿僧祇劫尒時有佛名大通智勝如來應供
正遍知明行足善逝世間解无上士調御丈
夫天人師佛世尊其國名好成劫名大相諸
比丘彼佛滅度已來甚大久遠譬如三千大
千世界所有地種假使有人磨以為墨過於

BD02132號　妙法蓮華經卷三　（20–5）

正遍知明行足善逝世間解无上士調御丈
夫天人師佛世尊其國名好成劫名大相諸
比丘彼佛滅度已來甚大久遠譬如三千大
千世界所有地種假使有人磨以為墨過於
東方千國土乃下一點大如微塵又過千國
土復下一點如是展轉盡地種墨於汝等意
云何是諸國土若筭師若筭師弟子能得邊
際知其數不不也世尊諸比丘是人所經國
土若點不點盡末為塵一塵一劫彼佛滅度
已來復過是數无量无邊百千万億阿僧祇
劫我以如來知見力故觀彼久遠猶若今日
尒時世尊欲重宣此義而說偈言
我念過去世　无量无邊劫　有佛兩足尊　名大通智勝
如人以力磨　三千大千土　盡此諸地種　皆悉以為墨
過於千國土　乃下一塵點　如是展轉點　盡此諸塵墨
如是諸國土　點與不點等　復盡末為塵　一塵為一劫
此諸微塵數　其劫復過是　彼佛滅度來　如是无量劫
如來无礙智　知彼佛滅度　及聲聞菩薩　如見今滅度
諸比丘當知　佛智淨微妙　无漏无所礙　通達无量劫
佛告諸比丘大通智勝佛壽五百四十万億
那由他劫其佛本坐道場破魔軍已垂得阿
耨多羅三藐三菩提而諸佛法不現在前如
是一小劫乃至十小劫結跏趺坐身心不動
而諸佛法猶不在前尒時忉利諸天先為彼
佛於菩提樹下敷師子座高一由旬佛於此

BD02132號　妙法蓮華經卷三　（20–6）

耨多羅三藐三菩提而諸佛法不現在前如
是一小劫乃至十小劫結跏趺坐身心不動
而諸佛法猶不在前尒時忉利諸天先為彼
佛於菩提樹下敷師子座高一由旬佛於此
座當得阿耨多羅三藐三菩提適坐此座時
諸梵天王雨衆天華面百由旬香風時來吹
去萎華更雨新者如是不絶滿十小劫供養
於佛乃至滅度常雨此華四王諸天為供養
佛常擊天鼓其餘諸天作天伎樂滿十小劫
至于滅度亦復如是諸比丘大通智勝佛過
十小劫諸佛之法乃現在前成阿耨多羅三
藐三菩提其佛未出家時有十六子其第一
者名曰智積諸子各有種種珍異玩好之具
聞父得成阿耨多羅三藐三菩提皆捨所珍
往詣佛所諸母涕泣而隨送之其祖轉輪聖
王與一百大臣及餘百千万億人民皆共圍
繞隨至道場咸欲親近大通智勝如來供養
恭敬尊重讚歎到已頭面礼足繞佛畢已一
心合掌瞻仰世尊以偈頌曰
大威德世尊　為度衆生故　於无量億歳　尒乃成佛道
諸願已具足　善哉吉无上　世尊甚希有　一坐十小劫
身體及手足　靜然安不動　其心常惔怕　未曾有散乱
究竟永寂滅　安住无漏法　今者見世尊　安隱成佛道
我等得善利　稱慶大歡喜　衆生常苦惱　盲瞑无導師
不識苦盡道　不知求解脫　長夜增惡趣　減損諸天衆
從冥入於冥　永不聞佛名　今佛得最上　安隱无漏道

BD02132號　妙法蓮華經卷三　（20–7）

身體及手足　靜然安不動　其心常惔怕　未曾有散乱
究竟永寂滅　安住无漏法　今者見世尊　安隱成佛道
我等得善利　稱慶大歡喜　衆生常苦惱　盲瞑无導師
不識苦盡道　不知求解脫　長夜增惡趣　減損諸天衆
從冥入於冥　永不聞佛名　今佛得最上　安隱无漏道
我等及天人　為得最大利　是故咸稽首　歸命无上尊
尒時十六王子偈讚佛已勸請世尊轉於法
輪咸作是言世尊說法多所安隱憐愍饒
益諸天人民重說偈言
世雄无等倫　百福自莊嚴　得无上智慧　願為世間說
度脫於我等　及諸衆生類　為分別顯示　令得是智慧
若我等得佛　衆生亦復然　世尊知衆生　深心之所念
亦知所行道　又知智慧力　欲樂及脩福　宿命所行業
世尊悉知已　當轉无上輪
佛告諸比丘大通智勝佛得阿耨多羅三藐
三菩提時十方各五百万億諸佛世界六種
震動其國中間幽冥之處日月威光所不能
照而皆大明其中衆生各得相見咸作是言
此中云何忽生衆生又其國界諸天宮殿乃
至梵宮六種震動大光普照遍滿世界勝諸
天光尒時東方五百万億諸國土中梵天宮
殿光明照耀倍於常明諸梵天王各作是念
今者宮殿光明昔所未有以何因緣而現此
相是時諸梵天王即各相詣共議此事而彼
衆生有一大梵天王名救一切為諸梵衆而
說偈言

BD02132號　妙法蓮華經卷三　（20–8）

殿光明照曜倍於常明 諸梵天王各作是念
今者宮殿光明昔所未有 以何因緣而現此
相 是時諸梵天王即各相詣共議此事 而彼
衆生有一大梵天王名救一切 為諸梵衆而
說偈言
我等諸宮殿 光明昔未有 此是何因緣 宜各共求之
為大德天生 為佛出世間 而此大光明 遍照於十方
尒時五百万億國土諸梵天王與宮殿俱 各
以衣裓盛諸天華 共詣西方推尋是相 見大
通智勝如來處于道場菩提樹下坐師子座
諸天龍王乾闥婆緊那羅摩睺羅伽人非人
等恭敬圍繞 及見十六王子請佛轉法輪 即
時諸梵天王頭面礼佛 繞百千帀 即以天華
而散佛上 其所散華如須弥山 并以供養佛
菩提樹 其菩提樹高十由旬 華供養已 各以
宮殿奉上彼佛 而作是言 唯見哀愍 饒益我
等 所獻宮殿 願垂處納 時諸梵天王即於佛
前一心同聲 以偈頌曰
世尊甚希有 難可得值遇 具无量功德 能救護一切
天人之大師 哀愍於世間 十方諸衆生 普皆蒙饒益
我等所從來 五百万億國 捨深禪定樂 為供養佛故
我等先世福 宮殿甚嚴飾 今以奉世尊 唯願哀納受
尒時諸梵天王偈讚佛已 各作是言 唯願世
尊轉於法輪 度脫衆生 開涅槃道 時諸梵天
王一心同聲而說偈言
世雄兩足尊 唯願演說法 以大慈悲力 度苦惱衆生

BD02132號　妙法蓮華經卷三　（20–9）

尊轉於法輪 度脫衆生 開涅槃道 時諸梵天
王一心同聲而說偈言
世雄兩足尊 唯願演說法 以大慈悲力 度苦惱衆生
尒時大通智勝如來嘿然許之 又諸比丘 東
南方五百万億國土諸大梵王各自見宮殿
光明照曜 昔所未有 歡喜踊躍 生希有心 即
各相詣 共議此事 而彼衆生有一大梵天王
名曰大悲 為諸梵衆而說偈言
是事何因緣 而現如此相 我等宮諸殿 光明昔未有
為大德天生 為佛出世間 未曾見此相 當共一心求
過千万億土 尋光共推之 多是佛出世 度脫苦衆生
尒時五百万億諸梵天王與宮殿俱 各以衣
裓盛諸天華 共詣西北方推尋是相 見大通
智勝如來處于道場菩提樹下坐師子座 諸
天龍王乾闥婆緊那羅摩睺羅伽人非人等
恭敬圍繞 及見十六王子請佛轉法輪 時諸
梵天王頭面礼佛 繞百千帀 即以天華而散
佛上 所散之華如須弥山 并以供養佛菩提
樹 華供養已 各以宮殿奉上彼佛 而作是言
唯願哀愍饒益我等 所獻宮殿 願垂納受 尒
時諸梵天王即於佛前一心同聲以偈頌曰
聖主天中王 迦陵頻伽聲 哀愍衆生者 我等今敬礼
世尊甚希有 久遠乃一見 一百八十劫 空過无有佛
三惡道充滿 諸天衆減少 今佛出於世 為衆生作眼
世間所歸趣 救護於一切 為衆生之父 哀愍饒益者

BD02132號　妙法蓮華經卷三　（20–10）

時諸梵天王即於佛前一心同聲以偈頌曰
聖主天中王 迦陵頻伽聲 哀愍衆生者 我等今敬礼
世尊甚希有 久遠乃一見 一百八十劫 空過无有佛
三惡道充滿 諸天衆減少 今佛出於世 為衆生作眼
世間所歸趣 救護於一切 為衆生之父 哀愍饒益者
我等宿福慶 今得值世尊
尒時諸梵天王偈讚佛已各作是言唯願世
尊哀愍一切轉於法輪度脫衆生時諸梵天
王一心同聲而說偈言
大聖轉法輪 顯示諸法相 度苦惱衆生 令得大歡喜
衆生聞此法 得道若生天 諸惡道減少 忍善者增益
尒時大通智勝如來黙然許之又諸比丘南
方五百万億國土諸大梵王各自見宮殿光
明照曜昔所未有歡喜踊躍生希有心即各
相詣共議此事以何因緣我等宮殿有此光
曜而彼衆中有一大梵天王名曰妙法為諸
梵衆而說偈言
我等諸宮殿 光明甚威曜 此非无因緣 是相宜求之
過於百千劫 未曾見是相 為大德天生 為佛出世間
尒時五百万億諸梵天王與宮殿俱各以衣
裓盛諸天華共詣北方推尋是相見大通智
勝如來處于道場菩提樹下坐師子座諸天
龍王乾闥婆緊那羅摩睺羅伽人非人等恭
敬圍繞及見十六王子請佛轉法輪時諸梵
天王頭面礼佛繞百千帀即以天華而散佛
上所散之華如須弥山并以供養佛菩提樹

BD02132號　妙法蓮華經卷三

(20–11)

龍王乾闥婆緊那羅摩睺羅伽人非人等恭
敬圍繞及見十六王子請佛轉法輪時諸梵
天王頭面礼佛繞百千帀即以天華而散佛
上所散之華如須弥山并以供養佛菩提樹
華供養已各以宮殿奉上彼佛而作是言唯
見哀愍饒益我等所獻宮殿願垂納受尒時
諸梵天王即於佛前一心同聲以偈頌曰
世尊甚難見 破諸煩惱者 過百三十劫 今乃得一見
諸飢渴衆生 以法雨充滿 昔所未曾覩 无量智慧者
如優曇鉢羅 今日乃值遇 我等諸宮殿 蒙光故嚴飾
世尊大慈愍 唯願垂納受
尒時諸梵天王偈讚佛已各作是言唯願世
尊轉於法輪令一切世間諸天魔梵沙門婆
羅門皆獲安隱而得度脫時諸梵天王一心
同聲以偈頌曰
唯願天人尊 轉无上法輪 擊于大法鼓 而吹大法螺
普雨大法雨 度无量衆生 我等咸歸請 當演深遠音
尒時大通智勝如來黙然許之西南方乃至
下方亦復如是尒時上方五百万億國土諸
大梵王皆悉自覩所止宮殿光明威曜昔所
未有歡喜踊躍生希有心即各相詣共議此
事以何因緣我等宮殿有斯光明時彼衆中
有一大梵天王名曰尸棄為諸梵衆而說偈
言
今以何因緣 我等諸宮殿 威德光明曜 嚴飾未曾有

BD02132號　妙法蓮華經卷三

(20–12)

有一大梵天王名曰尸棄為諸梵衆而說偈
言
今以何因緣　我等諸宮殿　威德光明曜　嚴飾未曾有
如是之妙相　昔所未聞見　為大德天生　為佛出世間
尒時五百万億諸梵天王與宮殿俱各以衣
裓盛諸天華共詣下方推尋是相見大通智
勝如來處于道場菩提樹下坐師子座諸天
龍王乾闥婆緊那羅摩睺羅伽人非人等恭
敬圍繞及見十六王子請佛轉法輪時諸梵
天王頭面礼佛繞百千帀即以天華而散佛
上所散之華如須弥山并以供養佛菩提樹
華供養已各以宮殿奉上彼佛而作是言唯
見哀愍饒益我等所獻宮殿願垂納受時諸
梵天王即於佛前一心同聲以偈頌曰
善哉見諸佛　救世之聖尊　能於三界獄　勉出諸衆生
普智天人尊　哀愍群萌類　能開甘露門　廣度於一切
於昔无量劫　空過无有佛　世尊未出時　十方常闇冥
三惡道增長　阿脩羅亦盛　諸天衆轉減　死多墮惡道
不從佛聞法　常行不善事　色力及智慧　斯等皆減少
罪業因緣故　失樂及樂想　住於邪見法　不識善儀則
不蒙佛所化　常墮於惡道　佛為世間眼　久遠時乃出
哀愍諸衆生　故現於世間　超出成正覺　我等甚欣慶
及餘一切衆　喜歎未曾有　我等諸宮殿　蒙光故嚴飾
今以奉世尊　唯垂哀納受　願以此功德　普及於一切
我等與衆生　皆共成佛道

BD02132號　妙法蓮華經卷三　（20–13）

及餘一切衆　喜歎未曾有　我等諸宮殿　蒙光故嚴飾
今以奉世尊　唯垂哀納受　願以此功德　普及於一切
我等與衆生　皆共成佛道
尒時五百万億諸梵天王偈讚佛已各白佛
言唯願世尊轉於法輪多所安隱多所度脫
時諸梵天王而說偈言
世尊轉法輪　擊甘露法鼓　度苦惱衆生　開示涅槃道
唯願受我請　以大微妙音　哀愍而敷演　无量劫習法
尒時大通智勝如來受十方諸梵天王及十
六王子請即時三轉十二行法輪若沙門婆
羅門若天魔梵及餘世間所不能轉謂是苦
是苦集是苦滅是苦滅道及廣說十二因緣
法无明緣行行緣識識緣名色名色緣六入
六入緣觸觸緣受受緣愛愛緣取取緣有有
緣生生緣老死憂悲苦惱无明滅則行滅行
滅則識滅識滅則名色滅名色滅則六入滅
六入滅則觸滅觸滅則受滅受滅則愛滅愛
滅則取滅取滅則有滅有滅則生滅生滅則
老死憂悲苦惱滅佛於天人大衆之中說是
法時六百万億那由他人以不受一切法故
而於諸漏心得解脫皆得深妙禪定三明六
通具八解脫第二第三第四說法時千万億
恒河沙那由他等衆生亦以不受一切法故
而於諸漏心得解脫從是已後諸聲聞衆无
量无邊不可稱數尒時十六王子皆以童子
出家而為沙弥諸根通利智慧明了已曾供

BD02132號　妙法蓮華經卷三　（20–14）

而於諸漏心得解脫從是已後諸聲聞衆无
量无邊不可稱數尒時十六王子皆以童子
出家而爲沙弥諸根通利智慧明了已曾供
養百千万億諸佛淨脩梵行求阿耨多羅三
藐三菩提俱白佛言世尊是諸无量千万億
大德聲聞皆已成就世尊亦當爲我等說阿
耨多羅三藐三菩提法我等聞已皆共脩學
世尊我等志願如來知見深心所念佛自證
知尒時轉輪聖王所將衆中八万億人見十
六王子出家亦求出家王即聽許尒時彼佛
受沙弥請過二万劫已乃於四衆之中說是
大乘經名妙法蓮華教菩薩法佛所護念說
是經已十六沙弥爲阿耨多羅三藐三菩提
故皆共受持諷誦通利說是經時十六菩薩
沙弥皆悉信受聲聞衆中亦有信解其餘衆
生千万億種皆生疑惑佛說是經於八千劫
未曾休廢說此經已即入靜室住於禪定八
万四千劫是時十六菩薩沙弥知佛入室寂
然禪定各昇法座亦於八万四千劫爲四部
衆廣說分別妙法華經一一皆度六百万億
那由他恒河沙等衆生示教利喜令發阿耨
多羅三藐三菩提心大通智勝佛過八万四
千劫已從三昧起往詣法座安詳而坐普告
大衆是十六菩薩沙弥甚爲希有諸根通利
智慧明了已曾供養无量千万億數諸佛於

BD02132 號　妙法蓮華經卷三　（20–15）

千劫已從三昧起往詣法座安詳而坐普告
大衆是十六菩薩沙弥甚爲希有諸根通利
智慧明了已曾供養无量千万億數諸佛於
諸佛所常脩梵行受持佛智開示衆生令入
其中汝等皆當數數親近而供養之所以者
何若聲聞辟支佛及諸菩薩能信是十六菩
薩所說經法受持不毀者是人皆當得阿耨
多羅三藐三菩提如來之慧佛告諸比丘是
十六菩薩常樂說是妙法蓮華經一一菩薩
所化六百万億那由他恒河沙等衆生世世
所生與菩薩俱從其聞法悉皆信解以此因
緣得值四万億諸佛世尊于今不盡諸比丘
我今語汝彼佛弟子十六沙弥今皆得阿耨
多羅三藐三菩提於十方國土現在說法有
无量百千万億菩薩聲聞以爲眷屬其二沙
弥東方作佛一名阿閦在歡喜國二名須弥
頂東南方二佛一名師子音二名師子相南
方二佛一名虛空住二名常滅西南方二佛
一名帝相二名梵相西方二佛一名阿弥陁
二名度一切世間苦惱西北方二佛一名多
摩羅跋栴檀香神通二名須弥相北方二佛
一名雲自在二名雲自在王東北方佛名壞
一切世間怖畏第十六我釋迦牟尼佛於娑
婆國土成阿耨多羅三藐三菩提諸比丘我
等爲沙弥時各各教化无量百千万億恒河
沙等衆生從我聞法爲阿耨多羅三藐三菩

BD02132 號　妙法蓮華經卷三　（20–16）

一切世間怖畏第十六我釋迦牟尼佛於娑
婆國土成阿耨多羅三藐三菩提諸比丘我
等為沙弥時各各教化无量百千万億恒河
沙等衆生從我聞法為阿耨多羅三藐三菩
提此諸衆生于今有住聲聞地者我常教化
阿耨多羅三藐三菩提是諸人等應以是法
漸入佛道所以者何如来智慧難信難解尒
時所化无量恒河沙等衆生者汝等諸比丘
及我滅度後未来世中聲聞弟子是也我滅
度後復有弟子不聞是經不知不覺菩薩所
行自於所得功德生滅度想當入涅槃我於
餘國作佛更有異名是人雖生滅度之想入
於涅槃而於彼土求佛智慧得聞是經唯以
佛乘而得滅度更无餘乘除諸如来方便說
法諸比丘若如来自知涅槃時到衆又清淨
信解堅固了達空法深入禪定便集諸菩薩
及聲聞衆為說是經世間无有二乘而得滅
度唯有一佛乘得滅度耳比丘當知如来方便
深入衆生之性知其志樂小法深著五欲為
是等故說於涅槃是人若聞則便信受譬如
五百由旬險難惡道曠絶无人怖畏之處若
有多衆欲過此道至珎寶處有一導師聰慧
明達善知險道通塞之相將導衆人欲過此
難所將人衆中路懈退白導師言我等疲極
而復怖畏不能復進前路猶遠今欲退還導
師多諸方便而作是念此等可愍云何捨大

BD02132號　妙法蓮華經卷三　（20–17）

明達善知險道通塞之相將導衆人欲過此
難所將人衆中路懈退白導師言我等疲極
而復怖畏不能復進前路猶遠今欲退還導
師多諸方便而作是念此等可愍云何捨大
珎寶而欲退還作是念已以方便力於險道
中過三百由旬化作一城告衆人言汝等勿
怖畏得退還今此大城可於中止隨意所作
若入是城快得安隱若能前至寶所亦可得
去是時疲極之衆心大歡喜歎未曾有我等
今者免斯惡道快得安隱於是衆人前入化
城生已度想生安隱想尒時導師知此人衆
既得止息无復疲惓即滅化城語衆人言汝
等去来寶處在近向者大城我所化作為止
息耳諸比丘如来亦復如是今為汝等作大
導師知諸生死煩惱惡道險難長遠應去應
度若衆生但聞一佛乘者則不欲見佛不欲
親近便作是念佛道長遠久受懃苦乃可得
成佛知是心怯弱下劣以方便力而於中道
為止息故說二涅槃若衆生住於二地如来
尒時即便為說汝等所作未辦汝所住地近
於佛慧當觀察籌量所得涅槃非真實也但
是如来方便之力於一佛乘分別說三如彼
導師為止息故化作大城既知息已而告之
言寶處在近此城非實我化作耳尒時世尊
欲重宣此義而說偈言
大通智勝佛　十劫坐道場　佛法不現前　不得成佛道

BD02132號　妙法蓮華經卷三　（20–18）

言寶處在近此城非實我化作耳尒時世尊
欲重宣此義而說偈言
大通智勝佛　十劫坐道場　佛法不現前　不得成佛道
諸天神龍王　阿脩羅衆等　常雨於天華　以供養彼佛
諸天擊天皷　并作衆伎樂　香風吹萎華　更雨新好者
過十小劫已　乃得成佛道　諸天及世人　心皆懷踊躍
彼佛十六子　皆與其眷屬　千万億圍繞　俱行至佛所
頭面礼佛足　而請轉法輪　聖師子法雨　充我及一切
世尊甚難值　久遠時一現　為覺悟群生　震動於一切
東方諸世界　五百万億國　梵宮殿光曜　昔所未曾有
諸梵見此相　尋來至佛所　散華以供養　并奉上宮殿
請佛轉法輪　以偈而讚歎　佛知時未至　受請嘿然坐
三方及四維　上下亦復尒　散華奉宮殿　請佛轉法輪
世尊甚難值　願以本慈悲　廣開甘露門　轉无上法輪
无量慧世尊　受彼衆人請　為宣種種法　四諦十二緣
无明至老死　皆從生緣有　如是衆過患　汝等應當知
宣暢是法時　六百万億姟　得盡諸苦際　皆成阿羅漢
第二說法時　千万恒沙衆　於諸法不受　亦得阿羅漢
從是後得道　其數无有量　万億劫筭數　不能得其邊
時十六王子　出家作沙弥　皆共請彼佛　演說大乘法
我等及營從　皆當成佛道　願得如世尊　慧眼第一淨
佛知童子心　宿世之所行　以无量因緣　種種諸譬喻
說六波羅蜜　及諸神通事　分別真實法　菩薩所行道
說是法華經　如恒河沙偈　彼佛說經已　靜室入禪定
一心一處坐　八万四千劫　是諸沙弥等　知佛禪未出
為无量億衆　說佛无上慧　各各坐法座　說是大乘經

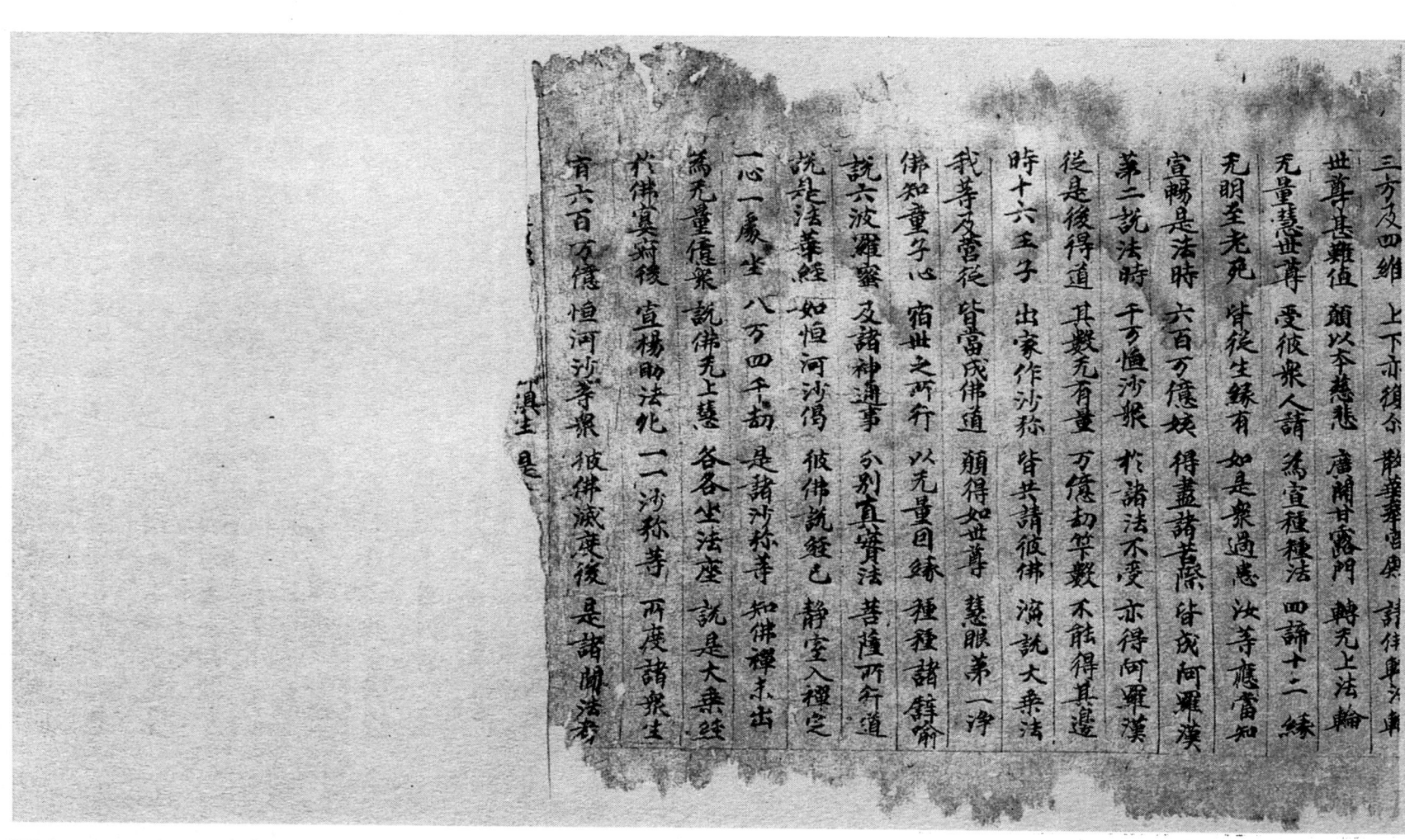

BD02132號　妙法蓮華經卷三　（20–19）

三方及四維　上下亦復尒　散華奉宮殿　請佛轉法輪
世尊甚難值　願以本慈悲　廣開甘露門　轉无上法輪
无量慧世尊　受彼衆人請　為宣種種法　四諦十二緣
无明至老死　皆從生緣有　如是衆過患　汝等應當知
宣暢是法時　六百万億姟　得盡諸苦際　皆成阿羅漢
第二說法時　千万恒沙衆　於諸法不受　亦得阿羅漢
從是後得道　其數无有量　万億劫筭數　不能得其邊
時十六王子　出家作沙弥　皆共請彼佛　演說大乘法
我等及營從　皆當成佛道　願得如世尊　慧眼第一淨
佛知童子心　宿世之所行　以无量因緣　種種諸譬喻
說六波羅蜜　及諸神通事　分別真實法　菩薩所行道
說是法華經　如恒河沙偈　彼佛說經已　靜室入禪定
一心一處坐　八万四千劫　是諸沙弥等　知佛禪未出
為无量億衆　說佛无上慧　各各坐法座　說是大乘經
於佛宴寂後　宣揚助法化　一一沙弥等　所度諸衆生
有六百万億　恒河沙等衆　彼佛滅度後　是諸聞法者
眞生　是

BD02132號　妙法蓮華經卷三　（20–20）

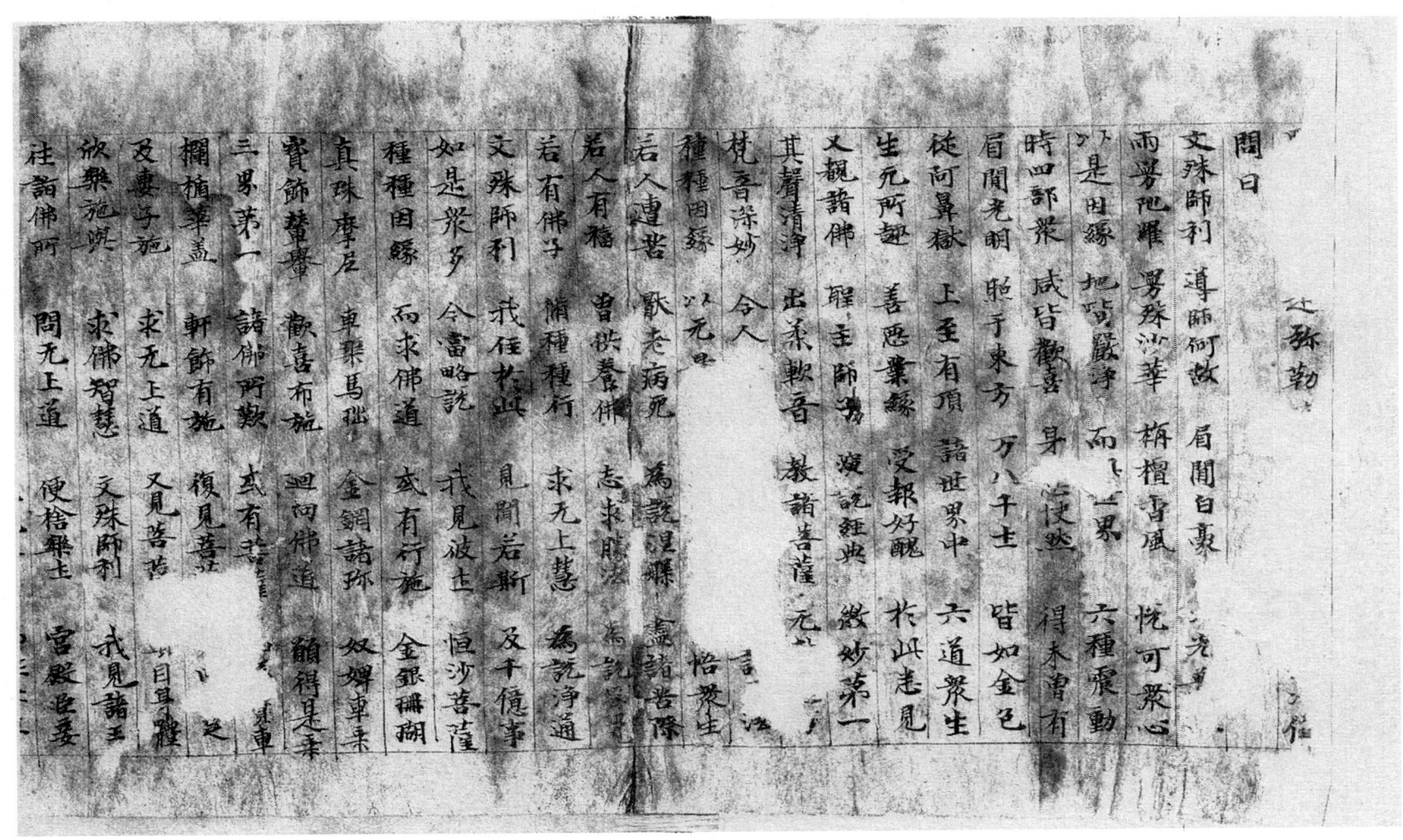

問曰
文殊師利 導師何故 眉間白毫 大光普照
雨曼陀羅 曼殊沙華 栴檀香風 悅可衆心
以是因緣 地皆嚴淨 而此世界 六種震動
時四部衆 咸皆歡喜 身意快然 得未曾有
眉間光明 照于東方 万八千土 皆如金色
從阿鼻獄 上至有頂 諸世界中 六道衆生
生死所趣 善惡業緣 受報好醜 於此悉見
又覩諸佛 聖主師子 演說經典 微妙第一
其聲清淨 出柔軟音 教諸菩薩 无[illegible]
梵音深妙 令人[illegible]
種種因緣 以无量[illegible]悟衆生
若人遭苦 厭老病死 為說涅槃 盡諸苦際
若人有福 曾供養佛 志求勝法 為說緣覺
若有佛子 脩種種行 求无上慧 為說淨道
文殊師利 我住於此 見聞若斯 及千億事
如是衆多 今當略說 我見彼土 恒沙菩薩
種種因緣 而求佛道 或有行施 金銀珊瑚
真珠摩尼 車𤦲馬瑙 金剛諸珍 奴婢車乘
寶飾輦輿 歡喜布施 迴向佛道 願得是乘
三界第一 諸佛所歎 或有[illegible]
欄楯華蓋 軒飾布施 復見菩[illegible]
及妻子施 求无上道 又見菩[illegible]頭目身體
欣樂施與 求佛智慧 文殊師利 我見諸王
往詣佛所 問无上道 便捨樂土 宮殿臣妾

BD02133號　妙法蓮華經卷一　（19–1）

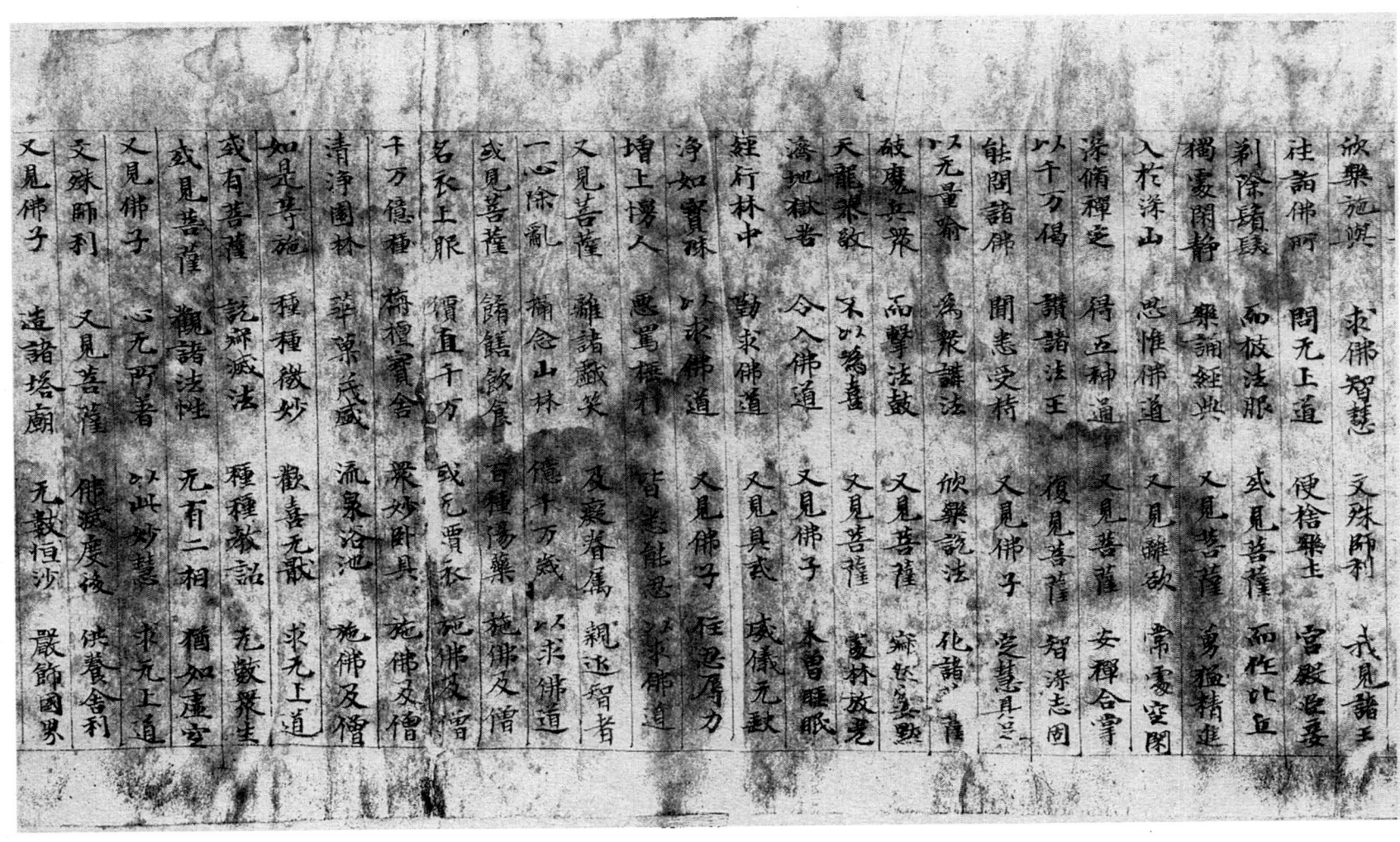

欣樂施與 求佛智慧 文殊師利 我見諸王
往詣佛所 問无上道 便捨樂土 宮殿臣妾
剃除鬚髮 而被法服 或見菩薩 而作比丘
獨處閑靜 樂誦經典 又見菩薩 勇猛精進
入於深山 思惟佛道 又見離欲 常處空閑
深脩禪定 得五神通 又見菩薩 安禪合掌
以千万偈 讚諸法王 復見菩薩 智深志固
能問諸佛 聞悉受持 又見佛子 定慧具足
以无量喻 為衆講法 欣樂說法 化諸菩薩
破魔兵衆 而擊法鼓 又見菩薩 寂然宴默
天龍恭敬 不以為喜 又見菩薩 處林放光
濟地獄苦 令入佛道 又見佛子 未曾睡眠
經行林中 懃求佛道 又見具戒 威儀无缺
淨如寶珠 以求佛道 又見佛子 住忍辱力
增上慢人 惡罵捶打 皆悉能忍 以求佛道
又見菩薩 離諸戲笑 及癡眷屬 親近智者
一心除亂 攝念山林 億千万歲 以求佛道
或見菩薩 餚饍飲食 百種湯藥 施佛及僧
名衣上服 價直千万 或无價衣 施佛及僧
千万億種 栴檀寶舍 衆妙臥具 施佛及僧
清淨園林 華菓茂盛 流泉浴池 施佛及僧
如是等施 種種微妙 歡喜无猒 求无上道
或有菩薩 說寂滅法 種種教詔 无數衆生
或見菩薩 觀諸法性 无有二相 猶如虛空
又見佛子 心无所著 以此妙慧 求无上道
文殊師利 又見菩薩 佛滅度後 供養舍利
又見佛子 造諸塔廟 无數恒沙 嚴飾國界

BD02133號　妙法蓮華經卷一　（19–2）

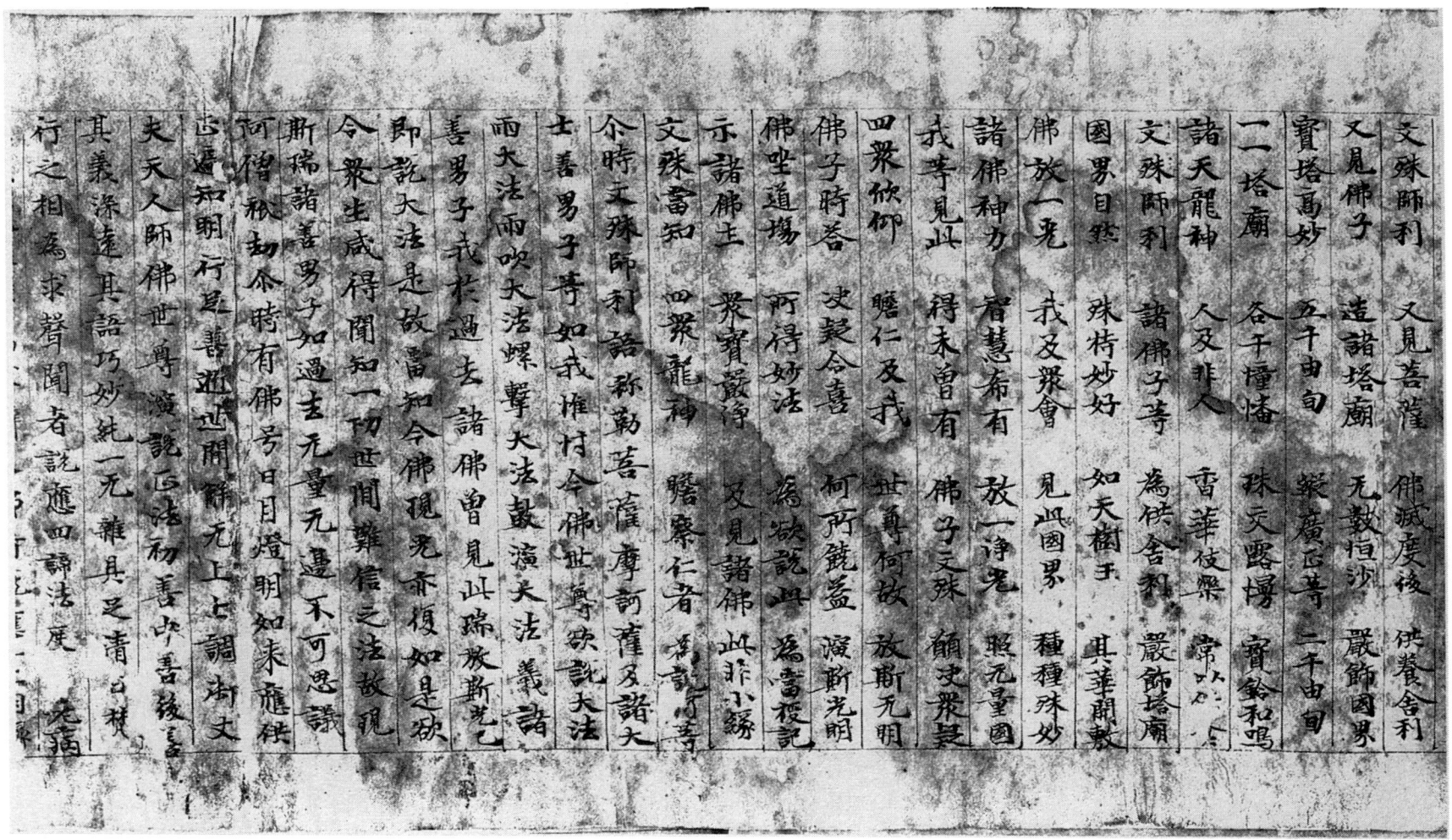

文殊師利　又見菩薩　佛滅度後　供養舍利
又見佛子　造諸塔廟　无數恒沙　嚴飾國界
寶塔高妙　五千由旬　縱廣正等　二千由旬
一一塔廟　各千幢幡　珠交露幔　寶鈴和鳴
諸天龍神　人及非人　香華伎樂　常以供養
文殊師利　諸佛子等　為供舍利　嚴飾塔廟
國界自然　殊特妙好　如天樹王　其華開敷
佛放一光　我及衆會　見此國界　種種殊妙
諸佛神力　智慧希有　放一淨光　照无量國
我等見此　得未曾有　佛子文殊　願決衆疑
四衆欣仰　瞻仁及我　世尊何故　放斯光明
佛子時荅　決疑令喜　何所饒益　演斯光明
佛坐道場　所得妙法　為欲說此　為當授記
示諸佛土　衆寶嚴淨　及見諸佛　此非小緣
文殊當知　四衆龍神　瞻察仁者　為說何等
尒時文殊師利語彌勒菩薩摩訶薩及諸大
士善男子等如我惟忖今佛世尊欲說大法
雨大法雨吹大法螺擊大法鼓演大法義諸
善男子我於過去諸佛曾見此瑞放斯光已
即說大法是故當知今佛現光亦復如是欲
令衆生咸得聞知一切世間難信之法故現
斯瑞諸善男子如過去无量无邊不可思議
阿僧祇劫尒時有佛号日月燈明如來應供
正遍知明行足善逝世間解无上士調御丈
夫天人師佛世尊演說正法初善中善後善
其義深遠其語巧妙純一无雜具足清白梵
行之相為求聲聞者說應四諦法度　[illegible]

BD02133號　妙法蓮華經卷一　（19–3）

其義深遠其語巧妙純一无雜具足清白梵
行之相為求聲聞者說應四諦法度　[illegible]
死究竟涅槃為求辟支佛者說應十二因緣
法為諸菩薩說應六波羅蜜令得阿耨多羅
三藐三菩提成一切種智次復有佛亦名日
月燈明次復有佛亦名日月燈明如是二万
佛皆同一字号日月燈明又同一姓姓頗羅
墮弥勒當知初佛後佛皆同一字名日月燈
明十号具足所可說法初中後善其最後佛
未出家時有八王子一名有意二名善意三名无
量意四名寶意五名增意六名除疑意七
名響意八名法意是八王子威德自在各領
四天下是諸王子聞父出家得阿耨多羅三
藐三菩提悉捨王位亦隨出家發大乘意常
脩梵行皆為法師已於千万佛所殖諸善本
是時日月燈明佛說大乘經名无量義教菩
薩法佛所護念說是經已即於大衆中結加
趺坐入於无量義處三昧身心不動是時天
雨曼陁羅華摩訶曼陁羅華曼殊沙華摩
訶曼殊沙華而散佛上及諸大衆普佛世界六
種震動尒時會中比丘比丘尼優婆塞優婆
夷天龍夜叉乾闥婆阿脩羅迦樓羅緊那羅
摩睺羅伽人非人及諸小王轉輪聖王等是
諸大衆得未曾有歡喜合掌一心觀佛尒時
如來放眉間白毫相光照東方万八千佛土
靡不周遍如今所見是諸佛土弥勒當知尒
時會中有二十億菩薩樂欲聽法是諸菩薩
見此光明普照佛土得未曾有欲知此光所

BD02133號　妙法蓮華經卷一　（19–4）

時會中有二十億菩薩樂欲聽法是諸菩薩
見此光明普照佛土得未曾有欲知此光所
爲因緣時有菩薩名曰妙光有八百弟子是
時日月燈明佛從三昧起因妙光菩薩說
大乘經名妙法蓮華教菩薩法佛所護念六十
小劫不起于座時會聽者亦坐一處六十小
劫身心不動聽佛所說謂如食頃是時眾中
无有一人若身若心而生懈惓日月燈明佛
於六十小劫說是經已即於梵魔沙門婆羅
門及天人阿脩羅眾中而宣此言如來於今
日中夜當入无餘涅槃時有菩薩名曰德藏
日月燈明佛即授其記告諸比丘是德藏菩
薩次當作佛号曰淨身多陀阿伽度阿羅
訶三藐三佛陀佛授記已便於中夜入无餘
涅槃佛滅度後妙光菩薩持妙法蓮華經滿八
十小劫爲人演說日月燈明佛八子皆師妙
光妙光教化令其堅固阿耨多羅三藐三菩
提是諸王子供養无量百千万億佛已皆成
佛道其最後成佛者名曰燃燈八百弟子中
有一人号曰求名貪著利養雖復讀誦眾經
而不通利多所忘失故号求名是人亦以種
諸善根因緣故得值无量百千万億諸佛供
養恭敬尊重讚歎弥勒當知尒時妙光菩薩
豈異人乎我身是也求名菩薩汝身是也今
見此瑞與本无異是故惟忖今日如來當說
大乘經名妙法蓮華教菩薩法佛所護念尒
時文殊師利於大眾中欲重宣此義而說偈曰

大乘經名妙法蓮華教菩薩法佛所護念尒
時文殊師利於大眾中欲重宣此義而說偈曰
我念過去世　无量无數劫　有佛人中尊　号日月燈明
世尊演說法　度无量眾生　无數億菩薩　令入佛智慧
佛未出家時　所生八王子　見大聖出家　亦隨脩梵行
時佛說大乘　經名无量義　於諸大眾中　而爲廣分別
佛說此經已　即於法座上　跏趺坐三昧　名无量義處
天雨曼陀華　天鼓自然鳴　諸天龍鬼神　供養人中尊
一切諸佛土　即時大震動　佛放眉間光　現諸希有事
此光照東方　万八千佛土　示一切眾生　生死業報處
有見諸佛土　以眾寶莊嚴　瑠璃頗梨色　斯由佛光照
及見諸天人　龍神夜叉眾　乾闥婆緊那羅　各供養其佛
又見諸如來　自然成佛道　身色如金山　端嚴甚微妙
如淨瑠璃中　內現真金像　世尊在大眾　敷演深法義
一一諸佛土　聲聞眾无數　因佛光所照　悉見彼大眾
或有諸比丘　在於山林中　精進持淨戒　猶如護明珠
又見諸菩薩　行施忍辱等　其數如恒沙　斯由佛光照
又見諸菩薩　深入諸禪定　身心寂不動　以求无上道
又見諸菩薩　知法寂滅相　各於其國土　說法求佛道
尒時四部眾　見日月燈佛　現大神通力　其心皆歡喜
各各自相問　是事何因緣　天人所奉尊　適從三昧起
讚妙光菩薩　汝為世間眼　一切所歸信　能奉持法藏
如我所說法　唯汝能證知　世尊既讚歎　令妙光歡喜
說是法華經　滿六十小劫　不起於此座　所說上妙法
是妙光法師　悉皆能受持　佛說是法華　令眾歡喜已
尋即於是日　告於天人眾　諸法實相義　已為汝等說
我今於中夜　當入於涅槃　汝一心精進　當離於放逸
諸佛甚難值　億劫時一遇　世尊諸子等　聞佛入涅槃

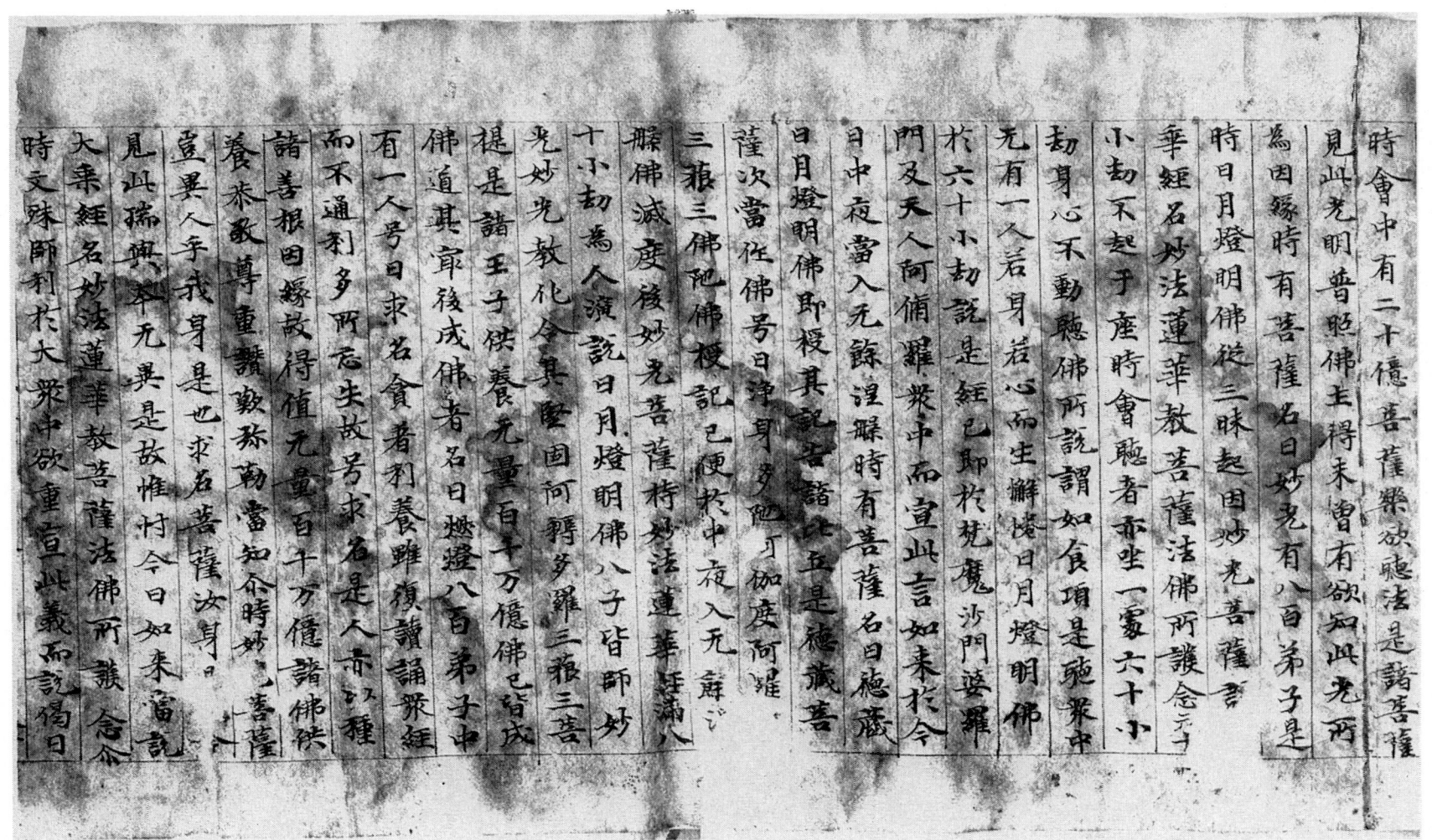

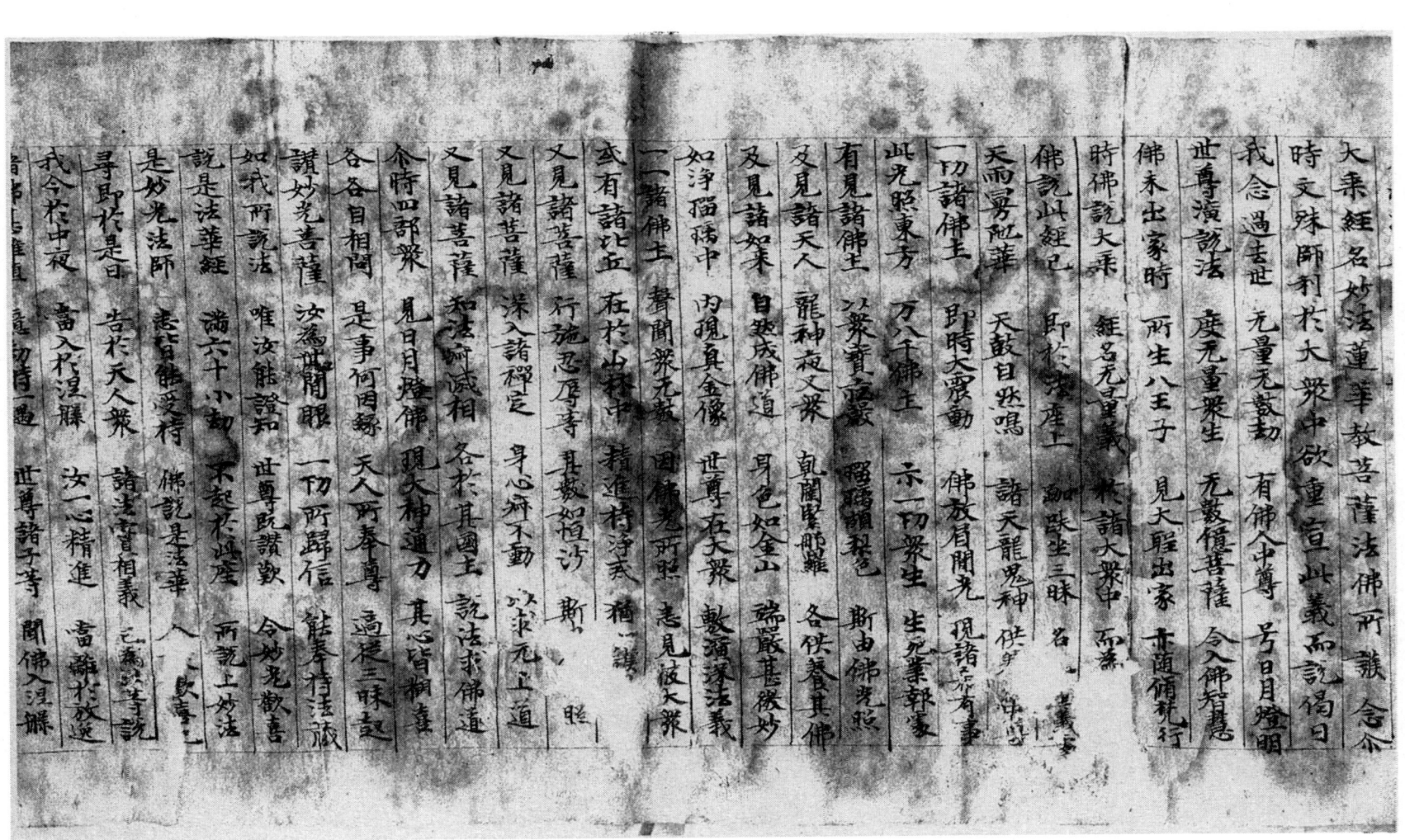

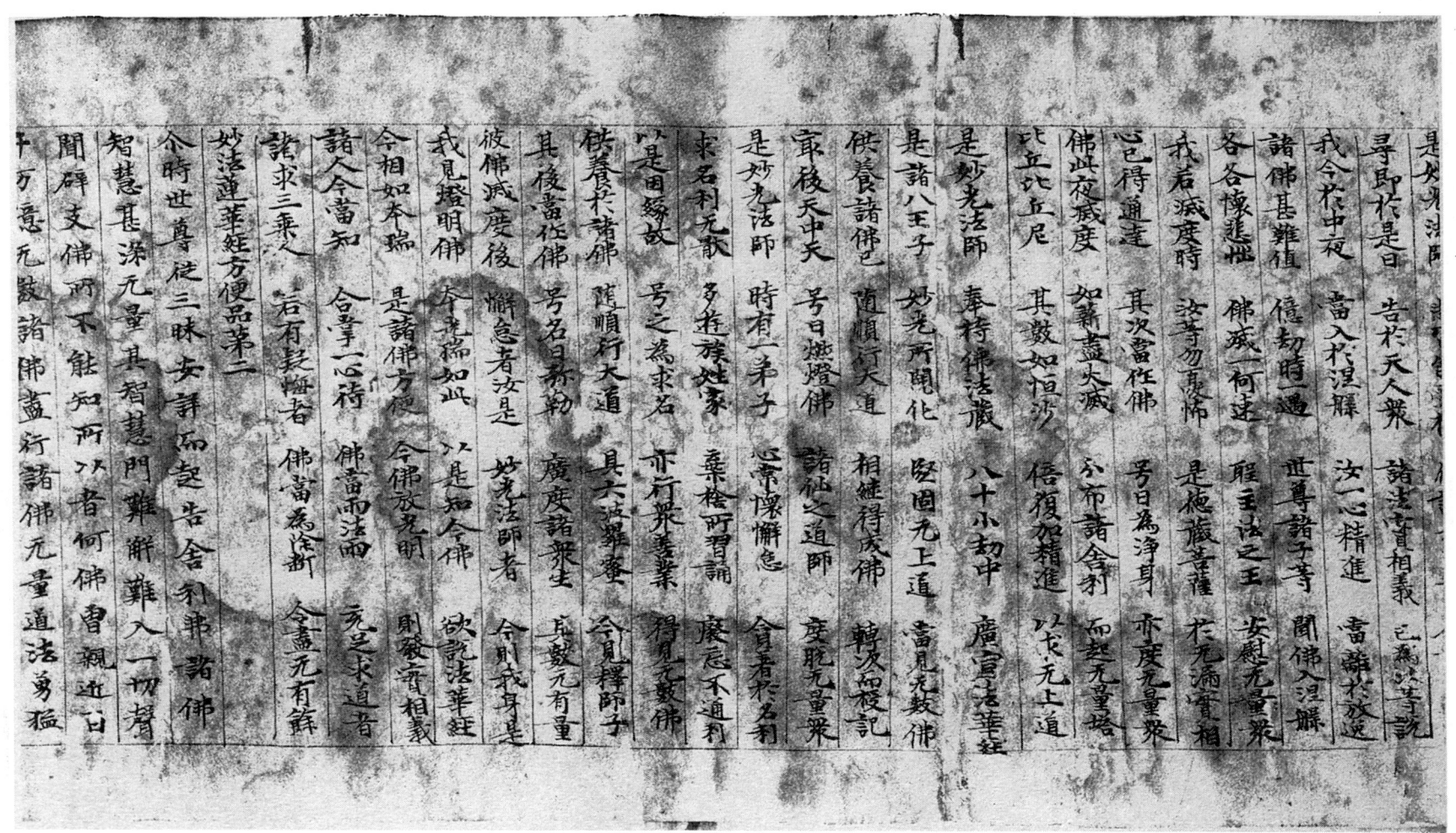

是妙光法師　悉皆能受持　佛說是法華　令衆歡喜已
尋即於是日　告於天人衆　諸法實相義　已為汝等說
我今於中夜　當入於涅槃　汝一心精進　當離於放逸
諸佛甚難值　億劫時一遇　世尊諸子等　聞佛入涅槃
各各懷悲惱　佛滅一何速　聖主法之王　安慰无量衆
我若滅度時　汝等勿憂怖　是德藏菩薩　於无漏實相
心已得通達　其次當作佛　號曰為淨身　亦度无量衆
佛此夜滅度　如薪盡火滅　分布諸舍利　而起无量塔
比丘比丘尼　其數如恒沙　倍復加精進　以求无上道
是妙光法師　奉持佛法藏　八十小劫中　廣宣法華經
是諸八王子　妙光所開化　堅固无上道　當見无數佛
供養諸佛已　隨順行大道　相繼得成佛　轉次而授記
最後天中天　號曰燃燈佛　諸仙之道師　度脫无量衆
是妙光法師　時有一弟子　心常懷懈怠　貪著於名利
求名利无猒　多遊族姓家　棄捨所習誦　廢忘不通利
以是因緣故　號之為求名　亦行衆善業　得見无數佛
供養於諸佛　隨順行大道　具六波羅蜜　今見釋師子
其後當作佛　號名曰彌勒　廣度諸衆生　其數无有量
彼佛滅度後　懈怠者汝是　妙光法師者　今則我身是
我見燈明佛　本光瑞如此　以是知今佛　欲說法華經
今相如本瑞　是諸佛方便　今佛放光明　助發實相義
諸人今當知　合掌一心待　佛當雨法雨　充足求道者
諸求三乘人　若有疑悔者　佛當為除斷　令盡无有餘

妙法蓮華經方便品第二

尒時世尊從三昧安詳而起，告舍利弗：諸佛
智慧甚深无量，其智慧門難解難入，一切聲
聞辟支佛所不能知。所以者何？佛曾親近百
千万億无數諸佛，盡行諸佛无量道法，勇猛

BD02133號　妙法蓮華經卷一　（19–7）

尒時世尊從三昧安詳而起，告舍利弗：諸佛
智慧甚深无量，其智慧門難解難入，一切聲
聞辟支佛所不能知。所以者何？佛曾親近百
千万億无數諸佛，盡行諸佛无量道法，勇猛
精進，名稱普聞，成就甚深未曾有法，隨宜所
說，意趣難解。舍利弗，吾從成佛已來，種種因
緣，種種譬喻，廣演言教，无數方便，引導衆生，
令離諸著。所以者何？如來方便知見波羅蜜
皆已具足。舍利弗，如來知見，廣大深遠，无量
无礙力、无所畏、禪定、解脫、三昧，深入无際，成
就一切未曾有法。舍利弗，如來能種種分別，
巧說諸法，言辭柔軟，悅可衆心。舍利弗，取要
言之，无量无邊未曾有法，佛悉成就。止，舍利
弗，不須復說。所以者何？佛所成就第一希有
難解之法，唯佛與佛乃能究盡諸法實相，
所謂諸法如是相、如是性、如是體、如是力、如是
作、如是因、如是緣、如是果、如是報、如是本末
究竟等。尒時世尊欲重宣此義，而說偈言：
世雄不可量　諸天及世人　一切衆生類　无能知佛者
佛力无所畏　解脫諸三昧　及佛諸餘法　无能測量者
本從无數佛　具足行諸道　甚深微妙法　難見難可了
於无量億劫　行此諸道已　道場得成果　我已悉知見
如是大果報　種種性相義　我及十方佛　乃能知是事
是法不可示　言辭相寂滅　諸餘衆生類　无有能得解
除諸菩薩衆　信力堅固者　諸佛弟子衆　曾供養諸佛
一切漏已盡　住是最後身　如是諸人等　其力所不堪
假使滿世間　皆如舍利弗　盡思共度量　不能測佛智
正使滿十方　皆如舍利弗　及餘諸弟子　亦滿十方

BD02133號　妙法蓮華經卷一　（19–8）

一切漏已盡　住是最後身　如是諸人等　其力所不堪
假使滿世間　皆如舍利弗　盡思共度量　不能測佛智
正使滿十方　皆如舍利弗　及餘諸弟子　亦滿十方剎
盡思共度量　亦復不能知　辟支佛利智　无漏最後身
亦滿十方界　其數如竹林　斯等共一心　於億无量劫
欲思佛實智　莫能知少分　新發意菩薩　供養无數佛
了達諸義趣　又能善說法　如稻麻竹葦　充滿十方剎
一心以妙智　於恒河沙劫　咸皆共思量　不能知佛智
不退諸菩薩　其數如恒沙　一心共思求　亦復不能知
又告舍利弗　无漏不思議　甚深微妙法　我今已具得
唯我知是相　十方佛亦然　舍利弗當知　諸佛語无異
於佛所說法　當生大信力　世尊法久後　要當說真實
告諸聲聞眾　及求緣覺乘　我令脫苦縛　逮得涅槃者
佛以方便力　示以三乘教　眾生處處著　引之令得出
尒時大眾中有諸聲聞漏盡阿羅漢阿若憍
陳如等千二百人及發聲聞辟支佛心比丘比
丘尼優婆塞優婆夷各作是念今者世尊
何故慇懃稱歎方便而作是言佛所得法甚
深難解有所言說意趣難知一切聲聞辟支
佛所不能及佛說一解脫義我等亦得此法到
於涅槃而今不知是義所趣尒時舍利弗知
四眾心疑自亦未了而白佛言世尊何因何緣
慇懃稱歎諸佛第一方便甚深微妙難解
之法我自昔來未曾從佛聞如是說今者四
眾咸皆有疑唯願世尊敷演斯事世尊何
故慇懃稱歎甚深微妙難解之法尒時舍利
弗欲重宣此義而說偈言
慧日大聖尊　久乃說是法　自說得如是　力无畏三昧

BD02133號　妙法蓮華經卷一　（19–9）

眾咸皆有疑唯願世尊敷演斯事世尊何
故慇懃稱歎甚深微妙難解之法尒時舍利
弗欲重宣此義而說偈言
慧日大聖尊　久乃說是法　自說得如是　力无畏三昧
禪定解脫等　不可思議法　道場所得法　无能發問者
我意難可測　亦无能問者　无問而自說　稱歎所行道
智慧甚微妙　諸佛之所得　无漏諸羅漢　及求涅槃者
今皆墮疑網　佛何故說是　其求緣覺者　比丘比丘尼
天龍鬼神　及乾闥婆等　相視懷猶豫　瞻仰兩足尊
是事為云何　願佛為解說　於諸聲聞眾　佛說我第一
我今自於智　疑惑不能了　為是究竟法　為是所行道
佛口所生子　合掌瞻仰待　願出微妙音　時為如實說
諸天龍神等　其數如恒沙　求佛諸菩薩　大數有八万
又諸万億國　轉輪聖王至　合掌以敬心　欲聞具足道
尒時佛告舍利弗止止不須復說若說是事一
切世間諸天及人皆當驚疑舍利弗重白
佛言世尊唯願說之唯願說之所以者何是
會无數百千万億阿僧祇眾生曾見諸佛諸
根猛利智慧明了聞佛所說則能敬信尒時
舍利弗欲重宣此義而說偈言
法王无上尊　唯說願勿慮　是會无量眾　有能敬信者
佛復止舍利弗若說是事一切世間天人阿
脩羅皆當驚疑增上慢比丘將墜於大坑尒
時世尊重說偈言
止止不須說　我法妙難思　諸增上慢者　聞必不敬信
尒時舍利弗重白佛言世尊唯願說之唯願
說之今此會中如我等比百千万億世世已

BD02133號　妙法蓮華經卷一　（19–10）

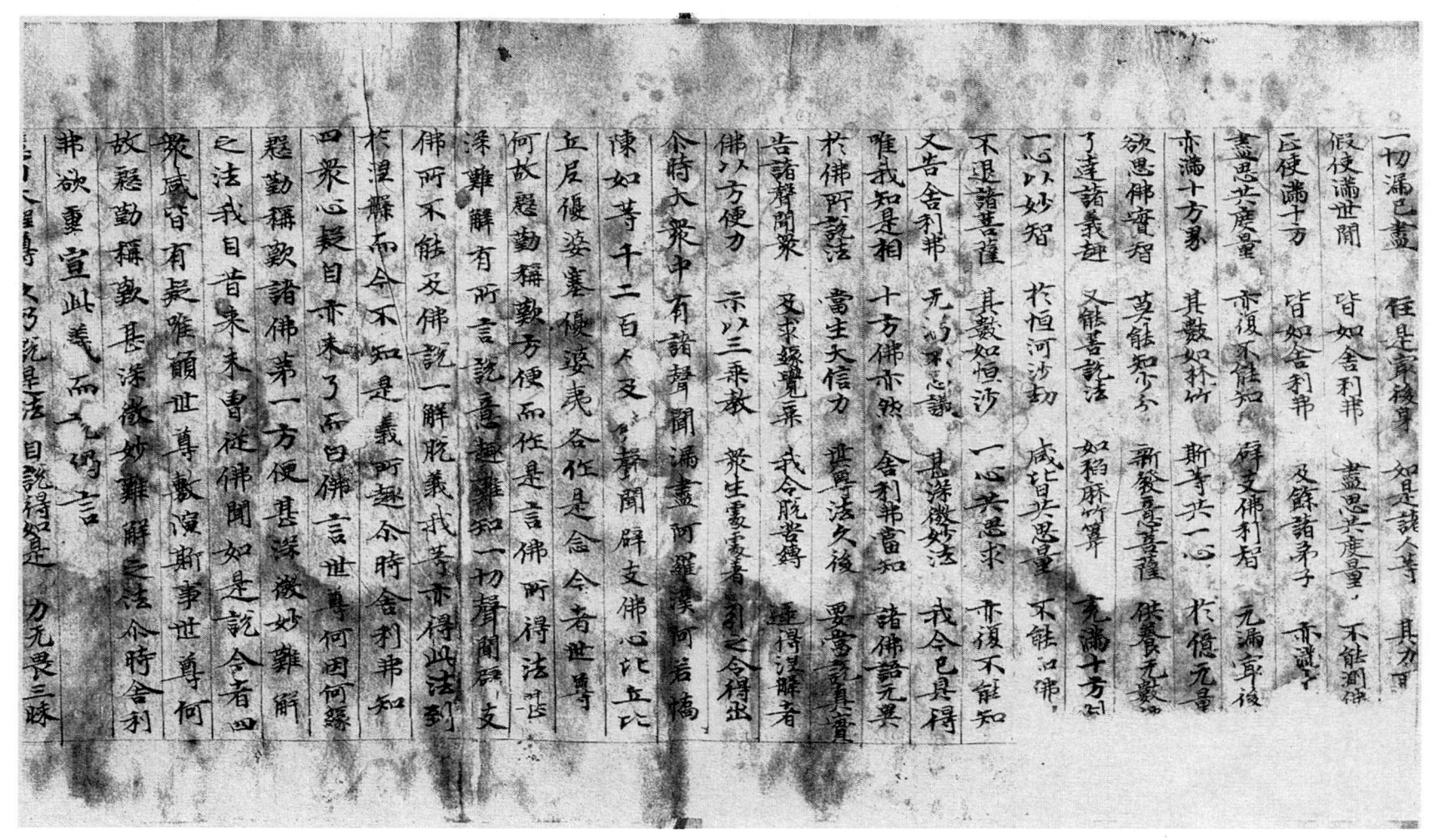

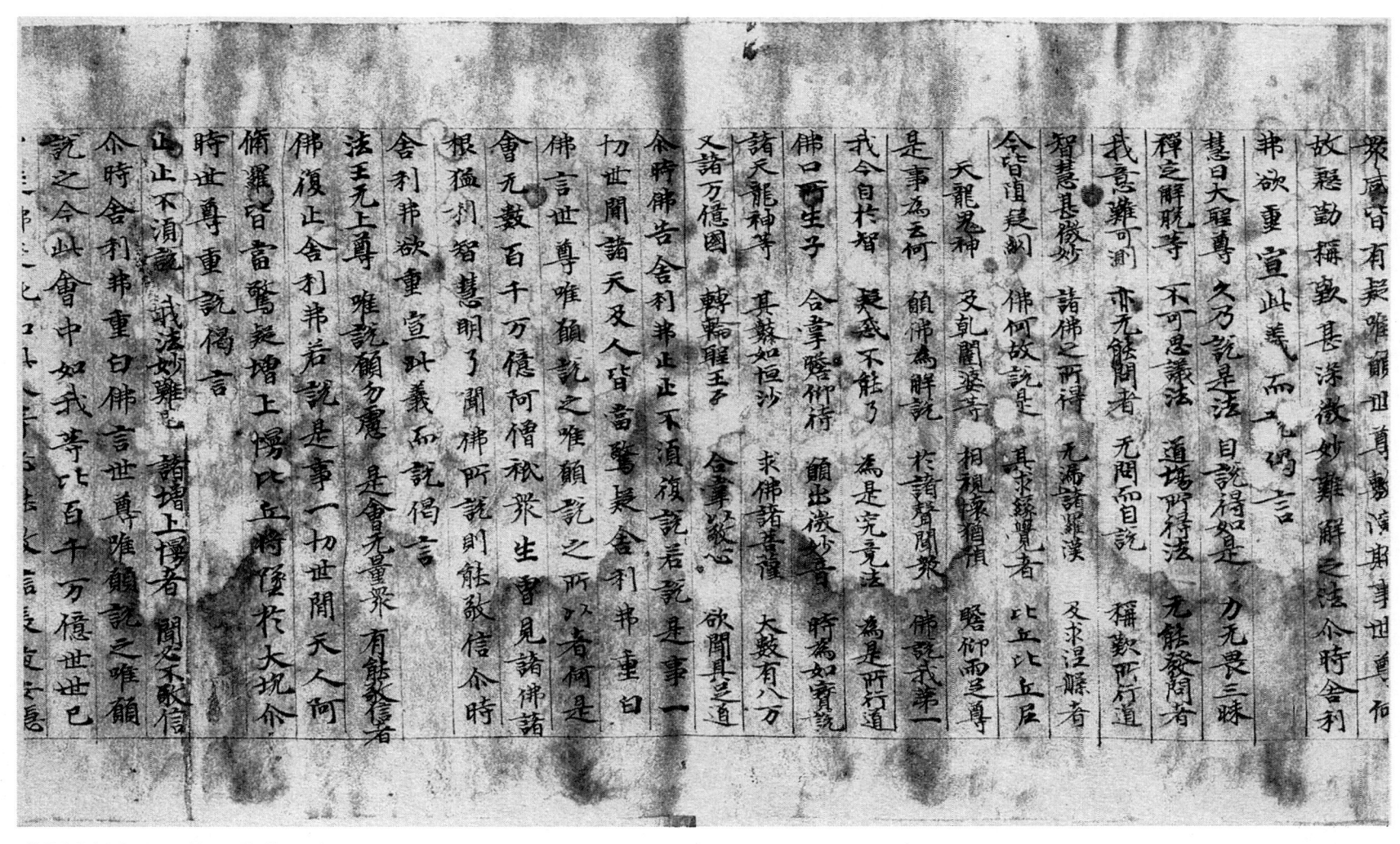

尒時舍利弗重白佛言世尊唯願
説之今此會中如我等比百千万億世世已
曾從佛受化如此人等必能敬信長夜安隱
多所饒益尒時世尊欲重宣此義而説偈言
无上兩足尊　願説第一法　我為佛長子　唯垂分別説
是會无量衆　能敬信此法　佛已曾世世　教化如是等
皆一心合掌　欲聽受佛語　我等千二百　及餘求佛者
願為此衆故　唯垂分別説　是等聞此法　則生大歡喜
尒時世尊告舍利弗汝已慇懃三請豈得不
説汝今諦聽善思念之吾當為汝分別解説
説此語時會中有比丘比丘尼優婆塞優婆
夷五千人等即從座起礼佛而退所以者何此
輩罪根深重及增上慢未得謂得未證謂
證有如此失是以不住世尊黙然而不制止
尒時佛告舍利弗我今此衆无復枝葉純有
貞實舍利弗如是增上慢人退亦佳矣汝今
善聽當為汝説舍利弗言唯然世尊願樂欲
聞佛告舍利弗如是妙法諸佛如來時乃説
之如優曇鉢華時一現耳舍利弗汝等當信
佛之所説言不虛妄舍利弗諸佛隨宜説法
意趣難解所以者何我以无數方便種種因
緣譬喻言辭演説諸法是法非思量分別之
所能解唯有諸佛乃能知之所以者何諸佛
世尊唯以一大事因緣故出現於世舍利弗
云何名諸佛世尊唯以一大事因緣故出現於
世諸佛世尊欲令衆生開佛知見使得清
淨故出現於世欲示衆生佛知見故出現於

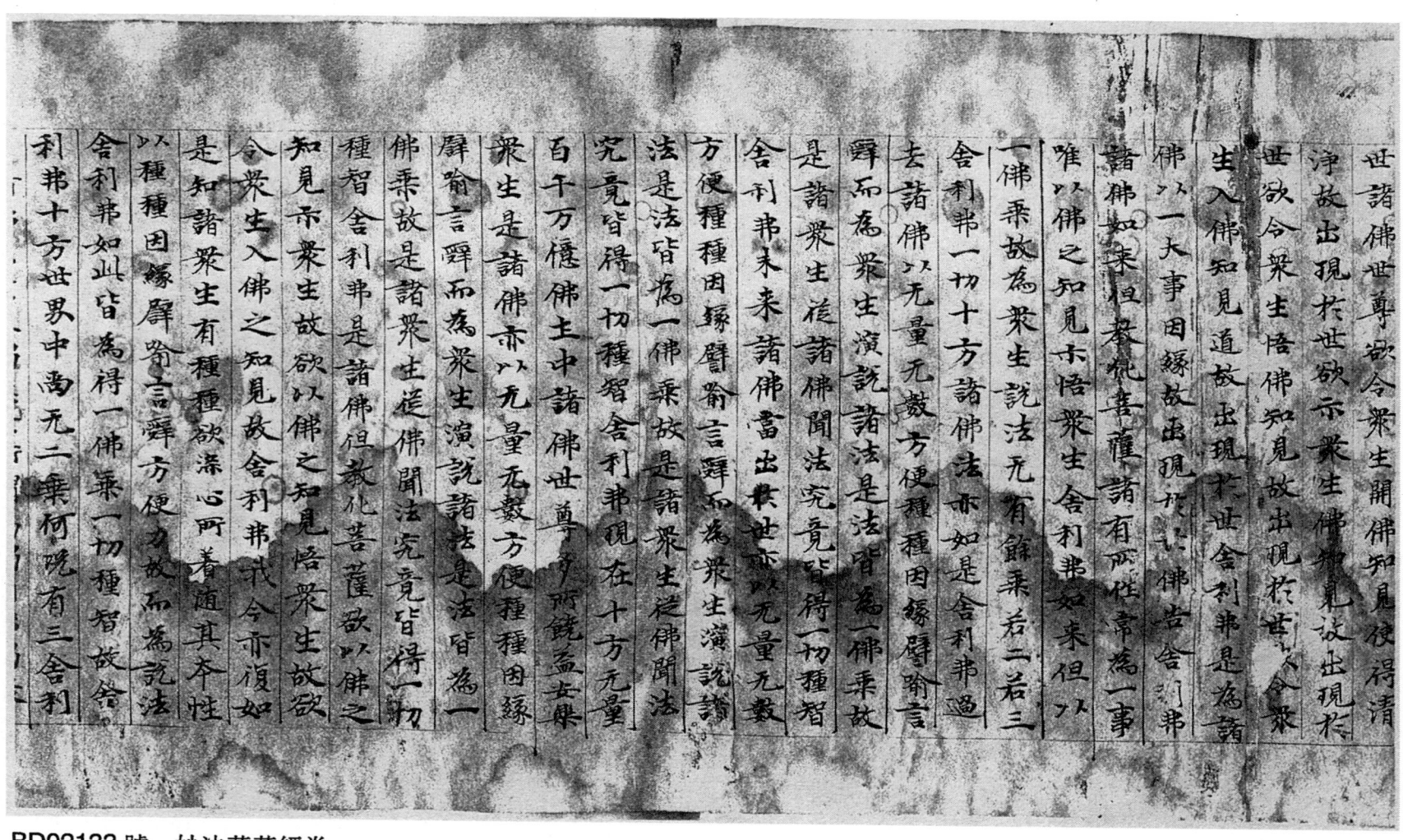

BD02133號　妙法蓮華經卷一　（19–11）

世諸佛世尊欲令衆生開佛知見使得清
淨故出現於世欲示衆生佛知見故出現於
世欲令衆生悟佛知見故出現於世欲令衆
生入佛知見道故出現於世舍利弗是為諸
佛以一大事因緣故出現於世佛告舍利弗
諸佛如來但教化菩薩諸有所作常為一事
唯以佛之知見示悟衆生舍利弗如來但以
一佛乘故為衆生説法无有餘乘若二若三
舍利弗一切十方諸佛法亦如是舍利弗過
去諸佛以无量无數方便種種因緣譬喻言
辭而為衆生演説諸法是法皆為一佛乘故
是諸衆生從諸佛聞法究竟皆得一切種智
舍利弗未來諸佛當出於世亦以无量无數
方便種種因緣譬喻言辭而為衆生演説諸
法是法皆為一佛乘故是諸衆生從佛聞法
究竟皆得一切種智舍利弗現在十方无量
百千万億佛土中諸佛世尊多所饒益安樂
衆生是諸佛亦以无量无數方便種種因緣
譬喻言辭而為衆生演説諸法是法皆為一
佛乘故是諸衆生從佛聞法究竟皆得一切
種智舍利弗是諸佛但教化菩薩欲以佛之
知見示衆生故欲以佛之知見悟衆生故欲
令衆生入佛之知見故舍利弗我今亦復如
是知諸衆生有種種欲深心所著隨其本性
以種種因緣譬喻言辭方便力故而為説法
舍利弗如此皆為得一佛乘一切種智故舍
利弗十方世界中尚无二乘何况有三舍利

BD02133號　妙法蓮華經卷一　（19–12）

舍利弗如此皆為得一佛乘一切種智故舍
利弗十方世界中尚无二乘何況有三舍利
弗諸佛出於五濁惡世所謂劫濁煩惱濁衆
生濁見濁命濁如是舍利弗劫濁亂時衆生
垢重慳貪嫉妬成就諸不善根故諸佛以方便
力於一佛乘分別說三舍利弗若我弟子自
謂阿羅漢辟支佛者不聞不知諸佛如來
但教化菩薩事此非佛弟子非阿羅漢非辟
支佛又舍利弗是諸比丘比丘尼自謂已得
阿羅漢是最後身究竟涅槃便不復志求阿
耨多羅三藐三菩提當知此輩皆是增上慢
人所以者何若有比丘實得阿羅漢若不信
此法无有是處除佛滅度後現前无佛所
以者何佛滅度後如是等經受持讀誦解義者
是人難得若遇餘佛於此法中便得決了舍
利弗汝等當一心信解受持佛語諸佛如來
言无虛妄无有餘乘唯一佛乘尒時世尊欲
重宣此義而說偈言
比丘比丘尼　有懷增上慢　優婆塞我慢　優婆夷不信
如是四衆等　其數有五千　不自見其過　於戒有缺漏
護惜其瑕疵　是小智已出　衆中之糟糠　佛威德故去
斯人尠福德　不堪受是法　此衆无枝葉　唯有諸貞實
舍利弗善聽　諸佛所得法　无量方便力　而為衆生說
衆生心所念　種種所行道　若干諸欲性　先世善惡業
佛悉知是已　以諸緣譬喻　言辭方便力　令一切歡喜
或說脩多羅　伽陀及本事　本生未曾有　亦說於因緣
譬喻并祇夜　優波提舍經　鈍根樂小法　貪著於生死

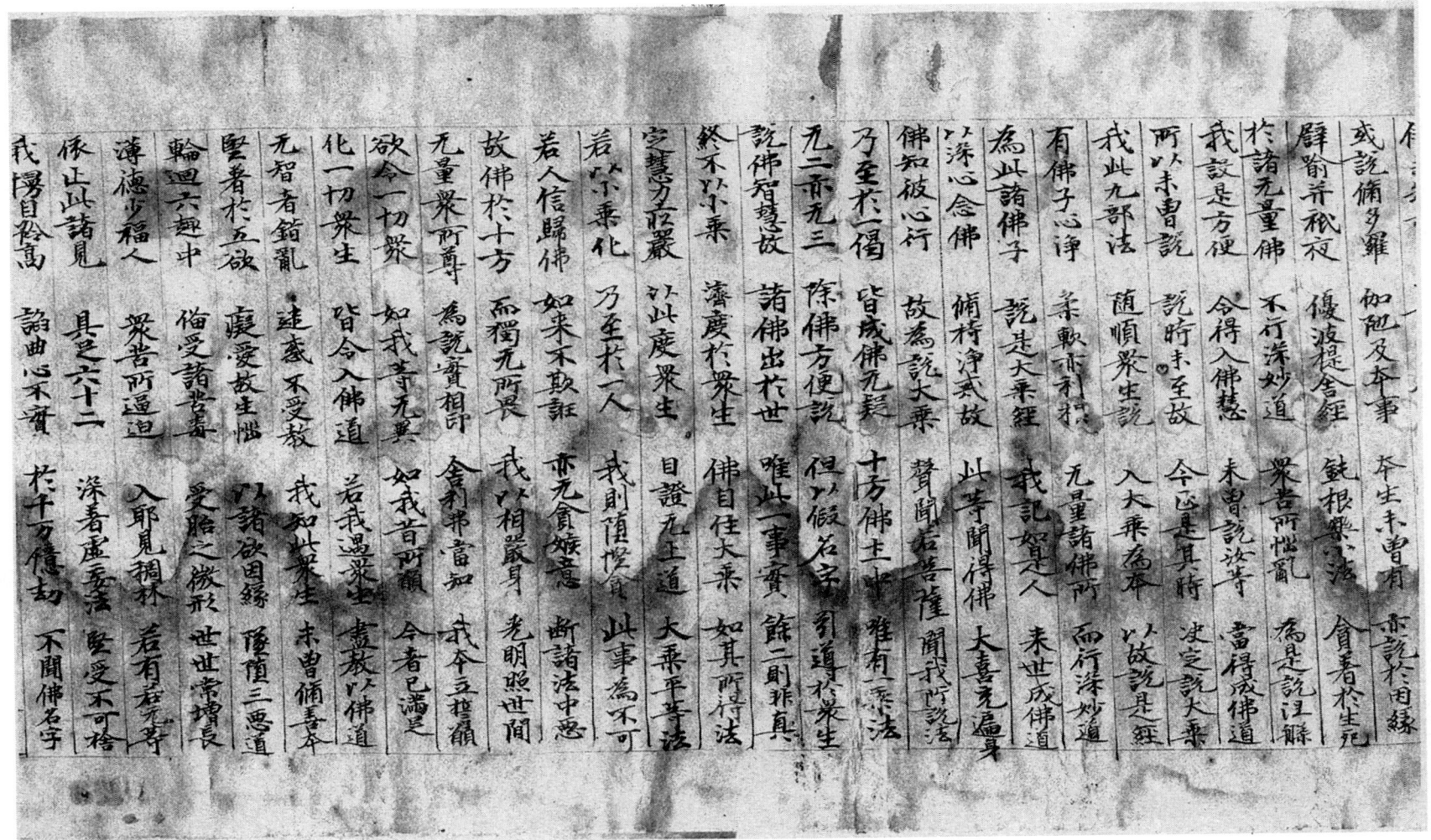

或說脩多羅　伽陀及本事　本生未曾有　亦說於因緣
譬喻并祇夜　優波提舍經　鈍根樂小法　貪著於生死
於諸无量佛　不行深妙道　衆苦所惱亂　為是說涅槃
我設是方便　令得入佛慧　未曾說汝等　當得成佛道
所以未曾說　說時未至故　今正是其時　決定說大乘
我此九部法　隨順衆生說　入大乘為本　以故說是經
有佛子心淨　柔軟亦利根　无量諸佛所　而行深妙道
為此諸佛子　說是大乘經　我記如是人　來世成佛道
以深心念佛　脩持淨戒故　此等聞得佛　大喜充遍身
佛知彼心行　故為說大乘　聲聞若菩薩　聞我所說法
乃至於一偈　皆成佛无疑　十方佛土中　唯有一乘法
无二亦无三　除佛方便說　但以假名字　引導於衆生
說佛智慧故　諸佛出於世　唯此一事實　餘二則非真
終不以小乘　濟度於衆生　佛自住大乘　如其所得法
定慧力莊嚴　以此度衆生　自證无上道　大乘平等法
若以小乘化　乃至於一人　我則墮慳貪　此事為不可
若人信歸佛　如來不欺誑　亦无貪嫉意　斷諸法中惡
故佛於十方　而獨无所畏　我以相嚴身　光明照世間
无量衆所尊　為說實相印　舍利弗當知　我本立誓願
欲令一切衆　如我等无異　如我昔所願　今者已滿足
化一切衆生　皆令入佛道　若我遇衆生　盡教以佛道
无智者錯亂　迷惑不受教　我知此衆生　未曾脩善本
堅著於五欲　癡愛故生惱　以諸欲因緣　墜墮三惡道
輪迴六趣中　備受諸苦毒　受胎之微形　世世常增長
薄德少福人　衆苦所逼迫　入邪見稠林　若有若无等
依止此諸見　具足六十二　深著虛妄法　堅受不可捨
我慢自矜高　諂曲心不實　於十万億劫　不聞佛名字

薄德少福人　眾苦所逼迫　入邪見稠林　若有若無等
依止此諸見　具足六十二　深著虛妄法　堅受不可捨
我慢自矜高　諂曲心不實　於千万億劫　不聞佛名字
亦不聞正法　如是人難度　是故舍利弗　我為設方便
說諸盡苦道　示之以涅槃　我雖說涅槃　是亦非真滅
諸法從本來　常自寂滅相　佛子行道已　來世得作佛
我有方便力　開示三乘法　一切諸世尊　皆說一乘道
今此諸大眾　皆應除疑惑　諸佛語无異　唯一无二乘
過去无數劫　无量滅度佛　百千万億種　其數不可量
如是諸世尊　種種緣譬喻　无數方便力　演說諸法相
是諸世尊等　皆說一乘法　化无量眾生　令入於佛道
又諸大聖主　知一切世間　天人群生類　深心之所欲
更以異方便　助顯第一義　若有眾生類　值諸過去佛
若聞法布施　或持戒忍辱　精進禪智等　種種脩福德
如是諸人等　皆已成佛道　諸佛滅度已　若人善軟心
如是諸眾生　皆已成佛道　諸佛滅度已　供養舍利者
起万億種塔　金銀及頗梨　車璖與馬瑙　玫瑰瑠璃珠
清淨廣嚴飾　莊校於諸塔　或有起石廟　栴檀及沈水
木櫁并餘材　塼瓦泥土等　若於曠野中　積土成佛廟
乃至童子戲　聚沙為佛塔　如是諸人等　皆已成佛道
若人為佛故　建立諸形像　刻雕成眾相　皆已成佛道
或以七寶成　鍮石赤白銅　白鑞及鉛錫　鐵木及與泥
或以膠漆布　嚴飾作佛像　如是諸人等　皆已成佛道
綵畫作佛像　百福莊嚴相　自作若使人　皆已成佛道
乃至童子戲　若草木及筆　或以指爪甲　而畫作佛像
如是諸人等　漸漸積功德　具足大悲心　皆已成佛道
但化諸菩薩　度脫无量眾　若人於塔廟　寶像及畫像

BD02133 號　妙法蓮華經卷一　（19–15）

如是諸人等　漸漸積功德　具足大悲心　皆已成佛道
但化諸菩薩　度脫无量眾　若人於塔廟　寶像及畫像
以華香幡蓋　敬心而供養　若使人作樂　擊鼓吹角貝
簫笛琴箜篌　琵琶鐃銅鈸　如是眾妙音　盡持以供養
或以歡喜心　歌唄頌佛德　乃至一小音　皆已成佛道
若人散亂心　乃至以一華　供養於畫像　漸見无數佛
或有人禮拜　或復但合掌　乃至舉一手　或復小低頭
以此供養像　漸見无量佛　自成无上道　廣度无數眾
入无餘涅槃　如薪盡火滅　若人散亂心　入於塔廟中
一稱南无佛　皆已成佛道　於諸過去佛　在世或滅後
若有聞是法　皆已成佛道　未來諸世尊　其數无有量
是諸如來等　亦方便說法　一切諸如來　以无量方便
度脫諸眾生　入佛无漏智　若有聞法者　无一不成佛
諸佛本誓願　我所行佛道　普欲令眾生　亦同得此道
未來世諸佛　雖說百千億　无數諸法門　其實為一乘
諸佛兩足尊　知法常无性　佛種從緣起　是故說一乘
是法住法位　世間相常住　於道場知已　導師方便說
天人所供養　現在十方佛　其數如恒沙　出現於世間
安隱眾生故　亦說如是法　知第一寂滅　以方便力故
雖示種種道　其實為佛乘　知眾生諸行　深心之所念
過去所習業　欲性精進力　及諸根利鈍　以種種因緣
譬喻亦言辭　隨應方便說　今我亦如是　安隱眾生故
以種種法門　宣示於佛道　我以智慧力　知眾生性欲
方便說諸法　皆令得歡喜　舍利弗當知　我以佛眼觀
見六道眾生　貧窮无福慧　入生死險道　相續苦不斷
深著於五欲　如犛牛愛尾　以貪愛自蔽　盲瞑无所見
不求大勢佛　及與斷苦法　深入諸邪見　以苦欲捨苦
為是眾生故　而起大悲心　我始坐道場　觀樹亦經行

BD02133 號　妙法蓮華經卷一　（19–16）

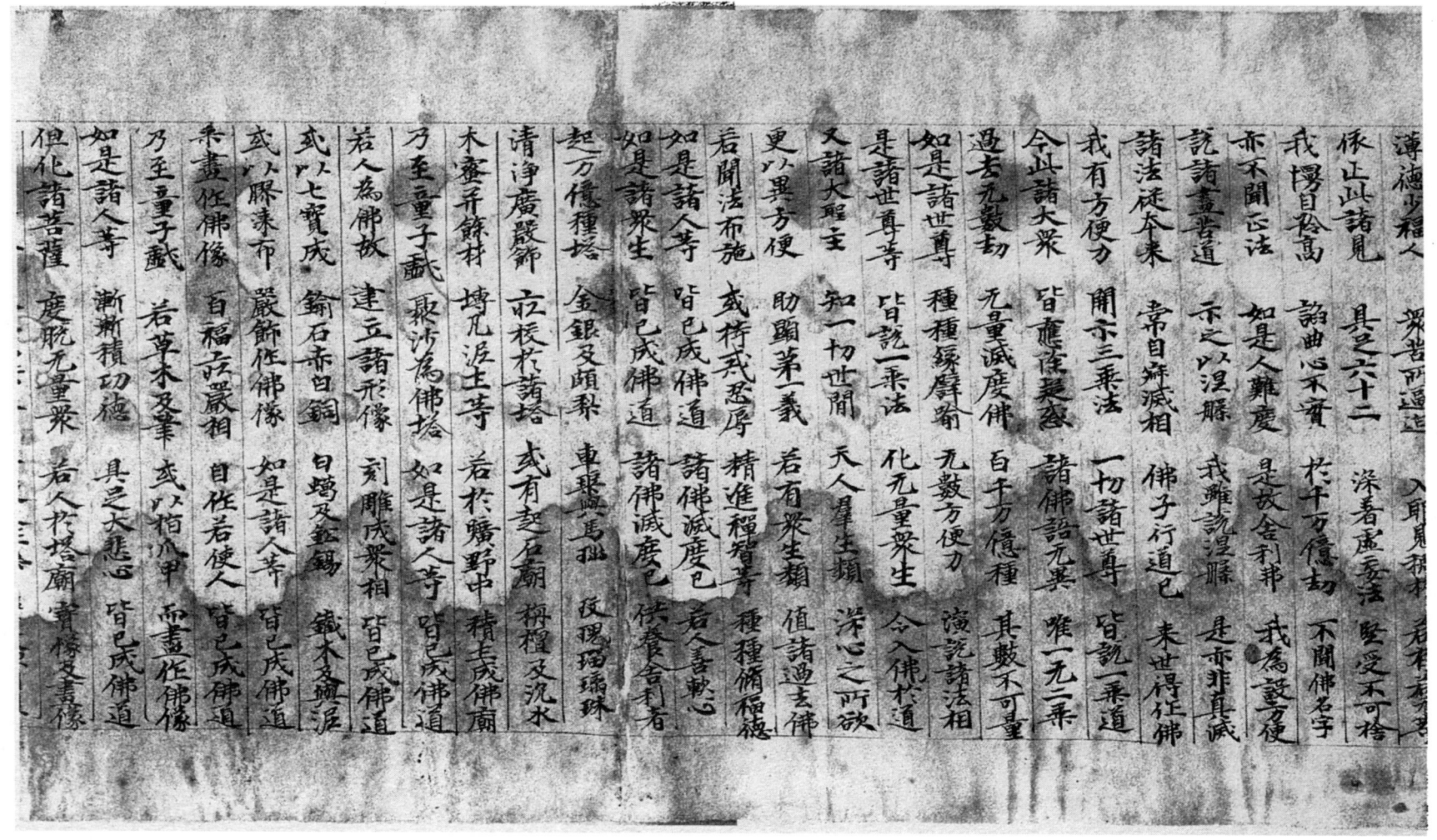

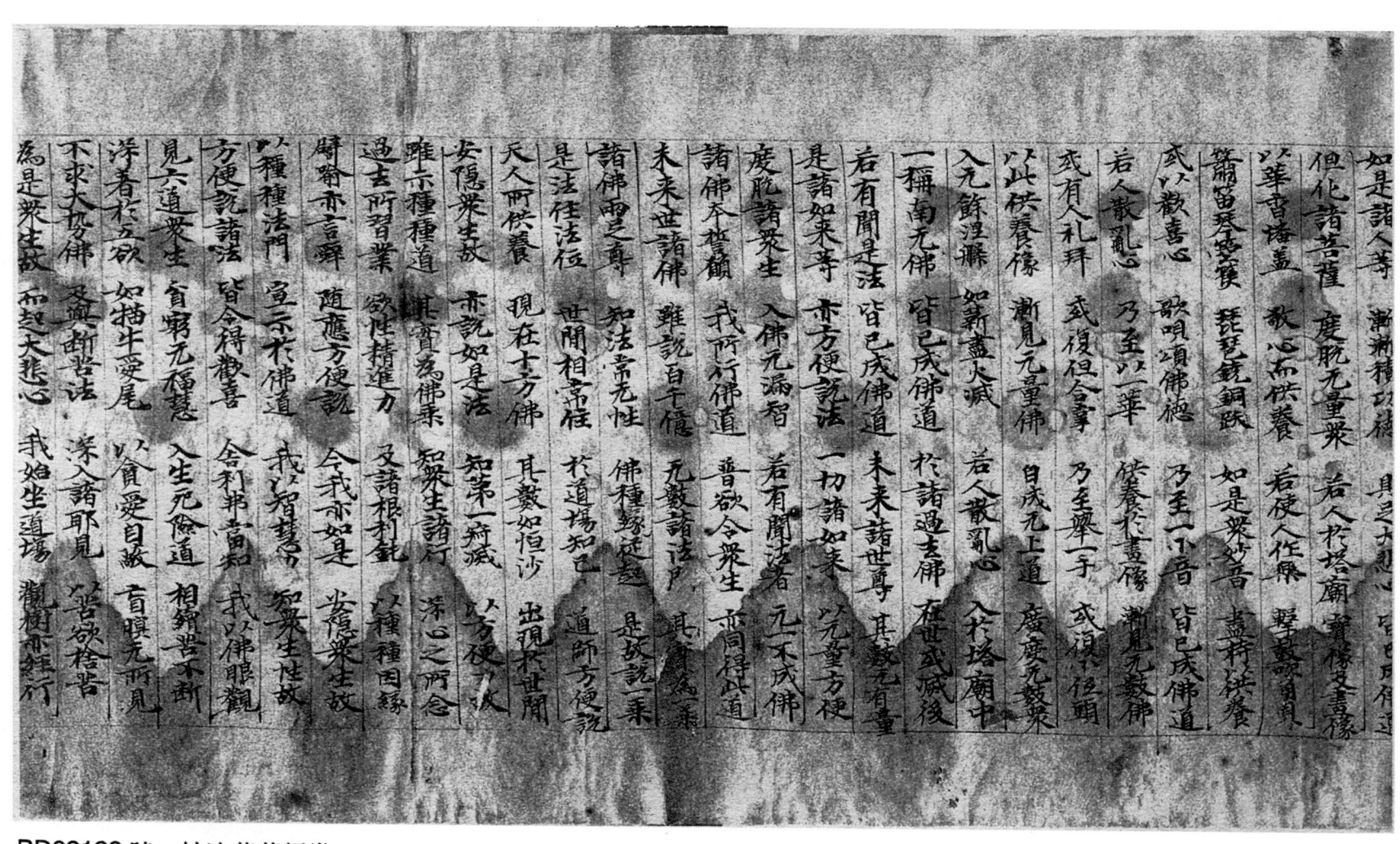

深著於五欲　如犛牛愛尾　以貪愛自蔽　盲瞑无所見
不求大勢佛　及與斷苦法　深入諸邪見　以苦欲捨苦
為是衆生故　而起大悲心　我始坐道場　觀樹亦經行
於三七日中　思惟如是事　我所得智慧　微妙最第一
衆生諸根鈍　著樂癡所盲　如斯之等類　云何而可度
尒時諸梵王　及諸天帝釋　護世四天王　及大自在天
并餘諸天衆　眷屬百千万　恭敬合掌礼　請我轉法輪
我即自思惟　若但讚佛乘　衆生沒在苦　不能信是法
破法不信故　墜於三惡道　我寧不說法　疾入於涅槃
尋念過去佛　所行方便力　我今所得道　亦應說三乘
作是思惟時　十方佛皆現　梵音慰喻我　善哉釋迦文
第一之導師　得是无上法　隨諸一切佛　而用方便力
我等亦皆得　最妙第一法　為諸衆生類　分別說三乘
少智樂小法　不自信作佛　是故以方便　分別說諸果
雖復說三乘　但為教菩薩　舍利弗當知　我聞聖師子
深淨微妙音　喜稱南无佛　復作如是念　我出濁惡世
如諸佛所說　我亦隨順行　思惟是事已　即趣波羅㮈
諸法寂滅相　不可以言宣　以方便力故　為五比丘說
是名轉法輪　便有涅槃音　及以阿羅漢　法僧差別名
從久遠劫來　讚示涅槃法　生死苦永盡　我常如是說
舍利弗當知　我見佛子等　志求佛道者　无量千万億
咸以恭敬心　皆來至佛所　曾從諸佛聞　方便所說法
我即作是念　如來所以出　為說佛慧故　今正是其時
舍利弗當知　鈍根小智人　著相憍慢者　不能信是法
今我喜无畏　於諸菩薩中　正直捨方便　但說无上道
菩薩聞是法　疑網皆已除　千二百羅漢　悉亦當作佛
如三世諸佛　說法之儀式　我今亦如是　說无分別法

BD02133號　妙法蓮華經卷一　（19–17）

如諸佛所說　我亦隨順行　思惟是事已　即趣波羅㮈
諸法寂滅相　不可以言宣　以方便力故　為五比丘說
是名轉法輪　便有涅槃音　及以阿羅漢　法僧差別名
從久遠劫來　讚示涅槃法　生死苦永盡　我常如是說
舍利弗當知　我見佛子等　志求佛道者　无量千万億
咸以恭敬心　皆來至佛所　曾從諸佛聞　方便所說法
我即作是念　如來所以出　為說佛慧故　今正是其時
舍利弗當知　鈍根小智人　著相憍慢者　不能信是法
今我喜无畏　於諸菩薩中　正直捨方便　但說无上道
菩薩聞是法　疑網皆已除　千二百羅漢　悉亦當作佛
如三世諸佛　說法之儀式　我今亦如是　說无分別法
諸佛興出世　懸遠值遇難　正使出于世　說是法復難
无量无數劫　聞是法亦難　能聽是法者　斯人亦復難
譬如優曇華　一切皆愛樂　天人所希有　時時乃一出
聞法歡喜讚　乃至發一言　則為已供養　一切三世佛
是人甚希有　過於優曇華　汝等勿有疑　我為諸法王
普告諸大衆　但以一乘道　教化諸菩薩　无聲聞弟子
汝等舍利弗　聲聞及菩薩　當知是妙法　諸佛之秘要
以五濁惡世　但樂著諸欲　如是等衆生　終不求佛道
當來世惡人　聞佛說一乘　迷惑不信受　破法墮惡道
有慚愧清淨　志求佛道者　當為如是等　廣讚一乘道
舍利弗當知　諸佛法如是　以万億方便　隨宜而說法
其不習學者　不能曉了此　汝等既已知　諸佛世之師
隨宜方便事　无復諸疑惑　心生大歡喜　自知當作佛

妙法蓮華經卷第一

BD02133號　妙法蓮華經卷一　（19–18）

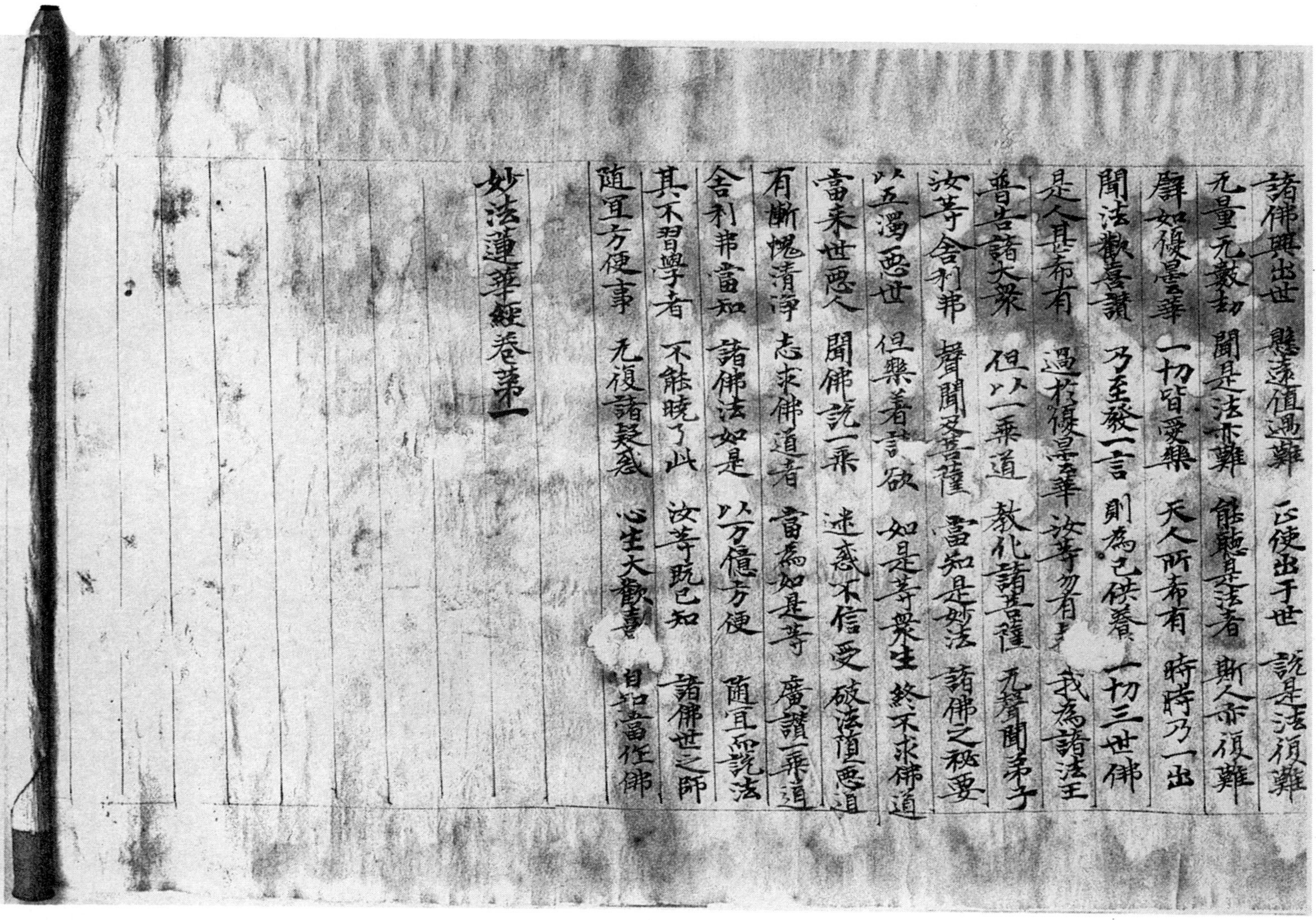

諸佛興出世　懸遠值遇難　正使出于世　說是法復難
无量无數劫　聞是法亦難　能聽是法者　斯人亦復難
譬如優曇華　一切皆愛樂　天人所希有　時時乃一出
聞法歡喜讚　乃至發一言　則為已供養　一切三世佛
是人甚希有　過於優曇華　汝等勿有疑　我為諸法王
普告諸大衆　但以一乘道　教化諸菩薩　无聲聞弟子
汝等舍利弗　聲聞及菩薩　當知是妙法　諸佛之秘要
以五濁惡世　但樂著諸欲　如是等衆生　終不求佛道
當來世惡人　聞佛說一乘　迷惑不信受　破法墮惡道
有慚愧清淨　志求佛道者　當為如是等　廣讚一乘道
舍利弗當知　諸佛法如是　以万億方便　隨宜而說法
其不習學者　不能曉了此　汝等既已知　諸佛世之師
隨宜方便事　无復諸疑惑　心生大歡喜　自知當作佛

妙法蓮華經卷第一

BD02133 號　妙法蓮華經卷一　　（19–19）

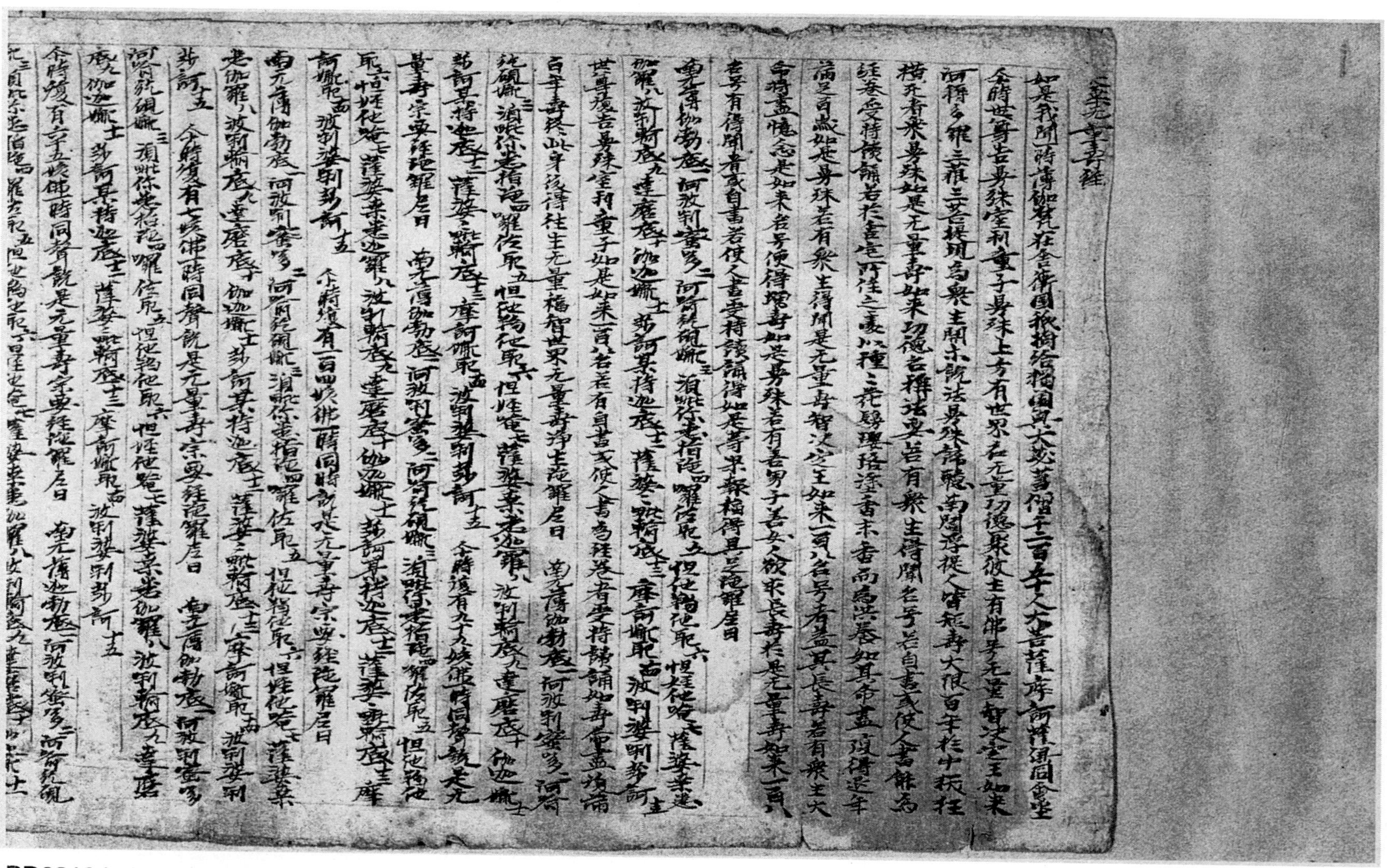

BD02134 號　無量壽宗要經　　（5–1）

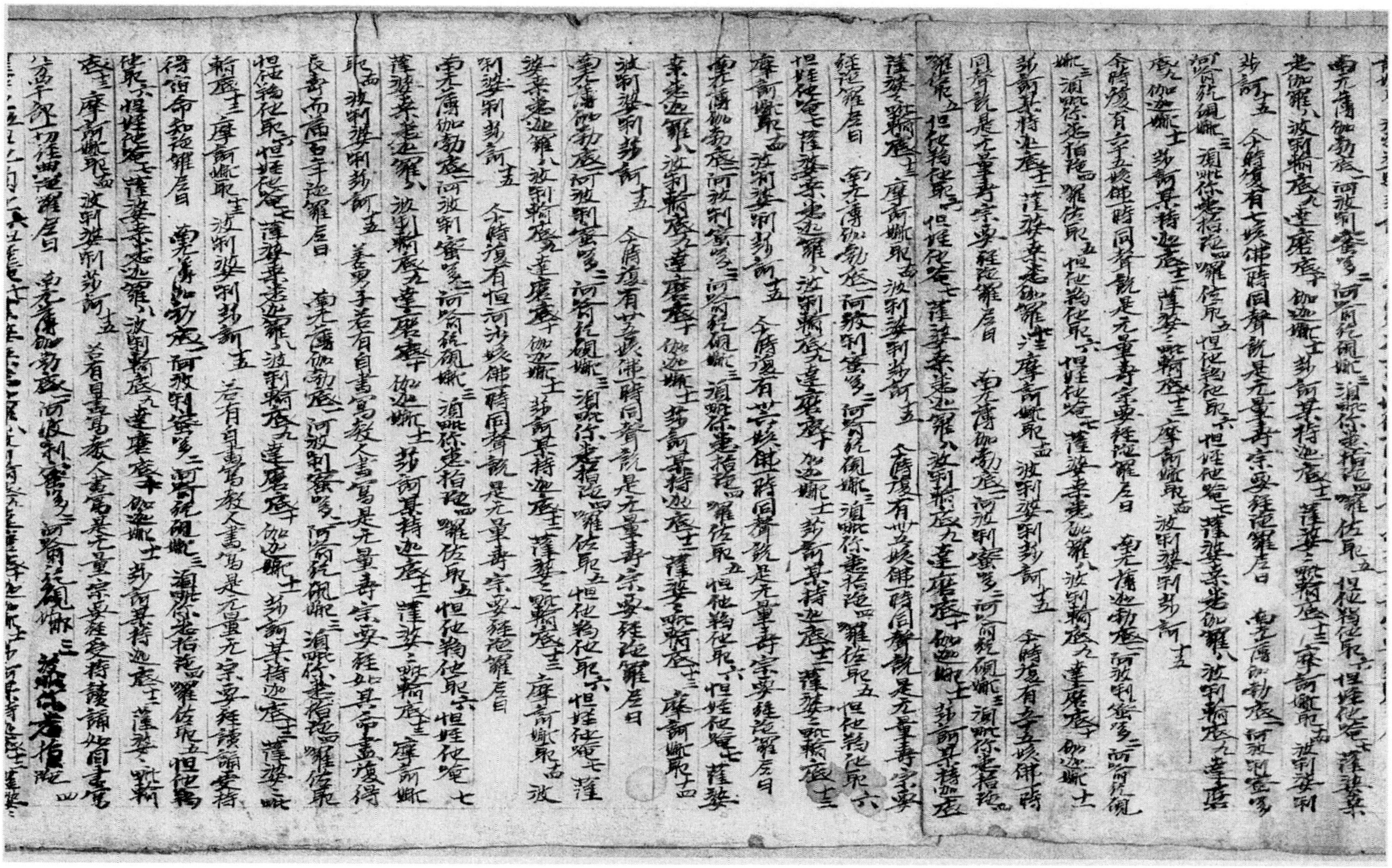

BD02134 號　無量壽宗要經　　（5–2）

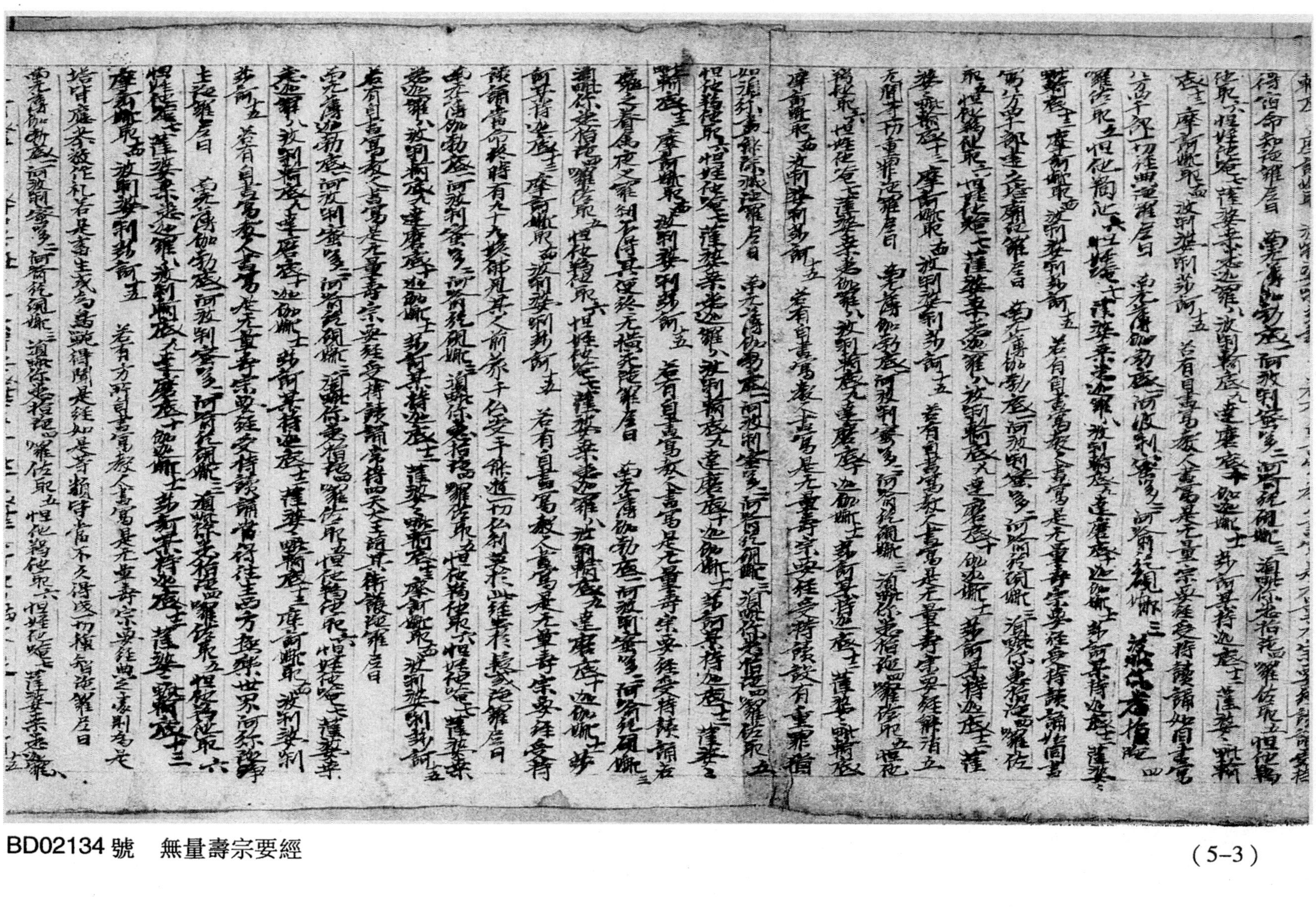

BD02134 號　無量壽宗要經　　（5–3）

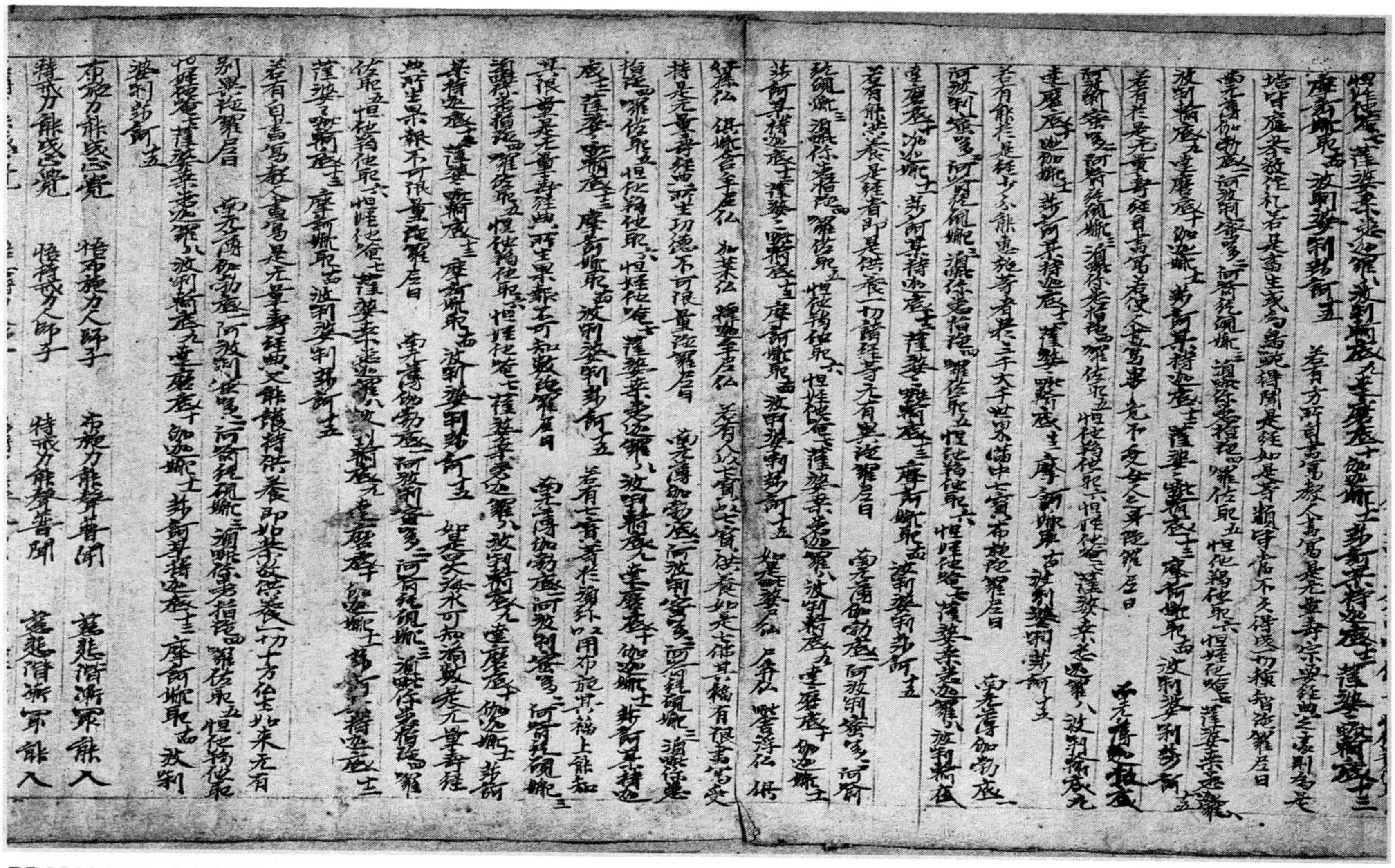

BD02134 號　無量壽宗要經

（5–4）

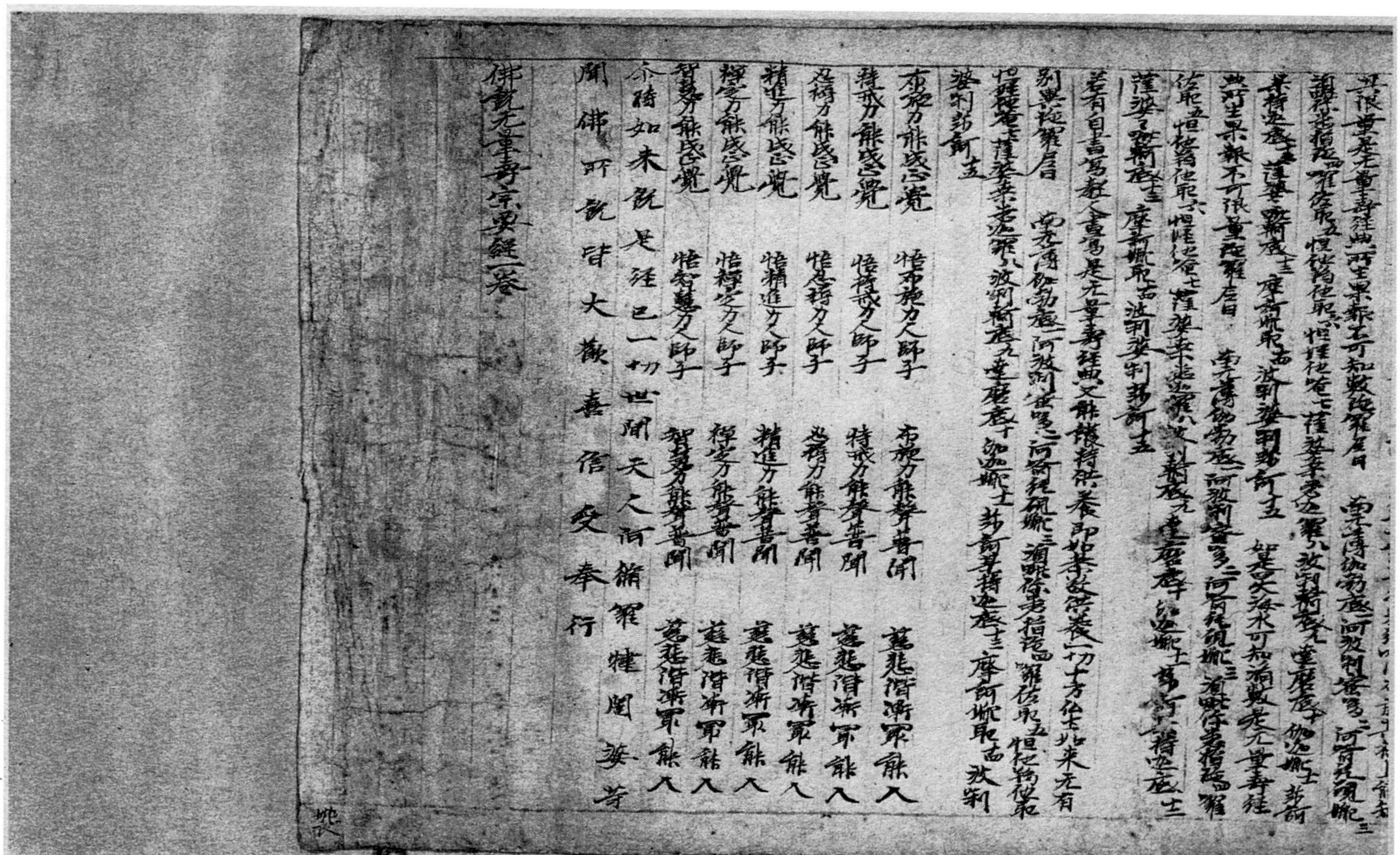

布施力能成正覺　惟布施力人師子　布施力能聲普聞　慈悲濟漸眾能入
持戒力能成正覺　惟持戒力人師子　持戒力能聲普聞　慈悲濟漸眾能入
忍辱力能成正覺　惟忍辱力人師子　忍辱力能聲普聞　慈悲濟漸眾能入
精進力能成正覺　惟精進力人師子　精進力能聲普聞　慈悲濟漸眾能入
禪定力能成正覺　惟禪定力人師子　禪定力能聲普聞　慈悲濟漸眾能入
智慧力能成正覺　惟智慧力人師子　智慧力能聲普聞　慈悲濟漸眾能入
尒時如來說是經已，一切世間天人阿脩羅揵闥婆等，聞佛所說，皆大歡喜，信受奉行
佛說無量壽宗要經一卷

BD02134 號　無量壽宗要經

（5–5）

来問我言唯優波離我等犯律誠以為耻不
敢問佛願解疑悔得免斯咎我即為其如法
解說時維摩詰来謂我言唯優波離无重增
此二比丘罪當直除滅勿擾其心所以者何
彼罪性不在内不在外不在中間如佛所說
心垢故衆生垢心淨故衆生淨心亦不在内
不在外不在中間如其心然罪垢亦然諸法
亦然不出於如如優波離以心相得解脫時
寧有垢不我言不也維摩詰言一切衆生心
相无垢亦復如是唯優波離妄相是垢无妄
想是淨顛倒是垢无顛倒是淨取我是垢不
取我是淨優波離一切法生滅不住如幻
如電諸法不相待乃至一念不住諸法皆妄
見如夢如炎如水中月如鏡中像以妄想生其
知此者是名奉律其知此者是名善解於是
二比丘言上智哉是優波離所不能及持律之
上而不能說我荅言自捨如来未有聲聞及
菩薩能制其樂說之辯其智慧明達為若此
也時二比丘疑悔即除發阿耨多羅三藐三
菩提心作是願言令一切衆生皆得是辯故
我不任詣彼問疾

BD02135 號　維摩詰所說經卷上　（11–1）

二比丘言上智哉是優波離所不能及持律之
上而不能說我荅言自捨如来未有聲聞及
菩薩能制其樂說之辯其智慧明達為若此
也時二比丘疑悔即除發阿耨多羅三藐三
菩提心作是願言令一切衆生皆得是辯故
我不任詣彼問疾
佛告羅睺羅汝行詣維摩詰問疾羅睺羅白
佛言世尊我不堪任詣彼問疾所以者何憶
念昔時毗耶離諸長者子来詣我所稽首作
礼問我言唯羅睺羅汝佛之子捨轉輪王位
出家為道其出家者有何等利我即如法為
說出家功德之利時維摩詰来謂我言唯羅
睺羅不應說出家功德之利所以者何无利
无功德是為出家有為法者可說有利有
功德夫出家者為无為法无為法中无利无功
德羅睺羅夫出家者无彼无此亦无中間離六
十二見處於涅槃智者所受聖所行處降伏
衆魔度五道淨五眼得五力立五根不惱於
彼離衆雜惡摧諸外道超越假名出於泥无
繫著无我所无所受无擾乱内懷喜護彼意
隨禪定離衆過若能如是是真出家於是
維摩詰語諸長者子汝等於正法中宜共出家
所以者何佛世難值諸長者子言居士我聞
佛言父母不聽不得出家維摩詰言然汝等
便發阿耨多羅三藐三菩提心是即出家是

BD02135 號　維摩詰所說經卷上　（11–2）

隨禪定雖衆過若能如是是真出家於是
維摩詰語諸長者子汝等於正法中宜共出家
所以者何佛世難值諸長者子言居士我聞
佛言父母不聽不得出家維摩詰言然汝等
便發阿耨多羅三藐三菩提心是即出家是
即具足尒時卅二長者子皆發阿耨多羅三
藐三菩提心故我不任詣彼問疾
佛告阿難汝行詣維摩詰問疾阿難白佛言
世尊我不堪任詣彼問疾所以者何憶念昔
時世尊身小有疾當用牛乳我即持鉢詣大
婆羅門家門下立時維摩詰來謂我言唯
阿難何爲晨朝持鉢住此我言居士世尊身小
有疾當用牛乳故來至此維摩詰言止止阿
難莫作是語如來身者金剛之體諸惡已斷
衆善普會當有何疾當有何惱嘿往阿難勿
謗如來莫使異人聞此麁言无令大威德諸
天及他方淨土諸來菩薩得聞斯語阿難轉
轉聖王以少福故尚得无病豈況如來无量
福會普勝者哉行矣阿難勿使我等受斯
耻世外道梵志若聞此語當作是念何名
爲師自疾不能救而能救諸疾人可密速去
勿使人聞當知阿難諸如來身即是法身非
思欲身佛爲世尊過於三界佛身无漏諸漏
已盡佛身无爲不墮諸數如此之身當有何
病時我世尊實懷慙愧得无近佛而謬聽
耶即聞空中聲曰阿難如居士言但爲佛出

BD02135 號　維摩詰所說經卷上

（11–3）

已盡佛身无爲不墮諸數如此之身當有何
病時我世尊實懷慙愧得无近佛而謬聽
耶即聞空中聲曰阿難如居士言但爲佛出
五濁惡世現行斯法度脫衆生行矣阿難取
乳勿慙世尊維摩詰智慧辯才爲若此也是
故不任詣彼問疾如是五百大弟子各各向
佛說其本緣稱述維摩詰所言皆曰不任詣
彼問疾
菩薩品第四
於是佛告彌勒菩薩汝行詣維摩詰問疾彌
勒白佛言世尊我不堪任詣彼問疾所以者
何憶念我昔爲兜率天王及其眷屬說不退
轉地之行時維摩詰來謂我言彌勒世尊授
仁者記一生當得阿耨多羅三藐三菩提爲
用何生得受記乎過去耶未來耶現在耶若
過去生過去生已滅若未來生未來生未至
若現在生現在生无住如佛所說比丘汝今
即時亦生亦老亦滅若以无生得受記者无
生即是正位於正位中亦无受記亦无得阿
耨多羅三藐三菩提云何彌勒受一生記乎
爲從如生得受記耶爲從如滅得受記耶若
以如生得受記者如无有生若以如滅得受
記者如无有滅一切衆生皆如也一切法亦如
也衆賢聖亦如也至於彌勒亦如也若彌
勒得受記者一切衆生亦應受記所以者何

BD02135 號　維摩詰所說經卷上

（11–4）

爲從如生得受記耶爲從如滅得受記耶若
以如生得受記者如无有生若以如滅得受
記者如无有滅一切衆生皆如也一切法亦如
也衆賢聖亦如也至於弥勒亦如也若弥
勒得受記者一切衆生亦應受記所以者何
夫如者不二不異若弥勒得阿耨多羅三藐
三菩提者一切衆生皆亦應得所以者何一
切衆生即菩提相若弥勒得滅度者一切衆
生亦當滅度所以者何諸佛知一切衆生畢
竟寂滅即涅槃相不復更滅是故弥勒无以
此法誘諸天子實无發阿耨多羅三藐三菩
提心者亦无退者弥勒當令此諸天子捨於
分別菩提之見所以者何菩提者不可以身
得不可以心得寂滅是菩提離諸相故不觀
是菩提離諸緣故不行是菩提无憶念故斷
是菩提捨諸見故離是菩提離諸妄想故
鄣是菩提鄣諸願故不入是菩提无貪著故
順是菩提順於如故住是菩提住法性故至
是菩提至實際故不二是菩提離意法故等
是菩提等虛空故无爲是菩提无生住滅故
智是菩提了衆生心行故不會是菩提諸入
不會故不合是菩提離煩惱習故无處是菩
提无形色故假名是菩提名字空故如化是菩
提无取捨故无亂是菩提常自靜故善寂是
菩提性清淨故无取是菩提離攀緣故无異
是菩提諸法等故无比是菩提不可喻故微

BD02135號　維摩詰所說經卷上　(11–5)

不會故不合是菩提離煩惱習故无處是菩
提无形色故假名是菩提名字空故如化是菩
提无取捨故无亂是菩提常自靜故善寂是
菩提性清淨故无取是菩提離攀緣故无異
是菩提諸法等故无比是菩提不可喻故微
妙是菩提諸法難知故世尊維摩詰說是法
時二百天子得无生法忍故我不任詣彼問疾
佛告光嚴童子汝行詣維摩詰問疾光嚴白
佛言世尊我不堪任詣彼問疾所以者何憶
念我昔出毗耶離大城時維摩詰方入城我
即爲作礼而問言居士從何所來荅我言吾
從道場來我問道場者何所是荅曰直心是
道場无虛假故發行是道場能辯事故深心
是道場增益功德故菩提心是道場无錯謬
故布施是道場不望報故持戒是道場得願
具足故忍辱是道場於諸衆生心无㝵故精
進是道場不懈怠故禪定是道場心調柔故智
慧是道場現見諸法故慈是道場等衆生
故悲是道場忍疲苦故喜是道場悅樂法故
捨是道場憎愛斷故神通是道場成就六通
故解脫是道場能背捨故方便是道場教化
衆生故四攝法是道場攝衆生故多聞是道
場如聞行故伏心是道場正觀諸法故卅七
品是道場捨有爲法故諦是道場不誑世間
故緣起是道場无明乃至老死皆无盡故諸
煩惱是道場知如實故衆生是道場知无我

BD02135號　維摩詰所說經卷上　(11–6)

衆生故四攝法是道場攝衆生故多聞是道
場如聞行故伏心是道場正觀諸法故卅七
品是道場捨有為法故諦是道場不誑世間
故緣起是道場无明乃至老死皆无盡故諸
煩惱是道場知如實故衆生是道場知无我
故一切法是道場知諸法空故降魔是道場
不傾動故三界是道場无所趣故師子吼是道
場无所畏故力无畏不共法是道場无諸過
故三明是道場无餘㝵故一念知一切法是
道場成就一切智故如是善男子菩薩若應
諸波羅蜜教化衆生諸有所作舉足下足當
知皆從道場來住於佛法矣說是法時五百
天人皆發阿耨多羅三藐三菩提心故我不
任詣彼問疾
佛告持世菩薩汝行詣維摩詰問疾持世白
佛言世尊我不堪任詣彼問疾所以者何憶
念我昔住於靜室時魔波旬從万二千天女
狀如帝釋鼓樂絃歌來詣我所與其眷屬稽
首我足合掌恭敬於一面立我意謂是帝釋
而語之言善来憍尸迦雖福應有不當自恣
當觀五欲无常以求善本於身命財而脩堅
法即語我言正士受是万二千天女可備掃
灑我言憍尸迦无以此非法之物要我沙門
釋子此非我宜所言未訖時維摩詰來謂我
言非帝釋也是為魔來嬈故汝耳即語魔
言是諸女等可以與我如我應受魔即驚懼

灑我言憍尸迦无以此非法之物要我沙門
釋子此非我宜所言未訖時維摩詰來謂我
言非帝釋也是為魔來嬈故汝耳即語魔
言是諸女等可以與我如我應受魔即驚懼
念維摩詰將无惱我欲隱形去而不能隱盡
其神力亦不得去即聞空中聲曰波旬以女
與之乃可得去魔以畏故俛仰而與尒時維
摩詰語諸女言魔以汝等與我今汝皆
當發阿耨多羅三藐三菩提心即隨所應而
為說法令發道意復言汝等已發道意有法
樂可以自娛不應復樂五欲樂也天女即問
何謂法樂答言樂常信佛樂欲聽法樂供
養衆樂離五欲樂觀五陰如怨賊樂觀四大如
毒虵樂觀內入如空聚樂隨護道意樂饒益
衆生樂供養師長樂廣行施樂堅持戒樂忍
辱柔和樂勤集善根樂禪定不亂樂離垢明
慧樂廣菩提心樂降伏衆魔樂斷諸煩惱樂
淨佛國土樂成就相好故脩諸功德樂莊嚴
道場樂聞深法不畏樂三解脫門不樂非時
樂近同學不樂於非同學中心无恚㝵樂將
護惡知識樂近善知識樂心喜清淨樂脩无
量道品之法是為菩薩法樂於是波旬告諸女
言我欲與汝俱還天宮諸女言以我等與此
居士有法樂我等甚樂不復樂五欲樂也
魔言居士可捨此女一切所有施於彼者是
為菩薩維摩詰言我以捨矣汝便將去令一

言我欲與汝俱還天宮諸女言以我等與此
居士有法樂我等甚樂不復樂於五欲樂也
魔言居士可捨此女一切所有施於彼者是
爲菩薩維摩詰言我以捨矣汝便將去令一
切衆生得法願具足故於是諸女問維摩詰
我等云何止於魔宮維摩詰言諸姊有法
法門名无盡燈汝等當學无盡燈者譬如一
燈燃百千燈冥者皆明明終不盡如是諸姊
夫一菩薩開導百千衆生令發阿耨多羅三
藐三菩提心於其道意亦不滅盡隨所說法
而自增益一切善法是名无盡燈也汝等雖
住魔宮以是无盡燈令无數天子天女皆發
阿耨多羅三藐三菩提心者爲報佛恩亦大
饒益一切衆生尒時天女頭面礼維摩詰足
隨魔還宮忽然不見世尊維摩詰有如是
自在神力智慧辯才故我不任詣彼問疾
佛告長者子善德汝行詣維摩詰問疾善德
白佛言世尊我不堪任詣彼問疾所以者何
憶念我昔自於父舍設大施會供養一切沙
門婆羅門及諸外道貧窮下賤孤獨乞人期
滿七日時維摩詰來入會中謂我言長者子
夫大施會不當如汝所設當爲法施之會何
用是財施會爲我言居士何謂法施之會法
施會者无前无後一時供養一切衆生是名
法施之會曰何謂也謂以菩提起於慈心以救

BD02135號　維摩詰所說經卷上　(11-9)

夫大施會不當如汝所設當爲法施之會何
用是財施會爲我言居士何謂法施之會法
施會者无前无後一時供養一切衆生是名
法施之會曰何謂也謂以菩提起於慈心以救
衆生起大悲心以持正法起於喜心以攝智
慧行於捨心以攝慳貪起檀波羅蜜以化犯
戒起尸波羅蜜以无我法起羼提波羅蜜以
離身心相起毗梨耶波羅蜜以菩提相起禪
波羅蜜以一切智起般若波羅蜜教化衆生
而起於空不捨有爲法而起无相示現受生
而起无作護持正法起方便力以度衆生起
四攝法以敬事一切起除慢法於身命財起
三堅法於六念中起思念法於六和敬起質
直心正行善法起於淨命心淨歡喜起近賢聖
不憎惡人起調伏心以出家法起於深心以如
說行起於多聞以无諍法起空閑處起向
佛慧起於宴坐解衆生縛起脩行地以具相
好及淨佛土起福德業知一切衆生心念如應
說法起於智業知一切法不取不捨入一
相門起於慧業斷一切煩惱一切鄣㝵一切
不善法起一切善業以得一切智慧一切善
法起於一切助佛道法如是善男子是爲法
施之會若菩薩作是法施會者爲大施主亦
爲一切世間福田世尊維摩詰說是法時婆
羅門衆中二百人皆發阿耨多羅三藐三菩
提心我時心得清淨歎未曾有稽首礼維摩

BD02135號　維摩詰所說經卷上　(11-10)

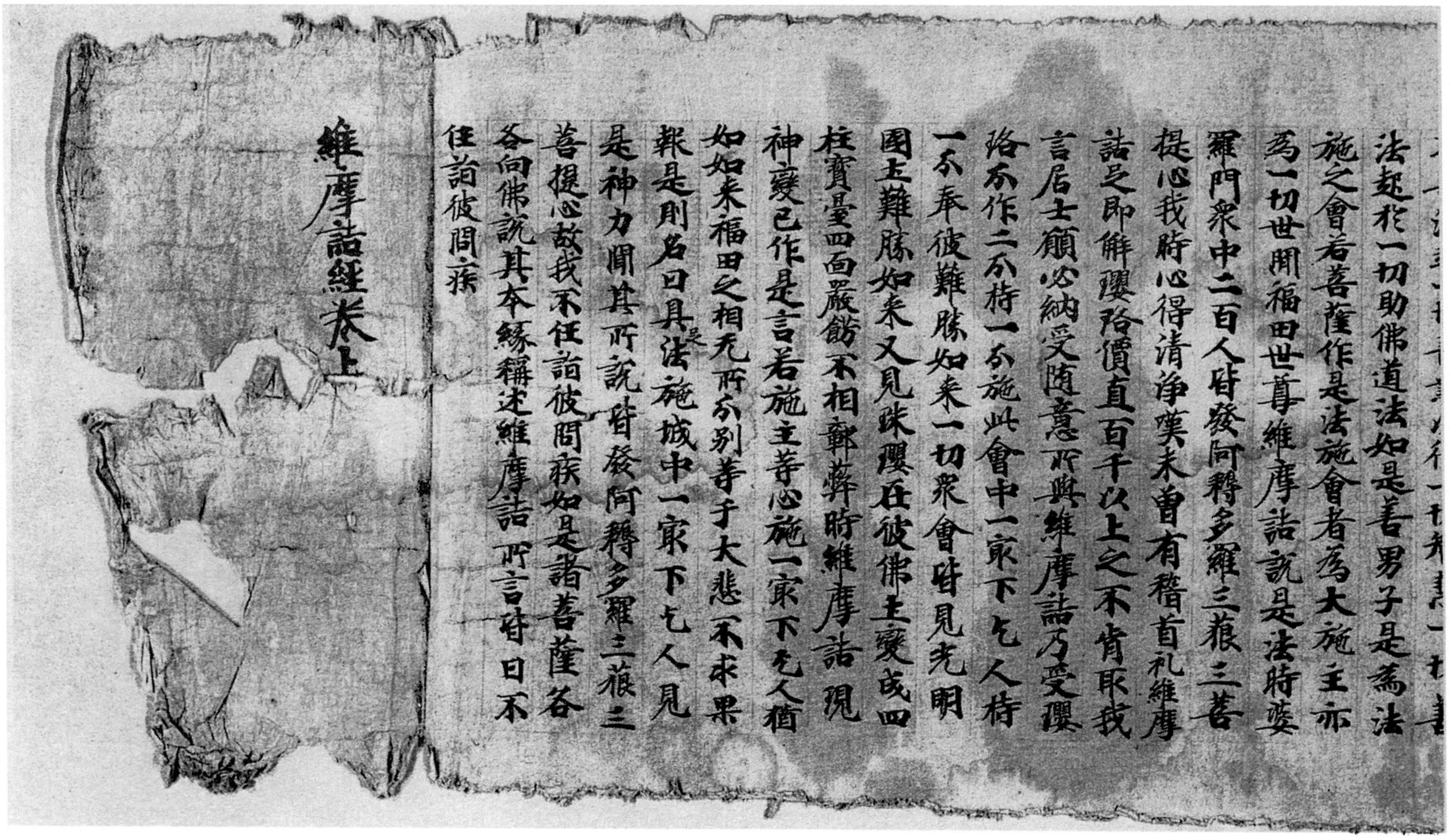

維摩詰經卷上

法起於一切助佛道法如是善男子是爲法
施之會若菩薩作是法施會者爲大施主亦
爲一切世間福田世尊維摩詰說是法時婆
羅門衆中二百人皆發阿耨多羅三藐三菩
提心我時心得清淨歎未曾有稽首礼維摩
詰足即解瓔珞價直百千以上之不肯取我
言居士願必納受隨意所與維摩詰乃受瓔
珞分作二分持一分施此會中一最下乞人持
一分奉彼難勝如來一切衆會皆見光明
國土難勝如來又見珠瓔在彼佛上變成四
柱寶臺四面嚴飾不相鄣蔽時維摩詰現
神變已作是言若施主等心施一最下乞人猶
如如來福田之相无所分別等于大悲不求果
報是則名曰具足法施城中一最下乞人見
是神力聞其所說皆發阿耨多羅三藐三
菩提心故我不任詣彼問疾如是諸菩薩各
各向佛說其本緣稱述維摩詰所言皆曰不
任詣彼問疾

BD02135 號　維摩詰所說經卷上　（11–11）

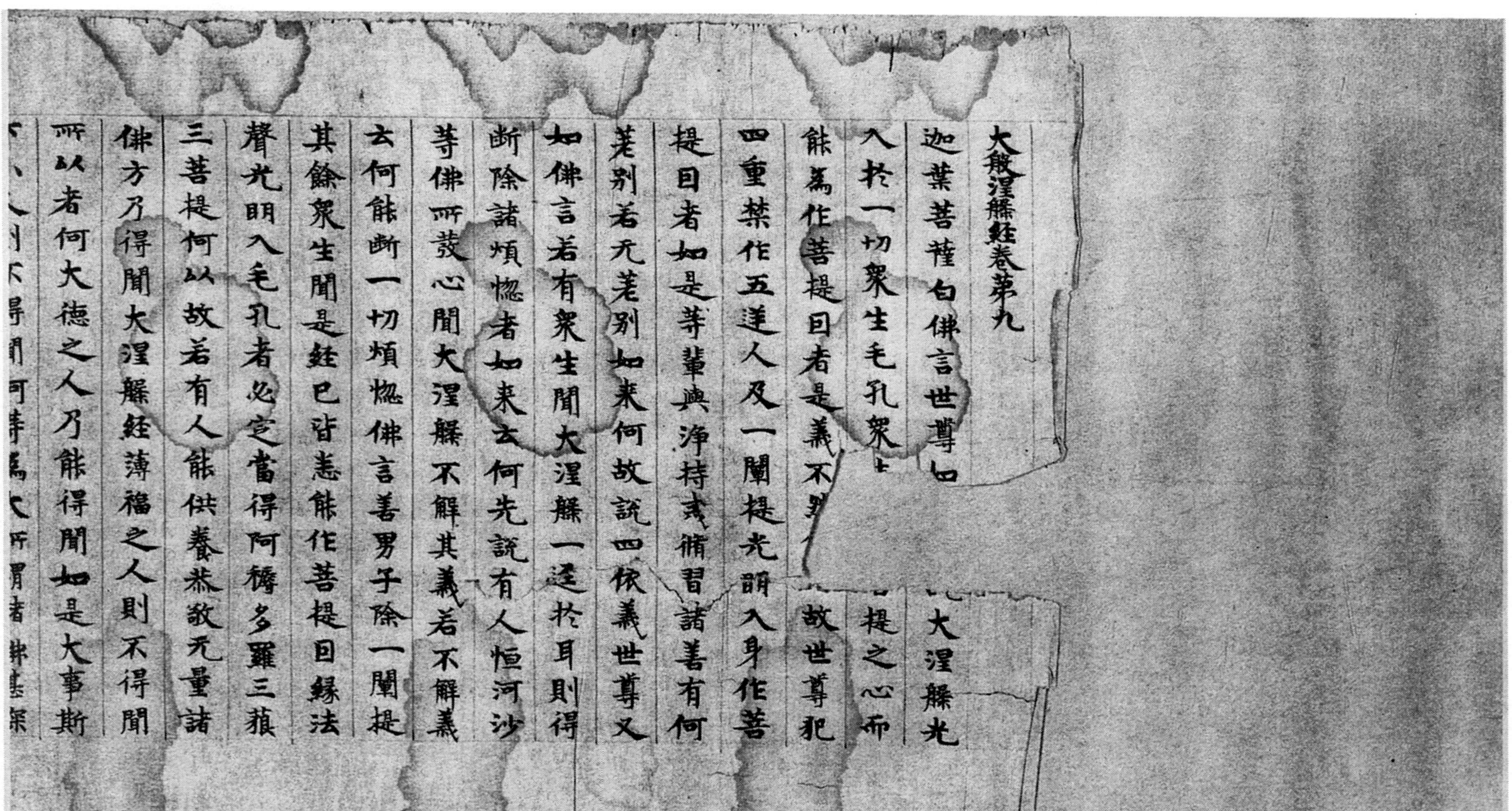

大般涅槃經卷第九

迦葉菩薩白佛言世尊如[illegible]大涅槃光
入於一切衆生毛孔衆[illegible]提之心而
能爲作菩提因者是義不[illegible]故世尊犯
四重禁作五逆人及一闡提光明入身作菩
提因者如是等輩與淨持戒脩習諸善有何
差別若无差別如來何故說四依義世尊又
如佛言若有衆生聞大涅槃一經於耳則得
斷除諸煩惱者如來云何先說有人恒河沙
等佛所發心聞大涅槃不解其義若不解義
云何能斷一切煩惱佛言善男子除一闡提
其餘衆生聞是經已皆悉能作菩提因緣法
聲光明入毛孔者必定當得阿耨多羅三藐
三菩提何以故若有人能供養恭敬无量諸
佛方乃得聞大涅槃經薄福之人則不得聞
所以者何大德之人乃能得聞如是大事斯

BD02136 號　大般涅槃經（北本　異卷）卷九　（22–1）

聲光明入毛孔者必定當得阿耨多羅三藐
三菩提何以故若有人能供養恭敬无量諸
佛方乃得聞大涅槃經薄福之人則不得聞
所以者何大德之人乃能得聞如是大事斯
下小人則不得聞何等為大所謂諸佛甚深
秘藏謂佛性是以是義故名為大事迦葉菩
薩白佛言世尊云何未發菩提心者得菩提
因佛告迦葉若有聞是大涅槃經言我不用
發菩提心誹謗正法是人即於夢中見羅剎
像心中怖懅羅剎語言咄善男子汝今若不
發菩提心當斷汝命是人惶怖悟已即發菩
提之心是人命終若在三惡及在人天續復
憶念菩提之心當知是人是大菩薩摩訶薩
也以是義故是大涅槃威神力故能令未發
菩提心者作菩提因善男子是名菩薩發心
因緣非无因緣以是義故大乘妙典真佛所
說復次善男子如虛空中興大雲雨注於大
地枯木石山高原堆阜水所不住流注下田
陂池悉滿利益无量一切眾生是大涅槃微
妙經典亦復如是雨大法雨普潤眾生唯一
闡提發菩提心无有是處復次善男子譬如
燋種雖遇甘雨百千万劫終不生牙牙若生
者亦无是處一闡提輩亦復如是雖聞如是
大般涅槃微妙經典終不能發菩提心牙若

BD02136號　大般涅槃經（北本　異卷）卷九　　（22–2）

闡提發菩提心无有是處復次善男子譬如
燋種雖遇甘雨百千万劫終不生牙牙若生
者亦无是處一闡提輩亦復如是雖聞如是
大般涅槃微妙經典終不能發菩提心牙若
能發者无有是處何以故是人斷滅一切善
根如彼燋種不能復生菩提根牙復次善男
子譬如明珠置濁水中以珠威德水即為清
投之淤泥不能令清是大涅槃微妙經典亦
復如是置餘眾生五无間罪四重禁法濁水
之中猶可澄清發菩提心投一闡提淤泥之
中百千万歲不能令清起菩提心何以故是
一闡提滅諸善根非其器故假使是人百千
万歲聽受如是大涅槃經終不能發菩提之
心所以者何无善心故復次善男子譬如藥
樹名曰藥王於諸藥中最為殊勝若和酪漿
若蜜若穌若水若乳若末若丸若以塗瘡藥
身塗目若見若嗅能滅眾生一切諸病如是
藥樹不作是念一切眾生若取我根不應取
葉若取葉者不應取根若取身者不應取皮
若取皮者不應取身是樹雖復不生是念而
能除滅一切病苦善男子是大涅槃微妙經
典亦復如是能除一切眾生惡業四波羅夷
五无間罪若內若外所有諸惡諸有未發菩
提心者因是則得發菩提心何以故是妙經

BD02136號　大般涅槃經（北本　異卷）卷九　　（22–3）

典亦復如是能除一切衆生惡業四波羅夷
五无間罪若内若外所有諸惡諸有未發菩
提心者因是則得發菩提心何以故是妙經
典諸經中王如彼藥樹諸藥中王若有脩習
是大涅槃及不脩者若聞有是經典名字聞
已信敬所有一切煩惱重病皆悉除滅唯不
能令一闡提輩安止住於阿耨多羅三藐三
菩提如彼妙藥雖能療愈種種重病而不能
治必死之人復次善男子如人手瘡捉持毒
藥毒則隨入若无瘡者毒則不入一闡提輩
亦復如是无菩提因如无瘡者毒不得入所
謂瘡者即是无上菩提因緣毒者即是第一
妙藥完无瘡者謂一闡提復次善男子譬如
金剛无能壞者而能破壞一切之物唯除龜
甲及白羊角是大涅槃微妙經典亦復如是
悉能安止无量衆生於菩提道唯不能令一
闡提輩立菩提因復次善男子如馬齒草濕
羅翅樹尼迦羅樹雖斷枝莖續生如故不如
多羅斷已不生是諸衆生亦復如是若得聞
是大涅槃經雖犯四禁及无間罪猶故能生
菩提因緣一闡提輩則不如是雖得聽受是
妙經典而不能生菩提道因復次善男子如
佉陁羅樹鎮頭伽樹斷已不生及諸燋種一
闡提輩亦復如是雖得聞是大涅槃經而不
能發菩提因緣猶如燋種復次善男子譬如

BD02136號　大般涅槃經（北本　異卷）卷九　（22-4）

妙經典而不能生菩提道因復次善男子如
佉陁羅樹鎮頭伽樹斷已不生及諸燋種一
闡提輩亦復如是雖得聞是大涅槃經而不
能發菩提因緣猶如燋種復次善男子譬如
大雨終不住空是大涅槃微妙經典亦復如
是普雨法雨於一闡提則不能住是一闡提
周體緻密猶如金剛不容外物迦葉菩薩白
佛言世尊如佛所說
不見善不作　唯見惡可作　是處可怖畏　猶如險惡道
世尊如是所說有何等義佛言善男子不見
者謂不見佛性善者即是阿耨多羅三藐三
菩提不作者所謂不能親近善友唯見者見
无因果惡者謂謗方等大乘經典可作者謂
一闡提說无方等以是義故一闡提輩无心
趣向清淨善法何等善法謂涅槃也趣涅槃
者謂能脩習賢善之行而一闡提无賢善行
是故不能趣向涅槃是處可畏謂謗正法誰
應怖畏所謂智者何以故以謗法者无有善
心及方便故險惡道者謂諸行也迦葉復言
如佛所說
云何見所作　云何得善法　何處不怖畏　如王夷坦道
是義何謂佛言善男子見所作者發露諸惡
從生死際所作諸惡悉皆發露至无至處以
是義故是處无畏猶如[illegible]王所遊正路其中

BD02136號　大般涅槃經（北本　異卷）卷九　（22-5）

云何見所作　云何得善法　何處不怖畏　如王夷坦道
是義何謂佛言善男子見所作者發露諸惡
從生死際所作諸惡悉皆發露至无至處以
是義故是處无畏喻如人王所遊正路其中
盜賊悉皆逃走如是發露一切諸惡悉滅无
餘復次不見所作者謂一闡提所作衆惡而
不自見是一闡提憍慢心故雖多作惡於是
事中初无怖畏以是義故不得涅槃喻如獼
猴捉水中月善男子假使一切无量衆生一
時成於阿耨多羅三藐三菩提已此諸如來
亦復不見彼一闡提成於菩提以是義故名
不見所作又復不見誰之所作所謂不見如來
所作佛為衆生說有佛性一闡提輩流轉生
死不能知見以是義故名為不見如來所作
又一闡提見於如來畢竟涅槃謂真无常猶
如燈滅膏油俱盡何以故是人惡業不虧損
故若有菩薩所作善業迴向阿耨多羅三藐
三菩提時一闡提輩雖復毀呰破壞不信然
諸菩薩猶故施与欲共成於无上之道何以
故諸佛法尒
作惡不即受　如乳即成酪　猶灰覆火上　愚者輕蹈之
一闡提者名為无目是故不見阿羅漢道如
阿羅漢不行生死嶮惡之道以无目故誹謗
方等不欲脩習如阿羅漢懃脩慈心一闡提

BD02136號　大般涅槃經（北本　異卷）卷九　（22–6）

作惡不即受　如乳即成酪　猶灰覆火上　愚者輕蹈之
一闡提者名為无目是故不見阿羅漢道如
阿羅漢不行生死嶮惡之道以无目故誹謗
方等不欲脩習如阿羅漢懃脩慈心一闡提
輩不脩方等亦復如是若人說言我今不信
聲聞經典信受大乘讀誦解說是故我今即
是菩薩一切衆生悉有佛性以佛性故衆生
身中即有十力三十二相八十種好我之所
說不異佛說汝今与我俱破无量諸惡煩惱
如破水瓶以破結故即得見於阿耨多羅三
藐三菩提是人雖作如是演說其心實不信
有佛性為利養故隨文而說如是說者名為
惡人如是惡人不速受果如乳成酪譬如王
使善能談論巧於方便奉命他國寧喪身命
終不匿王所說言教智者亦尒於凡夫中不
惜身命要必宣說大乘方等如來秘藏一切
衆生皆有佛性善男子有一闡提作羅漢像
住於空處誹謗方等大乘經典諸凡夫人見
已皆謂真阿羅漢是大菩薩摩訶薩也是一
闡提惡比丘輩住阿蘭若處壞阿蘭若法見
他得利心生嫉妬作如是言所有方等大乘
經典悉是天魔波旬所說亦說如來是无常
法毀滅正法破壞衆僧復作是言波旬所說
非善慎說作是宣說耶惡之法是人作惡不

BD02136號　大般涅槃經（北本　異卷）卷九　（22–7）

他得利心生嫉妬作如是言所有方等大乘
經典悉是天魔波旬所說亦說如來是无常
法毀滅正法破壞衆僧復作是言彼旬所說
非善順說作是宣說耶惡之法是人作惡不
即受報如乳成酪灰覆火上愚輕蹈之如是
人者謂一闡提是故當知大乘方等微妙經
典必定清淨如摩尼珠投之濁水水即爲清
大乘經典亦復如是復次善男子譬如蓮華
爲日所照无不開敷一切衆生亦復如是若
得見聞大涅槃日未發心者悉令發心爲菩
提因是故我說大涅槃光所入毛孔必爲妙
因彼一闡提雖有佛性而爲无量罪垢所纏
不能得出如蚕處繭以是業緣不能生於善
提妙因流轉生死无有窮已復次善男子如
優鉢羅華鉢頭摩華拘牟頭華分陁利華生
於淤泥而終不爲彼泥所汙若有衆生脩大
涅槃微妙經典亦復如是雖有煩惱終不爲
此煩惱所汙何以故以知如來性相力故善
男子譬如有國多清冷風若觸衆生身諸毛
孔能除一切鬱蒸之惱此大乘典大涅槃經
亦復如是遍入一切衆生毛孔爲作菩提微
妙因緣除一闡提何以故非法器故復次善
男子譬如良醫解八種藥滅一切病唯除必
死一切契經禪定三昧亦復如是能治一切

亦復如是遍入一切衆生毛孔爲作菩提微
妙因緣除一闡提何以故非法器故復次善
男子譬如良醫解八種藥滅一切病唯除必
死一切契經禪定三昧亦復如是能治一切
貪恚愚癡諸煩惱病能拔煩惱毒刺等箭而
不能治犯四重禁五无間罪善男子復有良
醫過八種術能除衆生所有病苦唯不能治
必死之病是大涅槃大乘經典亦復如是能
除衆生一切煩惱安住如來清淨妙因未發
心者令得發心唯除必死一闡提輩復次善
男子譬如良醫能以妙藥治諸盲人令見日
月星宿諸明一切色像唯不能治生盲之人
是大乘典大涅槃經亦復如是能爲聲聞緣
覺之人開發慧眼令其安住无量无邊大乘
經典未發心者謂犯四禁五无間罪悉能令
發菩提之心唯除生盲一闡提輩復次善男
子譬如良醫善解八術爲治衆生一切病苦
与種種方吐下諸藥及以塗身薰藥灌鼻散
藥丸藥若貧愚人不欲服之良醫慜念即將
是人還其舍宅強与令服以藥力故所患得
除女人產時兒衣不出与之令服服之即出
并令嬰兒安樂无患是大乘典大涅槃經亦
復如是所至之處若至舍宅能除衆生无量
煩惱犯四重禁五无間罪未發心者悉令發

[illegible]
并令嬰兒安樂无患是大乘典大涅槃經亦
復如是所至之處若至舍宅能除衆生无量
煩惱犯四重禁五无間罪未發心者悉令發
心除一闡提迦葉菩薩白佛言世尊犯四重
禁及五无間名極重惡譬如斷截多羅樹頭
更不復生是等未發菩提之心云何能与作
菩提因佛言善男子是諸衆生若於夢中夢
墮地獄受諸苦惱即生悔心哀我我等自招
此罪若我今得脫是罪者必定當發菩提之
心我今所見最為極惡從是悟已即知正法
有大果報如彼嬰兒漸漸長大常作是念是
醫最良善解方藥我本處胎与我母藥母以
藥故身得安隱以是因緣我命得全奇哉我
母受大苦惱滿足十月懷抱我胎既生之後
推乾去濕除去不淨大小便利乳餔長養將
護我身以是義故我當報恩色養侍衛隨順
供養犯四重禁及五无間罪臨命終時念是
大乘大涅槃經雖墮地獄畜生餓鬼天上人
中如是經典亦為是人作菩提因除一闡提
復次善男子譬如良醫及良醫子所知深奧
出過諸醫善知除毒无上呪術若惡毒虵若
龍若蝮以諸呪術呪藥令良復以此藥用塗
草屣以此草屣觸諸毒虫毒為之消唯除一

BD02136號　大般涅槃經（北本　異卷）卷九　（22-10）

復次善男子譬如良醫及良醫子所知深奧
出過諸醫善知除毒无上呪術若惡毒虵若
龍若蝮以諸呪術呪藥令良復以此藥用塗
草屣以此草屣觸諸毒虫毒為之消唯除一
毒名曰大龍是大乘典大涅槃經亦復如是
若有衆生犯四重禁五无間罪悉能除滅令
住菩提如藥草屣能消衆毒未發心者悉能
令發安止住於菩提之道是彼大乘大涅槃
經威神藥故令諸衆生生於安樂唯除大龍
一闡提輩復次善男子譬如有人以新毒藥
用塗大鼓於衆人中擊之發聲雖无心欲聞
聞之皆死唯除一人不橫死者是大乘典大涅
槃經亦復如是在在處處諸行衆中有聞
聲者所有貪欲瞋恚愚癡悉皆滅盡其中雖
有无心思念是大涅槃因緣力故能滅煩惱
而結自滅犯四重禁及五无間聞是經已亦
作无上菩提因緣漸斷煩惱除不橫死一闡
提也復次善男子譬如闇夜諸所營作一切
皆息若未訖者要待日明學大乘者雖脩契
經一切諸定要待大乘大涅槃日聞於如來
微密之教然後乃當造菩提業安住正法猶
如天雨潤益增長一切諸種成就菓實悉除
飢饉多受豐樂如來密藏无量法雨亦復如
是悉能除滅八種熱病是經出世如彼菓實
[illegible]

BD02136號　大般涅槃經（北本　異卷）卷九　（22-11）

如天雨潤益增長一切諸種成就菓實悉除
飢饉多受豐樂如来密藏无量法雨亦復如
是悉能除滅八種熱病是經出世如彼菓實
多所利益安樂一切能令衆生見於佛性如
法華中八千聲聞得受記莂成大菓實如秋
收冬藏更无所作一闡提輩亦復如是於諸
善法无所營作復次善男子譬如良醫聞他
人子非人所持尋以妙藥并遣一使勅語使
言卿持此藥速与彼人彼人若遇諸惡鬼神
以藥力故悉當遠去卿若遲晚吾自當往終
不令彼枉横死也如是病人若見使者及吾
威德諸苦當除得安隱樂是大乗典大涅槃
經亦復如是若比丘比丘尼優婆塞優婆夷
及諸外道有能受持如是經典讀誦通利復
為他人分別廣說若自書寫令他書寫斯等
皆為菩提因緣若犯四禁及五逆罪若為耶
鬼毒惡所持聞是經典所有諸惡悉皆消滅
如見良醫惡鬼遠去當知是人是真菩薩摩
訶薩也何以故暫得聞是大涅槃故亦以生
念如来常故暫得聞者尚得如是何況書寫
受持讀誦除一闡提其餘皆是菩薩摩訶薩
復次善男子譬如聾人不聞音聲一闡提輩
亦復如是雖復欲聽是妙經典而不得聞所
以者何无因緣故復次善男子譬如良醫一

復次善男子譬如聾人不聞音聲一闡提輩
亦復如是雖復欲聽是妙經典而不得聞所
以者何无因緣故復次善男子譬如良醫一
切醫方无不通達兼復廣知无量呪術是醫
見王作如是言大王今者有必死病其王荅
言卿不見我腹内之事云何而言有必死病
醫即荅言若不見信應服下藥既下之後王
自驗之王不肯服尒時良醫以呪術力令王
糞門遍生創疱兼復瘡下虫血雜出王見是
已生大怖懅讚彼良醫善哉善哉卿先所白
吾不用之今乃知卿於吾此身作大利益恭
敬是醫猶如父母是大乗典大涅槃經亦復
如是於諸衆生有欲无欲悉能令彼煩惱崩
落是諸衆生乃至夢中夢見是經恭敬供養
喻如大王恭敬良醫是大良醫知必死者終
不治之是大乗典大涅槃經亦復如是終不
能治一闡提輩復次善男子譬如良醫善知
八種悉能療治一切諸病唯不能治必死之
人諸佛菩薩亦復如是悉能療救一切有罪
唯不能治必死之人一闡提輩復次善男子
譬如良醫善知八種微妙經術復能博達過
於八種以己所知先教其子若水若陸山間
藥草悉令識知如是漸漸教八事已次復教
餘最上妙術如来應正遍知亦復如是先教

於八種从已所知先教其子若水若陸山間
藥草悉令識知如是漸漸教八事已次復教
餘最上妙術如来應正遍知亦復如是先教
其子諸比丘等方便除滅一切煩惱脩學淨
身不堅固想謂水陸山間水者喻身受苦如
水上泡陸者喻身不堅如芭蕉樹其山間者
喻煩惱中脩无我想以是義故身名无我如
来如是於諸弟子漸漸教學九部經法令善
通利然後教學如来秘藏為其子故說如来
常如来如是說大乘典大涅槃經為諸衆生
已發心者及未發心作菩提因除一闡提如
是善男子是大乘典大涅槃經无量无數不
可思議未曽有也當知即是无上良醫最尊
最勝衆經中王復次善男子辟如大舡從海
此岸至於彼岸復從彼岸還至此岸如来應
供正遍知亦復如是乘大涅槃大乘寶舡周
旋往返濟渡衆生在在處處有應度者悉令
得見如来之身以是義故如来名曰无上舡
師辟如有舡則有舡師有舡師則有衆生渡
於大海如来常住化度衆生亦復如是復次
善男子辟如有人在大海中乘舡欲渡若得
順風須臾之間則能得過无量由旬若不得
者雖復久住逕无量歲不離本處有時舡壞
没水而死衆生如是在於愚癡生死大海乘

BD02136號　大般涅槃經（北本　異卷）卷九　（22-14）

順風須臾之間則能得過无量由旬若不得
者雖復久住逕无量歲不離本處有時舡壞
没水而死衆生如是在於愚癡生死大海乘
諸行舡若得值遇大般涅槃猛利之風則能
疾到无上道岸若不值遇當久流轉无量生
死或時破壞墮於地獄畜生餓鬼復次善男
子辟如有人不遇風王久住大海作是思惟
我等今者必在此死如是念時忽遇利風隨
順渡海復作是言快哉是風未曽有也令我
等輩安隱得過大海之難衆生如是久處愚
癡生死大海困苦窮悴未遇如是大涅槃風
則應生念我等必定墮於地獄畜生餓鬼是
諸衆生思惟是時忽遇大乘大涅槃風隨順
吹向入於阿耨多羅三藐三菩提方知真實
生奇特想嘆言快哉我從昔来未曽見聞如
是如来微密之藏尒乃於是大涅槃經生清
淨信復次善男子如蛇脫故皮為死滅耶不
也世尊善男子如来亦尒方便示現棄捨毒
身可言如来无常滅耶不也世尊如来於此
閻浮提中方便捨身如彼毒蛇捨於故皮是
故如来名為常住復次善男子辟如金師得
好真金隨意造作種種諸器如来亦尒於廿
五有悉能示現種種色身為化衆生拔生死
故是故如来名无邊身雖復示現種種諸身

BD02136號　大般涅槃經（北本　異卷）卷九　（22-15）

好真金随意造作種種諸器如来亦尒於廿
五有悉能示現種種色身為化衆生故生死
故是故如来名无邊身雖復示現種種諸身
亦名常住无有變易復次善男子如菴羅樹
及閻浮樹一年三變有時生華光色敷榮有
時生葉滋茂蓊欝有時彫落狀似枯死善
男子於意云何是樹實為枯搣不耶不也世尊
善男子如来亦尒於三界中亦三種身有時
初生有時長大有時涅槃而如来身實非无
常迦葉菩薩讚言善哉善哉誠如聖教如来
常住无有變易善男子如来密語甚深難解
譬如大王告諸群臣先陁婆来先陁婆者一
名四實一者鹽二者器三者水四者馬如是
四法皆同此名有智之臣善知此名若王洗
時索先陁婆即便奉水若王食時索先陁婆
即便奉鹽若王食已将欲飲漿索先陁婆即
便奉器若王欲遊索先陁婆即便奉馬如是
智臣善解大王四種密語是大乘經亦復如
是有四无常大乘智臣應當善知若佛出世
為衆生說如来涅槃智臣當知此是如来為
計常者說无常相欲令比丘脩无常想或復
說言正法當滅智臣應知此是如来為計樂
者說於苦相欲令比丘多脩苦想或復說言
我今病苦衆僧破壞智臣當知此是如来為

BD02136號　大般涅槃經（北本　異卷）卷九　（22–16）

為衆生說如来涅槃智臣當知此是如来為
計常者說无常相欲令比丘脩无常想或復
說言正法當滅智臣應知此是如来為計樂
者說於苦相欲令比丘多脩苦想或復說言
我今病苦衆僧破壞智臣當知此是如来為
計我者說无我想欲令比丘脩无我想或復
說言所謂空者是正解脫智臣當知此是如
来說正解脫无廿五有欲令比丘脩學空想
以是義故是正解脫則名為空亦名不動謂
不動者是解脫中无有苦故是名不動是正
解脫為无有相謂无相者无有色聲香味觸
等故名无相是正解脫常不變易是解脫中
无有无常熱惱變易是故解脫名曰常住不
變清涼或復說言一切衆生有如来性智臣
當知此是如来說於常法欲令比丘脩正常
法是諸比丘若能如是隨順學者當知是人
真我弟子善知如来微密之藏如彼大王智
慧之臣善知王意善男子如是大王亦有如
是密語之法何況如来而當无也善男子是
故如来微密之教難可得知唯有智者乃能
解我甚深佛法非是世間凡夫品類所能信
也復次善男子如波羅奢樹迦尼迦樹阿䱁
迦樹值天亢旱不生華實及餘水陸所生之
物皆悉枯悴无有潤澤不能增長一切諸藥

BD02136號　大般涅槃經（北本　異卷）卷九　（22–17）

[illegible]
也復次善男子如彼羅奢樹迦尼迦樹阿剡
迦樹值天亢旱不生華實及餘水陸所生之
物皆悉枯悴无有潤澤不能增長一切諸藥
无復勢力善男子是大乘典大涅槃經亦復
如是於我滅後有諸衆生不能恭敬无有威
德何以故是諸衆生不知如來微密藏故所
以者何以是衆生薄福德故復次善男子如
來正法將欲滅盡尒時多有行惡比丘不知
如來微密之藏懶墯懈怠不能讀誦宣說分
別如來正法譬如癡賊棄捨真寶擔負草𦮼
不解如來微密藏故於是經中懈怠不懃哀
哉大嶮當來之世甚可怖畏苦哉衆生不懃
聽受是大乘典大涅槃經唯諸菩薩摩訶薩
等能於是經取真實義不著文字隨順不逆
為衆生說復次善男子如牧牛女為欲賣乳
貪多利故加二分水轉賣与餘牧牛女人彼
女得已復加二分轉復賣与近城女人女人
得已復加二分轉復賣与城中女人彼女得
已復加二分詣市賣之時有一人為子納婦
當須好乳以瞻賓客至市欲買是賣乳者多
索賈數是人荅言汝乳多水不直尒許正值
我今瞻待賓客是故當取取已還家煑用作
糜都无乳味雖復无味於苦味中千倍為勝
何以故乳之為味諸味中最善男子我涅槃

[illegible]
我今瞻待賓客是故當取取已還家煑用作
糜都无乳味雖復无味於苦味中千倍為勝
何以故乳之為味諸味中最善男子我涅槃
後正法未滅餘八十年尒時是經於閻浮提
當廣流布是時當有諸惡比丘抄略是經分
作多分能滅正法色香美味是諸惡人雖復
讀誦如是經典滅除如來深密要義安置世
間莊嚴文飾无義之語抄前著後抄後著前
前後著中中著前後當知如是諸惡比丘是
魔伴侶受畜一切不淨之物而言如來悉聽
我畜如牧牛女多加水乳諸惡比丘亦復如
是雜以世語錯定是經令多衆生不得正說
正寫正取尊重讚嘆供養恭敬是惡比丘為
利養故不能廣宣流布是經所可分流少不
足言如彼牧牛貧窮女人展轉賣乳乃至成
糜而无乳味是大乘典大涅槃經亦復如是
展轉薄淡无有氣味雖无氣味猶勝餘經足
一千倍如彼乳味於諸苦味為千倍勝何以
故是大乘典大涅槃經於聲聞經最為上首
喻如牛乳味中最勝以是義故名大涅槃復
次善男子若善男子善女人等无有不求男
子身者何以故一切女人皆是衆惡之所住
處復次善男子如蚊子尿不能令此大地潤
[illegible]

喻如牛乳味中冣勝以是義故名大涅槃復
次善男子若善男子善女人等无有不求男
子身者何以故一切女人皆是衆惡之所住
處復次善男子如蚊子尿不能令此大地潤
洽其女人者婬欲難滿亦復如是譬如大地
一切作丸如葶藶子如是等男与一女人共爲
欲事猶不能足假使男子數如恒沙与一女
人共爲欲事猶不能足善男子譬如大海一
切天雨百川衆流皆悉投歸而彼大海未曾
滿足女人之法亦復如是假使一切能爲男
者与一女人共爲欲事而亦不足復次善男
子如阿州迦樹波吒羅樹迦尼迦樹春華開
敷有蜂唼取色香細味不知厭足女人欲男
亦復如是不知厭足善男子以是義故諸善
男子善女人等聽是大乘大涅槃經常應呵
責女人之相求於男子何以故是大經典有
丈夫相所謂佛性若人不知是佛性者則无
男相所以者何不能自知有佛性故若有不
能知佛性者我說是等名爲女人若能自知
有佛性者我說是人爲丈夫相若有女人能
知自身定有佛性當知是等即爲男子善男
子是大乘典大涅槃經无量无邊不可思議
功德之聚何以故以說如來秘密藏故是故
善男子善女人若欲速知如來密藏應當方便

BD02136 號　大般涅槃經（北本　異卷）卷九

(22–20)

知自身定有佛性當知是等即爲男子善男
子是大乘典大涅槃經无量无邊不可思議
功德之聚何以故以說如來秘密藏故是故
善男子善女人若欲速知如來密藏應當方便
懃脩此經迦葉菩薩白佛言世尊如是如是
如佛所說我今已有丈夫之相得入如來微
密藏故如來今日始悎悟我曰是即得決定
通達佛言善哉善哉善男子汝今隨順世間
之法而作是說迦葉復言我不隨順世間法也
佛讚迦葉善哉善哉汝今所知无上法味甚
深難知而能得知如蜂採味汝亦如是復次
善男子如蚊子滓不能令此大地浹洽當來
之世是經流布亦復如是如彼蚊滓正法欲
滅是經先當沒於此地當知即是正法衰相
復次善男子譬如過夏初月名秋秋雨連注
此大乘典大涅槃經亦復如是爲於南方諸
菩薩故當廣流布降霔法雨弥滿其處正法
欲滅當至罽賓具足无缺潛沒地中或有信
者有不信者如是大乘方等經典甘露法味
悉沒於地是經沒已一切諸餘大乘經典皆
悉滅沒若得是經具足无缺人中象王諸菩
薩等當知如來无上正法將滅不久

大般涅槃經卷第九

BD02136 號　大般涅槃經（北本　異卷）卷九

(22–21)

滅是經先當沒於此地當知即是正法衰相
復次善男子譬如過夏初月名秋秋雨連注
此大乘典大涅槃經亦復如是為於南方諸
菩薩故當廣流布降霔法雨彌滿其處正法
欲滅當至罽賓具足无缺潛沒地中或有信
者有不信者如是大乘方等經典甘露法味
悉沒於地是經沒已一切諸餘大乘經典皆
悉滅沒若得是經具足无缺人中象王諸菩
薩等當知如來无上正法將滅不久
大般涅槃經卷第九

BD02136 號　大般涅槃經（北本　異卷）卷九　（22–22）

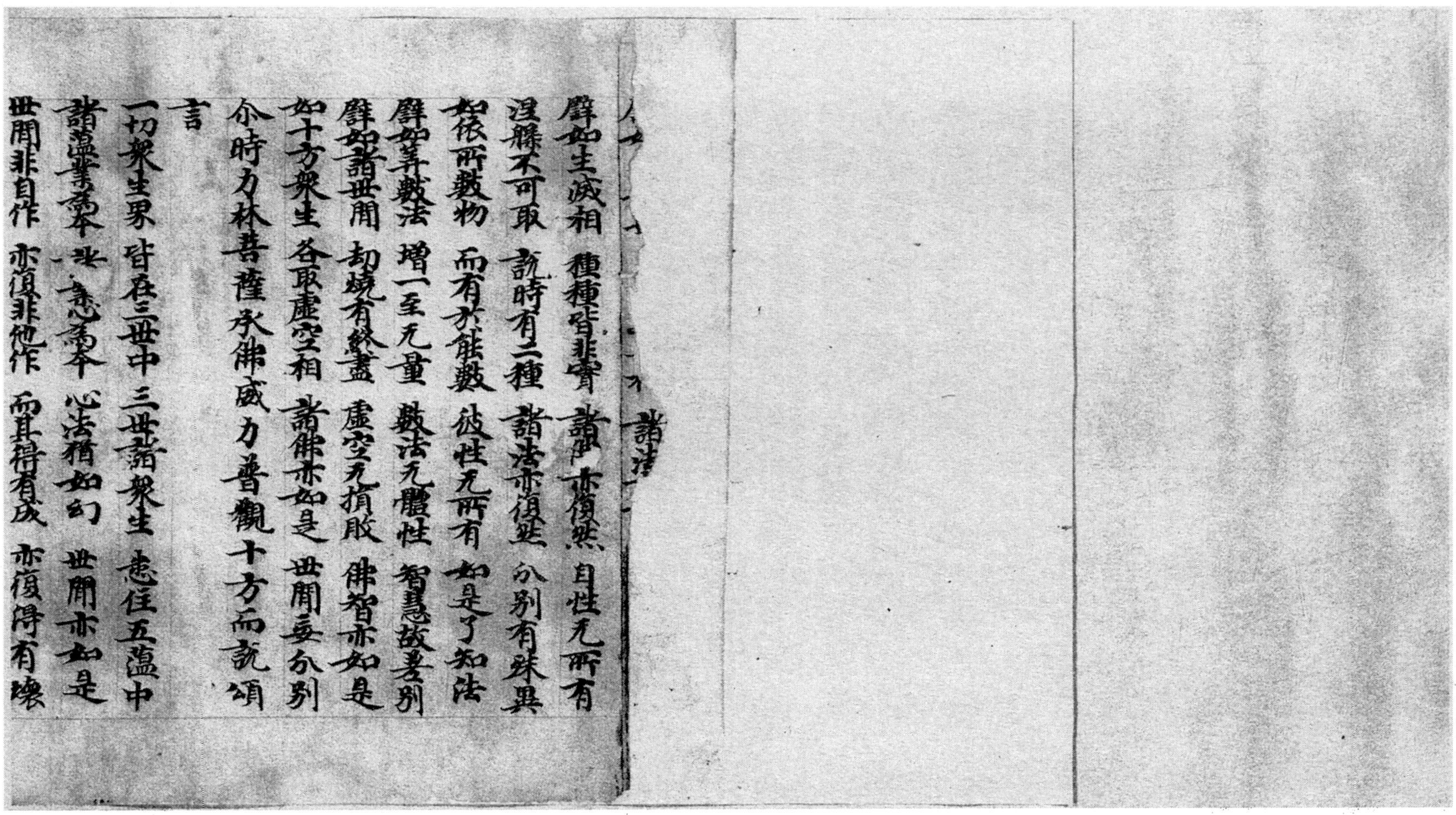
諸法
譬如生滅相　種種皆非實　諸法亦復然　自性无所有
涅槃不可取　說時有二種　諸法亦復然　分別有殊異
如依所數物　而有於能數　彼性无所有　如是了知法
譬如算數法　增一至无量　數法无體性　智慧故差別
譬如諸世間　劫燒有終盡　虛空无損敗　佛智亦如是
如十方眾生　各取虛空相　諸佛亦如是　世間妄分別
爾時力林菩薩承佛威力普觀十方而說頌
言
一切眾生界　皆在三世中　三世諸眾生　悉住五蘊中
諸蘊業為本　諸業心為本　心法猶如幻　世間亦如是
世間非自作　亦復非他作　而其得有成　亦復得有壞

BD02137 號　大方廣佛華嚴經（唐譯八十卷本）卷一九　（17–1）

尒時力林菩薩承佛威力普觀十方而說頌
言
一切衆生界　皆在三世中　三世諸衆生　悉住五蘊中
諸蘊業爲本　諸業心爲本　心法猶如幻　世間亦如是
世間非自作　亦復非他作　而其得有成　亦復得有壞
世間雖有成　世間雖有壞　了達世間者　此二不應說
云何爲世間　云何非世間　世間非世間　但是名差別
三世五蘊法　說名爲世間　彼滅非世間　如是但假名
云何說諸蘊　諸蘊有何性　蘊性不可滅　是故說无生
分別此諸蘊　其性本空寂　空故不可滅　此是无生義
衆生既如是　諸佛亦復然　佛及諸佛法　自性无所有
能知此諸法　如實不顛倒　一切知見人　常現在其前
尒時行林菩薩承佛威力普觀十方而說頌
言
譬如十方界　一切諸地種　自性无所有　无處不周遍
佛身亦如是　普遍諸世界　種種諸色相　无主无來處
但以諸業故　說名爲衆生　亦不離衆生　而有業可得
業性本空寂　衆生所依止　普作衆色相　亦復无來處
如是諸色相　業力難思議　了達其根本　於中无所見
佛身亦如是　不可得思議　種種諸色相　普現十方剎
身亦非是佛　佛亦非是身　但以法爲身　通達一切法
若能見佛身　清淨如法性　此人於佛法　一切无疑惑
若見一切法　本性如涅槃　是則見如來　究竟无所住
若修習正念　明了見正覺　无相无分別　是名法王子
尒時覺林菩薩承佛神力遍觀十方而說頌

BD02137號　大方廣佛華嚴經（唐譯八十卷本）卷一九

（17–2）

身亦非是佛　佛亦非是身　但以法爲身　通達一切法
若能見佛身　清淨如法性　此人於佛法　一切无疑惑
若見一切法　本性如涅槃　是則見如來　究竟无所住
若修習正念　明了見正覺　无相无分別　是名法王子
尒時覺林菩薩承佛神力遍觀十方而說頌
言
譬如工畫師　分布諸彩色　虛妄取異色　大種无差別
大種中无色　色中无大種　亦不離大種　而有色可得
心中无彩畫　彩畫中无心　然不離於心　有彩畫可得
彼心恒不住　无量難思議　示現一切色　各各不相知
譬如工畫師　不能知自心　而由心故畫　諸法性如是
心如工畫師　能畫諸世間　五蘊悉從生　无法而不造
如心佛亦尒　如佛衆生然　應知佛與心　體性皆无盡
若人知心行　普造諸世間　是人則見佛　了佛真實性
心不住於身　身亦不住心　而能作佛事　自在未曾有
若人欲了知　三世一切佛　應觀法界性　一切唯心造
尒時智林菩薩承佛威力普觀十方而說頌
言
所取不可取　所見不可見　所聞不可聞　一心不思議
有量及无量　二俱不可取　若有人欲取　畢竟无所得
不應說而說　是爲自欺誑　己事不成就　不令衆歡喜
有欲讚如來　无邊妙色身　盡於无數劫　无能盡稱述
譬如隨意珠　能現一切色　无色而現色　諸佛亦如是
又如淨虛空　非色不可見　雖現一切色　无能見空者
諸佛亦如是　普現无量色　非心所行處　一切莫能覩

BD02137號　大方廣佛華嚴經（唐譯八十卷本）卷一九

（17–3）

有欲讚如來　无邊妙色身　盡於无數劫　无能盡稱述
譬如隨意珠　能現一切色　无色而現色　諸佛亦如是
又如淨虛空　非色不可見　雖現一切色　无能見空者
諸佛亦如是　普現无量色　非心所行處　一切莫能覩
雖聞如來聲　音聲非如來　亦不離於聲　能知正等覺
菩提无來去　離一切分別　云何於是中　自言能得見
諸佛无有法　佛於何有說　但隨其自心　謂說如是法

大方廣佛華嚴經十行品第廿一之上

尒時功德林菩薩承佛神力入菩薩善思惟
三昧入是三昧已十方各過万佛刹微塵數世
界外有万佛刹微塵數諸佛皆号功德林
而現其前告功德林菩薩言善哉佛子乃能
入此善思惟三昧善男子此是十方各万佛
刹微塵數同名諸佛共加於汝亦是毗盧遮
那如來往昔願力威神之力及諸菩薩衆善
根力令汝入是三昧而演說法為增長佛智
故深入法界故了知衆生界故所入无礙故
所行无障故得无量方便故攝取一切智性故
覺悟一切諸法故知一切諸根故能持說一
切法故所謂發起諸菩薩十種行善男子汝
當承佛威神之力而演此法是時諸佛即與
功德林菩薩无礙智无著智无斷智无師智
无癡智无異智无失智无量智无勝智无懈
智无奪智何以故此三昧力法如是故尒時
諸佛各申右手摩功德林菩薩頂時功德林

功德林菩薩无礙智无著智无斷智无師智
无癡智无異智无失智无量智无勝智无懈
智无奪智何以故此三昧力法如是故尒時
諸佛各申右手摩功德林菩薩頂時功德林
菩薩即從定起告諸菩薩言佛子菩薩行不
可思議與法界虛空界等何以故菩薩摩訶
薩學三世諸佛而修行故佛子何等是菩薩
摩訶薩行佛子菩薩摩訶薩有十種行三世
諸佛之所宣說何等為十一者歡喜行二者
饒益行三者无違逆行四者无屈撓行五者
无癡亂行六者善現行七者无著行八者難
得行九者善法行十者真實行是為十
佛子何等為菩薩摩訶薩歡喜行佛子此菩
薩為大施主凡所有物悉能惠施其心平等
无有悔悋不望果報不求名稱不貪利養但
為救護一切衆生攝受一切衆生饒益一切
衆生為學習諸佛本所修行憶念諸佛本所
修行愛樂諸佛本所修行清淨諸佛本所修
行增長諸佛本所修行住持諸佛本所修行
顯現諸佛本所修行演說諸佛本所修行令
諸衆生離苦得樂佛子菩薩摩訶薩修此行
時令一切衆生歡喜愛樂隨諸方土有貧乏
處以願力故往生於彼豪貴大富財寶无盡假
使於念念中有无量无數衆生詣菩薩所白
言仁者我等貧乏靡所資贍飢羸困苦命將
不全唯願慈哀施我身肉令我得食以活其

諸衆生歡喜得佛寶菩薩摩訶薩作此行
時令一切衆生歡喜愛樂隨諸方土有貧乏
處以願力故往生於彼豪貴大富財寶无盡假
使於念念中有无量无數衆生詣菩薩所白
言仁者我等貧乏靡所資贍飢羸困苦命將
不全惟願慈哀施我身肉令我得食以活其
命介時菩薩即便施之令其歡喜心得滿足
如是无量百千衆生而來乞求菩薩於彼曾
无退怯但更增長慈悲之心以是衆生咸來
乞求菩薩見之倍復歡喜作如是念我得善
利此等衆生是我福田是我善友不求不請
而來教我入佛法中我今應當如是修學不
違一切衆生之心又作是念願我已作現作
當作所有善根令我未來於一切世界一切衆
生中受廣大身以是身肉充足一切飢苦衆
生乃至若有一小衆生未得飽足願不捨命
所割身肉亦无有盡以此善根願得阿耨多
羅三藐三菩提證大涅槃願諸衆生食我肉
者亦得阿耨多羅三藐三菩提獲平等智具
諸佛法廣作佛事乃至入於无餘涅槃若一
衆生心不滿足我終不證阿耨多羅三藐三
菩提菩薩如是利益衆生而无我想衆生想
有想命想種種想補伽羅想人想摩納婆想
作者想受者想但觀法界衆生界无邊際法
空法无所有法无相法无體法无處法无依
法无作法作是觀時不見自身不見施物不

菩提菩薩如是利益衆生而无我想衆生想
有想命想種種想補伽羅想人想摩納婆想
作者想受者想但觀法界衆生界无邊際法
空法无所有法无相法无體法无處法无依
法无作法作是觀時不見自身不見施物不
見受者不見福田不見業不見報不見果不
見大果不見小果介時菩薩觀去來今一切
衆生所受之身尋即壞滅便作是念奇哉衆
生愚癡无智於生死內受无數身危脆不停
速歸壞滅若已壞滅若今壞滅若當壞滅而
不能以不堅固身求堅固身我當盡學諸佛
所學證一切智知一切法爲諸衆生說三世
平等隨順寂靜不壞法性令其永得安隱快
樂佛子是名菩薩摩訶薩第一歡喜行
佛子何等爲菩薩摩訶薩饒益行此菩薩護
持淨戒於色聲香味觸心无所著亦爲衆生
如是宣說不求威勢不求種族不求富饒不
求色相不求王位如是一切皆无所著但堅
持淨戒作如是念我持淨戒必當捨離一切
纏縛貪求熱惱諸難逼迫毀謗亂濁得佛所
讚平等正法佛子菩薩如是持淨戒時於一
日中假使无數百千億那由他諸大惡魔詣
菩薩所一一各將无量无數百千億那由他
天女皆於五欲善行方便端正姝嚴傾惑人
心執持種種珎玩之具欲來惑亂菩薩道意
介時菩薩作如是念此五欲者是障道法乃

菩薩所一一各將无量无數百千億那由他
天女皆於五欲善行方便端正姝麗傾惑人
心執持種種珎玩之具欲來惑亂菩薩道意
尒時菩薩作如是念此五欲者是障道法乃
至障礙无上菩提是故不生一念欲想心淨
如佛唯除方便教化衆生而不捨於一切智
心佛子菩薩不以欲因緣故惱一衆生寧捨
身命而終不作惱衆生事菩薩自得見佛已
來未曾心生一念欲想何況從事若或從事
无有是處尒時菩薩但作是念一切衆生於
長夜中想念五欲趣向五欲貪著五欲其心
決定耽染沉溺隨其流轉不得自在我今應
當令此諸魔及諸天女一切衆生住无上戒
住淨戒已於一切智心无退轉得阿耨多羅
三藐三菩提乃至入於无餘涅槃何以故此
是我等所應作業應隨諸佛如是修學作是
學已離諸惡行計我无知以智入於一切佛
法爲衆生說令除顛倒然知不離衆生有顛
倒不離顛倒有衆生不於顛倒內有衆生不
於衆生內有顛倒亦非顛倒是衆生亦非衆生
是顛倒顛倒非內法顛倒非外法衆生非內
法衆生非外法一切諸法虛妄不實速起
速滅无有堅固如夢如影如幻如化誑惑愚
夫如是解者即能覺了一切諸行通達生死
及與涅槃證佛菩提自得度令他得度自解

BD02137號　大方廣佛華嚴經（唐譯八十卷本）卷一九　（17–8）

法衆生非外法一切諸法虛妄不實速起
速滅无有堅固如夢如影如幻如化誑惑愚
夫如是解者即能覺了一切諸行通達生死
及與涅槃證佛菩提自得度令他得度自解
脫令他解脫自調伏令他調伏自寂靜令他
寂靜自安隱令他安隱自離垢令他離垢自
清淨令他清淨自涅槃令他涅槃自快樂令
他快樂佛子此菩薩復作是念我當隨順一
切如來離一切世間行具一切諸佛法住无
上平等處等觀衆生明達境界離諸過失斷
諸分別捨諸執著善巧出離心恒安住无上
无說无依无動无量无邊无盡无色甚深智
慧佛子是名菩薩摩訶薩第二饒益行
佛子何等爲菩薩摩訶薩无違逆行此菩薩
常修忍法謙下恭敬不自害不他害不兩害
不自取不他取不兩取不自著不他著不兩
著亦不貪求名聞利養但作是念我當常爲
衆生說法令離一切惡斷貪瞋癡憍慢覆藏
慳嫉諂誑令恒安住忍辱柔和佛子菩薩成
就如是忍法假使有百千億那由他阿僧祇
衆生來至其所一一衆生化作百千億那由
他阿僧祇口一一口出百千億那由他阿僧
祇語所謂不可憙語非善法語不悅意語不
可愛語非仁賢語非聖智語非聖相應語非
聖親近語深可厭惡語不堪聽聞語以是言
辭毀辱菩薩又此衆生一一各有百千億那

BD02137號　大方廣佛華嚴經（唐譯八十卷本）卷一九　（17–9）

祇語所謂不可惡語非善法語不悅意語不
可愛語非仁賢語非聖智語非聖相應語非
聖親近語深可猒惡不堪聽聞語以是言
辭毀辱菩薩又此衆生一一各有百千億那
由他阿僧祇手一一手各執百千億那由他
阿僧祇器仗逼害菩薩如是經於阿僧祇劫
曾无休息菩薩遭此極大楚毒身毛皆竪命
將欲斷作是念言我因是苦心若動亂則自
不調伏自不守護自不明了自不修習自不
正定自不寂靜自不愛惜自生執著何能令
他心得清淨菩薩爾時復作是念我從无始
劫住於生死受諸苦惱如是思惟重自勸勵
令心清淨而得歡喜善自調攝自能安住於
佛法中亦令衆生同得此法復更思惟此身
空寂无我我所无有真實性空无二若苦若
樂皆无所有諸法空故我當解了廣為人說
令諸衆生滅除此見是故我今雖遭苦毒應
當忍受為慈念衆生故饒益衆生故安樂衆
生故憐愍衆生故攝受衆生故不捨衆生故
自得覺悟故令他覺悟故心不退轉故趣向
佛道故是名菩薩摩訶薩第三无違逆行
佛子何等為菩薩摩訶薩无屈撓行此菩薩
修諸精進所謂第一精進大精進勝精進殊
勝精進最勝精進最妙精進上精進无上精
進无等精進普遍精進性无三毒性无憍慢
[illegible]

BD02137號　大方廣佛華嚴經（唐譯八十卷本）卷一九　（17-10）

佛子何等為菩薩摩訶薩无屈撓行此菩薩
修諸精進所謂第一精進大精進勝精進殊
勝精進最勝精進最妙精進上精進无上精
進无等精進普遍精進性无三毒性无憍慢
性不覆藏性不慳嫉性无諂誑性自慚愧終
不為惱一衆生故而行精進但為斷一切煩
惱故而行精進但為拔一切惑本故而行精
進但為除一切習氣故而行精進但為知一
切衆生界故而行精進但為知一切衆生死
此生彼故而行精進但為知一切衆生煩惱
故而行精進但為知一切衆生心樂故而行
精進但為知一切衆生境界故而行精進但
為知一切衆生諸根勝劣故而行精進但為
知一切衆生心行故而行精進但為知一切
法界故而行精進但為知一切佛法根本性
故而行精進但為知一切佛法平等性故而
行精進但為知三世平等性故而行精進但
為得一切佛法智光明故而行精進但為證
一切佛法智故而行精進但為知一切佛法
一實相故而行精進但為知一切佛法无邊
際故而行精進但為得一切佛法廣大決定
善巧智故而行精進但為得分別演說一切
佛法句義智故而行精進佛子菩薩摩訶薩
成就如是精進行已設有人言汝頗能為无
數世界所有衆生以一一衆生故於阿鼻地
[illegible]

BD02137號　大方廣佛華嚴經（唐譯八十卷本）卷一九　（17-11）

佛法句義智故而行精進佛子菩薩摩訶薩
成就如是精進行已設有人言汝頗能爲无
數世界所有衆生以一一衆生故於阿鼻地
獄經无數劫備受衆苦令彼衆生一一得值
无數諸佛出興於世以見佛故具受衆樂乃
至入於无餘涅槃汝乃當成阿耨多羅三藐
三菩提能尒不邪荅言我能設復有人作如
是言有无量阿僧祇大海汝當以一毛端滴
之令盡有无量阿僧祇世界盡末爲塵彼滴
及塵一一數之悉知其數爲衆生故經尒許
劫於念念中受苦不斷菩薩不以聞此語故
而生一念悔恨之心但更增上歡喜踊躍深
自慶幸得大善利以我力故令彼衆生永脫
諸苦菩薩以此所行方便於一切世界中令
一切衆生乃至究竟无餘涅槃是名菩薩摩
訶薩第四无屈撓行
佛子何等爲菩薩摩訶薩離癡亂行此菩薩
成就正念心无散亂堅固不動最上清淨廣
大无量无有迷惑以是正念故善解世間一
切語言能持出世諸法言說所謂能持色法
非色法言說能持建立色自性言說乃至能
持建立受想行識自性言說心无癡亂於世
間中死此生彼心无癡亂入胎出胎心无癡
亂發菩提意心无癡亂事善知識心无癡亂
勤修佛法心无癡亂覺知魔事心无癡亂離

BD02137號　大方廣佛華嚴經（唐譯八十卷本）卷一九　（17–12）

非色法言說能持建立色自性言說乃至能
持建立受想行識自性言說心无癡亂於世
間中死此生彼心无癡亂入胎出胎心无癡
亂發菩提意心无癡亂事善知識心无癡亂
勤修佛法心无癡亂覺知魔事心无癡亂離
諸魔業心无癡亂於不可說劫修菩薩行心
无癡亂此菩薩成就如是无量正念於无量
阿僧祇劫中從諸佛菩薩善知識所聽聞正
法所謂甚深法廣大法莊嚴法種種莊嚴法
演說種種名句文身法菩薩莊嚴法佛神力
光明无上法正希望決定解清淨法不著一
切世間法分別一切世間法甚廣大法離癡
翳照了一切衆生法一切世間共法不共法
菩薩智无上法一切智自在法菩薩聽聞如
是法已經阿僧祇劫不忘不失心常憶念无
有間斷何以故菩薩摩訶薩於无量劫修諸
行時終不惱亂一衆生令失正念不壞正法
不斷善根心常增長廣大智故復次此菩薩
摩訶薩種種音聲不能惑亂所謂高大聲麁
濁聲極令人恐怖聲悅意聲不悅意聲諠亂
耳識聲沮壞六根聲此菩薩聞如是等无量
无數好惡音聲假使充滿阿僧祇世界未曾
一念心有散亂所謂正念不亂境界不亂三
昧不亂入甚深法不亂行菩提行不亂發菩
提心不亂憶念諸佛不亂觀真實法不亂化
衆生智不亂淨衆生智不亂決了甚深義不

BD02137號　大方廣佛華嚴經（唐譯八十卷本）卷一九　（17–13）

一念心有散亂所謂正念不亂境界不亂三
昧不亂入甚深法不亂行菩提行不亂發菩
提心不亂憶念諸佛不亂觀真實法不亂化
衆生智不亂淨衆生智不亂決了甚深義不
亂不作惡業故无惡業障不起煩惱故无煩惱
障不輕慢法故无法障不誹謗正法故无
有報障佛子如上所說如是等聲一一充滿
阿僧祇世界於无量无數劫未曾斷絕悉能
壞亂衆生身心一切諸根而不能壞此菩薩
心菩薩入三昧中住於聖法思惟觀察一切
音聲善知音聲生住滅相善知音聲生住滅
性如是聞已不生於貪不起於瞋不失於念
善取其相而不染著知一切聲皆无所有實
不可得无有作者亦无本際與法界等无有
差別菩薩如是成就寂靜身語意行至一切
智永不退轉善入一切諸禪定門知諸三昧
同一體性了一切法无有邊際得一切法真
實智慧得離音聲甚深三昧得阿僧祇諸三
昧門增長无量廣大悲心是時菩薩於一念
中得无數百千三昧聞如是聲心不惑亂令
其三昧漸更增廣作如是念我當令一切衆
生安住无上清淨念中於一切智得不退轉
究竟成就无餘涅槃是名菩薩摩訶薩第五
離癡亂行
佛子何等為菩薩摩訶薩善現行此菩薩身

BD02137號　大方廣佛華嚴經（唐譯八十卷本）卷一九　（17–14）

究竟成就无餘涅槃是名菩薩摩訶薩第五
離癡亂行
佛子何等為菩薩摩訶薩善現行此菩薩身
業清淨語業清淨意業清淨住无所得示无
所得身語意業能知三業皆无所有无虛妄
故无有繫縛凡所示現无性无依住如實心
知无量心自性知一切法自性无得无相甚
深難入住於正位真如法性方便出生而无
業報不生不滅住涅槃界住寂靜性住於真
實无性之性言語道斷超諸世間无有所依
入離分別无縛著法入最勝智真實之法入
非諸世間所能了知出世間法此是菩薩善
巧方便現生相佛子此菩薩作如是念一切
衆生无性為性一切諸法无為為性一切國
土无相為相一切三世唯是言說一切言說
於諸法中无有依處一切諸法於言說中亦
无依處菩薩如是解一切法皆悉甚深一切
世間皆悉寂靜一切佛法无所增益佛法不
異世間法世間法不異佛法佛法世間法无
有雜亂[illegible]无差別了知法界體性平等普入
三世永[illegible]捨離大菩提心恒不退轉化衆生
心轉更增長大慈悲心與一切衆生作所依
處菩薩爾時復作是念我不成熟衆生誰當
成熟我不調伏衆生誰當調伏我不教化衆
生誰當教化我不覺悟衆生誰當覺悟我不

BD02137號　大方廣佛華嚴經（唐譯八十卷本）卷一九　（17–15）

心轉更增長大慈悲心與一切衆生作所依
處菩薩爾時復作是念我不成熟衆生誰當
成熟我不調伏衆生誰當調伏我不教化衆
生誰當教化我不覺悟衆生誰當覺悟我不
清淨衆生誰當清淨此我所宜我所應作復
作是念若我自解此甚深法唯我一人於阿
耨多羅三藐三菩提獨得解脫而諸衆生盲
冥無目入大險道爲諸煩惱之所纏縛如重
病人恒受苦痛處貪愛獄不能自出不離地
獄餓鬼畜生閻羅王界不能滅苦不捨惡業
常處癡闇不見真實輪迴生死無得出離住
於八難衆垢所著種種煩惱覆障其心邪見
所迷不行正道菩薩如是觀諸衆生作是念
言若此衆生未成熟未調伏捨而取證阿耨
多羅三藐三菩提是所不應我當先化衆生
於不可說不可說劫行菩薩行未成熟者先
令成熟未調伏者先令調伏是菩薩住此行
時諸天魔梵沙門婆羅門一切世間乾闥婆
阿脩羅等若有得見暫同住止恭敬尊重承
事供養及暫耳聞一經心者如是所作悉不
唐捐必定當成阿耨多羅三藐三菩提是名
菩薩摩訶薩第六善現行

大方廣佛華嚴經卷第十九

BD02137 號　大方廣佛華嚴經（唐譯八十卷本）卷一九　（17–16）

唐捐必定當成阿耨多羅三藐三菩提是名
菩薩摩訶薩第六善現行

大方廣佛華嚴經卷第十九

BD02137 號　大方廣佛華嚴經（唐譯八十卷本）卷一九　（17–17）

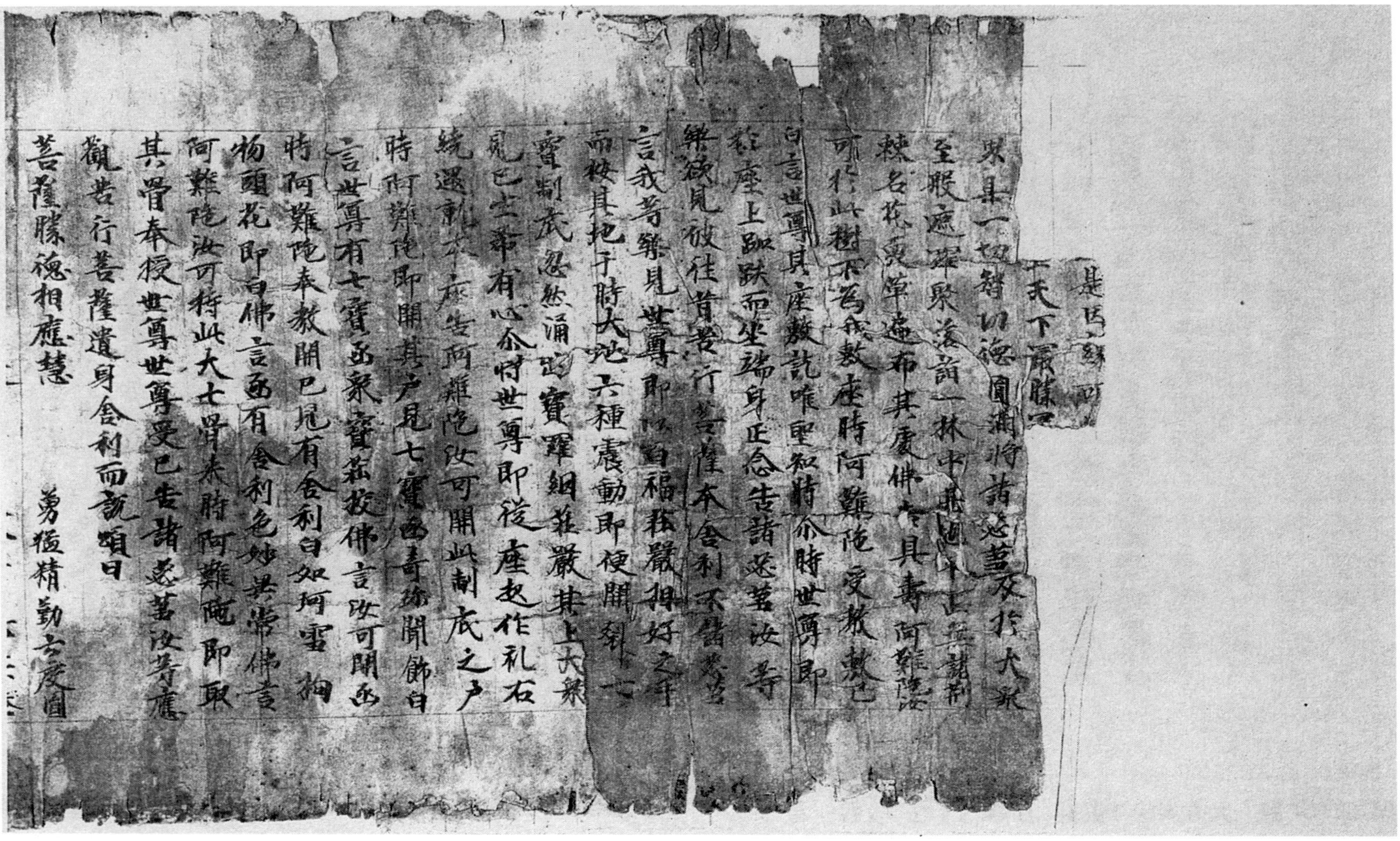

界具一切智以德圓滿將諸苾芻及於大衆
至般遮羅聚落詣一林中其地平正無諸荊
棘名花軟草遍布其處佛告具壽阿難陀
可於此樹下爲我敷座時阿難陀受教敷已
白言世尊其座敷訖唯聖知時爾時世尊即
於座上跏趺而坐端身正念告諸苾芻汝等
樂欲見彼往昔菩薩行苦行本舍利不諸苾芻
言我等樂見世尊即以百福莊嚴相好之手
而按其地于時大地六種震動即便開裂七
寶制底忽然涌出寶羅網莊嚴其上大衆
見已生希有心爾時世尊即從座起作礼右
繞還就本座告阿難陀汝可開此制底之戶
時阿難陀即開其戶見七寶函奇珍間飾白
言世尊有七寶函衆寶莊校佛言汝可開函
時阿難陀奉教開已見有舍利白如珂雪拘
物頭花即白佛言函有舍利色妙異常佛言
阿難陀汝可持此大士骨來時阿難陀即取
其骨奉授世尊世尊受已告諸苾芻汝等應
觀苦行菩薩遺身舍利而說頌曰
菩薩勝德相應慧　勇猛精勤六度圓

BD02138 號　金光明最勝王經卷一〇　（14–1）

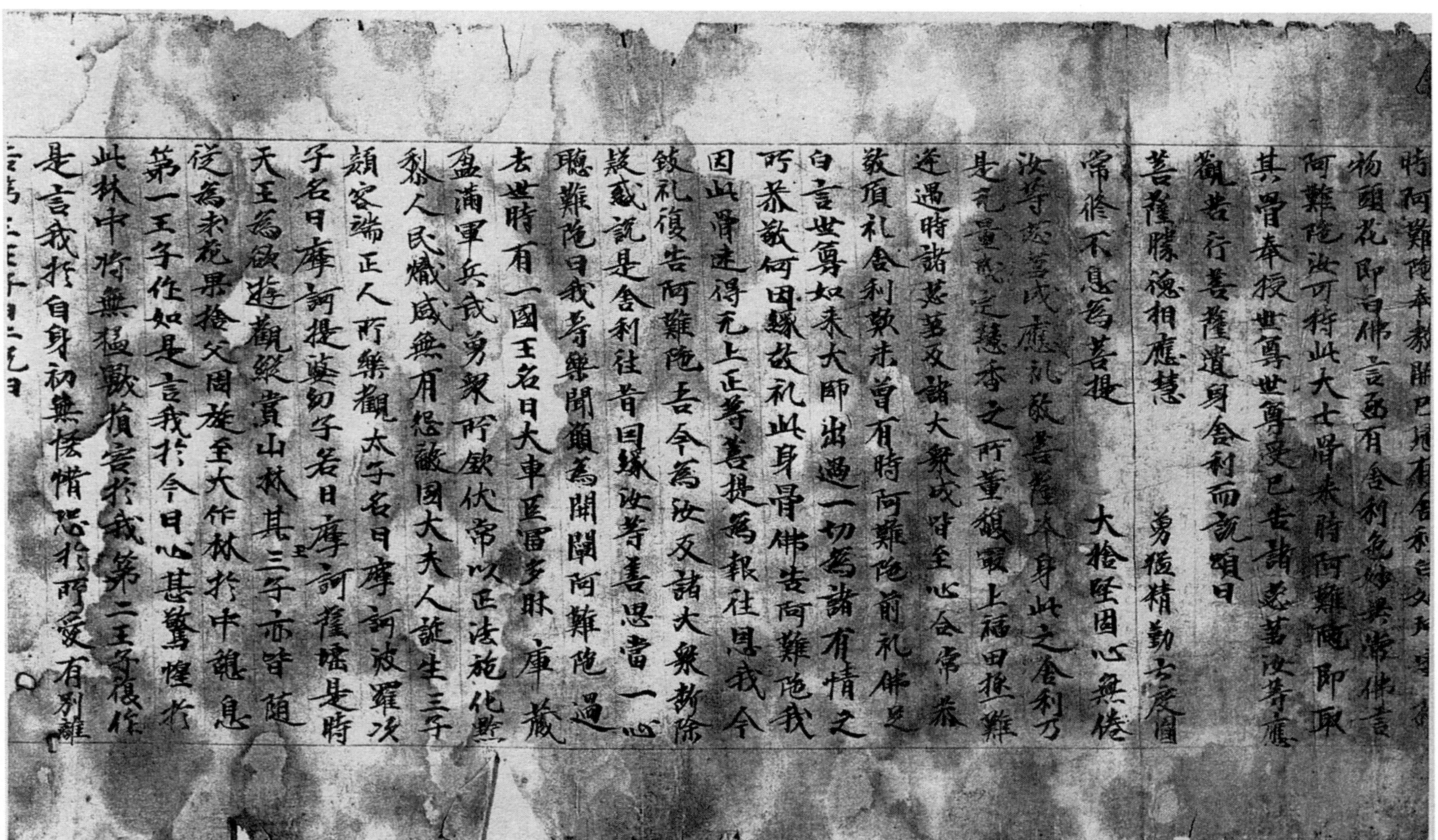

時阿難陀奉教開已見有舍利白如珂雪拘
物頭花即白佛言函有舍利色妙異常佛言
阿難陀汝可持此大士骨來時阿難陀即取
其骨奉授世尊世尊受已告諸苾芻汝等應
觀苦行菩薩遺身舍利而說頌曰
菩薩勝德相應慧　勇猛精勤六度圓
常修不息爲菩提　大捨堅固心無倦
汝等苾芻咸應礼敬菩薩本身此之舍利乃
是無量戒定慧香之所熏馥最上福田極難
逢遇時諸苾芻及諸大衆咸皆至心合掌恭
敬頂礼舍利歎未曾有時阿難陀前礼佛足
白言世尊如來大師出過一切爲諸有情之
所恭敬何因緣故礼此身骨佛告阿難陀我
因此骨速得无上正等菩提爲報往恩我今
致礼復告阿難陀吾今爲汝及諸大衆斷除
疑惑說是舍利往昔因緣汝等善思當一心
聽阿難陀曰我等樂聞願爲開闡阿難陀過
去世時有一國王名曰大車巨富多財庫藏
盈滿軍兵武勇衆所欽伏常以正法施化黔
黎人民熾盛無有怨敵國大夫人誕生三子
顏容端正人所樂觀太子名曰摩訶波羅次
子名曰摩訶提婆幼子名曰摩訶薩埵是時
大王爲欲遊觀縱賞山林其三王子亦皆隨
從爲求花果捨父周旋至大竹林於中憩息
第一王子作如是言我於今日心甚驚惶於
此林中將無猛獸損害於我第二王子復作
是言我於自身初無悋惜恐於所愛有別離

BD02138 號　金光明最勝王經卷一〇　（14–2）

[illegible]
從為求花果捨父周旋至大竹林於中憩息
第一王子作如是言我於今日心甚驚惶於
此林中將無猛獸損害於我　第二王子復作
是言我於自身初無恡惜恐於所愛有別離
苦　第三王子白二兄曰
此是神仙所居處　我無怨怖別離憂
身心充遍生歡喜　當獲殊勝諸功德
時諸王子各說本心所念之事次復前行見
有一虎產生七子纔經七日諸子圍繞飢渴
所逼身形羸瘦將死不久第一王子作如是
言哀哉此虎產來七日七子圍繞無暇求食
飢渴所逼必還噉子薩埵王子問言此虎每
常所食何物　第一王子答曰
虎豹豺師子　唯噉熱血肉　更無餘飲食　可濟此屋羸
第二王子聞此語已作如是言此虎羸瘦飢
渴所逼餘命無幾我等何能為求如是難得
飲食誰復為斯自捨身命濟其飢苦第一王
言一切難捨無過己身薩埵王子言我等今
者於自己身各生愛戀復無智慧不能於
他而興利益然有上士懷大悲心常為利他
忘身濟物復作是念我今此身於百千生虛
棄爛壞曾無所益云何今日而不能捨以濟
飢苦如棄涕唾時諸王子作是議已各起慈
心悽傷愍念共觀羸虎目不暫捨徘徊久之
俱捨而去爾時薩埵王子便作是念我捨身
命今正是時何以故
我從久來持此身　臭穢膿流不可愛

BD02138號　金光明最勝王經卷一〇　（14–3）

[illegible]
飢苦如棄涕唾時諸王子作是議已各起慈
心悽傷愍念共觀羸虎目不暫捨徘徊久之
俱捨而去爾時薩埵王子便作是念我捨身
命今正是時何以故
我從久來持此身　臭穢膿流不可愛
供給敷具并衣食　象馬車乘及珍財
變壞之法體無常　恒求難滿難保守
雖常供養懷怨害　終歸棄我不知恩
復次此身不堅於我無益可畏如賊不淨如糞
我於今日當使此身修廣大業於生死海作
大舟航棄捨輪迴令得出離復作是念若捨
此身則捨無量癰疽惡疾百千怖畏是身
唯有大小便利不堅如泡諸蟲所集血脈筋
骨共相連持甚可厭患是故我今應當棄
以求無上究竟涅槃永離憂患無常苦惱生
死休息斷諸塵累以定慧力圓滿熏修百福
莊嚴成一切智諸佛所讚微妙法身既證得
已施諸眾生無量法樂是時王子興大勇猛發
弘誓願以大悲念增益其心慮彼二兄情懷
怖懼共為留難不果所祈即便白言二兄
前去我且於後爾時王子摩訶薩埵還入林
中至其虎所脫去衣服置於竹上作是誓言
我為法界諸眾生　志求無上菩提處
起大悲心不傾動　當捨凡夫所愛身
菩提無患無熱惱　諸有智者之所樂
三界苦海諸眾生　我今拔濟令安樂
是時王子作是言已於餓虎前委身而臥由

BD02138號　金光明最勝王經卷一〇　（14–4）

我為法界諸衆生　志求無上菩提處
起大悲心不傾動　當捨凡夫所愛身
菩提無患無熱惱　諸有智者之所樂
三界苦海諸衆生　我今拔濟令安樂
是時王子作是言已，於餓虎前委身而臥。由
此菩薩慈悲威勢，虎無能為。菩薩見已，即上
高山，投身于地。復作是念：虎今羸瘦，不能食
我。即起求刀，竟不能得，即以乾竹刺頸出血，
漸近虎邊。是時大地六種震動，如風激水，涌
沒不安。日無精明，如羅睺障，諸方闇蔽，無復
光輝。天雨名花及妙香末，繽紛亂墜，遍滿林
中。爾時虛空有諸天衆，見是事已，生隨喜心，
歎未曾有，咸共讚言：善哉大士！即說頌曰：
大士救謢運悲心　等視衆生如一子
勇猛歡喜情無悋　捨身濟苦福難思
定至真常勝妙處　永離生死諸纏縛
不久當獲菩提果　寂靜安樂證無生
是時餓虎既見菩薩頸下血流，即便䑛血噉
肉皆盡，唯留餘骨。爾時第一王子見地動已，
告其弟曰：
大地山河皆震動　諸方闇蔽日無光
天花亂墜遍空中　定是我弟捨身相
第二王子聞兄語已，說伽他曰：
我聞薩埵作悲言　見彼餓虎身羸瘦
飢苦所纏恐食子　我今疑弟捨其身
時二王子生大愁苦，啼泣悲歎，即共相隨，還
至虎所，見弟衣服在竹枝上，骸骨及髮在處

BD02138號　金光明最勝王經卷一〇　（14–5）

第二王子聞兄語已，說伽他曰：
我聞薩埵作悲言　見彼餓虎身羸瘦
飢苦所纏恐食子　我今疑弟捨其身
時二王子生大愁苦，啼泣悲歎，即共相隨，還
至虎所，見弟衣服在竹枝上，骸骨及髮在處
縱橫，流血成泥，霑汙其地。見已悶絕，不能自
持，投身骨上。久乃得蘇，即起舉手，哀號大
哭，俱時歎曰：
我弟貌端嚴　父母偏愛念　云何俱共出　捨身而不歸
父母若問時　我等如何荅　寧可同捐命　豈復自存身
時二王子悲泣懊惱，漸捨而去。時小王子所將
侍從，互相謂曰：王子何在？宜共推求。
爾時國大夫人寢高樓上，於夢中見不祥
相：被割兩乳，牙齒墮落，得三鴿鶵，一為鷹奪，
二被驚怖。地動之時，夫人遂覺，心大愁惱，作
如是言：
何故今時大地動　江河林樹皆搖震
日無精光如覆蔽　目瞤乳動異常時
如箭射心憂苦逼　遍身戰掉不安隱
我之所夢不祥徵　必有非常災變事
夫人兩乳忽然流出，念此必有變怪之事。時
有侍女聞外人言：求覓王子，今猶未得。心大
驚怖，即入宮中白夫人曰：大家知不？外聞諸
人散覓王子，遍求不得。時彼夫人聞是語已，
生大憂惱，悲淚盈目，至大王所白言：大王！我聞
外人作如是語：失我最小所愛之子。王聞語
已，驚惶失所，悲哽而言：苦哉！今日失我愛
子。即便抆淚慰喻夫人，告言：賢首！汝勿憂

BD02138號　金光明最勝王經卷一〇　（14–6）

驚怖即入宮中白夫人曰大家知不外聞諸
人散覓王子遍求不得時彼夫人聞是語已
生大憂惱悲淚盈目至大王所白言大王我聞
外人作如是語失我最小所愛之子王聞語
已驚惶失所悲哽而言苦哉今日失我愛
子即便抆淚慰喻夫人告言賢首汝勿憂
戚吾今共出求覓愛子王與大臣及諸人衆即
共出城各各分散隨處求覓未久之頃有一
大臣前白王曰聞王子在願勿憂愁其最小
者今猶未見王聞是語悲歎而言苦哉苦哉
失我愛子
初有子時歡喜少　後失子時憂苦多
若使我兒重壽命　縱我身亡不為苦
夫人聞已憂惱纏懷如被箭中而嗟歎曰
我之三子并侍從　俱往林中共遊賞
最小愛子獨不還　定有乖離災厄事
次第二臣來至王所王問臣曰愛子何在第
二大臣懊惱啼泣喉舌乾燥口不能言竟無
所荅夫人問曰
速報小子今何在　我身熱惱遍燒然
悶亂荒迷失本心　勿使我胷今破裂
時第二臣即以王子捨身之事具白王知王
及夫人聞其事已不勝悲噎望捨身處駕
前行詣竹林所至彼菩薩捨身之地見其骸
骨隨處交橫俱時投地悶絕將死猶如猛風
吹倒大樹心迷失緒都無所知時大臣等以
水遍灑王及夫人良久乃蘇舉手而哭咨嗟

骨隨處交橫俱時投地悶絕將死猶如猛風
吹倒大樹心迷失緒都無所知時大臣等以
水遍灑王及夫人良久乃蘇舉手而哭咨嗟
歎曰
禍哉愛子端嚴相　因何死苦先來逼
若我得在汝前亡　豈見如斯大苦事
爾時夫人迷悶稍止頭髮蓬亂兩手搥胸宛
轉于地如魚處陸若牛失子悲泣而言
我子誰屠割　餘骨散于地　失我所愛子　憂悲不自勝
苦哉誰殺子　致斯憂惱事　我心非金剛　云何而不破
我夢中所見　兩乳皆被割　牙齒悉墮落　今遭大苦痛
爾時夫人迷悶稍止頭髮蓬亂兩手搥胸宛轉
于地如魚處陸若牛失子悲泣而言
我子誰者割　餘骨散于地　失我所愛子　憂悲不自勝
苦哉誰殺子　致斯憂惱事　我心非金剛　云何而不破
我夢中所見　兩乳皆被割　牙齒悉墮落　今遭大苦痛
又夢三鴿鶵　一被鷹擒去　今失所愛子　惡相表非虛
爾時大王及於夫人并二王子盡哀號哭瓔珞
不御與諸人衆共收菩薩遺身舍利為於
供養置窣覩波中阿難陀汝等應知此即是
彼菩薩舍利復告阿難陀我於昔時雖具煩
惱貪瞋癡等能於地獄餓鬼傍生五趣之中
隨緣救濟令得出離何況今時煩惱都盡無
復餘習號天人師具一切智而不能為一一
衆生經於多劫在地獄中及於餘處代受衆
苦令出生死煩惱輪迴爾時世尊欲重宣此
義而說頌言

隨緣救濟令得出離我雖煩惱皆盡無
復餘習号天人師具一切智而不能為一一
衆生經於多劫在地獄中及於餘處代受衆
苦令出生死煩惱輪迴尒時世尊欲重宣此
義而說頌言
我念過去世　無量無數劫　或時作國王　或復為王子
常行於大施　及捨所愛身　願出離生死　至妙菩提處
昔時有大國　國主名大車　王子名勇猛　常施心無悋
王子有二兄　号大渠大天　三人同出遊　漸至山林所
見虎飢所逼　便生如是心　此虎飢火燒　更無餘可食
大士覩如斯　恐其將食子　捨身無所顧　救子不令傷
大地及諸山　一時皆震動　江海皆騰躍　驚波水逆流
天地失光明　昏冥無所見　林野諸禽獸　飛奔失所依
二兄怪不還　憂慼生悲苦　即与諸侍從　林藪遍尋求
兄弟共籌議　復往深山處　四顧無所有　見虎處空林
其母并七子　口皆有血汙　殘骨并餘髮　縱橫在地中
復見流血　散在竹林所　二兄既見已　心生大恐怖
悶絕俱躄地　荒迷不覺知　塵土坌其身　六情皆失念
王子諸侍從　啼泣心憂惱　以水灑令蘇　舉手號咷哭
菩薩捨身時　慈母在宮內　五百諸婇女　共受於妙樂
夫人之兩乳　忽然自流出　遍體如針刺　苦痛不能安
欻生失子想　憂箭苦傷心　即白大王知　陳斯苦惱事
悲泣不堪忍　哀聲向王說　大王今當知　我生大苦惱
兩乳忽流出　禁止不隨心　如針遍刺身　煩冤胸欲破
我先夢惡徵　必當失愛子　願王濟我命　知兒存与亡
夢見三鴿鷚　小者是愛子　忽被鷹擒去　悲愁難具陳
我今沒憂海　趣死將不久　恐子命不全　願為速求覓
又聞外人語　小子求不得　我今意不安　願王哀愍我
夫人白王已　舉身而躄地　悲痛心悶絕　荒迷不覺知

BD02138號　金光明最勝王經卷一〇

（14–9）

我先夢惡徵　必當失愛子　願王濟我命　知兒存与亡
夢見三鴿鷚　小者是愛子　忽被鷹擒去　悲愁難具陳
我今沒憂海　趣死將不久　恐子命不全　願為速求覓
又聞外人語　小子求不得　我今意不安　願王哀愍我
夫人白王已　舉身而躄地　悲痛心悶絕　荒迷不覺知
婇女見夫人　悶絕在於地　舉聲皆大哭　憂惶失所依
王聞如是語　懷憂不自勝　因命諸群臣　尋求所愛子
皆共出城外　隨處而追覓　涕泣問諸人　王子今何在
今者為存亡　誰知所去處　云何令得見　適我憂惱心
諸人共傳說　咸言王子死　聞者皆傷悼　悲歎苦難裁
尒時大車王　悲號從座起　即就夫人處　以水灑其身
夫人蒙水灑　久乃得醒悟　悲啼問王　我兒今在不
王告夫人曰　我已使諸人　四向求王子　尚未有消息
王又告夫人　汝莫生煩惱　且當安慰　可共出追尋
王即与夫人　嚴駕而前進　號動聲懷慼　憂心若火然
士庶百千万　亦隨王出城　各欲求王子　悲號聲不絕
王求愛子故　目視於四方　見有一人來　被髮身塗血
遍體蒙塵土　悲哭逆前來　王見是惡相　倍復生憂惱
王便舉兩手　哀號不自裁　初有一大臣　忽怖至王所
進白大王曰　幸願勿悲哀　王之所愛子　今雖求未獲
不久當來至　以釋大王憂　王復更前行　見次大臣至
其臣詣王所　流淚白王言　二子今現在　被憂火所逼
其三王子　已被无常吞　見餓虎初生　將欲食其子
彼薩埵王子　見此起悲心　願求无上道　當度一切衆
繫想妙菩提　廣大深如海　即上高山頂　投身餓虎前
虎羸不能食　以竹自傷頸　遂噉王子身　唯有餘骸骨
時王及夫人　聞已俱悶絕　心沒於憂海　煩惱火燒然
臣以栴檀水　灑王及夫人　俱起大悲號　舉手椎胸臆

BD02138號　金光明最勝王經卷一〇

（14–10）

彼薩王子　見此起悲心　願求无上道　當度一切衆
繫想妙善提　願大深如海　即上高山頂　投身餓虎前
虎饑不能食　以竹自傷頸　遂噉王子身　唯有餘骸骨
時王及夫人　聞已俱悶絕　心沒於憂海　煩惱火燒然
臣以旃檀水　灑王及夫人　俱起大悲啼　舉手推胸臆
第三大臣來　白王如是語　我見二王子　悶絕在林中
臣以冷水灑　尒乃暫蘇息　顧視於四方　如猛火周遍
暫起而還伏　悲啼不自勝　舉手以哀言　稱歎弟希有
王聞如是說　倍增憂火煎　夫人大啼哭　高聲作是語
我之小子偏重愛　已為无常羅剎吞
餘有二子今現存　復被憂火所燒逼
我今速可之山下　安慰令其保餘命
即便馳駕望前路　一心諸彼捨身崖
路逢二子行啼泣　搥胸懊惱失容儀
父母見已抱憂悲　俱往山林捨身處
既至菩薩捨身地　苦聚悲啼生大苦
脫去瓔珞盡哀心　收取菩薩身餘骨
与諸人衆同供養　共造七寶窣覩波
以彼舍利置函中　整駕憂愁趣城邑
復告阿難陁　往時薩埵者　即我牟尼是　勿生於異念
王是父淨飯　后是母摩耶　太子謂慈氏　汝曼殊室利
虎是大世主　五兒五苾芻　一是太目連　一是舍利子
我為汝等說　往昔利他緣　如是菩薩行　成佛因當學
菩薩捨身時　發如是弘誓　願我身餘骨　來世益衆生
此是捨身處　七寶窣覩波　以經无量時　遂沉於厚地
由昔本願力　隨緣興濟度　為利於人天　從地而涌出
尒時世尊說是往昔因緣之時无量阿僧企
耶人天大衆皆大悲喜歎未曾有悉發阿耨

菩薩捨身時　發如是弘誓　願我身餘骨　來世益衆生
此是捨身處　七寶窣覩波　以經无量時　遂沉於厚地
由昔本願力　隨緣興濟度　為利於人天　從地而涌出
尒時世尊說是往昔因緣之時无量阿僧企
耶人天大衆皆大悲喜歎未曾有悉發阿耨
多羅三藐三菩提心復告樹神我為報恩故
致礼敬佛攝神力其窣覩波還沒于地
金光明最勝王經十方菩薩讚歎品第廿七
尒時釋迦牟尼如來說是經時十方世界有
无量百千万億諸菩薩衆各從本土詣鷲
峯山世尊所五輪著地礼世尊已一心合掌
異口同音讚歎曰
佛身微妙真金色　其光普照等金山
清淨柔軟若蓮花　无量妙彩而嚴飾
三十二相遍莊嚴　八十種好皆圓滿
光明晒著无與等　離垢猶如滿淨月
其聲清徹甚微妙　妙師子吼震雷音
八種微妙應群機　超勝迦陵頻伽等
百福妙相以嚴容　光明具足淨无垢
智慧澄明如大海　功德廣大若虛空
圓光遍滿十方界　隨緣普濟諸有情
煩惱愛染習皆除　法炬恒然不休息
哀愍利益諸衆生　現在未來能与樂
常為宣說第一義　令證涅槃真寂靜
佛說甘露殊勝法　能与甘露微妙義
引入甘露涅槃城　令受甘露无為樂
常於生死大海中　解脫一切衆生苦
令彼能住安隱路　恒与難思如意樂
如來德海甚深廣　非諸譬喻所能知

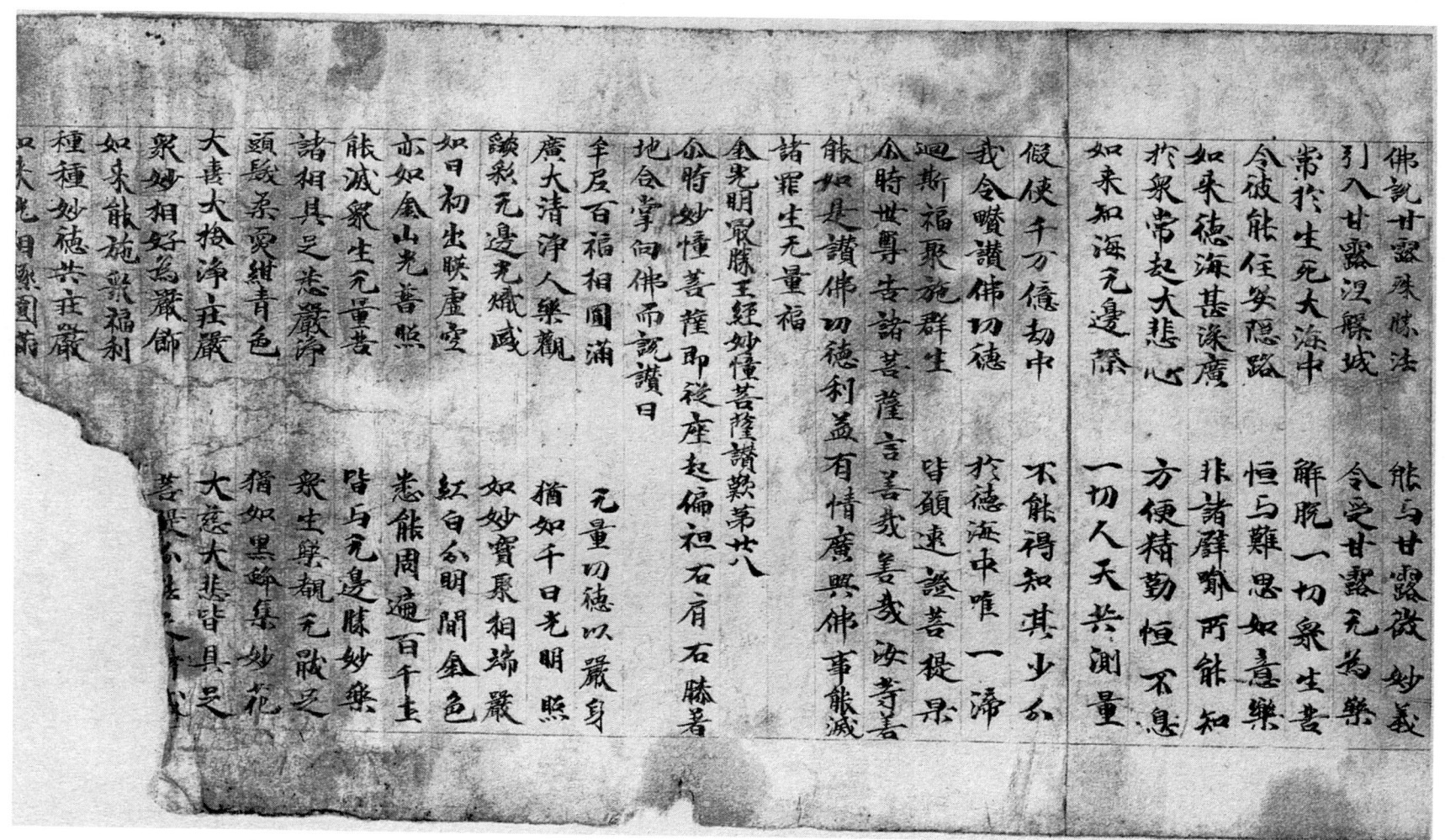

佛說甘露殊勝法　能与甘露微妙義
引入甘露涅槃城　令受甘露无為樂
常於生死大海中　解脫一切衆生苦
令彼能住安隱路　恒与難思如意樂
如來德海甚深廣　非諸譬喻所能知
於衆常起大悲心　方便精勤恒不息
如來知海无邊際　一切人天共測量
假使千万億劫中　不能得知其少分
我今讚佛功德　於德海中唯一渧
迴斯福聚施群生　皆願速證菩提果
尒時世尊告諸菩薩言善哉善哉汝等善
能如是讚佛功德利益有情廣興佛事能滅
諸罪生无量福
金光明最勝王經妙幢菩薩讚歎品第廿八
尒時妙幢菩薩即從座起偏袒右肩右膝著
地合掌向佛而說讚曰
牟尼百福相圓滿　无量功德以嚴身
廣大清淨人樂觀　猶如千日光明照
焰彩无邊光熾盛　如妙寶聚相端嚴
如日初出映虛空　紅白分明間金色
亦如金山光普照　悉能周遍百千土
能滅衆生无量苦　皆与无邊勝妙樂
諸相具足悉嚴淨　衆生樂觀无猒足
頭髮柔耎紺青色　猶如黑蜂集妙花
大喜大捨淨莊嚴　大慈大悲皆具足
衆妙相好為嚴飾　菩提分法之所成
如來能施衆福利
種種妙德共莊嚴
如來光相極圓滿
如

BD02138號　金光明最勝王經卷一〇

（14–13）

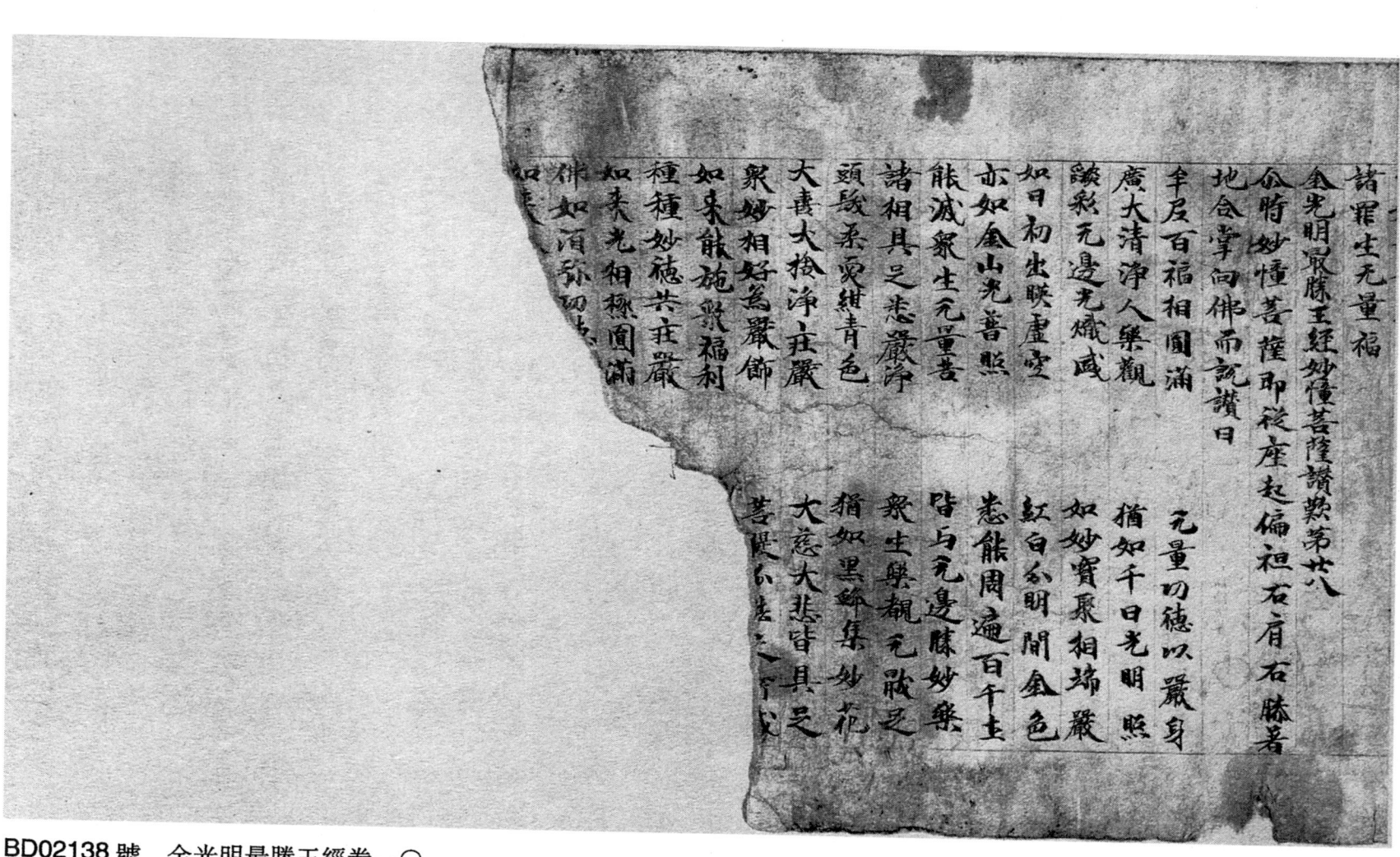

諸罪生无量福
金光明最勝王經妙幢菩薩讚歎品第廿八
尒時妙幢菩薩即從座起偏袒右肩右膝著
地合掌向佛而說讚曰
牟尼百福相圓滿　无量功德以嚴身
廣大清淨人樂觀　猶如千日光明照
焰彩无邊光熾盛　如妙寶聚相端嚴
如日初出映虛空　紅白分明間金色
亦如金山光普照　悉能周遍百千土
能滅衆生无量苦　皆与无邊勝妙樂
諸相具足悉嚴淨　衆生樂觀无猒足
頭髮柔耎紺青色　猶如黑蜂集妙花
大喜大捨淨莊嚴　大慈大悲皆具足
衆妙相好為嚴飾　菩提分法之所成
如來能施衆福利
種種妙德共莊嚴
如來光相極圓滿

佛如須彌功
如

BD02138號　金光明最勝王經卷一〇

（14–14）

天梵天中尊誨以勝慧若在帝釋中
尊示現无常若在護世護世中尊護諸衆
生長者維摩詰以如是等无量方便饒益衆
生其以方便現身有疾以其疾故國王大臣長
者居士婆羅門等及諸王子并餘官屬无數
千人皆往問疾其往者維摩詰因以身疾廣爲
說法諸仁者是身无常无强无力无堅速朽
之法不可信也爲苦爲惱衆病所集諸仁
者如此身明智者所不怙是身如聚沫不可
撮摩是身如泡不得久立是身如炎從渴愛
生是身如芭蕉中无有堅是身如幻從顛倒
起是身如夢爲虛妄見是身如影從業緣現
是身如響屬諸因緣是身如浮雲須臾變滅
是身如電念念不住是身无主爲如地是身
无我爲如火是身无壽爲如風是身无人爲
如水是身不實四大爲家是身爲空離我我所
是身无知如草木瓦礫是身无作風力所轉
是身不淨穢惡充滿是身爲虛僞雖假以澡
浴衣食必歸磨滅是身爲災百一病惱是身
如丘井爲老所逼是身无定爲要當死是身

BD02139號　維摩詰所說經卷上　（9–1）

无我爲如火是身无壽爲如風是身无人爲
如水是身不實四大爲家是身爲空離我我所
是身无知如草木瓦礫是身无作風力所轉
是身不淨穢惡充滿是身爲虛僞雖假以澡
浴衣食必歸磨滅是身爲災百一病惱是身
如丘井爲老所逼是身无定爲要當死是身
如毒蛇如怨賊如空聚陰界諸入所共合成諸
仁者此可患厭當樂佛身所以者何佛身者
即法身也從无量功德智慧生從戒定慧解
脫解脫知見生從慈悲喜捨生從布施持戒
忍辱柔和勤行精進禪定解脫三昧多聞智
慧諸波羅蜜生從方便生從六通生從三明
生從卅七道品生從止觀生從十力四无所畏
十八不共法生從斷一切不善法集一切善法
生從真實生從不放逸生從如是无量清淨
法生如來身諸仁者欲得佛身斷一切衆生
病者當發阿耨多羅三藐三菩提心如是長
者維摩詰爲諸問疾者如應說法令无數千
人皆發阿耨多羅三藐三菩提心

弟子品第三

尒時長者維摩詰自念寢疾于牀世尊大慈
寧不垂愍佛知其意即告舍利弗汝行詣維
摩詰問疾舍利弗白佛言世尊我不堪任詣
彼問疾所以者何憶念我昔曾於林中宴坐
樹下時維摩詰來謂我言唯舍利弗不必是
坐爲宴坐也夫宴坐者不於三界現身意是

BD02139號　維摩詰所說經卷上　（9–2）

摩詰問疾舍利弗白佛言世尊我不堪任詣
彼問疾所以者何憶念我昔曾於林中宴坐
樹下時維摩詰来謂我言唯舍利弗不必是
坐為宴坐也夫宴坐者不於三界現身意是
為宴坐不起滅定而現諸威儀是為宴坐不
捨道法而現凡夫事是為宴坐心不住内亦
不在外是為宴坐於諸見不動而脩行三十七
品是為宴坐不斷煩惱而入涅槃是為宴坐
若能如是坐者佛所印可時我世尊聞是語
嘿然而心不能加報故我不任詣彼問疾佛告
大目揵連汝行詣維摩詰問疾目連白佛言
世尊我不堪任詣彼問疾所以者何憶念我昔
入毗耶離大城於里巷中為諸居士說法時
維摩詰来謂我言唯大目連為白衣居士說
法不當如仁者所說夫說法者當如法說法无
衆生離衆生垢故法无有我離我垢故法无壽
命離生死故法无有人前後際斷故法常寂然
滅諸相故法離於相无所緣故法无名字言語
斷故法无有說離覺觀故法无形相如虛空
故法无戲論畢竟空故法无我所離我所故
法无分別離諸識故法无有比无相待故法
不屬因不在緣故法同法性入諸法故法隨
於如无所隨故法住實際諸邊不動故法无
動揺不依六塵故法无去来常不住故法順空
隨无相應无作法離好醜法无增損法无生

BD02139號　維摩詰所說經卷上　（9–3）

法无分別離諸識故法无有比无相待故法
不屬因不在緣故法同法性入諸法故法隨
於如无所隨故法住實際諸邊不動故法无
動揺不依六塵故法无去来常不住故法順空
隨无相應无作法離好醜法无增損法无生
滅法无所歸法過眼耳鼻舌身心法无高下
法常住不動法離一切觀行唯大目連法相
如是豈可說乎夫說法者无說无示其聽法
者无聞无得譬如幻士為幻人說法當建是
意而為說法當了衆生根有利鈍善於知見
无所罣㝵以大悲心讚于大乘念報佛恩不
斷三寶然後說法維摩詰說是法時八百居
士發阿耨多羅三藐三菩提心我无此辯是
故不任詣彼問疾
佛告大迦葉汝行詣維摩詰問疾迦葉白佛
言世尊我不堪任詣彼問疾所以者何憶念我
昔於貧里而行乞時維摩詰来謂我言唯大
迦葉有慈悲心而不能普捨豪富從貧乞迦
葉住平等法應次行乞食為不食故應行乞
食為壞和合相故應取揣食為不受故應受
彼食以空聚想入於聚落所見色與盲等所
聞聲與響等所臭香與風等所食味不分別
受諸觸如智證知諸法如幻相无自性无他性
本自不然今則无滅迦葉若能不捨八邪入八
解脫以邪相入正法以一食施一切供養諸佛
及衆賢聖然後可食如是食者非有煩惱

BD02139號　維摩詰所說經卷上　（9–4）

聞聲與觸等所臭香與風等所食味不分別
受諸觸如智證知諸法如幻相无自性无他性
本自不然今則无滅迦葉若能不捨八耶入八
解脫以耶相入正法以一食施一切供養諸佛
及衆賢聖然後可食如是食者非有煩惱
非離煩惱非入定意非起定意非住世間非
住涅槃其有施者无大福无小福不為益不
為損是為正入佛道不依聲聞迦葉若如是
食為不空食人之施也時我世尊聞說是語
得未曾有即於一切菩薩深起敬心復作是念
斯有家名辯才智慧乃能如是其誰不發
阿耨多羅三藐三菩提心我從是來不復勸
人以聲聞辟支佛行是故不任詣彼問疾
佛告須菩提汝行詣維摩詰問疾須菩提白
佛言世尊我不堪任詣彼問疾所以者何憶
念我昔入其舍從乞食時維摩詰取我鉢盛
滿飯謂我言唯須菩提若能於食等者諸法
亦等諸法等者於食亦等如是行乞乃可取食
若須菩提不斷婬怒癡亦不與俱不壞於身
而隨一相不滅癡愛起於明脫以五逆相而得
解脫亦不解不縛不見四諦非不見諦非得
果非不得果非凡夫非離凡夫法非聖人非不
聖人雖成就一切法而離諸法相乃可取食若
須菩提不見佛不聞法彼外道六師富蘭那
迦葉末迦梨拘賒黎子刪闍夜毗羅胝子阿耆

BD02139號　維摩詰所說經卷上　(9–5)

解脫亦不解不縛不見四諦非不見諦非得
果非不得果非凡夫非離凡夫法非聖人非不
聖人雖成就一切法而離諸法相乃可取食若
須菩提不見佛不聞法彼外道六師富蘭那
迦葉末迦梨拘賒黎子刪闍夜毗羅胝子阿耆
多翅舍欽婆羅迦羅鳩馱迦旃延尼揵陁若
提子等是汝之師因其出家彼師所墮汝亦
隨墮乃可取食若須菩提入諸耶見不到彼
岸住於八難不得无難同於煩惱離清淨法
汝得无諍三昧一切衆生亦得是定其施汝者
不名福田供養汝者墮三惡道為與衆魔共一
手作諸勞侶汝與衆魔及諸塵勞等无有異
於一切衆生而有怨心謗諸佛毀於法不入
衆數終不得滅度汝若如是乃可取食時我
世尊聞此語茫然不識是何言不知以何荅
便置鉢欲出其舍維摩詰言唯須菩提取鉢
勿懼於意云何如來所作化人若以是事
詰寧有懼不我言不也維摩詰言一切諸法
如幻化相汝今不應有所懼也所以者何一
切言說不離是相至於智者不著文字故无
所懼何以故文字性離无有文字是則解脫
解脫者則諸法也維摩詰說是法時二百天
子得法眼淨故我不任詣彼問疾
佛告富樓那彌多羅尼子汝行詣維摩詰問
疾富樓那白佛言世尊我不堪任詣彼問疾
所以者何憶念我昔於大林中在一樹下為

BD02139號　維摩詰所說經卷上　(9–6)

解脫者別諸法也維摩詰說是法時二百天
子得法眼淨故我不任詣彼問疾
佛告富樓那彌多羅尼子汝行詣維摩詰問
疾富樓那白佛言世尊我不堪任詣彼問疾
所以者何憶念我昔於大林中在一樹下為
諸新學比丘說法時維摩詰來謂我言唯富
樓那先當入定觀此人心然後說法无以穢食
置於寶器當知是比丘心之所念无以瑠璃
同彼水精汝不能知衆生根原无得發起以
小乘法彼自无瘡勿傷之也欲行大道莫示
小徑无以大海內於牛跡无以日光等彼螢火
富樓那此比丘久發大乘心中忘此意如何以
小乘法而教導之我觀小乘智慧微淺猶如
盲人不能分別一切衆生根之利鈍時維摩
詰即入三昧令此比丘自識宿命曾於五百
佛所殖衆德本迴向阿耨多羅三藐三菩提
即時豁然還得本心於是諸比丘稽首礼維
摩詰足時維摩詰因為說法於阿耨多羅
三藐三菩提不復退轉我念聲聞不觀人根
不應說法是故不任詣彼問疾
佛告摩訶迦旃延汝行詣維摩詰問疾迦栴
延白佛言世尊我不堪任詣彼問疾所以者
何憶念昔者佛為諸比丘略說法要我即於
後敷演其義謂无常義苦義空義无我義寂
滅義時維摩詰來謂我言唯迦栴延无以生滅

BD02139號　維摩詰所說經卷上

（9–7）

延白佛言世尊我不堪任詣彼問疾所以者
何憶念昔者佛為諸比丘略說法要我即於
後敷演其義謂无常義苦義空義无我義寂
滅義時維摩詰來謂我言唯迦栴延无以生滅
心行說實相法迦栴延諸法畢竟不生不滅
是无常義五受陰洞達空无所起是苦義
諸法究竟无所有是空義於我无我而不二
是无我義法本不然今則无滅是寂滅義說是
法時彼諸比丘心得解脫故我不任詣彼問疾
佛告阿那律汝行詣維摩詰問疾阿那律白佛
言世尊我不堪任詣彼問疾所以者何憶念
我昔於一處經行時有梵王名曰嚴淨與万
梵俱放淨光明來詣我所稽首作礼問我言
幾何阿那律天眼所見我即答言仁者吾見
此釋迦牟尼佛土三千大千世界如觀掌中阿
摩勒菓時維摩詰來謂我言唯阿那律天眼
所見為作相耶无作相耶假使作相則與外道
五通等若无作相即是无為不應有見世尊我
時嘿然彼諸梵聞其言得未曾有即為作礼
而問曰世孰有真天眼者維摩詰言有佛世
尊得真天眼常在三昧悉見諸佛國不以二
相於是嚴淨梵王及其眷屬五百梵天皆發
阿耨多羅三藐三菩提心礼維摩詰足已忽
然不現故我不任詣彼問疾
佛告優波離汝行詣維摩詰問疾優波離白

BD02139號　維摩詰所說經卷上

（9–8）

幾何阿那律天眼所見我即答言仁者吾見
此釋迦牟尼佛土三千大千世界如觀掌中阿
摩勒菓時維摩詰來謂我言唯阿那律天眼
所見爲作相耶无作相耶假使作相則與外道
五通等若无作相即是无爲不應有見世尊我
時嘿然彼諸梵聞其言得未曾有即爲作礼
而問曰世孰有真天眼者維摩詰言有佛世
尊得真天眼常在三昧悉見諸佛國不以二
相於是嚴淨梵王及其眷屬五百梵天皆發
阿耨多羅三藐三菩提心礼維摩詰足已忽
然不現故我不任詣彼問疾
佛告優波離汝行詣維摩詰問疾優波離白
佛言世尊我不堪任詣彼問疾所以者何憶念
昔者有二比丘犯律行以爲恥不敢問佛來問
我言唯優波離我等犯律誠以爲恥不敢問
佛願解疑悔得免斯咎我即爲其如法解說
時維摩詰來謂我言唯優波離无重增此

BD02139號　維摩詰所說經卷上　（9–9）

大般若波羅蜜多經卷第四百廿一
第二分無邊際品第廿二之二　三藏法師玄奘奉
爾時具壽舍利子問善現言何緣故說前際
諸菩薩摩訶薩無所有不可得後際諸菩薩
摩訶薩無所有不可得中際諸菩薩摩訶薩
無所有不可得何緣故說色無邊際故當知
菩薩摩訶薩亦無邊際受想行識無邊際故
當知菩薩摩訶薩亦無邊際乃至聲聞乘無
邊際故當知菩薩摩訶薩亦無邊際獨覺乘
大乘無邊際故當知菩薩摩訶薩亦無邊際
何緣故說即色菩薩摩訶薩無所有不可得
離色菩薩摩訶薩無所有不可得即受想行
識菩薩摩訶薩無所有不可得離受想行識
菩薩摩訶薩無所有不可得乃至即聲聞乘
菩薩摩訶薩無所有不可得離聲聞乘菩薩
摩訶薩無所有不可得即獨覺乘大乘菩薩
摩訶薩無所有不可得離獨覺乘大乘菩薩
摩訶薩無所有不可得何緣故說我於是等
一切法以一切種一切處一切時求諸菩薩

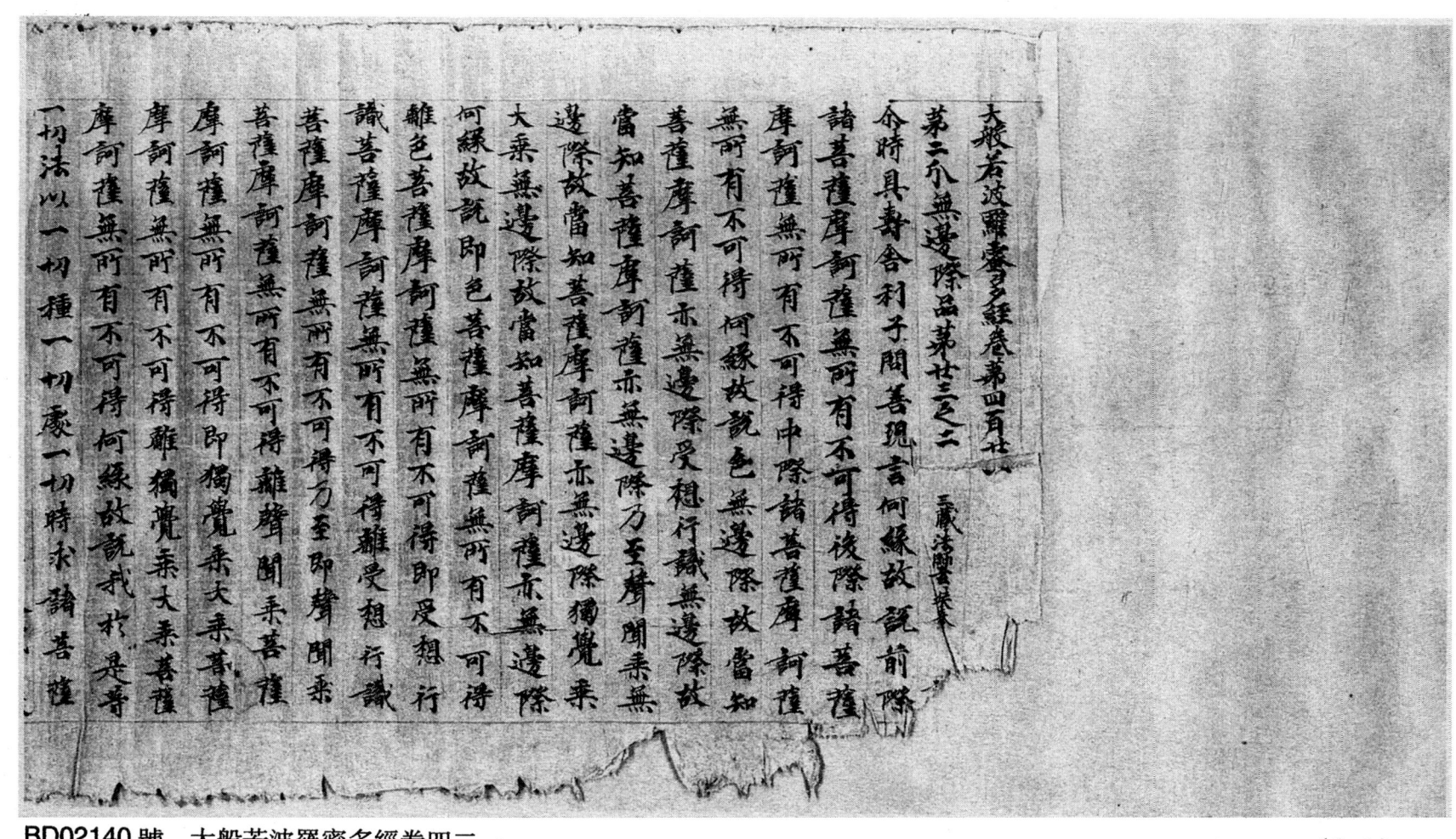

BD02140號　大般若波羅蜜多經卷四二一　（2–1）

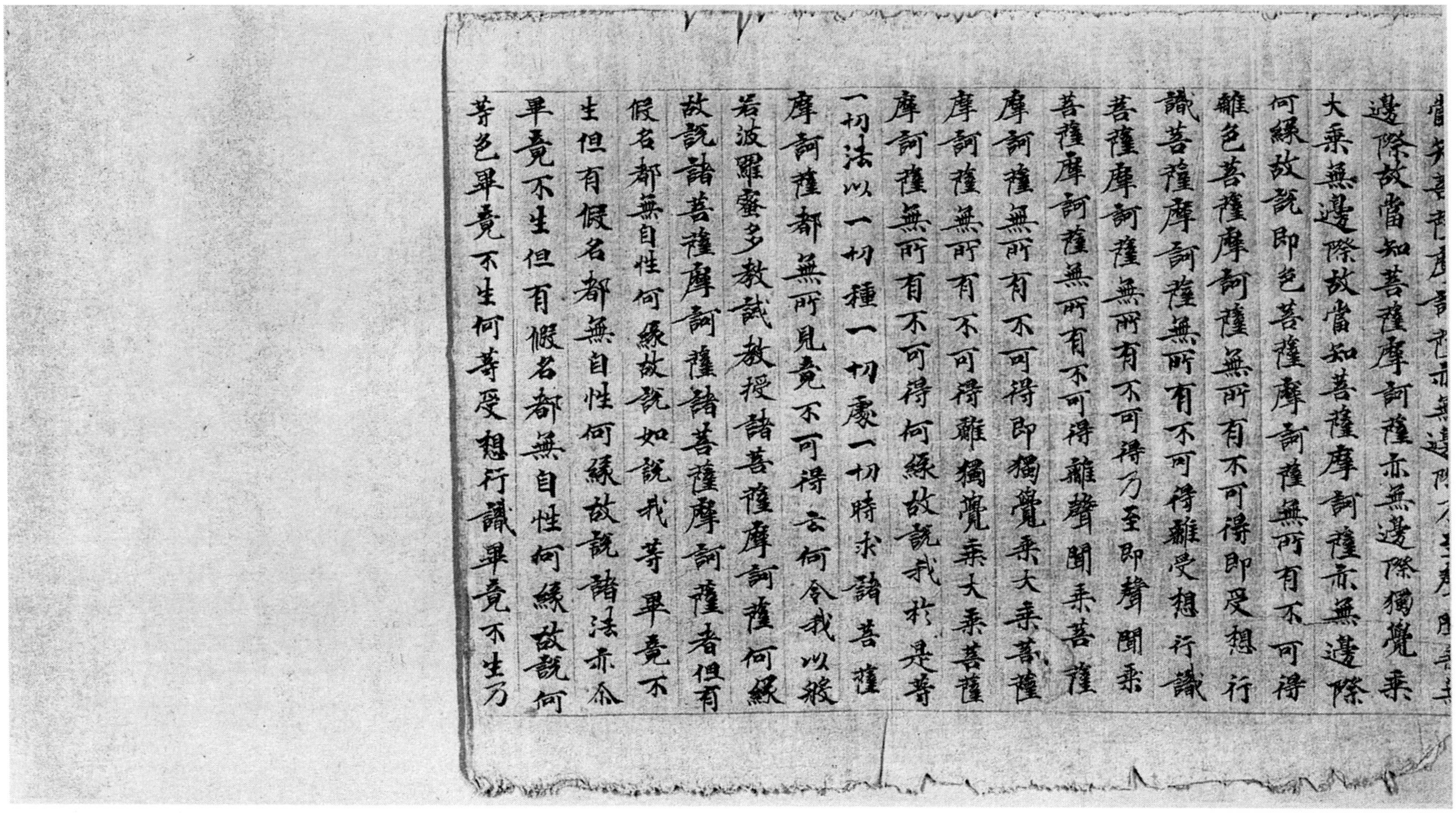
[illegible]
邊際故當知菩薩摩訶薩亦無邊際獨覺乘
大乘無邊際故當知菩薩摩訶薩亦無邊際
何緣故說即色菩薩摩訶薩無所有不可得
離色菩薩摩訶薩無所有不可得即受想行
識菩薩摩訶薩無所有不可得離受想行識
菩薩摩訶薩無所有不可得乃至即聲聞乘
菩薩摩訶薩無所有不可得離聲聞乘菩薩
摩訶薩無所有不可得即獨覺乘大乘菩薩
摩訶薩無所有不可得離獨覺乘大乘菩薩
摩訶薩無所有不可得何緣故說我於是等
一切法以一切種一切處一切時求諸菩薩
摩訶薩都無所見竟不可得云何令我以般
若波羅蜜多教誡教授諸菩薩摩訶薩何緣
故說諸菩薩摩訶薩諸菩薩摩訶薩者但有
假名都無自性何緣故說如說我等畢竟不
生但有假名都無自性何緣故說諸法亦尒
畢竟不生但有假名都無自性何緣故說何
等色畢竟不生何等受想行識畢竟不生乃

BD02140 號　大般若波羅蜜多經卷四二一　　（2–2）

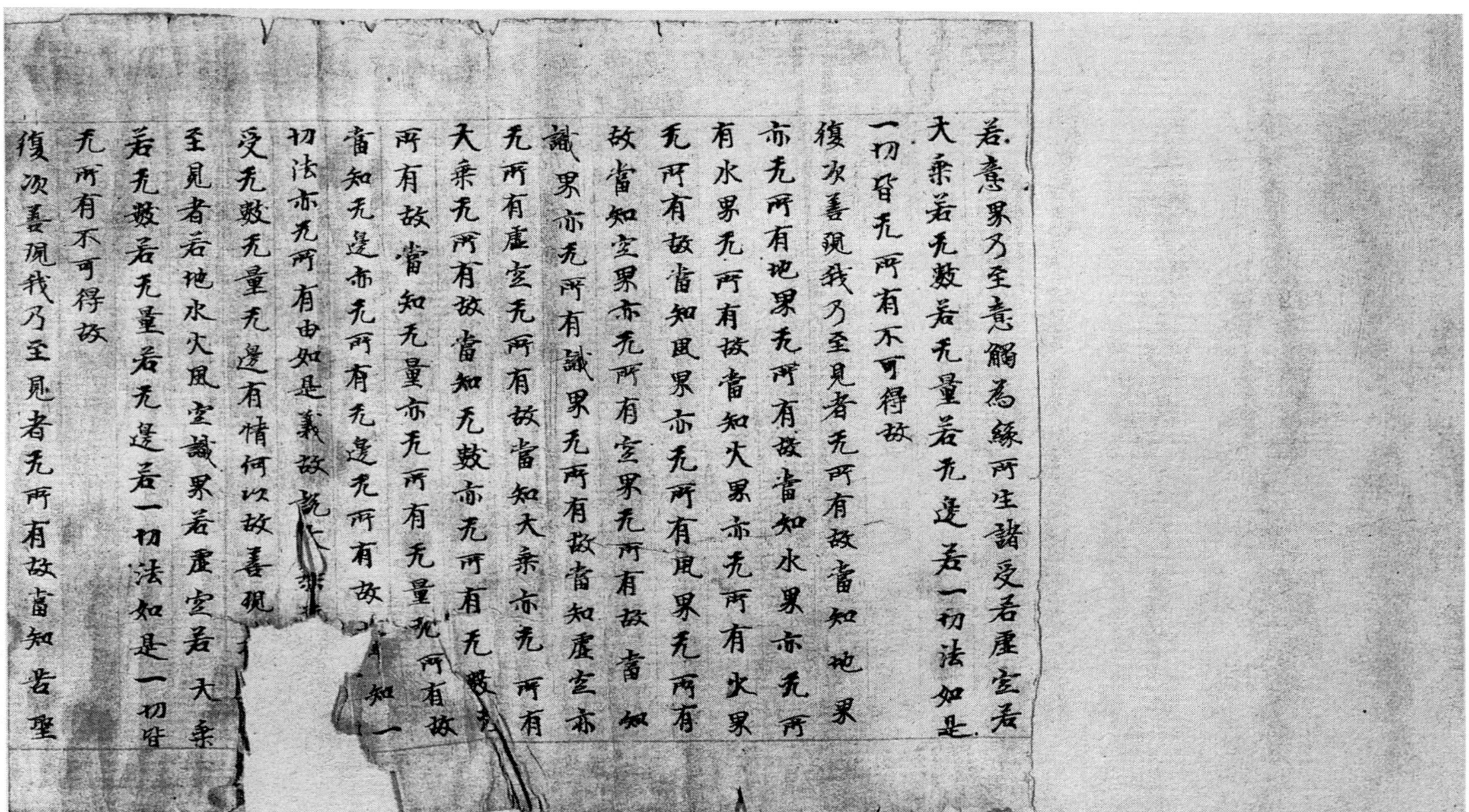
若意界乃至意觸為緣所生諸受若虛空若
大乘若无數若无量若无邊若一切法如是
一切皆无所有不可得故
復次善現我乃至見者无所有故當知地界
亦无所有地界无所有故當知水界亦无所
有水界无所有故當知火界亦无所有火界
无所有故當知風界亦无所有風界无所有
故當知空界亦无所有空界无所有故當知
識界亦无所有識界无所有故當知虛空亦
无所有虛空无所有故當知大乘亦无所有
大乘无所有故當知无數亦无所有无數[illegible]
所有故當知无量亦无所有无量无所有故
當知无邊亦无所有无邊无所有故[illegible]知一
切法亦无所有由如是義故說[illegible]
受无數无量无邊有情何以故善現[illegible]
至見者若地水火風空識界若虛空若大乘
若无數若无量若无邊若一切法如是一切皆
无所有不可得故
復次善現我乃至見者无所有故當知苦聖

BD02141 號　大般若波羅蜜多經卷五七　　（2–1）

无所有虛空无所有故當知大乘亦无所有
大乘无所有故當知无數亦无所有无數无
所有故當知无量亦无所有无量无所有故
當知无邊亦无所有无邊无所有故[illegible]知一
切法亦无所有由如是義故說大乘[illegible]
受无數无量无邊有情何以故善現[illegible]
至見者若地水火風空識界若虛空若大乘
若无數若无量若无邊若一切法如是一切皆
无所有不可得故
復次善現我乃至見者无所有故當知苦聖
諦亦无所有苦聖諦无所有故當知集聖諦
亦无所有集聖諦无所有故當知滅聖諦亦
无所有滅聖諦无所有故當知道聖諦亦无
所有道聖諦无所有故當知虛空亦无所有
虛空无所有故當知大乘亦无所有大乘无
所有故當知无數亦无所有无數无所有故
當知无量亦无所有无量无所有故當知无
邊亦无所有无邊无所有故當知一切法亦
无所有由如是義故說大乘善能含受无數

BD02141號　大般若波羅蜜多經卷五七　（2-2）

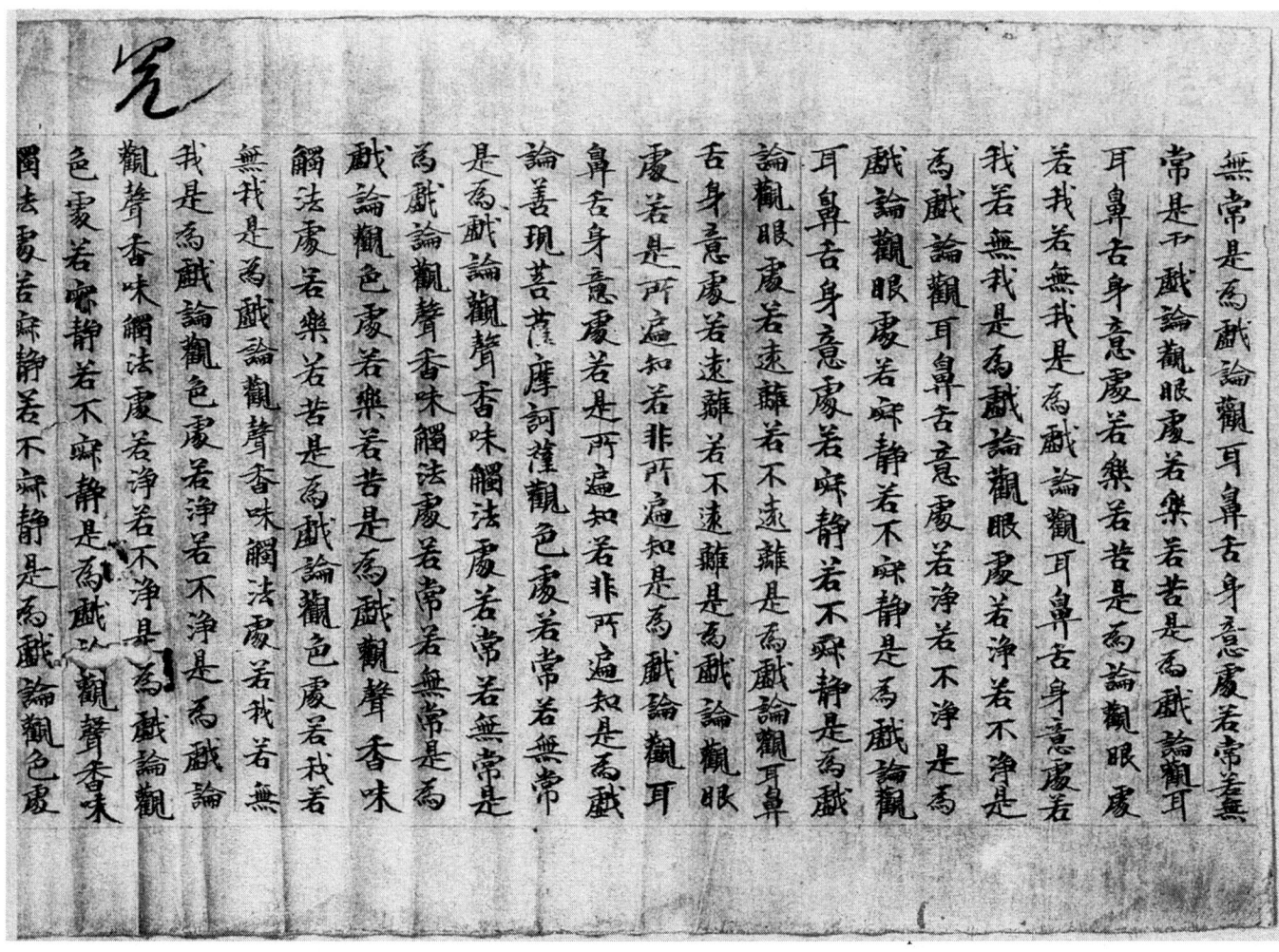

兌

無常是為戲論觀耳鼻舌身意處若常若無
常是不戲論觀眼處若樂若苦是為戲論觀耳
耳鼻舌身意處若樂若苦是為論觀眼處
若我若無我是為戲論觀耳鼻舌身意處若
我若無我是為戲論觀眼處若淨若不淨是
為戲論觀耳鼻舌意處若淨若不淨是為
戲論觀眼處若寂靜若不寂靜是為戲論觀
耳鼻舌身意處若寂靜若不寂靜是為戲
論觀眼處若遠離若不遠離是為戲論觀耳鼻
舌身意處若遠離若不遠離是為戲論觀眼
處若是所遍知若非所遍知是為戲論觀耳
鼻舌身意處若是所遍知若非所遍知是為戲
論善現菩薩摩訶薩觀色處若常若無常
是為戲論觀聲香味觸法處若常若無常是
為戲論觀聲香味觸法處若常若無常是為
戲論觀色處若樂若苦是為戲觀聲香味
觸法處若樂若苦是為戲論觀色處若我若
無我是為戲論觀聲香味觸法處若我若無
我是為戲論觀色處若淨若不淨是為戲論
觀聲香味觸法處若淨若不淨是為戲論觀
色處若寂靜若不寂靜是為戲以觀聲香味
觸法處若寂靜若不寂靜是為戲論觀色處

BD02142號　大般若波羅蜜多經（兌廢稿）卷三六七　（2-1）

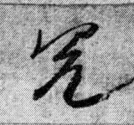

兊

舌身意處若遠離若不遠離是為戲論觀眼
處若是所遍知若非所遍知是為戲論觀耳
鼻舌身意處若是所遍知若非所遍知是為戲
論善現菩薩摩訶薩觀色處若常若無常
是為戲論觀聲香味觸法處若常若無常是
為戲論觀聲香味觸法處若常若無常是為
戲論觀色處若樂若苦是為戲觀聲香味
觸法處若樂若苦是為戲論觀色處若我若
無我是為戲論觀聲香味觸法處若我若無
我是為戲論觀色處若淨若不淨是為戲論
觀聲香味觸法處若淨若不淨是為戲論觀
色處若寂靜若不寂靜是為戲[illegible]觀聲香味
觸法處若寂靜若不寂靜是為戲論觀色處
若遠離若不遠離是為戲論觀聲香味觸法
處若遠離若不遠離是為戲論觀色處若是
所遍知若非所遍知是為戲論觀聲香味觸
法處若是所遍知若非所遍知是為戲論善

BD02142號　大般若波羅蜜多經（兌廢稿）卷三六七　　（2–2）

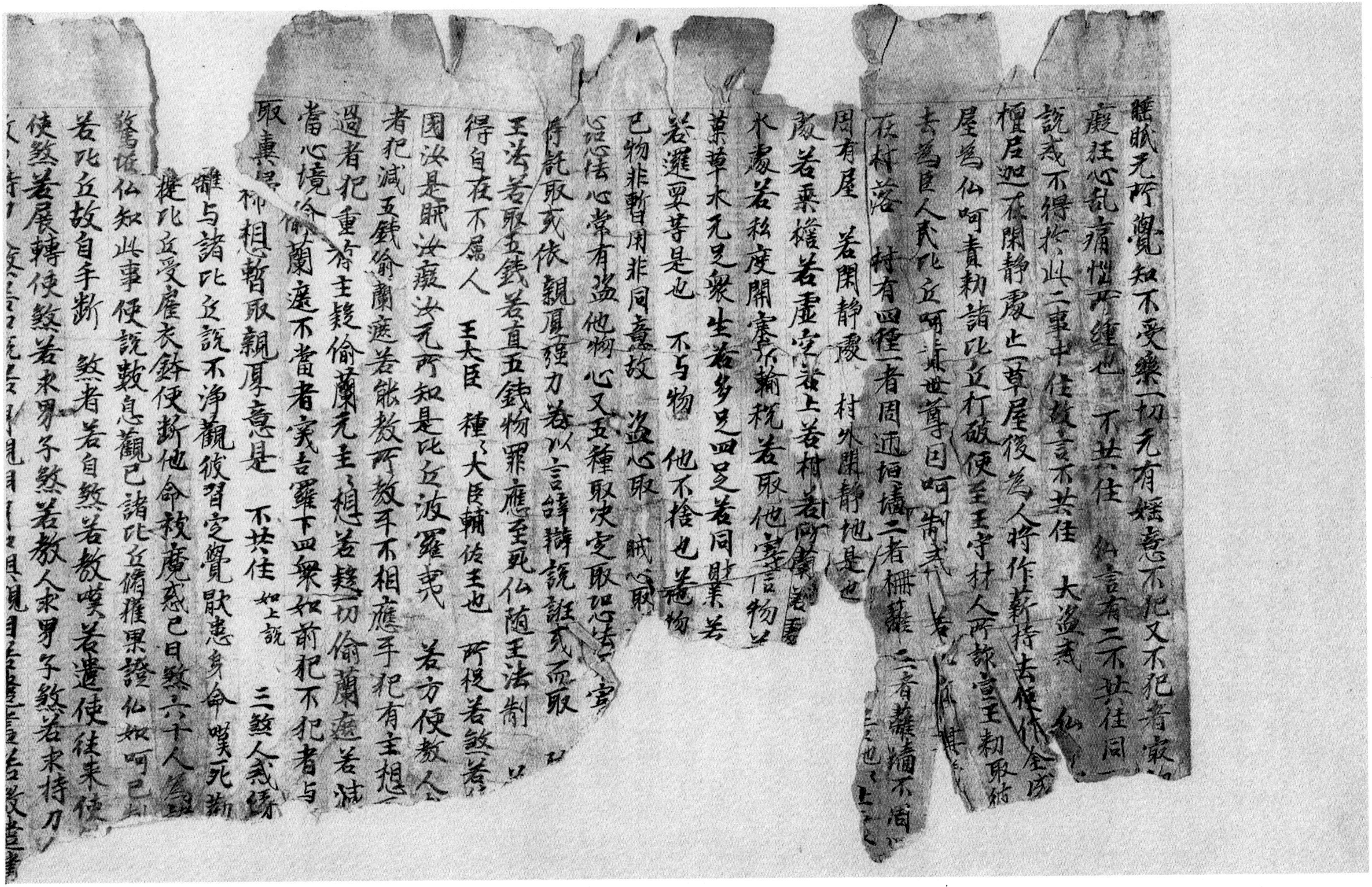

BD02143號　四分律比丘含注戒本卷上　　（11–1）

取衷[illegible]
神想暫取親厚意是　不共住　如上說　三煞人戒緣
雜与諸比丘說不淨觀彼習定覺猒患身命嘆死勸
[illegible]比丘受雇衣鉢便斷他命執塵杖已日煞六十人[illegible]
驚怪仏知此事便說數息觀已諸比丘備獲果證仏如呵已[illegible]
若比丘故自手斷　煞者若自煞若教嘆若遣使往来使
使煞若展轉使煞若求男子煞若教人求男子煞若求持刀人
教求持刀人煞若口說若身現相身口俱現相若遣書若教遣書
阬陷若倚撥若与藥若安煞具　人命　從初識至後而斷其命
持刀与人嘆譽死快勸死咄男子用汝惡活爲寧死生作如是思惟種
方便嘆譽死快勸死是比丘波羅夷　若比丘如上煞法及餘方便
死者犯重方便不煞偷蘭若天龍神鬼畜生中有解人語者若有變
形者方便求煞者偷蘭遮不能變形者吉羅下四衆如前說不[illegible]
若撲若扶病人无害心而死者　不共住　如上說　四大妄語戒緣
仏遊毗舍離時世饑貴乞食難得集僧告言皆隨同師親友[illegible]
在婆求河邊安居者便共稱讚得上人法諸信居士減食[illegible]
安居竟攝衣持鉢往至仏所爲聖慰問二衆發覺呵制　若比丘
无所知　謂實无所知見　自稱言我得　自稱說有信戒施聞智
惠辯　上人法　人法者陰入界人入上人法者諸法出要成就若得果
果自言念在身若正憶念若持戒若少欲若不放逸若精進若得定
若正受若有道若有脩若有惠若有見　我已入聖智勝法我知是我見
見是彼於異時若問若不問欲自清淨故作是說我實不知不見言知
言見虛誑妄語除增上慢　時有比丘增上慢心自謂得道後便真證諸比丘
白仏仏言增上慢人不犯　是比丘波羅夷　若如是虛而向人說前人
知者波羅夷不知者偷蘭若遣手印遣使若書若作知相者知亦
若不能變形畜生向說突吉羅若實得道向不意比丘說吉羅
下四衆如前說不犯者增上慢業報得不言我得戲咲說疾疾說屛處
說欲說讚此說彼　不共住　諸大德我已說四波羅夷法若比丘犯一一
波羅夷法不得与諸比丘共住如前後亦如是比丘得波羅夷罪不應
共住今問諸大德是中清淨不　如是三說　諸大德是中清淨默然故是事
如是持　諸大德是十三僧伽婆尸沙法半月半月說戒經中来　一故失
陰出不淨戒緣　仏遊舍衛城有迦留陁夷比丘欲意熾盛身色[illegible]
[illegible]

波羅夷法不得與諸比丘共住如前後亦如是是比丘得波羅夷罪不應
共住今問諸大德是中清淨不 如是三說 諸大德是中清淨默然故是事
如是持 諸大德是十三僧伽婆尸沙法半月半月說戒經中來 一故作
陰出不淨戒緣 仏遊舍衛城有迦留陀夷比丘欲意熾盛身色[illegible]
獨處一房好床蓐被地施敷具飲食豐足隨念作失諸根悅豫顏色[illegible]
澤諸比丘舉過白仏便無數呵責已制此戒也 若比丘故弄[illegible]
作 陰前境有六分於內色外色內外色若水若風若空隨[illegible]
犯 出精除夢中 仏言亂意睡眠有五過失一者惡夢二者[illegible]
三者心不入法四者不思惟明相五者於夢中失精善意睡眠有[illegible]
又上句 僧伽婆尸沙 若方便作不失偷蘭比丘自相教若[illegible]
不失吉羅尼波逸提三眾吉羅不犯者一切不作出精意 二觸女人[illegible]
緣 仏在舍衛國時迦留陀夷比丘以仏制前戒故便在門外伺諸婦女將至
房中手捉捫摸樂者便笑不樂者嗔罵呵責諸比丘舉過呵責往白
世尊仏便集僧制戒 若比丘婬意欲 愛染污心 與女人 謂境有
四覺聽觸死及少亦壞四種也 身從髮至足 相觸 若捉摩重摩
或牽推或逆摩或順摩或舉或下或捉或捺若餘觸方便 若捉
手若捉髮若觸一一身分者僧伽婆尸沙 若比丘往觸四種女但著
僧犯殘若女來觸比丘動身受樂亦同犯若不動身吉羅若先有染
心偷蘭若有衣相觸偷蘭俱有衣吉羅若與二形相觸偷蘭若欲
心觸男子或衣鉢坐具乃至自觸身及以畜生一切突吉羅尼波羅夷
下三眾吉羅不犯者有所取與戲笑相解等是 三與女人麤語戒緣
仏在舍衛國時迦留陀夷聞仏制前二戒故便將諸婦女入房中以欲心
向彼麤惡語諸比丘舉過白仏因制此戒 若比丘婬欲意與女人
人女有智命根不斷 麤惡婬欲意 麤惡者非梵行也婬欲語者稱
說二道好惡若求若教他求若問若答若解若說若教若罵求者
言與我二道作如如是是事若復作餘語次第如是解 若隨麤惡婬
欲語僧伽婆尸沙 若一反麤語僧殘隨說多少說如了了者一了僧
殘不了了偷蘭若與書印遣使作相令彼女知僧殘不知偷蘭除大少
便道說餘處好惡偷蘭與非人女黃門二形麤語偷蘭畜生不能變
形若向男子麤語一切吉羅尼偷蘭下三眾吉羅乃至下戒亦爾不犯
者為說不淨觀若說毗尼受經問答無欲心故也 四嘆身向女人索婬

BD02143號 四分律比丘含注戒本卷上

(11–3)

説二道好惡若求若教他求若門若答若解若説若教若罵求者
言与我二道作如〻是〻事若復作餘語汝菓如是解　若随麁悪婬
欲語僧伽婆尸沙　若一叉麁語僧残随讃多少説如〻了〻者一〻僧
残不了〻偸蘭若与書印遣使作相令彼女知僧残不知偸蘭除大少
便道説餘處好悪偸蘭与非人女黄門二形麁語偸蘭畜生不能變
形若向男子麁語一切吉羅尼偸蘭下三衆吉羅乃至下衆亦不犯
者爲説不浄觀若説毗尼受經問答无欲心故也　四嘆身向女人索婬
供養戒縁　仏在舎衛國時迦留陁夷以聞仏制前三戒故便門外伺諸
婦女將入房自讃嘆身汝可持欲供養諸女呵嫌比丘擧過白仏因
制此戒　若比丘婬欲意於女人前 女人如上 自嘆身　嘆身端正好
類色我是剎帝利長者居士婆羅門種　言大姝我修梵行　懃
修離穢濁也　持戒精進　不歛不貪漏无染汙也　脩善法　樂
閑靜處時到乞食著糞掃衣作餘食法不食一坐食一摶食揉閒坐
露坐樹下坐常坐随坐持三衣唄唖多聞能説法持毗尼坐禪　可持
是婬欲法供養我如是供養第一最　僧伽婆尸沙　若作如上自擧
已供養来不説婬欲者偸蘭餘境雜犯如前戒説不犯者若比丘語女人
言此處妙尊最上此比丘精進持戒脩善法汝等應以身口意業慈供
養彼女意謂爲我故身嘆若説毗尼時言次及此彼謂嘆身若鈍
説不犯　五媒人戒縁　仏在羅閲祇有迦羅比丘本是大臣善知俗法
城中嫁娶盡往諮問時婚娶者式得好者便顧迦羅受於喜樂諸居
士譏呵言若欲結婚者可往沙門釋子中問諸比丘擧過白仏因此制
戒　若比丘往来彼此媒嫁　所應可和合者是　持男意語女持女
意語男　女人有廿種母護父護父母護兄護姉護兄姉護自護法護
姓護宗親護自樂婢与衣婢与財婢同作業婢水所漂婢不輸税婢放
去婢客作婢他護婢邊方得婢是也男子亦有廿種並如上列　若爲成
婦事若爲私通事乃至須臾頃僧伽婆尸沙　若受彼語寃吉羅往語
説不還報偸蘭若還報僧残若使書指印見相随媒嫁多少説而了〻
一〻往返僧残若不了偸蘭除二道説餘身處〻枝節媒嫁者偸蘭若非
人黄門二形媒者偸蘭若畜生及人男吉羅若持他書往不看若爲
白衣作餘使一切吉羅比丘尼同犯不犯者若男女先已通而後離別還
和合爲父母病患繫閉者書持往信心精進俗人亦尓仏法比丘使亦尓
六无主自爲己過量房戒縁　仏在羅閲[illegible]

說不還報偷蘭若還報僧殘若作書指印現相顯然如多少言而
一ヽ往返僧殘若不了偷蘭除二道說餘身處ヽ技節媒嫁者偷蘭若非
人黃門二形媒者偷蘭若畜生及人男吉羅若持他書往不著若為
白衣作餘使一切吉羅比丘尼同犯不犯者若男女先已通而後離別還
和合為父母病患繫閉者書持往信心精進俗人及尒仏法比丘使至尒
六无主自為己過量房戒緣　仏在羅閱祇諸比丘造私房室有賤野園
比丘使造大房ヽ乞求須多擾亂居士又有比丘自斫神樹彼神白仏ヽ往賤
野城迦葉以事白仏以神事呵責又以眾生親緣喻制戒也　若比丘自求
彼處ヽ乞索　作屋　屋者房也　无主　彼无有人若一若二若眾多　自為
己　自求索不為他也　當應量作是中量者長十二仏傑手內廣七傑手當
將餘比丘指授處所　彼比丘看无難无妨處已到僧中脫屣草偏露右膊
右膝著地合掌白言大德僧聽我某甲比丘自求作屋无主自為己我從眾
僧乞知无難處无妨處如是再三說　彼比丘當指示處所　爾時眾僧當觀
此比丘若可信者即當聽使作若不可信一切眾僧往看若僧不去遣僧中可
信者看若彼處有妨難不應與處分若无者應與處分眾中應差堪
能作羯磨者若上座若次座若誦律若不誦律應作白大德聽僧某甲比丘
自乞作屋无主自為己今從眾僧乞處分无難无妨處若僧時到僧忍聽
當與某甲比丘處分无難无妨處白如是大德僧聽此某甲比丘自求作屋
无主自為己今從僧乞處分无難无妨處僧今與某甲比丘處分无難无
妨處誰諸長老忍僧與某甲比丘處分无難无妨處者默然若不忍者
說僧已忍與某甲比丘處分无難无妨處竟僧忍默然故是事如是持
作房應　物若石若土墼漫圍乃至最後漫治訖者是　无難處　有虎狼
師子諸惡獸下至蟻子若比丘不為此諸重獸所惱應修治平地若有石樹
株杌荊棘當使人掘出若坑坎瀆渠陂池處當使填滿若畏水浸漬當
預設提防若地為人所認當共斷當无使他有語是為難處　无妨處
若通草木車迴轉往來　若比丘有難處妨處自求作屋无主自為己
不將餘比丘指示處所若過量作者僧伽婆尸沙　若妨難一處作者突
羅吉不處分過量二僧殘乎有无者有者犯使他作成皆尒為他作成者
二偷蘭二吉羅若以繩拼地作受教者過量作者犯式不還報又問如法者
並犯比丘尼偷蘭不犯者如量作減量作僧處分无難處无妨處如法拼作
若為僧為仏圖講堂草菴葉菴小容身屋若作多人屋住如法者不犯
七有主為己不處分造房戒緣　仏在拘睒弥國時鎮王為尊者闡陁造房使

BD02143號　四分律比丘含注戒本卷上　（11–5）

不將餘比丘指示處所若過量作者僧伽婆尸沙　若妨難一處作者突
羅吉不處分過量二僧殘乎有无者有者犯使他作成皆尒為他作成者
二偷蘭二吉羅若以繩栟地作受教者過量作者犯戒不還報又問如法者
並犯比丘尼偷蘭不犯者如量作減量作僧處分无難處无妨處如法栟作
若為僧為仏圖講堂草菴葉菴小容身屋若作多人屋住如法者無犯
七有主為已不處分造房戒緣　仏在拘睒弥國時填王為尊者闡陀造房便
斫路中神樹多人止息者俗人呵已諸比丘舉過白仏〻呵已若斫神樹吉羅
便制此戒　若比丘欲作大房　大者多用財物作房者房也　有主　若一若
二若衆多人　為已作　自為已身作　當將餘比丘往指授處所　彼比
丘如上知已應至僧中礼上座足等已從僧三乞文同於上以有主為異
彼比丘應指授處所　衆僧應觀察彼人有信有智慧即信彼与羯磨若
不者如上進止与羯磨文雅前　无難處師子熊羆等若不為彼所嬈者應如
上平治乃至識畏認應先斷了　无妨處　中間容草車迴轉者　若比丘有
難處有妨處作大房有主為已不將餘比丘往指授處所僧伽婆尸沙
辯開遮如前戒唯无量為異　八无根波羅夷謗戒緣　仏在羅閱祇耆
者沓婆得羅漢已為僧知事仏讚第一時慈地比丘衆中得惡房明日差
請又得惡食便令妹慈地對仏重謗問取白言已諸比丘呵已舉過白仏
因制此戒　若比丘瞋恚所覆故　有十惡法自緣故瞋十事中以生瞋
非波羅夷比丘以无根波羅夷法謗　根者有三根見根聞根疑根見根
實見犯梵行見偷五錢見斷人命若他見從彼聞是為見根聞根者聞犯梵
行聞偷五錢聞斷人命聞自言得上人法若彼說從聞是為聞根疑根者有二
種生疑從見生者若与婦女人入林出林无衣裸形男根不淨汙身手捉刀
血汙与惡知識為伴從聞生疑者若在闇地若聞床聲若聞草蓐轉側聲
若聞身動聲若聞共語聲若交會語聲若聞犯梵聲行若聞言我偷五錢
聲若聞言我煞人聲若聞我得上人法除此三根已更以法謗者是謂无
根也　欲壞彼清淨行　謂言衆僧滅擯此人我安樂住　若於異時若問
若不問　仏勅諸比丘問能謗者言此事實不若以无根法謗他獲大重罪
知此事无根說　彼比丘言沓婆清淨人无如是事　我瞋恚故作是
語　猶前得惡房惡食瞋恨故便謗彼耳　若比丘作是語者僧伽婆
尸沙　若以无根四事謗說而了〻僧殘不了〻偷蘭若書使作知相了〻亦
了〻亦尒　若以十三難事謗者亦尒除此非比丘法更以无根法謗隨前
犯若謗比丘尼亦同僧犯下衆者突吉羅尼犯僧殘不犯者三根說實戒

根也　欲壞彼清淨行　謂言梵僧淨行此人我當樂住　若於異日若問
若不問　仏勅諸比丘問能謗者言此事實不若以无根法謗他犍大重罪
知此事无根說　彼比丘言沓婆清淨人无如是事　我瞋恚故作是
語　猶前得惡房惡床瞋恨故便謗彼取　若比丘作是諸者僧伽婆
尸沙　若以无根四事謗說而了了僧残不了了偷蘭若書使作知相了了不
了了亦又若以十三難事謗者又亦除此非比丘法更以无根法謗隨前所
犯若謗比丘尼又同僧犯下衆者突吉羅尼犯僧残不犯者三根說實戲
咲說若疾疾說獨說淨處說錯說等也　九假根波羅夷謗戒緣
仏在羅閱祇時慈地比丘從耆闍崛山見羖羊共母羊行婬便言即此羖
羊即是沓婆比丘毋羊即是慈地比丘尼便語諸比丘我今親見諸比丘
詰問已便舉白仏制戒　若比丘以瞋恚故如上說　應異分事中取片
異分者若異罪若異趣異人若本在家時若假說
根波羅夷法謗欲壞彼清淨行彼於異時若問若不問知是以分事中取
片是比丘自言我瞋恚故作是語者僧伽婆尸沙　辯相開通並同前
戒　十破僧違諫戒緣　仏在弥尼搜國度八釋子已還詣占彼國並得
增上地唯提婆達得神足證仏還羅閱祇時提婆教王害父事訖發覺
惡名流布利養斷絶便又別衆食為仏呵責曰即破僧舉過說諫制
此戒　若比丘欲壞和合一羯磨同說戒也　僧　四比丘若五若十乃至无
數　方便受壞和合僧法堅持不捨　破者破有十八事法非法律非律犯不
犯若輕若重有残无残麁惡非麁惡常所行非常所行制非制說非說住破僧
法者即住此十八事是也　彼比丘應諫是比丘言大德莫壞和合僧莫
方便和合僧莫受壞僧法堅不捨大德應与僧僧和合和合歡喜不諍同一
師學如水乳合於仏法中有增益安樂住　應語可捨此事莫令僧作
訶諫而犯重罪若用語者善若不用語復令餘比丘比丘尼優婆塞優婆夷
王若大臣種種異道沙門婆羅門求若餘方比丘聞知其人信用言者應來
是比丘如是諫時堅持不捨彼比丘應三諫捨此事故乃至三諫捨者善　彼
比丘作白已應更求乃至三羯磨二羯磨竟亦不捨者僧伽婆尸沙　白二
竟捨三偷蘭乃至白竟捨者一偷蘭白未竟捨者吉羅一切未白前破僧
法堅持不捨並吉羅比丘尼僧残不犯者初諫便捨若五非羯磨作訶諫非
法非律非仏教所若破惡友知識若欲破僧者若作非法者若為僧塔和上知識
作損減破者不犯　十一助破僧違諫戒緣　仏在羅閱祇時提婆達故執此
五法盡形壽乞食著糞掃衣露坐不食蘇鹽魚及宍教諸比丘衆僧諫

BD02143號　四分律比丘含注戒本卷上　（11–7）

比丘作白已應更求乃至一羯磨二羯磨竟尒 不捨者僧伽婆尸沙 白二
竟捨三偷蘭乃至白竟捨者一偷蘭白未竟捨者吉羅一切未白前破僧
法堅持不捨並吉羅比丘尼僧殘不犯者初諫便捨若互非羯磨作訶諫非
法非律非仏教所若破惡友知識若欲破僧者若作非法者若為僧塔和上知識
作損減破者不犯 十一助破僧違諫戒緣 仏在羅閱祇時提婆達故執此
五法盡形壽乞食著糞掃衣露坐不食蘇鹽魚及肉教諸比丘衆僧諫
時伴儻比丘助破諫僧比丘擧過白仏設諫戒也 若比丘有餘伴儻
若四人過四人有二種順從者以法教授增戒增心增慧諷誦承受衣食順從
者給与衣被飲食牀卧具病瘦醫藥 若一若二若三乃至衆數 助伴儻
語比丘若三三若衆多 彼比丘語是比丘言大德莫諫此比丘是
法語比丘律語比丘 此比丘所說我等喜樂此比丘所說我等忍可彼比
丘應諫是比丘言大德莫作是說言此比丘是法語比丘律語比丘此比
丘所說我等喜樂此比丘所說我等忍可然此比丘非法語比丘非律
語比丘大德莫欲壞和合僧汝等當樂欲合和僧大德与僧和合歡喜不
諍同一師學如水乳合於仏法中有增益安樂住是比丘如是諫時堅持
不捨彼比丘應三諫捨是事故乃至三諫捨者善不捨者僧伽婆尸沙
辯相如上 十三汙家擯謗違諫緣 仏在舍衛國時向濕婆在 連聚
落行惡行汙他家比丘擧過白仏便令舍利弗目連往彼擯擧當作法時
謗僧不受以過白仏遙呵諫犯制戒 若比丘依聚落 村有四種如上
若城邑住 屬王也 汙他家 家者有男有女汙他家者有四事一依家
汙家從一家得物与一家所得物處聞之不喜所与物處思當報恩即作是
言若有与我當報之若不与我者我何故与二者依利養汙家若比
丘如法得利乃至鉢中之餘或与一居士不与一居士彼得者即生此念當
報其恩若不与我ゝ何故與三者依親友汙家若比丘依王若大臣或為一居士
或不為一居士所為者即思報恩其為我當供養不為我者我不供養四
者依僧伽藍汙家若比丘取僧花菓与一居士不与一居士彼得者思當供養不与
我者我不供養 行惡行 彼比丘作如是非法行自種花樹自溉灌自摘花自
作華鬘自以綫貫若繫自持花自持花鬘与人若復教人作如上事若彼村落中
有婦女若童女共同一牀坐起同一器飲食言語戲笑或自歌舞倡伎或他作己唱
和或俳說或彈鼓簧吹貝作衆鳥鳴或走或搨跛行或嘯或自作伎身或
受雇戲笑是名行惡行 汙他家亦見亦聞行惡行亦見亦聞 時有衆多
比丘於彼遊行止宿晨朝著衣持鉢入村乞食法服齊整行步庠序低目直

我者我不供養　行惡行　彼比丘作如是非法行自種花樹自溉灌自摘花自
作華鬘自以綫貫若繫自持花自持花鬘与人若復教人作如上事若彼村落中
有婦女若童女共同一牀坐起同一器飲食言語戲咲或自歌儛倡伎或他作己唱
和或俳說或彈鼓簧吹貝作衆鳥鳴或走或佯跛行或嘯或自作弄身或
受雇戲咲是名行惡行　汙他家亦見亦聞行惡行亦見亦聞　時有衆多
比丘於彼遊行止宿晨朝著衣持鉢入村乞食法服齊整行步庠序低目直
前不左右顧視以次乞食諸居士見已自相謂言此是何人低目而行不左右顧
視亦不言咲亦不周接善言問訊我等不應与其飲食我等向濕婆二人与人
周接又上所言應与飲食供養彼於羇連乞食困乃得之往至仏所問言住
止安樂不衆僧和合不、以飲食為苦耶彼具白仏便遥呵設責言　諸比丘
嘗語是比丘言大德汙他家行惡行汙他家亦見亦聞行惡行亦見亦聞
大德汝汙他家行惡行令可遠此聚落去不須住此　時舍利弗為諸居士說
法令得信樂食訖集僧為彼比丘作舉、已作憶、念、已与罪如上作羯磨已驅
出聚落嘗作法時二比丘謗僧言更有餘同犯罪比丘不驅而獨驅我便作
是言　是比丘語彼比丘作如是語大德諸比丘有愛有恚有怖有癡有如是同
罪比丘有驅者有不驅者　時舍利弗還白世尊具陳諍事仏便遥呵令設
諫言　諸比丘報言大德莫作是語言僧有愛有恚有怖有癡有如是同罪
比丘有驅者有不驅不而諸比丘不愛不恚不怖不癡大德汙家他行惡行
汙他家亦見亦聞行惡行亦見亦聞是比丘如是諫時堅持不捨彼比丘應三
諫捨此事故乃至三諫捨者善若不捨僧伽婆尸沙　若未白前言僧有愛恚
怖癡突吉羅若不看書持往及為白衣信使一切突吉羅尼同僧犯不犯者初語
時捨非法呵諫若与父母与病人与少兒与姙身人与牢獄繫人与寺中客作者
是若種花樹自取花乃至教人貫花持供養仏法僧者一切不犯若人欲打被
賊虎狼恐怖之難處若擔刺來於中走避者不犯若度河溝渠坑跳躑者
不犯若同伴在後還顧不見而嘯喚不犯若為父母若為病人若閉牢獄若
篤信優婆塞有病獄看書持往若為塔僧病比丘事開持書往反
十三惡性拒僧違諫戒緣　仏在俱睒弥國時尊者闡陀惡性不受人語諸比丘設
諫違拒反言我應教諸大德何以故我聖主得正覺故并說水風二譬比丘呵責
舉過白仏便設諫制戒　若比丘惡性不受人語　不忍不受人教誨也
於戒法中　以戒律如法教授者有七犯聚波羅夷僧伽婆尸沙波逸提波
羅提、舍尼偷蘭遮吉羅惡說也　諸比丘如法諫已　如法如律如仏所教

十三惡性拒僧違諫戒緣　仏在俱睒弥國時尊者闡陀惡性不受人語
諫違拒反言我應教諸大德何以故我聖主得正覺故并說水風二聲比丘呵責
舉過白仏便設諫制戒　若比丘惡性不受人語　不忍不受人教誨也
於戒法中　以戒律如法教授者有七犯聚波羅夷僧伽婆尸沙彼逸提波
羅提提舍尼偷蘭遮吉羅惡說也　諸比丘如法諫已　如法如律如仏所教
自身不受諫語言諸大德莫向我說若好若惡我亦不向諸大德說若好
若惡諸大德且止莫諫我彼比丘諫是比丘言大德莫自身不受諫語
大德自身當受諫語大德如法諫諸比丘諸比丘亦如法諫大德如是仏弟子眾
得增益展轉相諫展轉相教展轉懺悔是比丘如是諫時堅持不捨彼比
丘應三諫捨是事故乃至三諫捨者善不捨者僧伽婆尸沙　若未白前惡
性不受人語一切吉羅居同犯不犯者若初諫便捨非法呵諫非法非律非仏所制
者若无智人呵諫時語彼言汝和上阿闍梨所行亦尒汝可更學問誦經若
其事如是若錯說者　諸大德我已說十三僧伽婆尸沙法九初犯四乃至三諫若
比丘犯一一法知而覆藏應強与波利婆沙行波利婆沙竟增上与六夜摩那
埵行摩那埵已餘有出罪法應廿僧中出是比丘罪若少一人不滿廿眾出是
比丘罪是比丘罪不得除諸比丘亦可呵此是時今問諸大德是中清淨不　三說　諸
大德是中清淨嘿然故是事如是持　諸大德是二不定法半半月月說戒經中來
屏處不定緣　仏在舍衛國時迦留陀夷先白衣時有親友婦名齋優婆私俱並
端政各有繫意迦留陀夷時到詣彼家与共獨靜屏坐說非法語時毗舍佉母聞
見疾往白仏因呵制戒　若比丘共女人　人女有智未命終　獨一比丘一女人　在屏處
有二種一者見屏若塵若霧若黑闇中不相見也二聞屏者乃至常語不聞聲處　覆
處　上有物作蓋也　障處　若樹若墻壁若籬若衣及餘物障也　可作婬處
得容行婬處　坐說非法語　說婬欲法者　有住信優婆私　信仏法僧歸依仏
法僧不煞不盜不婬邪不妄語不飲酒善憶持事不錯所說有實而不虛妄　於
三法中一一法說若波羅夷若僧伽婆尸沙若波逸提是坐比丘自言我犯是罪
於三法中應一一治若波羅夷若僧伽婆尸沙若波逸提如住信優婆私所說應
如法治是比丘是名不定法　是中自言所趣向所到處若坐若臥若作若不自言
屏如優婆私所說治　二露處不定之緣　仏在舍衛國時迦留陀夷初犯此
戒緣起如前戒但以露處二罪為異也　若比丘共女人在露現處　謂无墻壁
及餘物障　不可作婬處　不容可婬處　坐作麤惡語　說婬欲不淨行說
者讚嘆二道好惡也　有住信優婆私於二法中以一一法說若僧伽婆尸沙
若波逸提是坐比丘自言我犯是事於二法中一一治若僧伽婆尸沙若波逸

BD02143號　四分律比丘含注戒本卷上

屏如憂婆私所說治　二露處不定之緣　仏在舍衛國時迦留陀夷㝡初犯此
戒緣起如前戒但以露處二罪為異也　若比丘共女人在露現處　謂无墻壁
及餘物障　不可作婬處　不容可婬處　坐作麁惡語　說婬欲不淨行說
者讚嘆二道好惡也　有住信憂婆私於二法中以一一法說若僧伽婆尸沙
若波逸提是坐比丘自言我犯是事於二法中一一治若僧伽婆尸沙若波逸
提如住信憂婆私所說應如法治是比丘是名不定法　是中若自言所趣
向處所到處若坐若卧或不自言應如憂婆私所說治是中无定法故言不
定　諸大德我已說二不定法今問諸大德是中清淨不三說　諸大德是中清淨嘿然
故是事如是持　諸大德是卅尼薩耆波逸提法半半月半月說戒經中來　一畜
長衣過日戒　仏在舍衛國久聽比丘持三衣不得長時六群比丘畜長衣或早
起衣或中時衣或晡時衣彼常經營莊嚴如是衣眠藏舉比丘舉過白仏便呵已
制戒因開重制　若比丘衣已竟　三衣也　迦絺那衣已出　謂出功德衣外
畜長經十日　衣者有十種長衣者長如來八指若廣四指是　不淨施得畜若過
十日　初制不得畜長衣因難陀得貴價糞掃衣欲以奉大迦葉恐犯戒白仏以迦葉
十日當還故仏言聽畜長衣齊十日也　尼薩耆波逸提　若不得衣若淨施若遣
与人若失衣若故壞若作非衣若作親厚意若忘去八門作句支上並尼薩耆波
逸提若捨墮衣不捨更貿餘衣一尼薩耆波逸提一突吉羅此捨墮衣應捨与僧
若衆多人若一人不得別衆捨若捨不成捨突吉羅比丘尼同犯下三衆乃至下
戒並犯吉羅不犯者十日内若轉淨施若遣与人若賊奪想不淨施不犯若奪衣
失衣取著若他与著若他与作被不犯若付衣者遠行水陸道斷如是不淨施不遣
与人不犯　二離衣宿戒　仏在舍衛國時六群比丘持衣付囑親友比丘往人間遊
行彼受付比丘數數出衣曬之諸比丘問言仏聽比丘畜三衣不得長此是誰衣具答
披呵白仏重責制此戒也　若比丘衣已竟迦絺那衣已出　並如上辭　三衣中
僧伽梨鬱多羅僧安多會衣者有十種如上說　離一一衣異處宿　不失衣者
僧伽藍裏有一界失衣者僧伽藍裏有若干界如是樹塲車船村舍堂庫倉
累乞尒此僧伽藍有四種如上樹者与人等足蔭覆跏趺坐塲者於中治五穀

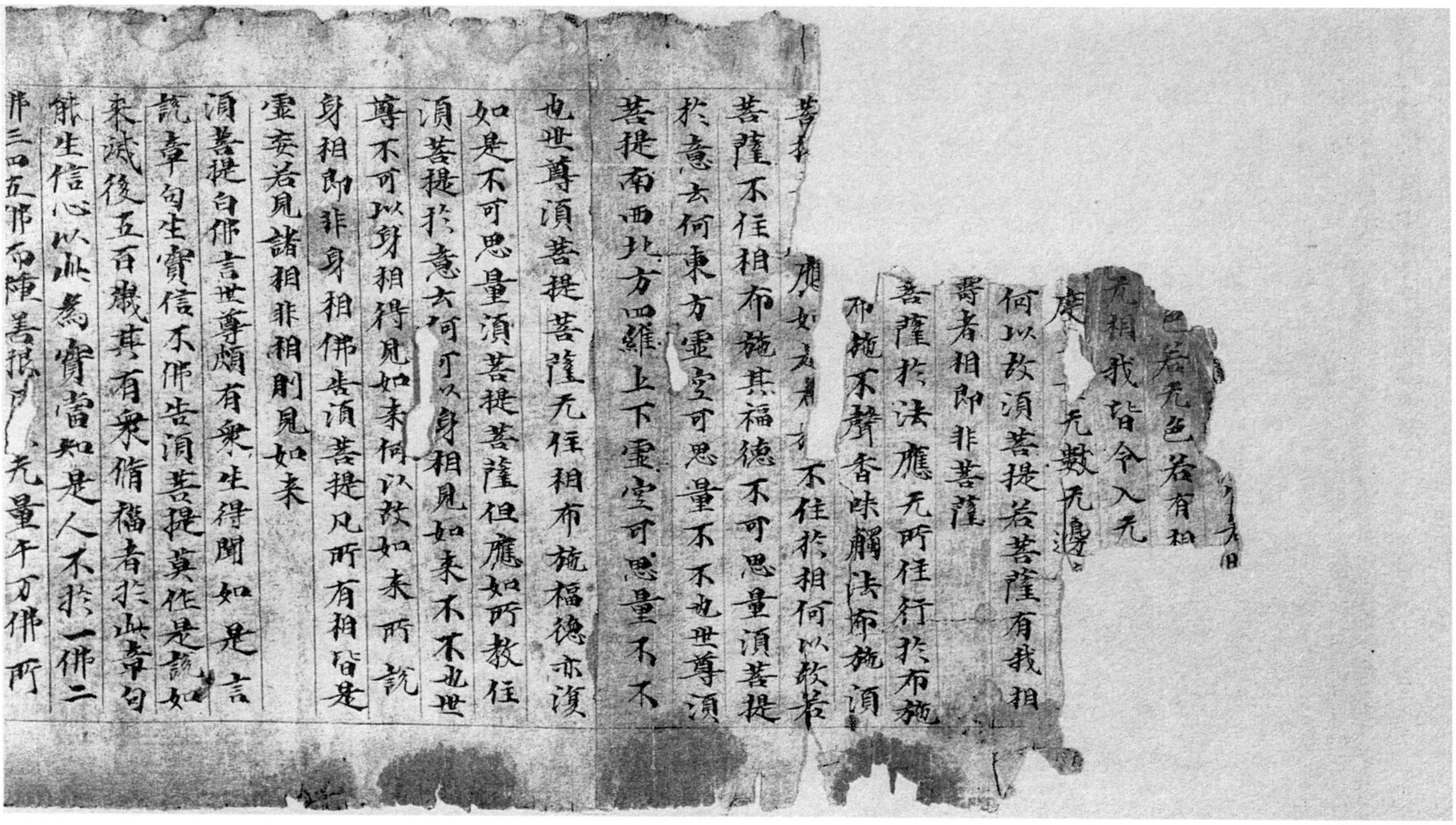
色若无色若有相
无相我皆令入无
處…无數无邊
何以故須菩提若菩薩有我相
壽者相即非菩薩
菩薩於法應无所住行於布施
布施不聲香味觸法布施須
菩…應如是布…不住於相何以故若
菩薩不住相布施其福德不可思量須菩提
於意云何東方虛空可思量不不也世尊須
菩提南西北方四維上下虛空可思量不不
也世尊須菩提菩薩无住相布施福德亦復
如是不可思量須菩提菩薩但應如所教住
須菩提於意云何可以身相見如來不不也世
尊不可以身相得見如來何以故如來所說
身相即非身相佛告須菩提凡所有相皆是
虛妄若見諸相非相則見如來
須菩提白佛言世尊頗有衆生得聞如是言
說章句生實信不佛告須菩提莫作是說如
來滅後五百歲其有衆生脩福者於此章句
能生信心以此為實當知是人不於一佛二
佛三四五佛而種善根已於无量千万佛所

BD02144號　金剛般若波羅蜜經　（10–1）

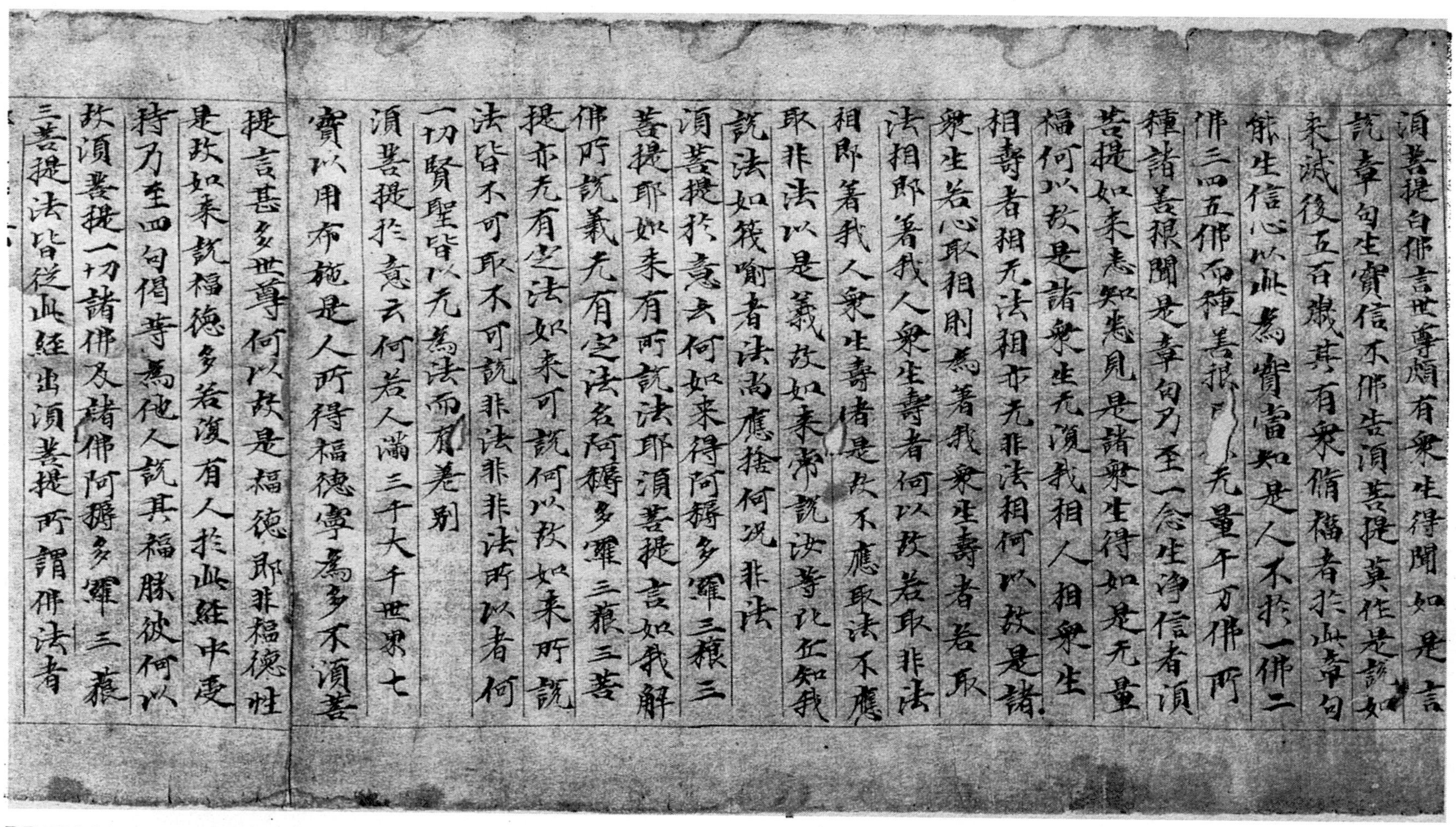
須菩提白佛言世尊頗有衆生得聞如是言
說章句生實信不佛告須菩提莫作是說如
來滅後五百歲其有衆生脩福者於此章句
能生信心以此為實當知是人不於一佛二
佛三四五佛而種善根已於无量千万佛所
種諸善根聞是章句乃至一念生淨信者須
菩提如來悉知悉見是諸衆生得如是无量
福德何以故是諸衆生无復我相人相衆生
相壽者相无法相亦无非法相何以故是諸
衆生若心取相則為著我衆生壽者若取
法相即著我人衆生壽者何以故若取非法
相即著我人衆生壽者是故不應取法不應
取非法以是義故如來常說汝等比丘知我
說法如筏喻者法尚應捨何況非法
須菩提於意云何如來得阿耨多羅三藐三
菩提耶如來有所說法耶須菩提言如我解
佛所說義无有定法名阿耨多羅三藐三菩
提亦无有定法如來可說何以故如來所說
法皆不可取不可說非法非非法所以者何
一切賢聖皆以无為法而有差別
須菩提於意云何若人滿三千大千世界七
寶以用布施是人所得福德寧為多不須菩
提言甚多世尊何以故是福德即非福德性
是故如來說福德多若復有人於此經中受
持乃至四句偈等為他人說其福勝彼何以
故須菩提一切諸佛及諸佛阿耨多羅三藐
三菩提法皆從此經出須菩提所謂佛法者

BD02144號　金剛般若波羅蜜經　（10–2）

提言甚多世尊何以故是福德即非福德性
是故如來說福德多若復有人於此經中受
持乃至四句偈等為他人說其福勝彼何以
故須菩提一切諸佛及諸佛阿耨多羅三藐
三菩提法皆從此經出須菩提所謂佛法者
即非佛法
須菩提於意云何須陀洹能作是念我得須
陀洹果不須菩提言不也世尊何以故須陀
洹名為入流而无所入不入色聲香味觸法
是名須陀洹須菩提於意云何斯陀含能作
是念我得斯陀含果不須菩提言不也世尊
何以故斯陀含名一往來而實无往來是名
斯陀含須菩提於意云何阿那含能作是念
我得阿那含果不須菩提言不也世尊何以
故阿那含名為不來而實无來是故名阿那
含須菩提於意云何阿羅漢能作是念我得
阿羅漢道不須菩提言不也世尊何以故實
无有法名阿羅漢世尊若阿羅漢作是念我
得阿羅漢道即為著我人衆生壽者世尊佛
說我得无諍三昧人中最為第一是第一離
欲阿羅漢我不作是念我是離欲阿羅漢世
尊我若作是念我得阿羅漢道世尊則不說
須菩提是樂阿蘭那行者以須菩提實无所
行而名須菩提是樂阿蘭那行
佛告須菩提於意云何如來昔在然燈佛所
於法有所得不世尊如來在然燈佛所於法
實无所得須菩提於意云何菩薩莊嚴佛土

BD02144號　金剛般若波羅蜜經　（10–3）

行而名須菩提是樂阿蘭那行
佛告須菩提於意云何如來昔在然燈佛所
於法有所得不世尊如來在然燈佛所於法
實无所得須菩提於意云何菩薩莊嚴佛土
不不也世尊何以故莊嚴佛土者則非莊嚴
是名莊嚴是故須菩提諸菩薩摩訶薩應如
是生清淨心不應住色生心不應住聲香味
觸法生心應无所住而生其心須菩提譬如
有人身如須弥山王於意云何是身為大不
須菩提言甚大世尊何以故佛說非身是名
大身
須菩提如恒河中所有沙數如是沙等恒河
於意云何是諸恒河沙寧為多不須菩提言
甚多世尊但諸恒河尚多无數何況其沙須
菩提我今實言告汝若有善男子善女人以
七寶滿尒所恒河沙數三千大千世界以用
布施得福多不須菩提言甚多世尊佛告須菩
提若善男子善女人於此經中乃至受持四
句偈等為他人說而此福德勝前福德復次
須菩提隨說是經乃至四句偈等當知此處
一切世間天人阿脩羅皆應供養如佛塔廟
何況有人盡能受持讀誦須菩提當知是人
成就最上第一希有之法若是經典所在之
處則為有佛若尊重弟子
尒時須菩提白佛言世尊當何名此經我等
云何奉持佛告須菩提是經名為金剛般若
波羅蜜以是名字汝當奉持所以者何須菩

BD02144號　金剛般若波羅蜜經　（10–4）

成就最上第一希有之法若是經典所在之
處則為有佛若尊重弟子
尒時須菩提白佛言世尊當何名此經我等
云何奉持佛告須菩提是經名為金剛般若
波羅蜜以是名字汝當奉持所以者何須菩
提佛說般若波羅蜜則非般若波羅蜜須菩
提於意云何如來有所說法不須菩提白佛
言世尊如來无所說須菩提於意云何三千
大千世界所有微塵是為多不須菩提言甚
多世尊須菩提諸微塵如來說非微塵是名
微塵如來說世界非世界是名世界須菩提
於意云何可以卅二相見如來不不也世尊
不可以卅二相得見如來何以故如來說卅
二相即是非相是名卅二相須菩提若有善
男子善女人以恒河沙等身命布施若復有
人於此經中乃至受持四句偈等為他人說
其福甚多
尒時須菩提聞說是經深解義趣涕淚悲泣
而白佛言希有世尊佛說如是甚深經典我
從昔來所得慧眼未曾得聞如是之經世尊
若復有人得聞是經信心清淨則生實相當
知是人成就第一希有功德世尊是實相者
則是非相是故如來說名實相世尊我今得
聞如是經典信解受持不足為難若當來世
後五百歲其有眾生得聞是經信解受持是
人則為第一希有何以故此人无我相人相
眾生相壽者相所以者何我相即是非相人

BD02144號　金剛般若波羅蜜經

（10–5）

若復有人得聞是經信心清淨則生實相當
知是人成就第一希有功德世尊是實相者
則是非相是故如來說名實相世尊我今得
聞如是經典信解受持不足為難若當來世
後五百歲其有眾生得聞是經信解受持是
人則為第一希有何以故此人无我相人相
眾生相壽者相所以者何我相即是非相人
相眾生相壽者相即是非相何以故離一切
諸相則名諸佛
佛告須菩提如是如是若復有人得聞是經
不驚不怖不畏當知是人甚為希有何以故
須菩提如來說第一波羅蜜非第一波羅蜜
是名第一波羅蜜
須菩提忍辱波羅蜜如來說非忍辱波羅蜜
何以故須菩提如我昔為歌利王割截身體
我於尒時无我相无人相无眾生相无壽者
相何以故我於往昔節節支解時若有我相
人相眾生相壽者相應生瞋恨須菩提又念
過去於五百世作忍辱仙人於尒所世无我
相无人相无眾生相无壽者相是故須菩提
菩薩應離一切相發阿耨多羅三藐三菩提
心不應住色生心不應住聲香味觸法生心
應生无所住心若心有住則為非住是故佛
說菩薩心不應住色布施須菩提菩薩為利
益一切眾生應如是布施如來說一切諸相
即是非相又說一切眾生則非眾生須菩提
如來是真語者實語者如語者不誑語者不

BD02144號　金剛般若波羅蜜經

（10–6）

應生无所住心若心有住則為非住是故佛
說菩薩心不應住色布施須菩提菩薩為利
益一切衆生應如是布施如來說一切諸相
即是非相又說一切衆生則非衆生須菩提
如來是真語者實語者如語者不誑語者不
異語者須菩提如來所得法此法无實无虛
須菩提若菩薩心住於法而行布施如人入
闇則无所見若菩薩心不住法而行布施如
人有目日光明照見種種色須菩提當來之
世若有善男子善女人能於此經受持讀誦
則為如來以佛智慧悉知是人悉見是人皆
得成就无量无邊功德
須菩提若有善男子善女人初日分以恒河
沙等身布施中日分復以恒河沙等身布施
後日分亦以恒河沙等身布施如是无量百
千万億劫以身布施若復有人聞此經典信
心不逆其福勝彼何況書寫受持讀誦為人
解說須菩提以要言之是經有不可思議不可
稱量无邊功德如來為發大乘者說為發
最上乘者說若有人能受持讀誦廣為人說
如來悉知是人悉見是人皆成就不可量不
可稱无有邊不可思議功德如是人等則為
荷擔如來阿耨多羅三藐三菩提何以故須菩
菩提若樂小法者著我見人見衆見壽者
見則於此經不能聽受讀誦為人解說須菩
提在在處處若有此經一切世間天人阿脩
羅所應供養當知此處則為是塔皆應恭敬
作礼圍繞以諸華香而散其處

BD02144 號　金剛般若波羅蜜經　（10–7）

荷擔如來阿耨多羅三藐三菩提何以故須菩
菩提若樂小法者著我見人見衆見壽者
見則於此經不能聽受讀誦為人解說須菩
提在在處處若有此經一切世間天人阿脩
羅所應供養當知此處則為是塔皆應恭敬
作礼圍繞以諸華香而散其處
復次須菩提善男子善女人受持讀誦此經
若為人輕賤是人先世罪業應墮惡道以今
世人輕賤故先世罪業則為消滅當得阿耨
多羅三藐三菩提須菩提我念過去无量阿
僧祇劫於然燈佛前得值八百四千万億那
由他諸佛悉皆供養承事无空過者若復有
人於後末世能受持讀誦此經所得功德於
我所供養諸佛功德百分不及一千万億分
乃至筭數譬喻所不能及須菩提若善男子
善女人於後末世有受持讀誦此經所得功
德我若具說者或有人聞心則狂亂狐疑不
信須菩提當知是經義不可思議果報亦不
可思議
尒時須菩提白佛言世尊善男子善女人發
阿耨多羅三藐三菩提心云何應住云何降
伏其心佛告須菩提善男子善女人發阿耨
多羅三藐三菩提者當生如是心我應滅度
一切衆生滅度一切衆生已而无有一衆生
實滅度者何以故若菩薩有我相人相衆生
相壽者相則非菩薩所以者何須菩提實无
有法發阿耨多羅三藐三菩提者須菩提於
意云何如來於然燈佛所有法得阿耨多羅

BD02144 號　金剛般若波羅蜜經　（10–8）

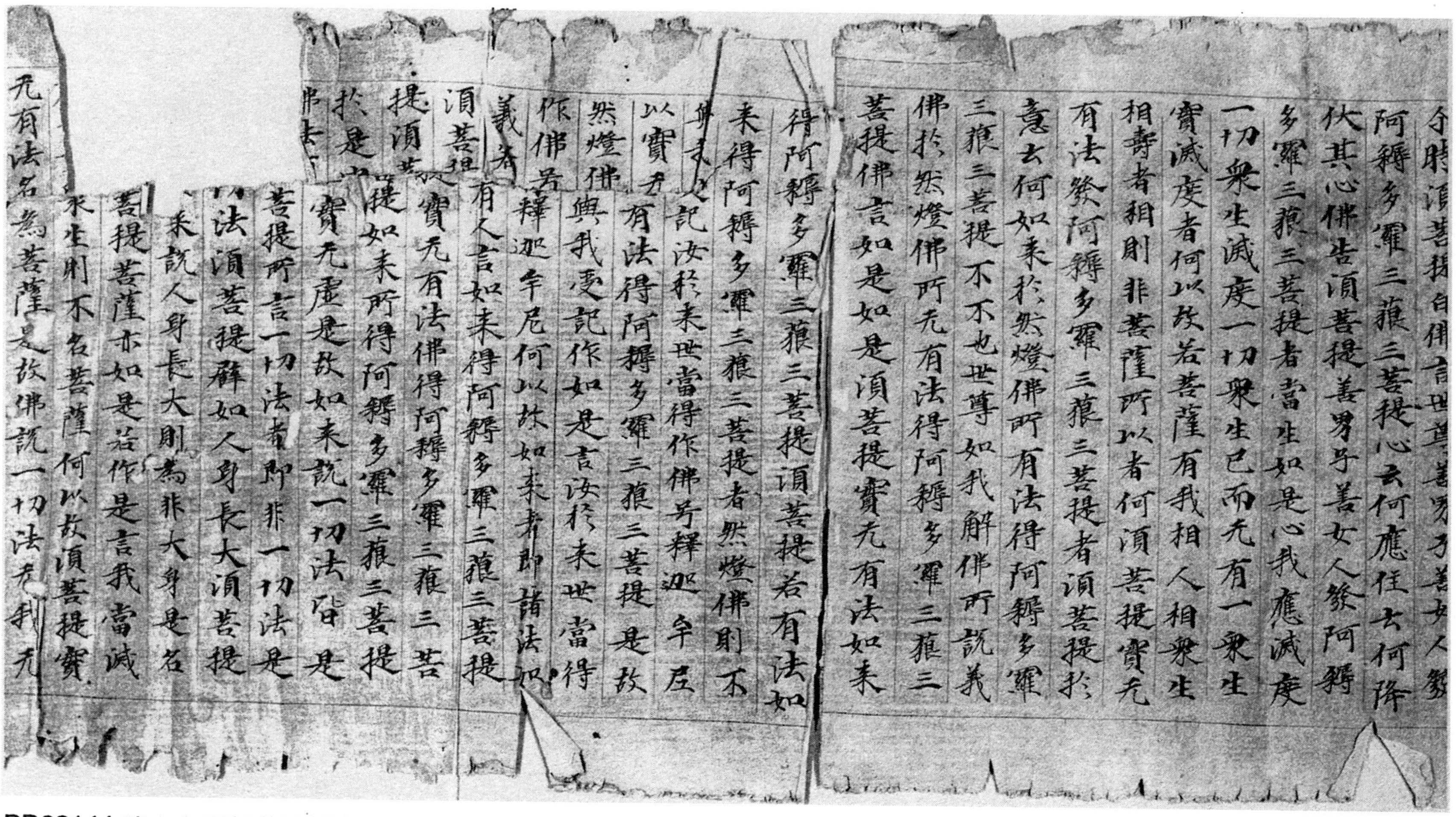

尒時須菩提白佛言世尊善男子善女人發
阿耨多羅三藐三菩提心云何應住云何降
伏其心佛告須菩提善男子善女人發阿耨
多羅三藐三菩提者當生如是心我應滅度
一切衆生滅度一切衆生已而无有一衆生
實滅度者何以故若菩薩有我相人相衆生
相壽者相則非菩薩所以者何須菩提實无
有法發阿耨多羅三藐三菩提者須菩提於
意云何如來於然燈佛所有法得阿耨多羅
三藐三菩提不不也世尊如我解佛所說義
佛於然燈佛所无有法得阿耨多羅三藐三
菩提佛言如是如是須菩提實无有法如來
得阿耨多羅三藐三菩提須菩提若有法如
來得阿耨多羅三藐三菩提者然燈佛則不
與我受
以實无
然燈佛
作佛号
義者
須菩提
提須菩
於是如
佛去
記汝於來世當得作佛号釋迦牟尼
有法得阿耨多羅三藐三菩提是故
與我受記作如是言汝於來世當得
釋迦牟尼何以故如來者即諸法如
有人言如來得阿耨多羅三藐三菩提
實无有法佛得阿耨多羅三藐三菩
提如來所得阿耨多羅三藐三菩提
實无虛是故如來說一切法皆是
菩提所言一切法者即非一切法是
法須菩提譬如人身長大須菩提
來說人身長大則為非大身是名
菩提菩薩亦如是若作是言我當滅
衆生則不名菩薩何以故須菩提實
无有法名為菩薩是故佛說一切法无我无

BD02144 號　金剛般若波羅蜜經

（10–9）

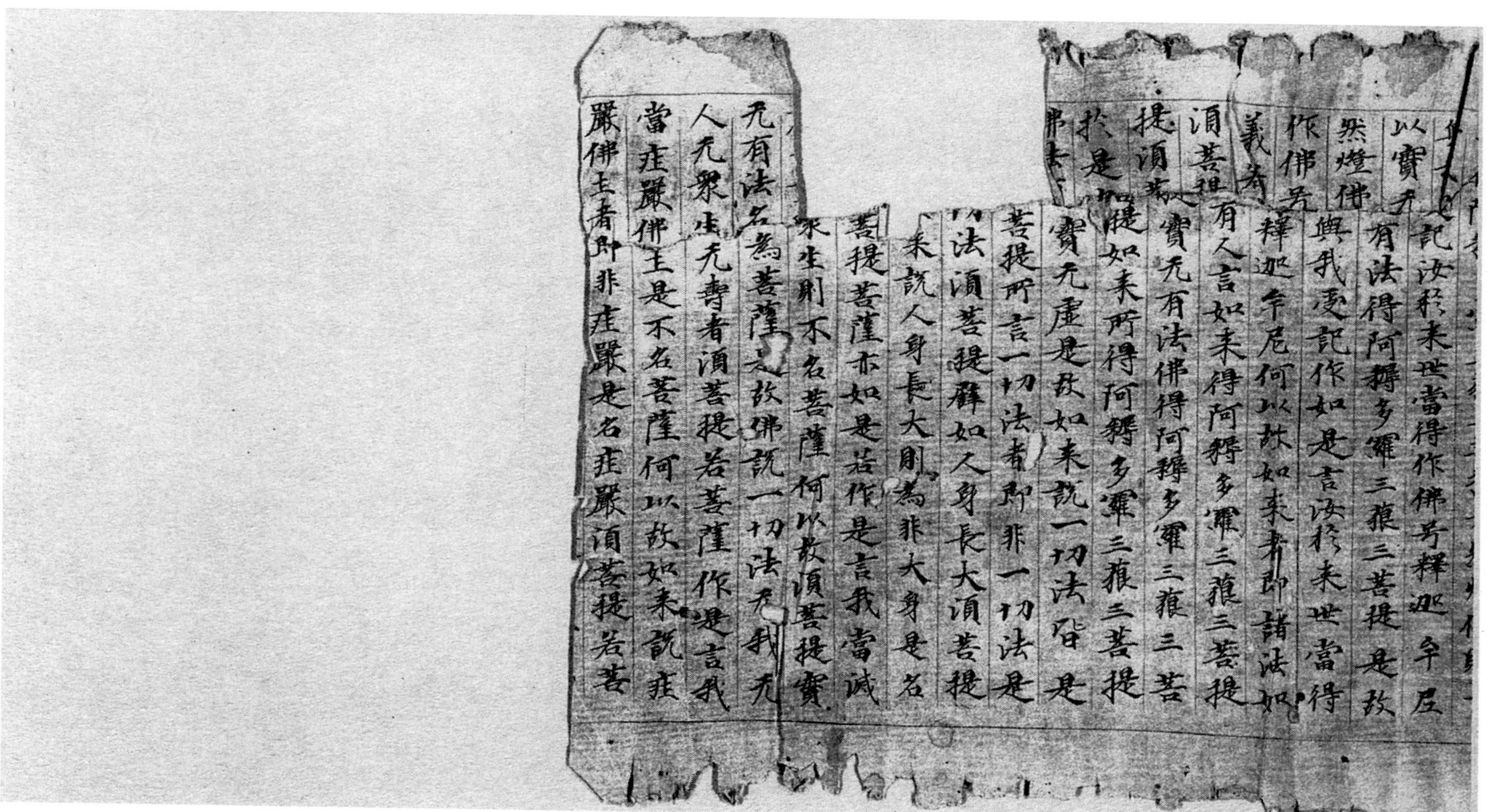

與我受
以實无
然燈佛
作佛号
義者
須菩提
提須菩
於是如
佛去
記汝於來世當得作佛号釋迦牟尼
有法得阿耨多羅三藐三菩提是故
與我受記作如是言汝於來世當得
釋迦牟尼何以故如來者即諸法如
有人言如來得阿耨多羅三藐三菩提
實无有法佛得阿耨多羅三藐三菩
提如來所得阿耨多羅三藐三菩提
實无虛是故如來說一切法皆是
菩提所言一切法者即非一切法是
法須菩提譬如人身長大須菩提
來說人身長大則為非大身是名
菩提菩薩亦如是若作是言我當滅
衆生則不名菩薩何以故須菩提實
无有法名為菩薩是故佛說一切法无我无
人无衆生无壽者須菩提若菩薩作是言我
當莊嚴佛土是不名菩薩何以故如來說莊
嚴佛土者即非莊嚴是名莊嚴須菩提若菩

BD02144 號　金剛般若波羅蜜經

（10–10）

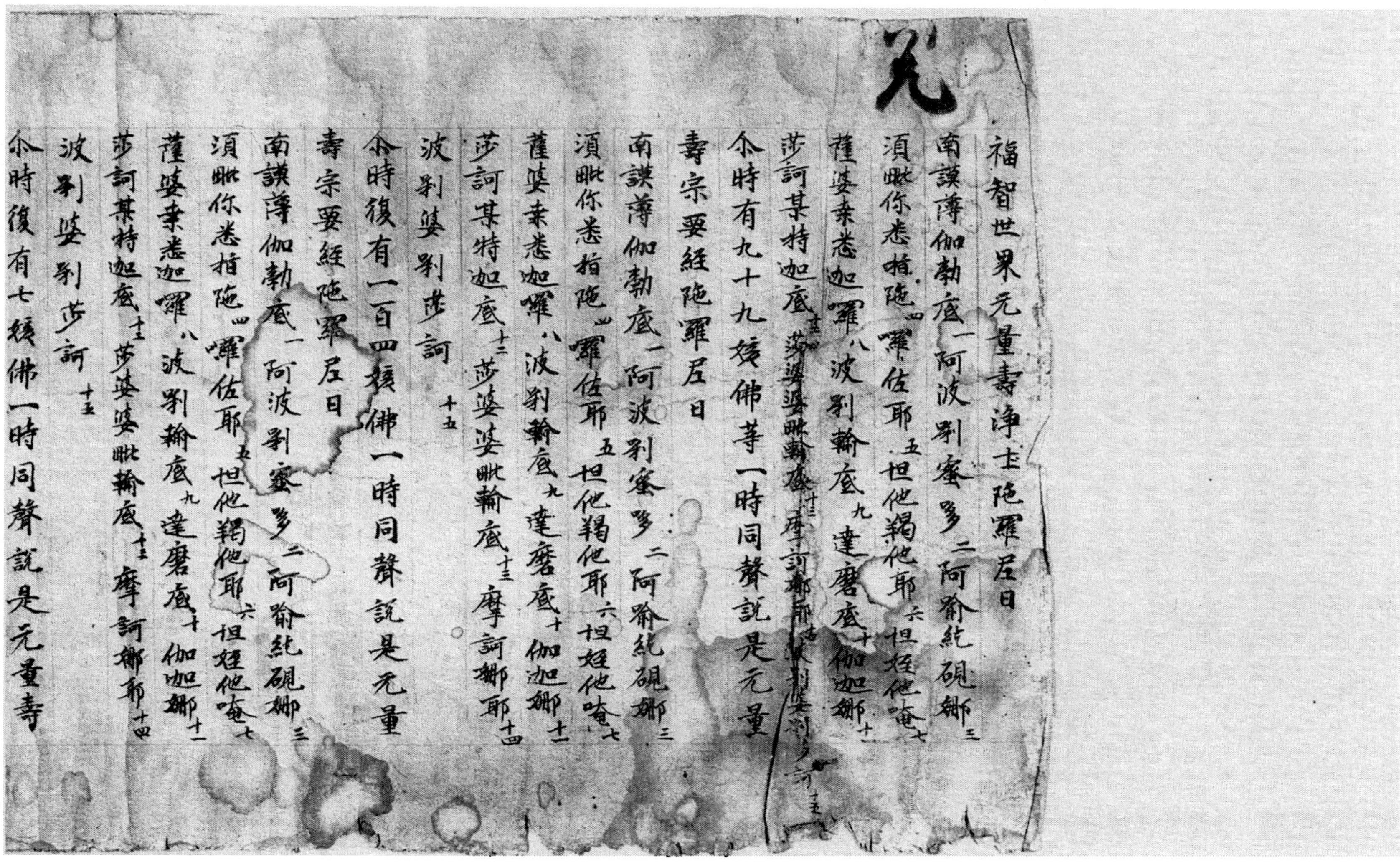

兌

福智世界无量壽淨土陁羅尼日
南謨薄伽勅底一阿波剥蜜多二阿瑜紇硯娜三
須毗你悉指陁四囉佐耶五怛他羯他耶六怛姪他唵七
薩婆桑悉迦囉八波剥輸底九達磨底十伽迦娜十一
莎訶某特迦底十二莎婆婆毗輸底十三摩訶娜耶十四波剥婆剥莎訶十五
尒時有九十九殑佛等一時同聲說是无量
壽宗要經陁羅尼日
南謨薄伽勅底一阿波剥蜜多二阿瑜紇硯娜三
須毗你悉指陁四囉佐耶五怛他羯他耶六怛姪他唵七
薩婆桑悉迦囉八波剥輸底九達磨底十伽迦娜十一
莎訶某特迦底十二莎婆婆毗輸底十三摩訶娜耶十四
波剥婆剥莎訶十五
尒時復有一百四殑佛一時同聲說是无量
壽宗要經陁羅尼日
南謨薄伽勅底一阿波剥蜜多二阿瑜紇硯娜三
須毗你悉指陁四囉佐耶五怛他羯他耶六怛姪他唵七
薩婆桑悉迦囉八波剥輸底九達磨底十伽迦娜十一
莎訶某特迦底十二莎婆婆毗輸底十三摩訶娜耶十四
波剥婆剥莎訶十五
尒時復有七殑佛一時同聲說是无量壽

BD02145 號　無量壽宗要經（兌廢稿）　（2–1）

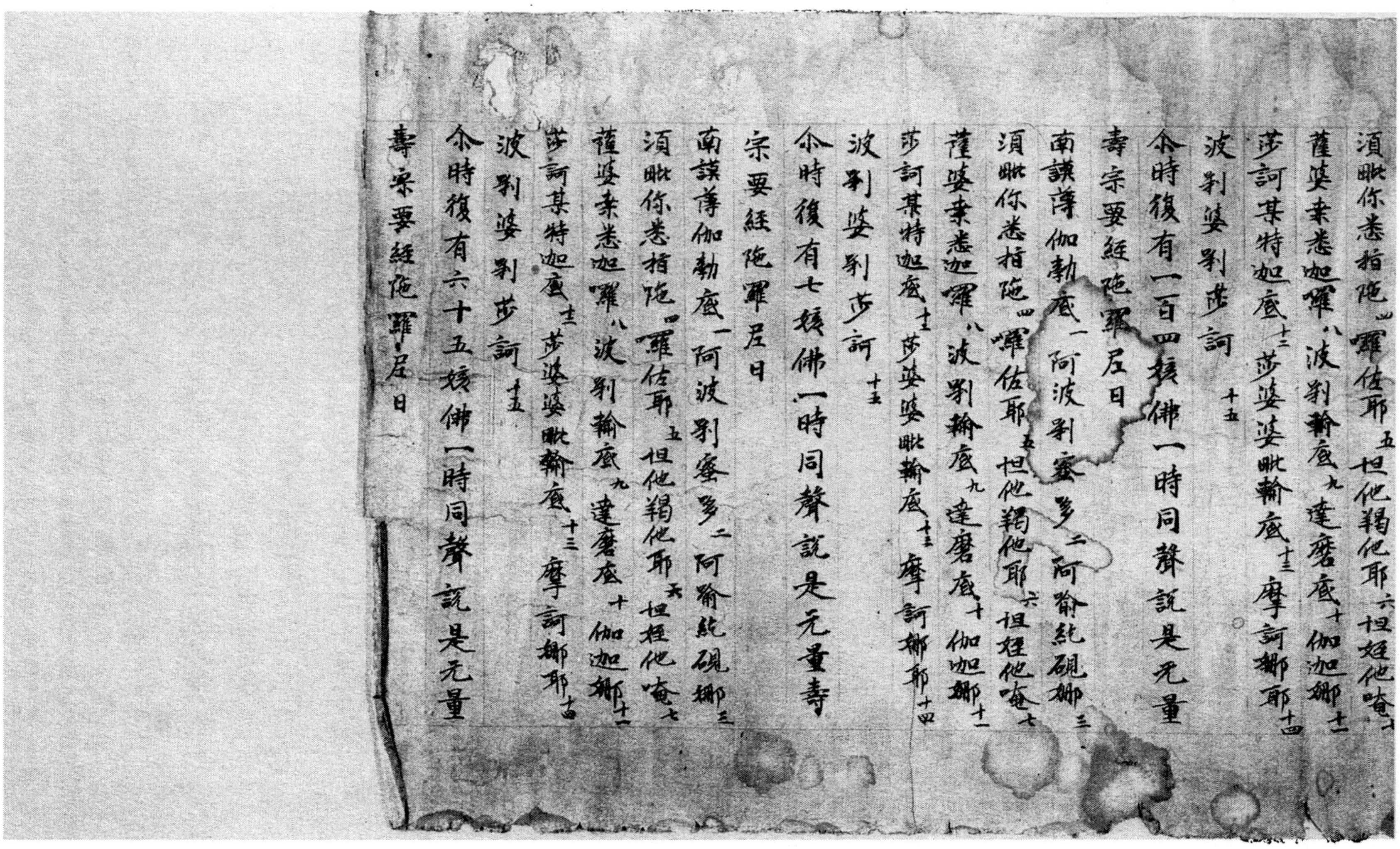

須毗你悉指陁四囉佐耶五怛他羯他耶六怛姪他唵七
薩婆桑悉迦囉八波剥輸底九達磨底十伽迦娜十一
莎訶某特迦底十二莎婆婆毗輸底十三摩訶娜耶十四
波剥婆剥莎訶十五
尒時復有一百四殑佛一時同聲說是无量
壽宗要經陁羅尼日
南謨薄伽勅底一阿波剥蜜多二阿瑜紇硯娜三
須毗你悉指陁四囉佐耶五怛他羯他耶六怛姪他唵七
薩婆桑悉迦囉八波剥輸底九達磨底十伽迦娜十一
莎訶某特迦底十二莎婆婆毗輸底十三摩訶娜耶十四
波剥婆剥莎訶十五
尒時復有七殑佛一時同聲說是无量壽
宗要經陁羅尼日
南謨薄伽勅底一阿波剥蜜多二阿瑜紇硯娜三
須毗你悉指陁四囉佐耶五怛他羯他耶六怛姪他唵七
薩婆桑悉迦囉八波剥輸底九達磨底十伽迦娜十一
莎訶某特迦底十二莎婆婆毗輸底十三摩訶娜耶十四
波剥婆剥莎訶十五
尒時復有六十五殑佛一時同聲說是无量
壽宗要經陁羅尼日

BD02145 號　無量壽宗要經（兌廢稿）　（2–2）

金剛般若波羅蜜經
如是我聞一時佛在舍
興大比丘衆千二百五十
時著衣持鉢入舍衛大
第乞已還至本處飯食
而坐時長老須菩提在
偏袒右肩右膝著地合掌
有世尊如來善護念諸菩
世尊善男子善女人發阿耨多羅三藐三菩
提心應云何住云何降伏其心佛言善哉善
哉須菩提如汝所說如來善護念諸菩薩善
付囑諸菩薩汝今諦聽當為汝說善男子善
女人發阿耨多羅三藐三菩提心應如是住
如是降伏其心唯然世尊願樂欲聞
佛告須菩提諸菩薩摩訶薩應如是降伏其
心所有一切衆生之類若卵生若胎生若濕
生若化生若有色若无色若有想若无想若
非有想若非无想我皆令入无餘涅槃而滅度
之如是滅度无量无數无邊衆生實无衆生
得滅度者何以故須菩提若菩薩有我相
人相衆生相壽者相即非菩薩
復次須菩提菩薩於法應无所住行於布施

BD02146 號　金剛般若波羅蜜經

（5–1）

生若化生若有色若无色若有想若无想若
非有想若非无想我皆令入无餘涅槃而滅度
之如是滅度无量无數无邊衆生實无衆生
得滅度者何以故須菩提若菩薩有我相
人相衆生相壽者相即非菩薩
復次須菩提菩薩於法應无所住行於布施
所謂不住色布施不住聲香味觸法布施須
菩提菩薩應如是布施不住於相何以故若
菩薩不住相布施其福德不可思量須菩提
於意云何東方虛空可思量不不也世尊須
菩提南西北方四維上下虛空可思量不不
也世尊須菩提菩薩无住相布施福德亦復
如是不可思量須菩提菩薩但應如所教住
須菩提於意云何可以身相見如來不不也
世尊不可以身相得見如來何以故如來所
說身相即非身相佛告須菩提凡所有相皆
是虛妄若見諸相非相則見如來
須菩提白佛言世尊頗有衆生得聞如是言
說章句生實信不佛告須菩提莫作是說如
來滅後後五百歲有持戒脩福者於此章句
能生信心以此為實當知是人不於一佛二
佛三四五佛而種善根已於无量千万佛所
種諸善根聞是章句乃至一念生淨信者須
菩提如來悉知悉見是諸衆生得如是无量
福德何以故是諸衆生无復我相人相衆生
相壽者相无法相亦无非法相何以故是諸

BD02146 號　金剛般若波羅蜜經

（5–2）

種諸善根聞是章句乃至一念生淨信者須
菩提如來悉知悉見是諸衆生得如是无量
福德何以故是諸衆生无復我相人相衆生
相壽者相无法相亦无非法相何以故是諸
衆生若心取相則爲著我人衆生壽者若取
法相即著我人衆生壽者何以故若取非法
相即著我人衆生壽者是故不應取法不應
取非法以是義故如來常說汝等比丘知我
說法如筏喻者法尚應捨何況非法
須菩提於意云何如來得阿耨多羅三藐三
菩提耶如來有所說法耶須菩提言如我解
佛所說義无有定法名阿耨多羅三藐三菩
提亦无有定法如來可說何以故如來所說
法皆不可取不可說非法非非法所以者何
一切賢聖皆以无爲法而有差別
須菩提於意云何若人滿三千大千世界七
寶以用布施是人所得福德寧爲多不須菩
提言甚多世尊何以故是福德即非福德性
是故如來說福德多若復有人於此經中受
持乃至四句偈等爲他人說其福勝彼何以
故須菩提一切諸佛及諸佛阿耨多羅三藐
三菩提法皆從此經出須菩提所謂佛法者
即非佛法
須菩提於意云何須陁洹能作是念我得
陁洹果不須菩提言不也世尊何以故須
洹名爲入流而无所入不入色聲香味觸

BD02146號　金剛般若波羅蜜經　（5–3）

即非佛法
須菩提於意云何須陁洹能作是念我得
陁洹果不須菩提言不也世尊何以故須
洹名爲入流而无所入不入色聲香味觸
是名須陁洹須菩提於意云何斯陁含能
是念我得斯陁含果不須菩提言不也世尊
何以故斯陁含名一往來而實无往來是名
斯陁含須菩提於意云何阿那含能作是念
我得阿那含果不須菩提言不也世尊何以
故阿那含名爲不來而實无來是故名阿那
含須菩提於意云何阿羅漢能作是念我得
阿羅漢道不須菩提言不也世尊何以故實
无有法名阿羅漢世尊若阿羅漢作是念我
得阿羅漢道即爲著我人衆生壽者世尊佛
說我得无諍三昧人中最爲第一是第一離
欲阿羅漢我不作是念我是離欲阿羅漢世
尊我若作是念我得阿羅漢道世尊則不說
須菩提是樂阿蘭那行者以須菩提實无所
行而名須菩提樂阿蘭那行
佛告須菩提於意云何如來昔在燃燈佛所
於法有所得不世尊如來在燃燈佛所於法
實无所得須菩提於意云何菩薩莊嚴佛土
不不也世尊何以故莊嚴佛土者則非莊嚴
是名莊嚴是故須菩提諸菩薩摩訶薩應如
是生清淨心不應住色生心不應住聲香味
觸法生心應无所住而生其心須菩提譬如

BD02146號　金剛般若波羅蜜經　（5–4）

故阿那含名為不來而實无來是故名阿那
含須菩提於意云何阿羅漢能作是念我得
阿羅漢道不須菩提言不也世尊何以故實
无有須名阿羅漢世尊若阿羅漢作是念我
得阿羅漢道即為著我人衆生壽者世尊佛
說我得无諍三昧人中最為第一是第一離
欲阿羅漢我不作是念我是離欲阿羅漢世
尊我若作是念我得阿羅漢道世尊則不說
須菩提是樂阿蘭那行者以須菩提實无所
行而名須菩提樂阿蘭那行
佛告須菩提於意云何如来昔在燃燈佛所
於法有所得不世尊如来在燃燈佛所於法
實无所得須菩提於意云何菩薩莊嚴佛土
不不也世尊何以故莊嚴佛土者則非莊嚴
是名莊嚴是故須菩提諸菩薩摩訶薩應如
是生清淨心不應住色生心不應住聲香味
觸法生心應无所住而生其心須菩提譬如
有人身如須弥山王於意云何是身為大不
須菩提言甚大世尊何以故佛說非身是名

BD02146號　金剛般若波羅蜜經

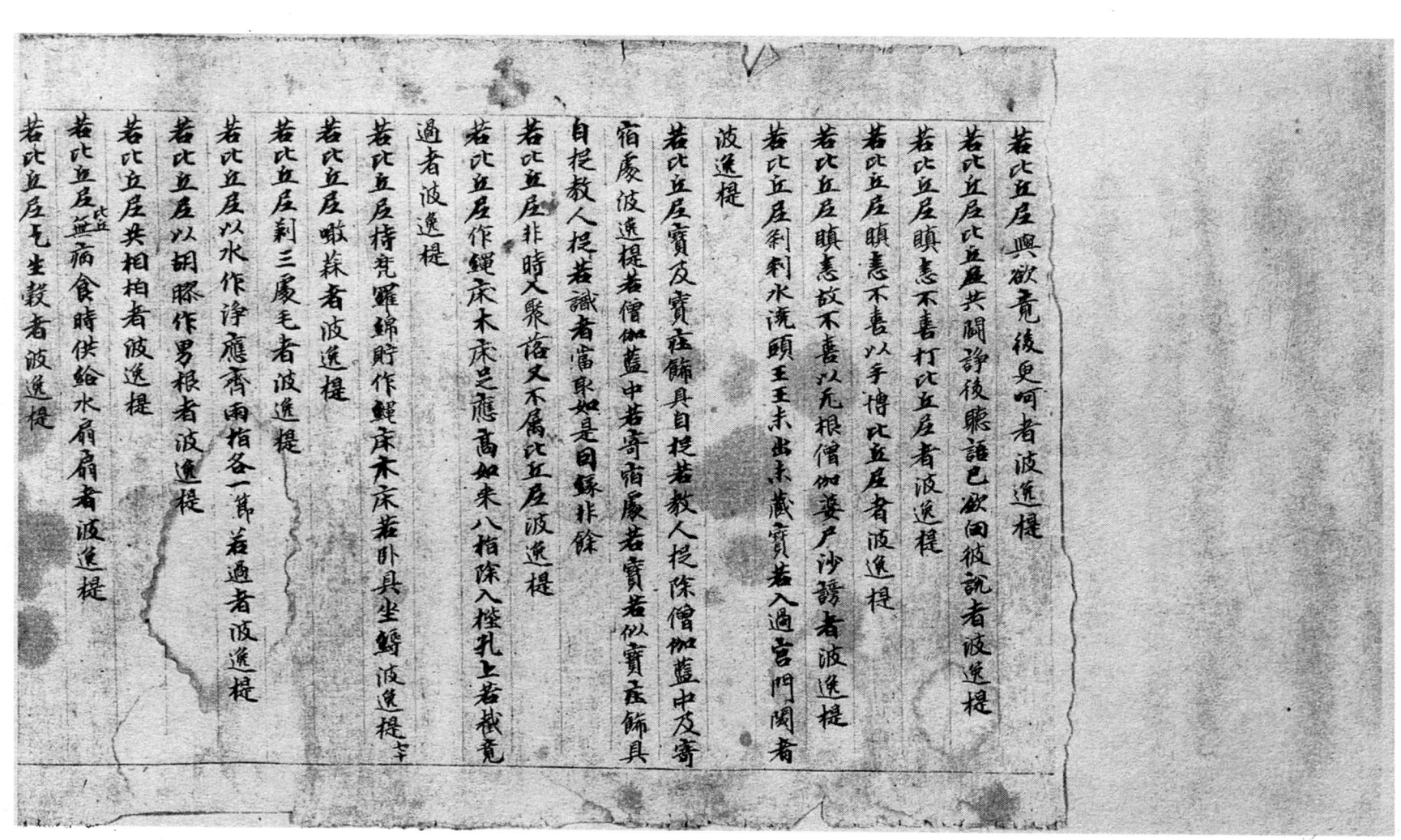

（5–5）

若比丘尼與欲竟後更呵者波逸提
若比丘尼比丘尼共鬪諍後聽語已欲向彼說者波逸提
若比丘尼瞋恚不喜打比丘尼者波逸提
若比丘尼瞋恚不喜以手搏比丘尼者波逸提
若比丘尼瞋恚故不喜以无根僧伽婆尸沙謗者波逸提
若比丘尼刹利水澆頭王王未出未藏寶若入過宮門閾者
波逸提
若比丘尼寶及寶莊飾具自捉若教人捉除僧伽藍中及寄
宿處波逸提若僧伽藍中若寄宿處若寶若似寶莊飾具
自捉教人捉若識者當取如是因緣非餘
若比丘尼非時入聚落又不屬比丘尼波逸提
若比丘尼作繩床木床足應高如来八指除入梐孔上若截竟
過者波逸提
若比丘尼持兜羅綿貯作繩床木床若卧具坐褥波逸提
若比丘尼噉蒜者波逸提
若比丘尼剃三處毛者波逸提
若比丘尼以水作淨應齊兩指各一節若過者波逸提
若比丘尼以胡膠作男根者波逸提
若比丘尼共相拍者波逸提
若比丘尼無病食時供給水扇扇者波逸提
若比丘尼乞生穀者波逸提

BD02147號　四分比丘尼戒本

（15–1）

若比丘尼剃三處毛者波逸提
若比丘尼以水作淨應齊兩指各一節若過者波逸提
若比丘尼以胡膠作男根者波逸提
若比丘尼共相拍者波逸提
若比丘尼無病食時供給水扇者波逸提
若比丘尼乞生穀者波逸提
若比丘尼在生草上大小便者波逸提
若比丘尼夜便大小便器中晝不看牆外棄者波逸提
若比丘尼往觀看伎樂者波逸提
若比丘尼入村內與男子在屏處共立語者波逸提
若比丘尼與男子共入屏障處者波逸提
若比丘尼入村內巷陌中遣伴遠去在屏處與男子耳語者
波逸提
若比丘尼入白衣家內坐不語主人捨去者波逸提
若比丘尼入白衣家內不語主人輒坐床者波逸提
若比丘尼入白衣家內不語主人輒自敷坐具宿者波逸提
若比丘尼與男子共入闇室中者波逸提
若比丘尼不審諦受師語便向人說者波逸提
若比丘尼有小因緣事便呪咀墮三惡道不生佛法中若我
有如是事墮三道不生佛法中若汝有如是事亦墮三惡
道不生佛法中波逸提
若比丘尼共鬪諍不善憶持諍事搥胸啼哭者波逸提
若比丘尼無病二人共牀臥者波逸提
若比丘尼共一褥同被臥除餘時波逸提
若比丘尼知先住後至先住為惱故在前誦經問義教
授者波逸提
若比丘尼同活比丘尼病不瞻視者波逸提

BD02147 號　四分比丘尼戒本　（15–2）

若比丘尼共一褥同被臥除餘時波逸提
若比丘尼知先住後至先住為惱故在前誦經問義教
授者波逸提
若比丘尼同活比丘尼病不瞻視者波逸提
若比丘尼安居初聽餘比丘尼在房中安牀後瞋恚駈出波逸提
若比丘尼春夏冬一時切人間遊行除餘因緣者波逸提
若比丘尼夏安居訖不去者波逸提
若比丘尼邊界有疑恐怖處人間遊行者波逸提
若比丘尼於界內有疑恐怖處在人間遊行者波逸提
若比丘尼親近居士居士兒共住作不隨順行餘比丘尼諫
此比丘尼言妹汝莫親近居士居士兒共住作不隨順行大
姊可別住若別住於佛法中有增益安樂住彼比丘尼諫
此比丘尼時堅持不捨彼比丘尼應三諫捨此事故乃至
三諫捨此事善不捨者波逸提　百
若比丘尼往觀王宮文飾畫堂園林浴池者波逸提
若比丘尼露身形在河水泉水池水渠水中浴者波逸提
若比丘尼作浴衣應量作應量作者長佛六搩手廣二
搩手半若過者波逸提
若比丘尼縫僧伽梨過五日除求僧伽梨出迦絺那衣
六難事起者波逸提
若比丘尼過五日不看僧伽梨波逸提
若比丘尼與衆僧衣作留難者波逸提
若比丘尼不問主便著他衣者波逸提
若比丘尼持沙門衣施與外道白衣者波逸提
若比丘尼作如是意衆僧如法分衣遮令不分恐弟子不
得者波逸提
若比丘尼作如是意令衆僧令不得出迦絺那衣後當出
欲令五事久得放捨者波逸提　一百十

BD02147 號　四分比丘尼戒本　（15–3）

若比丘尼持沙門衣施與外道白衣者波逸提
若比丘尼作如是意衆僧如法分衣遮令不分恐弟子不
得者波逸提
若比丘尼作如是意令衆僧令不得出迦絺那衣後當出
欲令五事久得放捨者波逸提 一百十
若比丘尼作如是意遮比丘尼僧不出迦絺那衣欲令久得
五事放捨者波逸提
若比丘尼餘比丘尼語言為我滅此諍事而不作方便令滅
者波逸提
若比丘尼自手持食與白衣入外道食者波逸提
若比丘尼為白衣作使者波逸提
若比丘尼自手紡績者波逸提
若比丘尼入白衣舍內在小林大林上若坐若臥波逸提
若比丘尼至白衣舍語主人敷數坐止宿明日不辭主人而
去波逸提
若比丘尼誦習世俗呪術者波逸提
若比丘尼教人誦習呪術者波逸提
若比丘尼知女人姙娠度與受具足戒者波逸提 一百廿
若比丘尼知婦女乳兒與受具足戒者波逸提
若比丘尼知年不滿二十與受具足戒者波逸提
若比丘尼年十八童女不與二歲學戒年滿二十便與受具
足戒者波逸提
若比丘尼年十八童女二歲學戒不與六法滿二十便與受具
足戒者波逸提
若比丘尼年十八童女與二歲學戒與六法滿二十衆僧不
聽便與受具足戒者波逸提
若比丘尼度曾嫁女年十歲與二歲學戒年滿十二聽與
受具足戒若減十二與受具足戒者波逸提

BD02147號　四分比丘尼戒本

（15–4）

若比丘尼年十八童女二歲學戒不與六法滿二十便與受具
足戒者波逸提
若比丘尼年十八童女與二歲學戒與六法滿二十衆僧不
聽便與受具足戒者波逸提
若比丘尼度曾嫁女年十歲與二歲學戒年滿十二聽與
受具足戒若減十二與受具足戒者波逸提
若比丘尼度他小年曾嫁婦女與受二歲學戒年滿十二
不白衆僧便與受具足戒者波逸提
若比丘尼知如是人與受具足戒者波逸提
若比丘尼多度弟子不教二歲學戒不以二法攝取波逸提
若比丘尼不二歲隨和上尼者波逸提 一百三十
若比丘尼僧不聽而授人具足戒者波逸提
若比丘尼年未滿十二歲授人具足戒者波逸提
若比丘尼年滿十二歲衆僧不聽便授人具足戒者波逸提
若比丘尼僧不聽授人具足戒便言衆僧有愛有恚有怖
有癡欲聽者便聽不欲聽者便不聽波逸提
若比丘尼父母夫主不聽與受具足戒者波逸提
若比丘尼知女人與童男男子相敬愛愁憂瞋恚女人度
令出家受具戒足者波逸提
若比丘尼語式叉摩那言汝捨是學是當與汝受具足
戒若不方便與受具足戒者波逸提
若比丘尼語式叉摩那言持衣來我當與汝受具足戒而
不方便與受具足戒波逸提
若比丘尼不滿一歲授人具足戒者波逸提
若比丘尼與人授具足戒已經宿方往比丘僧中與授具足
戒者波逸提 一百四十
若比丘尼不病不往受教者波逸提

BD02147號　四分比丘尼戒本

（15–5）

若比丘尼不滿一歲授人具足戒者波逸提
若比丘尼與人授具足戒已經宿方往比丘僧中與授具足
戒者波逸提 一百四十
若比丘尼不病不往受教者波逸提
若比丘尼半月應往比丘僧中求教授若不求者波逸提
若比丘尼僧夏安居竟應往大比丘僧中說三事自恣見
聞疑若不者波逸提
若比丘尼在無比丘處夏安居者波逸提
若比丘尼知有比丘僧伽藍不白而入者波逸提
若比丘尼罵比丘者波逸提
若比丘尼喜鬪諍不善憶持諍事後瞋恚不喜罵比丘
尼衆者波逸提
若比丘尼身生癰及種種瘡不白衆及餘人輙使男子破
若裹者波逸提
若比丘尼先受請若足食已後食餅麨乾飯魚及肉者波
逸提
若比丘尼於食家生嫉妬心者波逸提 一百五十
若比丘尼以香塗摩身者波逸提
若比丘尼以胡麻滓塗身者波逸提
若比丘尼使比丘尼塗摩身者波逸提
若比丘尼使式叉摩那塗摩身者波逸提
若比丘尼使沙弥尼塗摩身者波逸提
若比丘尼使白衣婦女塗摩身者波逸提
若比丘尼著貯跨衣者波逸提
若比丘尼畜婦女莊嚴身具除時因緣波逸提
若比丘尼著革屣持蓋行除時因緣波逸提
若比丘尼無病乘行時除因緣波逸提 一百六十
若比丘尼不著僧祇支入村者波逸提

BD02147號　四分比丘尼戒本　（15–6）

若比丘尼使白衣婦女塗摩身者波逸提
若比丘尼著貯跨衣者波逸提
若比丘尼畜婦女莊嚴身具除時因緣波逸提
若比丘尼著革屣持蓋行除時因緣波逸提
若比丘尼無病乘行時除因緣波逸提 一百六十
若比丘尼不著僧祇支入村者波逸提
若比丘尼向暮至白衣家先不被喚波逸提
若比丘尼向暮開僧伽藍門不屬授餘比丘尼而出者波逸提
若比丘尼日沒開僧伽藍門不屬授而出者波逸提
若比丘尼不前安居不後安居者波逸提
若比丘尼知女人常漏大小便涕唾常出者與授具足戒波逸提
若比丘尼知二形人與受具足戒者波逸提
若比丘尼知二道合者與授具足戒波逸提
若比丘尼知有負債難者病難者與授具足戒者波逸提
若比丘尼學世俗伎術以自活命波逸提 一百七十
若比丘尼以世俗伎術教授白衣波逸提
若比丘尼被擯不去者波逸提
若比丘尼欲問比丘義先不求而問者波逸提
若比丘尼知先住後至先住欲惱彼故在前經行若立若卧
坐波逸提
若比丘尼在有比丘僧伽藍內起塔波逸提
若比丘尼見親受戒比丘應起迎逆恭敬禮拜問訊請與坐
不者除因緣波逸提
若比丘尼為好故搖身趍行波逸提
若比丘尼作婦女莊嚴香塗摩身波逸提 一百七十八
若比丘尼使外道女香塗摩身者波逸提
諸大姊我已說一百七十八波逸提法今問諸大姊是中清
淨不 如是 三
諸大姊是中清淨默然故是事如是持

BD02147號　四分比丘尼戒本　（15–7）

[illegible]
若比丘尼為好故搖身趍行波逸提
若比丘尼作婦女莊嚴香塗摩身波逸提 一百七十六
若比丘尼使外道女香塗摩身者波逸提
諸大姊我已說一百七十八波逸提法今問諸大姊是中清
淨不 如是至三 諸大姊是中清淨默然故是事如是持
諸大姊是八波羅提提舍尼法半月半月說戒經中來
若比丘尼无病乞蘇而食者犯應懺悔可呵法應向餘比丘
尼說言大姊我犯可呵法所不應為我今向大姊懺悔是名
悔過法
若比丘尼无病乞油而食者犯應懺悔可呵法應向餘比丘
尼說言大姊我犯可呵法所不應為我今向大姊懺悔是
名悔過法
若比丘尼无病乞蜜而食者犯應懺悔可呵法應餘比丘尼
說言大姊我犯可呵法所不應為我今向大姊懺悔是名悔過法
若比丘尼无病乞黑石蜜而食者犯應懺悔可呵法應向餘
比丘尼說言大姊我犯可呵法所不應為我今向大姊懺悔
是名悔過法
若比丘尼无病乞乳而食者犯應懺悔可呵法應向餘比丘尼說
言大姊我犯可呵法所不應為我今向大姊懺悔是名悔過法
若比丘尼无病乞酪而食者犯應懺悔可呵法應向餘比丘
尼說言大姊我犯可呵法所不應為我今向大姊懺悔是名悔過法
若比丘尼无病乞魚而食者犯應懺悔可呵法應向餘比丘尼說言
大姊我犯可呵法所不應為我今向大姊懺悔是名悔過法
若比丘尼无病乞肉而食者犯應懺悔可呵法應向餘比丘尼說
言大姊我犯可呵法所不應為我今向大姊懺悔是名悔過法
諸大姊我已說八波羅提提舍尼法今問諸大姊是中清淨不 如是至三
諸大姊是中清淨默然故是事如是持
諸大姊是衆學戒法半月半月說戒中來

BD02147號　四分比丘尼戒本　　（15-8）

若比丘尼无病乞肉而食者犯應懺悔可呵法應向餘比丘尼言
言大姊我犯可呵法所不應為我今向大姊懺悔是名悔過法
諸大姊我已說波羅提提舍尼法今問諸大姊是中清淨不 如是至三
諸大姊是中清淨默然故是事如是持
諸大姊是衆學戒法半月半月說戒中來
當齊整著涅槃僧應當學
當齊整著三衣應當學
不得反抄衣行入白衣舍應當學
不得反抄行入白衣舍坐應當學
不得衣纏頸入白衣舍應當學
不得衣纏頸入白衣坐應當學
不得覆頭入白衣舍應當學
不得覆頭入白衣舍坐應當學
不得跳行入白衣舍應當學
不得跳行入白衣舍坐應當學 十
不得白衣舍內蹲坐應當學
不得叉腰行入白衣舍應當學
不得叉要行入白衣舍坐應當學
不得搖身行入白衣舍應當學
不得搖身行入白衣舍坐應當學
不得掉臂行入白衣舍應當學
不得掉臂行入白衣舍坐應當學
好覆身入白衣舍應當學
好覆身入白衣舍坐應當學
不得左右顧視行入白衣舍應當學 二十
不得左右顧視行入白衣舍坐應當學
靜默入白衣舍應當學
靜默入白衣舍坐應當學

BD02147號　四分比丘尼戒本　　（15-9）

好覆身入白衣舍坐應當學
不得左右顧視行入白衣舍應當學 三十
不得左右顧視行入白衣舍坐應當學
靜默入白衣舍應當學
靜默入白衣舍坐應當學
不得戲笑行入白衣舍應當學
不得戲笑行入白衣舍坐應當學
用意受食應當學
平鉢受食應當學
平鉢受羹應當學
羹飯等食應當學
以次食應當學 三十
不得挑鉢中而食應當學
若比丘尼不病不得自為己索羹飯應當學
不得以飯覆羹更望得應當學
不得視比坐鉢中應當學
當繫鉢想食應當學
不得大摶飯食應當學
不得大張口待飯食應當學
不得含飯語應當學
不得摶飯遙擲口中應當學
不得遺落飯食應當學 四十
不得頰食食應當學
不得嚼飯作聲食應當學
不得大噏飯食應當學
不得舌舐食應當學
不得振手食應當學
不得手把散飯食應當學

BD02147號　四分比丘尼戒本　（15–10）

不得嚼飯作聲食應當學
不得大噏飯食應當學
不得舌舐食應當學
不得振手食應當學
不得手把散飯食應當學
不得汙手捉飲器應當學
不得洗鉢水棄白衣舍內應當學
不得生草菜上大小便涕唾除病應當學
不得淨水中大小便涕唾除病應當學 五十
不得立大小便除病應當學
不得與反抄衣不恭敬人說法除病應當學
不得為衣纏頸者說法除病應當學
不得為覆頭者說法除病應當學
不得為裹頭者說法除病應當學
不得為叉腰者說法除病應當學
不得為著革屣者說法除病應當學
不得為著木屐者說法除病應當學
不得為騎乘者說法除病應當學
不得在佛塔中止宿除為守護故應當學 六十
不得藏財物置佛塔中除為堅牢應當學
不得著革屣入佛塔中應當學
不得手捉革屣入佛塔中應當學
不得著革屣繞佛塔行應當學
不得著富羅入佛塔中應當學
不得手捉富羅入佛塔中應當學
不得塔下坐食留草及食汙地應當學
不得擔死屍從塔下過應當學

BD02147號　四分比丘尼戒本　（15–11）

不得著富羅入佛塔中應當學
不得手捉富羅入佛塔中應當學
不得塔下坐食留草及食汙地應當學
不得擔死屍從塔下過應當學
不得塔下埋死屍應當學
不得在塔下燒死屍應當學七十
不得向塔燒死屍應當學
不得在佛塔四邊燒死屍使見氣來入應當學
不得持死人衣及床從塔下過除浣染香薰應當學
不得佛塔下大小便應當學
不得向佛塔大小便應當學
不得繞佛塔四邊大小便使臭氣來入應當學
不得持佛圣像大小便處應當學
不得在佛塔下嚼楊枝應當學
不得向佛塔嚼楊枝應當學
不得向佛塔四邊嚼楊枝應當學八十
不得在佛塔下涕唾應當學
不得向佛塔涕唾應當學
不得塔四邊涕唾應當學
不得向佛塔舒脚坐應當學
不得安佛塔下房已在上房住應當學
人坐已立不得為說法除病應當學
人臥已坐不得為說法除病應當學
人坐在已在非座不得為說法除病應當學
人在高坐已在下坐不得為說法除病應當學
人在前行已在後行不得為說法除病應當學九十
人在高經行處已在下處不應為說法除病應當學

BD02147號　四分比丘尼戒本

（15–12）

人坐在已在非座不得為說法除病應當學
人在高坐已在下坐不得為說法除病應當學
人在前行已在後行不得為說法除病應當學九十
人在高經行處已在下處不應為說法除病應當學
人在道已在非道不應為說法除病應當學
不得攜手在道行應當學
不得上樹過人除時因緣應當學
不得絡囊盛鉢貫杖頭著肩上而道行應當學
人持杖不恭敬不應為說法除病應當學
人持劍不應為說法除病應當學
人持鉾不應為說法除病應當學
人持刀不應為說法除病應當學
人持蓋不應為說法除病應當學一百
諸大姊我已說眾學戒法今問諸大姊是中清淨不如是至三
諸大姊是中清淨默然故是事如是持
諸大姊是七滅諍法半月半月說戒經中來
若比丘尼有諍事起即應除滅
應與現前毗尼當與現前毗尼
應與憶念毗尼當與憶念毗尼
應與不癡毗尼當與不癡毗尼
應與自言治當與自言治
應與多人覓罪當與多人覓罪
應與如草覆地當與如草覆地
諸大姊我已說七滅諍法今問諸大姊是中清淨不如是至三
諸大姊是中淨清默然故是事如是持
諸大姊我說經戒序已說八波羅法已說十七僧伽婆尸沙
法已說三十尼薩耆波逸提法已說一百七十八波逸提法已
說八波羅提提舍尼法已說眾學戒法已說七滅諍法此

BD02147號　四分比丘尼戒本

（15–13）

諸大姊我已說七滅諍法今問諸大姊是中清淨不（如是至三）
諸大姊是中淨清默然故是事如是持
諸大姊我說戒經序已說八波羅夷法已說十七僧伽婆尸沙
法已說三十尼薩耆波逸提法已說一百七十八波逸提法已
說八波羅提提舍尼法已說衆學戒法已說七滅諍法此
是佛所說半月半月說戒經中來若更有餘佛法是
中皆共和合應當學
忍辱第一道　佛說無為最　出家惱他人　不名為沙門
此是毗婆尸如來無所著等正覺說是戒經
譬如明眼人　能避嶮惡道　世有聰明人　能遠離諸惡
此是尸棄如來無所著等正覺說是戒經
不謗亦不嫉　當奉行於戒　飲食知止足　常樂在空閑
心定樂精進　是名諸佛教
此是毗葉羅如來无所著等正覺說是戒經
譬如蜂採花　不壞色與香　但取其味去　比丘入聚然
不違戾他事　不觀作不作　但自觀身行　若正若不正
此是拘樓孫如來无所著等正覺說是戒經
心莫作放逸　聖法當勤學　如是无憂愁　心定入涅槃
此是拘那含牟尼如來无所著等正覺說是戒經
一切惡莫作　當奉行諸善　自淨其志意　是則諸佛教
此是迦葉如來無所著等正覺說是戒經
善護於口言　自淨其志意　身莫作惡諸　此三業道淨
能得如是行　是大仙人道
此是釋迦牟尼如來無所著等正覺說是戒經於
十二年中為無事僧說是戒經從是已後廣分別說
諸比丘自為樂法樂沙門者有慚有愧樂學戒者當
於中學
明人能護戒　能得三種樂　名譽及利養　死得生天上

BD02147 號　四分比丘尼戒本　（15–14）

善護於口言　自淨其志意　身莫作惡諸　此三業道淨
能得如是行　是大仙人道
此是釋迦牟尼如來無所著等正覺說是戒經於
十二年中為無事僧說是戒經從是已後廣分別說
諸比丘自為樂法樂沙門者有慚有愧樂學戒者當
於中學
明人能護戒　能得三種樂　名譽及利養　死得生天上
當觀如是處　有智勤護戒　戒淨有智慧　便得第一道
如過去諸佛　及以未來者　現在諸世尊　能勝一切憂
皆共尊敬戒　此是諸佛法　若有自為身　欲求於佛道
當尊重正法　此是諸佛教　七佛為世尊　滅除諸結使
說是七戒經　諸縛得解脫　已入於涅槃　諸戲永滅盡
尊行大仙說　聖賢稱譽戒　弟子之所行　入寂滅涅槃
世尊涅槃時　興起於大悲　集諸比丘衆　與如是教戒
莫謂我涅槃　淨行者無護　我今說戒經　亦善說毗尼
我雖般涅槃　當視如世尊　此經久住世　佛法得熾盛
以是熾盛故　得入於涅槃　若不持此戒　如所應布薩
喻如日沒時　世界皆闇冥　當護持是戒　如猫牛愛尾
和合一處坐　如佛之所說　我已說戒經　衆僧布薩竟
我今說戒經　所說諸功德　施一切衆生　皆共成佛道
布薩竟說偈文　諸佛出世第一快　聞法奉行歡喜快　大衆和合寂滅快　衆生離苦安樂快
四分戒本

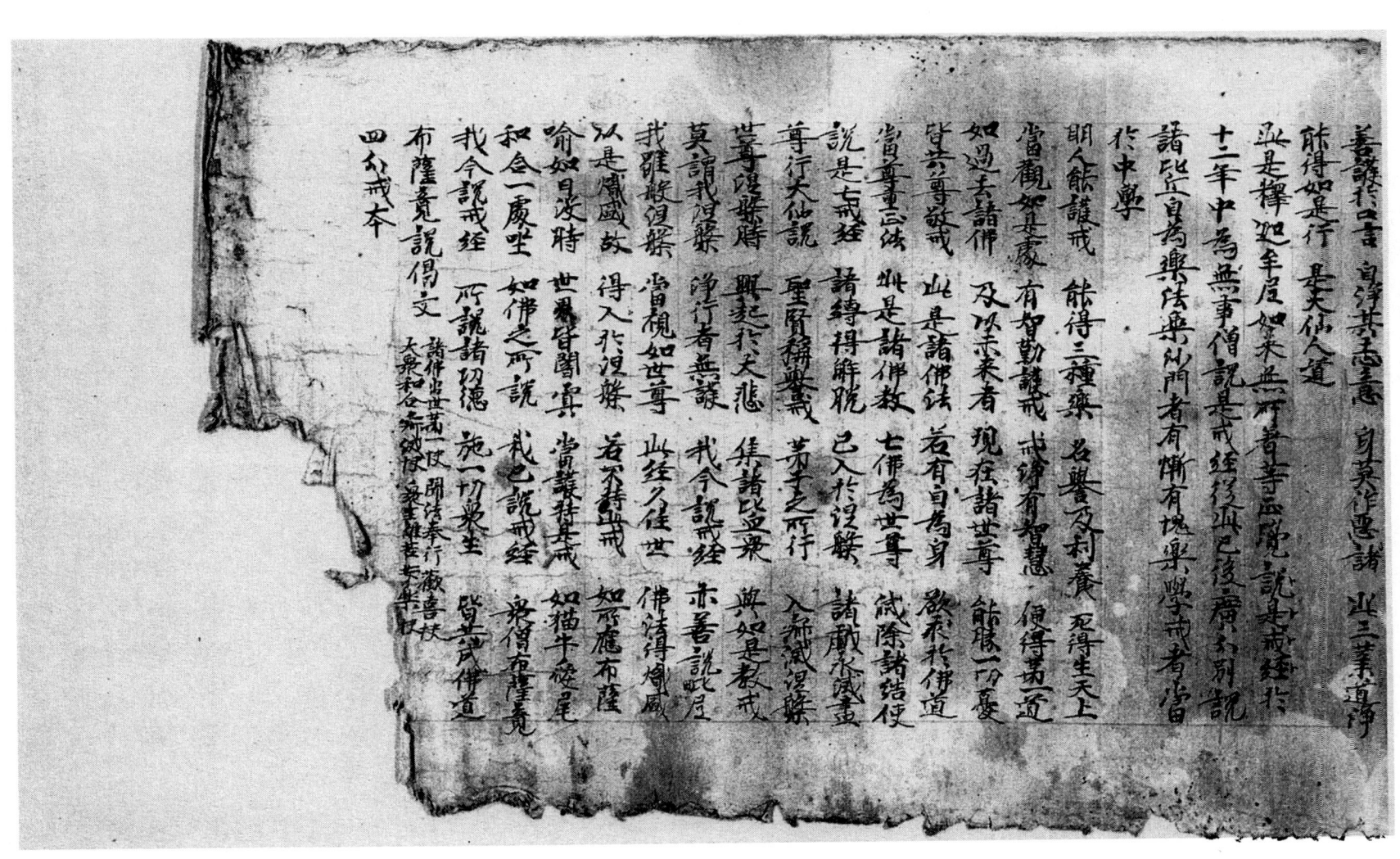

BD02147 號　四分比丘尼戒本　（15–15）

佛告如[illegible]言[illegible]不可思
議利益一切令未知者隨順脩學
金光明最勝王經菩提樹神讚歎品第廿九
爾時菩提樹神亦以伽他讚世尊曰
敬禮如來清淨慧　敬禮常求正法慧
敬禮能離非法慧　敬禮恒無分別慧
希有世尊無邊行　希有難見比優曇
希有如海鎮山王　希有善逝光無量
希有調御弘慈願　希有釋種明逾日
能說如是經中寶　哀愍利益諸群生
牟尼寂靜諸根定　能入寂靜涅槃城
能住寂靜等持門　能知寂靜深境界
兩足中尊住空寂　聲聞弟子身亦空
一切法體性皆無　一切衆生悉空寂
我常憶念於諸佛　我常樂見諸世尊
我常發起慇重心　常得值遇如來日
我常頂禮於世尊　願常渴仰心不捨
悲泣流淚情無間　常得奉事不知猒
唯願世尊起悲心　和顏常得令我見
佛及聲聞衆清淨　願常普濟於人天
佛身本淨若虛空　亦如幻焰及水月
願說涅槃甘露法　能生一切功德聚
世尊所有淨境界　慈悲正行不思議
聲聞獨[illegible]

BD02148 號　金光明最勝王經卷一〇　（6–1）

[illegible]　[illegible]奉事不知猒
唯願世尊起悲心　和顏常得令我見
佛及聲聞衆清淨　願常普濟於人天
佛身本淨若虛空　亦如幻焰及水月
願說涅槃甘露法　能生一切功德聚
世尊所有淨境界　慈悲正行不思議
聲聞獨覺非所量　大仙菩薩不能測
唯願如來哀愍我　常令覩見大悲身
三業無倦奉慈尊　速出生死歸真際
爾時世尊聞是讚已以梵音聲告樹神曰善
哉善哉善女天汝能於我真實無妄清淨
法身自利利他宣揚妙相以此功德令汝速證
最上菩提一切有情同所脩習若得聞者皆
入甘露無生法門
金光明最勝王經大辯才天女讚歎品第卅
爾時大辯才天女即從座起合掌恭敬以真
言詞讚世尊曰
南謨釋迦牟尼如來應正等覺身真金色咽
如螺貝面如滿月目類青蓮脣口赤好如頗
梨色鼻高脩直如截金鋌齒白齊密如拘物
頭華身光普照如百千日光彩映徹如贍部
金所有言詞皆無謬失示三解脫門開三菩
提路心常清淨意樂亦然佛所住處及所行
境亦常清淨離非威儀進止無謬六年苦行
三轉法輪度苦衆生令歸彼岸身相圓滿如
拘陁樹六度熏脩三業無失具一切智自他
利滿所有宣說常為衆生言不虛設於釋種
中為大師子堅固勇猛具八解脫我今隨力
稱讚如來少分功德猶如蚊子飲大海水願

BD02148 號　金光明最勝王經卷一〇　（6–2）

境亦常清淨離非威儀進止无誤六年苦行
三轉法輪度苦衆生令歸彼岸身相圓滿如
拘陁樹六度熏脩三業无失具一切智自他
利滿所有宣說常為衆生言不虛誑於釋種
中為大師子堅固勇猛具八解脫我今隨力
稱讚如來少分功德猶如蚊子飲大海水願
以此福廣及有情永離生死成无上道
尒時世尊告大辯天女善哉善哉汝久脩習
具大辯才今復於我廣陳讚歎令汝速證无
上法門相好圓明普利一切

金光明最勝王經付囑品第卅一

尒時世尊普告无量菩薩及諸人天一切大
衆汝等當知我於无量无數大劫勤脩苦行
獲甚深法菩提正因已為汝說汝等誰能發
勇猛心恭敬守護我涅槃後於此法門廣宣
流布能令正法久住世間尒時衆中有六十
俱胝諸大菩薩六十俱胝諸天大衆異口同
音作如是語世尊我等咸有欣樂之心於佛
世尊无量大劫勤脩苦行所獲甚深微妙之
法菩提正因恭敬護持不惜身命佛涅槃後
於此法門廣宣流布當令正法久住世間尒
時諸大菩薩即於佛前說伽他曰
世尊真實語　安住於實法　由彼真實故　護持於此經
大悲為甲冑　安住於大慈　由彼慈悲力　護持於此經
福資糧圓滿　生起智資糧　由資糧滿故　護持於此經
降伏一切魔　破滅諸邪論　斷除惡見故　護持於此經
護世并釋梵　乃至阿蘇羅　龍神藥叉等　護持於此經
地上及虛空　久住於斯者　奉持佛教故　護持於此經

BD02148號　金光明最勝王經卷一〇　(6-3)

大悲為甲冑　安住於大慈　由彼慈悲力　護持於此經
福資糧圓滿　生起智資糧　由資糧滿故　護持於此經
降伏一切魔　破滅諸邪論　斷除惡見故　護持於此經
護世并釋梵　乃至阿蘇羅　龍神藥叉等　護持於此經
地上及虛空　久住於斯者　奉持佛教故　護持於此經
四梵住相應　四聖諦嚴飾　降伏四魔故　護持於此經
虛空成質礙　質礙成虛空　諸佛所護持　无能傾動者
尒時四大天王聞佛說此護持妙法各生隨
喜護正法心一時同聲說伽他曰
我今於此經　及男女眷屬　皆一心擁護　令得廣流通
若有持經者　能作菩提因　我常於四方　擁護而承事
尒時天帝釋合掌恭敬說伽他曰
諸佛證此法　為欲報恩故　饒益菩薩衆　出世演斯法
我於彼諸佛　報恩常供養　護持如是經　及以持經者
尒時覩史多天子合掌恭敬說伽他曰
佛說如是經　若有能持者　當住菩提位　來生覩史天
世尊我慶悅　捨天殊勝報　住於贍部洲　宣揚是經典
尒時索訶世界主梵天王合掌恭敬說伽他曰
諸靜慮無量　諸乘及解脫　皆從此經出　是故演斯經
若說是經處　我捨梵天樂　為聽如是經　亦常為擁護
尒時魔王子名曰商主合掌恭敬說伽他曰
若有受持此　正義相應經　不隨魔所行　淨除魔惡業
我等於此經　亦當勤守護　發大精進意　隨處廣流通
尒時魔王合掌恭敬說伽他曰
若有持此經　能伏諸煩惱　如是衆生類　擁護令安樂
若有說是經　諸魔不得便　由佛威神故　我當擁護彼
尒時妙吉祥天子亦於佛前說伽他曰
諸佛妙菩提　於此經中說　若持此經者　是供養如來

BD02148號　金光明最勝王經卷一〇　(6-4)

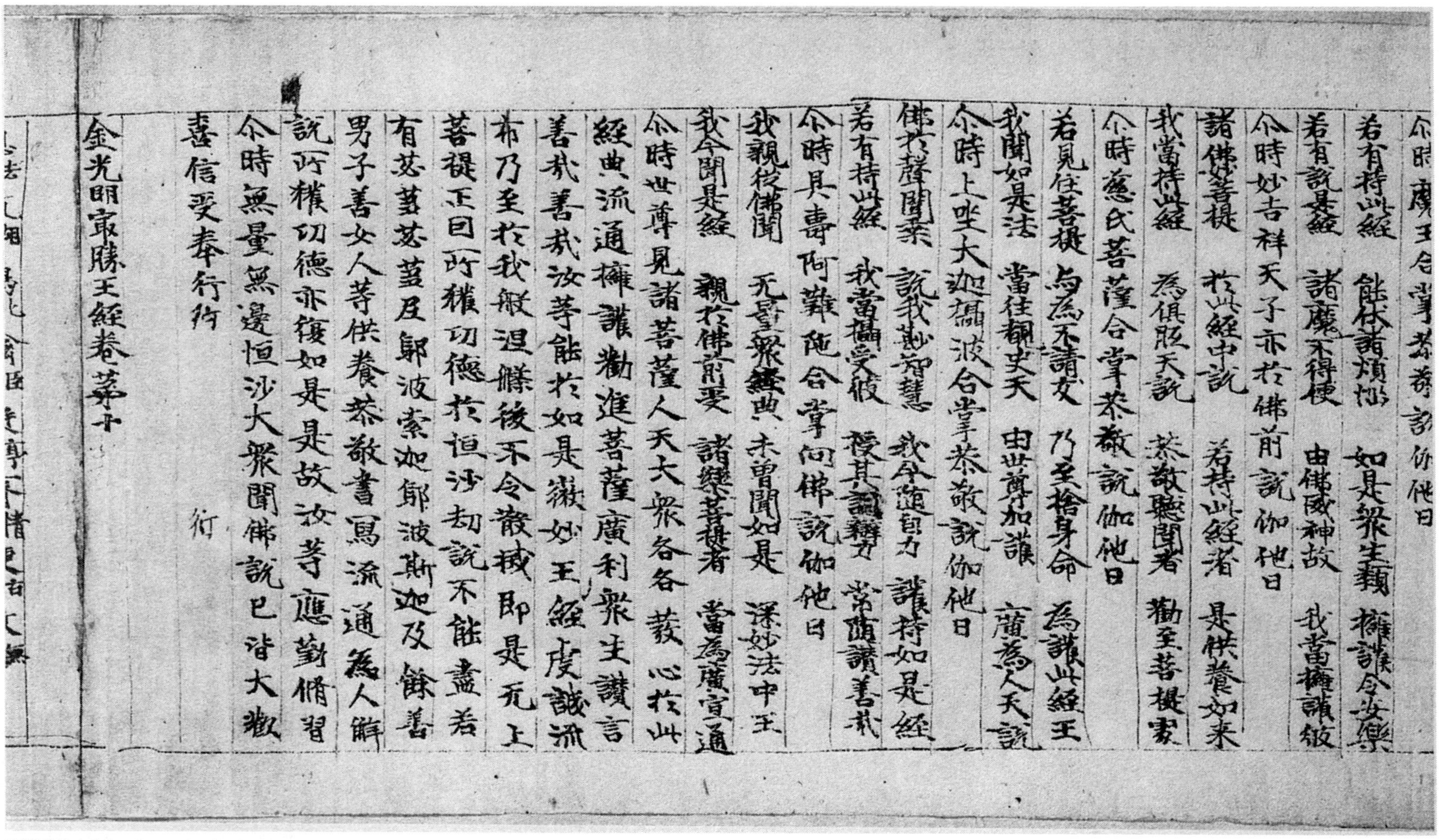

尒時魔王合掌恭敬說伽他曰
若有持此經　能伏諸煩惱　如是衆生類　擁護令安樂
若有說是經　諸魔不得便　由佛威神故　我當擁護彼
尒時妙吉祥天子亦於佛前說伽他曰
諸佛妙菩提　於此經中說　若持此經者　是供養如來
我當持此經　為俱胝天說　恭敬聽聞者　勸至菩提處
尒時慈氏菩薩合掌恭敬說伽他曰
若見住菩提　与為不請友　乃至捨身命　為護此經王
我聞如是法　當往覩史天　由世尊加護　廣為人天說
尒時上坐大迦攝波合掌恭敬說伽他曰
佛於聲聞衆　說我妙智慧　我今隨自力　護持如是經
若有持此經　我當攝受彼　授其詞辯力　常讚善哉
尒時具壽阿難陀合掌向佛說伽他曰
我親從佛聞　無量衆經典　未曾聞如是　深妙法中王
我今聞是經　親於佛前受　諸樂菩提者　當為廣宣通
尒時世尊見諸菩薩人天大衆各各發心於此
經典流通擁護勸進菩薩廣利衆生讚言
善哉善哉汝等能於如是微妙王經虔誠流
布乃至於我般涅槃後不令散滅即是無上
菩提正因所獲功德於恒沙劫說不能盡若
有苾芻苾芻尼鄔波索迦鄔波斯迦及餘善
男子善女人等供養恭敬書寫流通為人解
說所獲功德亦復如是是故汝等應勤修習
尒時無量無邊恒沙大衆聞佛說已皆大歡
喜信受奉行行　衍
金光明最勝王經卷第十

BD02148號　金光明最勝王經卷一〇　（6–5）

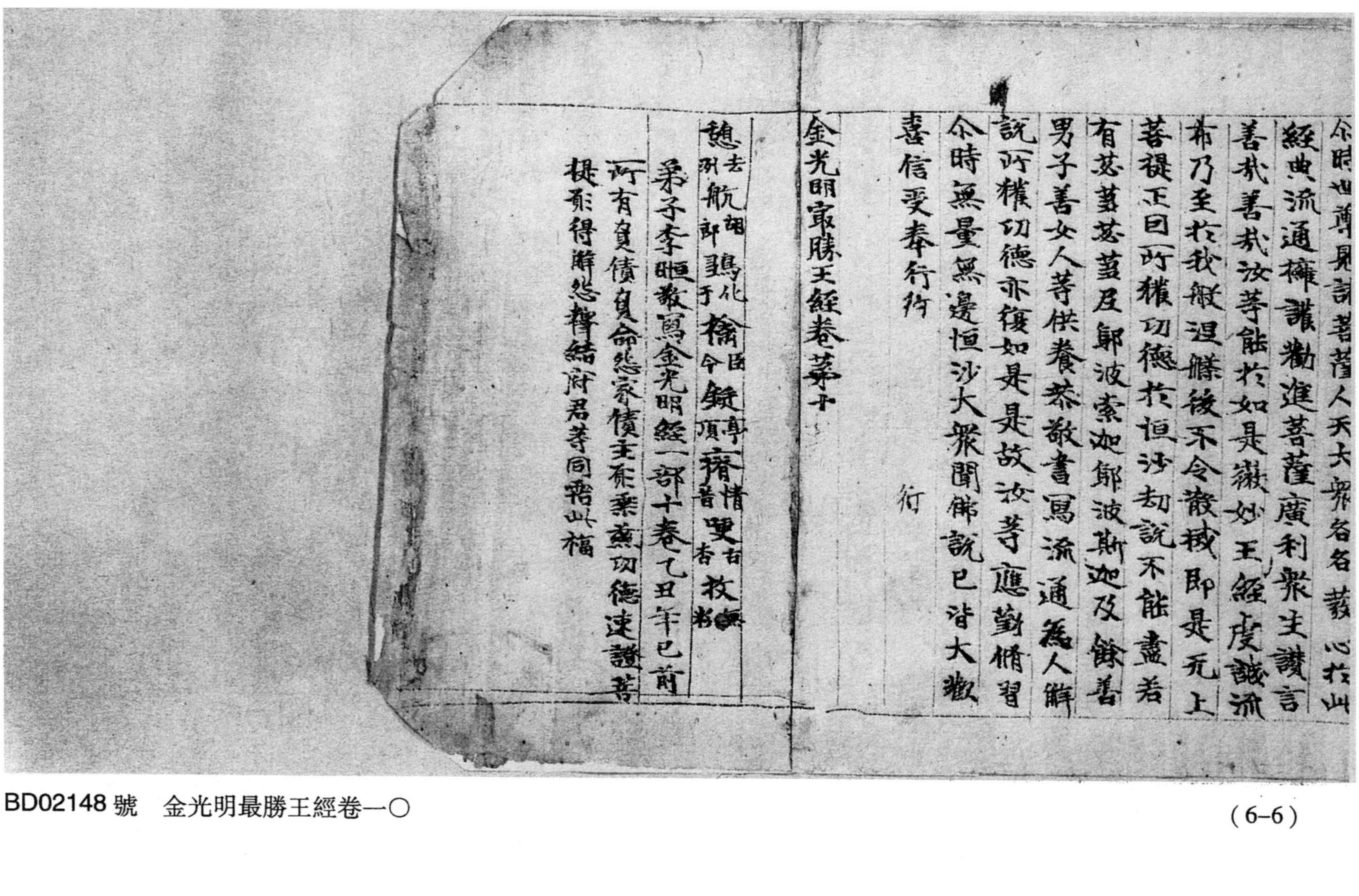

尒時世尊見諸菩薩人天大衆各各發心於此
經典流通擁護勸進菩薩廣利衆生讚言
善哉善哉汝等能於如是微妙王經虔誠流
布乃至於我般涅槃後不令散滅即是無上
菩提正因所獲功德於恒沙劫說不能盡若
有苾芻苾芻尼鄔波索迦鄔波斯迦及餘善
男子善女人等供養恭敬書寫流通為人解
說所獲功德亦復如是是故汝等應勤修習
尒時無量無邊恒沙大衆聞佛說已皆大歡
喜信受奉行行　衍
金光明最勝王經卷第十
總去列航胡郎鵡化子榆臣令鎮亭項猪情普要古杳救無米
弟子李暅敬寫金光明經一部十卷乙丑年巳前
所有負債負命怨家債主願乘茲功德速證菩
提願得解怨釋結府君等同霑此福

BD02148號　金光明最勝王經卷一〇　（6–6）

非不愛說第二
非非法語第四
……言善說者
……說有三種相。謂悅……无染唯善。由第
一語令他慶悅。由第二語令自尸羅終无穿
缺。由第三語能令他人出不善處安住善處。
因此引攝利益安樂……愛語非諦非法。謂
如有一以美妙言稱讚他人非真實德。或有
諦語非愛非法。謂如有一以……行心發麤惡
言訶責他人真實過惡。或有法語亦愛亦諦。
謂如有一善知稱讚及與訶責。知可稱讚可
訶責已。然不稱讚亦不訶責。唯善方便為說
正法。能令彼人出不善處安住善處。
復次今當略辯上所說義。謂薄伽梵此中略
示所有善語善標善釋。當知是名此中略義。
信戒施法 善人所稱讚 是名趣天道 能往天世間
此頌所明。謂如有一於佛所證法毗柰耶獲
得正信。恥在居家受持淨戒。趣得衣服飲食
卧具便生喜足。減除器物儉約資緣。凡所獲
得如法利養。終无私隱必與智同
而共受用。所有正法初中後善稱揚梵行。所
謂契經乃至論議。皆能受持研尋究達傳授
他人廣為開闡。彼既成就是諸善法。當知必
護三種勝利。一者諸佛諸佛弟子真實善人之
之所稱讚。二者若彼尸羅財施之所攝引福

BD02149 號　瑜伽師地論卷一九　（3–1）

得正信。恥在居家受持淨戒。趣得衣服飲食
卧具便生喜足。減除器物儉約資緣。凡所獲
得如法利養。終无私隱必與智同
而共受用。所有正法初中後善稱揚梵行。所
謂契經乃至論議。皆能受持研尋究達傳授
他人廣為開闡。彼既成就是諸善法。當知必
護三種勝利。一者諸佛諸佛弟子真實善人之
之所稱讚。二者若彼尸羅財施之所攝引福
德資糧。法施攝引智慧資糧。善圓滿者便得
趣入證解脫處清淨諸天眾同分中。三者若
彼二種資糧猶未圓滿。便能令彼速得圓滿。
身壞已後定生善趣。多往天上樂世界中。後
有差別。謂如有一於佛所證法毗柰耶獲得
正信。信惡尸羅當墮惡趣。信慳貪者得貧窮
報。如是信已於現法中惡戒慳貪廣生羞恥。
以羞恥故棄惡尸羅受清淨戒。棄……
无垢心安處居家。廣說……
因緣於現法中聖賢……
生善趣天上樂世界中。
復次今當略辯上所說義。謂薄伽梵此中略
示在家出家二種正行及正行果所有勝利。
當知是名此中略義。
多聞能知法 多聞能遠惡 多聞捨无義 多聞得涅槃
此頌所明。謂如有一於依先時正所應作施
論戒論生天之論。无倒教法恭敬聽聞。聞已
速能了知其義。謂現法中種種惡行及當惡
趣甚无義因。諸惡行所應速遠離。及往善趣
捨生惡趣甚无義因。彼由了知如是法義。……

BD02149 號　瑜伽師地論卷一九　（3–2）

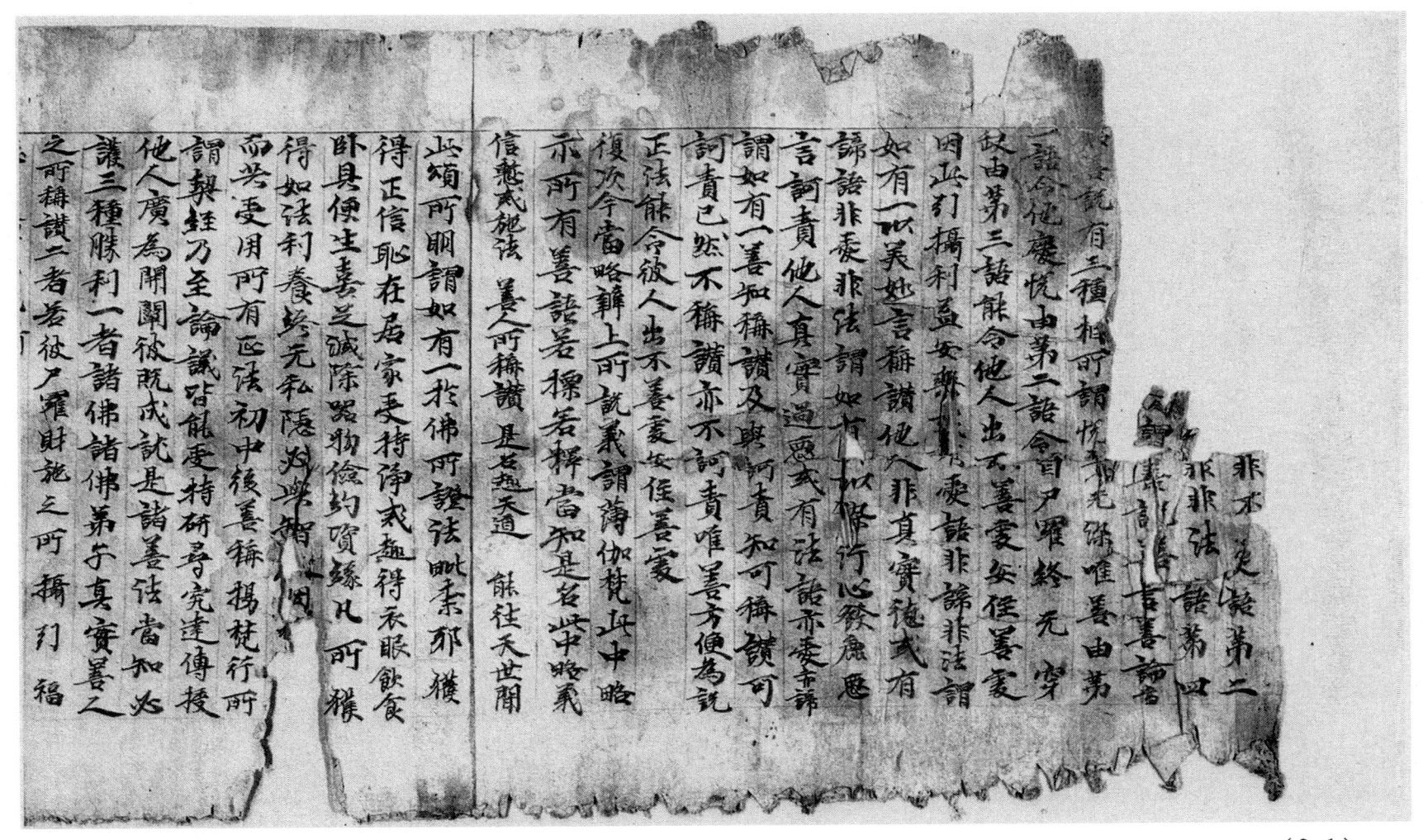

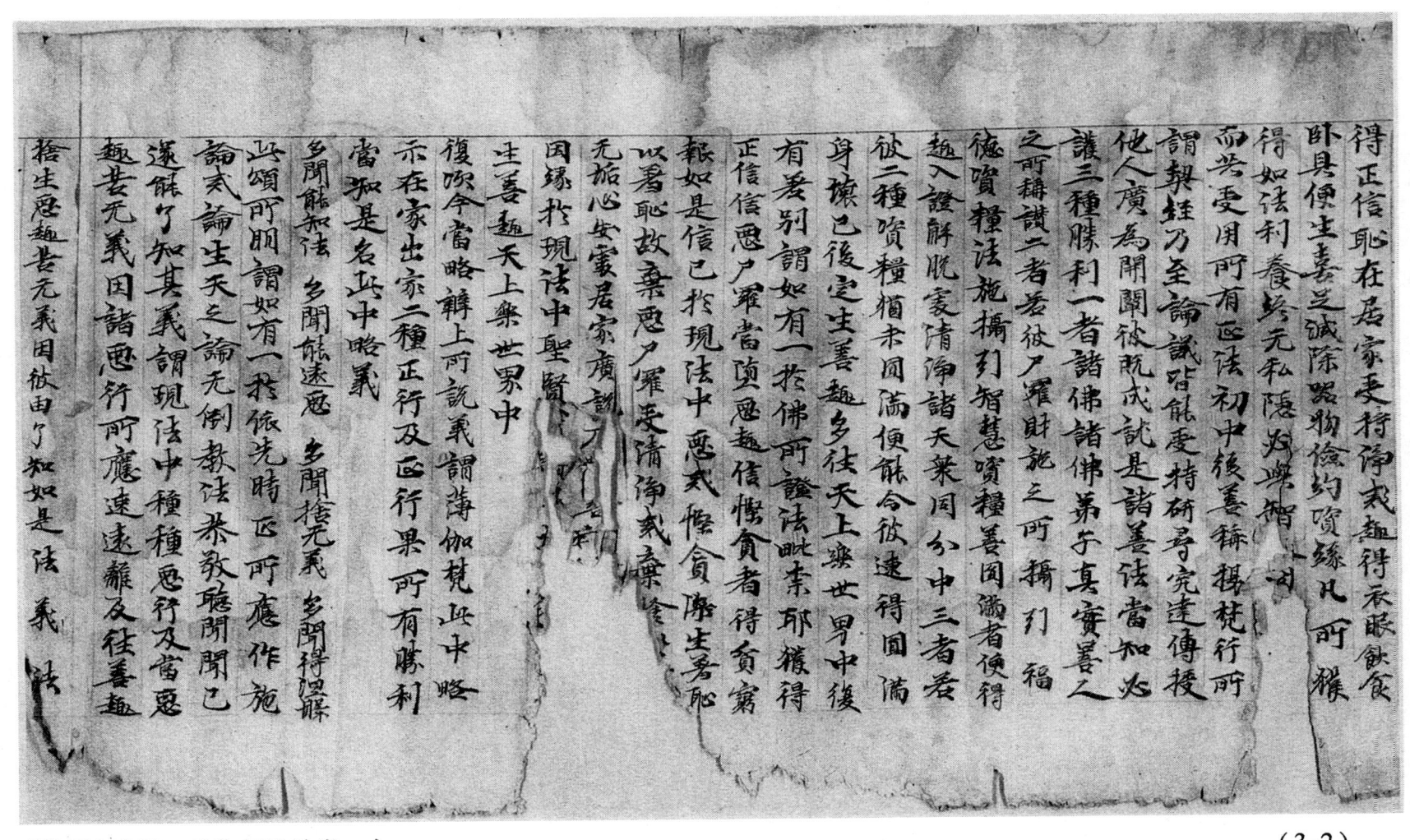

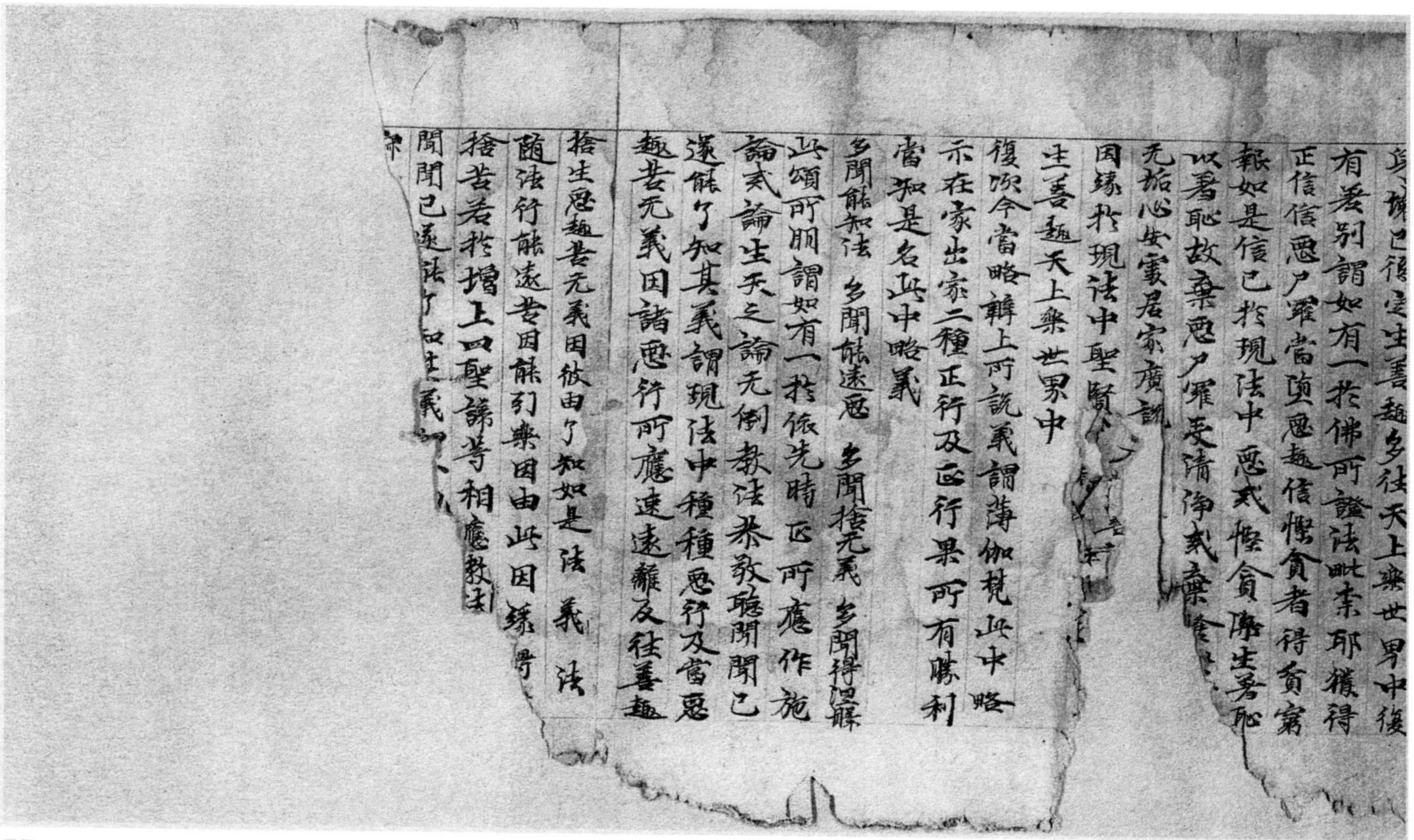
身壞已後還生善趣多往天上樂世界中後
有差別謂如有一於佛所證法毗奈耶獲得
正信信惡尸羅當墮惡趣信慳貪者得貧窮
報如是信已於現法中惡戒慳貪深生羞恥
以羞恥故棄惡尸羅受清淨戒棄…
无垢心安處居家廣說…
因緣於現法中聖賢…
生善趣天上樂世界中
復次今當略辯上所說義謂薄伽梵此中略
示在家出家二種正行及正行果所有勝利
當知是名此中略義
多聞能知法　多聞能遠惡　多聞捨无義　多聞得涅槃
此頌所明謂如有一於依先時正所應作施
論戒論生天之論无倒教法恭敬聽聞聞已
還能了知其義謂現法中種種惡行及當惡
趣苦无義因諸惡行所應速速離及往善趣
捨生惡趣苦无義因彼由了知如是法義法
隨法行能遠苦因能引樂因由此因緣…
捨苦若於增上四聖諦等相應教法
聞聞已還能了知其義…
得涅…

BD02149 號　瑜伽師地論卷一九

（3–3）

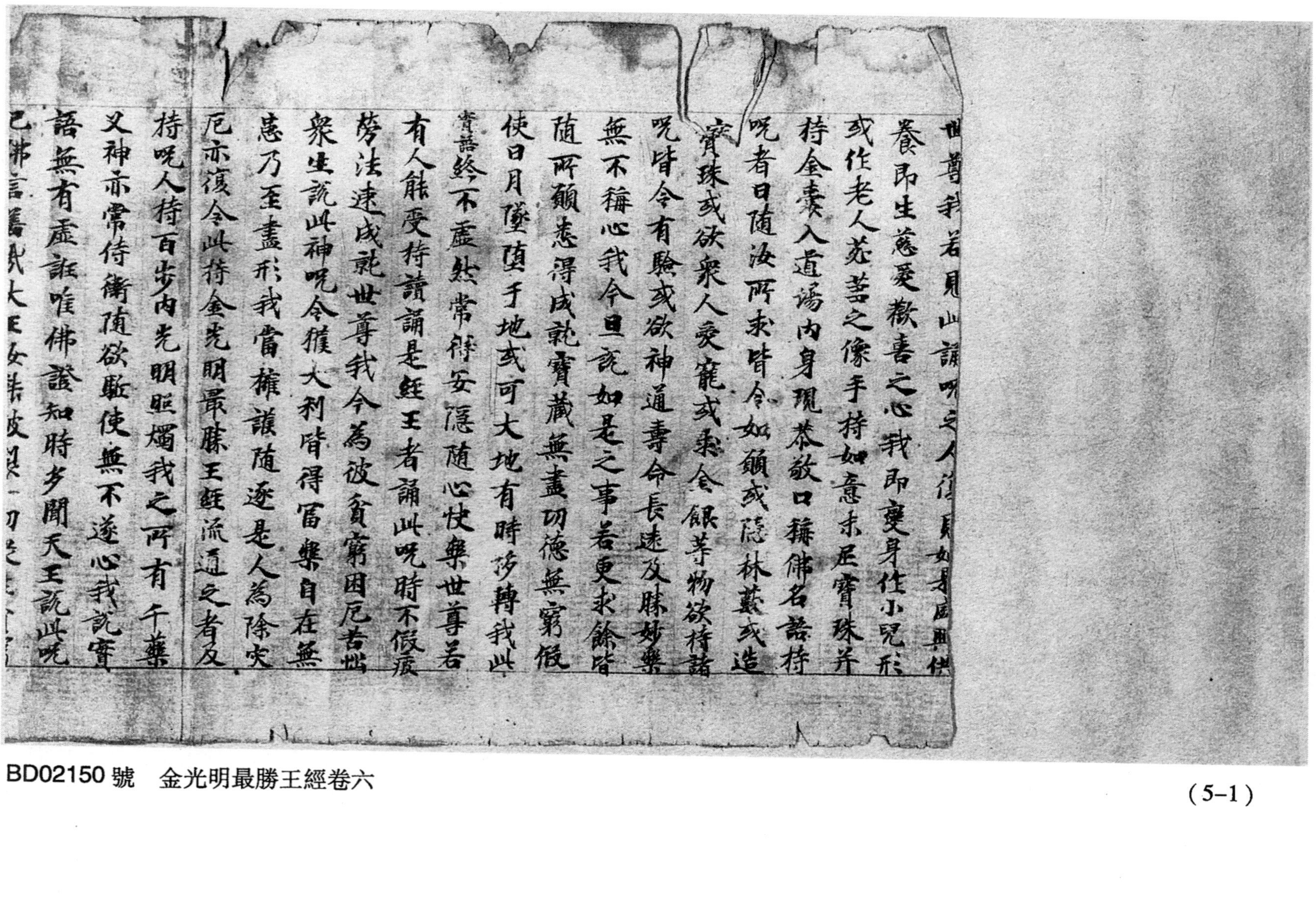
世尊我若見此誦呪之人復…
養即生慈愛歡喜之心我即變身作小兒形
或作老人苾芻之像手持如意末尼寶珠并
持金囊入道場內身現恭敬口稱佛名語持
呪者曰隨汝所求皆令如願或隱林藪或造
寶珠或欲衆人愛寵或求金銀等物欲持諸
呪皆令有驗或欲神通壽命長遠及勝妙樂
無不稱心我今且說如是之事若更求餘皆
隨所願悉得成就寶藏無盡功德無窮假
使日月墜墮於地或可大地有時移轉我此
實語終不虛然常得安隱隨心快樂世尊若
有人能受持讀誦是經王者誦此呪時不假疲
勞法速成就世尊我今爲彼貧窮困厄苦惱
衆生說此神呪令獲大利皆得富樂自在無
患乃至盡形我當擁護隨逐是人爲除災
厄亦復令此持金光明最勝王經流通之者及
持呪人於百步內光明照燭我之所有千藥
叉神亦常侍衛隨欲驅使無不遂心我說實
語無有虛誑唯佛證知時多聞天王說此呪
已佛言善哉大王汝能破裂一切…

BD02150 號　金光明最勝王經卷六

（5–1）

恩乃至盡形我當擁護隨逐是人為除衰
厄亦復令此持金光明最勝王經流通之者及
持呪人持百步內光明照燭我之所有千藥
叉神亦常侍衛隨欲驅使無不遂心我說實
語無有虛誑唯佛證知時多聞天王說此呪
已佛言善哉大王汝能破裂一切衆生貧窮
苦網令得富樂說是神呪復令此經廣行於
世時四天王俱從座起偏袒一肩頂禮雙足
右膝著地合掌恭敬以妙伽他讚佛功德
佛面猶如淨滿月　亦如千日放光明
目淨脩廣若青蓮　齒白齊密猶珂雪
佛德無邊如大海　無限妙寶積其中
智慧德水鎮恒盈　百千勝定咸充滿
足下輪相皆嚴飾　轂輞千輻悉齊平
手足鞔網遍莊嚴　猶如鵝王相具足
佛身光曜等金山　清淨殊特無倫匹
亦如妙高功德滿　故我稽首佛山王
相好如空不可測　逾於千月放光明
皆如焰幻不思議　故我稽首心無著
爾時四天王讚歎佛已世尊亦以伽他而答之曰
此金光明最勝經　無上十力之所說
汝等四王常擁衛　應生勇猛不退心
此妙經寶極甚深　能与一切有情樂
由彼有情安樂故　常得流通贍部洲
於此大千世界中　所有一切有情類
餓鬼傍生及地獄　如是苦趣悉皆除
住此南洲諸國王　及餘一切有情類

此金光明最勝經　無上十力之所說
汝等四王常擁衛　應生勇猛不退心
此妙經寶極甚深　能与一切有情樂
由彼有情安樂故　常得流通贍部洲
於此大千世界中　所有一切有情類
餓鬼傍生及地獄　如是苦趣悉皆除
住此南洲諸國王　及餘一切有情類
由經威力常歡喜　皆蒙擁護得安寧
亦使此中諸有情　除衆病苦無賊盜
賴此國土弘經故　安隱豐樂無違惱
若人聽受此經王　欲求尊貴及財利
國土豐樂無違諍　隨心所願悉皆從
能令他方賊退散　於自國界常安隱
由此最勝經王力　離諸苦惱無憂怖
如寶樹王在宅內　能生一切諸樂具
最勝經王亦復然　能与人王勝功德
譬如澄潔清冷水　能除飢渴諸熱惱
最勝經王亦復然　令樂福者心滿足
如人室有妙寶篋　隨所受用悉從心
最勝經王亦復然　福德隨心無所乏
汝等天主及天衆　應當供養此經王
若能依教奉持經　智慧威神皆具足
現在十方一切佛　咸共護念此經王
見有讀誦及受持　稱歎善哉甚希有
若有人能聽此經　身心踊躍生歡喜
常有百千藥叉衆　隨所住處護斯人

若能依教奉持經　智慧威神皆具足
現在十方一切佛　咸共護念此經王
見有讀誦及受持　稱歎善哉甚希有
若有人能聽此經　身心踊躍生歡喜
常有百千藥叉衆　隨所住處護斯人
於此世界諸天衆　其數無量不思議
悉共聽受此經王　歡喜護持無退轉
若人聽受此經王　威德勇猛常自在
增益一切人天衆　令離衰惱益光明
尒時四天王聞是頌已歡喜踊躍白佛言世
尊我從昔來(未)曾得聞如是甚深微妙之法
心生悲喜涕淚交流舉身戰動證不思議
希有之事以天曼陁羅花摩訶曼陁羅花而
散佛上作是殊勝供養佛已白佛言世尊我
等四王各有五百藥叉眷屬常當處處擁護
是經及說法師以智光明而為助衛若於此經
所有句義忘失之處我皆令彼憶念不忘并
與陁羅尼殊勝法門令得具足復欲令此最
勝經王所在之處為諸衆生廣宣流布不速
隱沒尒時世尊於大衆中說是法時無量衆
生皆得大智聰叡辯才攝受無量福德之聚
離諸憂惱發喜樂心善明衆論登出離道不
復退轉速證菩提
金光明最勝王經卷第六

BD02150號　金光明最勝王經卷六　（5–4）

離諸憂惱發喜樂心善明衆論登出離道不
復退轉速證菩提
金光明最勝王經卷第六
胝陟尸　敞昌兩　皺摩歷從文　氂征耶　殿田見　蝕乘力　椋良灼　讓士咸　宴劬矩
䆲摩可　颯蘇合　薜薄閉　撦車者　拏奴加　窣孫骨　嚩無盡　四虛致　靴未般　叡似

BD02150號　金光明最勝王經卷六　（5–5）

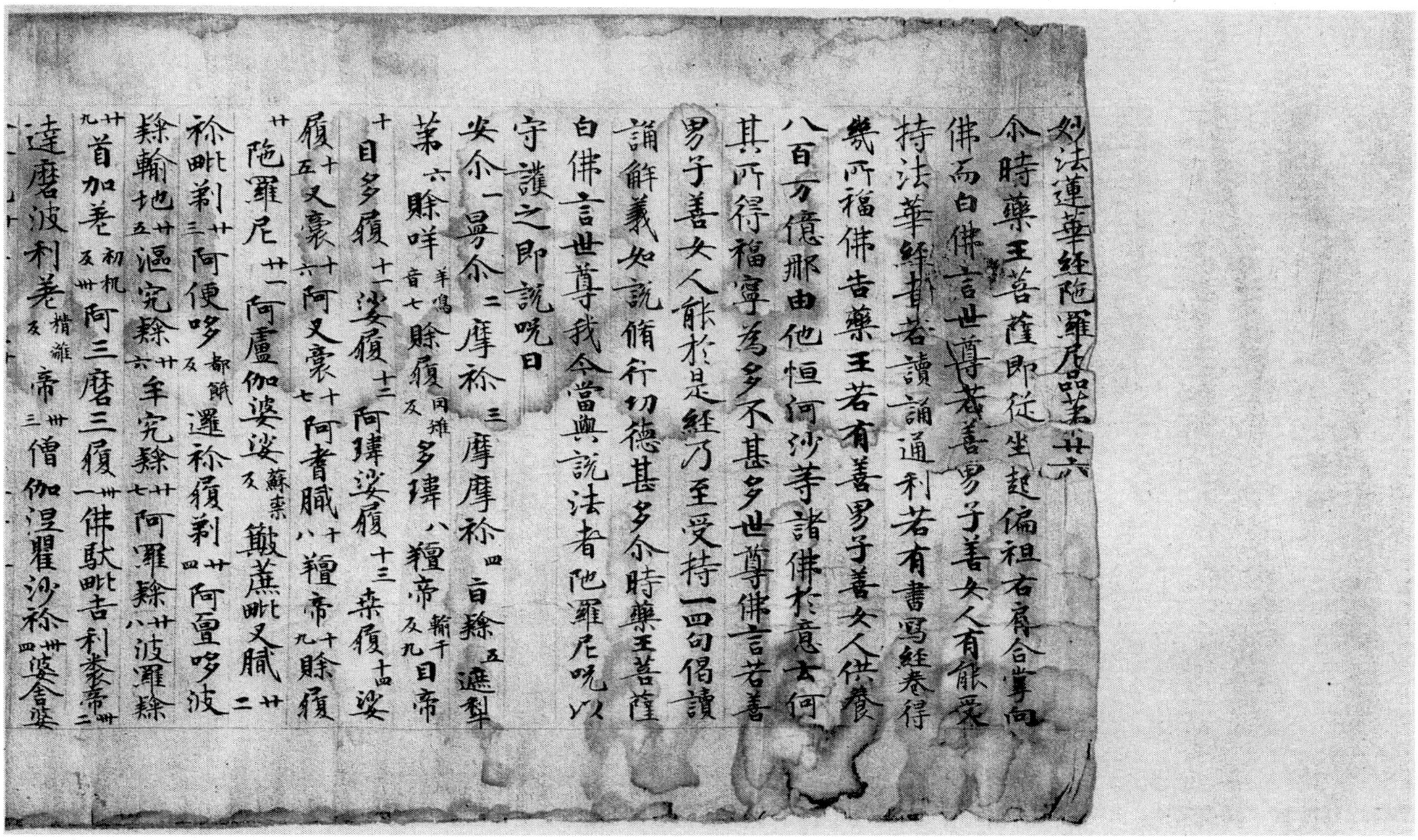

妙法蓮華經陁羅尼品第廿六
尒時藥王菩薩即從坐起偏袒右肩合掌向
佛而白佛言世尊若善男子善女人有能受
持法華經者若讀誦通利若有書寫經卷得
幾所福佛告藥王若有善男子善女人供養
八百万億那由他恒河沙等諸佛於意云何
其所得福寧為多不甚多世尊佛言若善
男子善女人能於是經乃至受持一四句偈讀
誦解義如說脩行功德甚多尒時藥王菩薩
白佛言世尊我今當與說法者陁羅尼呪以
守護之即說呪曰
安尒一 曼尒二 摩祢三 摩摩祢四 旨隸五 遮梨
苐六 賖咩羊鳴音七 賖履同雉反 多瑋八 羶帝輸千反九 目帝
十 目多履十一 娑履十二 阿瑋娑履十三 桑履十四 娑
履十五 叉裔十六 阿叉裔十七 阿耆膩十八 羶帝十九 賖履
廿 陁羅尼廿一 阿盧伽婆娑蘇柰反 簸蔗毗叉膩廿二
祢毗剃廿三 阿便哆都餓反 邏祢履剃廿四 阿亶哆波
隸輸地廿五 漚究隸廿六 牟究隸廿七 阿羅隸廿八 波羅隸
廿九 首加差初机反卅 阿三磨三履卅一 佛䭾毗吉利袠帝卅二
達磨波利差精離反 帝卅三 僧伽涅瞿沙祢卅四 婆舍婆

BD02151號　妙法蓮華經卷七

（2–1）

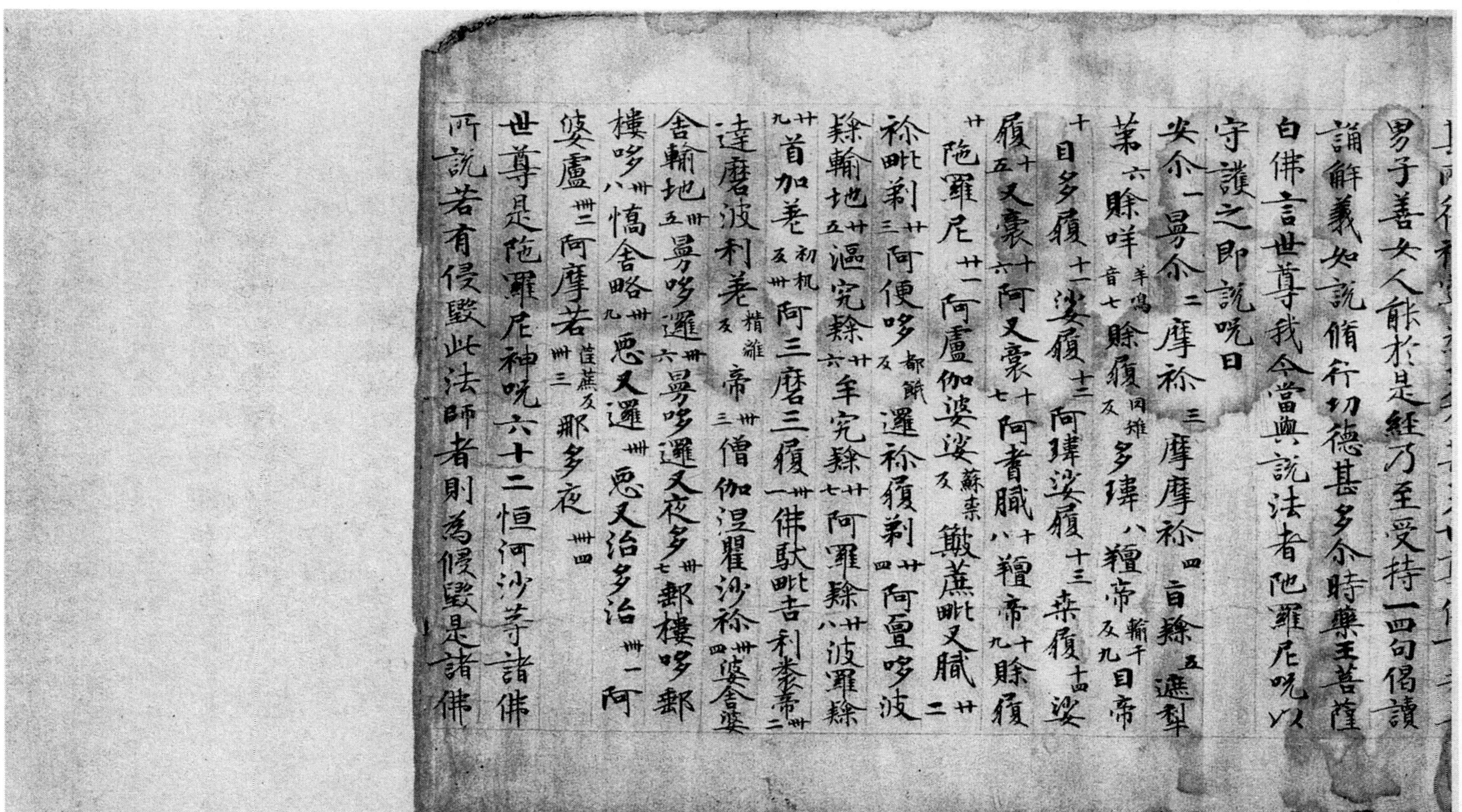

其所得福寧為多不甚多世尊佛言若善
男子善女人能於是經乃至受持一四句偈讀
誦解義如說脩行功德甚多尒時藥王菩薩
白佛言世尊我今當與說法者陁羅尼呪以
守護之即說呪曰
安尒一 曼尒二 摩祢三 摩摩祢四 旨隸五 遮梨
苐六 賖咩羊鳴音七 賖履同雉反 多瑋八 羶帝輸千反九 目帝
十 目多履十一 娑履十二 阿瑋娑履十三 桑履十四 娑
履十五 叉裔十六 阿叉裔十七 阿耆膩十八 羶帝十九 賖履
廿 陁羅尼廿一 阿盧伽婆娑蘇柰反 簸蔗毗叉膩廿二
祢毗剃廿三 阿便哆都餓反 邏祢履剃廿四 阿亶哆波
隸輸地廿五 漚究隸廿六 牟究隸廿七 阿羅隸廿八 波羅隸
廿九 首加差初机反卅 阿三磨三履卅一 佛䭾毗吉利袠帝卅二
達磨波利差精離反 帝卅三 僧伽涅瞿沙祢卅四 婆舍婆
舍輸地卅五 曼哆邏卅六 曼哆邏叉夜多卅七 郵樓哆郵
樓哆八卅 憍舍略九卅 惡叉邏卌 惡叉治多治卌一 阿
婆盧卌二 阿摩若荏蔗反卌三 那多夜卌四
世尊是陁羅尼神呪六十二恒河沙等諸佛
所說若有侵毀此法師者則為侵毀是諸佛

BD02151號　妙法蓮華經卷七

（2–2）

佛說阿弥陁經
如是我聞一時佛在舍
與大比丘衆千二百五十人
漢衆所知識長老舍利弗摩訶
迦葉摩訶迦旃延摩訶俱絺羅
槃陁迦難陁阿難陁羅睺羅
盧頗羅墮迦留陁夷摩訶劫賓那薄拘羅阿
㝹樓䭾如是等諸大弟子并諸菩薩摩訶薩
文殊師利法王子阿逸多菩薩乾陁訶提菩
薩常精進菩薩與如是等諸大菩薩及釋提
桓因等无量諸天大衆俱
尒時佛告長老舍利弗從是西方過十万億
佛土有世界名曰極樂其土有佛号阿弥陁
今現在說法舍利弗彼土何故名為極樂其
國衆生无有衆苦但受諸樂故名極樂又舍
利弗極樂國土七重欄楯七重羅網七重行

BD02152號　阿彌陀經

(6–1)

尒時佛告長老舍利弗從是西方過十万億
佛土有世界名曰極樂其土有佛号阿弥陁
今現在說法舍利弗彼土何故名為極樂其
國衆生无有衆苦但受諸樂故名極樂又舍
利弗極樂國土七重欄楯七重羅網七重行
樹皆是四寶周帀圍繞是故彼國名曰極樂又
舍利弗極樂國土有七寶池八功德水充滿其
中池底純以金沙布地四邊階道金銀瑠璃
頗梨合成上有樓閣亦以金銀瑠璃頗梨車𤦲
赤珠馬瑙而嚴飾之池中蓮華大如車輪青
色青光黄色黄光赤色赤光白色白光微
妙香潔舍利弗極樂國土成就如是功德莊
嚴
又舍利弗彼佛國土常作天樂黄金為地晝
夜六時而雨曼陁羅華其國衆生常以清旦
各以衣裓盛衆妙華供養他方十万億佛即
以食時還到本國飯食經行舍利弗極樂
國土成就如是功德莊嚴
復次舍利弗彼國常有種種奇妙雜色之鳥
白鵠孔雀鸚鵡舍利迦陵頻伽共命之鳥是諸
衆鳥晝夜六時出和雅音其音演暢五根五
力七菩提分八聖道分如是等法其土衆生
聞是音已皆悉念佛念法念僧舍利弗汝勿
謂此鳥實是罪報所生所以者何彼佛國土
无三惡趣舍利弗其佛國土尚无三惡道之名

BD02152號　阿彌陀經

(6–2)

力七菩提分八聖道分如是等法其土衆生
聞是音已皆悉念佛念法念僧舍利弗汝勿
謂此鳥實是罪報所生所以者何彼佛國土
无三惡趣舍利弗其佛國土尚无三惡道之名
何况有實是諸衆鳥皆是阿弥陁佛欲令法
音宣流變化所作舍利弗彼佛國土微風吹
動諸寶行樹及寶羅網出微妙音譬如百千
種樂同時俱作聞是音者皆自然生念佛念
法念僧之心舍利弗其佛國土成就如是功德
莊嚴
舍利弗於汝意云何彼佛何故号阿弥陁舍
利弗彼佛光明无量照十方國无所鄣㝵是
故号為阿弥陁又舍利弗彼佛壽命及其人
民无量无邊阿僧祇劫故名阿弥陁舍利弗
阿弥陁佛成佛已來於今十劫又舍利弗彼
佛有无量无邊聲聞弟子皆阿羅漢非是
筭數之所能知諸菩薩亦如是舍利弗彼佛
國土成就如是功德莊嚴
又舍利弗極樂國土衆生生者皆是阿鞞跋
致其中多有一生補處其數甚多非是筭
數所能知之但可以无量无邊阿僧祇劫說舍
利弗衆生聞者應當發願願生彼國所以者何
得與如是諸上善人俱會一處舍利弗不可
以少善根福德因緣得生彼國舍利弗若有

BD02152號　阿彌陀經　（6–3）

數所能知之但可以无量无邊阿僧祇劫說舍
利弗衆生聞者應當發願願生彼國所以者何
得與如是諸上善人俱會一處舍利弗不可
以少善根福德因緣得生彼國舍利弗若有
善男子善女人聞說阿弥陁佛執持名号
若一日若二日若三日若四日若五日若六日
若七日一心不亂其人臨命終時阿弥陁佛
與諸聖衆現在其前是人終時心不顛倒即
得往生阿弥陁佛極樂國土舍利弗我見是
利故說此言若有衆生聞是說者應當發願
生彼國土
舍利弗如我今者讚嘆阿弥陁佛不可思議功
德東方亦有阿閦鞞佛須弥相佛大須弥佛
須弥光佛妙音佛如是等恒河沙數諸佛各
於其國出廣長舌相遍覆三千大千世界說
誠實言汝等衆生當信是稱讚不可思議
功德一切諸佛所護念經
舍利弗南方世界有日月燈佛名聞光佛大
焰肩佛須弥燈佛无量精進佛如是等恒河
沙數諸佛各於其國出廣長舌相遍覆三千
大千世界說誠實言汝等衆生當信是稱
讚不可思議功德一切諸佛所護念經
舍利弗西方世界有无量壽佛无量相佛无
量幢佛大光佛大明佛寶相佛淨光佛如是
等恒河沙數諸佛各於其國出廣長舌相遍

BD02152號　阿彌陀經　（6–4）

大千世界說誠實言汝等衆生當信是稱
讚不可思議功德一切諸佛所護念經
舍利弗西方世界有无量壽佛无量相佛无
量幢佛大光佛大明佛寶相佛淨光佛如是
等恒河沙數諸佛各於其國出廣長舌相遍
覆三千大千世界說誠實言汝等衆生當
信是稱讚不可思議功德一切諸佛所護念經
舍利弗北方世界有焰肩佛最勝音佛難沮
佛日生佛網明佛如是等恒河沙數諸佛各於
其國出廣長舌相遍覆三千大千世界說誠
實言汝等衆生當信是稱讚不可思議功德
一切諸佛所護念經
舍利弗下方世界有師子佛名聞佛名光佛
達摩佛法幢佛持法佛如是等恒河沙數諸
佛各於其國出廣長舌相遍覆三千大千世
界說誠實言汝等衆生當信是稱讚不可思
議功德一切諸佛所護念經
舍利弗上方世界有梵音佛宿王佛香上佛
香光佛大焰肩佛雜色寶華嚴身佛娑羅樹
王佛寶華德佛見一切義佛如須弥山佛如
是等恒河沙數諸佛各於其國出廣長舌相
遍覆三千大千世界說誠實言汝等衆生當
信是稱讚不可思議功德一切諸佛所護念
經
舍利弗於汝意云何何故名一切諸佛所護念
經舍利弗若有善男子善女人聞是諸佛所

BD02152 號　阿彌陀經

（6–5）

王佛寶華德佛見一切義佛如須弥山佛如
是等恒河沙數諸佛各於其國出廣長舌相
遍覆三千大千世界說誠實言汝等衆生當
信是稱讚不可思議功德一切諸佛所護念
經
舍利弗於汝意云何何故名一切諸佛所護念
經舍利弗若有善男子善女人聞是諸佛所
說名及經名者是諸善男子善女人皆為一
切諸佛共所護念皆得不退轉於阿耨多羅
三藐三菩提是故舍利弗汝等皆當信受我
語及諸佛所說舍利弗若有人已發願今發願
當發願欲生阿弥陁佛國者是諸人等皆得
不退轉於阿耨多羅三藐三菩提於彼國土
若已生若今生若當生是故舍利弗諸善男
子善女人若有信者應當發願生彼國土舍
利弗如我今者稱讚諸佛不可思議功德彼
諸佛等亦稱說我不可思議功德而作是言
釋迦牟尼佛能為甚難希有之事能於娑
婆國土五濁惡世劫濁見濁煩惱濁衆生濁
命濁中得阿耨多羅三藐三菩提為諸衆生

BD02152 號　阿彌陀經

（6–6）

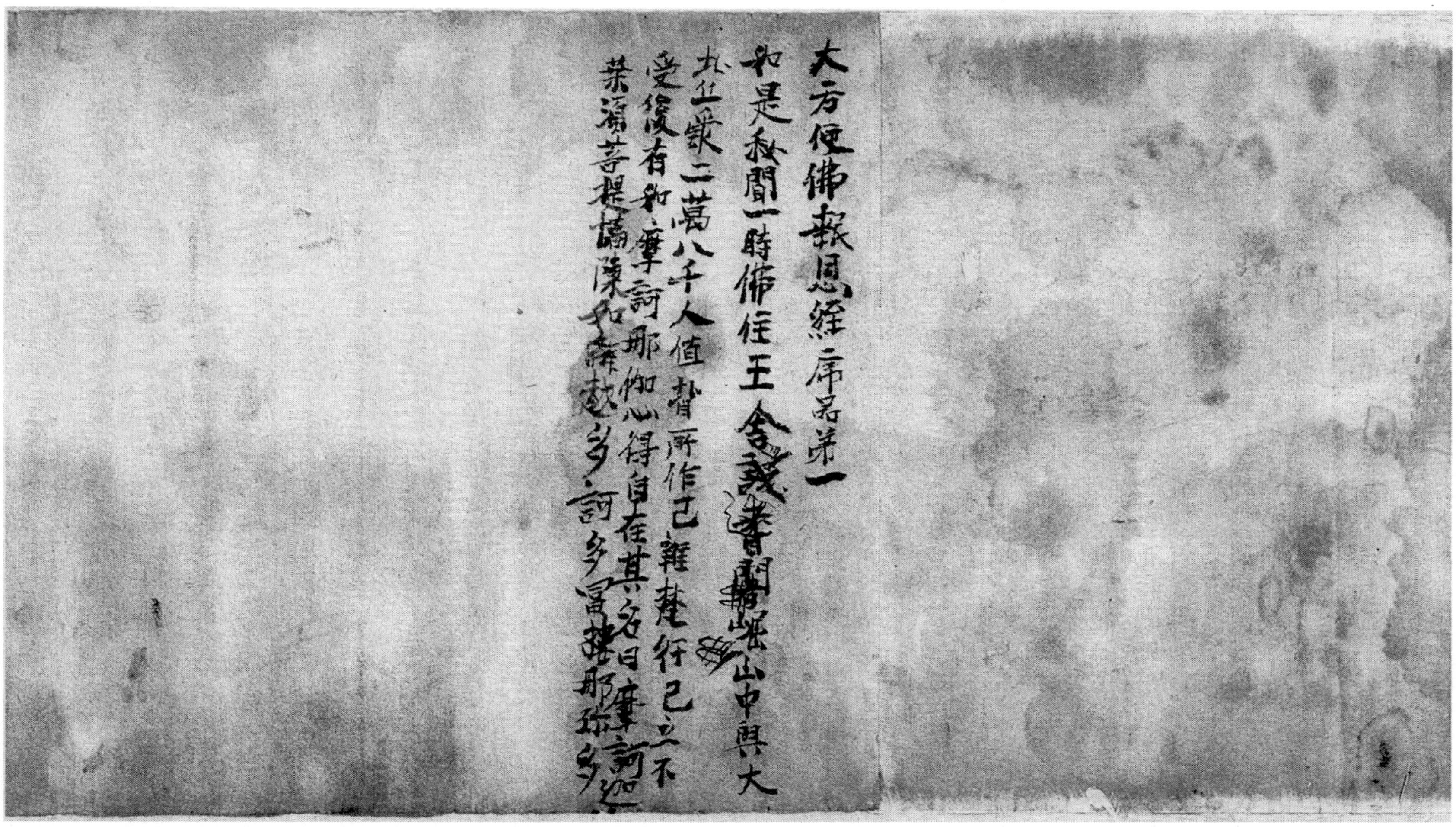

大方便佛報恩經序品第一
如是我聞一時佛住王舍城耆闍崛山中與大
比丘眾二萬八千人值皆所作已辦梵行已立不
受後有如摩訶那伽心得自在其名曰摩訶迦
葉須菩提憍陳如婆數多訶多富樓那彌多

BD02152 號背　大方便佛報恩經雜寫　　　　　(1–1)

宣暢是法時　六百万億姟　得盡諸苦際　皆成阿羅漢
第二說法時　千万恒沙衆　於諸法不受　亦得阿羅漢
從是後得道　其數无有量　万億劫筭數　不能得其邊
時十六王子　出家作沙弥　皆共請彼佛　演說大乘經
我等及營從　皆當成佛道　願得如世尊　慧眼第一淨
佛知童子心　宿世之所行　以无量因緣　種種諸譬喻
說六波羅蜜　及諸神通事　分別真實法　菩薩所行道
說是法華經　如恒河沙偈　彼佛說經已　靜室入禪定
一心一處坐　八万四千劫　是諸沙弥等　知佛禪未出
為无量億衆　說佛无上慧　各各坐法座　說是大乘經
於佛宴寂後　宣揚助法化　一一沙弥等　所度諸衆生
有六百万億　恒河沙等衆　彼佛滅度後　是諸聞法者
在在諸佛前　常與師俱生　是十六沙弥　具足行佛道
今現在十方　各得成正覺　尒時聞法者　各在諸佛所
其有住聲聞　漸教以佛道　我在十六數　曾亦為汝說
是故以方便　引汝趣佛慧　以是本因緣　今說法華經

BD02153 號　妙法蓮華經卷三　　　　　(2–1)

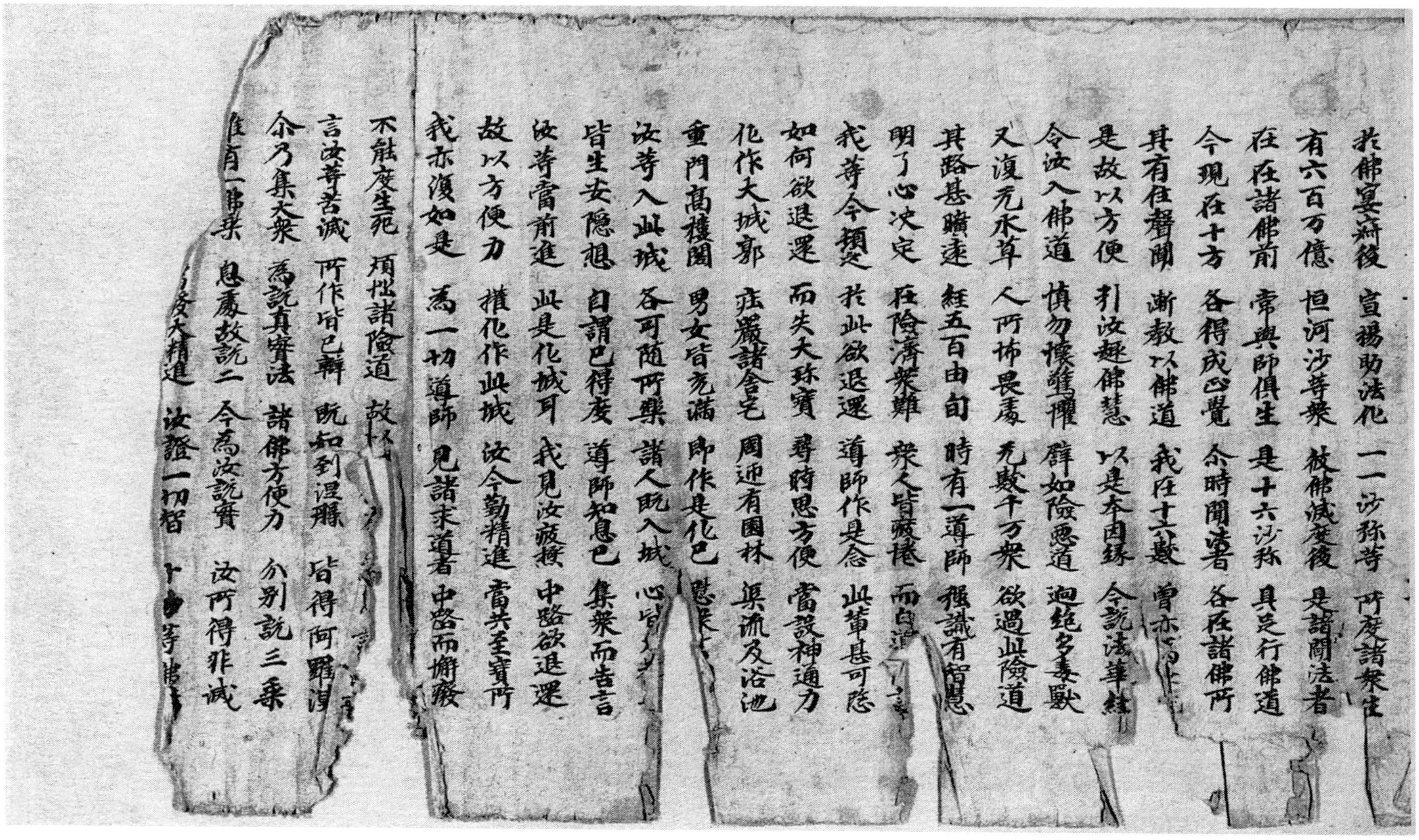

於佛宴寂後 宣揚助法化 一一沙弥等 所度諸眾生
有六百万億 恒河沙等眾 彼佛滅度後 是諸聞法者
在在諸佛前 常與師俱生 是十六沙弥 具足行佛道
今現在十方 各得成正覺 尒時聞法者 各在諸佛所
其有住聲聞 漸教以佛道 我在十六數 曾亦為
是故以方便 引汝趣佛慧 以是本因緣 今說法華經
令汝入佛道 慎勿懷驚懼 譬如險惡道 迥絕多毒獸
又復无水草 人所怖畏處 无數千万眾 欲過此險道
其路甚曠遠 經五百由旬 時有一導師 強識有智慧
明了心決定 在險濟眾難 眾人皆疲惓 而白
我等今頓乏 於此欲退還 導師作是念 此輩甚可愍
如何欲退還 而失大珍寶 尋時思方便 當設神通力
化作大城郭 莊嚴諸舍宅 周匝有園林 渠流及浴池
重門高樓閣 男女皆充滿 即作是化已 慰
汝等入此城 各可隨所樂 諸人既入城 心
皆生安隱想 自謂已得度 導師知息已 集眾而告言
汝等當前進 此是化城耳 我見汝疲極 中路欲退還
故以方便力 權化作此城 汝今勤精進 當共至寶所
我亦復如是 為一切導師 見諸求道者 中路而懈廢
不能度生死 煩惱諸險道 故
言汝等苦滅 所作皆已辦 既知到涅槃 皆得阿羅漢
尒乃集大眾 為說真實法 諸佛方便力 分別說三乘
唯有一佛乘 息處故說二 今為汝說實 汝所得非滅
發大精進 汝證一切智 十力等佛

BD02153 號　妙法蓮華經卷三　（2–2）

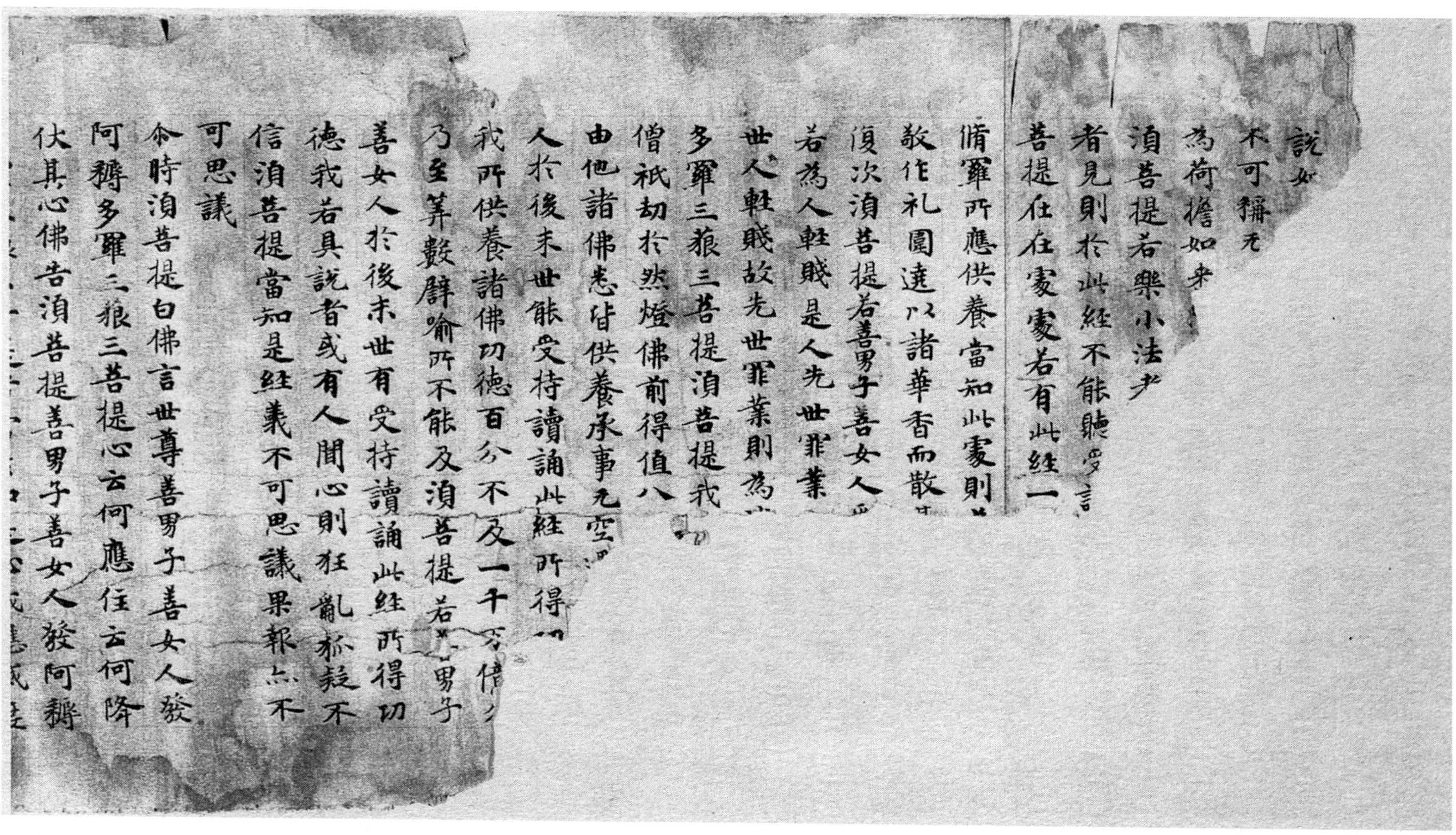

說如
不可稱无
為荷擔如來
須菩提若樂小法者
者見則於此經不能聽受言
菩提在在處處若有此經一
脩羅所應供養當知此處則
敬作礼圍遶以諸華香而散
復次須菩提若善男子善女人
若為人輕賤是人先世罪業
世人輕賤故先世罪業則為
多羅三藐三菩提須菩提我
僧祇劫於然燈佛前得值八
由他諸佛悉皆供養承事无空
人於後末世能受持讀誦此經所得
我所供養諸佛功德百分不及一千万億
乃至筭數譬喻所不能及須菩提若善男子
善女人於後末世有受持讀誦此經所得功
德我若具說者或有人聞心則狂亂狐疑不
信須菩提當知是經義不可思議果報亦不
可思議
尒時須菩提白佛言世尊善男子善女人發
阿耨多羅三藐三菩提心云何應住云何降
伏其心佛告須菩提善男子善女人發阿耨

BD02154 號　金剛般若波羅蜜經　（7–1）

後我若具説者或有人聞心則狂亂狐疑不
信須菩提當知是經義不可思議果報亦不
可思議
尒時須菩提白佛言世尊善男子善女人發
阿耨多羅三藐三菩提心云何應住云何降
伏其心佛告須菩提善男子善女人發阿耨
多羅三藐三菩提者當生如是心我應滅度
一切衆生滅度一切衆生已而无有一衆生
實滅度者何以故若菩薩有我相人相衆生
相壽者相則非菩薩所以者何須菩提實无
有法發阿耨多羅三藐三菩提者須菩提於
意云何如来於然燈佛所有法得阿耨多羅
三藐三菩提不不也世尊如我解佛所説義
佛於然燈佛所无有法得阿耨多羅三藐三
菩提佛言如是如是須菩提實无有法如来
得阿耨多羅三藐三菩提須菩提若有法如
来得阿耨多羅三藐三菩提者然燈佛則不與
我受記汝於来世當得作佛号釋迦牟尼以
實无有法得阿耨多羅三藐三菩提是故然
燈佛與我受記作如是言汝於来世當得作佛
号釋迦牟尼何以故如来者即諸法如義若
有人言如来得阿耨多羅三藐三菩提須菩
提實无有法佛得阿耨多羅三藐三菩提須
菩提如来所得阿耨多羅三藐三菩提於是
中无實无虚是故如来説一切法皆是佛法
須菩提所言一切法者即非一切法是故名
一切法須菩提譬如人身長大須菩提言世

BD02154號　金剛般若波羅蜜經　（7–2）

有人言如来得阿耨多羅三藐三菩提須菩
提實无有法佛得阿耨多羅三藐三菩提須
菩提如来所得阿耨多羅三藐三菩提於是
中无實无虚是故如来説一切法皆是佛法
須菩提所言一切法者即非一切法是故名
一切法須菩提譬如人身長大須菩提言世
尊如来説人身長大則為非大身是名大身
須菩提菩薩亦如是若作是言我當滅度无
量衆生則不名菩薩何以故須菩提无有法
名為菩薩是故佛説一切法无我无人无衆
生无壽者須菩提若菩薩作是言我當莊嚴
佛土是不名菩薩何以故如来説莊嚴佛土
者即非莊嚴是名莊嚴須菩提若菩薩通達
无我法者如来説名真是菩薩
須菩提於意云何如来有肉眼不如是世尊
如来有肉眼須菩提於意云何如来有天眼
不如是世尊如来有天眼須菩提於意云何
如来有慧眼不如是世尊如来有慧眼須菩
提於意云何如来有法眼不如是世尊如来
有法眼須菩提於意云何如来有佛眼不如
是世尊如来有佛眼
須菩提於意云何如恒河中所有沙佛説是沙
不如是世尊如来説是沙須菩提於意云何
如一恒河中所有沙有如是等恒河是諸恒
河所有沙數佛世界如是寧為多不甚多世
尊佛告須菩提尒所國土中所有衆生若干
種心如来悉知何以故如来説諸心皆為非

BD02154號　金剛般若波羅蜜經　（7–3）

不如是世尊如來說是沙須菩提於意云何
如一恒河中所有沙有如是等恒河是諸恒
河所有沙數佛世界如是寧為多不甚多世
尊佛告須菩提尒所國土中所有衆生若干
種心如來悉知何以故如來說諸心皆為非
心是名為心所以者何須菩提過去心不可
得現在心不可得未來心不可得
須菩提於意云何若有人滿三千大千世界
七寶以用布施是人以是因緣得福多不如
是世尊此人以是因緣得福甚多須菩提若
福德有實如來不說得福德多以福德无故
如來說得福德多
須菩提於意云何佛可以具足色身見不不
也世尊如來不應以色身見何以故如來說
具足色身即非具足色身是名具足色身
須菩提於意云何如來可以具足諸相見不
不也世尊如來不應以具足諸相見何以故
如來說諸相具足即非具足是名諸相具足
須菩提汝勿謂如來作是念我當有所說法
莫作是念何以故若人言如來有所說法即
為謗佛不能解我所說故須菩提說法者无
法可說是名說法
須菩提白佛言世尊佛得阿耨多羅三藐三
菩提為无所得耶如是如是須菩提我於阿
耨多羅三藐三菩提乃至无有少法可得是
名阿耨多羅三藐三菩提
復次須菩提是法平等无有高下是名阿耨

BD02154號　金剛般若波羅蜜經　（7–4）

為謗佛不能解我所說故須菩提說法者无
法可說是名說法
須菩提白佛言世尊佛得阿耨多羅三藐三
菩提為无所得耶如是如是須菩提我於阿
耨多羅三藐三菩提乃至无有少法可得是
名阿耨多羅三藐三菩提
復次須菩提是法平等无有高下是名阿耨
多羅三藐三菩提以无我无人无衆生无壽
者脩一切善法則得阿耨多羅三藐三菩提
須菩提所言善法者如來說非善法是名善法
須菩提若三千大千世界中所有諸須弥山
王如是等七寶聚有人持用布施若人以此
般若波羅蜜經乃至四句偈等受持為他人
說於前福德百分不及一百千万億分乃至
筭數譬喻所不能及
須菩提於意云何汝等勿謂如來作是念我
當度衆生須菩提莫作是念何以故實无有
衆生如來度者若有衆生如來度者如來則
有我人衆生壽者須菩提如來說有我者則
非有我而凡夫之人以為有我須菩提凡夫
者如來說則非凡夫
須菩提於意云何可以卅二相觀如來不須
菩提言如是如是以卅二相觀如來佛言須
菩提若以卅二相觀如來者轉輪聖王則是
如來須菩提白佛言世尊如我解佛所說義
不應以卅二相觀如來尒時世尊而說偈言
若以色見我　以音聲求我　是人行邪道　不能見如來

BD02154號　金剛般若波羅蜜經　（7–5）

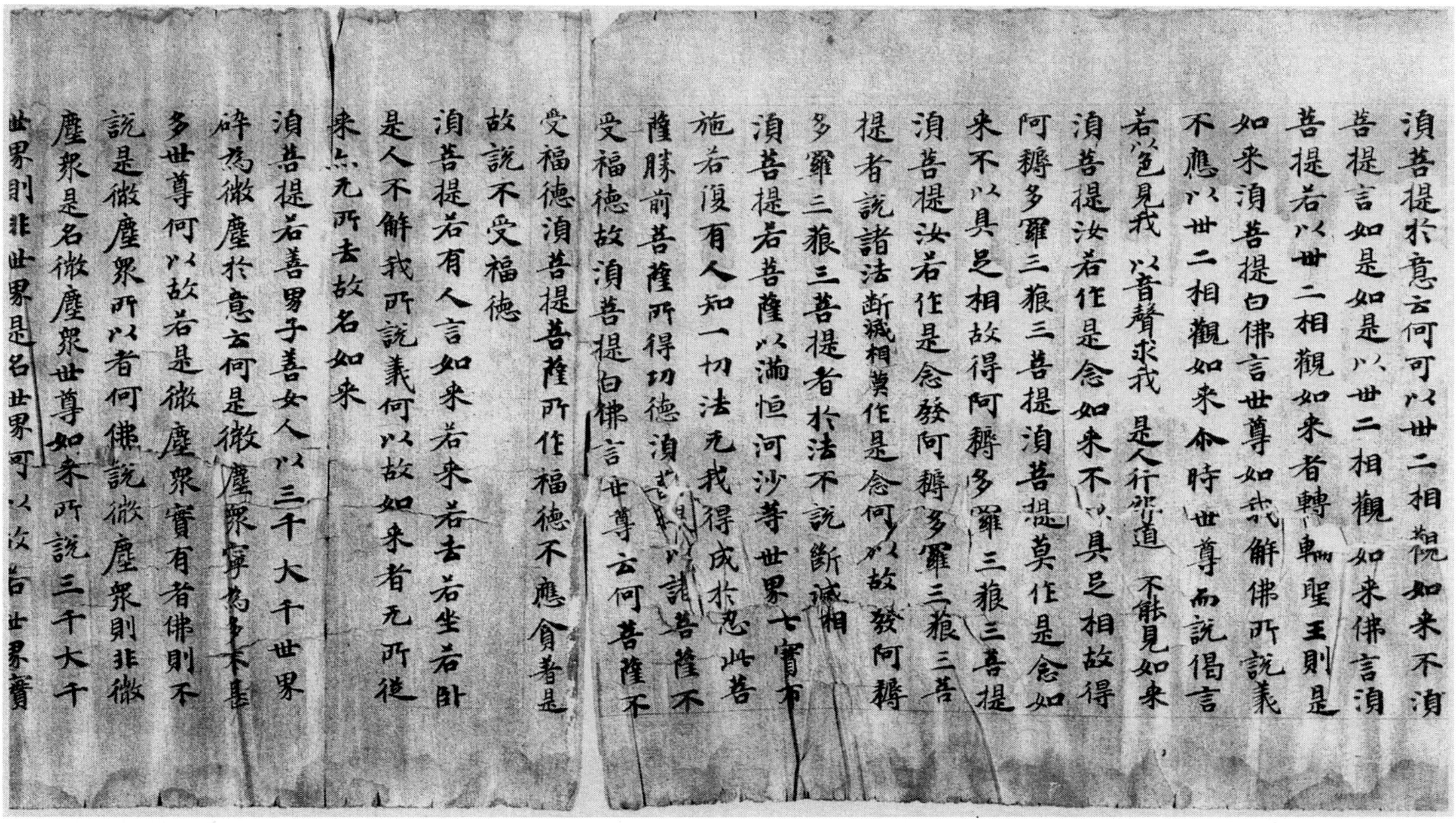

湏菩提於意云何可以卅二相觀如来不湏
菩提言如是如是以卅二相觀如来佛言湏
菩提若以卅二相觀如来者轉輪聖王則是
如来湏菩提白佛言世尊如我解佛所說義
不應以卅二相觀如来尒時世尊而說偈言
若以色見我　以音聲求我　是人行邪道　不能見如来
湏菩提汝若作是念如来不以具足相故得
阿耨多羅三藐三菩提湏菩提莫作是念如
来不以具足相故得阿耨多羅三藐三菩提
湏菩提汝若作是念發阿耨多羅三藐三菩
提者說諸法斷滅相莫作是念何以故發阿耨
多羅三藐三菩提者於法不說斷滅相
湏菩提若菩薩以滿恒河沙等世界七寶布
施若復有人知一切法无我得成於忍此菩
薩勝前菩薩所得功德湏菩提以諸菩薩不
受福德故湏菩提白佛言世尊云何菩薩不
受福德湏菩提菩薩所作福德不應貪著是
故說不受福德
湏菩提若有人言如来若来若去若坐若卧
是人不解我所說義何以故如来者无所從
来亦无所去故名如来
湏菩提若善男子善女人以三千大千世界
碎為微塵於意云何是微塵衆寧為多不甚
多世尊何以故若是微塵衆實有者佛則不
說是微塵衆所以者何佛說微塵衆則非微
塵衆是名微塵衆世尊如来所說三千大千
世界則非世界是名世界何以故若世界實

BD02154號　金剛般若波羅蜜經　（7–6）

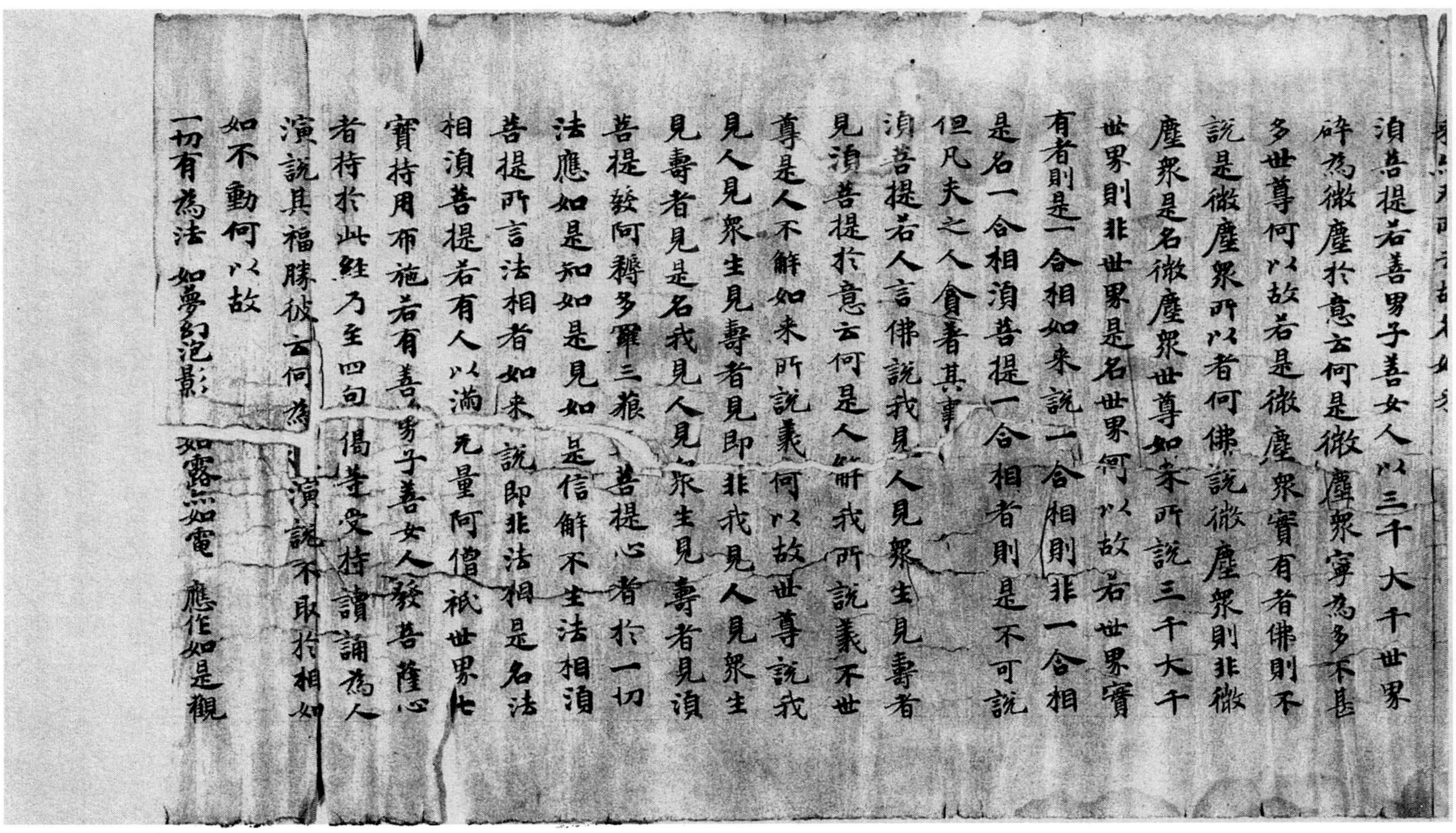

湏菩提若善男子善女人以三千大千世界
碎為微塵於意云何是微塵衆寧為多不甚
多世尊何以故若是微塵衆實有者佛則不
說是微塵衆所以者何佛說微塵衆則非微
塵衆是名微塵衆世尊如来所說三千大千
世界則非世界是名世界何以故若世界實
有者則是一合相如来說一合相則非一合相
是名一合相湏菩提一合相者則是不可說
但凡夫之人貪著其事
湏菩提若人言佛說我見人見衆生見壽者
見湏菩提於意云何是人解我所說義不世
尊是人不解如来所說義何以故世尊說我
見人見衆生見壽者見即非我見人見衆生
見壽者見是名我見人見衆生見壽者見湏
菩提發阿耨多羅三藐三菩提心者於一切
法應如是知如是見如是信解不生法相湏
菩提所言法相者如来說即非法相是名法
相湏菩提若有人以滿无量阿僧祇世界七
寶持用布施若有善男子善女人發菩薩心
者持於此經乃至四句偈等受持讀誦為人
演說其福勝彼云何為演說不取於相如
如不動何以故
一切有為法　如夢幻泡影　如露亦如電　應作如是觀

BD02154號　金剛般若波羅蜜經　（7–7）

大悲心陁羅尼
經云此陁羅尼爲諸衆生得安樂
故除一切病故得壽命故得富饒
故滅除一切惡業重罪故離障
難故增長一切白法諸功德故
成就一切諸善種故遠離
一切諸怖畏速故能滿足一切
希求故若諸衆生誦持大悲
神咒若不生諸佛國我是不
成正覺若諸人天誦持大
悲心咒者得十五種善生不受十
五種惡死也其惡死者一者不
令其人飢餓困苦死二者不
爲枷禁杖楚死三者不爲冤
家讎對死四者不軍陣相殺
經云此陁羅尼爲諸衆生得樂
安故除一切病故得壽命故得富
饒故滅除一切惡業重罪故離
障難故增長一切白法諸功德故

BD02155 號 A　千手千眼觀世音菩薩廣大圓滿無礙大悲心陀羅尼經鈔（擬）　（2–1）

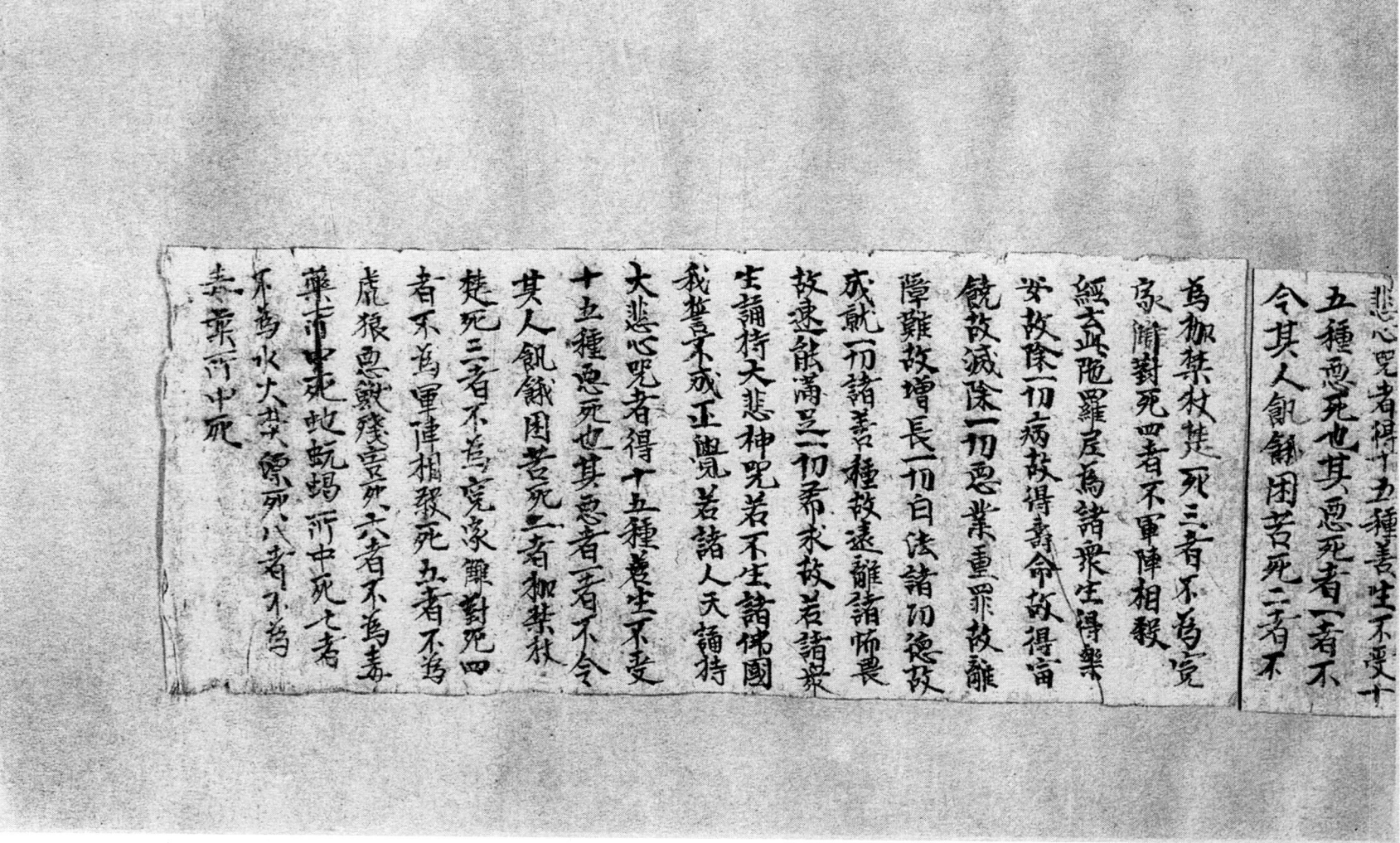

悲心咒者得十五種善生不受十
五種惡死也其惡死者一者不
令其人飢餓困苦死二者不
爲枷禁杖楚死三者不爲冤
家讎對死四者不軍陣相殺
經云此陁羅尼爲諸衆生得樂
安故除一切病故得壽命故得富
饒故滅除一切惡業重罪故離
障難故增長一切白法諸功德故
成就一切諸善種故遠離諸怖畏
故速能滿足一切希求故若諸衆
生誦持大悲神咒若不生諸佛國
我誓不成正覺若諸人天誦持
大悲心咒者得十五種善生不受
十五種惡死也其惡死者一者不令
其人飢餓困苦死二者不爲枷禁杖
楚死三者不爲冤家讎對死四
者不爲軍陣相殺死五者不爲
虎狼惡獸殘害死六者不爲毒
藥所中死蛇蚖蝎所中死七者
不爲水火焚漂死八者不爲
毒藥所中死

BD02155 號 A　千手千眼觀世音菩薩廣大圓滿無礙大悲心陀羅尼經鈔（擬）　（2–2）

乀乀菩藏道之之之藥
國天大道

BD02155 號 A 背　雜寫　　　　（1–1）

觀弥勒菩薩上生兜率天經
如是我聞一時佛在舍衛國祇樹
給孤獨園尒時世尊於初夜分
舉身放光其光金色遶祇陁園
周遍七匝照須達舍亦作金色
有金色光猶如段雲遍舍衛國
處處皆雨金色蓮華其光明
中有無量百千諸大化佛皆
唱是言今於此中有千菩薩
最初成佛名拘留孫最後成佛
名曰樓至說是語已尊者阿
若憍陳如即從禪起與其眷
屬二百五十人俱尊者摩
訶迦葉與其眷屬二百人俱尊
者舍利弗與其眷屬摩訶
波舍波提比丘尼與其眷屬
千比丘尼俱須達長者
與三千優波塞俱

BD02155 號 B　觀彌勒菩薩上升兜率天經　　　　（1–1）

BD02155 號 B 背　雜寫

（1-1）

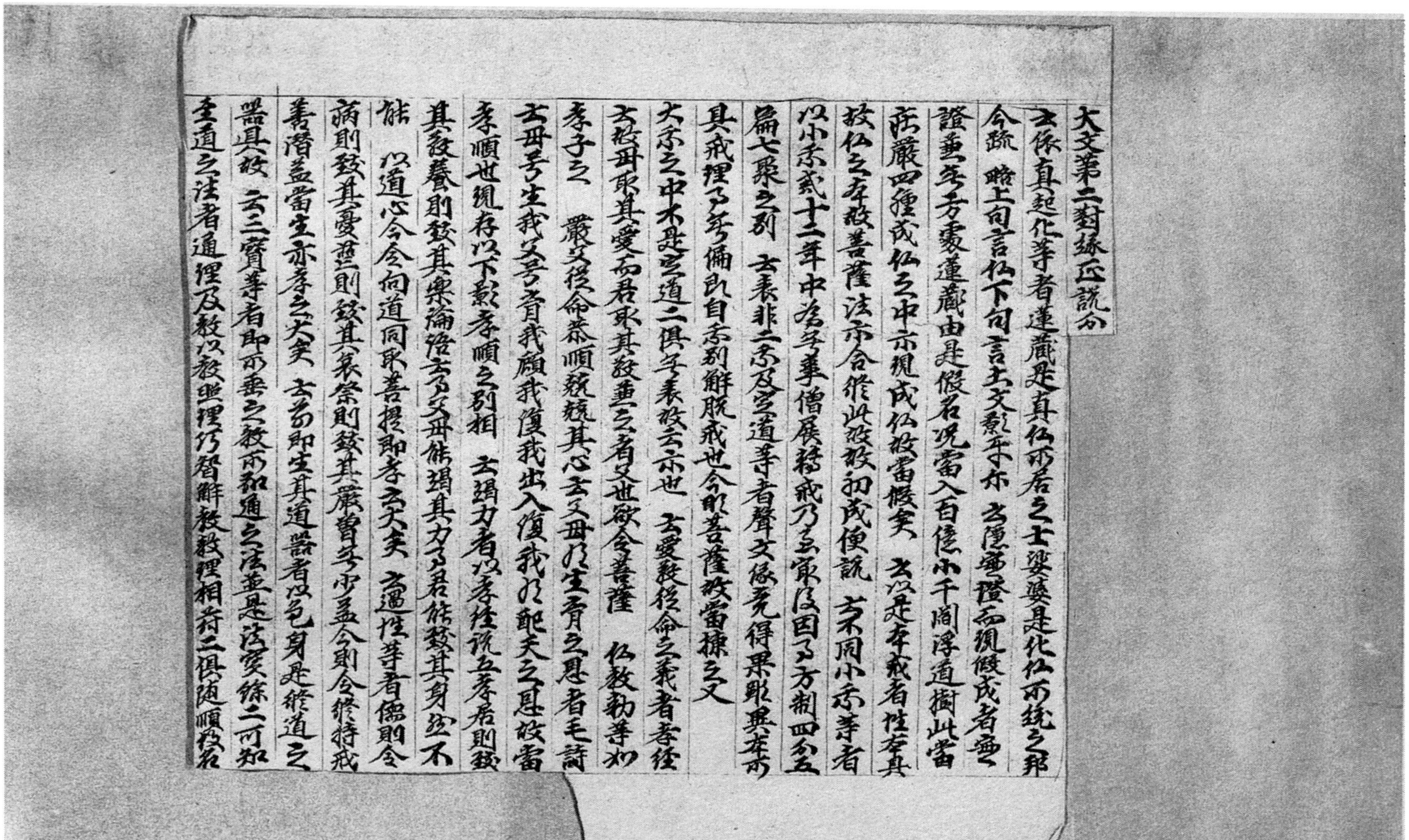
大文第二對緣正說分
云依真起化等者蓮藏是真佛所居之土娑婆是化佛所統之邦
分疏　略上句言佛下句言土文影可知　云隱無證而現假成者無
證無可等者蓮藏由是假名況當入百億小千閻浮道樹此當
莊嚴四種成佛之中示現成佛故當假實　云以是本師者性本其
故佛之本故菩薩法亦合從此發發初成便說　云不同小乘等者
以小乘戒十二年中為可事僧展轉戒乃至宗使因乃方制四分五
篇七聚之别　云表非二乘及三道等者聲聞緣覺得果雖異本亦
其戒理乃可備此自乘别解脫戒世今明菩薩故當揀之文
大乘之中未是三道二俱可表故云亦世　云愛敬從命之義者孝經
云於母取其愛而君取其敬兼之者父世欲令菩薩　佛教勅等如
孝子之　嚴父從命恭順𩔖貌其心云父母乃生育之恩者毛詩
云母兮生我父兮育我顧我復我出入復我乃離天之恩故當
孝順世現存以下歎孝順之别相　云竭力者以孝經說五孝居則致
其敬養則致其樂論語云事父母能竭其力事君能致其身盡不
能　以道心令令向道同取善提即孝之大矣　云遍性等者儒則令
病則致其憂喪則致其哀祭則致其嚴曾子少孟今則令終持戒
善潛益當生亦孝之大矣　云若即生其道器者以色身是終道之
器具故　云三寶等者即所乘之教所知通之法並是法寶餘二可知
聖道之法者通理及教以教詮理仍習解教教理相符二俱隨順故名

BD02155 號 C　大文第二對緣正說分

（1-1）

呪食儀壹本
此是淨三業真言念三遍 唵薩嚩婆嚩秫馱 薩嚩達麼薩嚩婆嚩
秫度憾 此是安慰真言念三遍 曩謨三滿哆 沒馱南 度嚕地尾莎
嚩訶 然後呂請偈 手執食器迴面東北立念三遍 比丘某甲發心奉持
一器淨食遍呂法界一切餓鬼悉來至此 我今悲愍普施少食本有廣
偈不敢繁寫 呂請真言念七遍 舉手向前以大指与中指相捻餘三指
竪曲名呂請印 南无步布里 迦哩哆哩怛他誐哆野 開咽喉真言
念七遍 与前印同只迴手向面 唵步布帝哩迦哩哆哩怛他誐哆野 吽
无量光明自在神呪亦名變食 与前印同却向食上念一遍 南无薩嚩
怛他誐哆 阿嚩嚧枳帝 唵 三跋囉三跋囉 吽 變甘露真言
南无素嚕婆野 怛他誐哆野 怛你也他 唵 素嚕素嚕 鉢羅素嚕
鉢羅素嚕 薩嚩婆馱地瑟恥窒 薩嚩訶 一字水輪呪 南无三滿多沒
馱喃 錽 念七遍 隨淨水在掌中想如乳海展五指淋食上 呪食偈
三 捶兹所作福 普霑於鬼趣

BD02155 號 D　呪食儀壹本　（1–1）

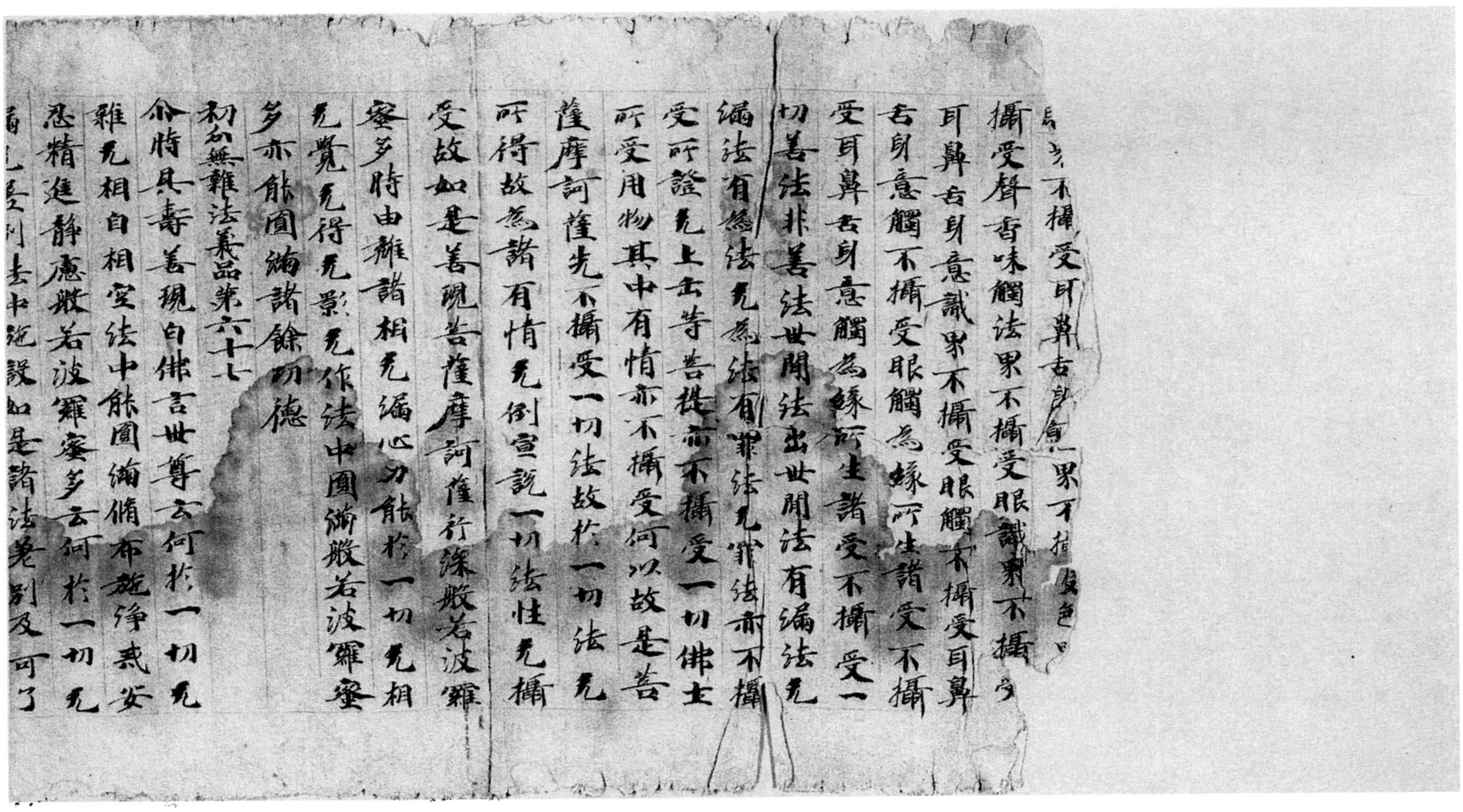

……不攝受耳鼻舌身意界不攝……
攝受聲香味觸法界不攝受眼識界不攝受
耳鼻舌身意識界不攝受眼觸不攝受耳鼻
舌身意觸不攝受眼觸為緣所生諸受不攝
受耳鼻舌身意觸為緣所生諸受不攝受一
切善法非善法世間法出世間法有漏法无
漏法有為法无為法有罪法无罪法亦不攝
受所證无上正等菩提亦不攝受一切佛土
所受用物其中有情亦不攝受何以故是菩
薩摩訶薩先不攝受一切法故於一切法无
所得故為諸有情无倒宣說一切法性无攝
受故如是善現菩薩摩訶薩行深般若波羅
蜜多時由離諸相无漏心力能於一切无相
无覺无得无影无作法中圓滿般若波羅蜜
多亦能圓滿諸餘功德
初分無雜法義品第六十七
尒時具壽善現白佛言世尊云何於一切无
雜无相自相空法中能圓滿脩布施淨戒安
忍精進靜慮般若波羅蜜多云何於一切无
……別法中施設如是諸法差別及可了

BD02156 號　大般若波羅蜜多經卷三七八　（19–1）

多亦能圓滿諸餘功德

初分無雜法義品第六十七

尒時具壽善現白佛言世尊云何於一切无
雜无相自相空法中能圓滿脩布施淨戒安
忍精進靜慮般若波羅蜜多云何於一切无
徧无差別法中施設如是諸法差別及可了
知云何於般若波羅蜜多中攝受一切布施
淨戒安忍精進靜慮般若波羅蜜多攝受一
切內空外空內外空空空大空勝義空有為
空无為空畢竟空无際空散空无變異空本
性空自相空共相空一切法空不可得空无
性空自性空无性自性空攝受一切真如法
界法性不虛妄性不變異性平等性離生性
法定法住實際虛空界不思議界攝受一切
四念住四正斷四神足五根五力七等覺支
八聖道支攝受一切空无相无願解脫門攝
受一切苦集滅道聖諦攝受一切四靜慮四
无量四无色定攝受一切八解脫八勝處九
次第定十遍處攝受一切三摩地門陀羅尼
門攝受一切五眼六神通攝受一切佛十力
四无所畏四无礙解大慈大悲大喜大捨十
八佛不共法攝受一切无忘失法恒住捨性
攝受一切一切智道相智一切相智攝受一
切世出世法云何於一切異相法中施設一
相所謂无相及於一相无相法中施設種種
差別法相

BD02156號　大般若波羅蜜多經卷三七八

（19–2）

攝受一切一切智道相智一切相智攝受一
切世出世法云何於一切異相法中施設一
相所謂无相及於一相无相法中施設種種
差別法相

佛言善現菩薩摩訶薩行深般若波羅蜜多
時安住如夢如響如像如光影如陽焰如幻
事如尋香城如變化事五取蘊中脩行布施
淨戒安忍精進靜慮般若波羅蜜多如實了
知如夢如響如像如光影如陽焰如幻事如
尋香城如變化事五取蘊皆无相所以者何
諸夢響像光影陽焰幻事尋香城變化事皆
无自性若法无自性是法則无相若法无相
是法一相所謂无相善現由此因緣當知一
切布施无相施者无相受者无相施物无相
若如是知而行布施則能圓滿脩行布施波
羅蜜多若能圓滿脩行布施波羅蜜多則不
遠離淨戒安忍精進靜慮般若波羅蜜多安
住如是布施淨戒安忍精進靜慮般若波羅
蜜多則能圓滿四靜慮四无量四无色定亦
能圓滿四念住四正斷四神足五根五力七
等覺支八聖道支亦能圓滿空无相无願解
脫門亦能圓滿內空外空內外空空空大空勝
義空有為空无為空畢竟空无際空散空无
變異空本性空自相空共相空一切法空不
可得空无性空自性空无性自性空亦能圓
滿真如法界法性不虛妄性不變異性平等
性離生性法定法住實際虛空界不思議界

BD02156號　大般若波羅蜜多經卷三七八

（19–3）

義空有為空無為空畢竟空無際空散空無
變異空本性空自相空共相空一切法空不
可得空无性空自性空无性自性空亦能圓
滿真如法界法性不虛妄性不變異性平等
性離生性法定法住實際虛空界不思議界
亦能圓滿苦集滅道聖諦亦能圓滿八解脫
八勝處九次第定十遍處亦能圓滿五百三
摩地門五百陁羅尼門亦能圓滿五眼六神
通亦能圓滿佛十力四无所畏四无礙解大
慈大悲大喜大捨十八佛不共法亦能圓滿
无忘失法恒住捨性亦能圓滿一切智道相
智一切相智是菩薩摩訶薩安住如是異熟
生聖无漏諸法中以神通力往到十方殑伽
沙等諸佛世界復以種種上妙衣服飲食卧
具湯藥香華寶幢幡蓋燈明伎樂及餘所須
供養恭敬尊重讚歎諸佛世尊作諸有情利
益安樂應以布施而攝益者即以布施而攝
益之應以淨戒而攝益者即以淨戒而攝益
之應以安忍而攝益者即以安忍而攝益之
應以精進而攝益者即以精進而攝益之應
以靜慮而攝益者即以靜慮而攝益之應以
般若而攝益者即以般若而攝益之應以諸
餘種種善法而攝益者即以諸餘種種善法
而攝益之應以一切殊勝善法而攝益者即
以一切殊勝善法而攝益之是菩薩摩訶薩
成就如是无量善法雖受生死不為生死過
失所染為欲利樂諸有情故攝受人天富貴

BD02156號　大般若波羅蜜多經卷三七八　（19–4）

餘種種善法而攝益者即以諸餘種種善法
而攝益之應以一切殊勝善法而攝益者即
以一切殊勝善法而攝益之是菩薩摩訶薩
成就如是无量善法雖受生死不為生死過
失所染為欲利樂諸有情故攝受人天富貴
自在由此富貴自在威力能作有情諸利樂
事以四攝事而攝受之是菩薩摩訶薩知一
切法皆无相故雖知預流果而不住預流果
雖知一來果而不住一來果雖知不還果而
不住不還果雖知阿羅漢果而不住阿羅漢
果雖知獨覺菩提而不住獨覺菩提所以者
何是菩薩摩訶薩如實了知一切法已為欲
證得一切相智不共一切聲聞獨覺如是善
現菩薩摩訶薩知一切法皆无相故如實了
知布施淨戒安忍精進靜慮般若波羅蜜多
亦皆无相如實了知諸餘佛法亦皆无相由
是因緣普能圓滿一切佛法
復次善現菩薩摩訶薩行深般若波羅蜜多
時安住如夢如響如像如光影如陽焰如幻
事如尋香城如變化事五取蘊中圓滿淨戒
波羅蜜多是菩薩摩訶薩如實了知是五取
蘊如夢如響如像如光影如陽焰如幻事如
尋香城如變化事已便能圓滿无相淨戒波
羅蜜多如是淨戒无缺无隙无瑕无穢无所
取著應受供養智者所讚妙善受持妙善究竟
是聖无漏是出世間道支所攝安住此戒能

BD02156號　大般若波羅蜜多經卷三七八　（19–5）

蘊如夢如響如像如光影如陽焰如幻事如
尋香城如變化事已便能圓滿無相淨戒波
羅蜜多如是淨戒無缺無隙無瑕無穢無所
取著應受供養智者所讚妙善受持妙善究竟
是聖無漏是出世間道支所攝安住此戒能
善受持受施設戒法爾得戒律儀戒有表戒
無表戒現行戒不現行戒威儀戒非威儀戒
是菩薩摩訶薩雖具成就如是諸戒而無取
著不作是念我由此戒當生剎帝利大族富
貴自在或生婆羅門大族富貴自在或生長
者大族富貴自在或生居士大族富貴自在
不作是念我由此戒當為小王或為大王或
為輪王富貴自在不作是念我由此戒當生
四大王眾天或生三十三天或生夜摩天或
生覩史多天或生樂變化天或生他化自在
天富貴自在不作是念我由此戒當生梵眾天
或生梵輔天或生梵會天或生大梵天富貴
自在不作是念我由此戒當生光天或生少
光天或生無量光天或生極光淨天富貴自
在不作是念我由此戒當生淨天或生少淨
天或生無量淨天或生遍淨天富貴自在不
作是念我由此戒當生廣天或生少廣天或
生無量廣天或生廣果天富貴自在不作是
念我由此戒當生無繁天或生無熱天或生
善現天或生善見天或生色究竟天富貴自
在不作是念我由此戒當生空無邊處或生

BD02156號　大般若波羅蜜多經卷三七八

（19–6）

生無量廣天或生廣果天富貴自在不作是
念我由此戒當生無繁天或生無熱天或生
善現天或生善見天或生色究竟天富貴自
在不作是念我由此戒當生空無邊處或生
識無邊處或生無所有處或生非想非非想
處富貴自在不作是念我由此戒當得預流
果或得一來果或得不還果或得阿羅漢果
或得獨覺菩提或入菩薩正性離生或得菩
薩無生法忍或得無上正等菩提所以者何
是諸法皆無相咸同一相所謂無相無相之
法不得無相有相之法不得有相無相之法
不得有相有相之法不得無相由是因緣都
不可得如是善現菩薩摩訶薩脩行般若波
羅蜜多速能圓滿無相淨戒波羅蜜多證入
菩薩正性離生既入菩薩正性離生復得菩
薩無生法忍既得菩薩無生法忍脩行道相
智趣一切相智得異熟五神通復得五百三
摩地門亦得五百陁羅尼門安住此中復能
證得四無礙解從一佛土至一佛土供養恭
敬尊重讚歎諸佛世尊成熟有情嚴淨佛土
是菩薩摩訶薩為化有情雖現流轉諸趣生
死而不為彼煩惱業報諸障所染譬如化人
雖現行住坐卧等事而無真實往來等業雖
現種種饒益有情而於有情及彼施設都無
所得如有如來應正等覺名蘊[illegible]多證得無
上正等菩提轉妙法輪度無量眾令脫生死
證得涅槃而無有情堪受次得無上正等菩

BD02156號　大般若波羅蜜多經卷三七八

（19–7）

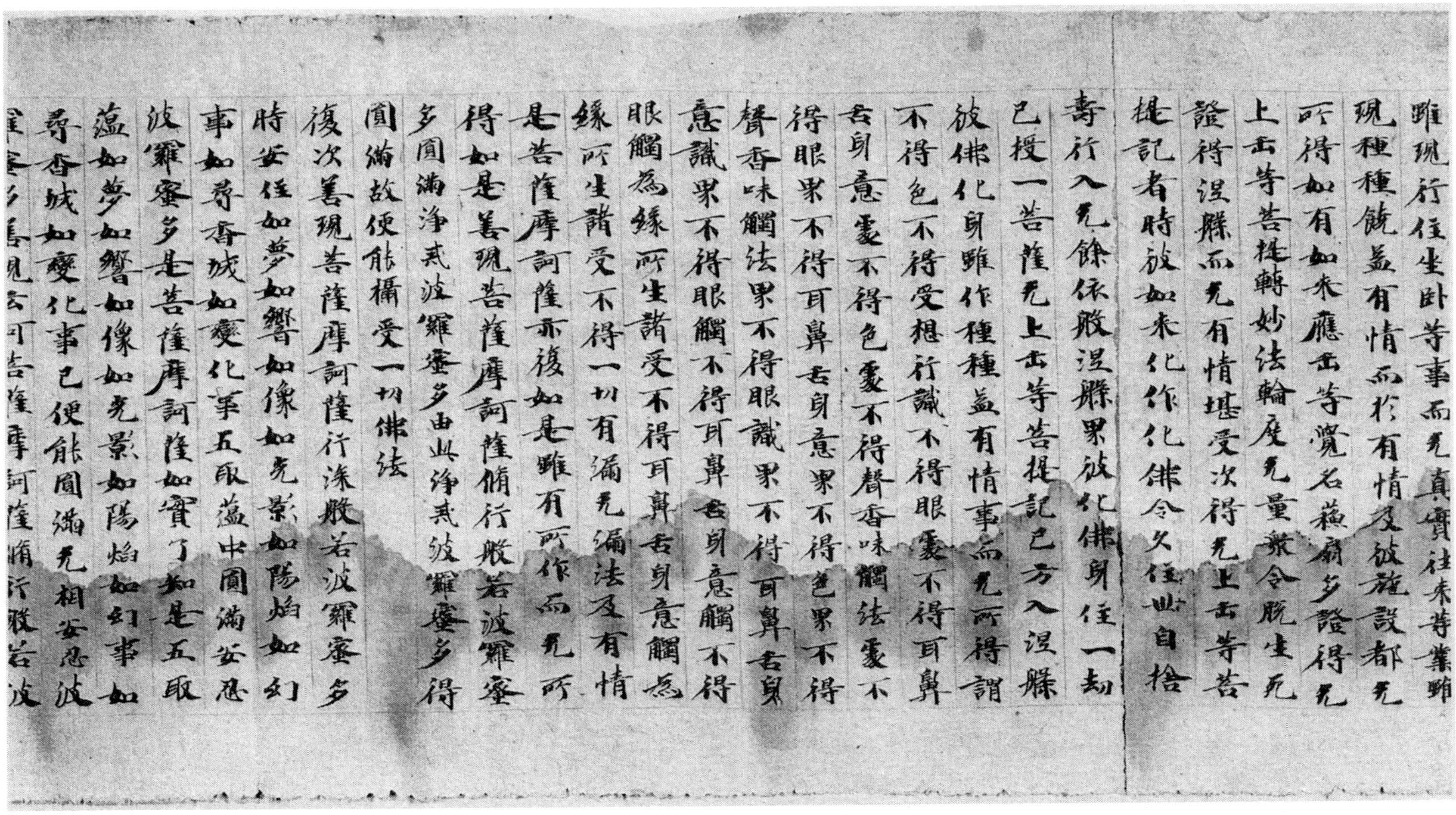

雖現行住坐卧等事而无真實往來等業雖
現種種饒益有情而於有情及彼施設都无
所得如有如來應正等覺名蘇扇多證得无
上正等菩提轉妙法輪度无量衆令脫生死
證得涅槃而无有情堪受次得无上正等菩
提記者時彼如來化作化佛令久住世自捨
壽行入无餘依般涅槃界彼化佛身住一劫
已授一菩薩无上正等菩提記已方入涅槃
彼佛化身雖作種種益有情事而无所得謂
不得色不得受想行識不得眼處不得耳鼻
舌身意處不得色處不得聲香味觸法處不
得眼界不得耳鼻舌身意界不得色界不得
聲香味觸法界不得眼識界不得耳鼻舌身
意識界不得眼觸不得耳鼻舌身意觸不得
眼觸為緣所生諸受不得耳鼻舌身意觸為
緣所生諸受不得一切有漏无漏法及有情
是菩薩摩訶薩亦復如是雖有所作而无所
得如是善現菩薩摩訶薩脩行般若波羅蜜
多圓滿淨戒波羅蜜多由此淨戒波羅蜜多得
圓滿故便能攝受一切佛法
復次善現菩薩摩訶薩行深般若波羅蜜多
時安住如夢如響如像如光影如陽焰如幻
事如尋香城如變化事五取蘊中圓滿安忍
波羅蜜多是菩薩摩訶薩如實了知是五取
蘊如夢如響如像如光影如陽焰如幻事如
尋香城如變化事已便能圓滿无相安忍波
羅蜜多善現云何菩薩摩訶薩脩行般若波

BD02156號　大般若波羅蜜多經卷三七八　（19–8）

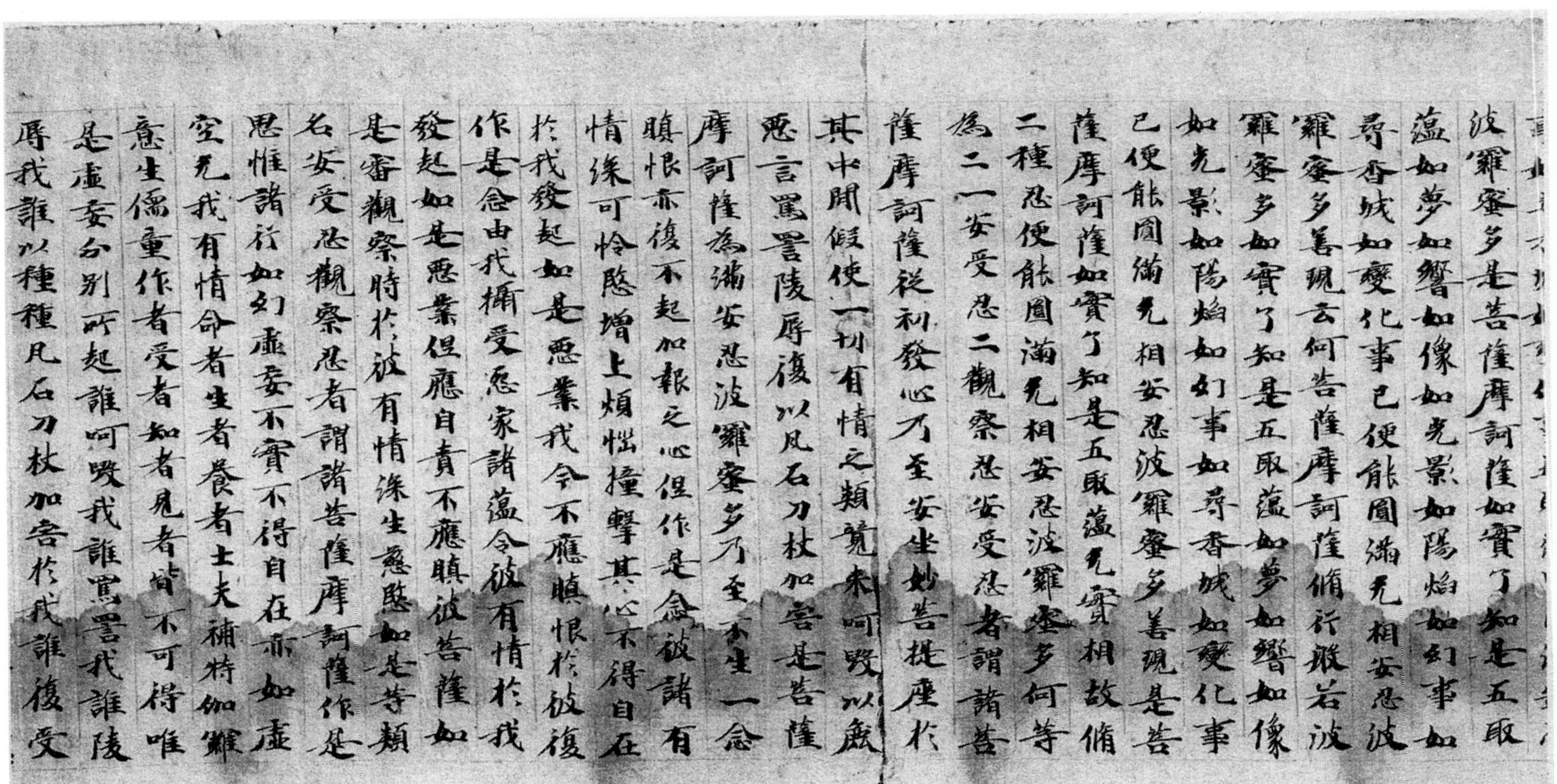

波羅蜜多是菩薩摩訶薩如實了知是五取
蘊如夢如響如像如光影如陽焰如幻事如
尋香城如變化事已便能圓滿无相安忍波
羅蜜多善現云何菩薩摩訶薩脩行般若波
羅蜜多如實了知是五取蘊如夢如響如像
如光影如陽焰如幻事如尋香城如變化事
已便能圓滿无相安忍波羅蜜多善現是菩
薩摩訶薩如實了知是五取蘊无實相故脩
二種忍便能圓滿无相安忍波羅蜜多何等
為二一安受忍二觀察忍安受忍者謂諸菩
薩摩訶薩從初發心乃至安坐妙菩提座於
其中間假使一切有情之類競來呵毀以麁
惡言罵詈陵辱復以瓦石刀杖加害是菩薩
摩訶薩為滿安忍波羅蜜多乃至不生一念
瞋恨亦復不起加報之心但作是念彼諸有
情緣可怜愍增上煩惱撞擊其心不得自在
於我發起如是惡業我今不應瞋恨於彼復
作是念由我攝受怨家諸蘊令彼有情於我
發起如是惡業但應自責不應瞋彼菩薩如
是審觀察時於彼有情深生慈愍如是等類
名安受忍觀察忍者謂諸菩薩摩訶薩作是
思惟諸行如幻虛妄不實不得自在亦如虛
空无我有情命者生者養者士夫補特伽羅
意生儒童作者受者知者見者皆不可得唯
是虛妄分別所起誰呵毀我誰罵詈我誰陵
辱我誰以種種瓦石刀杖加害於我誰復受

BD02156號　大般若波羅蜜多經卷三七八　（19–9）

空无我有情命者生者養者士夫補特伽羅
意生儒童作者受者知者見者皆不可得唯
是虛妄分別所起誰呵毀我誰罵詈我誰陵
辱我誰以種種凡石刀杖加害於我誰復受
彼毀辱加害皆是自心虛妄分別我今不應
橫起執著如是諸法由自性空勝義空故都
无所有菩薩如是審觀察時如實了知諸行
空寂於一切法不生異想如是等類名觀察
忍是菩薩摩訶薩脩習如是二種忍故便能
圓滿无相安忍波羅蜜多由能圓滿无相安
忍波羅蜜多即便獲得无生法忍時具壽善
現白佛言世尊云何名為无生法忍此何所
斷復是何智佛言善現由此勢力乃至少分
惡不善法亦不得生是故說名无生法忍此
令一切我及我所慢等煩惱究竟寂滅如實
忍受諸行如夢如響如像如光影如陽焰如
幻事如尋香城如變化事此忍名智得此智
故說名獲得无生法忍具壽善現復白佛言
世尊聲聞獨覺无生法忍與菩薩摩訶薩无
生法忍有何差別佛言善現諸預流者若智
若斷亦名菩薩摩訶薩忍諸一來者若智若
斷亦名菩薩摩訶薩忍諸不還者若智若斷
亦名菩薩摩訶薩忍諸阿羅漢若智若斷亦
名菩薩摩訶薩忍一切獨覺若智若斷亦名
菩薩摩訶薩忍復有菩薩摩訶薩忍謂忍諸
法畢竟不生是為差別善現諸菩薩摩訶薩

BD02156號　大般若波羅蜜多經卷三七八

（19–10）

亦名菩薩摩訶薩忍諸阿羅漢若智若斷亦
名菩薩摩訶薩忍一切獨覺若智若斷亦名
菩薩摩訶薩忍復有菩薩摩訶薩忍謂忍諸
法畢竟不生是為差別善現諸菩薩摩訶薩
成就如是殊勝忍故超勝一切聲聞獨覺善
現是菩薩摩訶薩安住如是殊勝異熟无
生忍中行菩薩道能圓滿道相智由能圓
滿道相智故常不遠離四念住四正斷四神
足五根五力七等覺支八聖道支亦不遠離
空无相无願解脫門亦不遠離異熟神通是
菩薩摩訶薩由不遠離異熟神通從一佛土
至一佛土供養恭敬諸佛世尊成熟有情
嚴淨佛土是菩薩摩訶薩由成熟有情嚴
淨佛土得圓滿故以一剎那相應妙慧證得
无上正等菩提如是善現菩薩摩訶薩脩行
般若波羅蜜多速能圓滿无相安忍波羅蜜
多无相安忍波羅蜜多得圓滿故便能證
得一切智智一切佛法无不圓滿
復次善現菩薩摩訶薩行深般若波羅蜜多
時安住如夢如響如像如光影如陽焰如幻
事如尋香城如變化事五取蘊中如實了知
是五取蘊如夢如響如像如光影如陽焰如
幻事如尋香城如變化事无實相已發起勇
猛身心精進是菩薩摩訶薩發起勇猛身
精進故引發殊勝迅速神通由此神通往十方
界供養恭敬尊重讚歎諸佛世尊於諸佛所

BD02156號　大般若波羅蜜多經卷三七八

（19–11）

猛身心精進是菩薩摩訶薩發起勇猛身
精進故引發殊勝迅速神通由此神通往十方
界供養恭敬尊重讚歎諸佛世尊於諸佛所
殖衆德本利益安樂无量有情亦能嚴淨種
種佛土是菩薩摩訶薩由身精進成熟有情
隨其所宜方便安立於三乘法各令究竟如
是善現菩薩摩訶薩脩行般若波羅蜜多由
身精進能速圓滿无相精進波羅蜜多善現
是菩薩摩訶薩發起勇猛心精進故引發諸
聖无漏道支所攝精進圓滿精進波羅蜜多
於中具能攝諸善法謂四念住四正斷四神
足五根五力七等覺支八聖道支空无相无
願解脫門四靜慮四无量四无色定八解脫
八勝處九次第定十遍處苦集滅道聖諦布
施淨戒安忍精進靜慮般若波羅蜜多五眼
六神通三摩地門陁羅尼門極喜地離垢地
發光地焰慧地極難勝地現前地遠行地不
動地善慧地法雲地內空外空內外空空空
大空勝義空有為空无為空畢竟空无際空
散空无變異空本性空自相空共相空一切
法空不可得空无性空自性空无性自性空
真如法界法性不虛妄性不變異性平等性
離生性法定法住實際虛空界不思議界佛
十力四无所畏四无礙解大慈大悲大喜大
捨十八佛不共法无忘失法恒住捨性一切智
道相智一切相智是菩薩摩訶薩安住此中
能圓滿一切相智由一切相智得圓滿故永

真如
離生性法定法住實際虛空界不思議界佛
十力四无所畏四无礙解大慈大悲大喜大
捨十八佛不共法无忘失法恒住捨性一切智
道相智一切相智是菩薩摩訶薩安住此中
能圓滿一切相智由一切相智得圓滿故永
斷一切習氣相續由永斷一切習氣相續故
諸相隨好成就圓滿由諸相隨好成就圓滿
證得无上正等菩提放大光明遍照三千大
千世界令諸世界六種變動轉正法輪具十
二相由此三千大千世界諸有情類蒙光照
觸覩斯變動聞正法音皆於三乘得不退轉
如是善現菩薩摩訶薩脩行般若波羅蜜多
圓滿精進波羅蜜多是菩薩摩訶薩安住精
進波羅蜜多能辦自他多饒益事速能圓滿
一切佛法證得无上等菩提
復次善現菩薩摩訶薩行深般若波羅蜜多
時安住如夢如響如像如光影如陽焰如幻
事如尋香城如變化事五取蘊中圓滿靜慮
波羅蜜多善現云何菩薩摩訶薩行深般若
波羅蜜多時安住如夢如響如像如光影如
陽焰如幻事如尋香城如變化事五取蘊中
圓滿靜慮波羅蜜多善現菩薩摩訶薩脩行
般若波羅蜜多時如實了知是五取蘊如夢
如響如像如光影如陽焰如幻事如尋香城
如變化事无實相已入初靜慮具足住入第
二第三第四靜慮具足住入慈无量具足住

圓滿靜慮波羅蜜多善現菩薩摩訶薩脩行
般若波羅蜜多時如實了知是五取蘊如夢
如響如像如光影如陽焰如幻事如尋香城
如變化事无實相已入初靜慮具足住入第
二第三第四靜慮具足住入慈无量具足住
入悲喜捨无量具足住入空无邊處定具足
住入識无邊處无所有處非想非非想處定
具足住脩空三摩地脩无相无願三摩地脩
如電三摩地脩聖出三摩地金剛喻三摩地
住金剛喻三摩地中除如來三摩地諸餘一
切三摩地若共聲聞三摩地若共獨覺三摩
地若餘无量三摩地如是一切皆能身證具
足而住然於如是靜慮无量无色定等諸三
摩地不生味著亦不耽著彼所得果何以故
是菩薩摩訶薩如實了知靜慮无量无色定
等諸三摩地及一切法皆无實相皆以无性
而為自性不應以无相法味著无相法亦不
應以无性為自性法味著无性為自性法由
不味著三摩地故是菩薩摩訶薩終不隨順
靜慮无量无色定等諸三摩地勢力而生色
无色界何以故是菩薩摩訶薩於一切界都
无所得於入定者及所入定由此入定亦无所
得是菩薩摩訶薩於一切法无所得故速
能圓滿无相靜慮波羅蜜多由此靜慮波羅
蜜多趣諸聲聞及獨覺地時具壽善現白佛
言世尊是菩薩摩訶薩云何圓滿无相靜慮

BD02156號　大般若波羅蜜多經卷三七八

（19–14）

无所得於入定者及所入定由此入定亦无所
得是菩薩摩訶薩於一切法无所得故速
能圓滿无相靜慮波羅蜜多由此靜慮波羅
蜜多趣諸聲聞及獨覺地時具壽善現白佛
言世尊是菩薩摩訶薩云何圓滿无相靜慮
波羅蜜多趣諸聲聞及獨覺地佛言善現是
菩薩摩訶薩善學內空外空內外空
空空大空勝義空有為空无為空畢竟空无
際空散空无變異空本性空自相空共相空
一切法空不可得空无性空自性空无性自
性空故是菩薩摩訶薩於是諸空中不得一
切法安住此中不得預流果不得一來不還
阿羅漢果獨覺菩提不得一切菩薩摩訶薩
行不得諸佛无上正等菩提何以故是諸空
性亦皆空故是菩薩摩訶薩由住此空超諸
聲聞及獨覺地證入菩薩正性離生具壽善
現復白佛言世尊菩薩摩訶薩以何為生以
何為離生佛言善現菩薩摩訶薩以一切有
所得為生以一切无所得為離生具壽善現
白佛言世尊菩薩摩訶薩以何為有所得以
何為无所得佛言善現菩薩摩訶薩以一切法
為有所得謂菩薩摩訶薩以色為有所得以
受想行識為有所得菩薩摩訶薩以眼處為
有所得以耳鼻舌身意處為有所得菩薩摩
訶薩以色處為有所得以聲香味觸法處為
有所得菩薩摩訶薩以眼界為有所得以耳

BD02156號　大般若波羅蜜多經卷三七八

（19–15）

何為无所得佛言善現菩薩摩訶薩以一切
為有所得謂菩薩摩訶薩以色為有所得以
受想行識為有所得菩薩摩訶薩以眼處為
有所得以耳鼻舌身意處為有所得菩薩摩
訶薩以色處為有所得以聲香味觸法處為
有所得菩薩摩訶薩以眼界為有所得以耳
鼻舌身意界為有所得菩薩摩訶薩以色界
為有所得以聲香味觸法界為有所得菩薩
摩訶薩以眼識界為有所得以耳鼻舌身意
識界為有所得菩薩摩訶薩以眼觸為有所
得以耳鼻舌身意觸為有所得菩薩摩訶
以眼觸為緣所生諸受為有所得以耳鼻舌
身意觸為緣所生諸受為有所得菩薩摩訶
薩以地界為有所得以水火風空識界為有
所得菩薩摩訶薩以因緣為有所得以等无
間緣所緣緣增上緣為有所得菩薩摩訶薩
以无明為有所得以行識名色六處觸受愛
取有生老死愁歎苦憂惱為有所得菩薩摩
訶薩以布施波羅蜜多為有所得以淨戒安
忍精進靜慮般若波羅蜜多為有所得菩薩
摩訶薩以內空為有所得以外空內外空空
空大空勝義空有為空无為空畢竟空无際
空散空无變異空本性空自相空共相空一
切法空不可得空无性空自性空无性自性
空為有所得菩薩摩訶薩以四念住為有所
得以四正斷四神足五根五力七等覺支八
聖道支為有所得菩薩摩訶薩以空解脫門

BD02156 號　大般若波羅蜜多經卷三七八　（19–16）

切法空不可得空无性空自性空无性自性
空為有所得菩薩摩訶薩以四念住為有所
得以四正斷四神足五根五力七等覺支八
聖道支為有所得菩薩摩訶薩以空解脫門
為有所得以无相无願解脫門為有所得菩
薩摩訶薩以苦聖諦為有所得以集滅道聖
諦為有所得菩薩摩訶薩以四靜慮為有所
得以四无量四无色定為有所得菩薩摩訶
薩以八解脫為有所得以八勝處九次第定
十遍處為有所得菩薩摩訶薩以一切三摩
地門為有所得以一切陀羅尼門為有所得
菩薩摩訶薩以極喜地為有所得以離垢地
發光地焰慧地極難勝地現前地遠行地不
動地善慧地法雲地為有所得菩薩摩訶薩
以五眼為有所得以六神通為有所得菩薩
摩訶薩以佛十力為有所得以四无所畏四
无礙解大慈大悲大喜大捨十八佛不共法
為有所得菩薩摩訶薩以无忘失法為有所
得以恒住捨性為有所得菩薩摩訶薩以一切
智為有所得以道相智一切相智為有所得
菩薩摩訶薩以預流果為有所得以一來不
還阿羅漢果獨覺菩提為有所得菩薩摩
訶薩以一切菩薩摩訶薩行為有所得以諸
佛无上正等菩提為有所得菩薩摩訶薩以
如是等有所得為生善現无所得者謂菩薩
摩訶薩於如是一切法无行无得无說无示

BD02156 號　大般若波羅蜜多經卷三七八　（19–17）

得以恒住捨性爲有所得菩薩摩訶薩以一切
智爲有所得以道相智一切相智爲有所得
菩薩摩訶薩以預流果爲有所得以一來不
還阿羅漢果獨覺菩提爲有所得菩薩摩
訶薩以一切菩薩摩訶薩行爲有所得以諸
佛无上正等菩提爲有所得菩薩摩訶薩以
如是等有所得爲生善現无所得者謂菩薩
摩訶薩於如是一切法无行无得无說无示
謂菩薩摩訶薩於色无行无得无說无示於
受想行識无行无得无說无示何以故色自
性乃至識自性皆不可行得說示故菩薩摩
訶薩於眼處无行无得无說无示於耳鼻舌
身意處无行无得无說无示何以故眼處自
性乃至意處自性皆不可行得說示故菩薩
摩訶薩於色處无行无得无說无示於聲
香味觸法處无行无得无說无示何以故色
處自性乃至法處自性皆不可行得說示故
菩薩摩訶薩於眼界无行无得无說无示於
耳鼻舌身意界无行无得无說无示何以故
眼界自性乃至意界自性皆不可行得說示
故菩薩摩訶薩於色界无行无得无說无示
於聲香味觸法界无行无得无說无示何以
故色界自性乃至法界自性皆不可行得說
示故菩薩摩訶薩於眼識界无行无得无說
无示於耳鼻舌身意識界无行无得无說无
示何以故眼識界自性乃至意識界自性皆
不可行得說示故菩薩摩訶薩於眼觸无行

BD02156 號　大般若波羅蜜多經卷三七八　（19–18）

性乃至意處自性皆不可行得說示故菩薩
摩訶薩於色處无行无得无說无示於聲
香味觸法處无行无得无說无示何以故色
處自性乃至法處自性皆不可行得說示故
菩薩摩訶薩於眼界无行无得无說无示於
耳鼻舌身意界无行无得无說无示何以故
眼界自性乃至意界自性皆不可行得說示
故菩薩摩訶薩於色界无行无得无說无示
於聲香味觸法界无行无得无說无示何以
故色界自性乃至法界自性皆不可行得說
示故菩薩摩訶薩於眼識界无行无得无說
无示於耳鼻舌身意識界无行无得无說无
示何以故眼識界自性乃至意識界自性皆
不可行得說示故菩薩摩訶薩於眼觸无行
无得无說无示於耳鼻舌身意觸无行无得
无說无示何以故眼觸自性乃至意觸自性
皆不可行得說示故亦證无上正等菩提

大般若波羅蜜多經卷第三百七十八

BD02156 號　大般若波羅蜜多經卷三七八　（19–19）

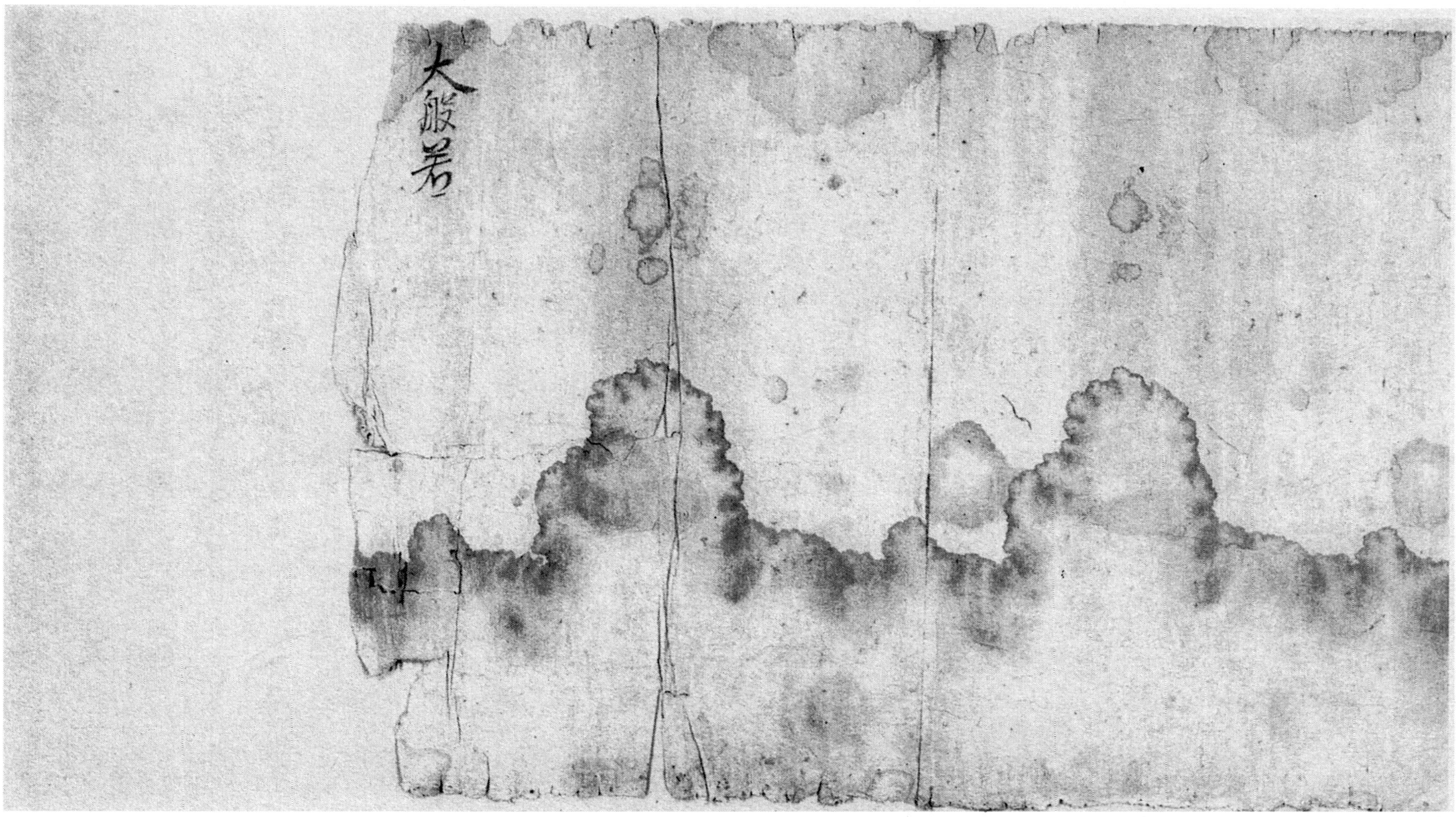
大般若

BD02156號背　勘記　　(1–1)

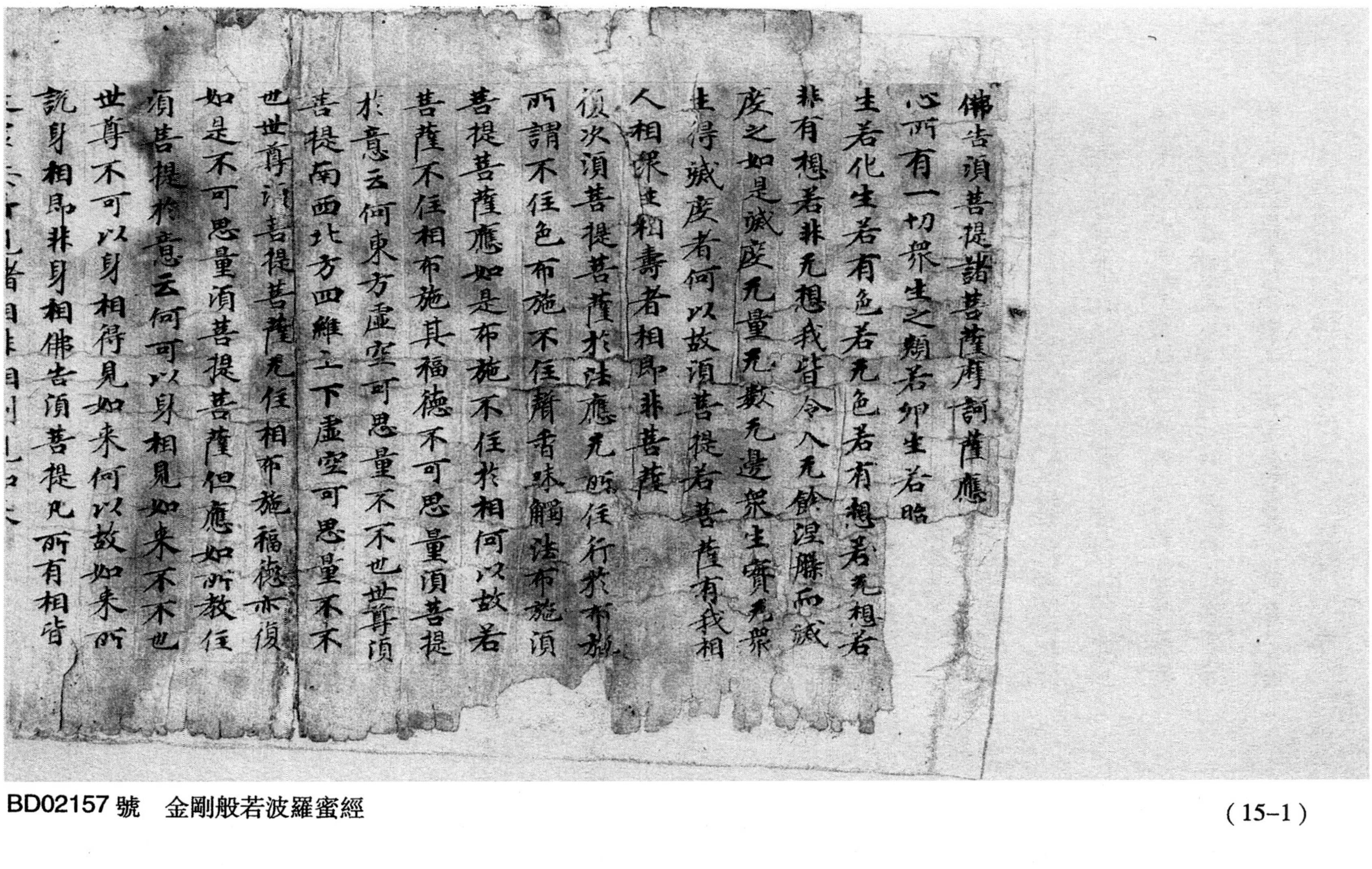
佛告須菩提諸菩薩摩訶薩應
心所有一切衆生之類若卵生若胎
生若化生若有色若无色若有想若无想若
非有想若非无想我皆令入无餘涅槃而滅
度之如是滅度无量无數无邊衆生實无衆
生得滅度者何以故須菩提若菩薩有我相
人相衆生相壽者相即非菩薩
復次須菩提菩薩於法應无所住行於布施
所謂不住色布施不住聲香味觸法布施須
菩提菩薩應如是布施不住於相何以故若
菩薩不住相布施其福德不可思量須菩提
於意云何東方虛空可思量不不也世尊須
菩提南西北方四維上下虛空可思量不不
也世尊須菩提菩薩无住相布施福德亦復
如是不可思量須菩提菩薩但應如所教住
須菩提於意云何可以身相見如來不不也
世尊不可以身相得見如來何以故如來所
說身相即非身相佛告須菩提凡所有相皆

BD02157號　金剛般若波羅蜜經　　(15–1)

須菩提於意云何可以身相見如来不不也
世尊不可以身相得見如来何以故如来所
說身相即非身相佛告須菩提凡所有相皆
是虛妄若見諸相非相則見如来
須菩提白佛言世尊頗有衆生得聞如是言
說章句生實信不佛告須菩提莫作是說如
来滅後後五百歲有持戒脩福者於此章句
能生信心以此為實當知是人不於一佛二
佛三四五佛而種善根已於无量千万佛所
種諸善根聞是章句乃至一念生淨信者須
菩提如来悉知悉見是諸衆生得如是无量
福德何以故是諸衆生无復我相人相衆生
相壽者相无法相亦无非法相何以故是諸
衆生若心取相則為著我人衆生壽者若取
法相即著我人衆生壽者何以故若取非法
相即著我人衆生壽者是故不應取法不應
取非法以是義故如来常說汝等比丘知我
說法如筏喻者法尚應捨何况非法
須菩提於意云何如来得阿耨多羅三藐三
菩提耶如来有所說法耶須菩提言如我解
佛所說義无有定法名阿耨多羅三藐三菩
提亦无有定法如来可說何以故如来所說
法皆不可取不可說非法非非法所以者何
一切賢聖皆以无為法而有差別
須菩提於意云何若人滿三千大千世界七

BD02157號　金剛般若波羅蜜經　（15–2）

法皆不可取不可說非法非非法所以者何
一切賢聖皆以无為法而有差別
須菩提於意云何若人滿三千大千世界七
寶以用布施是人所得福德寧為多不須菩
提言甚多世尊何以故是福德即非福德性
是故如来說福德多若復有人於此經中受
持乃至四句偈等為他人說其福勝彼何以
故須菩提一切諸佛及諸佛阿耨多羅三藐三菩
提法皆從此經出須菩提所謂佛法者即非佛法
須菩提於意云何須陁洹能作是念我得須
陁洹果不須菩提言不也世尊何以故須陁
洹名為入流而无所入不入色聲香味觸法
是名須陁洹須菩提於意云何斯陁含能作
是念我得斯陁含果不須菩提言不也世尊
何以故斯陁含名一往来而實无往来是名
斯陁含須菩提於意云何阿那含能作是念
我得阿那含果不須菩提言不也世尊何以
故阿那含名為不来而實无来是故名阿那
含須菩提於意云何阿羅漢能作是念我得
阿羅漢道不須菩提言不也世尊何以故實
无有法名阿羅漢世尊若阿羅漢作是念我
得阿羅漢道即為著我人衆生壽者世尊佛
說我得无諍三昧人中最為第一是第一離
欲阿羅漢我不作是念我是離欲阿羅漢世

BD02157號　金剛般若波羅蜜經　（15–3）

无有法名阿羅漢世尊若阿羅漢作是念我
得阿羅漢道即為著我人衆生壽者世尊佛
說我得无諍三昧人中最為第一是第一離
欲阿羅漢我不作是念我是離欲阿羅漢世
尊我若作是念我得阿羅漢道世尊則不說
須菩提是樂阿蘭那行者以須菩提實无所
行而名須菩提是樂阿蘭那行
佛告須菩提於意云何如來昔在然燈佛所
於法有所得不世尊如來在然燈佛所於法
實无所得須菩提於意云何菩薩莊嚴佛土
不不也世尊何以故莊嚴佛土者則非莊嚴
是名莊嚴是故須菩提諸菩薩摩訶薩應如
是生清淨心不應住色生心不應住聲香味
觸法生心應无所住而生其心須菩提譬如
有人身如須弥山王於意云何是身為大不
須菩提言甚大世尊何以故佛說非身是名
大身須菩提如恒河中所有沙數如是沙等
恒河於意云何是諸恒河沙寧為多不須菩
提言甚多世尊但諸恒河尚多无數何況其
沙須菩提我今實言告汝若有善男子善女
人以七寶滿尒所恒河沙數三千大千世界
以用布施得福多不須菩提言甚多世尊佛
告須菩提若善男子善女人於此經中乃至
受持四句偈等為他人說而此福德勝前福

BD02157 號　金剛般若波羅蜜經　（15–4）

以用布施得福多不須菩提言甚多世尊佛
告須菩提若善男子善女人於此經中乃至
受持四句偈等為他人說而此福德勝前福
德復次須菩提隨說是經乃至四句偈等當
知此處一切世間天人阿脩羅皆應供養如
佛塔廟何況有人盡能受持讀誦須菩提當
知是人成就最上第一希有之法若是經典
所在之處則為有佛若尊重弟子
尒時須菩提白佛言世尊當何名此經我等
云何奉持佛告須菩提是經名為金剛般若
波羅蜜以是名字汝當奉持所以者何須菩
提佛說般若波羅蜜則非般若波羅蜜須菩
提於意云何如來有所說法不須菩提白佛
言世尊如來无所說須菩提於意云何三千
大千世界所有微塵是為多不須菩提言甚多
世尊須菩提諸微塵如來說非微塵是名微塵
如來說世界非世界是名世界須菩提於意云何
可以三十二相見如來不不也世尊不可以三十二
相得見如來何以故如來說三十二相即是非
相是名三十二相須菩提若有善男子善女人
以恒河沙等身命布施若復有人於此經中乃至
受持四句偈等為他人說其福甚多
尒時須菩提聞說是經深解義趣涕淚悲泣
而白佛言希有世尊佛說如是甚深經典我

BD02157 號　金剛般若波羅蜜經　（15–5）

相是名三十二相須菩提若有善男子善女人
以恒河沙等身命布施若復有人於此經中乃至
受持四句偈等為他人說其福甚多
尒時須菩提聞說是經深解義趣涕淚悲泣
而白佛言希有世尊佛說如是甚深經典我
從昔來所得慧眼未曾得聞如是之經世尊
若復有人得聞是經信心清淨則生實相當
知是人成就第一希有功德世尊是實相者
則是非相是故如來說名實相世尊我今得
聞如是經典信解受持不足為難若當來世
後五百歲其有眾生得聞是經信解受持是
人則為第一希有何以故此人无我相人相眾生
相壽者相所以者何我相即是非相人相眾生相
壽者相即是非相何以故離一切諸相則名諸佛
佛告須菩提如是如是若復有人得聞是經不驚
不怖不畏當知是人甚為希有何以故須菩提如
來說第一波羅蜜非第一波羅蜜是名第一波羅
蜜須菩提忍辱波羅蜜如來說非忍辱波羅蜜
何以故須菩提如我昔為歌利王割截身體
我於尒時无我相无人相无眾生相无壽者
相何以故我於往昔節節支解時若有我相
人相眾生相壽者相應生瞋恨須菩提又念
過去於五百世作忍辱仙人於尒所世无我相
无人相无眾生相无壽者相是故須菩提
菩薩應離一切相發阿耨多羅三藐三菩提

BD02157 號　金剛般若波羅蜜經

（15–6）

人相眾生相壽者相應生瞋恨須菩提又念
過去於五百世作忍辱仙人於尒所世无我相
无人相无眾生相无壽者相是故須菩提
菩薩應離一切相發阿耨多羅三藐三菩提
心不應住色生心不應住聲香味觸法生心
應生无所住心若心有住則為非住是故佛
說菩薩心不應住色布施須菩提菩薩為利
益一切眾生應如是布施如來說一切諸相
即是非相又說一切眾生則非眾生須菩提
如來是真語者實語者如語者不誑語者不
異語者須菩提如來所得法此法无實无虛
須菩提若菩薩心住於法而行布施如人入
闇則无所見若菩薩心不住法而行布施如
人有目日光明照見種種色須菩提當來之
世若有善男子善女人能於此經受持讀誦
則為如來以佛智慧悉知是人悉見是人皆
得成就无量无邊功德
須菩提若有善男子善女人初日分以恒河
沙等身布施中日分復以恒河沙等身布施
後日分亦以恒河沙等身布施如是无量百
千万億劫以身布施若復有人聞此經典信
心不逆其福勝彼何況書寫受持讀誦為人
解說須菩提以要言之是經有不可思議不
可稱量无邊功德如來為發大乘者說為發
最上乘者說若有人能受持讀誦廣為人說

BD02157 號　金剛般若波羅蜜經

（15–7）

千万億劫以身布施若復有人聞此經典信
心不逆其福勝彼何況書寫受持讀誦為人
解説須菩提以要言之是經有不可思議不
可稱量无邊功德如來為發大乘者説為發
最上乘者説若有人能受持讀誦廣為人説
如來悉知是人悉見是人皆得成就不可量
不可稱无有邊不可思議功德如是人等則
為荷擔如來阿耨多羅三藐三菩提何以故
須菩提若樂小法者著我見人見衆生見壽
者見則於此經不能聽受讀誦為人解説須
菩提在在處處若有此經一切世間天人阿
脩羅所應供養當知此處則為是塔皆應恭
敬作礼圍遶以諸華香而散其處
復次須菩提善男子善女人受持讀誦此經
若為人輕賤是人先世罪業應墮惡道以今
世人輕賤故先世罪業則為消滅當得阿耨
多羅三藐三菩提須菩提我念過去无量阿
僧祇劫於然燈佛前得值八百四千万億那
由他諸佛悉皆供養承事无空過者若復有
人於後末世能受持讀誦此經所得功德於
我所供養諸佛功德百分不及一千万億分
乃至筭數譬喻所不能及須菩提若善男子
善女人於後末世有受持讀誦此經所得功
德我若具説者或有人聞心則狂亂狐不信須
菩提當知是經義不可思議果報亦不可思議

BD02157號　金剛般若波羅蜜經　（15–8）

乃至筭數譬喻所不能及須菩提若善男子
善女人於後末世有受持讀誦此經所得功
德我若具説者或有人聞心則狂亂狐不信須
菩提當知是經義不可思議果報亦不可思議
尒時須菩提白佛言世尊善男子善女人發
阿耨多羅三藐三菩提心云何應住云何降
伏其心佛告須菩提善男子善女人發阿耨
多羅三藐三菩提者當生如是心我應滅度
一切衆生滅度一切衆生已而无有一衆生
實滅度者何以故若菩薩有我相人相衆生
相壽者相則非菩薩所以者何須菩提實无
有法發阿耨多羅三藐三菩提者須菩提於
意云何如來於然燈佛所有法得阿耨多羅
三藐三菩提不不也世尊如我解佛所説義
佛於然燈佛所无有法得阿耨多羅三藐三
菩提佛言如是如是須菩提實无有法如來
得阿耨多羅三藐三菩提須菩提若有法如
來得阿耨多羅三藐三菩提者然燈佛則不
與我受記汝於來世當得作佛号釋迦牟尼
以實无有法得阿耨多羅三藐三菩提是故
然燈佛與我受記作是言汝於來世當得作
佛号釋迦牟尼何以故如來者即諸法如義
若有人言如來得阿耨多羅三藐三菩提須
菩提實无有法佛得阿耨多羅三藐三菩提
須菩提如來所得阿耨多羅三藐三菩提於

BD02157號　金剛般若波羅蜜經　（15–9）

佛号釋迦牟尼何以故如来者即諸法如義
若有人言如来得阿耨多羅三藐三菩提須
菩提實无有法佛得阿耨多羅三藐三菩提
須菩提如来所得阿耨多羅三藐三菩提於
是中无實无虚是故如来說一切法皆是佛
法須菩提所言一切法者即非一切法是故
名一切法須菩提譬如人身長大須菩提言
世尊如来說人身長大則為非大身是名大
身須菩提菩薩亦如是若作是言我當滅度
无量衆生則不名菩薩何以故須菩提實无
有法名為菩薩是故佛說一切法无我无人
无衆生无壽者須菩提若菩薩作是言我當
莊嚴佛土是不名菩薩何以故如来說莊嚴
佛土者即非莊嚴是名莊嚴須菩提若菩薩
通達无我法者如来說名真是菩薩
須菩提於意云何如来有肉眼不如是世尊
如来有肉眼須菩提於意云何如来有天眼
不如是世尊如来有天眼須菩提於意云何
如来有慧眼不如是世尊如来有慧眼須菩
提於意云何如来有法眼不如是世尊如来
有法眼須菩提於意云何如来有佛眼不如
是世尊如来有佛眼須菩提於意云何恒河
中所有沙佛說是沙不如是世尊如来說是
沙須菩提於意云何如一恒河中所有沙有
如是等恒河是諸恒河所有沙數佛世界如

BD02157號　金剛般若波羅蜜經

（15–10）

中所有沙佛說是沙不如是世尊如来說是
沙須菩提於意云何如一恒河中所有沙有
如是等恒河是諸恒河所有沙數佛世界如
是寧為多不甚多世尊佛告須菩提尒所國
土中所有衆生若干種心如来悉知何以故
如来說諸心皆為非心是名為心所以者何
須菩提過去心不可得現在心不可得未来心不
可得
須菩提於意云何若有人滿三千大千世界
七寶以用布施是人以是因緣得福多不如
是世尊此人以是因緣得福甚多須菩提若
福德有實如来不說得福德多以福德无故
如来說得福德多
須菩提於意云何佛可以具足色身見不不也
世尊如来不應以具足色身見何以故如来說
具足色身即非具足色身是名具足色身
須菩提於意云何如来可以具足諸相見不不
也世尊如来不應以具足諸相見何以故如来
說諸相具足即非具足是名諸相具足
須菩提汝勿謂如来作是念我當有所說法莫
作是念何以故若人言如来有所說法即為
謗佛不能解我所說故須菩提說法者无法
可說是名說法
須菩提白佛言世尊佛得阿耨多羅三藐三
菩提為无所得耶如是如是須菩提我於阿
耨多羅三藐三菩提乃至无有少法可得是名

BD02157號　金剛般若波羅蜜經

（15–11）

謗佛不能解我所說故須菩提說法者无法
可說是名說法
須菩提白佛言世尊佛得阿耨多羅三藐三
菩提為无所得耶如是如是須菩提我於阿
耨多羅三藐三菩提乃至无有少法可得是名
阿耨多羅三藐三菩提
復次須菩提是法平等无有高下是名阿耨
多羅三藐三菩提以无我无人无衆生无壽者
脩一切善法則得阿耨多羅三藐三菩提須
菩提所言善法者如來說非善法是名善
法須菩提若三千大千世界中所有諸須弥
山王如是等七寶聚有人持用布施若人以此
般若波羅蜜經乃至四句偈等受持為他人說
於前福德百分不及一百千万億分乃至筭
數譬喻所不能及
須菩提於意云何汝等勿謂如來作是念我當
度衆生須菩提莫作是念何以故實无有
衆生如來度者若有衆生如來度者如來則
有我人衆生壽者須菩提如來說有我者則
非有我而凡夫之人以為有我須菩提凡夫者
如來說則非凡夫
須菩提於意云何可以卅二相觀如來不須菩
提言如是如是以卅二相觀如來佛言須菩
提若以卅二相觀如來者轉輪聖王則是如
來須菩提白佛言世尊如我解佛所說義不
應以卅二相觀如來尒時世尊而說偈言
若以色見我　以音聲求我　是人行邪道　不能見如來

BD02157號　金剛般若波羅蜜經　（15-12）

提言如是如是以卅二相觀如來佛言須菩
提若以卅二相觀如來者轉輪聖王則是如
來須菩提白佛言世尊如我解佛所說義不
應以卅二相觀如來尒時世尊而說偈言
若以色見我　以音聲求我　是人行邪道　不能見如來
須菩提汝若作是念如來不以具足相故得阿
耨多羅三藐三菩提須菩提莫作是念如來
不以具足相故得阿耨多羅三藐三菩提須菩
提汝若作是念發阿耨多羅三藐三菩提者
說諸法斷滅相莫作是念何以故發阿耨多羅
三藐三菩提者於法不說斷滅相
須菩提若菩薩以滿恒河沙等世界七寶布施
若復有人知一切法无我得成於忍此菩
薩勝前菩薩所得功德須菩提以諸菩薩不
受福德故須菩提白佛言世尊云何菩薩不受
福德須菩提菩薩所作福德不應貪著是
故說不受福德
須菩提若有人言如來若來若去若坐若卧
是人不解我所說義何以故如來者无所從來
亦无所去故名如來
須菩提若善男子善女人以三千大千世界碎
為微塵於意云何是微塵衆寧為多不甚
多世尊何以故若是微塵衆實有者佛則不
說是微塵衆所以者何佛說微塵衆則非微塵
衆是名微塵衆世尊如來所說三千大千世
界則非世界是名世界何以故若世界實有者
則是一合相如來說一合相則非一合相是名

BD02157號　金剛般若波羅蜜經　（15-13）

多世尊何以故若是微塵衆實有者佛則不
説是微塵衆所以者何佛説微塵衆則非微塵
衆是名微塵衆世尊如来所説三千大千世
界則非世界是名世界何以故若世界實有者
則是一合相如来説一合相則非一合相是名
一合相須菩提一合相者則是不可説但凡
夫之人貪著其事
須菩提若人言佛説我見人見衆生見壽者見
須菩提於意云何是人解我所説義不世尊
是人不解如来所説義何以故世尊説我見
人見衆生見壽者見即非我見人見衆生見
壽者見是名我見人見衆生見壽者見須
菩提發阿耨多羅三藐三菩提心於一切法應
如是知如是見如是信解不生法相須菩提
所言法相者如来説即非法相是名法相須
菩提若有人以滿无量阿僧祇世界七寶持用
布施若有善男子善女人發菩薩心者持於此
経乃至四句偈等受持讀誦為人演説其福勝
彼云何為人演説不取於相如如不動何以故
一切有為法　如夢幻泡影　如露亦如電　應作如是觀
佛説是経已長老須菩提及諸比丘比丘尼優
婆塞優婆夷一切世間天人阿脩羅聞佛所
説皆大歡喜信受奉行
金剛般若波羅蜜経

BD02157 號　金剛般若波羅蜜經　（15-14）

如是知如是見如是信解不生法相須菩提
所言法相者如来説即非法相是名法相須
菩提若有人以滿无量阿僧祇世界七寶持用
布施若有善男子善女人發菩薩心者持於此
経乃至四句偈等受持讀誦為人演説其福勝
彼云何為人演説不取於相如如不動何以故
一切有為法　如夢幻泡影　如露亦如電　應作如是觀
佛説是経已長老須菩提及諸比丘比丘尼優
婆塞優婆夷一切世間天人阿脩羅聞佛所
説皆大歡喜信受奉行
金剛般若波羅蜜経

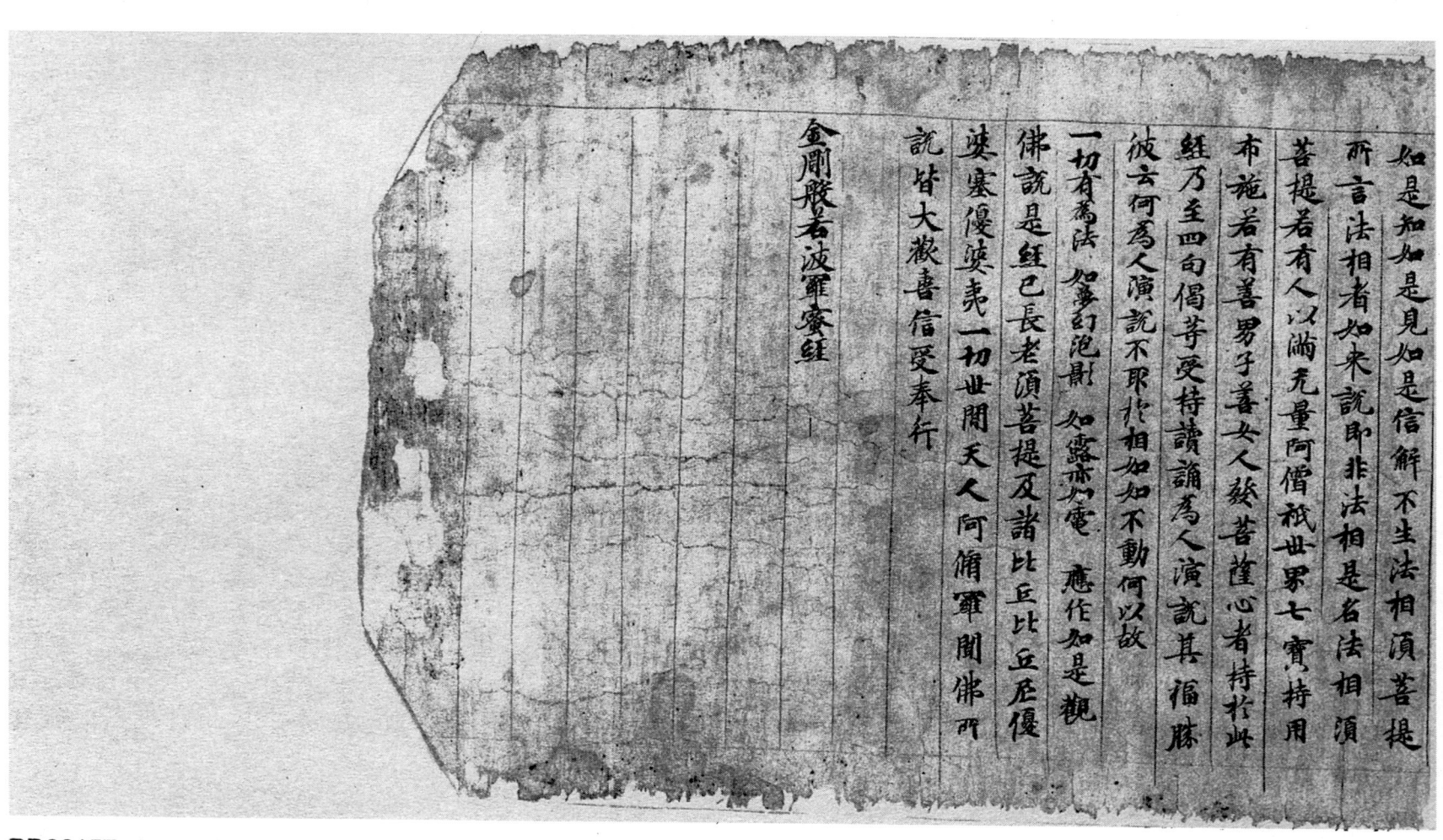

BD02157 號　金剛般若波羅蜜經　（15-15）

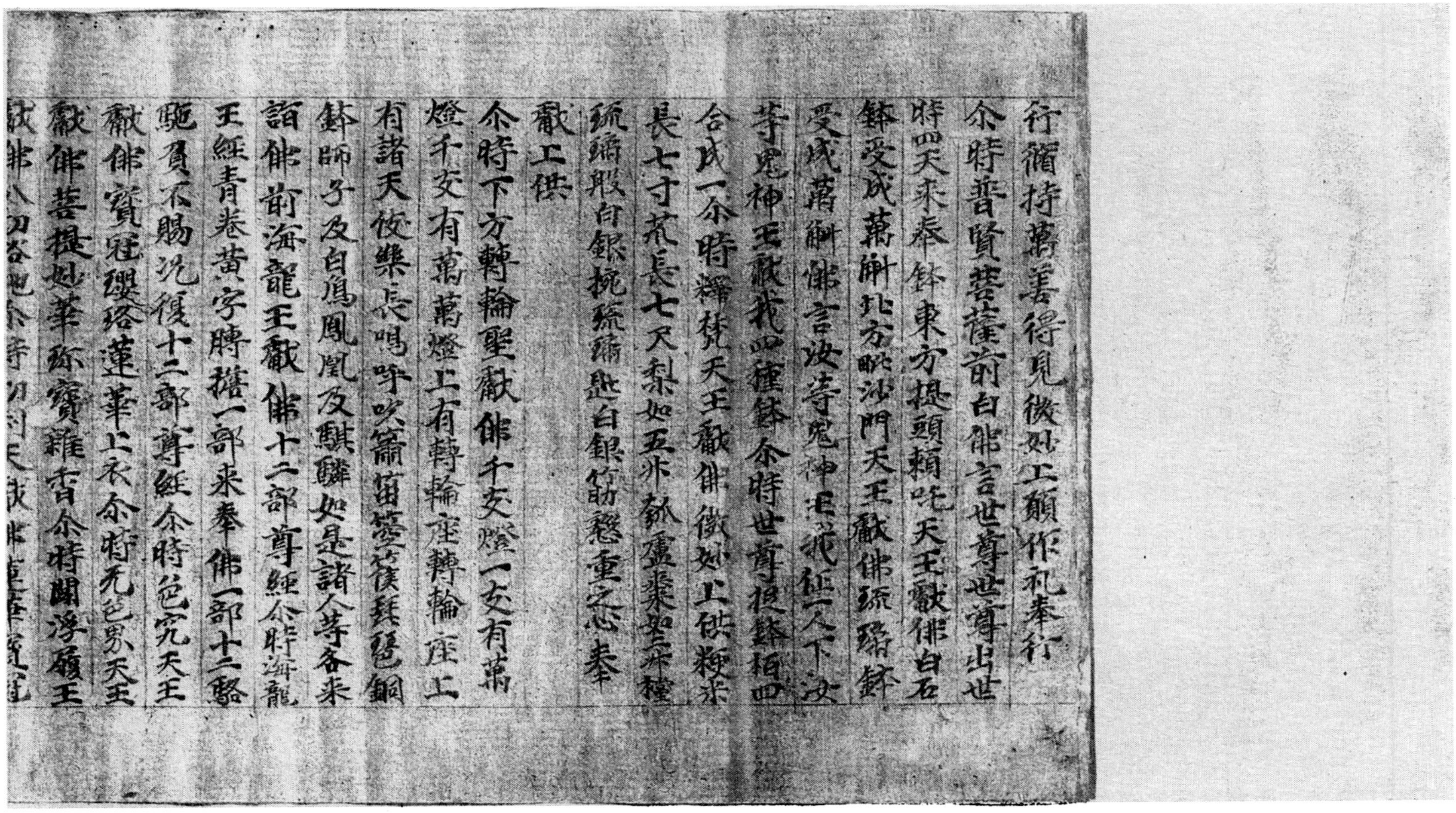

行循持萬善得見後如上願作礼奉行
尒時普賢菩薩前白佛言世尊世尊出世
時四天來奉鉢東方提頭賴吒天王獻佛白石
鉢受戒萬斛北方毗沙門天王獻佛琉璃鉢
受戒萬斛佛言汝等鬼神王花征一人下汝
等鬼神王獻花四種鉢尒時世尊復鉢栢四
合成一尒時釋梵天王獻佛微妙上供粳米
長七寸花長七尺梨如五升瓠蘆棗如二升橘
琉璃服白銀椀琉璃匙白銀筯懃重之心奉
獻上供
尒時下方轉輪聖獻佛千支燈一支有萬
燈千支有萬萬燈上有轉輪座轉輪座上
有諸天伎樂長鳴吁吹簫笛箜篌琵琶銅
鈸師子及白鳥鳳凰及麒麟如是諸人等各来
詣佛前海龍王獻佛十二部尊經尒時海龍
王經青卷黃字牌捲一部来奉佛一部十二驂
驅負不賜況復十二部尊經尒時色究天王
獻佛寶冠瓔珞蓮華上衣尒時无色界天王
獻佛菩提妙華珎寶雜香尒時閻浮提王
獻佛八切浴池尒時忉利天獻佛蓮華寶冠

BD02158 號　血書證香火本因經　（2–1）

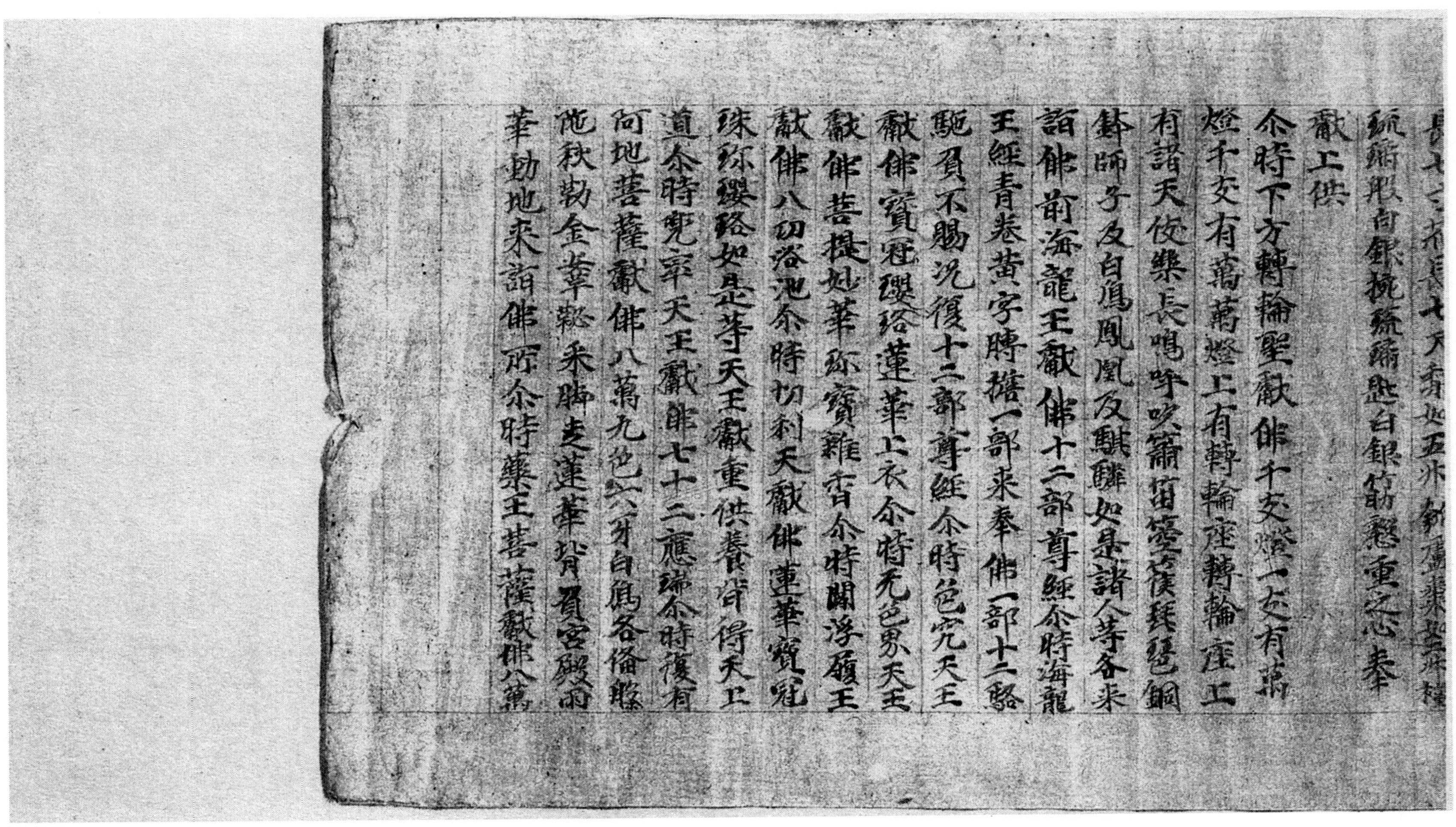

長七寸花長七尺梨如五升瓠蘆棗如二升橘
琉璃服白銀椀琉璃匙白銀筯懃重之心奉
獻上供
尒時下方轉輪聖獻佛千支燈一支有萬
燈千支有萬萬燈上有轉輪座轉輪座上
有諸天伎樂長鳴吁吹簫笛箜篌琵琶銅
鈸師子及白鳥鳳凰及麒麟如是諸人等各来
詣佛前海龍王獻佛十二部尊經尒時海龍
王經青卷黃字牌捲一部来奉佛一部十二驂
驅負不賜況復十二部尊經尒時色究天王
獻佛寶冠瓔珞蓮華上衣尒時无色界天王
獻佛菩提妙華珎寶雜香尒時閻浮提王
獻佛八切浴池尒時忉利天獻佛蓮華寶冠
珠珎瓔珞如是等天王獻重供養皆得天上
道尒時鬼宰天王獻佛七十二應瑞尒時復有
阿地菩薩獻佛八萬九色八牙白鳥各各騎
拖秋勒金華繫耒腳走蓮華背負宮殿雨
華動地来詣佛所尒時藥王菩薩獻佛八萬

BD02158 號　血書證香火本因經　（2–2）

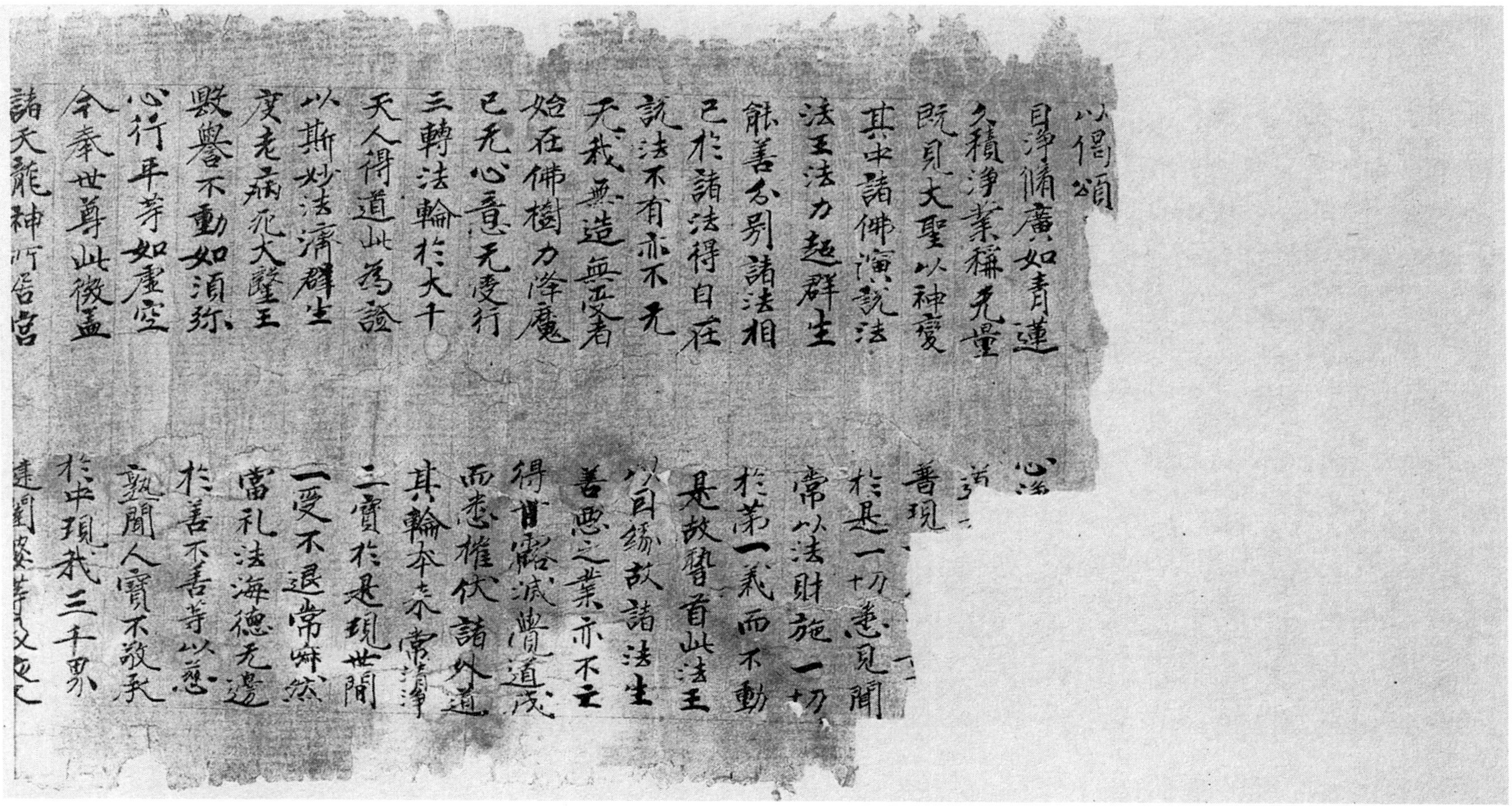
以偈頌
目淨脩廣如青蓮　心淨□
久積淨業稱无量　導□
既見大聖以神變　普現□
其中諸佛演說法　於是一切悉見聞
法王法力超群生　常以法財施一切
能善分別諸法相　於第一義而不動
已於諸法得自在　是故稽首此法王
說法不有亦不无　以因緣故諸法生
无我无造无受者　善惡之業亦不亡
始在佛樹力降魔　得甘露滅覺道成
已无心意无受行　而悉摧伏諸外道
三轉法輪於大千　其輪本來常清淨
天人得道此為證　三寶於是現世間
以斯妙法濟群生　一受不退常寂然
度老病死大醫王　當禮法海德无邊
毀譽不動如須彌　於善不善等以慈
心行平等如虛空　孰聞人寶不敬承
今奉世尊此微蓋　於中現我三千界
諸天龍神所居宮　揵闥婆等及夜叉

BD02159號　維摩詰所說經卷上　（25–1）

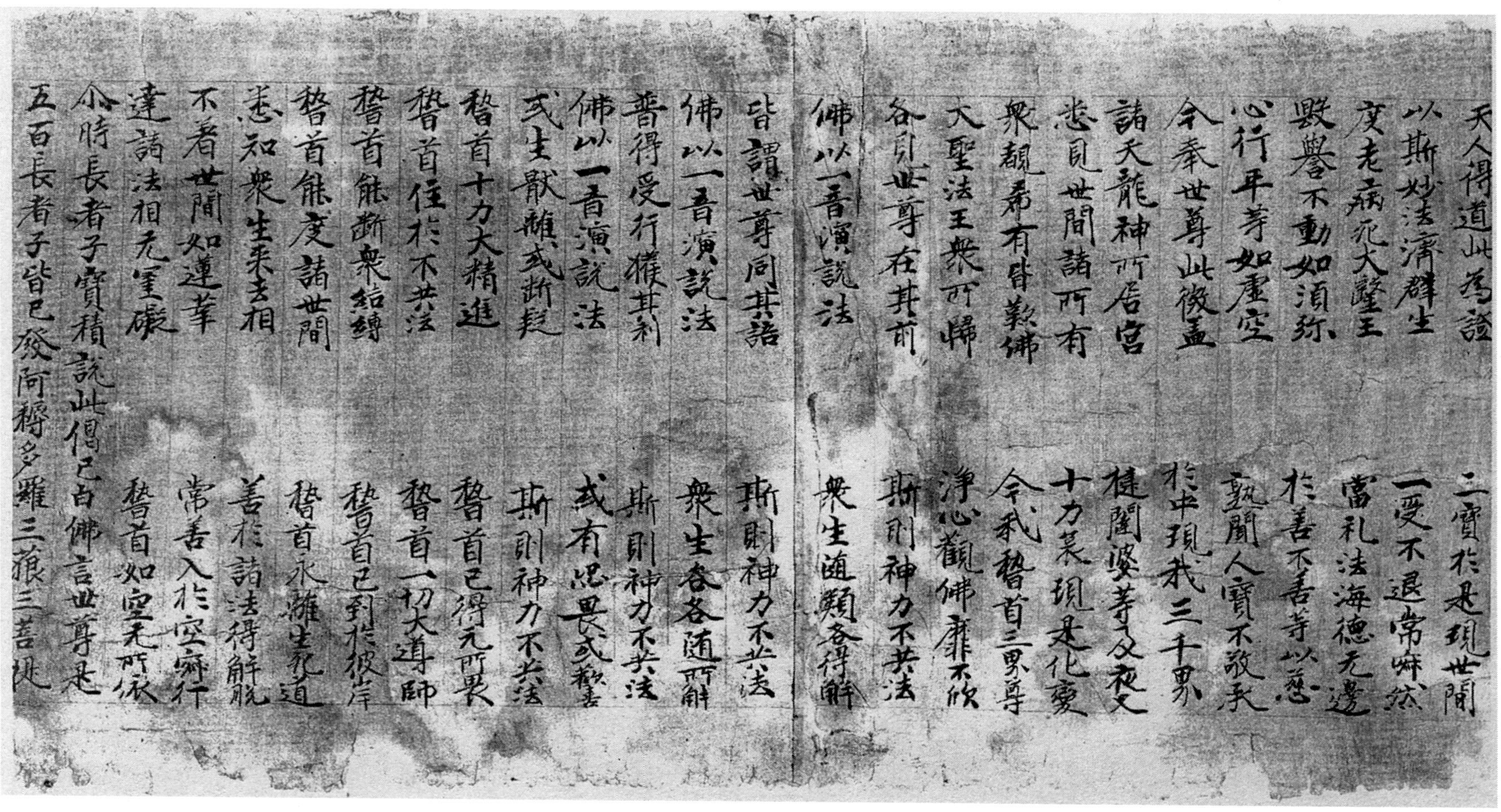
天人得道此為證　三寶於是現世間
以斯妙法濟群生　一受不退常寂然
度老病死大醫王　當禮法海德无邊
毀譽不動如須彌　於善不善等以慈
心行平等如虛空　孰聞人寶不敬承
今奉世尊此微蓋　於中現我三千界
諸天龍神所居宮　揵闥婆等及夜叉
悉見世間諸所有　十力哀現是化變
眾覩希有皆歎佛　今我稽首三界尊
大聖法王眾所歸　淨心觀佛靡不欣
各見世尊在其前　斯則神力不共法
佛以一音演說法　眾生隨類各得解
皆謂世尊同其語　斯則神力不共法
佛以一音演說法　眾生各各隨所解
普得受行獲其利　斯則神力不共法
佛以一音演說法　或有恐畏或歡喜
或生猒離或斷疑　斯則神力不共法
稽首十力大精進　稽首已得无所畏
稽首住於不共法　稽首一切大導師
稽首能斷眾結縛　稽首已到於彼岸
稽首能度諸世間　稽首永離生死道
悉知眾生來去相　善於諸法得解脫
不著世間如蓮華　常善入於空寂行
達諸法相无罣礙　稽首如空无所依
爾時長者子寶積說此偈已白佛言世尊是
五百長者子皆已發阿耨多羅三藐三菩提

BD02159號　維摩詰所說經卷上　（25–2）

不著世間如蓮華　常善入於空寂行
達諸法相无罣礙　稽首如空无所依
尒時長者子寶積說此偈已白佛言世尊是
五百長者子皆已發阿耨多羅三藐三菩提
心願聞得佛國土清淨唯願世尊說諸菩薩
淨土之行佛言善哉寶積乃能為諸菩薩問
於如來淨土之行諦聽諦聽善思念之當為汝
說於是寶積及五百長者子受教而聽佛言
寶積衆生之類是菩薩佛土所以者何菩薩
隨所化衆生而取佛土隨所調伏衆生而取佛
土隨諸衆生應以何國入佛智慧而取佛土
隨諸衆生應以何國起菩薩根而取佛土所以者
何菩薩取於淨國皆為饒益諸衆生故譬
如有人欲於空地造立宮室隨意无礙若
於虛空終不能成菩薩如是為成就衆生故
願取佛國願取佛國者非於空也寶積當知
直心是菩薩淨土菩薩成佛時不諂衆生
來生其國深心是菩薩淨土菩薩成佛時具
足功德衆生來生其國大乘心是菩薩淨
土菩薩成佛時大乘衆生來生其國布施是
菩薩淨土菩薩成佛時一切能捨衆生來生
其國持戒是菩薩淨土菩薩成佛時行十善
道滿願衆生來生其國忍辱是菩薩淨土菩
薩成佛時三十二相莊嚴衆生來生其國精
進是菩薩淨土菩薩成佛時一切功德衆

BD02159 號　維摩詰所說經卷上　（25–3）

其國持戒是菩薩淨土菩薩成佛時行十善
道滿願衆生來生其國忍辱是菩薩淨土菩
薩成佛時三十二相莊嚴衆生來生其國精
進是菩薩淨土菩薩成佛時一切功德衆
生來生其國禪定是菩薩淨[illegible]薩成佛時
攝心不亂衆生來生其國[illegible]是菩薩淨土
菩薩成佛時正定衆生來生[illegible]國四无量心
是菩薩淨土菩薩成佛時成就慈悲喜捨衆
生來生其國四攝法是菩薩淨土菩薩成佛
時解脫所攝衆生來生其國方便是菩薩
淨土菩薩成佛時於一切法方便无㝵衆生來
生其國卅七道品是菩薩淨土菩薩成佛時
念處正勤神足根力覺道衆生來生其國
迴向心是菩薩淨土菩薩成佛時得一切具足功
德國土說除八難是菩薩淨土菩薩成佛時
國土无有三惡八難自守戒行不譏彼闕是
菩薩淨土菩薩成佛時國土无有犯禁之
名十善是菩薩淨土菩薩成佛時命不中夭
大富梵行所言誠諦常以軟語眷屬不離
善和諍訟言必饒益不嫉不恚正見衆生來
生其國如是寶積菩薩隨其直心則能發行
隨其發行則得深心隨其深心則意調伏隨
意調伏則如說行隨如說行則能迴向隨其迴
向則有方便隨其方便則成就衆生隨成就衆
生則佛土淨隨佛土淨則說法淨隨說法淨則

BD02159 號　維摩詰所說經卷上　（25–4）

意調伏則如說行隨如說行則能迴向隨其迴
向則有方便隨其方便則成就衆生隨成就衆
生則佛土淨隨佛土淨則說法淨隨說法淨則
智慧淨隨智慧淨則其心淨隨其心淨則一
切功德淨是故寶積若菩薩欲得淨土當
淨其心隨其心淨則佛土淨
尒時舍利弗承佛威神作是念若菩薩心淨
則佛土淨者我世尊本為菩薩時意豈不淨
而是佛土不淨若此佛知其念即告之言於意
云何日月豈不淨耶而盲者不見對曰不也世尊
是盲者過非日月咎舍利弗衆生罪故不
見如來佛國嚴淨非如來咎舍利弗我見此
土清淨而汝不見尒時螺髻梵王語舍利弗
勿作是意謂此佛土以為不淨所以者何我
見釋迦牟尼佛土清淨譬如自在天宮舍利
弗言我見此土丘陵坑坎荊蕀沙礫土石諸山
穢惡充滿螺髻梵言仁者心有高下不依佛
慧故見此土為不淨耳舍利弗菩薩於一切
衆生悉皆平等深心清淨依佛智慧則能見
此佛土清淨於是佛以足指案地即時三千
大千世界若干百千珍寶嚴飾譬如寶莊
嚴佛无量功德寶莊嚴土一切大衆歎未曾
有而皆自見坐寶蓮華佛告舍利弗汝且觀
是佛土嚴淨舍利弗言唯然世尊本所不見
本所不聞今佛國土嚴淨悉現佛語舍利弗我
佛國土常淨若此為欲度斯下劣人故示是衆

BD02159 號　維摩詰所說經卷上

（25–5）

有而皆自見坐寶蓮華佛告舍利弗汝且觀
是佛土嚴淨舍利弗言唯然世尊本所不見
本所不聞今佛國土嚴淨悉現佛語舍利弗我
佛國土常淨若此為欲度斯下劣人故示是衆
惡不淨土耳譬如諸天共寶器食隨其福德
飯色有異如是舍利弗若人心淨便見此土功
德莊嚴當佛現此國土嚴淨之時寶積所
將五百長者子皆得无生法忍八萬四千人發
阿耨多羅三藐三菩提心佛攝神足於是
世界還復如故求聲聞乘三萬二千天及人
知有為法皆悉无常遠塵離垢得法眼淨
八千比丘不受諸法漏盡意解
方便品第二
尒時毗耶離大城中有長者名維摩詰已曾
供養无量諸佛深植善本得无生忍辯才
无礙遊戲神通逮諸總持獲无所畏降魔勞
怨入深法門善於智度通達方便大願成就明
了衆生心之所趣又能分別諸根利鈍久於佛
道心已純淑決定大乘諸有所作能善思量
住佛威儀心大如海諸佛咨嗟弟子釋梵世
主所敬欲度人故以善方便居毗耶離資財无
量攝諸貧民奉戒清淨攝諸毀禁以忍調
行攝諸恚怒以大精進攝諸懈怠一心禪寂
攝諸亂意以決定慧攝諸无智雖為白衣奉
持沙門清淨律行雖處居家不著三界示有

BD02159 號　維摩詰所說經卷上

（25–6）

量攝諸貧民奉戒清淨攝諸毀禁以忍調
行攝諸恚怒以大精進攝諸懈怠一心禪寂
攝諸乱意以決定慧攝諸无智雖為白衣奉
持沙門清淨律行雖處居家不著三界示有
妻子常脩梵行現有眷屬常樂遠離雖服
寶飾而以相好嚴身雖復飲食而以禪悅為
味若至博弈戲處輙以度人受諸異道不毀正
信雖明世典常樂佛法一切見敬為供養中
最執持正法攝諸長幼一切治生諧偶雖獲
俗利不以喜悅遊諸四衢饒益衆生入治正
法救護一切入講論處道以大乘入諸學堂
誘開童蒙入諸婬舍示欲之過入諸酒肆能
立其志若在長者長者中尊為說勝法若在
居士居士中尊斷諸貪著若在剎利剎利中尊
教以忍辱若在婆羅門婆羅門中尊除其
我慢若在大臣大臣中尊教以正法若在王
子王子中尊示以忠孝若在內官內官中尊
化政宮女若在庶民庶民中尊令興福力若
在梵天梵天中尊誨以勝慧若在帝釋
帝釋中尊示現无常若在護世護世中尊護
諸衆生長者維摩詰以如是等无量方便饒
益衆生其以方便現身有疾以其疾故國王
大臣長者居士婆羅門等及諸王子并餘官
屬无數千人皆往問疾其往者維摩詰因以
身疾廣為說法諸仁者是身无常无強无
力无堅速朽之法不可信也為苦為惱衆病所

益衆生其以方便現身有疾以其疾故國王
大臣長者居士婆羅門等及諸王子并餘官
屬无數千人皆往問疾其往者維摩詰因以
身疾廣為說法諸仁者是身无常无強无
力无堅速朽之法不可信也為苦為惱衆病所
集諸仁者如此身明智者所不怙是身如聚
沫不可撮摩是身如泡不得久立是身如焰從
渴愛生是身如芭蕉中无有堅是身如幻從
顛倒起是身如夢為虛妄見是身如影從業
緣現是身如響屬諸因緣是身如浮雲須臾變
滅是身如電念念不住是身无主為如地是
身无我為如火是身无壽為如風是身无
人為如水是身不實四大為家是身為空離
我我所是身无知如草木瓦礫是身无作風
力所轉是身不淨穢惡充滿是身為虛偽雖
假以澡浴衣食必歸磨滅是身為災百一病
惱是身如丘井為老所逼是身无定為要當
死是身如毒蛇如怨賊如空聚陰界諸入所共
合成諸仁者此可患厭當樂佛身所以者何
佛身者即法身也從无量功德智慧生從戒
定慧解脫解脫知見生從慈悲喜捨生從布
施持戒忍辱柔和勤行精進禪定解脫三昧
多聞智慧諸波羅蜜生從方便生從六通生
從三明生從卅七道品生從正觀生從十力四無
所畏十八不共法生從斷一切不善法集一切善
法生從真實生從不放逸生從如是无量清

從三明生從卅七道品生從正觀生從十力四無
所畏十八不共法生從斷一切不善法集一切善
法生從真實生從不放逸生從如是无量清
淨法生如來身諸仁者欲得佛身斷一切
衆生病者當發阿耨多羅三藐三菩提心如
是長者維摩詰為諸問疾者如應說法令
无數千人皆發阿耨多羅三藐三菩提心

弟子品第三

尒時長者維摩詰自念寢疾于牀世尊大慈
寧不垂愍佛知其意即告舍利弗汝行詣維
摩詰問疾舍利弗白佛言世尊我不堪任詣
彼問疾所以者何憶念我昔曾於林中宴坐
樹下時維摩詰來謂我言唯舍利弗不必是
坐為宴坐也夫宴坐者不於三界現身意是
為宴坐不起滅定而現諸威儀是為宴坐不
捨道法而現凡夫事是為宴坐心不住內亦不在
外是為宴坐於諸見不動而脩行三十七品是
為宴坐不斷煩惱而入涅槃是為宴坐若
能如是坐者佛所印可時我世尊聞是語已
默然而心不能加報故我不任詣彼問疾
佛告大目揵連汝行詣維摩詰問疾目連白
佛言世尊我不堪任詣彼問疾所以者何憶
念我昔入毗耶離大城於里巷中為諸居士
說法時維摩詰來謂我言唯大目連為白衣
居士說法不當如仁者所說夫說法者當如法
說法无衆生離衆生垢故法无有我離我

BD02159號　維摩詰所說經卷上

（25–9）

念我昔入毗耶離大城於里巷中為諸居士
說法時維摩詰來謂我言唯大目連為白衣
居士說法不當如仁者所說夫說法者當如法
說法无衆生離衆生垢故法无有我離我
垢故法无壽命離生死故法无有人前後
際斷故法常寂然滅諸相故法離於相无所
緣故法无名字言語斷故法无有說離覺
觀故法无形相如虛空故法无戲論畢竟空
故法无我所離我所故法无分別離諸識故
法无有比无相待故法不屬因不在緣故法同
法性入諸法故法隨於如无所隨故法住實際
諸邊不動故法无動搖不依六塵故法无去來
常不住故法順空隨无相應无作法離好醜
法无增損法无生滅法无所歸法過眼耳鼻
舌身心法无高下法常住不動法離一切觀行唯
大目連法相如是豈可說乎夫說法者无說无
示其聽法者无聞无得譬如幻士為幻人說法
當建是意而為說法當了衆生根有利鈍善
於知見无所罣礙以大悲心讚于大乘念報佛
恩不斷三寶然後說法維摩詰說是法時八百
居士發阿耨多羅三藐三菩提心我无此辯是
故不任詣彼問疾
佛告大迦葉汝行詣維摩詰問疾迦葉白佛言
世尊我不堪任詣彼問疾所以者何憶念我昔於
貧里而行乞食時維摩詰來謂我言唯大迦
葉有慈悲心而不能普捨豪富從貧乞迦葉

BD02159號　維摩詰所說經卷上

（25–10）

佛告大迦葉汝行詣維摩詰問疾迦葉白佛言
世尊我不堪任詣彼問疾所以者何憶念我昔於
貧里而行乞食時維摩詰來謂我言唯大迦
葉有慈悲心而不能普捨豪富從貧乞迦葉
住平等法應次行乞食為不食故應行乞食為
壞和合相故應取揣食為不受故應受彼食以
空聚想入於聚落所見色與盲等所聞聲與響
等所嗅香與風等所食味不分別受諸觸如智
證知諸法如幻相无自性无他性本自不然今
則无滅迦葉若能不捨八邪入八解脫以邪相
入正法以一食施一切供養諸佛及衆賢聖然
後可食如是食者非有煩惱非離煩惱非入定
意非起定意非住世間非住涅槃其有施者无
大福无小福不為益不為損是為正入佛道不
依聲聞迦葉若如是食為不空食人之施也時我
世尊聞說是語得未曾有即於一切菩薩深起
敬心復作是念斯有家名辯才智慧乃能如是
其誰不發阿耨多羅三藐三菩提心我從是來不
復勸人以聲聞辟支佛行故我不任詣彼問疾
佛告須菩提汝行詣維摩詰問疾須菩提白
佛言世尊我不堪任詣彼問疾所以者何憶念我
昔入其舍從乞食時維摩詰取我鉢盛滿飯謂
我言唯須菩提若能於食等者諸法亦等諸法
等者於食亦等如是行乞乃可取食若須菩提
不斷婬怒癡亦不與俱不壞於身而隨一相不滅

BD02159號　維摩詰所說經卷上　（25–11）

昔入其舍從乞食時維摩詰取我鉢盛滿飯謂
我言唯須菩提若能於食等者諸法亦等諸法
等者於食亦等如是行乞乃可取食若須菩提
不斷婬怒癡亦不與俱不壞於身而隨一相不滅
癡愛起於明脫以五逆相而得解脫亦不解不縛
不見四諦非不見諦非得果非不得果非凡夫
非離凡夫法非聖人非不聖人雖成就一切法
而離諸法相乃可取食若須菩提不見佛不
聞法彼外道六師富蘭那迦葉末伽梨拘賒
梨子刪闍夜毗羅胝子阿耆多翅舍欽婆羅迦
羅鳩馱迦旃延尼揵陀若提子等是汝之師因
其出家彼師所墮汝亦隨墮乃可取食若須
菩提入諸邪見不到彼岸住於八難不得无難
同於煩惱離清淨法汝得无諍三昧一切衆生亦
得是定其施汝者不名福田供養汝者墮三惡
道為與衆魔共一手作諸勞侶汝與衆魔及
諸塵勞等无有異於一切衆生而有怨心謗諸佛
毀於法而不入衆數終不得滅度汝若如是乃
可取食時我世尊聞此語茫然不識是何言不
知以何答便置鉢欲出其舍維摩詰言唯須菩
提取鉢勿懼於意云何如來所作化人若以是
事詰寧有懼不我言不也維摩詰言一切諸
法如幻化相汝今不應有所懼也所以者何一
切言說不離是相至於智者不著文字故無
所懼何以故文字性離無有文字是則
解脫解脫相者則諸法也維摩詰說是法時二百
天子得法眼淨故我不任詣彼問疾

BD02159號　維摩詰所說經卷上　（25–12）

切言説不離是相至於智者不著文字故無
所懼何以故文字性離無有文字是則
解脫解脫相者則諸法也維摩詰説是法時二百
天子得法眼淨故我不任詣彼問疾
佛告富樓那弥多羅尼子汝行詣維摩詰問
疾富樓那白佛言世尊我不堪任詣彼問疾所以
者何憶念我昔於大林中在一樹下為諸新學
比丘説法時維摩詰来謂我言唯富樓那先
當入定觀此人心然後説法无以穢食置於寶器
當知是比丘心之所念无以瑠璃同彼水精汝不能
知衆生根原无得發起以小乘法彼自无瘡勿傷
之也欲行大道莫示小徑无以大海内於牛跡无
以日光等彼熒火唯富樓那此比丘久發大乘心
中忘此意如何以小乘法而教導之我觀小乘智
慧微淺猶如盲人不能分別一切衆生根之利
鈍時維摩詰即入三昧令此比丘自識宿命曾
於五百佛所殖衆德本迴向阿耨多羅三藐三
菩提即時豁然還得本心於是諸比丘稽首礼
維摩詰足時維摩詰因為説法於阿耨多羅
三藐三菩提不復退轉我念聲聞不觀人根不應
説法是故不任詣彼問疾
佛告摩訶迦旃延汝行詣維摩詰問疾迦旃
延白佛言世尊我不堪任詣彼問疾所以者何
憶念昔者佛為諸比丘略説法要我即於後
敷演其義謂无常義苦義空義无我義寂
滅義時維摩詰来謂我言唯迦旃延无以生滅

BD02159 號　維摩詰所説經卷上　（25–13）

延白佛言世尊我不堪任詣彼問疾所以者何
憶念昔者佛為諸比丘略説法要我即於後
敷演其義謂无常義苦義空義无我義寂
滅義時維摩詰来謂我言唯迦旃延无以生滅
心行説實相法迦旃延諸法畢竟不生不滅是
无常義五受陰洞達空无所起是苦義諸法
究竟无所有是空義於我无我而不二是无我
義法本不然今則无滅是寂滅義説是法時彼
諸比丘心得解脫故我不任詣彼問疾
佛告阿那律汝行詣維摩詰問疾阿那律白
佛言世尊我不堪任詣彼問疾所以者何憶念
我昔於一處經行時有梵王名曰嚴淨與万梵
俱放淨光明来詣我所稽首作礼問我言幾
何阿那律天眼所見我即答言仁者吾見此釋
迦牟尼佛土三千大千世界如觀掌中菴摩勒
果時維摩詰来謂我言唯阿那律天眼所
見為作相耶无作相耶假使作相則與外道
五通等若无作相即是无為不應有見世
尊我時嘿然彼諸梵聞其言得未曾有
即為作礼而問曰世孰有真天眼者維摩詰
言有佛世尊得真天眼常在三昧悉見諸佛
國不以二相於是嚴淨梵王及其眷屬五百
梵天皆發阿耨多羅三藐三菩提心礼維摩
詰足忽然不現故我不任詣彼問疾
佛告優婆離汝行詣維摩詰問疾優婆離白
佛言世尊我不堪任詣彼問疾所以者何憶念
昔者有二比丘犯律行以為恥不敢問佛来問

BD02159 號　維摩詰所説經卷上　（25–14）

佛告優婆離汝行詣維摩詰問疾優婆離白
佛言世尊我不堪任詣彼問疾所以者何憶念
昔者有二比丘犯律行以為耻不敢問佛來問
我言唯優波離我等犯律誠以為耻不敢問
佛願解疑悔得免斯咎我即為其如法解說
時維摩詰來謂我言唯優波離无重增此二
比丘罪當直除滅勿擾其心所以者何彼罪性
不在內不在外不在中間如佛所說心垢故衆生
垢心淨故衆生淨心亦不在內不在外不在中
間如其心然罪垢亦然諸法亦然不出於如
如優波離以心相得解脫時寧有垢不
我言不也維摩詰言一切衆生心相无垢亦復
如是唯優波離妄想是垢无妄想是淨顛倒
是垢无顛倒是淨取我是垢不取我是淨優
波離一切法生滅不住如幻如電諸法不相待
乃至一念不住諸法皆妄見如夢如焰如
水中月如鏡中像以妄想生其知此者是名
奉律其知此者是名善解於是二比丘言上
智哉是優波離所不及持律之上而不能說
我答言自捨如來未有聲聞及菩薩能制
其樂說之辯其智慧明達為若此也時二比
丘疑悔即除發阿耨多羅三藐三菩提心作
是願言令一切衆生皆得是辯故我不任
詣彼問疾
佛告羅睺羅汝行詣維摩詰問疾羅睺羅
白佛言世尊我不堪任詣彼問疾所以者可

BD02159號　維摩詰所說經卷上　（25–15）

是願言令一切衆生皆得是辯故我不任
詣彼問疾
佛告羅睺羅汝行詣維摩詰問疾羅睺羅
白佛言世尊我不堪任詣彼問疾所以者何
憶念昔時毗耶離諸長者子來詣我所稽首
作礼問我言唯羅睺羅汝佛之子捨轉輪王位
出家為道其出家者有何等利我即如法為
說出家功德之利時維摩詰來謂我言唯
羅睺羅不應說出家功德之利所以者何无利
无功德是為出家有為法者可說有利有功
德夫出家者為无為法无為法中无利无功德
羅睺羅夫出家者无彼无此亦无中間離六
十二見處於涅槃智者所受聖所行處降伏
衆魔度五道淨五眼得五力立五根不惱於
彼離衆雜惡摧諸外道超越假名出淤泥
无繫著无我所无所受无擾亂內懷喜護彼
意隨禪定離衆過若能如是是真出家於是
維摩詰語諸長者子汝等於正法中宜共出家所
以者何佛世難值諸長者子言居士我聞佛言父母
不聽不得出家維摩詰言然汝等便發阿耨多
羅三藐三菩提心是即出家是即具足尒時三十
二長者子皆發阿耨多羅三藐三菩提心故
我不任詣彼問疾
佛告阿難汝行詣維摩詰問疾阿難白佛言
世尊我不堪任詣彼問疾所以者何憶念昔
時世尊身小有疾當用牛乳我即持鉢詣

BD02159號　維摩詰所說經卷上　（25–16）

羅三藐三菩提心是即出家是即具足

二長者子皆發阿耨多羅三藐三菩提心故

我不任詣彼問疾

佛告阿難汝行詣維摩詰問疾阿難白佛言

世尊我不堪任詣彼問疾所以者何憶念昔

時世尊身小有疾當用牛乳我即持鉢詣大

婆羅門家門下立時維摩詰来謂我言唯阿

難何為晨朝持鉢住此我言居士世尊身小

有疾當用牛乳故来至此維摩詰言止止阿

難莫作是語如来身者金剛之體諸惡已斷

衆善普會當有何疾當有何惱嘿往阿難勿

謗如来莫使異人聞此麁言无令大威德諸天

及他方淨土諸来菩薩得聞斯語阿難轉輪

聖王以少福故尚得无疾豈況如来无量福會

普勝者哉行矣阿難勿使我等受斯耻也外

道梵志若聞此語當作是念何名為師自疾

不能救而能救諸疾人可密速去勿使人聞

當知阿難諸如来身即是法身非思欲身佛

為世尊過於三界佛身无漏諸漏已盡佛身

无為不墮諸數如此之身當有何疾時我世

尊實懷慙愧得无近佛而謬聽耶即聞空中

聲曰阿難如居士言但為佛出五濁惡世現行

斯法度脫衆生行矣阿難取乳勿慙世尊維

摩詰智恵辯才為若此也是是故不任詣彼

問疾如是五百大弟子各各向佛說其本緣

稱述維摩詰所言皆曰不任詣彼問疾

菩薩品第四

BD02159 號　維摩詰所說經卷上　（25–17）

聲曰阿難如居士言但為佛出五濁惡世現行

斯法度脫衆生行矣阿難取乳勿慙世尊維

摩詰智恵辯才為若此也是是故不任詣彼

問疾如是五百大弟子各各向佛說其本緣

稱述維摩詰所言皆曰不任詣彼問疾

菩薩品第四

於是佛告弥勒菩薩汝行詣維摩詰問疾弥

勒白佛言世尊我不堪任詣彼問疾所以者何

憶念我昔為兜率天王及其眷屬說不轉退

地之行時維摩詰来謂我言弥勒世尊授

者記一生當得阿耨多羅三藐三菩提為用

何生得受記乎過去耶未来耶現在耶若過

去生過去生已滅若未来生未来生未至若現

在生現在生无住如佛所說比丘汝今即時亦

生亦老亦滅若以无生得受記者无生即是

正位於正位中亦无受記亦无得阿耨多

羅三藐三菩提云何弥勒受一生記乎為

從如生得受記耶為從如滅得受記耶若以

如生得受記者如无有生若以如滅得受記

者如无有滅一切衆生皆如也一切法亦如也

衆聖賢亦如也至於弥勒亦如也若弥勒

得受記者一切衆生亦應受記所以者何夫如

者不二不異若弥勒得阿耨多羅三藐三菩

提者一切衆生皆亦應得所以者何一切衆

生即菩提相若弥勒滅度者一切衆生亦當

滅度所以者何諸佛知一切衆生畢竟寂滅

即涅槃相不復更滅是故弥勒无以此法誘

BD02159 號　維摩詰所說經卷上　（25–18）

提者一切衆生皆亦應得所以者何一切衆
生即菩提相若弥勒滅度者一切衆生亦當
滅度所以者何諸佛知一切衆生畢竟寂滅
即涅槃相不復更滅是故弥勒无以此法誘
諸天子實无發阿耨多羅三藐三菩提心者
亦无退者弥勒當令此諸天子捨於分別菩
提之見所以者何菩提者不可以身得不可
以心得寂滅是菩提滅諸相故不觀是菩提
離諸緣故不行是菩提无憶念故斷是菩
提捨諸見故離是菩提離諸妄想故鄣是
菩提鄣諸願故不入是菩提无貪著故順是
菩提順於如故住是菩提住法性故至是菩
提至實際故不二是菩提離意法故等是菩
提等虛空故无為是菩提无生住滅故知是
菩提了衆生心行故不會是菩提諸入不會
故不合是菩提離煩惱習故无處是菩提无
形色故假名是菩提名字空故如化是菩提
无取捨故不亂是菩提常自靜故善寂是
菩提性清淨故无取是菩提離攀緣故无異
是菩提諸法等故无比是菩提无可喻故微
妙是菩提諸法難知故世尊維摩詰說是法
時二百天子得无生法忍故我不任詣彼問疾
佛告光嚴童子汝行詣維摩詰問疾光嚴白
佛言世尊我不堪任詣彼問疾所以者何憶
念我昔出毗耶離大城時維摩詰方入城我
即為作礼而問言居士從何所來荅我言吾從

佛告光嚴童子汝行詣維摩詰問疾光嚴白
佛言世尊我不堪任詣彼問疾所以者何憶
念我昔出毗耶離大城時維摩詰方入城我
即為作礼而問言居士從何所來荅我言吾從
道場來我問道場者何所是荅曰直心是道場
无虛假故發行是道場能辦事故深心是道場
增益功德故菩提心是道場无錯謬故布施
是道場不望報故持戒是道場得願具故
忍辱是道場於諸衆生心无㝵故精進是
道場不懈退故禪定是道場心調柔故智
惠是道場現見諸法故慈是道場等衆生故
悲是道場忍疲苦故喜是道場悅樂法故捨
是道場憎愛斷故神通是道場成就六通故
解脫是道場能背捨故方便是道場教化衆
生故四攝法是道場攝衆生故多聞是道場
如聞行故伏心是道場正觀諸法故卅七品是
道場捨有為法故諦是道場不誑世間故緣
起是道場无明乃至老死皆无盡故諸煩惱
是道場知如實故衆生是道場知无我故一
切法是道場知諸法空故降魔是道場不傾
動故三界是道場无所趣故師子吼是道場无
所畏故力无畏不共法是道場无諸過故三
明是道場无餘礙故一念知一切法是道場
成就一切智故如是善男子菩薩若應諸
波羅蜜教化衆生諸有所作舉足下足當知
皆從道場來住於佛法矣說是法時五百天

明是道場无餘礙故一念知一切法是道場
成就一切智故如是善男子菩薩若應諸
波羅蜜教化衆生諸有所作舉足下足當知
皆從道場来住於佛法矣說是法時五百天
人皆發阿耨多羅三藐三菩提心故我不任詣
彼問疾
佛告持世菩薩汝行詣維摩詰問疾持世白
佛言世尊我不堪任詣彼問疾所以者何
憶念我昔住於靜室時魔波旬從萬二
千天女狀如帝釋鼓樂絃歌来詣我所與其
眷屬稽首我足合掌恭敬於一面立我意謂
是帝釋而語之言善来憍尸迦雖福應有不
當自恣當觀五欲无常以求善本於身命財
而脩堅法即語我言正士受是萬二千天女可
備掃灑我言憍尸迦无以此非法之物要我沙
門釋子此非我宜所言未訖時維摩詰来謂我
言非帝釋也是為魔来嬈固汝耳即語魔言
是諸女等可以與我如我應受魔即驚懼念
維摩詰將无惱我欲隱形去而不能隱盡其
神力亦不得去即聞空中聲曰波旬以女與之
乃可得去魔以畏故俛仰而與尒時維摩詰
語諸女言魔以汝等與我今汝皆當發阿
耨多羅三藐三菩提心即隨所應而為說法
令發道意復言汝等已發道意有法樂可以
自娛不應復樂五欲樂也天女即問何謂法
樂答言樂常信佛樂欲聽法樂供養衆樂

BD02159號　維摩詰所說經卷上

（25–21）

語諸女言魔以汝等與我今汝皆當發阿
耨多羅三藐三菩提心即隨所應而為說法
令發道意復言汝等已發道意有法樂可以
自娛不應復樂五欲樂也天女即問何謂法
樂答言樂常信佛樂欲聽法樂供養衆樂
離五欲樂觀五陰如怨賊樂觀四大如毒虵樂
觀內入如空聚樂隨護道意樂饒益衆生
樂敬養師樂廣行施樂堅持戒樂忍辱柔
和樂勤集善根樂禪定不亂樂離垢明慧樂廣
菩提心樂降伏衆魔樂斷諸煩惱樂淨佛國土
樂成就相好脩諸功德樂莊嚴道場樂聞深法
不畏樂三脫門不樂非時樂近同學樂於非
同學中心无恚礙樂將護惡知識樂近善知識
樂心喜清淨樂脩无量道品之法是為菩薩法
樂於是波旬告諸女言我欲與汝俱還天宮
諸女言以我等與此居士有法樂我等甚樂
不復樂五欲樂也魔言居士可捨此女一切所
有施於彼者是為菩薩維摩詰言我已捨
矣汝便將去令一切衆生得法願具足於是諸
女問維摩詰我等云何止於魔宮維摩詰
言諸姉有法門名无盡燈汝等當學无
盡燈者譬如一燈然百千燈冥者皆明明終不
不盡如是諸姉夫一菩薩開導百千衆生令
發阿耨多羅三藐三菩提心於其道意亦不
滅盡隨所說法而自增益一切善法是名无
盡燈也汝等雖住魔宮以是无盡燈令无數

BD02159號　維摩詰所說經卷上

（25–22）

不盡如是諸姊夫一菩薩開導百千衆生令
發阿耨多羅三藐三菩提心於其道意亦不
滅盡隨所說法而自增益一切善法是名无
盡燈也汝等雖住魔宮以是无盡燈令无數
天子天女皆發阿耨多羅三藐三菩提心者為
報佛恩亦大饒益一切衆生尒時天女頭面礼
維摩詰足隨魔還宮忽然不現世尊維摩詰
有如是自在神力智慧辯才故我不任詣彼問疾
佛告長者子善得汝行詣維摩詰問疾善
得白佛言世尊我不堪任詣彼問疾所以者何
憶念我昔自於父舍設大施會供養一切沙
門婆羅門及諸外道貧窮下賤孤獨乞人期
滿七日時維摩詰來入會中謂我言長者子
夫大施會不當如汝所設當為法施之會何
用是財施會為我言居士何謂法施之會法
施會者无前无後一時供養一切衆生是名
法施之會何謂也謂以菩提起於慈心以救
衆生起大悲心以持正法起於喜心以攝智
慧行於捨心以攝慳貪起檀波羅蜜以化犯
戒起尸波羅蜜以无我法起羼提波羅蜜以
離身心相起毗梨耶波羅蜜以菩提相起禪
波羅蜜以一切智起般若波羅蜜教化衆生
而起於空不捨有為法而起无相示現受生
而起无作護持正法起方便力以度衆生起四
攝法以敬事一切起除慢法於身命財起三
堅法於六念中起思念法於六和敬起質直心
正行善法起於淨命心淨歡喜起近賢聖

BD02159 號　維摩詰所說經卷上　（25–23）

波羅蜜以一切智起般若波羅蜜教化衆生
而起於空不捨有為法而起无相示現受生
而起无作護持正法起方便力以度衆生起四
攝法以敬事一切起除慢法於身命財起三
堅法於六念中起思念法於六和敬起質直心
正行善法起於淨命心淨歡喜起近賢聖
不憎惡人起調伏心以出家法起於深心
以如說行起於多聞以无諍法起空閑處趣
向佛慧起於宴坐解衆生縛起修行地以具
相好及淨佛土起福德業知一切衆生心念如
應說法起於智業知一切法不取不捨入一
相門起於慧業斷一切煩惱一切鄣㝵一
切不善法起一切善業得一切智慧一切善
法起於一切助佛道法如是善男子是
為法施之會若菩薩住是法施會者為大施
主亦為一切世間福田世尊維摩詰說是法時
婆羅門衆中二百人皆發阿耨多羅三藐三菩
提心我時心得清淨歎未曾有稽首礼維摩
詰足即解瓔珞價直百千以上之不肯取我言居
士願必納受隨意所與維摩詰乃受瓔珞分
作二分持一分施此會中一最下乞人持一分
奉彼難勝如來一切衆會皆見光明國土難
勝如來又見珠瓔在彼佛上變成四柱寶臺
四面嚴飾不相鄣蔽時維摩詰現神變已作
是願言若施主等心施一最下乞人猶如如來
福田之相无所分別等于大悲不求果報是

BD02159 號　維摩詰所說經卷上　（25–24）

提心我時心得清淨歎未曾有稽首禮維摩
詰足即解瓔珞價直百千以上之不肯取我言居
士願必納受隨意所與維摩詰乃受瓔珞分
作二分持一分施此會中一最下乞人持一分
奉彼難勝如來一切衆會皆見光明國土難
勝如來又見珠瓔在彼佛上變成四柱寶臺
四面嚴飾不相鄣蔽時維摩詰現神變已作
是願言若施主等心施一最下乞人猶如如來
福田之相无所分別等乎大悲不求果報是
則名曰具足法施城中一最下乞人見是神
力聞其所說即發阿耨多羅三藐三菩提心
故我不任詣彼問疾如是諸菩薩各各向佛說
其本緣稱述維摩詰所言皆曰不任詣彼問疾

維摩詰經卷上

BD02159 號　維摩詰所說經卷上

（25–25）

不可撮摩是身如
渴愛生是身如芭蕉
顛倒起是身如夢
緣現是身如響屬諸……如浮雲……
變滅是身如電念念不住是身无主為如地
是身无我為如火是身无壽為如風是身无
人為如水是身不實四大為家是身為空離
我我所是身无知如草木瓦礫是身无作風
力所轉是身不淨穢惡充滿是身為虛偽雖
假以澡浴衣食必歸磨滅是身為災百一病
惱是身如丘井為老所逼是身无定為要當
死是身如毒蛇如怨賊如空聚陰界諸入所
共合成諸仁者此可患厭當樂佛身所以者
何佛身者即法身也從无量功德智慧生從
戒定慧解脫解脫知見生從慈悲喜捨生從
布施持戒忍辱柔和懃行精進禪定解脫三
昧多聞智慧諸波羅蜜生從方便生從六通
生從三明生從卅七道品生從止觀生從十力四
无所畏十八不共法生從斷一切不善法集
一切善法生從真實生從不放逸生從如
是无量清淨法生如來身諸仁者欲得佛身
斷一切衆生病者當發阿耨多羅三藐三菩

BD02160 號　維摩詰所說經卷上

（8–1）

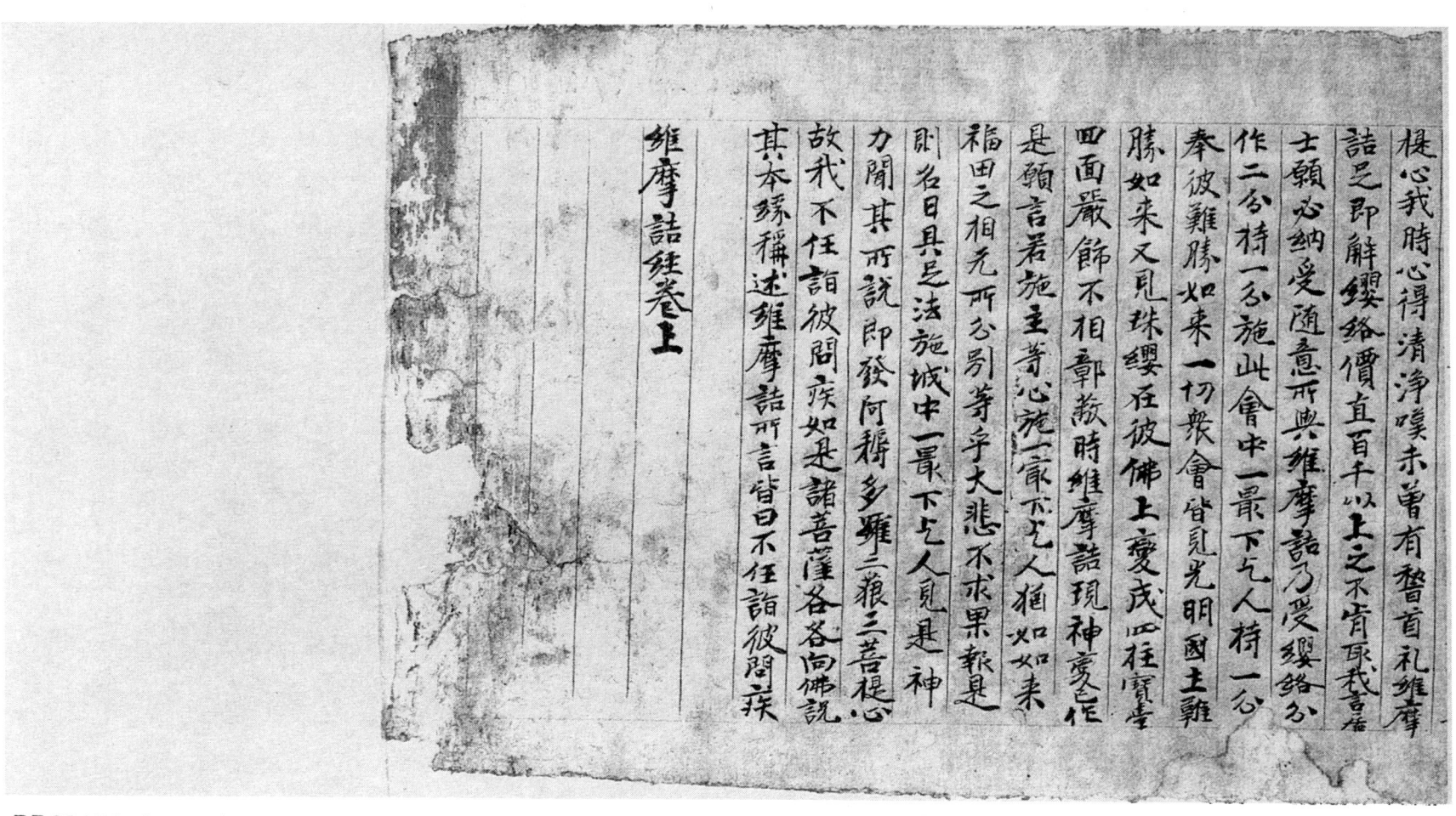

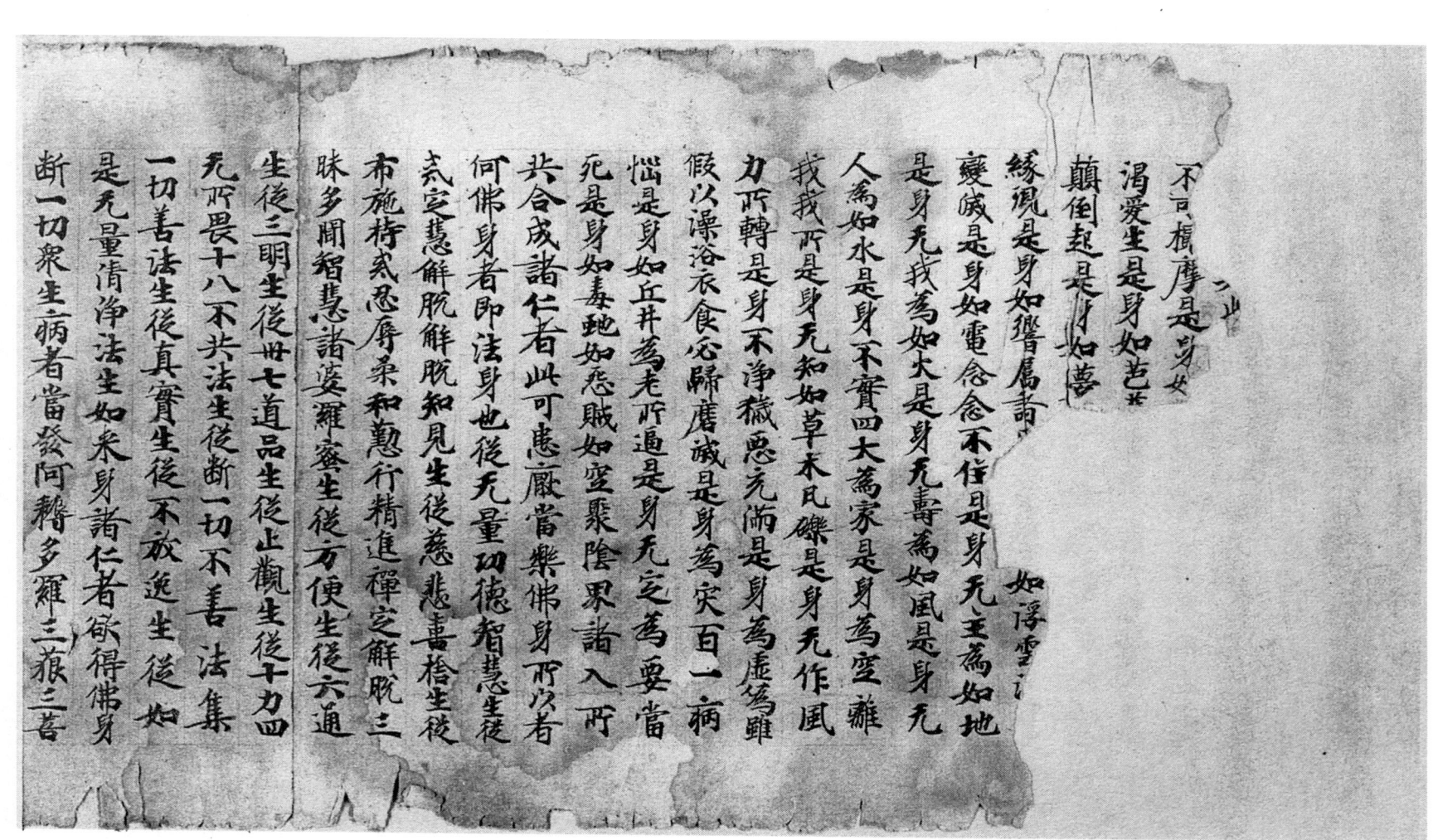

生從三明生從卅七道品生從止觀生從十力四
无所畏十八不共法生從斷一切不善法集
一切善法生從真實生從不放逸生從如
是无量清淨法生如來身諸仁者欲得佛身
斷一切衆生病者當發阿耨多羅三藐三菩
提心如是長者維摩詰為諸問疾者如應説
法令无數千人皆發阿耨多羅三藐三菩提心

弟子品第三

尒時長者維摩詰自念寢疾于林世尊大慈
寧不垂愍佛知其意即告舍利弗汝行詣維
摩詰問疾舍利弗白佛言世尊我不堪任詣
彼問疾所以者何憶念我昔曾於林中宴坐
樹下時維摩詰來謂我言唯舍利弗不必是
坐為宴坐也夫宴坐者不於三界現身意是
為宴坐不起滅定而現諸威儀是為宴坐不
捨道法而現凡夫事是為宴坐心不住內亦
不在外是為宴坐於諸見不動而脩行三十
七品是為宴坐不斷煩惱而入涅槃是為宴
坐若能如是坐者佛所印可時我世尊聞是
語嘿然而止不能加報故我不任詣彼問疾
佛告大目揵連汝行詣維摩詰問疾目連白
佛言世尊我不堪任詣彼問疾所以者何憶
念我昔入毗耶離大城於里巷中為諸居士
説法時維摩詰來謂我言唯大目連為白衣
居士説法不當如仁者所説夫説法者當如

佛告大目揵連汝行詣維摩詰問疾目連白
佛言世尊我不堪任詣彼問疾所以者何憶
念我昔入毗耶離大城於里巷中為諸居士
説法時維摩詰來謂我言唯大目連為白衣
居士説法不當如仁者所説夫説法者當如
法説法无衆生離衆生垢故法无有我離我
垢故法无壽命離生死故法无有人前後際
斷故法常寂然滅諸相故法離於相无所緣
故法无名字言語斷故法无有説離覺觀故
法无形相如虛空故法无戲論畢竟空故法
无我所離我所故法无分別離諸識故法无
有比无相待故法不屬因不在緣故法同法
性入諸法故法隨於如无所隨故法住實際
諸邊不動故法无動搖不依六塵故法无去
來常不住故法順空隨无相應无作法離好
醜法无增損法无生滅法无所歸法過眼耳
鼻舌身心法无高下法常住不動法離一切
觀行唯大目連法相如是豈可説乎夫説法
者无説无示其聽法者无聞无得譬如幻士
為幻人説法當建是意而為説法當了衆生
根有利鈍善於知見无所罣㝵以大悲心讚于
大乘念報佛恩不斷三寶然後説法維摩詰
説是法時八百居士發阿耨多羅三藐三菩
提心我无此辯是故不任詣彼問疾
佛告大迦葉汝行詣維摩詰問疾迦葉白佛
言世尊我不堪任詣彼問疾所以者何憶念

大乘念報佛恩不斷三寶然後說法維摩詰
說是法時八百居士發阿耨多羅三藐三菩
提心我无此辯是故不任詣彼問疾
佛告大迦葉汝行詣維摩詰問疾迦葉白佛
言世尊我不堪任詣彼問疾所以者何憶念
我昔於貧里而行乞食時維摩詰來謂我言唯
大迦葉有慈悲心而不能普捨豪富從貧乞
迦葉住平等法應次行乞食為不食故應行
乞食為壞和合相故應取揣食為不受故應
受彼食以空聚相入於聚落所見色與盲等
所聞聲與響等所嗅香與風等所食味不分
別受諸觸如智證知諸法如幻相无自性无
他性本自不然今則无滅迦葉若能不捨八
邪入八解脫以邪相入正法以一食施一切供
養諸佛及衆賢聖然後可食如是食者非
有煩惱非離煩惱非入定意非起定意非住
世間非住涅槃其有施者无大福无小福不
為益不為損是為正入佛道不依聲聞迦葉
若如是食為不空食人之施也時我世尊聞說
是語得未曾有即於一切菩薩深起敬心復
作是念斯有家名辯才智慧乃能如是其誰
不發阿耨多羅三藐三菩提心我從是來不復
勸人以聲聞辟支佛行是故不任詣彼問疾
佛告須菩提汝行詣維摩詰問疾須菩提白
佛言世尊我不堪任詣彼問疾所以者何憶念
我昔入其舍從乞食時維摩詰取我鉢盛滿

勸人以聲聞辟支佛行是故不任詣彼問疾
佛告須菩提汝行詣維摩詰問疾須菩提白
佛言世尊我不堪任詣彼問疾所以者何憶念
我昔入其舍從乞食時維摩詰取我鉢盛滿
飯謂我言唯須菩提若能於食等者諸法亦
等諸法等者於食亦等如是行乞乃可取食
若須菩提不斷婬怒癡亦不與俱不壞於身
而隨一相不滅癡愛起於明脫以五逆相而
得解脫亦不解不縛不見四諦非不見諦非
得果非不得果非凡夫非離凡夫法非聖人
非不聖人雖成就一切法而離諸法相乃可
取食若須菩提不見佛不聞法彼外道六師
富蘭那迦葉末伽梨拘賒梨子刪闍夜毗羅胝
子阿耆多翅舍欽婆羅迦羅鳩馱迦栴延尼
揵陀若提子等是汝之師因其出家彼師所
墮汝亦隨墮乃可取食若須菩提入諸邪見
不到彼岸住於八難不得无難同於煩惱離清淨
法汝得无諍三昧一切衆生亦得是定其施
汝者不名福田供養汝者墮三惡道為與衆
魔共一手作諸勞侶汝與衆魔及諸塵勞等
无有異於一切衆生而有怨心謗諸佛毀於
法不入衆數終不得滅度汝若如是乃可取
食時我世尊聞此語茫然不識是何言不知以
何荅便置鉢欲出其舍維摩詰言唯須菩提
取鉢勿懼於意云何如來所作化人若以是
[illegible]

法不入衆數終不得滅度汝若如是乃可取
食時我世尊聞此語茫然不識是何言不知以
何荅便置鉢欲出其舍維摩詰言唯須菩提
取鉢勿懼於意云何如來所作化人若以是
事詰寧有懼不我言不也維摩詰言一切諸
法如幻化相汝今不應有所懼也所以者何一
切言說不離是相至於智者不著文字故
无所懼何以故文字性離无有文字是則解
脫解脫相者則諸法也維摩詰說是法時二
百天子得法眼淨故我不任詣彼問疾
佛告富樓那彌多羅尼子汝行詣維摩詰
問疾富樓那白佛言世尊我不堪任詣彼問疾
所以者何憶念我昔於大林中在一樹下為
諸新學比丘說法時維摩詰來謂我言唯富
樓那先當入定觀此人心然後說法无以穢
食置於寶器當知是比丘心之所念无以琉璃
同彼水精汝不能知衆生根源无得發起
以小乘法彼自无創勿傷之也欲行大道莫
示小徑无以大海內於牛跡无以日光等彼
螢火富樓那此比丘久發大乘心中忘此意如
何以小乘法而教導之我觀小乘智慧微淺
猶如盲人不能分別一切衆生根之利鈍時
維摩詰即入三昧令此比丘自識宿命曾
於五百佛所殖衆德本迴向阿耨多羅三藐
三菩提即時豁然還得本心於是諸比丘稽

猶如盲人不能分別一切衆生根之利鈍時
維摩詰即入三昧令此比丘自識宿命曾
於五百佛所殖衆德本迴向阿耨多羅三藐
三菩提即時豁然還得本心於是諸比丘稽
首礼維摩詰足時維摩詰因為說法於阿
耨多羅三藐三菩提不復退轉我念聲聞不觀
人根不應說法是故不任詣彼問疾
佛告摩訶迦旃延汝行詣維摩詰問疾迦旃
延白佛言世尊我不堪任詣彼問疾所以者
何憶念昔者佛為諸比丘略說法要我即
於後敷演其義謂无常義苦義空義无我義
寂滅義時維摩詰來謂我言唯迦旃延无以
生滅心行說實相法迦旃延諸法畢竟不生不滅
是无常義五受陰通達空无所起是苦義諸
法究竟无所有是空義於我无我而不二是
无我義法本不然今則无滅是寂滅義說是
法時彼諸比丘心得解脫故我不任詣彼問疾
佛告阿那律汝行詣維摩詰問疾阿那律白
佛言世尊我不堪任詣彼問疾所以者何憶
念我昔於一處經行時有梵王名曰嚴淨與
万梵俱放淨光明來詣我所稽首作礼問我
言幾何阿那律天眼所見我即荅言仁者吾見
此釋迦牟尼佛土三千大千世界如觀掌中
阿摩勒菓時維摩詰來謂我言唯阿那律天
眼所見為作相耶无作相耶假使作相則與外道
五通等若无作相即是无為不應有見世尊

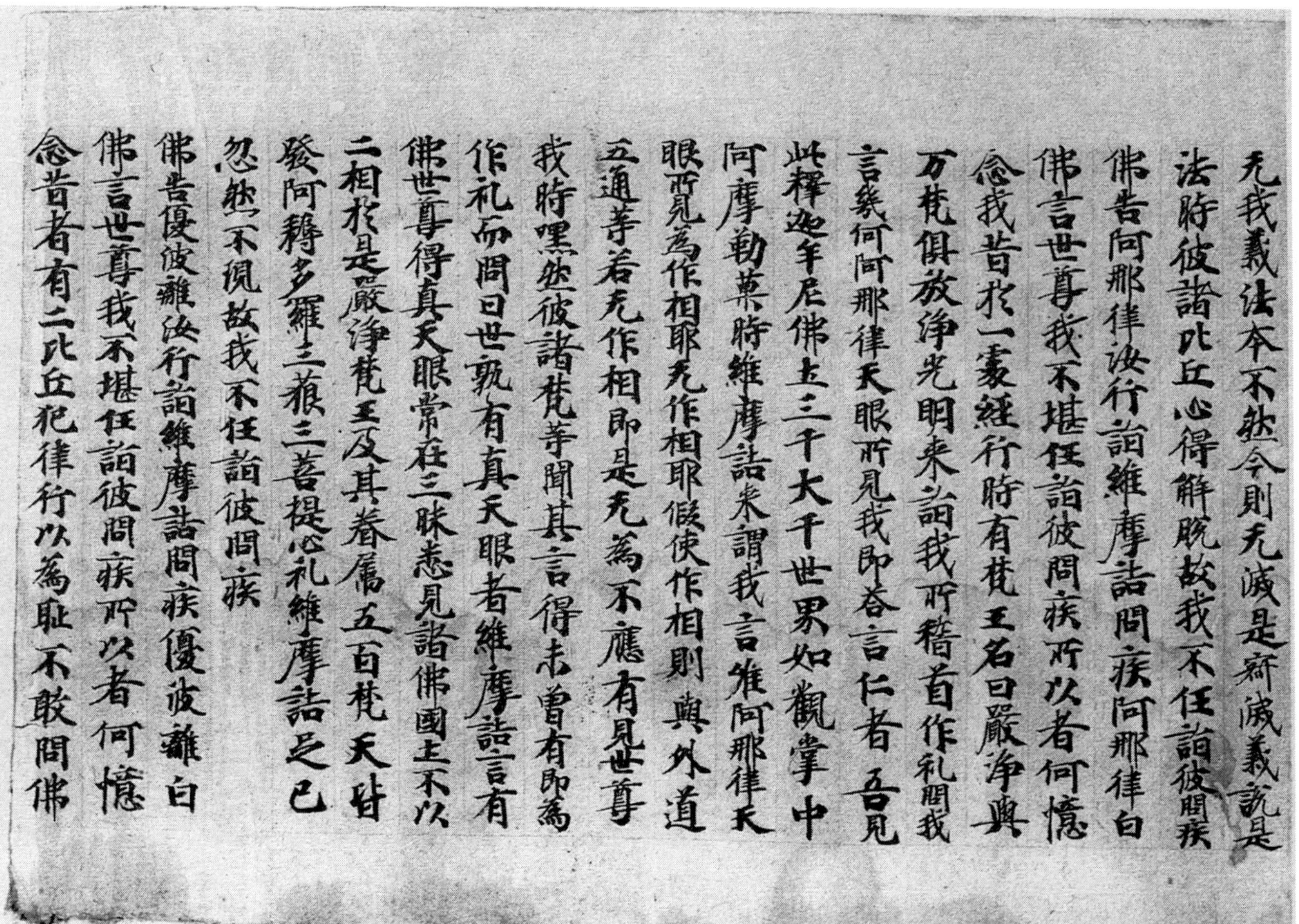
无我義法本不然今則无滅是寂滅義說是
法時彼諸比丘心得解脫故我不任詣彼問疾
佛告阿那律汝行詣維摩詰問疾阿那律白
佛言世尊我不堪任詣彼問疾所以者何憶
念我昔於一處經行時有梵王名曰嚴淨與
万梵俱放淨光明來詣我所稽首作礼問我
言幾何阿那律天眼所見我即答言仁者吾見
此釋迦牟尼佛土三千大千世界如觀掌中
阿摩勒菓時維摩詰來謂我言唯阿那律天
眼所見為作相耶无作相耶假使作相則與外道
五通等若无作相即是无為不應有見世尊
我時嘿然彼諸梵等聞其言得未曾有即為
作礼而問曰世孰有真天眼者維摩詰言有
佛世尊得真天眼常在三昧悉見諸佛國土不以
二相於是嚴淨梵王及其眷屬五百梵天皆
發阿耨多羅三藐三菩提心礼維摩詰足已
忽然不現故我不任詣彼問疾
佛告優波離汝行詣維摩詰問疾優波離白
佛言世尊我不堪任詣彼問疾所以者何憶
念昔者有二比丘犯律行以為恥不敢問佛

BD02160號　維摩詰所說經卷上

(8–8)

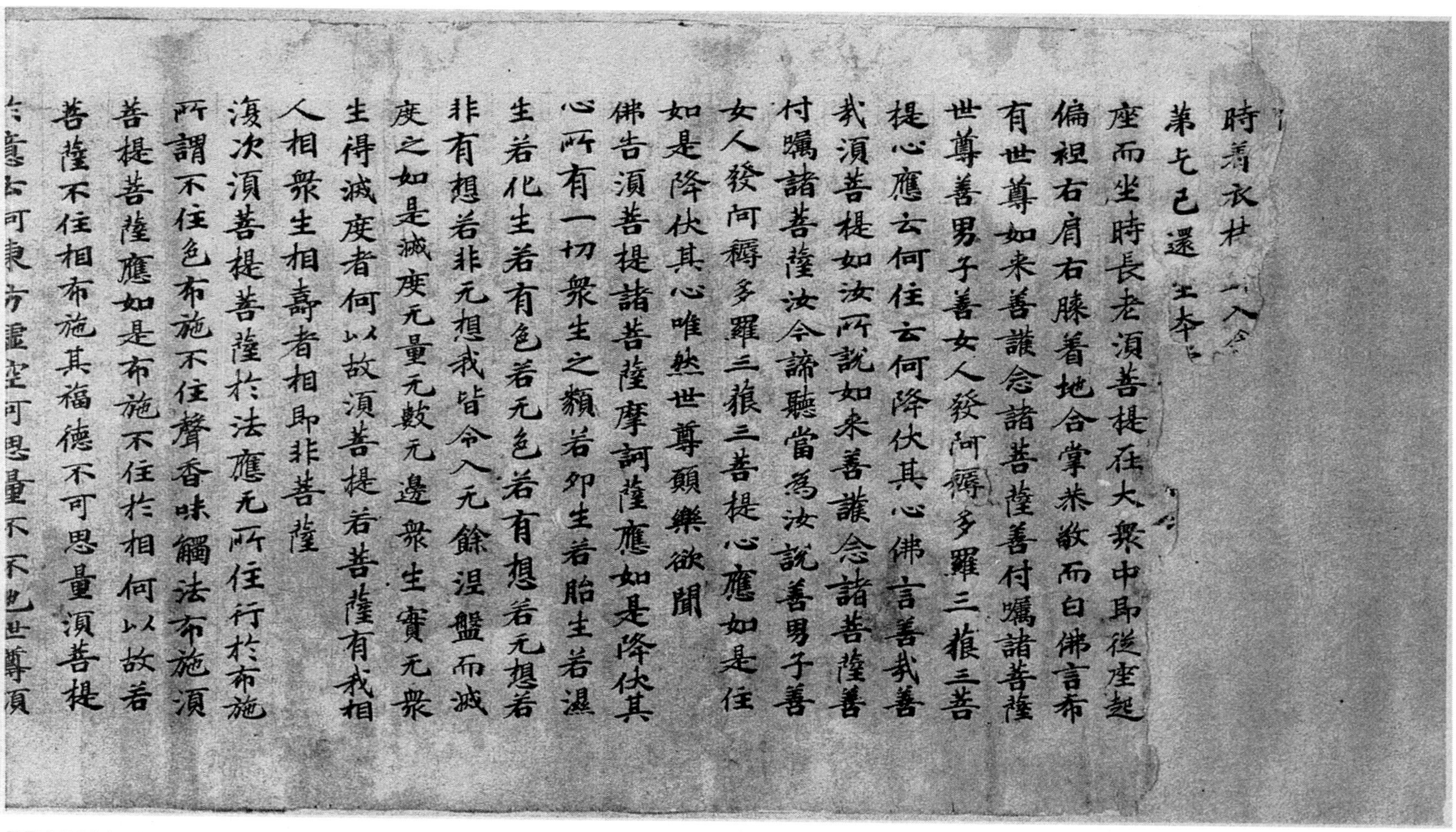
時著衣持……入……
第乞已還至本……
座而坐時長老須菩提在大衆中即從座起
偏袒右肩右膝著地合掌恭敬而白佛言希
有世尊如來善護念諸菩薩善付囑諸菩薩
世尊善男子善女人發阿耨多羅三藐三菩
提心應云何住云何降伏其心佛言善哉善
哉須菩提如汝所說如來善護念諸菩薩善
付囑諸菩薩汝今諦聽當為汝說善男子善
女人發阿耨多羅三藐三菩提心應如是住
如是降伏其心唯然世尊願樂欲聞
佛告須菩提諸菩薩摩訶薩應如是降伏其
心所有一切衆生之類若卵生若胎生若濕
生若化生若有色若无色若有想若无想若
非有想若非无想我皆令入无餘涅槃而滅
度之如是滅度无量无數无邊衆生實无衆
生得滅度者何以故須菩提若菩薩有我相
人相衆生相壽者相即非菩薩
復次須菩提菩薩於法應无所住行於布施
所謂不住色布施不住聲香味觸法布施須
菩提菩薩應如是布施不住於相何以故若
菩薩不住相布施其福德不可思量須菩提
於意云何東方虛空可思量不不也世尊須

BD02161號　金剛般若波羅蜜經

(14–1)

生得滅度者何以故須菩提若菩薩有我相
人相衆生相壽者相即非菩薩
復次須菩提菩薩於法應无所住行於布施
所謂不住色布施不住聲香味觸法布施須
菩提菩薩應如是布施不住於相何以故若
菩薩不住相布施其福德不可思量須菩提
於意云何東方虛空可思量不不也世尊須
菩提南西北方四維上下虛空可思量不不
也世尊須菩提菩薩无住相布施福德亦復
如是不可思量須菩提菩薩但應如所教住
須菩提於意云何可以身相見如來不不也
世尊不可以身相得見如來何以故如來所
說身相即非身相佛告須菩提凡所有相
是虛妄若見諸相非相則見如來
須菩提白佛言世尊頗有衆生得聞如是言
說章句生實信不佛告須菩提莫作是說如
來滅後後五百歲有持戒脩福者於此章句
能生信心以此為實當知是人不於一佛二
佛三四五佛而種善根已於无量千万佛所
種諸善根聞是章句乃至一念生淨信者須
菩提如來悉知悉見是諸衆生得如是无量
福德何以故是諸衆生无復我相人相衆生
相壽者相无法相亦无非法相何以故是諸
衆生若心取相則為着我人衆生壽者若取
法相即着我人衆生壽者何以故若取非法

福德何以故是諸衆生无復我相人相衆生
相壽者相无法相亦无非法相何以故是諸
衆生若心取相則為着我人衆生壽者若取
法相即着我人衆生壽者何以故若取非法
相即着我人衆生壽者是故不應取法不應
取非法以是義故如來常說汝等比丘知我
說法如筏喻者法尚應捨何况非法
須菩提於意云何如來得阿耨多羅三藐三
菩提耶如來有所說法耶須菩提言如我解
佛所說義无有定法名阿耨多羅三藐三菩
提亦无有定法如來可說何以故如來所說
法皆不可取不可說非法非非法所以者何
一切賢聖皆以无為法而有差别
須菩提於意云何若人滿三千大千世界七
寶以用布施是人所得福德寧為多不須菩
提言甚多世尊何以故是福德即非福德性
是故如來說福德多若復有人於此經中受
持乃至四句偈等為他人說其福勝彼何以
故須菩提一切諸佛及諸佛阿耨多羅三藐
三菩提法皆從此經出須菩提所謂佛法者
即非佛法
須菩提於意云何須陁洹能作是念我得須
陁洹果不須菩提言不也世尊何以故須陁
洹名為入流而无所入不入色聲香味觸法
是名須陁洹須菩提於意云何斯陁含能作
是念我得斯陁含果不須菩提言不也

須菩提於意云何須陀洹能作是念我得須
陀洹果不須菩提言不也世尊何以故須陀
洹名為入流而无所入不入色聲香味觸法
是名須陀洹須菩提於意云何斯陀含能作
是念我得斯陀含果不須菩提言不也世尊
何以故斯陀含名一往来而實无往来是名
斯陀含須菩提於意云何阿那含能作是念
我得阿那含果不須菩提言不也世尊何以
故阿那含名為不来而實无来是故名阿那
含須菩提於意云何阿羅漢能作是念我得
阿羅漢道不須菩提言不也世尊何以故實
无有法名阿羅漢世尊若阿羅漢作是念我
得阿羅漢道即為著我人衆生壽者世尊佛
說我得无諍三昧人中最為第一是第一離
欲阿羅漢我不作是念我是離欲阿羅漢世
尊我若作是念我得阿羅漢道世尊則不說
須菩提是樂阿蘭那行者以須菩提實无
所行而名須菩提是樂阿蘭那行
佛告須菩提於意云何如来昔在然燈佛所
於法有所得不不也世尊如来在然燈佛所
於法實无所得須菩提於意云何菩薩莊嚴
佛土不不也世尊何以故莊嚴佛土者則非
莊嚴是名莊嚴是故須菩提諸菩薩摩訶薩
應如是生清淨心不應住色生心不應住聲
香味觸法生心應无所住而生其心須菩提

BD02161 號　金剛般若波羅蜜經

（14–4）

佛土不不也世尊何以故莊嚴佛土者則非
莊嚴是名莊嚴是故須菩提諸菩薩摩訶薩
應如是生清淨心不應住色生心不應住聲
香味觸法生心應无所住而生其心須菩提
譬如有人身如須弥山王於意云何是身為
大不須菩提言甚大世尊何以故佛說非身
是名大身
須菩提如恒河中所有沙數如是沙等恒河
於意云何是諸恒河沙寧為多不須菩提言
甚多世尊但諸恒河尚多无數何况其沙須
菩提我今實言告汝若有善男子善女人以
七寶滿尒所恒河沙數三千大千世界以用
布施得福多不須菩提言甚多世尊佛告須
菩提若善男子善女人於此經中乃至受持
四句偈等為他人說而此福德勝前福德
復次須菩提隨說是經乃至四句偈等當知
此處一切世間天人阿脩羅皆應供養如佛
塔廟何况有人盡能受持讀誦須菩提當知
是人成就最上第一希有之法若是經典所
在之處則為有佛若尊重弟子
尒時須菩提白佛言世尊當何名此經我等
云何奉持佛告須菩提是經名為金剛般若
波羅蜜以是名字汝當奉持所以者何須菩
提佛說般若波羅蜜則非般若波羅蜜須菩
提於意云何如来有所說法不須菩提白佛

BD02161 號　金剛般若波羅蜜經

（14–5）

云何奉持佛告須菩提是經名為金剛般若
波羅蜜以是名字汝當奉持所以者何須菩
提佛說般若波羅蜜則非般若波羅蜜須菩
提於意云何如來有所說法不須菩提白佛
言世尊如來无所說須菩提於意云何三千
大千世界所有微塵是為多不須菩提言甚
多世尊須菩提諸微塵如來說非微塵是名
微塵如來說世界非世界是名世界須菩提
於意云何可以卅二相見如來不不也世尊
何以故如來說卅二相即是非相是名卅二
相須菩提若有善男子善女人以恒河沙等
身命布施若復有人於此經中乃至受持四
句偈等為他人說其福甚多
尒時須菩提聞說是經深解義趣涕淚悲泣
而白佛言希有世尊佛說如是甚深經典我
從昔來所得慧眼未曾得聞如是之經世尊
若復有人得聞是經信心清淨則生實相當
知是人成就第一希有功德世尊是實相者
則是非相是故如來說名實相世尊我今得
聞如是經典信解受持不足為難若當來世
後五百歲其有眾生得聞是經信解受持是
人則為第一希有何以故此人无我相人相
眾生相壽者相所以者何我相即是非相人
相眾生相壽者相即是非相何以故離一切
諸相則名諸佛
佛告須菩提如是如是若復有人得聞是經

人則為第一希有何以故此人无我相人相
眾生相壽者相所以者何我相即是非相人
相眾生相壽者相即是非相何以故離一切
諸相則名諸佛
佛告須菩提如是如是若復有人得聞是經
不驚不怖不畏當知是人甚為希有何以故
須菩提如來說第一波羅蜜非第一波羅蜜
是名第一波羅蜜須菩提忍辱波羅蜜如來
說非忍辱波羅蜜何以故須菩提如我昔為
歌利王割截身體我於尒時无我相无人相
无眾生相无壽者相何以故我於往昔節節
支解時若有我相人相眾生相壽者相應生
瞋恨須菩提又念過去於五百世作忍辱仙
人於尒所世无我相无人相无眾生相无壽
者相是故須菩提菩薩應離一切相發阿耨
多羅三藐三菩提心不應住色生心不應住
聲香味觸法生心應生无所住心若心有住則
為非住是故佛說菩薩心不應住色布施須
菩提菩薩為利益一切眾生應如是布施
如來說一切諸相即是非相又說一切眾生
則非眾生須菩提如來是真語者實語者如
語者不誑語者不異語者須菩提如來所得
法此法无實无虛須菩提若菩薩心住於法
而行布施如人入闇則无所見若菩薩心不
住法而行布施如人有目日光明照見種種
色須菩提當來之世若有善男子善女人能

語者不誑語者不異語者須菩提如來所得
法此法无實无虛須菩提若菩薩心住於法
而行布施如人入闇則无所見若菩薩心不
住法而行布施如人有目日光明照見種種
色須菩提當來之世若有善男子善女人能
於此經受持讀誦則為如來以佛智慧悉知
是人悉見是人皆得成就无量无邊功德
須菩提若有善男子善女人初日分以恒河
沙等身布施中日分復以恒河沙等身布施
後日分亦以恒河沙等身布施如是无量百
千万億劫以身布施若復有人聞此經典信
心不逆其福勝彼何況書寫受持讀誦為人
解說須菩提以要言之是經有不可思議不
可稱量无邊功德如來為發大乘者說為發
最上乘者說若有人能受持讀誦廣為人說
如來悉知是人悉見是人皆成就不可量不
可稱无有邊不可思議功德如是人等則為
荷擔如來阿耨多羅三藐三菩提何以故須
菩提若樂小法者著我見人見衆生見壽者
見則於此經不能聽受讀誦為人解說須菩
提在在處處若有此經一切世間天人阿脩
羅所應供養當知此處則為是塔皆應恭
敬作礼圍繞以諸華香而散其處
復次須菩提善男子善女人受持讀誦此經
若為人輕賤是人先世罪業應墮惡道以今
世人輕賤故先世罪業則為消滅當得阿耨

BD02161 號　金剛般若波羅蜜經

(14-8)

敬作礼圍繞以諸華香而散其處
復次須菩提善男子善女人受持讀誦此經
若為人輕賤是人先世罪業應墮惡道以今
世人輕賤故先世罪業則為消滅當得阿耨
多羅三藐三菩提須菩提我念過去无量阿
僧祇劫於然燈佛前得值八百四千万億那
由他諸佛悉皆供養承事无空過者若復有
人於後末世能受持讀誦此經所得功德於
我所供養諸佛功德百分不及一千万億分
乃至算數譬喻所不能及須菩提若善男子
善女人於後末世有受持讀誦此經所得功
德我若具說者或有人聞心則狂亂狐疑不
信須菩提當知是經義不可思議果報亦不
可思議
尒時須菩提白佛言世尊善男子善女人發
阿耨多羅三藐三菩提心云何應住云何降
伏其心佛告須菩提善男子善女人發阿耨
多羅三藐三菩提者當生如是心我應滅度
一切衆生滅度一切衆生已而无有一衆生
實滅度者何以故若菩薩有我相人相衆生
相壽者相則非菩薩所以者何須菩提實无
有法發阿耨多羅三藐三菩提者須菩提於
意云何如來於然燈佛所有法得阿耨多羅
三藐三菩提不不也世尊如我解佛所說義
佛於然燈佛所无有法得阿耨多羅三藐三
菩提佛言如是如是須菩提實无有法如來

BD02161 號　金剛般若波羅蜜經

(14-9)

意云何如来於然燈佛所有法得阿耨多羅
三藐三菩提不不也世尊如我解佛所說義
佛於然燈佛所无有法得阿耨多羅三藐三
菩提佛言如是如是須菩提實无有法如来
得阿耨多羅三藐三菩提須菩提若有法如
来得阿耨多羅三藐三菩提然燈佛則不與
我受記汝於来世當得作佛号釋迦牟尼以
實无有法得阿耨多羅三藐三菩提是故然
燈佛與我受記作是言汝於来世當得作佛
号釋迦牟尼何以故如来者即諸法如義若
有人言如来得阿耨多羅三藐三菩提須菩
提實无有法佛得阿耨多羅三藐三菩提須
菩提如来所得阿耨多羅三藐三菩提於是
中无實无虚是故如来說一切法皆是佛法
須菩提所言一切法者即非一切法是故名
一切法須菩提譬如人身長大須菩提言世
尊如来說人身長大則為非大身是名大身
須菩提菩薩亦如是若作是言我當滅度无
量衆生則不名菩薩何以故須菩提无有法
名為菩薩是故佛說一切法无我无人无衆
生无壽者須菩提若菩薩作是言我當莊嚴
佛土是不名菩薩何以故如来說莊嚴佛土
者即非莊嚴是名莊嚴須菩提若菩薩通達
无我法者如来說名真是菩薩
須菩提於意云何如来有肉眼不如是世尊

BD02161 號　金剛般若波羅蜜經　（14–10）

佛土是不名菩薩何以故如来說莊嚴佛土
者即非莊嚴是名莊嚴須菩提若菩薩通達
无我法者如来說名真是菩薩
須菩提於意云何如来有肉眼不如是世尊
如来有肉眼須菩提於意云何如来有天眼
不如是世尊如来有天眼須菩提於意云何
如来有慧眼不如是世尊如来有慧眼須菩
提於意云何如来有法眼不如是世尊如来
有法眼須菩提於意云何如来有佛眼不如
是世尊如来有佛眼須菩提於意云何如恒
河中所有沙佛說是沙不如是世尊如来說
是沙須菩提於意云何如一恒河中所有沙
有如是等恒河是諸恒河所有沙數佛世界
如是寧為多不甚多世尊佛告須菩提尒所
國土中所有衆生若干種心如来悉知何以
故如来說諸心皆為非心是名為心所以者
何須菩提過去心不可得現在心不可得未
来心不可得須菩提於意云何若有人滿三
千大千世界七寶以用布施是人以是因緣
得福多不如是世尊此人以是因緣得福甚
多須菩提若福德有實如来不說得福德多
以福德无故如来說得福德多
須菩提於意云何佛可以具足色身見不不
也世尊如来不應以具足色身見何以故如
来說具足色身即非具足色身是名具足色

BD02161 號　金剛般若波羅蜜經　（14–11）

以福德无故如来說得福德多
須菩提於意云何佛可以具足色身見不不
也世尊如来不應以具足色身見何以故如
来說具足色身即非具足色身是名具足色
身須菩提於意云何如来可以具足諸相見
不不也世尊如来不應以具足諸相見何以
故如来說諸相具足即非具足是名諸相具
足須菩提汝勿謂如来作是念我當有所說
法莫作是念何以故若人言如来有所說法
即為謗佛不能解我所說故須菩提說法者
无法可說是名說法
須菩提白佛言世尊佛得阿耨多羅三藐三
菩提為无所得耶如是如是須菩提我於阿
耨多羅三藐三菩提乃至无有少法可得是
名阿耨多羅三藐三菩提
復次須菩提是法平等无有高下是名阿耨
多羅三藐三菩提以无我无人无衆生无壽
者脩一切善法則得阿耨多羅三藐三菩提
須菩提所言善法者如来說非善法是名善
法須菩提若三千大千世界中所有諸須弥
山王如是等七寶聚有人持用布施若人以
此般若波羅蜜經乃至四句偈等受持讀誦
為他人說於前福德百分不及一百千万億
分乃至筭數譬喻所不能及
須菩提於意云何汝等勿謂如来作是念我

BD02161 號　金剛般若波羅蜜經　（14–12）

法須菩提若三千大千世界中所有諸須弥
山王如是等七寶聚有人持用布施若人以
此般若波羅蜜經乃至四句偈等受持讀誦
為他人說於前福德百分不及一百千万億
分乃至筭數譬喻所不能及
須菩提於意云何汝等勿謂如来作是念我
當度衆生須菩提莫作是念何以故實无有
衆生如来度者若有衆生如来度者如来則
有我人衆生壽者須菩提如来說有我者則
非有我而凡夫之人以為有我須菩提凡夫
者如来說則非凡夫須菩提於意云何可以
三十二相觀如来不須菩提言如是如是以
三十二相觀如来佛言須菩提若以三十二
相觀如来者轉輪聖王則是如来須菩提白
佛言世尊如我解佛所說義不應以三十二
相觀如来尒時世尊而說偈言
若以色見我　以音聲求我　是人行邪道　不能見如来
須菩提汝若作是念如来不以具足相故得
阿耨多羅三藐三菩提須菩提莫作是念如
来不以具足相故得阿耨多羅三藐三菩提
須菩提汝若作是念發阿耨多羅三藐三菩
提者說諸法斷滅相莫作是念何以故發阿
耨多羅三藐三菩提者於法不說斷滅相須
菩提若菩薩以滿恒河沙等世界七寶布施
若復有人知一切法无我得成於忍此菩薩
勝前菩薩所得功德何以故須菩提以諸菩

BD02161 號　金剛般若波羅蜜經　（14–13）

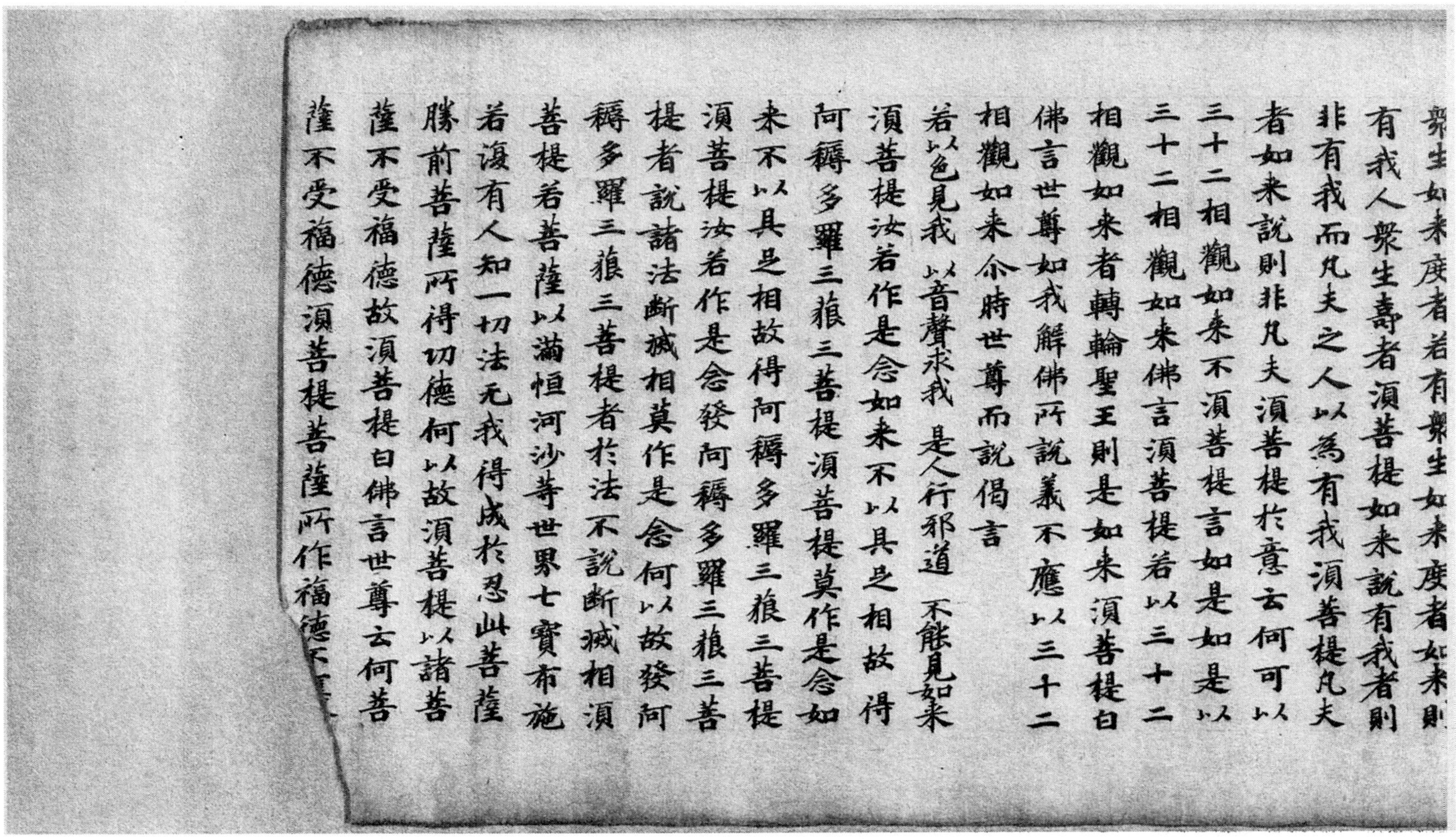

衆生如来度者若有衆生如来度者如来則
有我人衆生壽者須菩提如来說有我者則
非有我而凡夫之人以為有我須菩提凡夫
者如来說則非凡夫須菩提於意云何可以
三十二相觀如来不須菩提言如是如是以
三十二相觀如来佛言須菩提若以三十二
相觀如来者轉輪聖王則是如来須菩提白
佛言世尊如我解佛所說義不應以三十二
相觀如来尒時世尊而說偈言
若以色見我 以音聲求我 是人行邪道 不能見如来
須菩提汝若作是念如来不以具足相故得
阿耨多羅三藐三菩提須菩提莫作是念如
来不以具足相故得阿耨多羅三藐三菩提
須菩提汝若作是念發阿耨多羅三藐三菩
提者說諸法断滅相莫作是念何以故發阿
耨多羅三藐三菩提者於法不說断滅相須
菩提若菩薩以滿恒河沙等世界七寶布施
若復有人知一切法无我得成於忍此菩薩
勝前菩薩所得功德何以故須菩提以諸菩
薩不受福德故須菩提白佛言世尊云何菩
薩不受福德須菩提菩薩所作福德不

BD02161號　金剛般若波羅蜜經　（14–14）

王諸處追捕等不見王即更殺遣人分頭
仙五道大神檢化形兼少時有一王者杞状走
杞得司善膝報世人張居道為煞生故願造金光明經
杞其所遣煞並合乘此功德隨業化形膝至淮法處分者其張
居道惡家訴者以某日准司善膝並判化從人道生於世界訖王既状
捻憐歎善曰居道雖煞衆生能設方計為其發願修造功德令此債主便
生人路既無執對備詞不可懸信判放居道再歸生路當宜善念多造功
德斷味必煞勿復慳貪惜財不作橋梁專為惡業於是出城如從夢
歸居道當說此由緣發心造經一百餘人斷宍必煞不可計數此經天下少
本詢訪不獲躬歷諸方遂於衛州禪寂寺檢得抄寫隨身供養居道
及至當賞之日合家大小悉斷害斷宍味其溫州安固縣丞妻病經一年
絕音不語獨自狂語口中唱痛叩頭死罪状有所訴居道聞之為其夫
說如此之状多是怨家債命文案未決命故不絕自當思忖省悟已來由
緣所開煞害生命急為造金光明經分明懺唱此經側近無本唯居道
家有此經懸煞依尊其教請本雇人妙寫未畢妻便醒悟說云状如夢
夢惛惛常有雞猪鵝鴨一日三回覓来咬嚙痛不可當徒来應其到時棄
乃見惟有豕猪或羊或牛或雞之類皆是人身来與我别云雖是惡家
遣你屠害以你為我敬造功德所以令我得化形成人今與惡家解散不相逢
情悟說即去困尒不復如此病即差平復如本當此之時溫州一郡所食雞猪
鵝鴨害用之徒咸悉放生家家斷害人善念不立屠行隻又比州隣懸聞
此並起淨行不止一家當今所煞無一所徵勸者斯是衆生業滿合死故煞
報應只是盡人身還作畜生被他屠煞害若衆生日限未足遣人煞者五
被訟注世人乖死又羸病連年累月眼中唱痛狂言或語並是衆生執注文
案一已方始命斷一切衆罪懺悔皆滅唯有煞生懺悔不除為惡家專心訟對
自非為其修造功德經像或被人所遣或事計難禁煞事不已者當慚愧
為其傷嘆持刀所煞如割已宍或衒賣与人取其財價以為豊足一造一本

BD02162號 1　金光明經懺悔滅罪傳　（37–1）

遣何屠害以何為我敬造功德所以令我得化形成人今與怨家解散不相逢
情悟訖即去因爾不復如此病即輕差平復如本當此之時温州一郡所養雞猪
鵝鴨害用之徒咸悉放生眾家斷害人善念不立屠行署又比州隣縣聞
此並起淨行不正一家當今所煞無所懺勸者斯是眾生業滿合死故煞
報應只是盡人身還作畜生被他屠煞害若眾生日限未足遣人煞者主
被訟注世人卒死又瘟病連年累月眼中唱痛狂言或語並是眾生執注文
案一定方始命斷一切眾罪懺悔皆滅唯有煞生懺悔不除為怨家專心訟對
自非為其修造功德經像或被人所遣或事計難槃煞事不已者當慚愧
為其懺悔持刀所煞如割己宍或衒賣与人取其財價以為豐足一造一卒
分明懺悔今此功德資及怨家早生人道考訟自休不復執逮善男子善
明當識之　　　金光明經傳

金光明經序品第一

如是我聞一時佛在王舍大城耆闍崛山是時如來遊於無量甚深法性
諸佛行處過諸菩薩所行清淨是金光明諸經之王若有聞者則能思
惟無上微妙甚深之義如是經典常為四方四佛世尊之所護持東方阿閦
南方寶相西方無量壽北方微妙聲我今當說懺悔等法所生功德為
無有上能壞一切諸苦盡不善業　一切種智　而為根本　無量功德
之所莊嚴　滅除諸苦　與無量樂　諸根不具　壽命減損　貧窮困苦
諸天捨離　親厚鬪訟　王法所加　各各忿諍　財物損耗　愁憂恐怖
惡星災異　眾邪蠱道　變怪相續　臥見惡夢　晝夜愁惱　當淨洗浴
聽是經典　至心清淨　著淨潔衣　專聽諸佛　甚深行處　是經威德
能悉滅除　如是諸惡　令其寂滅　護世四王　將諸官屬　并及無量
夜叉之眾　悉來擁護　持是經者　大辯天神　尼連河神　鬼子母神
地神堅牢　大梵尊天　三十三天　大神龍王　緊那羅王　迦樓羅王
阿脩羅王　與其眷屬　悉共至彼　擁護是人　晝夜不離
我今所說　諸佛世尊　甚深秘密　微妙行處　億百千劫　甚難得值
若得聞經　若為他說　若心隨喜　若設供養　如是之人　於無量劫
常為諸天　八部所敬　如是脩行　生功德者　得不思議　無量福聚
亦為十方　諸佛世尊　深行菩薩　之所護持　著淨衣服　以上妙香
慈心供養　常不遠離　身意清淨　無有垢穢　歡喜悅豫　深樂是經
若得聽聞　當知善得　人身人道　及以正命　若聞懺悔　執持在心
是人善根　諸佛所讚

金光明經壽量品第二

爾時王舍城中有菩薩摩訶薩名曰信相已曾供養過去無量億那由他

BD02162 號 1　金光明經懺悔滅罪傳　　　　（37–2）
BD02162 號 2　金光明經卷一

慈心供養　常不遠離　身意清淨　無有垢穢　歡喜悅豫　深樂是經
若得聽聞　當知善得　人身人道　及以正命　若聞懺悔　執持在心
是人善根　諸佛所讚

金光明經壽量品第二

爾時王舍城中有菩薩摩訶薩名曰信相已曾供養過去無量億那由他
百千諸佛種諸善根是信相菩薩作是思惟何因何緣釋迦如來壽命短促
方八十年復更念言如佛所說有二因緣壽命得長何等為二一者不煞二
者不害而我世尊於無量百千億那由他阿僧祇劫脩不煞戒具足十善
飲食惠施不可限量乃至己身骨髓肉血充足飽滿飢餓眾生況餘飲食
大士如是至心念佛思是義時其室自然廣博嚴事天紺琉璃種種眾寶
雜廁間錯以成其地猶如如來所居淨土有妙香氣過諸天香烟雲垂布
遍滿其室其室四面各有四寶上妙高坐自然而出純以天衣而為敷具
是妙坐上各有諸佛所受用華眾寶合成於蓮華上有四如來東方名
阿閦南方名寶相西方名無量壽北方名微妙聲是四如來自然而坐師子
座上放大光明照王舍城及此三千大千世界乃至十方恒河沙等諸佛世界雨
諸天華作天伎樂爾時三千大千世界所有眾生以佛神力受天快樂諸根
具足即得具足舉要言之一切世間所有利益未曾有事悉具足出現
爾時信相菩薩見是諸佛及希有事歡喜踊躍恭敬合掌向諸世尊
至心念佛作是思惟釋迦如來無量功德唯於壽命中心生疑惑云何如來壽
命如是方八十年爾時四佛以正遍知告信相菩薩善男子汝今不應思量
如來壽命短促何以故善男子我等不見諸天世人魔眾梵眾沙門婆羅
門人及非人有能思筭如來壽量知其齊限唯除如來時四如來將欲宣
暢釋迦文佛所得壽命欲色界天諸龍鬼神乾闥婆阿脩羅迦樓羅緊
那羅摩睺羅伽及無量百千億那由他菩薩摩訶薩以佛神力悉來
聚集信相菩薩摩訶薩室爾時四佛於大眾中略以偈喻說釋迦如來
所得壽量而作頌曰　一切諸水　可知幾渧　無有能數　釋尊壽命
諸須彌山　可知斤兩　無有能量　釋尊壽命　一切大地　可知塵數　無有能筭
釋尊壽命　虛空分界　尚可盡邊　無有能計　釋尊壽命　不可計劫　億百千万
佛壽如是　無量無邊　以是因喻　故說二乘　不害物命　施食無量　是故大王
壽不可計　無量無邊　亦無齊限　是故汝今　不應於佛　無量壽命　而生疑惑
爾時信相菩薩摩訶薩聞是四佛宣說如來壽命無量深心信解歡
喜踊躍說是如來壽命品時無量無邊阿僧祇眾生發阿耨多羅三藐
三菩提心時四如來忽然不現

金光明經懺悔品第三

爾時信相菩薩即於其夜夢見金鼓其狀姝大其明普曜喻如日光

BD02162 號 2　金光明經卷一　　　　（37–3）

佛壽如是 无量无邊 以是因喻 故說一乘 不害物命 施食无量 是故大王
壽不可計 无量无邊 亦无齊限 是故汝今 不應於佛 无量壽命 而生疑惑
尒時信相菩薩摩訶薩聞是四佛宣說如來壽命无量深心信解歡
喜踊躍說是如來壽命品時无量无邊阿僧祇衆生發阿耨多羅三藐
三菩提心時四如來忽然不現

金光明經懺悔品第三

尒時信相菩薩即於其夜夢見金鼓其狀姝大其明普照喻如日光
復於光中得見十方无量无邊諸佛世尊衆寶樹下坐瑠璃座與无
量百千眷屬圍繞而為說法見有一人似婆羅門以桴擊鼓出大音
聲其聲演說懺悔偈頌時信相菩薩從夢寤已至心憶念夢中所聞懺
悔偈頌過夜至旦出王舍城尒時亦有无量无邊百千衆與菩薩俱往
耆闍崛山至於佛所至佛所已頂礼佛足右遶三匝却坐一面敬心合掌瞻
仰尊顏以其夢中所說金鼓及聞懺悔偈頌向如來說
昨夜所夢 至心憶持 夢見金鼓 妙色光曜 其光大盛 明踰於日 遍照十方
恒河世界 又因此光 得見諸佛 衆寶樹下 坐瑠璃座 无量大衆 圍遶說法
見婆羅門 擊是金鼓 其鼓音中 說如是偈 是大金鼓 所出妙音 悉能滅除
三世諸苦 地獄餓鬼 畜生等苦 貧窮困厄 及諸有苦 是鼓所出 微妙之音
能除衆生 諸苦所逼 斷衆怖畏 令得无懼 猶如諸佛 得无所畏 諸佛聖人
所成功德 離於生死 到大智岸 如是衆生 所得功德 定及助道 猶如大海
是鼓所出 如是妙音 令衆生得 梵音深遠 證佛无上 菩提勝果 轉无上輪
微妙清淨 住壽无量 不思議劫 演說正法 利益衆生 能害煩惱 消除諸苦
貪瞋癡等 悉令滅 若有衆生 處在地獄 大火熾燃 焼炙其身 若聞金鼓
微妙音聲 所出言教 即尋礼佛 亦令衆生 得知宿命 百生千生 千万億生
令心正念 諸佛世尊 亦聞无上 微妙之言 是金鼓中 所出妙音 須令衆生
值遇諸佛 遠離一切 諸佛業等 善脩无量 自淨之業 諸天世人 及餘衆生
隨其所思 諸所念求 如是金鼓 所出之音 皆悉能令 成就具足 若有衆生
隨大地獄 猛火炎熾 焚燒其身 无有救護 當令是等 悉滅諸苦 若有衆生
諸苦所切 三惡道報 及以人中 如是金鼓 所出之音 悉能除滅 一切諸苦
无依无歸 无有救護 我為是等 依歸依處 是諸世尊 今當證知 久已於我
生大悲心 在在處處 十方諸佛 現在世雄 兩足之尊 我本所作 惡不善業
今者懺悔 十方力前 不識諸佛 及父母恩 不解善法 造作衆惡 自恃種性
及諸財寶 盛年放逸 作諸惡行 心念不善 口作惡業 隨心所作 不見其過
凡夫愚行 无知闇覆 親近惡友 煩惱亂心 五欲因緣 心生忿恚 不知猒足
故作衆惡 親近非聖 因生慳嫉 貧窮因緣 奸諂作惡 繫屬於他 常有怖畏

生大悲心 在在處處 十方諸佛 現在世雄 兩足之尊 我本所作 惡不善業
今者懺悔 十方力前 不識諸佛 及父母恩 不解善法 造作衆惡 自恃種性
及諸財寶 盛年放逸 作諸惡行 心念不善 口作惡業 隨心所作 不見其過
凡夫愚行 无知闇覆 親近惡友 煩惱亂心 五欲因緣 心生忿恚 不知猒足
故作衆惡 親近非聖 因生慳嫉 貧窮因緣 奸諂作惡 繫屬於他 常有怖畏
不得自在 而造諸惡 貪欲恚癡 擾動其心 渴愛所逼 造作衆惡 依因衣食
及以女色 諸結惱熱 造作衆惡 身口意惡 所集三業 如是衆罪 今悉懺悔
或不恭敬 佛法聖衆 如是諸罪 今悉懺悔 或不恭敬 緣覺菩薩 如是衆罪
今悉懺悔 以无智故 誹謗正法 不知恭敬 父母尊長 如是衆罪 今悉懺悔
愚惑所覆 憍慢放逸 因貪恚癡 造作衆惡 如是衆罪 今悉懺悔 我今供養
无量无邊 三千大千 世界諸佛 我當救濟 十方一切 无量衆生 所有諸苦
我當安止 不可思議 阿僧祇劫 令住十地 已得安止 住十地者 悉令具足
如來正覺 為一衆生 億劫脩行 使无量衆 令度苦海 我當為是 諸衆生等
演說微妙 甚深悔法 所為金光 滅除諸惡 千劫所作 極重惡業 若能至心
一懺悔者 如是衆罪 悉皆滅盡 我今已說 懺悔之法 是金光明 清淨微妙
速能滅除 一切業鄣 我當安止 住於十地 十種珎寶 以為脚足 成佛无上
功德无上 功德光明 令諸衆生 度三有海 諸佛所有 甚深法藏 不可思議
无量功德 一切種知 願悉具足 百千禪定 根力覺道 不可思議 諸陀羅尼
十方世尊 我當成就 諸佛世尊 有大慈悲 當證微誠 哀受我悔 義我百劫
所作衆惡 以是因緣 生大憂苦 貧窮困乏 愁惡敬懼 怖畏惡業 心常怯劣
在在處處 暫无歡喜 十方現在 大悲世尊 能除衆生 一切怖畏 願當受我
誠心懺悔 令我恐懼 悉得消除 我之所有 煩惱業垢 唯願現在 諸佛世尊
以大悲水 洗除令淨 過去諸惡 今悉懺悔 現在作罪 誠心發露 所未作者
更不敢作 已作之者 不敢覆藏 身業三種 口業有四 意三業行 今悉懺悔
身口所作 及以意惡 十種惡業 一切懺悔 遠離十惡 脩行十善 安止十地
逮十力尊 所造惡業 應受惡報 今於佛前 誠心懺悔 若此國土 及餘世界
所有善法 悉以迴向 我所脩行 身口意善 願於來世 證无上道 若在諸有
六趣險難 愚癡无智 造作諸惡 今於佛前 皆悉懺悔 世間所有 生死險難
種種婬欲 愚癡煩惱 如是諸難 我今懺悔 心輕躁難 近惡友難 三有險難
及三毒難 遇无暇難 值好時難 脩功德難 值佛亦難 如是諸難 今悉懺悔
諸佛世尊 我所依止 是故我今 敬礼佛海 金色晃曜 猶如須弥 是故我今
頂礼最勝 其光无上 猶如真金 眼目清淨 如紺瑠璃 功德威神 名稱顯著
佛日大悲 滅一切闇 若淨无垢 離諸塵翳 无上佛日 大光普照 煩惱火熾

種種婬欲 愚癡惱難 如是諸難 我今懺悔 心輕躁難 近惡友難 三有嶮難
及三毒難 遇无艱難 值好時難 脩功德難 值佛亦難 如是諸難 今悉懺悔
諸佛世尊 我所依止 是故我今 敬禮佛海 金色晃曜 猶如須弥 是故我今
頂禮最勝 其光无上 猶如真金 眼目清淨 如紺琉璃 功德威神 名稱顯著
佛日大悲 滅一切闇 若淨无垢 離諸塵翳 无上佛日 大光普照 煩惱火熾
令心燋熱 唯佛能除 如月清涼 三十二相 八十種好 莊嚴其身 覩之无猒
功德巍巍 明網顯曜 安住三界 如日照世 猶如琉璃 淨无瑕穢 妙色廣大
種種各異 其色紅赤 如日初出 頗梨白銀 校飾光網 如是種種 莊嚴佛日
三有之中 生死大河 濤水波蕩 惚亂我心 其味苦毒 最為麁澀 如來網明
能令枯涸 妙身端嚴 相好殊特 金色光明 遍照一切 智慧大海 弥滿三界
是故我今 稽首敬禮 如大海水 其量難知 大地微塵 不可稱計 諸須弥山
難可度量 虛空邊際 亦不可得 計佛亦尒 功德无量 一切有心 无能知者
於无量劫 極心思惟 不能得知 佛功德邊 大地諸山 尚可知量 毛渧海水
亦可知數 諸佛功德 无能知者 相好莊嚴 名稱讚嘆 如是功德 令衆皆得
我以善業 諸因緣故 來世不久 成於佛道 講宣妙法 利益衆生 度脫一切
无量諸苦 摧伏諸魔 及其眷屬 轉於无上 清淨法輪 住壽无量 不思議劫
充足衆生 甘露法味 我當具足 六波羅蜜 猶如過佛 之所成就 斷諸煩惱
除一切苦 悉滅貪欲 及恚癡等 我當憶念 宿命之事 百生千生 百千億生
常當專念 正念諸佛 聞說微妙 无上正法 我因善業 常值諸佛 遠離諸惡
脩諸善業 一切世界 所有衆生 无量苦惱 我當悉滅 若有衆生 諸根毀壞
不具足者 悉令具足 十方世界 所有病苦 羸瘦頓乏 无救護者 悉令解脫
如是諸苦 還得勢力 平服如故 若犯王法 臨當刑戮 无量怖畏 愁憂苦惱
如是之人 悉令解脫 若受鞭撻 繫縛枷鎖 種種苦事 逼切其身
无量百千 愁憂驚畏 種種恐懼 擾亂其心 如是无邊 諸苦惱等 願使一切
皆得解脫 若有衆生 飢渴所惱 令得種種 甘美飲食 盲者得視 聾者得聞
啞者能言 裸者得衣 貧窮之者 即得寶藏 倉庫盈溢 无所乏少 一切皆受
安隱快樂 乃至无有 一人受苦 衆生相視 和顏悅色 形貌端嚴 人所喜見
心常思念 他人善事 飲食飽滿 功德具足 隨諸衆生 之所思念 皆願令得
種種伎樂 箜篌箏笛 琴瑟鼓吹 如是種種 微妙音聲 江河池沼 流泉諸水
金華遍布 及憂鉢羅 隨諸衆生 之所思念 即得種種 衣服飲食 錢財珎寶
金銀琉璃 真珠璧玉 雜廁瓔珞 願諸衆生 不聞惡聲 乃至无有 可惡見者
願諸衆生 色貌微妙 各各相於 共相愛念 世間所有 資生之具 隨其所念
悉令具足 願諸衆生 諸有求索 如其所須 應念即得 香華諸琭 常於三時

種種伎樂 箜篌箏笛 琴瑟鼓吹 如是種種 微妙音聲 江河池沼 流泉諸水
金華遍布 及憂鉢羅 隨諸衆生 之所思念 即得種種 衣服飲食 錢財珎寶
金銀琉璃 真珠璧玉 雜廁瓔珞 願諸衆生 不聞惡聲 乃至无有 可惡見者
願諸衆生 色貌微妙 各各相於 共相愛念 世間所有 資生之具 隨其所念
悉令具足 願諸衆生 諸有求索 如其所須 應念即得 香華諸琭 常於三時
雨細末香 及塗身香 衆生受者 歡喜快樂 願諸衆生 常得供養 不可思議
十方諸佛 无上妙法 清淨无垢 及諸菩薩 聲聞大衆 願諸衆生 常得遠離
三惡八難 值无難處 覲覲諸佛 无上之王 願諸衆生 常生尊貴 多饒財寶
安隱豐樂 上妙色像 莊嚴其身 功德成就 有大名稱 願諸女人 皆成男子
具足智慧 精進不懈 一切皆行 菩薩之道 懃心脩集 六波羅蜜 常見十方
无量諸佛 坐寶樹下 琉璃座上 安住禪定 自在快樂 演說正法 衆所樂聞
若我現在 及過去世 所作惡業 諸有嶮難 應得惡果 不適意者 願悉盡滅
令无有餘 若諸衆生 三有繫縛 生死羅網 弥密牢固 願以智力 割斷破壞
除諸苦惱 早成菩提 若此閻浮 及餘他方 无量世界 所有衆生 所作種種
善巧功德 我念隨心 隨其歡喜 我今以此 隨喜功德 及身口意 所作善業
願於來世 成无上道 得淨无垢 吉祥果報 若有敬禮 讚歎十方 信心清淨
无諸疑网 能作如是 所說懺悔 便得超越 六十劫罪 諸善男子 及善女人
諸王剎利 婆羅門等 若有恭敬 合掌向佛 稱讚如來 并讚此偈 在在處處
常識宿命 諸根具足 清淨端嚴 稱種功德 悉皆成就 在在處處 常為國王
輔相大臣 之所供養 非於一佛 五佛十佛 種諸功德 聞是懺悔 善於无量
百千万億 諸佛如來 種諸善根 然後乃得 聞是懺悔 金光明經讚嘆品第四
尒時佛告 地神堅牢 善女天過 去有王名 金龍尊常 以讚歎讚 歎去來現
在世諸佛 我今尊重 敬禮讚歎 去來現在 十方諸佛 諸佛清淨 微妙寂滅
色中上色 金光照曜 於諸聲聞 佛聲最上 猶如大梵 深遠雷音 其髮紺黑
光曜炎起 蜂翠孔雀 色不得喻 其齒鮮白 猶如珂雪 顯發金顏 分齊分明
其目脩廣 清淨无垢 如青蓮華 瞜永開敷 舌相廣長 形色紅赤 光明照曜
如華初生 眉間豪相 白如珂月 右旋潤澤 如淨琉璃 眉細脩揚 形如月初
其色晃曜 過於蜂王 鼻高圓直 如鑄金鋌 微妙柔濡 當于面門 如來勝相
次第最上 得味真正 无與等者 一一毛孔 一毛旋生 濡細紺青 猶孔雀項
即於生時 身放大光 普照十方 無量國土 滅盡三界 一切諸苦 令諸衆生
悉受快樂 地獄畜生 及以餓鬼 諸天人等 安隱无患 悉滅一切 无量惡趣
身色微妙 如融金聚 面貌清淨 如月盛滿 佛身明曜 如日初出 進止威儀
猶如師子 脩臂下垂 立過于膝 猶如風動 婆羅樹枝 圓光一尋 能照无量

次第最上 得味真正 无與等者 一一毛孔 一毛旋生 潤細紺青 猶孔雀項
即於生時 身放大光 普照十方 無量國土 滅盡三界 一切諸苦 令諸衆生
悉受快樂 地獄畜生 及以餓鬼 諸天人等 安隱无患 悉滅一切 无量惡趣
身色微妙 如融金聚 面貌清淨 如月盛滿 佛身明曜 如日初出 進止威儀
猶如師子 脩臂下垂 立過于膝 猶如風動 娑羅樹枝 圓光一尋 能照无量
猶如聚集 百千日月 佛身清淨 无諸垢穢 其明普照 一切佛剎 佛光巍巍
明炎大盛 悉能隱蔽 无量日月 佛日燈炬 照无量界 皆令衆生 尋光見佛
本所脩集 百千行業 聚集功德 莊嚴佛身 臂臑纖圓 如象王鼻 手足淨潔
敬愛无猒 去來諸佛 數如微塵 現在諸佛 亦復如是 如是如來 我今悉礼
身口清淨 意亦如是 如好華香 供養奉獻 百千功德 讚詠歌歎 設以百舌
於千劫中 嘆佛功德 不能得盡 如來所有 現世功德 種種深固 微妙第一
設復嘆美 欲讚一佛 尚不能盡 功德少分 況欲歎美 諸佛功德 大地及天
以為大海 乃至有頂 滿月中水 尚以一毛 知其渧數 无有能知 一佛功德
我今以礼 讚嘆諸佛 身口意業 悉皆清淨 所有所脩 无量善業 與諸衆生
證无上道 如是人王 讚嘆佛已 復作如是 无量種願 若我來世 无量无邊
阿僧祇劫 在在生處 常於夢中 見妙金鼓 得聞懺悔 深奧之聲 金所讚嘆
面貌清淨 願我來世 亦得如是 諸佛功德 不可思議 於百千劫 甚難得值
願於當來 无量之世 夜則夢見 晝則實說 我當具足 脩行六度 濟拔衆生
越於苦海 然後我身 成无上道 令我世界 无與等者 奉貢金鼓 讚佛因緣
以此果報 當來之世 值釋迦佛 得受記莂 并令二子 金龍金光 常生我家
同共受記 若有衆生 无救護者 衆苦逼切 无所依止 我於當來 為是等輩
作大救護 及依止處 能除衆苦 悉令滅盡 施與衆生 諸善安樂 我未來世
行菩提道 不計劫數 如盡本際 以此金光 懺悔因緣 使我惡海 及以業海
煩惱大海 悉竭无餘 我功德海 願悉成就 智慧大海 清淨具足 无量功德
助菩提道 猶如大海 珎寶具足 以此金光 懺悔力故 菩提功德 光金光尋
慧光无垢 照徹清淨 我當來世 身光普照 功德威神 光明炎盛 於三界中
最勝殊特 諸功德力 无所滅少 當度衆生 越於苦海 并復安置 功德大海
來世多劫 行菩提道 如昔諸佛 行菩提者 三世諸佛 淨佛國土 諸佛世尊
无量功德 令我來世 得此殊異 功德淨土 如佛世尊 信相當知 尒時國主
金龍尊者 則汝身是 尒時二子 金龍金光 金汝二子 銀相等是

金光明經空品第五

无量餘經 已廣說空 是故此中 略而解脫 衆生根鈍
尠於智慧 不能廣知 无量空義 今此尊經 略而說之 異妙方便 種種因緣
為鈍根故 起大悲心 我今演說 此妙經典 如我所解 知衆生意 是身虛偽

无量功德 令我來世 得此殊異 功德淨土 如佛世尊 信相當知 尒時國主
金龍尊者 則汝身是 尒時二子 金龍金光 金汝二子 銀相等是
金光明經空品第五 无量餘經 已廣說空 是故此中 略而解脫 衆生根鈍
尠於智慧 不能廣知 无量空義 今此尊經 略而說之 異妙方便 種種因緣
為鈍根故 起大悲心 我今演說 此妙經典 如我所解 知衆生意 是身虛偽
猶如空聚 六入村落 結賊所止 一切自在 各不相知 眼根受色 耳分別聲
鼻嗅諸香 舌嗜於味 所有身根 貪愛於觸 意根分別 一切諸法 六情諸根
各各自緣 諸塵境界 不行他緣 心如幻化 馳騁六情 而常妄想 分別諸法
猶如世人 馳走空聚 六賊所害 愚不知避 心常依止 六根境界 各各自知
所伺之處 隨行色聲 香味觸法 心處六情 如鳥投網 其心在在 常處諸根
隨逐諸塵 无有暫捨 身空虛偽 不可長養 无有諍訟 亦无正主 從諸因緣
和合而有 无有堅實 妄相故起 業力機關 假偽空聚 地水火風 合集成空
隨時增長 共相殘害 猶如四蛇 同處一篋 四大蚖蛇 其性各異 二上二下
諸方亦尒 如是蛇大 悉滅无餘 地水二蛇 其性沉下 風火二蛇 性輕上昇
心識二性 躁動不停 隨業受報 天人諸趣 隨所作業 而墮三有
水火風動 散滅壞時 大小不淨 盈流於外 體生諸蟲 无可愛樂 棄捐塚間
如朽敗木 善女當觀 諸法如是 何處有人 及以衆生 本性空寂 无明故有
如是諸大 一一不實 本自不生 性无和合 以是因緣 我說諸大 從本不實
和合而有 无明體性 本亦不有 妄相因緣 和合而有 无所有故 假名无明
是故我說 名曰无明 行識名色 六入觸受 愛取有生 老死憂惱 衆苦行業
不可思議 生死无際 輪轉不息 本无有生 亦无和合 不善思惟 心行所造
我斷一切 諸見纏等 以智慧刀 裂煩惱網 五陰舍宅 觀悉空寂 證无上道
微妙功德 開甘露門 示甘露器 入甘露城 處甘露室 令諸衆生 食甘露味
吹大法螺 擊大法鼓 然大法燈 雨勝法雨 我今摧伏 一切怨結 竪立第一
微妙法幢 度諸衆生 於生死海 永斷三惡 无量苦惱 煩惱熾然 燒諸衆生
无有救護 无所依止 我以甘露 清涼美味 充足是輩 令離燋熱 於无量劫
遵脩諸行 供養恭敬 諸佛世尊 堅牢脩集 菩提之道 求於如來 真實法身
捨諸所重 支節手足 頭目髓惱 所愛妻子 錢財珎寶 真珠瓔珞 金銀琉璃
種種異物

金光明經卷第一

金光明經四天王品第六

尒時毗沙門天王提頭賴吒天王毗留勒叉天王毗留博叉天王俱從座起偏袒右肩

遒脩諸行　供養恭敬　諸佛世尊　堅牢脩集　菩提之道　求於如來　真實法身
捨諸所重　支節手足　頭目髓惱　所愛妻子　錢財珎寶　真珠瓔珞　金銀琉璃
種種異物

金光明經卷第一

金光明經四天王品第六　二

尒時毗沙門天王提頭賴吒天王毗留勒叉天王毗留博叉天王俱從座起偏袒右肩
右膝著地胡跪合掌白佛言世尊是金光明微妙經典衆經之王諸佛世尊
之所護念莊嚴菩薩深妙功德常為諸天之所恭敬能令天王心生歡喜亦為護
世之所讚嘆此經能照諸天宮殿是經能與衆生快樂是經能令地獄餓鬼畜生
諸河燋乾枯竭是經能除一切怖畏是經能却他方怨賊是經能除穀貴飢饉
是經能愈一切疾病是經能滅惡星變異是經能去一切憂惱舉要言之是經能
滅一切衆生无量无邊百千苦惱世尊是金光明微妙經典若在大衆廣宣說時我
等四天王及餘眷屬聞此甘露无上法味增益身力心進勇銳具諸威德世尊我等
四天能說正法脩行正法為世法王以法治世世尊我等四王及天龍鬼神乾闥婆阿
脩羅迦樓羅緊那羅摩睺羅伽以法治世遮諸惡鬼噉精氣者世尊我等四王三
十八部諸鬼神等及无量百千鬼神以淨天眼過於人眼常觀擁護此閻浮提世
尊是故我等名護世王若此國土有諸衰耗怨賊侵境飢饉疾疫種種艱難
若有比丘受持是經我等四王當共勸請令是比丘以我力故疾往彼所國邑郡縣廣
宣流布是金光明微妙經典令如是等種種百千衰耗之事悉皆盡滅世尊如諸
國王所有土境是持經者若至其國是王應當往是人所聽受如是微妙經典聞
已歡喜復當護念恭敬是人世尊我等四王復當勤心擁護是王及國人民為除
衰患令得安隱世尊若有比丘比丘尼優婆塞優婆夷受持是經若諸人王有
能供給施其所安我等四王亦當令是王及國人民一切安隱具足无患世尊若
有四衆受持讀誦是妙經典若諸人王有能供養恭敬尊重讚嘆我等四
王亦當復令如是人王於諸王中常得第一供養恭敬尊重讚嘆亦令餘王欽
尚羨慕稱讚其善　尒時世尊讚嘆護世四天王等善哉善哉汝等四天過去
以曾供養恭敬尊重讚嘆无量百千万億諸佛於諸佛所種諸善根說於正
法脩行正法以法治世為人天王汝等今日長夜利益於諸衆生行大悲心施
與衆生一切樂具能遮諸惡勸與諸善以是義故若有人王能供養恭敬此金
光明微妙經典汝等正應如是護念滅其苦惱與其安樂汝等四王及諸眷
屬无量无邊百千鬼神若能護念如是經典者即是護持去來現在諸佛
正法汝等四王及餘天衆百千鬼神與阿脩羅共戰鬪時汝等諸天常得勝利

BD02162號3　金光明經卷二　（37–10）

法脩行正法以法治世為人天王汝等今日長夜利益於諸衆生行大悲心施
與衆生一切樂具能遮諸惡勸與諸善以是義故若有人王能供養恭敬此金
光明微妙經典汝等正應如是護念滅其苦惱與其安樂汝等四王及諸眷
屬无量无邊百千鬼神若能護念如是經典者即是護持去來現在諸佛
正法汝等四王及餘天衆百千鬼神與阿脩羅共戰鬪時汝等諸天常得勝利
汝等若能護念是經悉能調伏一切諸苦所謂怨賊飢饉疾疫若四部衆有能
受持讀誦此經汝等亦應勤心守護為除衰惱施與安樂尒時四王復白佛
言世尊是金光明微妙經典於未來世在所流布若國王城邑郡縣村落隨所
至處若諸國王以天律治世復能恭敬至心聽受是妙經典并復尊重供養
給持是經四部之衆以是因緣我等時時得聞如是微妙經典聞已即得
增益身力心進勇銳具諸威德是故我等及无量鬼神常當隱形隨是經所
流布處而作擁護令无留難亦當護念聽是經典諸國王等及其人民除其患難
悉令安隱他方怨賊亦使退散若有人王聽是經時隣國怨敵興如是念當具四兵
壞彼國土世尊以是經典威神力故尒時隣敵更有異怨為作留難於其境界起
諸衰惱灾異疫病尒時怨敵起如是等諸惡事已備具四兵發向是國規往討罰我
等尒時當與眷屬无量无邊百千鬼神隱蔽其形為作護助令彼怨敵自
然退散起諸怖懅種種留難彼國兵衆尚不能到況復當能有所破壞
尒時佛讚四天王等善哉善哉汝等四王乃能擁護我百千億那由他劫所有
脩集阿耨多羅三藐三菩提及諸人王受持是經恭敬供養者為消衰患令
其安樂復能擁護宮殿舍宅城邑村落國土邊疆乃至怨賊悉令退散滅其衰
惱令得安隱亦令一切閻浮提内所有諸王无諸衰耗鬪訟之事四王當知此閻浮提八
万四千城邑聚落八万四千諸人王等各於其國娛樂快樂各各於國而得自在於
自所有錢財珎寶各各自足不相侵奪如其宿世所脩集業隨業受報不生惡
心貪求他國各各自生利益之心生於慈心安樂之心不諍訟心不破壞心无繫
縛心无楚撻心各於其土自生愛樂上下和穆猶如水乳心相愛念增諸善根以
是因緣故此閻浮提安隱豐樂人民熾盛大地沃壤陰陽和調時不越序日月
星宿不失常度風雨隨時无諸灾横人民豐溢自足於財心无貪恡亦无嫉妬等
行十善其人壽終多生天上天宮充滿增益天衆若未來世有諸人王聽是經
典及供養恭敬受持是經四部之衆是王則為安樂利益汝等四王及餘眷屬无量
百千諸鬼神等何以故汝等四王若得時時聞是經典則為已得正法之水服甘露
味增益身力心進勇銳具諸威德是諸人王若能至心聽受是經典則為已能
養於我若供養我則是供養過去未來現在諸佛若能供養過去未來現在

BD02162號3　金光明經卷二　（37–11）

行十善其人壽終多生天上天宮充滿增益天衆若未來世有諸人王聽是經
典及供養恭敬受持是經四部之衆是王則爲安樂利益汝等四王及餘眷屬无量
百千諸鬼神等何以故汝等四王若得時時聞是經典則爲已得正法之味服甘露
味增益身力心進勇銳具諸威德是諸人王若能至心聽受是經典則爲已能
養於我若供養我則是供養過去未來現在諸佛若能供養過去未來現在
諸佛則得无量不可思議功德之聚以是因緣是諸人王應得擁護及后妃婇
女中宮眷屬諸王子等亦應得護衰惱消滅快樂熾盛宮殿堂宇安隱清
淨无諸災變護宅之神增長威德亦受无量歡悅快樂是諸國土所有人民
悉受種種五欲之樂一切惡事悉皆消滅　尒時四天王白佛言世尊未來之世
若有人王欲得護身及后妃婇女諸王子等宮殿屋宅得第一護身所王領處爲殊
勝具不可思議王者功德欲得攝取无量福聚國土无有他方怨賊无諸憂惱及
諸苦事世尊如是人王不應放逸散亂其心應生恭敬謙下之心應當莊嚴第一微
妙最勝宮宅種種香汁持用灑地散種種華敷大法坐師子之座以无量珍
異物而爲校飾張施種種无數微妙幢幡寶蓋以香清淨洗浴以香塗身著好淨衣
瓔珞自嚴坐小卑座不自高大除去自在離諸放逸謙下自卑除去憍慢正念
聽受如是妙典於說法者生世尊想復於宮內后妃王子婇女眷屬生慈悲心
和顏軟語勸以種種供養之具供養法師是王尒時既勸化已即生无量歡喜快
樂心懷悅豫倍復自勵不生疲倦多作利益於說法者倍生恭敬
尒時佛告四天大王尒時人王應著白淨鮮潔之衣種種瓔珞莊嚴執持素白
微妙上蓋服飾容儀不失常則躬出奉迎說法之人何以故是王如是隨其舉足步
步之中即是供養值遇百千億那由他諸佛世尊復得超越如是等劫生死之難
復於來世尒時劫中常得封受轉輪王位隨其步步亦得如是現世功德不可思
議自在之力常得最勝極妙七寶人天宮殿在在生處增益壽命言語辯了人
所信用无所畏忌有大名稱常爲人天之所恭敬天上人中受上妙樂得大勢力
具足威德身色微妙端嚴第一常值諸佛遇善知識成就具足无量福聚汝等
四天王如是人王見如是等種種无量功德利益是故此王應當躬出奉迎法師若一
由旬至百千由旬於說法師應生佛想應作是念今日釋迦如來正知人於我宮受我
供養爲我說法我聞是法即不退轉於阿耨多羅三藐三菩提已爲得值百千
万億那由他佛爲已供養過去未來現在諸佛已得畢竟三惡道苦我今已種
百千无量轉輪聖王釋梵之因已種无邊善根種子已令无量百千万億諸衆生
等度於生死已集无量无邊福聚後宮眷屬已得擁護宮宅諸衰悉已消滅
國土无有怨賊棘刺方怨敵不能侵陵汝等四王如是人王應作如是供養正法
清淨聽受是妙經典及恭敬供養尊重讚嘆持是經典四部之衆亦當迴此所

BD02162號3　金光明經卷二　（37–12）

由旬至百千由旬於說法師應生佛想應作是念今日釋迦如來正知人於我宮受我
供養爲我說法我聞是法即不退轉於阿耨多羅三藐三菩提已爲得值百千
万億那由他佛爲已供養過去未來現在諸佛已得畢竟三惡道苦我今已種
百千无量轉輪聖王釋梵之因已種无邊善根種子已令无量百千万億諸衆生
等度於生死已集无量无邊福聚後宮眷屬已得擁護宮宅諸衰悉已消滅
國土无有怨賊棘刺方怨敵不能侵陵汝等四王如是人王應作如是供養正法
清淨聽受是妙經典及恭敬供養尊重讚嘆持是經典四部之衆亦當迴此所
得最勝功德之分施與汝等及餘眷屬諸天鬼神衆集如是諸善功德現世常得
无量无邊不可思議自在之利威德勢力成就具足能以正法摧伏諸惡
尒時四王白佛言世尊若未來世有諸人王作如是等恭敬正法至心聽受是妙
經典及恭敬供養尊重讚嘆持是經典四部之衆嚴治舍宅香汁灑地專心念
聽說法時我等四王亦當在中共聽此法願諸人王爲自利故以已所得功德少分施
與我等世尊是諸人於說法者所坐之處爲我等故燒種種香供養是經是妙
香氣於一念頃即至我等諸天宮殿其香即時變成香蓋其香微妙金色晃曜
照我等宮釋梵天官大辯神天功德神天堅牢地神散脂鬼神大將軍二十八
部鬼神大將摩醯首羅金剛密迹摩尼跋陁鬼神大將鬼子母并五百鬼子周匝圍
繞阿耨達龍王娑竭羅龍王如是等衆自於宮殿各各得聞是妙香氣及見香蓋光
明普照是香蓋光明亦照一切天宮殿佛告四王是香蓋光明非但至汝四王宮殿何以故
是諸人王手擎香鑪供養經時其香遍布於一念頃遍至三千大千世界百億日月
百億大海百億須弥山百億大鐵圍山小鐵圍山及諸山王百億四天下百億四天王百
億三十三天乃至百億非想非非想天於此三千大千世界百億三十三天一切龍鬼乾
闥婆阿脩羅迦樓羅緊那羅摩睺羅伽宮殿虛空悉滿種種香烟雲蓋其蓋金
光亦照宮殿如是三千大千世界所有種種香烟香蓋皆是此經威神力故是諸人王手
擎香爐供養經時種種香氣不但遍此三千大千世界於一念頃亦遍十方无量无邊
恒河沙等百千万億諸佛世界於諸佛上虛空之中亦成香蓋金色普照亦復如
是諸佛世尊聞是妙香見是香蓋及金色光於十方界恒河沙等諸佛世尊作
如是等神力變化已異口同音於說法者稱讚善哉善哉大士汝能廣宣流布如
是甚深微妙經典則爲已成无量无邊不可思議功德之聚若有聞是甚深經典所
得功德則爲不少況持讀誦爲他衆生開示分別演說其義何以故善男子此
金光明微妙經典无量无邊億那由他諸菩薩等若得聞者即不退轉於阿耨多
羅三藐三菩提尒時十方无量无邊恒河沙等諸佛世界現在諸佛異口同聲作
如是言善男子汝於來世畢定當得坐於道場菩提樹下於三界衆尊豪勝
出過一切衆生之上勤脩力故受諸苦行善能莊嚴菩提道場能壞三千大千世

BD02162號3　金光明經卷二　（37–13）

是甚深微妙經典則為讀无量无邊不可思議功德之聚若有聞是甚深經典所
得功德則為不少況持讀誦為他衆生開示分別演說其義何以故善男子此
金光明微妙經典无量无邊億那由他諸菩薩等若得聞者即不退轉於阿耨多
羅三藐三菩提尒時十方无量无邊恒河沙等諸佛世界現在諸佛異口同聲作
如是言善男子汝於未來世畢定當得坐於道場菩提樹下於三界衆尊最勝
出過一切衆生之上勤脩力故受諸苦行善能莊嚴菩提道場能壞三千大千世
界外道邪論摧伏諸魔怨賊異形覺了諸法兼以寂滅清淨无垢甚深无上菩提
之道善男子汝已能坐金剛坐處轉於无上諸佛所讚十二種行甚深法轉能擊
无上最大法鼓能吹无上極妙法蠡能竪无上最勝法幢能然无上極明法炬能雨
无上甘露法雨能斷无量煩惱怨結能令无量百千万億那由他衆度於无崖岸可
畏大海能脫生死无際輪轉復遇无量百千万億那由他佛　尒時四天王復白
佛言世尊是金光明微妙經典能得未來現在種種无量功德是故人王若得聞
是微妙經典則為已於百千万億无量佛所種諸善根我以敬念是人王故復見
无量福德利故我等四王及餘眷屬无量百千万億鬼神於自宮殿見是種種
香烟雲蓋瑞應之時我當隱蔽不現其身為聽法故當至是王所止宮殿
講法之處大梵天王釋提桓因大辯天神功德天神堅牢地神散脂鬼神
大將軍等二十八部鬼神大將摩醯首羅金剛密迹摩尼跋陀鬼神大將鬼
子母及五百鬼子周匝圍繞阿耨達龍王娑竭羅龍王无量百千万億那
由他鬼神諸天如是等衆為聽法故悉自隱蔽不現其身至是人王所止宮
殿講法之處世尊我等四王及餘眷屬无量鬼神悉當同心以是人王為
善知識同共一行善相應行能為无上大法施主以甘露味充足我等應當擁
護是王除其衰患令得安隱及其宮宅國土城邑諸惡衰患悉令消滅世尊若
有人王於此經典心生捨離不樂聽聞其心不欲恭敬供養尊重讚嘆若四
部衆有受持讀誦讚說之者亦復不能恭敬供養尊重讚嘆我等四王
及餘眷屬无量鬼神即使不得聞此正法背甘露味失大法利无有勢力及
以威德減損天衆增長惡趣世尊我等四王及无量鬼神捨其國土不但我等
亦有无量守護國土諸舊善神皆悉捨去我等諸天及諸鬼神既捨離已其國
當有種種災異一切人民失其善心唯有繫縛瞋恚鬪諍互相破壞多諸疾
疫彗星現怪流星崩落五星諸宿違失常度兩日並現日月博蝕白黑惡虹數
出現大地震動發大音聲暴風惡雨无日不有穀米勇貴飢饉凍餓多有他
方怨賊侵掠其國人民多受苦惱其地无有可愛樂處世尊我等四王及諸
无量百千鬼神并守國土諸舊善神遠離去時生如是等无量惡事世尊
若有人王欲得自護及王國土多受安樂欲令國王一切衆生悉皆成就具足

BD02162 號 3　金光明經卷二　（37–14）

疫彗星現怪流星崩落五星諸宿違失常度兩日並現日月博蝕白黑惡虹數
出現大地震動發大音聲暴風惡雨无日不有穀米勇貴飢饉凍餓多有他
方怨賊侵掠其國人民多受苦惱其地无有可愛樂處世尊我等四王及諸
无量百千鬼神并守國土諸舊善神遠離去時生如是等无量惡事世尊
若有人王欲得自護及王國土多受安樂欲令國王一切衆生悉皆成就具足
樂欲得摧伏一切外敵欲得擁護一切國土欲以正法正治國土欲得除滅衆生
怖畏世尊是人王等應當畢定聽是經典及恭敬供養讚誦受持是經典者
我等四王及无量鬼神以是法食善根因緣得服甘露无上法味增長身力
心進勇鋭增益諸天何以故由是人王至心聽受是經典故知諸梵王說出
欲論釋提桓因種種善論五通之人神仙之論世尊梵天釋提桓因五通神人
雖有百千億那由他无量勝論是金光明於中最勝所以者何如來說是金
光明經為衆生故為令一切閻浮提內諸人王等以正法治為與一切衆生安樂
欲受護一切衆生欲令衆生无諸苦惱无有他方怨賊棘刺所有諸惡背而
不向欲令國土无有憂惱以正法教无有諍訟是故人王各於其國土應然法
炬熾然正法增益天衆我等四王及无量鬼神閻浮提內諸天善神以是因
緣得服甘露法味充足得大威德進力具足閻浮提內安隱豐樂人民熾
盛安樂其處復於未來世无量百千不可思議那由他劫常受微妙第一快樂復
得值遇无量諸佛種諸善根然後證成阿耨多羅三藐三菩提得如是等
无量功德悉是如來正遍知說如來過於百千億那由他諸梵天等以大悲
力故亦過无量百千億那由他釋提桓因以苦行力故是故如來為諸衆生
演說如是金光明經若閻浮提一切衆生及人王世間出世間所作國事所
造世論皆因此經欲令衆生得安樂故釋迦如來示現是經廣宣流布
世尊以是因緣故是諸人王應當畢定聽受供養恭敬尊重讚嘆是經尒
時佛復告四天王汝等四王及餘眷屬无量百千那由他鬼神是諸人王
若能至心聽是經典恭養供敬尊重讚嘆汝等四王亦應擁護滅其衰
患而與安樂若有人能廣宣流布如是妙典於人天中大作佛事能大利益
无量衆生如是之人汝等四王必當擁護莫令他緣而得擾亂令心淨受
於快樂續復當得廣宣是經尒時四天王即從坐起偏袒右肩右膝著地長跪
合掌於世尊前以偈讚曰　佛月清淨　滿足莊嚴　佛日暉曜　放千光明
如來面目　最上明淨　齒白无垢　如蓮華根　功德无量　猶如大海
智淵无邊　法水具足　百千三昧　无有缺減　足下平滿　千輻相現
足指網縵　猶如鵝王　光明晃曜　如寶山王　微妙清淨　如練真金

BD02162 號 3　金光明經卷二　（37–15）

於快樂饒復當得廣宣是經尒時四天王即從坐起偏袒右膝著地長跪
合掌於世尊前以偈讚曰 佛月清淨 滿足莊嚴 佛日暉曜 放千光明
如來面目 最上明淨 齒白无垢 如蓮華根 功德无量 猶如大海
智淵无邊 法水具足 百千三昧 无有缺減 足下平滿 千輻相現
足指網縵 猶如鵝王 光明晃曜 如寶山王 微妙清淨 如錬真金
所有福德 不可思議 佛功德山 我今敬礼 佛真法身 猶如虛空
應物現形 如水中月 无有鄣㝵 如炎如化 是故我今 稽首佛月
小時世尊 以偈荅曰 此金光明 諸經之王 甚深最勝 為无有上
十力世尊 之所宣說 汝等四王 應當勤護 以是因緣 是深妙典
能與衆生 无量快樂 為諸衆生 安樂利益 故久流布 於閻浮提
能滅三千 大千世界 所有惡趣 无量諸苦 閻浮提內 諸人王等
心生慈愍 正法治世 若能流布 此妙經典 則令其王 安隱豐熟
所有衆生 悉受快樂 若有人王 欲愛己身 及其國土 欲令豐盛
應當至心 淨潔洗浴 往法會所 聽受是典 是經能作 所有善事
摧伏一切 內外怨敵 復能除滅 无量怖畏 是諸經王 能與一切
无量衆生 安隱快樂 譬如寶樹 在人宅中 悉能出生 一切珍寶
是妙經典 亦復如是 悉能出生 諸王功德 如清冷水 能除渴乏
是妙經典 亦復如是 能除諸王 功德渴乏 譬如珍寶 異物盈器
悉在手中 隨意所用 是金光明 亦復如是 隨意能與 諸王法寶
是金光明 微妙經典 常為諸天 恭敬供養 亦為護世 四天大王
威神勢力 之所護持 十方諸佛 常念是經 若有演說 稱讚善哉
亦有百千 无量鬼神 從十方來 擁護是人 若有得聞 是妙經典
心生歡喜 踊躍无量 閻浮提內 无量大衆 皆悉歡喜 集聽是法
聽是經典 具識威德 增益天衆 精氣身力 尒時四天王聞是偈已
白佛言世尊我從昔來未曾得聞如是微妙寂滅之法我聞是已心生悲
喜涕淚橫流舉身戰動支體怡解復得无量不可思議具足妙樂以天曼
陁羅華摩訶曼陁羅華供養奉散於如來上作如是等供養佛已復
白佛言世尊我等四王各各自有五百鬼神常當隨逐是說法者而為
守護

金光明經大辯神品第七 尒時大辯神白佛言世尊是說法
者我當益其樂說辯才令其所說莊嚴次第善得大智若是經中有
失文字句義違錯我能令是說法比丘次第還得能與惣持令不忘失若
有衆生於百千佛所種諸善根是說法者為是等故於閻浮提廣宣流
布是妙經典令不斷絕復令无量无邊衆生得聞是經當令是等悉得猛

BD02162 號 3 金光明經卷二 (37–16)

守護 金光明經大辯神品第七 尒時大辯神白佛言世尊是說法
者我當益其樂說辯才令其所說莊嚴次第善得大智若是經中有
失文字句義違錯我能令是說法比丘次第還得能與惣持令不忘失若
有衆生於百千佛所種諸善根是說法者為是等故於閻浮提廣宣流
布是妙經典令不斷絕復令无量无邊衆生得聞是經當令是等悉得猛
利不可思議大智慧聚不可稱量福得之報善解无量種種方便善能
辯暢一切諸論善知世間種種伎術能出生死得不退轉必定疾得阿耨
多羅三藐三菩提

金光明經功德天品第八 尒時功德天白佛言世尊是
說法者我當隨其所須之物衣服飲食臥具醫藥及餘資生供給是人无所乏
少令心安住晝夜歡樂正念思惟是經章句分別深義若有衆生於百千
佛所種諸善根是說法者為是等故於閻浮提廣宣流布是妙經典令不
斷絕是諸衆生聽是經已於未來世无量百千那由他劫常在天上人中受
樂值遇諸佛速成阿耨多羅三藐三菩提三惡道苦悉畢无餘世尊我已
於過去寶華功德海琉璃金山照明如來應供正遍知明行足善逝世間解无
上士調御丈夫天人師佛世尊所種善根是故我今隨所念方隨所視方
隨所至方令无量百千衆生受諸快樂若衣服飲食資生之具金銀七
寶真珠琉璃珊瑚虎魄璧玉珂貝悉无所乏若有人能稱金光明微妙經典
為我供養諸佛世尊三稱我名燒香供養供養佛已別以香華種種美味
供施於我灑散諸方當知是人即能聚集資財寶物以是因緣增長地
味地神諸天悉得歡喜所種穀米牙莖枝葉菓實滋茂樹神歡喜出
生无量種種諸物我時慈念諸衆生故多與資生所須之物世尊於此
北方毗沙門王有城名曰阿尼曼陁其城有國名德華光於是國中有最勝園
名曰金幢七寶極妙此即是我常所住處若有欲得財寶增長是人當
於自所住處應淨掃灑洗浴其身著鮮白衣妙香塗身為我至心三稱
彼佛寶華琉璃世尊名号礼拜供養燒香散華亦當三稱金光明經
至誠發願別以香華種種美味供施於我散灑諸方尒時當說如是章句
波利富樓那遮利 三曼陁達舍尼 摩訶毗訶羅伽帝 三曼陁毗陁那伽帝
摩訶迦梨波帝 波 婆 祢 薩婆三曼 陁 脩鉢梨富 隸
阿夜那達摩帝 摩訶毗鼓 畢帝 摩訶彌勒簸僧祇帝 醯帝徙三博祇悕帝
三曼 陁 阿 㕧 阿 㝹 婆羅尼 是灌頂章句畢定吉祥真實不虛
等行衆生及中善根應當受持讀誦通利七日七夜受持八戒朝暮淨
心香華供養十方諸佛常為己身及諸衆生迴向具足阿耨多羅三藐三菩
提作是誓願令我所求皆得吉祥自於所居房舍屋宅淨潔掃除若自

BD02162 號 3 金光明經卷二 (37–17)

摩訶波羅帝 波 婆 祁 陀 婆三曼 陀 修鉢梨富 那
阿夜那達摩帝 摩訶毗皷畢帝 摩訶弥勒皷僧涅帝 醯帝徒三博祇僧帝
三曼陀 阿祂 阿 羌娑羅丘 是灌頂章句畢定吉祥真實不虛
等行衆生及中善根應當受持讀誦通利七日七夜受持八戒朝暮淨
心香華供養十方諸佛常為已身及諸衆生迴向具足阿耨多羅三藐三菩
提作是誓願令我所求皆得吉祥自於所居房舍屋宅淨潔掃除若自
住處若阿蘭若處以香泥塗地燒微妙香敷淨好坐以種種華香布散
其地以待於我我於尒時如一念頃入其室宅即坐其座從此日夜令此居
處若村邑若僧坊若露處无所乏少若錢若金若珎寶若牛羊若穀米一
切所須即得其是悉受快樂若能以此所作善根最勝之分迴與我者我
當終身不遠其人於所作處至心護念隨其所求令得成就應當至心礼
如是等諸佛世尊其名曰寶勝如來无垢熾寶光明王相如來金炎光明
如來金百光明照藏如來金山寶蓋如來金華炎光相如來大炬如來寶
相如來亦應敬礼信相菩薩金光明菩薩金藏菩薩常悲菩薩法上菩
薩亦應敬礼東方阿閦如東南方寶相如來西方无量壽佛北方微妙聲佛
金光明經堅牢地神品第九 尒時地神堅牢白佛言世尊是金光明經若現在
世若未來世在在處處若城邑聚落若山澤空處若王宮宅世尊隨是
經典所流布處是地分中敷師子座令說法者坐其座上廣演宣說是
妙經典我當在中常作宿衛隱蔽其身於法座下頂戴其足我聞法已
得服甘露无上法味增益身力而此大地深十六万八千由旬從金剛際至
海地上悉得衆味增長具足豐壤肥濃過於今日以是之故閻浮提內
藥草樹木根莖枝葉華菓滋茂美色香味皆悉具足衆生食已增
長壽命色力辯安六情諸根具足通利威德顏貌端嚴殊特成就如是
種種等已所作事業多得成辦有大勢力精勤勇猛是故世尊閻浮
提內安隱豐樂人民熾盛一切衆生多受快樂應心適意隨其所樂是
諸衆生得是威德大勢力已能供養是金光明經及恭敬供養受持經
者四部之衆我於尒時當往其所為諸衆生受快樂故請說法者廣
令宣布如是妙典何以故世尊是金光明若廣說時我及眷屬所得
功德倍過於常增長身力心進勇鋭世尊我服甘露无上味已閻浮
提地縱廣七千由旬豐壤倍常世尊如此大地衆生所依悉能增長一切所須
物已令諸衆生隨意所用受於快樂種種飲食衣服卧具宮殿屋宅樹木
林藂河池泉井如是等物因依於地悉皆具足是故世尊是諸衆生為知
我恩應作是念我當畢定聽受是經供養恭敬尊重讚嘆作是念已即從

BD02162號3 金光明經卷二

（37–18）

提地縱廣七千由旬豐壤倍常世尊如此大地衆生所依悉能增長一切所須
物已令諸衆生隨意所用受於快樂種種飲食衣服卧具宮殿屋宅樹木
林藂河池泉井如是等物因依於地悉皆具足是故世尊是諸衆生為知
我恩應作是念我當畢定聽受是經供養恭敬尊重讚嘆作是念已即從
住處若城邑聚落舍宅空地往法會所聽受是經既聽受已還其所止各應
相慶作如是言我等今者聞此甚深无上妙法已為攝取不可思議功德之聚
值遇无量諸佛三惡道報已得解脫於未來世常生天上人中受樂是諸衆
生各於住處若為他人演說是經若說一喻一品一緣若復稱嘆一佛一菩薩一四
句偈乃至一句及稱是經首題名字世尊隨是衆生所住之處其地具足豐
壤肥濃過於餘地凡是因地所生之物悉得增長滋茂廣大悉令衆生受於
快樂多饒財寶好行惠施心常堅固深信三寶尒時佛告地神堅牢若有
衆生乃至聞是金光明經一句之義人中命終隨意往生三十三天地神若有
衆生為欲供養是經典故莊嚴屋宅乃至張懸一幡一蓋或以一衣欲界六
天已有自然七寶宮殿是人命終即往彼地神於諸七寶宮殿之中各各
自然有七天女共相娛樂日夜常受不可思議微妙快樂尒時地神白佛言
世尊以是因緣說法比丘坐法座時我常晝夜衛護不離隱蔽其形在
其座下頂戴其足世尊若有衆生於百千佛所種諸善根是說法者為
是等故於閻浮提廣宣流布是妙經典不令斷絕是諸衆生聽是經已未
來世中无量百千那由他劫於天上人中常受快樂值遇諸佛疾成阿耨多羅
三藐三菩提三惡道苦悉斷无餘

金光明經卷第二

金光明經散脂鬼神品第十三
尒時散脂鬼神大將軍及二十八部諸鬼神等即從座起偏袒右肩右膝著地白佛言世尊
是金光明微妙經典若現在世及未來世在在處處若城邑聚落若山澤空處
若王宮宅隨是經典所流布處我當與此廿八部大鬼神等往至彼所隱蔽其
形隨逐擁護是說法者消滅諸惡令得安隱及聽法衆若男若女童男童
女於是經中乃至得聞一如來名一菩薩名及是經典首題名字受持讀誦
我當隨侍宿衛擁護悉滅其惡令得安隱及國邑城郭若王宮殿舍宅
空處皆亦如是世尊何因緣故我名散脂鬼神大將唯然世尊自當證
知世尊我知一切法一切法一切緣法了一切法知法分齊如法安住一切法如性於一
切法含受一切法世尊我現見不可思議智光不可思議智炬不可思議智行
[illegible]

BD02162號3 金光明經卷二
BD02162號4 金光明經卷三

（37–19）

形隨逐擁護是說法者消滅諸惡令得安隱及聽法眾若男若女童男童
女於是經中乃至得聞一如來名一菩薩名及是經典首題名字受持讀誦
我當隨侍宿衛擁護悉滅其惡令得安隱及國邑城郭若王宮殿舍宅
空處皆亦如是世尊何因緣故我名散脂鬼神大將唯然世尊自當證
知世尊我知一切法一切緣法了一切法知法分齊如法安住一切法如性於一
切法含受一切法世尊我現見不可思議智光不可思議智炬不可思議智行
不可思議智聚不可思議智境世尊我於諸法正解正觀得正分別正解於
緣正能覺了世尊以是故名散脂大將世尊我散脂大將令說法者莊嚴言辭
辯不斷絕眾味精氣從毛孔入身力心進勇銳成就不可思議智慧入正憶
念如是等事悉令具足心无疲猒身受諸樂心得歡喜以是之故能為眾生廣
說是經若諸眾生於百千佛所種諸善根說法之人為是眾生閻浮提內廣宣
流布是妙經典令不斷絕无量眾生聞是經已當得不可思議智聚攝取不可
思議功德之聚於未來世无量百千劫人天之中常受快樂於未來世值遇諸
佛疾得阿耨多羅三藐三菩提一切諸苦三惡趣分永滅无餘南无寶華功
德海琉璃金山光照如來應供正遍知南无无量百千億那由他莊嚴其身釋迦
如來應供正遍知燈然如是微妙法炬南无第一威德成就眾事大功德天南
无不可思量智慧功德成就大辯天

金光明經正論品第十一

尒時佛告地神堅牢過去有王名力尊相其王有子名曰信相不久當受灌頂之
位統領國土尒時父王告其太子信相世有正論善治國土我於昔時曾為太
子不久亦當紹父王位尒時父王持是正論亦為我說我以是論於二万歲善治
國土未曾一念以非法行於自眷屬情无愛著何等名為治世正論地神尒時
力尊相王為信相太子說是偈言 我今當說 諸王正論 為利眾生 斷諸疑網
一切人王 諸天天王 應當歡喜 合掌諦聽 諸王和合 集金剛山 護世四鎮
起問梵王 大師梵尊 天中自在 能除疑惑 當為我斷 云何是人 得名為天
云何人王 復名天子 生在人中 處王宮殿 正法治世 而名為天 護世四王
問是事已 時梵尊師 即說偈言 汝今雖以 此義問我 我要當為 一切眾生
敷揚宣暢 第一勝論 因集業故 生於人中 王領國土 故稱人王 處在胎中
諸天守護 或先守護 然後入胎 雖在人中 生為人王 以天護故 復稱天子
三十三天 各以己德 分與是人 故稱天子 神力所加 故得自在 遠離惡法
遮令不起 安住善法 修令增廣 能令眾生 多生天上 半名人王 亦名執樂
羅剎對治 能遮諸惡 亦名父母 教誨修善 示現果報 諸天所護 善惡諸業
現在未來 現受果報 諸天所護 若有惡事 縱而不問 不隨其罪 不以正教
捨遠善法 增長惡眾 故使國中 多諸奸鬪 三十三天 各生瞋恨 由其國王

BD02162 號 4 金光明經卷三 （37–20）

遮令不起 安住善法 修令增廣 能令眾生 多生天上 半名人王 亦名執樂
羅剎對治 能遮諸惡 亦名父母 教誨修善 示現果報 諸天所護 善惡諸業
現在未來 現受果報 諸天所護 若有惡事 縱而不問 不隨其罪 不以正教
捨遠善法 增長惡眾 故使國中 多諸奸鬪 三十三天 各生瞋恨 由其國王
縱惡不治 壞國惡法 奸詐熾盛 他方怨敵 競來侵掠 自家所有 錢財珍寶
諸惡盜賊 共相劫奪 如法治世 不行是事 若行是者 其國殄滅 譬如狂象
蹋壞華池 暴風卒起 屢降惡雨 惡星數出 日月无光 五穀菓實 藏不滋茂
由王捨正 使國飢饉 天於宮殿 悲懷愁惱 由王累虐 不修善事 是諸天王
各相謂言 是王行惡 與惡為伴 以造惡故 速得天瞋 以天瞋故 不久國敗
非法兵杖 奸詐鬪訟 疾疫惡病 集其國土 諸天即便 捨離是王 令其國敗
生大愁惱 兄弟姊妹 眷屬妻子 孤迸流離 身亦滅亡 流星數墮 二日竝現
他方怨賊 侵掠其土 人民飢餓 多諸疾疫 所重大臣 捨離薨亡 象馬車乘
一念喪滅 諸家財產 國土所有 手相劫奪 刀兵而死 五星諸宿 違失常度
諸惡疾疫 流遍其國 諸受寵祿 所任大臣 及諸群僚 專行非法 如是行惡
偏受恩遇 修善法者 日日衰滅 於行惡者 而生恭敬 見修善者 心不顧錄
故使世間 三異竝起 星宿失度 降暴風雨 破壞甘露 无上正法 眾生種類
及以地肥 恭敬奸惡 毀諸善人 故天降雹 飢饉疫死 穀米藥草 滋味衰減
多病眾生 充滿其國 甘美藏菓 日日損減 苦澀惡味 隨時增長 本所遊戲
可愛之處 悉皆枯悴 无可樂者 眾生所食 精妙上味 漸漸損減 食无肌膚
顏貌醜陋 氣力羸微 又所食噉 不知猒足 力精猛勇 悉滅无有 嬾惰懈怠
充滿其國 多有病苦 逼切其身 惡星變動 羅剎亂行 若有人王 行於非法
增長惡伴 損人天道 於三有中 多受苦惱 起如是等 无量惡事 皆由人王
愛著眷屬 縱之造惡 捨而不治 若為諸天 所護生者 如是人王 終不為是
若行善者 得生天中 行不善者 墮在三途 三十三天 皆生瞋熱 由王縱惡
捨而不治 違逆諸天 及父母勑 不能正治 則非孝子 起諸奸惡 壞國土者
不應縱捨 當正治罪 是故諸天 護持是王 以滅惡法 修集善根 現世正治
得增壽位 應當為說 善不善業 能示因果 故得為王 諸天護持 隨王佐助
能自為他 修正治國 有壞國者 應當正教 為令其國 修行正法 不應行惡
惡不應縱 所有餘事 不能壞國 要因多奸 然後傾敗 若起多奸 壞於國土
譬如大象 壞蓮華池 怨恨諸天 故天生惱 起諸惡事 彌滿其國 是故應隨
正法治惡 以善化國 不順非法 寧捨身命 不愛眷屬 於親非親 心常平等
視親非親 和合為一 正行名稱 流布三界 正法治國 人多行善 常以善心

BD02162 號 4 金光明經卷三 （37–21）

能自爲他 脩正治國 有壞國者 應當正教 爲令正國 脩行正法 不應行惡
惡不應縱 所有餘事 不能壞國 要因多姧 然後傾敗 若起多姧 壞於國土
譬如大象 壞蓮華池 怨恨諸天 故天生惱 起諸惡事 遍滿其國 是故應隨
正法治惡 以善化國 不順非法 寧捨身命 不受眷屬 於親非親 心常平等
視親非親 和合爲一 正行名稱 流布三界 正法治國 人多行善 常以善心
仰膽國主 能令天衆 具足充滿 是故正治 名爲人王 一切諸天 愛護人王
猶如父母 擁護其子 故令日月 五星諸宿 隨其分齊 不失常度 風雨隨時
无諸災禍 令國豐實 安樂衣盛 增益熾盛 諸天之衆 以是因緣 諸人王等
寧捨身命 不應爲惡 不應捨離 正法珎寶 由正法寶 世人受樂 常當親近
脩正法者 聚集功德 莊嚴其身 於自眷屬 常知止足 常遠惡人 脩治正法
安正衆生 於諸善法 教勑防護 令離不善 是故國主 安隱豐樂 是王亦得
威德具足 若諸人民 所行惡法 應當調伏 如法教詔 是王當得 好名善譽
善能攝護 安樂衆生

金光明經善集品第十二

尒時如來復爲他神說
往因緣而作偈言 我昔曾爲 轉輪聖王 捨四大地 及以大海 又於是時
以四天下 滿中珎寶 奉上諸佛 凡所布施 皆捨所重 不見可愛 而不捨者
於過去世 无數劫中 求正法故 常捨身命 又過去世 不可議劫 有佛世尊
名曰寶勝 其佛世尊 般涅槃後 時有聖王 名曰善集 於四天下 而得自在
治正之勢 盡大海際 其王有城 名水音尊 於其城中 正住治化 夜聽夢中
聞佛功德 及見比丘 名曰寶冥 善能宣暢 如來正法 所謂金光 微妙經典
明智中 悉能遍照 是轉輪王 夢是事已 即尋覺寤 心善遍身 即出宮殿
至僧坊所 供養恭敬 諸大聖衆 問諸大德 是大衆中 頗有比丘 名曰寶冥
成就一切 諸功德不 尒時寶冥 在一窟中 安坐不動 思惟正法 讀誦如是
金光明經 時有比丘 即將是王 至其所止 到寶冥所 時此寶冥 故在窟中
形貌殊特 威德熾然 即示王言 是窟中者 即是所問 寶冥比丘 能持甚深
諸佛所行 名金光明 諸經之王 時善集王 即尋禮敬 寶冥比丘 作如是言
面如滿月 威德照然 唯願爲我 敷演宣暢 是金光明 諸經之王 時寶冥尊
即受王請 許爲宣說 是金光明 三千大千 世界諸天 如當說法 悉生歡喜
於淨微妙 鮮潔之處 種種珎寶 廁填其地 上妙香水 持用灑之 散諸好華
遍滿其處 王於是時 自敷法座 懸繒幡蓋 寶飾交絡 種種微妙 殊特末香
悉以奉散 大法高座 一切諸天 龍及鬼神 摩睺羅伽 緊那羅等 即雨天上
曼陁羅華 遍散法座 滿其處所 不可思議 百千方億 那由他等 无量諸天
一時俱來 集說法所 是時寶冥 尋從窟出 諸天即時 以曼陁羅華 供養奉散
寶冥比丘 是時寶冥 淨洗身體 著淨妙衣 至法座所 合掌敬禮 是法高座

BD02162號4　金光明經卷三　（37–22）

於淨微妙 鮮潔之處 種種珎寶 廁填其地 上妙香水 持用灑之 散諸好華
遍滿其處 王於是時 自敷法座 懸繒幡蓋 寶飾交絡 種種微妙 殊特末香
悉以奉散 大法高座 一切諸天 龍及鬼神 摩睺羅伽 緊那羅等 即雨天上
曼陁羅華 遍散法座 滿其處所 不可思議 百千方億 那由他等 无量諸天
一時俱來 集說法所 是時寶冥 尋從窟出 諸天即時 以曼陁羅華 供養奉散
寶冥比丘 是時寶冥 淨洗身體 著淨妙衣 至法座所 合掌敬禮 是法高座
一切天王 及諸天人 雨曼陁羅 大曼陁華 无量百千 種種伎樂 於虛空中
不鼓自鳴 寶冥比丘 能說法者 尋上高座 結跏趺坐 即念十方 不可思議
无量千億 諸佛世尊 於諸衆生 與大悲心 及善集王 所得王領 盡一日月
所照之處 時說法者 即尋爲王 敷暢宣說 是妙經典 是時大王 爲聞法故
於比丘前 合掌而立 聞於正法 讚言善哉 其心悲悼 淨淚交流 尋復踊悅
心意熔怡 爲欲供養 此經典故 尒時即捉 如意珠王 爲諸衆生 發大誓願
願於今日 此閻浮提 悉雨无量 種種珎異 懷奇七寶 及妙纓絡 以是因緣
悉令无量 一切衆生 皆受快樂 即於尒時 尋雨七寶 及諸寶飾 天冠耳璫
種種纓絡 甘饌寶座 悉皆充滿 遍四天下 時善集王 即持如是 滿四天下
无量七寶 於寶勝佛 遺法之中 以用布施 供養三寶 尒時爲王 說法比丘
於今現在 阿閦佛是 時善集王 聽受法者 今則我身 釋迦文是 我於尒時
捨此大地 滿四天下 珎寶布施 得聞如是 金光明經 聞是經已 一稱善哉
以此善根 業因緣故 身得金色 百福莊嚴 常爲无量 百千万億 衆生尊類
之所樂見 既得見已 无有猒足 過去九十 九億千劫 常得作於 轉輪聖王
亦於无量 百千劫中 常得王領 諸小國土 不可思議 劫中常作 釋提桓因
及淨梵王 復得值遇 十力世尊 其數无量 不可稱計 所得功德 无量无邊
皆由聞經 及稱善哉 如我所願 成就菩提 正法之身 我今已得

金光明經鬼神品第十三

佛告功德天若有善男子善女人欲以不可
思議妙供養具供養過去未來現在諸佛世尊及欲得知三世諸佛甚深行處
是人應當畢定至心隨有是經流布之處若城邑村落舍宅空處正念不亂
至心聽是微妙經典尒時世尊欲重宣此義而說偈言 若欲供養 一切諸佛
欲知三世 諸佛行處 應當往彼 城邑聚落 有是經處 至心聽受 是妙經典
不可思議 功德大海 无量无邊 能令一切 衆生解脫 度无量苦 諸有大海
是經甚深 初中後善 不可得說 譬喻爲比 假使恒沙 大地微塵 大海諸水
一切諸山 如是等物 不得爲喻 若入是經 即入法性 如深法性 安住其中
即於是典 金光明中 而得見我 釋迦牟尼 不可思議 阿僧秖劫 生天人中
常受快樂 以能信解 聽是經故 如是无量 不可思議 功德福聚 悉已得之

BD02162號4　金光明經卷三　（37–23）

不可思議切德大海 无量无邊 能令一切 衆生解脫 度无量苦 諸有大海
是經甚深 初中後善 不可得說 譬喻為比 假使恒沙 大地微塵 大海諸水
一切諸山 如是等物 不得為喻 若入是經 即入法性 如深法性 安住其中
即於是典 金光明中 而得見我 釋迦牟尼 不可思議 阿僧祇劫 生天人中
常受快樂 以能信解 聽是經故 如是无量 不可思議 功德福聚 悉已得之
隨所至處 若百由旬 滿中盛火 應從中過 若至聚落 阿蘭若處 到法會所
至心聽受 聽是經故 惡夢惡遣 五星諸宿 變異災禍 一切惡事 消滅无餘
於說法處 蓮華座上 說是經典 書寫讀誦 是說法者 若下法座 尒時大衆
猶見坐處 故有說者 或佛世尊 或見佛像 菩薩色像 普賢菩薩 文殊師利
彌勒大士 及諸形色 見如是等 種種事已 尋復滅盡 如前不異 成就如是
諸功德已 而為諸佛 之所讚歎 威德相貌 无量无邊 有大名稱 能却怨家
他方盜賊 能令退散 勇猛多力 能破強敵 惡夢惱心 无量惡業 如是惡事
皆悉殄滅 若入軍陣 常能勝他 名聞流布 遍閻浮提 亦能摧伏 一切怨敵
遠離諸惡 脩集諸善 入陣得勝 心常歡喜 大梵天王 三十三天 護世四王
金剛密迹 鬼神諸王 散脂大將 摩那英鬼 及緊那王 阿耨達龍 娑竭羅王
阿脩羅王 迦樓羅王 大辯天神 及大功德 如是上首 諸天神等 常當供養
是聽法者 生不思議 法塔之想 衆生見者 恭敬歡喜 諸天王等 亦各思惟
而相謂言 今是衆生 无量威德 皆悉成就 若能來至 是法會所 如是之人
成上善根 若有聽是 甚深經典 故嚴出往 法會之處 心生不奇 思議正信
供養恭敬 无上法塔 如是大悲 利益衆生 即是无量 深法寶器 能入甚深
无上法性 由以淨心 聽是經典 如是之人 悉從供養 過去无量 百千諸佛
以是善根 无量因緣 應當聽受 是金光明 如是衆生 常為无量 諸天神王
之所愛護 大辯功德 護世四王 无量鬼神 及諸力士 晝夜精勤 擁護四方
釋提桓因 及日月天 閻摩羅王 風水諸神 違馱天神 及毗紐天 大辯天神
及自在天 火神等神 大力勤勇 常護世間 晝夜不離 大力鬼神 那羅延等
摩醯首羅 二十八部 諸鬼神等 散脂為首 百千鬼神 神足大力 擁護是等
令不怖畏 金剛密迹 大鬼神王 及其眷屬 五百徒黨 一切皆是 大菩薩 提
亦悉擁護 聽是法者 摩尼跋陀 大鬼神王 富那跋陀 及金毗羅 阿羅婆帝
賓頭盧伽 黃頭大神 一一諸神 各有五百 眷屬鬼神 亦常擁護 聽是經者
質多斯那 阿脩羅王 及乾闥婆 那羅羅闍 祁那沙婆 摩尼乾陀 及尼乾陀
主雨大神 大飲食神 摩訶伽吒 金色髮神 半祁鬼神 及半支羅 車鉢羅婆
有大威德 婆那梨神 曇摩跋羅 摩竭婆羅 針髮鬼神 觜利蜜多 勒那翅舍
摩訶婆那 及軍陀遮 劒摩舍帝 復有大神 奢羅密帝 醯摩跋陀 薩多琦梨

BD02162號4　金光明經卷三　（37–24）

令不怖畏 金剛密迹 大鬼神王 及其眷屬 五百徒黨 一切皆是 大菩薩 提
亦悉擁護 聽是法者 摩尼跋陀 大鬼神王 富那跋陀 及金毗羅 阿羅婆帝
賓頭盧伽 黃頭大神 一一諸神 各有五百 眷屬鬼神 亦常擁護 聽是經者
質多斯那 阿脩羅王 及乾闥婆 那羅羅闍 祁那沙婆 摩尼乾陀 及尼乾陀
主雨大神 大飲食神 摩訶伽吒 金色髮神 半祁鬼神 及半支羅 車鉢羅婆
有大威德 婆那梨神 曇摩跋羅 摩竭婆羅 針髮鬼神 觜利蜜多 勒那翅舍
摩訶婆那 及軍陀遮 劒摩舍帝 復有大神 奢羅密帝 醯摩跋陀 薩多琦梨
如是等神 皆有无量 神足大力 常勤擁護 聽受如是 微妙典者 阿耨達王
婆伽羅王 目真隣王 伊羅鉢王 難陀龍王 跋難陀王 有如是等 百千龍王
以大神力 常來擁護 聽是經典 晝夜不離 波利羅睺 阿脩羅王 毗摩質多
及以茂脂 睺摩利子 波阿梨子 佉羅騫馱 及以達陀 是等皆是 阿脩羅王
有大神力 常來擁護 聽是經者 晝夜不離 阿利帝南 鬼子母等 及五百神
常來擁護 聽是經者 若睡若寤 旃陀旃陀 利大鬼神 女等鳩羅 檀提噉人精氣
如是等神 皆有大力 常勤擁護 十方世界 受持經者 大辯天等 无量天女
功德天等 各與眷屬 地神堅牢 種植園林 菓實大神 如是諸神 心生歡喜
悉來擁護 受樂親近 是經典者 於諸衆生 增命色力 功德威貌 莊嚴倍常
五星諸宿 變異災怪 皆悉能滅 无有遺餘 夜臥惡夢 瘖則憂悴 如是惡事
皆悉滅盡 地神大力 勢分甚深 是經力故 能變其味 如是大地 至金剛際
厚十六万 八千由旬 其中氣味 无不遍有 悉令踊出 潤益衆生 是經力故
能令地味 悉出地上 厚百由旬 亦令諸天 大得精味 充益身力 歡喜快樂
閻浮提內 所有諸神 心生歡喜 受樂无量 是經力故 諸天歡喜 百穀菓實
皆悉滋茂 園菀叢林 其華開敷 香氣芬馥 充溢弥滿 百草樹木 生長端直
其體柔軟 无有邪歲 閻浮提內 所有龍女 其數无量 不可思議 心生歡喜
踊躍无量 在在處處 莊嚴華池 於其池中 生種種華 優鉢羅華 波頭摩華
波頭摩華 拘物頭華 分陀利華 於自宮殿 除諸雲霧 令虛空中 无有塵翳
諸方清徹 淨潔明了 日王赫焰 放千光明 歡喜踊躍 照諸暗蔽 閻浮檀金
以為宮殿 心住其中 威德无量 日之天子 及以月天 聞是經故 精氣充實
是日天子 出閻浮提 心生歡喜 放於无量 光明明網 遍照諸方 即於出時
放大網明 開敷種種 諸池蓮華 閻浮提內 无量果實 隨時成熟 飽諸衆生
是時日月 所照殊勝 星宿正行 不失度數 風雨隨時 豐實熾盛 多饒財寶
无所乏少 是金光明 微妙經典 隨所流布 講誦之處 其國土境 即得增益
如上所說 无量功德

金光明經授記品第十四

尒時如來將欲為是信相菩薩及其二子銀相銀光授阿耨多羅三藐三菩提記是時即有十千天子威德熾

BD02162號4　金光明經卷三　（37–25）

是日天子出閻浮提心生歡喜散於无量光明明網遍照諸方即於出時
放大網明開敷種種諸池蓮華閻浮提內无量果實隨時成熟飽諸衆生
是時日月所照殊勝星宿正行不失度數風雨隨時豐實熾盛多饒財寶
无所乏少是金光明微妙經典隨所流布講誦之處其國土境即得增益
如上所說无量功德　金光明經授記品第十四　尒時如來將欲爲是信相菩薩
及其二子銀相銀光授阿耨多羅三藐三菩提記是時即有十千天子威德熾
王而爲上首俱從忉利來至佛所頂禮佛足却坐一面尒時佛告信相菩薩汝於來
世過无量无邊百千万億不可稱計那由他劫於金照世界當成阿耨多羅三藐三
菩提号金寶蓋山王如來應供正遍知明行足善逝世間解无上士調御丈夫天人師
佛世尊乃至是佛般涅槃後正法像法皆滅盡已長子銀相當於是界補
佛處世界尒時轉名淨幢佛名閻浮檀金幢光明照如來應供正遍知明
行足善逝世間解无上士調御丈夫天人師佛世尊乃至是佛般涅槃
後正法像法悉滅盡已次子銀光復於是後次補佛處世界名字如本
不異佛号曰金光照如來應供正遍知明行足善逝世間解无上士調御丈
天人師佛世尊是十千天子聞三大士得受記別復聞如是金光明經聞
已歡喜生殷重心无垢累如淨琉璃清淨无礙猶如虛空尒時如來知是
十千天子善根成熟即便與授菩提道記汝等天子於當來世過阿僧祇百
千万億那由他劫於是世界當成阿耨多羅三藐三菩提同共一家一姓一名号曰
青目優鉢羅華香山如來應供正遍知明行足善逝世間解无上士調御丈夫
天人師佛世尊如是次第出現於世凡一万佛尒時道場菩提樹神名等增益
白佛言世尊是十千天子於忉利宮爲聽法故來集此云何如來便與授記世
尊我未曾聞是諸天子脩行具足六波羅蜜亦未曾聞捨於手足頭目髓腦
所愛妻子財寶穀帛金銀瑠璃車𤦲馬瑙真珠珊瑚珂貝璧玉甘饍飲食衣服
牀卧病瘦醫藥象馬車乘殿堂屋宅園林泉池奴婢僕使如餘无量百千菩
薩以種種資生供養之具恭敬供養過去无量百千万億那由他等諸佛世尊
如是菩薩於未來世亦捨无量所重之物頭目髓腦所愛妻子財寶穀帛乃至
僕使次第脩行成就具足六波羅蜜成就是已備脩苦行動經无量无邊劫數
然後方得受菩提記世尊是天子等何因何緣脩行何等勝妙善根從彼天
來暫得聞法便得受記唯願世尊爲我解說斷我疑網　尒時佛告
樹神善女天皆有因緣有妙善根已隨相脩何以故以是天子於所住處捨五欲
樂故來聽是金光明經既聞法已於是經中淨心殷重如說脩行復得聞此三
大菩薩受於記別亦以過去本昔發心誓願因緣是故我今皆與授記於未來
世當成阿耨多羅三藐三菩提　金光明經除病品第十五　佛告道場菩提樹

BD02162號4　金光明經卷三　（37–26）

然後方得受菩提記世尊是天子等何因何緣脩行何等勝妙善根從彼天
來暫得聞法便得受記唯願世尊爲我解說斷我疑網　尒時佛告
樹神善女天皆有因緣有妙善根已隨相脩何以故以是天子於所住處捨五欲
樂故來聽是金光明經既聞法已於是經中淨心殷重如說脩行復得聞此三
大菩薩受於記別亦以過去本昔發心誓願因緣是故我今皆與授記於未來
世當成阿耨多羅三藐三菩提　金光明經除病品第十五　佛告道場菩提樹
神善女天諦聽諦聽善持憶念我當爲汝演說往昔誓願因緣過去无量不
可思議阿僧祇劫尒時有佛出現於世名曰寶勝如來應供正遍知明行足善逝
世間解无上士調御丈夫天人師佛世尊善女天尒時是佛般涅槃後正法滅已於像
法中有王名曰天自在光脩行正法如法治世人民和順孝養父母是王國中有一長
者名曰持水善知醫方救諸病苦方便巧知四大增損善女天尒時持水大長者
家中後生一子名曰流水體貌殊勝端正第一形色微妙威德具足受性聰敏善解
諸論種種伎藝書疏算計无不通達是時國內天降疫病時有无量百千
諸衆生等皆无免者爲諸苦惱之所逼切善女天尒時流水長者子見是无量百
千衆生受諸苦惱故爲是衆生生大悲心作是思惟如是无量百千衆生受諸
苦惱我父長者雖善醫方能救諸苦方便巧知四大增損年已衰邁老耄枯
悴皮緩面皺羸瘦戰掉行來往反要因机杖困頓疲乏不能至彼城邑聚落而
是无量百千衆生復遇重病无能救者我今當至大醫父所諮問治病醫方
祕法諮稟知已當至城邑聚落村舍治諸衆生種種重病悉令得脫无量諸苦
時長者子思惟是已即至父所頭面着地爲父作禮叉手却住以四大增損而問於
父即說偈言
云何當知　四大諸根　衰損代謝　而得諸病　云何當知
飲食時節　若食食已　身火不滅　云何當知　治風及熱　水過肺病　及以等分
何時動風　何時動熱　何時動水　以害衆生　時父長者　即以偈頌　解說醫方
而答其子　三月是冬　三月是春　是十二月　三三而說　從如是數　一歲四時
若二二說　足滿六時　三三本攝　二二現時　隨是時節　消息飲食　是能益身
醫方所說　隨時歲中　諸根四大　代謝增損　令身得病　有善醫師　隨順四時
三月將養　調和六大　隨病飲食　及以湯藥　多風病者　夏則發動　其熱病者
秋則發動　等分病者　冬則發動　其肺病者　春則增劇　有風病者　夏則應服
肥膩醎酢　及以熱食　有熱病者　秋服冷甜　等分冬服　甜酢肥膩　肺病春服
肥膩辛熱　飽食然後　則發肺病　於食消時　則發熱病　食消已後　則發風病
如是四大　隨三時發　病風羸損　補以酥膩　熱病下藥　服呵梨勒　等分應服
三種妙藥　所謂甜辛　及以酥膩　肺病應服　隨能吐藥　若風熱病　肺病等分
違時而發　應當任師　籌量隨病　服食湯藥　善女天尒時流水長者子問其父醫

BD02162號4　金光明經卷三　（37–27）

三月將養　調和六大　隨病飲食　及以湯藥　多風病者　夏則發動　其熱病者
秋則發動　等分病者　冬則發動　其肺病者　春則增劇　有風病者　夏則應服
肥膩醎酢　及以熱食　有熱病者　秋服冷甜　等分冬服　甜酢肥膩　肺病春服
肥膩辛熱　飽食然後　則發肺病　於食消時　則發熱病　食消已後　則發風病
如是四大　隨三時發　病風羸損　補以酥膩　熱病下藥　服訶梨勒　等分應服
三種妙藥　所謂甜辛　及以酥膩　肺病應服　隨能吐藥　若風熱病　肺病等分
違時而發　應當任師　籌量隨病　服食湯藥　善女天尒時流水長者子問其父醫
四大增損因是得了一切醫方時長者子知醫方已遍至國內城邑聚落在在處
處隨有衆生病苦者所軟言慰喻作如是言我是醫師我是醫師善知方藥
今當為汝療治救濟悉令除愈善女天尒時衆生聞長者子軟言慰喻許
為治病心生歡喜踊躍无量時有百千无量衆生遇極重病直聞是言心歡
喜故種種所患即得除差平復如本氣力充實善女天復有无量百千衆生
病苦深重難除差者即共來至長者子所時長者子即以妙藥授之令服服已除
差亦得平復善女天是長者子於是國內治諸衆生所有病苦悉得除差

金光明經卷第三

金光明經流水長者子品第十六　四

佛告樹神尒時流水長者子於天自在光王國內治一切衆生無量苦患已令其身體
平復如本受諸快樂以病除故多設福業脩行布施尊重恭敬是長者子作如
是言善哉善哉長者能大增長福德之事能益衆生無量壽命汝今真是大
醫之王善治衆生無量重病必是菩薩善解方藥善女天時長者子有妻名曰
水空龍藏而生二子一名水空二名水藏時長者子將是二子次第遊行城邑聚
落最後到一大空澤中見諸虎狼狗犬鳥獸多食肉血者悉皆一向馳奔而去時
長者子作是念言是諸禽獸何因緣故一向馳走我當隨後逐而觀之時
長者子遂便隨逐見有一池其水枯涸於其池中多有諸魚時長者子見是
魚已生大悲心時有樹神示現半身作如是言善哉善哉大善男子此魚可
愍汝可與水是故號汝名為流水復有二緣名為流水一能流水二能與水汝今
應當隨名定實時長者子問樹神言汝此魚頭數為有幾所樹神答
言其數具足滿十千善女天尒時流水聞是數已倍復增益生大悲心善女
天時此空地為日所曝唯少水在是十千魚將入死門四向婉轉見是長者
心生恃賴隨是長者所至方面隨逐瞻視目未曾捨是時長者馳趣四方
推求索水了不能得便四顧望見有大樹尋取枝葉還到池上與作
陰涼作陰涼已復更推求是池中水本從何來即出四向周遍求覓莫知水

BD02162號4　金光明經卷三　（37–28）
BD02162號5　金光明經卷四

應當隨名定實時長者子問樹神言汝此魚頭數為有幾所樹神答
言其數具足滿十千善女天尒時流水聞是數已倍復增益生大悲心善女
天時此空地為日所曝唯少水在是十千魚將入死門四向婉轉見是長者
心生恃賴隨是長者所至方面隨逐瞻視目未曾捨是時長者馳趣四方
推求索水了不能得便四顧望見有大樹尋取枝葉還到池上與作
陰涼作陰涼已復更推求是池中水本從何來即出四向周遍求覓莫知水
處復更疾走遠至餘處見大河名曰水生尒時復有諸餘惡人為捕此
魚故於上流懸嶮之處決棄其水不令下過然其決處懸嶮難補計當
脩治經九十日百千人功猶不能成況我一身時長者子速疾還返至大王所
頭面礼拜却坐一面合掌向王說其因緣作如是言我為大王國土人民治
種種病漸漸遊行至彼空澤見有一池其水枯涸有十千魚為日所曝今日
困厄將死不久唯願大王借二十大象令得負水濟彼魚命如我與諸病人
壽命尒時大王即勑臣速疾供給尒時大臣奉王告勑語是長者善哉大
士汝今自可至象廄中隨意選取利益衆生令得快樂是時流水及其二
子將二十大象從治城人借索皮囊疾至彼河上流決處盛水象負馳疾奔
還至空澤池從象背上下其囊水瀉置池中水遂彌滿還復如本長者子
於池四邊彷徉而行是魚尒時亦復隨逐循岸而行時長者子復作是念是
魚何緣隨我而行是魚必為飢火所惱復欲從我求索飲食我今當與善女天
尒時流水長者子告其二子言汝取一象最大力者速往家中啓父長者家中
所有可食之物及是父母飲噉之分及以妻子奴婢之分一切聚集悉載象上急
速來還尒時二子如父教勑乘家大象往至家中白其祖父說如上事尒時二
子收取家中可食之物載象背上疾還父所至空澤池時長者子見其子還
心生歡喜踊躍無量從子邊取飲食之物散著池中與魚食已即自思惟我今
已能與此魚食令其飽滿未來之世當施法食復更思惟曾聞過去空閑
之處有一比丘讀誦大乘方等經典其經中說若有衆生臨命終時得聞寶
勝如來名號即生天上我今當為是十千魚解脫甚深十二因緣亦當稱
說寶勝佛名時閻浮提中有二種人一者深信大乘方等二者毀呰不生信
樂時長者子作是思惟我今當入池水之中為是諸魚說深妙法思惟
是已便入水中作如是言南无過去寶勝如來應供正遍知明行足善逝世間
解無上士調御丈夫天人師佛世尊寶勝如來本往昔時行菩薩道作
是誓願若有衆生於十方界臨命終時聞我名者當命是輩即命終已
尋得上生三十三天尒時流水復為是魚解脫如是甚深妙法所謂無明緣
行行緣識識緣名色名色緣六入六入緣觸觸緣受受緣愛愛緣取取緣

BD02162號5　金光明經卷四　（37–29）

是已便入水作如是言南无過去寶勝如來應供正遍知明行足善逝世間
解無上士調御丈夫天人師佛世尊寶勝如來本往昔時行菩薩道作
是誓願若有衆生於十方界臨命終時聞我名者當命是輩即命終已
尋得上生三十三天尒時流水復為是魚解脫如是甚深妙法所謂無明緣
行行緣識識緣名色名色緣六入六入緣觸觸緣受受緣愛愛緣取取緣
有有緣生生緣老死憂悲苦惱善女天尒時流水長者子及其二子說是
法已即共還家是長者子復於後時賓客聚會醉酒而卧尒時其地卒大
震動時十千魚同日命終即命終已生忉利天既生天已作是思惟我等以何善
業因緣得生於此忉利天中復相謂言我等先於閻浮提内墮畜生中受
於魚身流水長者與我等水及以飲食復為我等解脫甚深十二因緣并稱
寶勝如來名号以是因緣令我等輩得生此天是故我等今當往至長者
子所報恩供養尒時十千天子從忉利天下閻浮提至流水長者子大醫王
家時長者子在樓屋上露卧睡眠是十千天子以十千真珠天妙瓔珞置其頭
邊復以十千置其足邊復以十千置右脅邊復以十千置左脅邊雨曼陁
羅華摩訶曼陁羅華積至于膝種種天樂出妙音聲閻浮提中有睡眠
者皆悉覺悟流水長者子亦從睡悟是十千天子於上空中飛騰遊行天
自在光王國内處處皆雨天妙蓮華是諸天子復至本處空澤池所復雨
天華便從此没還忉利宮隨意自在受天五欲時閻浮提過是夜已天自在光
王問諸大臣今夜何緣示現如是淨妙瑞相有大光明大臣答言大王當知忉
利諸天於流水長者子家雨四十千真珠瓔珞及不可計曼陁羅華王即
告臣卿可往至彼長者家善言誘喚令使來大臣受勑即至其家宣王教
令喚是長者是時長者尋至王所王問長者何緣示現如是瑞相長者子言
我必定知是十千魚其命已終時大王言今可遣人審實是事尒時流水
尋遣其子至彼池所看是諸魚死活定實尒時其子聞是語已向於彼池
既至池已見其池中多有摩訶曼陁羅華積聚成積其中諸魚悉皆命
終見已即還白其父言彼諸魚等悉已命終尒時流水知是事已復往王所
作如是十千魚悉皆命終王聞是已心生歡喜尒時世尊告道場菩提樹神
善女天欲知尒時流水長者子今我身是長子水空羅睺羅是次子水
藏今阿難是時十千魚者今十千天子是是故我今為其受阿耨多羅三
藐三菩提記尒時樹神現半身者今汝身是

金光明經捨身品第十七

尒時道場菩提樹神復白佛言世尊我聞世尊過去脩行菩薩道時具受无量
百千苦行捐捨身命肉血骨髓唯願世尊少說往昔苦行因緣為利衆生受諸
快樂尒時世尊即現神足神足力故令此大地六種震動於大講堂衆會之中有

藏令阿難是時十千魚者今十千天子是是故我今為其受阿耨多羅三
藐三菩提記尒時樹神現半身者今汝身是

金光明經捨身品第十七

尒時道場菩提樹神復白佛言世尊我聞世尊過去脩行菩薩道時具受无量
百千苦行捐捨身命肉血骨髓唯願世尊少說往昔苦行因緣為利衆生受諸
快樂尒時世尊即現神足神足力故令此大地六種震動於大講堂衆會之中有
寶塔從地踊出衆寶羅網弥滿其上尒時大衆見是事已生希有心尒時世尊
即從座起礼拜是塔恭敬圍繞還就本座尒時道場菩提樹神白佛言世尊
如來世雄出現於世常為一切之所恭敬於諸衆生最勝最尊何因緣故礼拜
是塔佛言善女天我本脩行菩薩道時我身舍利安止是塔因由是身令
我早成阿耨多羅三藐三菩提尒時佛告尊者阿難汝可開塔取中舍利示
此大衆是舍利者乃是无量六波羅蜜功德所動尒時阿難聞佛教勑即往
塔所礼拜供養開其塔户見其塔中有七寶函以手開函見其舍利色妙紅白
而白佛言世尊是中舍利其色紅白佛告阿難汝可持來此是大士真身舍利
尒時阿難即舉寶函還至佛所持以上佛尒時佛告一切大衆汝等今可礼是
舍利此舍利者是戒定慧之所勲脩甚難可得最上福田尒時大衆聞是語
已心懷歡喜即從坐起合掌恭敬頂礼菩薩大士舍利尒時世尊欲為大衆斷
疑網故說是舍利往昔因緣阿難過去之世有王名曰摩訶羅陁脩行善法善
治國土无有怨敵時有三子端正微妙形色殊特威德第一第一太子名曰摩
訶波那羅次子名曰摩訶提婆小子名曰摩訶薩埵是三王子於諸園林遊
戲觀看次第漸到一大竹林憩駕止息第一王子作如是言我於今日心甚怖
懅於是林中將无衰損第二王子復作是言我於今日不自惜身但離所愛心憂
愁耳第三王子復作是言我於今日獨无怖懅亦无愁惱山中空寂神仙所讚是
處閑靜能令行人安隱受樂時諸王子說是語已轉復前行見有一虎適產七日而
有七子圍繞周匝飢餓窮悴身體羸損命將欲絕第一王子見是虎已作如是
言怪哉此虎產來七日七子圍繞不得求食若為飢逼必還噉子第二王子言此
虎經常所食何物第一王子言此虎唯食雜熱肉血第三王子言君等誰能
與此虎食第二王子言此虎飢餓身體羸瘦窮困頓乏餘命无幾不容餘
處為其求食設餘求者命必不濟誰能為此不惜身命第一王子言一切難捨
不過己身第三王子言我等今者以貪惜故於此身命不能放捨智慧薄
少故於是事而生驚怖若諸大士欲利益他生大悲心為衆生者捨此身
命不足為難時諸王子心大愁憂久住視之目未曾捨作是觀已尋便離
去尒時第三王子作是念言我今捨身時已到矣何以故我從昔來多棄是

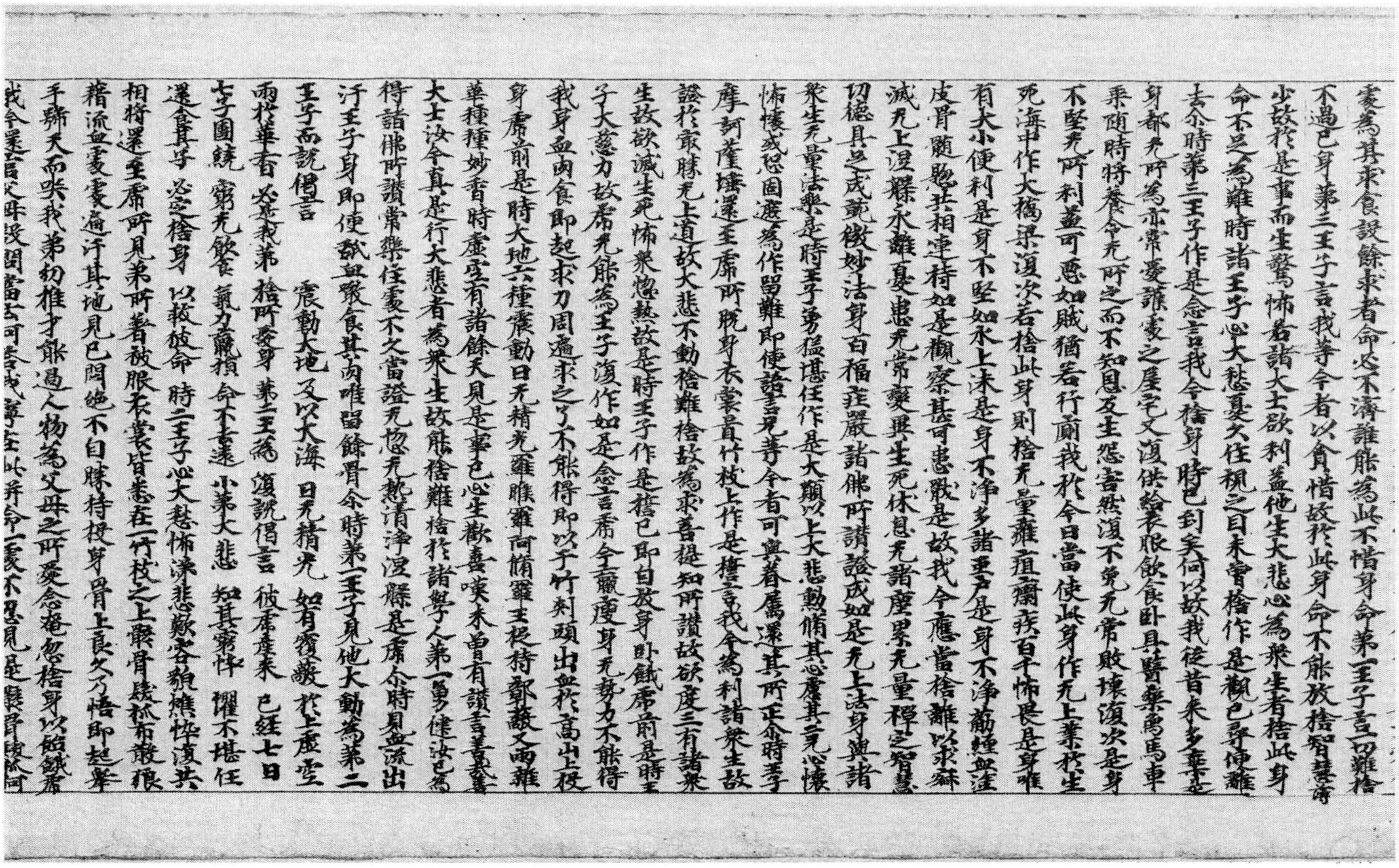
處爲其求食設餘求者命必不濟誰能爲此不惜身命第一王子言一切難捨
不過己身第三王子言我等今者以貪惜故於此身命不能放捨智慧薄
少故於是事而生驚怖若諸大士欲利益他生大悲心爲衆生者捨此身
命不足爲難時諸王子心大愁憂久住視之目未曾捨作是觀已尋便離
去尒時第三王子作是念言我今捨身時已到矣何以故我從昔來多棄是
身都无所爲亦常愛護處之屋宅又復供給衣服飲食臥具醫藥象馬車
乘隨時將養令无所乏而不知恩反生怨害然復不免无常敗壞復次是身
不堅无所利益可惡如賊猶若行廁我於今日當使此身作无上業於生
死海中作大橋梁復次若捨此身則捨无量癰疽癲疾百千怖畏是身唯
有大小便利是身不堅如水上沫是身不淨多諸虫户是身不淨筋纏血塗
皮骨髓腦共相連持如是觀察甚可患厭是故我今應當捨離以求寂
滅无上涅槃永離憂患无常變異生死休息无諸塵累无量禪定智慧
功德具足成就微妙法身百福莊嚴諸佛所讚證成如是无上法身與諸
衆生无量法樂是時王子勇猛堪任作是大願以上大悲勳脩其心慮其二兄心懷
怖懼或恐固遮爲作留難即便語言兄等今者可與眷屬還其所止尒時王子
摩訶薩埵還至虎所脫身衣裳置竹枝上作是誓言我今爲利諸衆生故
證於寂勝无上道故大悲不動捨難捨故爲求菩提知所讚故欲度三有諸衆
生故欲滅生死怖畏熱惱故是時王子作是誓已即自放身臥餓虎前是時王
子大慈力故虎无能爲王子復作如是念言虎今羸瘦身无勢力不能得
我身血肉食即起求刀周遍求之了不能得即以干竹刺頸出血於高山上投
身虎前是時大地六種震動日无精光羅睺羅阿脩羅王捉持鄣蔽又雨雜
華種種妙香時虛空有諸餘天見是事已心生歡喜嘆未曾有讚言善哉善哉
大士汝今真是行大悲者爲衆生故能捨難捨於諸學人第一勇健汝已爲
得諸佛所讚常樂住處不久當證无惱无熱清淨涅槃是時虎見血流出
汙王子身即便舐血噉食其肉唯留餘骨尒時第一王子見地大動爲第二
王子而說偈言　震動大地　及以大海　日无精光　如有覆蔽　於上虛空
雨於華香　必是我弟　捨所愛身　第二王子　復說偈言　彼虎產來　已經七日
七子圍繞　窮无飲食　氣力羸損　命不云遠　小弟大悲　知其窮悴　懼不堪任
還食其子　必定捨身　以救彼命　時二王子心大愁怖涕泣悲歎容貌憔悴復共
相將還至虎所見弟所著被服衣裳皆悉在一竹枝之上骸骨髮爪布散狼
藉流血處處遍汙其地見已悶絕不自勝持投身骨上良久乃悟即起舉
手號天而哭我弟幼稚才能過人物爲父母之所愛念卷忽捨身以餧餓虎
我今還宮父母設問當云何荅我寧在此并命一處不忍見是骸骨髮爪何

BD02162 號 5　金光明經卷四　（37–32）

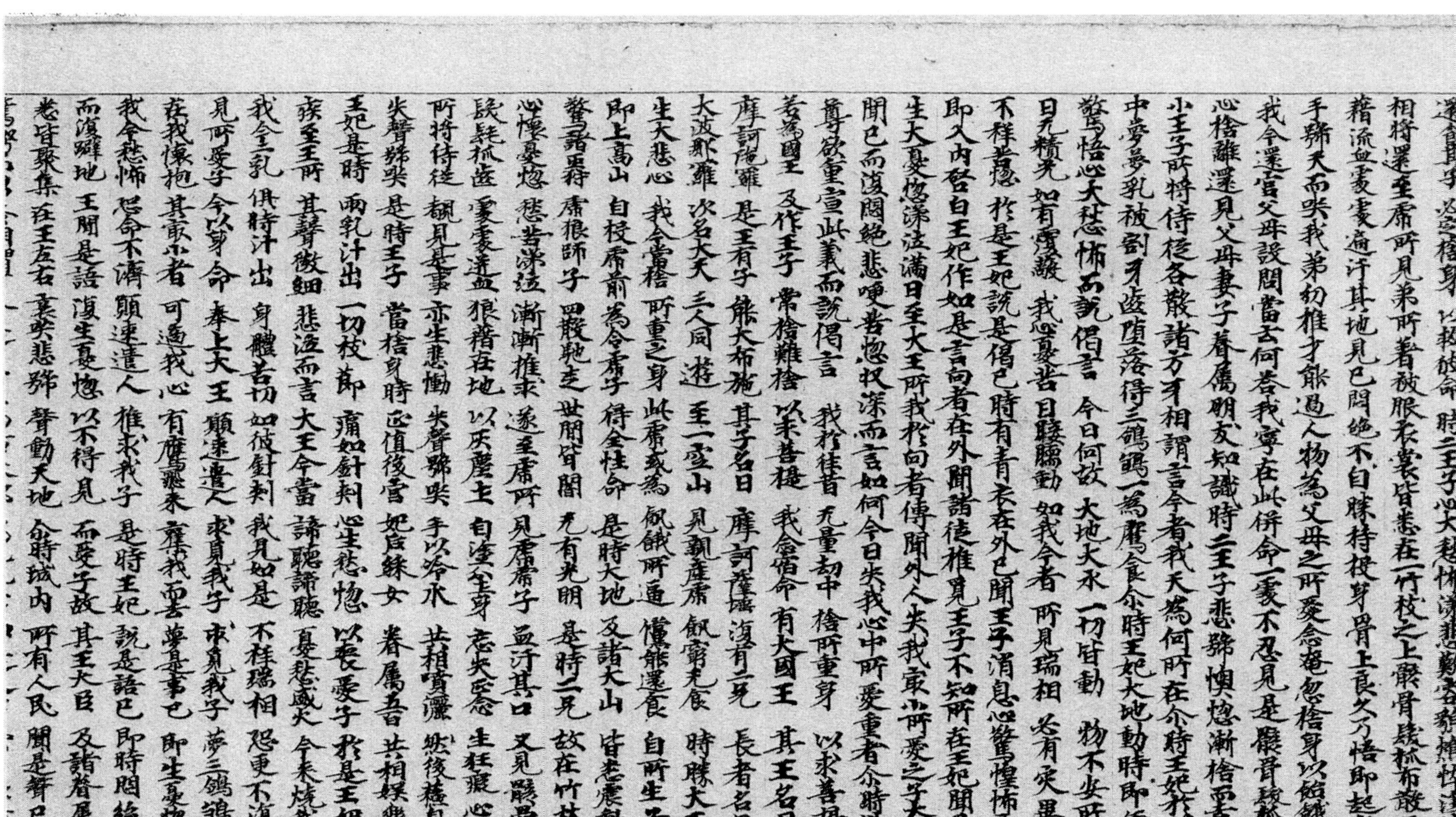
還食其子　必定捨身　以救彼命　時二王子心大愁怖涕泣悲歎容貌憔悴復共
相將還至虎所見弟所著被服衣裳皆悉在一竹枝之上骸骨髮爪布散狼
藉流血處處遍汙其地見已悶絕不自勝持投身骨上良久乃悟即起舉
手號天而哭我弟幼稚才能過人物爲父母之所愛念卷忽捨身以餧餓虎
我今還宮父母設問當云何荅我寧在此并命一處不忍見是骸骨髮爪何
心捨離還見父母妻子眷屬朋友知識時二王子悲號懊惱漸捨而去時
小王子所將侍從各散諸方求相謂言今者我天爲何所在尒時王妃於睡
中夢夢乳被割牙齒墮落得三鴿鶵一爲鷹奪尒時王妃大地動時即便
驚悟心大愁怖而說偈言　今日何故　大地大水　一切皆動　物不安所
日无精光　如有覆蔽　我心憂苦　目瞤瞤動　如我今者　所見瑞相　必有災異
不祥苦惱　於是王妃說是偈已時有青衣在外已聞王子消息心驚惶怖尋
即入內啟白王妃作如是言向者在外聞諸徒侍推覓王子不知所在王妃聞已
生大憂惱涕泣滿目至大王所我於向者傳聞外人失我最小所愛之子大王
聞已而復悶絕悲哽苦惱收淚而言如何今日失我心中所愛重者尒時世
尊欲重宣此義而說偈言　我於往昔　无量劫中　捨所重身　以求菩提
若爲國王　及作王子　常捨難捨　以求菩提　我念宿命　有大國王　其王名日
摩訶羅陀　是王有子　能大布施　其子名曰　摩訶薩埵　復有二兄　長者名日
大波那羅　次名大天　三人同遊　至一空山　見新產虎　飢窮无食　時勝大王
生大悲心　我今當捨　所重之身　此虎或爲　飢餓所逼　儻能還食　自所生子
即上高山　自投虎前　爲令虎子　得全性命　是時大地　及諸大山　皆悉震動
驚諸禽獸　虎狼師子　四散馳走　世間皆闇　无有光明　是時二兄　故在竹林
心懷憂惱　愁苦涕泣　漸漸推求　遂至虎所　見虎虎子　血汙其口　又見骸骨
髮毛爪齒　處處迸血　狼藉在地　以灰塵土　自塗坌身　忘失正念　生狂癡心
所將侍從　覩見是事　亦生悲慟　失聲號哭　手以冷水　共相噴灑　然後穌息
失聲號哭　是時王子　當捨身時　正值後宮　妃后婇女　眷屬五百　共相娛樂
王妃是時　兩乳汁出　一切枝節　痛如針刺　心生愁惱　以喪愛子　於是王妃
疾至王所　其聲微細　悲泣而言　大王今當　諦聽諦聽　憂悲盛火　今來燒我
我今二乳　俱時汁出　身體苦切　如被針刺　我見如是　不祥瑞相　恐更不復
見所愛子　今以身命　奉上大王　願速遣人　求覓我子　求覓我子　夢三鴿鶵
在我懷抱　其最小者　可適我心　有鷹飛來　奪我而去　夢是事已　即生憂惱
我今愁怖　恐命不濟　願速遣人　推求我子　是時王妃　說是語已　即時悶絕
而復躃地　王聞是語　復生憂惱　以不得見　所愛子故　其王大臣　及諸眷屬
悉皆聚集　在王左右　哀哭悲號　聲動天地　尒時城內　所有人民　聞是聲已

BD02162 號 5　金光明經卷四　（37–33）

見所愛子 今以身命 奉上大王 願速遣人 求覓我子 求覓我子 夢三鴿鷃
在我懷抱 其最小者 可適我心 有鷹飛來 奪我而去 夢是事已 即生憂惱
我今愁怖 恐命不濟 願速遣人 推求我子 是時王妃 說是語已 即時悶絕
而復躃地 王聞是語 復生憂惱 以不得見 所愛子故 其王大臣 及諸眷屬
悉皆聚集 在王左右 哀哭悲號 聲動天地 尒時城內 所有人民 聞是聲已
驚愕而出 各相謂言 今是王子 為活來耶 為已死亡 如是大士 常出軟語
為衆所愛 今難可見 已有諸人 入林推求 不久自當 得定消息 諸人尒時
障惶如是 而復悲號 哀動神祇 尒時大王 即從坐起 以水灑妃 良久乃穌
還得正念 微聲問王 我子今者 為死活耶 尒時王妃 念其子故 倍復懊惱
心无暫捨 可惜我子 形色端正 如何一旦 捨我終亡 云何我身 不先夢沒
而見如見 諸苦惱事 善子妙色 猶淨蓮華 誰壞汝身 使令分離 將非是我
昔日怨讎 挾本業緣 而殺汝耶 我子面目 淨如滿月 不圖一旦 遇斯禍對
寧使我身 破碎如塵 不令我子 喪失身命 我所見夢 已為得報 值我无情
能堪是苦 如我所夢 牙齒墮落 二乳一時 汁自流出 必定是我 失所愛子
夢三鴿鷃 鷹奪一去 三子之中 必定失一 尒時大王 即告其妃 我今當遣
大臣使者 周遍東西 推求覓子 汝今且可 莫大憂愁 大王如是 慰喻妃已
即便嚴駕 出其宮殿 心生愁惱 憂苦所切 雖在大衆 顏貌憔悴 即出其城
覓所愛子 尒時亦有 无量諸人 哀號動地 尋從王後 是時大王 既出城已
四向顧望 求覓其子 煩惡心亂 靡知所在 最後還見 有一信來 頭坌塵土
血汙其衣 灰土塗身 悲號而至 尒時大王 摩訶羅陀 見是使已 倍生懊惱
舉手號叫 仰天而哭 先所遣臣 尋復來至 既至王所 作如是言 願王莫愁
諸子猶在 不久當至 令王得見 須臾之頃 見王愁苦 顏貌憔悴 身所著衣
垢膩塵汙 大王當知 一子已終 二子雖存 哀悴无賴 第三王子 見虎新生
飢窮七日 恐還食子 見是虎已 深生悲心 發大誓願 當度衆生 於未來世
證成菩提 即上高處 投身虎前 虎飢所逼 便起噉食 一切血肉 已為都盡
唯有骸骨 狼藉在地 是時大王 聞臣語已 轉復悶絕 失念躃地 憂愁盛火
熾然其身 諸臣眷屬 亦復如是 以水灑王 良久乃穌 復起舉手 號天而哭
復有臣來 而白王言 向於林中 見王二子 愁憂苦毒 悲號涕泣 迷悶失志
自投於地 臣即求水 灑其身上 良久之頃 乃還穌息 望見四方 大火熾然
扶持暫起 尋復躃地 舉手悲哀 號天而哭 乍復讚歎 其弟功德 是時大王
以離愛子 其心迷悶 氣息惙然 憂惱深積 並復思惟 是最小子 我所愛重
無常大鬼 奄便吞食 其餘二子 今雖存在 而為憂火 之所焚燒 或能為是
喪失命根 我宜速往 至彼林中 迎載諸子 急還宮殿 其毋在後 憂苦逼切

BD02162 號 5　金光明經卷四　　（37–34）

復有臣來 而白王言 向於林中 見王二子 愁憂苦毒 悲號涕泣 迷悶失志
自投於地 臣即求水 灑其身上 良久之頃 乃還穌息 望見四方 大火熾然
扶持暫起 尋復躃地 舉手悲哀 號天而哭 乍復讚歎 其弟功德 是時大王
以離愛子 其心迷悶 氣息惙然 憂惱深積 並復思惟 是最小子 我所愛重
無常大鬼 奄便吞食 其餘二子 今雖存在 而為憂火 之所焚燒 或能為是
喪失命根 我宜速往 至彼林中 迎載諸子 急還宮殿 其毋在後 憂苦逼切
心肝分裂 或能失命 若見二子 慰喻其心 可使終保 餘年壽命 尒時大王
駕乘名象 與諸侍從 欲至彼林 即於中路 見其二子 號天扣地 稱弟名字
時王即前 抱持二子 悲號涕泣 隨路還宮 速令二子 覲見其毋 佛告樹神
汝今當知 尒時王子 摩訶薩埵 捨身飴虎 今我身是 尒時大王 摩訶羅陀
於今父王 輸頭檀是 尒時王妃 今摩耶是 第一王子 今彌勒是 第二王子
今調達是 今時虎者 今瞿夷是 時虎七子 今五比丘 及舍利弗 目犍連是
尒時大王 摩訶羅陀 及其妃后 悲號涕泣 悉皆脫身 御服瓔珞 與諸大衆
往至竹林 收其舍利 即於此處 起七寶塔 是時王子 摩訶薩埵 臨捨命時
作是誓願 我舍利於未來世是算數劫 常為衆生而作佛事 說是經時 无量
阿僧祇天及人發阿耨多羅三藐三菩提心 樹神是名禮塔往昔因緣 尒時佛神
力故 是七寶塔 即沒不現　金光明經讚佛品第十八　尒時无量百千万億諸菩
薩衆 從此世界 至金寶蓋山王如來國土 到彼土已 五體投地 為佛作禮 却一面立 向
佛合掌 異口同音 而讚嘆曰 如來之身 金色微妙 其明照曜 如金山王
身淨柔軟 如金蓮華 无量妙相 以自莊嚴 隨形之好 光飾其體 淨潔无比
如紫金色 圓足无垢 如淨滿月 其音清徹 妙梵之聲 師子吼聲 大雷震聲
六種清淨 微妙音聲 迦陵頻伽 孔雀之聲 清淨无垢 威德具足 百福相好
莊嚴其身 光明遠照 无有齊限 智慧寂滅 无諸愛習 世尊成就 无量功德
譬如大海 須彌寶山 為諸衆生 生憐愍心 於未來世 能與快樂 如來所說
第一深義 能令衆生 寂滅安樂 能與衆生 无量快樂 能演无上 甘露妙法
能開无上 甘露法門 能入一切 无患宮宅 能令衆生 悉得解脫 度於三有
无量苦海 安住正道 无諸憂苦 如來世尊 功德智慧 大力慈悲 精進方便
如是无量 不可稱計 我等今者 不能說喻 諸天世人 於无量劫 盡思度量
不能得知 如來所有 功德智慧 无量大海 一渧少分 我今略讚 如來功德
百千億分 不能宣一 若我功德 得聚集者 迴與衆生 證无上道
尒時信相菩薩即於此會 從坐而起 偏袒右肩 右膝著地 合掌向佛 而說讚曰
世尊百福 相好微妙 功德千數 莊嚴其身 色淨遠照 視之无猒 如日千光
彌滿虛空 光明熾盛 无量无邊 猶如无數 珍寶大聚 其色五色 青紅赤白

BD02162 號 5　金光明經卷四　　（37–35）

如是无量　不可稱計　我等今者　不能說喻　諸天世人　於无量劫　盡思度量
不能得知　如來所有　功德智慧　无量大海　一渧少分　我今略讚　如來功德
百千億分　不能宣一　若我功德　得聚集者　迴與眾生　證无上道
尒時信相菩薩即於此會從坐而起偏袒右肩右膝著地合掌向佛而說讚曰
世尊百福　相好微妙　功德千數　莊嚴其身　色淨遠照　視之无猒　如日千光
弥滿虛空　光明熾盛　无量无邊　猶如无數　珎寶大聚　其明五色　青紅赤白
琉璃頗梨　如融真金　光明赫奕　道徹諸山　悉能遠照　无量佛土　能滅眾生
无量苦惱　又與眾生　上妙快樂　諸根清淨　微妙第一　眾生見者　无有猒足
髮紺柔軟　猶孔雀項　如諸蜂王　集在蓮華　清淨大悲　功德莊嚴　无量三昧
及以大慈　如是功德　悉已聚集　相好妙色　嚴飾其身　種種功德　助成菩提
如來悉能　調伏眾生　令心柔軟　受諸快樂　種種深妙　功德莊嚴　亦為十方
諸佛所讚　其光遠照　遍於諸方　猶如日明　光滿虛空　功德成就　如須弥山
在在示現　於諸世界　齒白齊密　猶如珂雪　其德智慧　處空明顯　眉間豪相
右旋婉轉　光明流出　如琉璃珠　其色微妙　如日處空　尒時道場菩提樹神
復說讚曰　南无清淨　无上正覺　甚深妙法　隨順覺了　遠離一切　非法非道
獨拔而出　成佛正覺　智有非本　本性清淨　希有希有　如來功德　希有希有
如來大海　希有希有　如須弥山　希有希有　佛无邊行　希有希有　佛出於世
如優曇華　時一現耳　希有如來　无量大悲　釋迦牟尼　為人中日　為欲利益
諸眾生故　宣說如是　妙寶經典　善哉如來　諸根寂滅　而復遊入　善寂大城
无垢清淨　甚深三昧　入於諸佛　所行之處　一切聲聞　身皆空寂　兩足世尊
行處亦空　如是一切　无量諸法　推本性相　亦皆空寂　一切眾生　性相亦空
任愚心故　不能覺知　我常念佛　樂見世尊　常作誓願　不離佛日　我常於地
長跪合掌　其心戀慕　欲見於佛　我常脩行　最上大悲　哀泣雨淚　欲見於佛
我常渴仰　欲見於佛　為是事故　憂火熾然　唯願世尊　賜我慈悲　清冷法水
以滅是火　世尊慈愍　悲心无量　願使我身　常得見佛　世尊常護　一切人天
是故我今　渴仰欲見　聲聞之身　猶如虛空　炎幻響化　如水中月　眾生之性
如夢所見　如來行處　淨如琉璃　入於无上　甘露法處　能與眾生　无量快樂
如來行處　微妙甚深　一切眾生　无能知者　五通神仙　及諸聲聞　一切緣覺
亦不能知　我今不疑　佛所行處　唯願慈悲　為我現身　尒時世尊　從三昧起
以微妙音　而讚嘆言　善哉善哉　樹神善女　汝於今日　快說是言
金光明經囑累品第十九　尒時釋迦牟尼佛從三昧起現大神力
以右手摩諸大菩薩摩訶薩頂與諸天王及龍王二十八部散脂鬼神大將
軍等而作是言我於无量百千万億恒河沙劫脩集是金光明微妙經典汝

以微妙音　而讚嘆言　善哉善哉　樹神善女　汝於今日　快說是言
金光明經囑累品第十九　尒時釋迦牟尼佛從三昧起現大神力
以右手摩諸大菩薩摩訶薩頂與諸天王及龍王二十八部散脂鬼神大將
軍等而作是言我於无量百千万億恒河沙劫脩集是金光明微妙經典汝
等當受持讀誦廣宣此法流此閻浮提內无令斷絕若有善男子善女人
於未來世中有受持讀誦此經典者汝等諸天常當擁護當知是人於未
來世无量百千人天之中常受快樂於未來世值遇諸佛疾得成阿耨
多羅三藐三菩提　尒時諸大菩薩及天龍王二十八部散脂大將等即
從座起到於佛前五體投地俱發聲言如世尊勅當具奉行如是三白如世尊勅
當具奉行於是散脂大將軍而白佛言如世尊言若後未來世中有受持是經
若自寫若使人寫我當與此二十八部諸鬼神等常當隨侍擁護隱蔽其身
是說法者皆悉消滅諸惡令得安隱願不有處　尒時釋迦牟尼佛現大
神力十方无量世界皆六種震動是時諸佛皆大歡喜囑累是經故讚美
持法者現无量神力於是无量无邊阿僧祇菩薩摩訶薩大眾及信相菩
薩金光金藏常悲法上等及四天大王十千天子與道場菩提樹神堅牢
等及一切世間天人阿脩羅等聞佛所說皆發无上菩提之道踊躍歡喜作
礼而去

金光明經卷第四

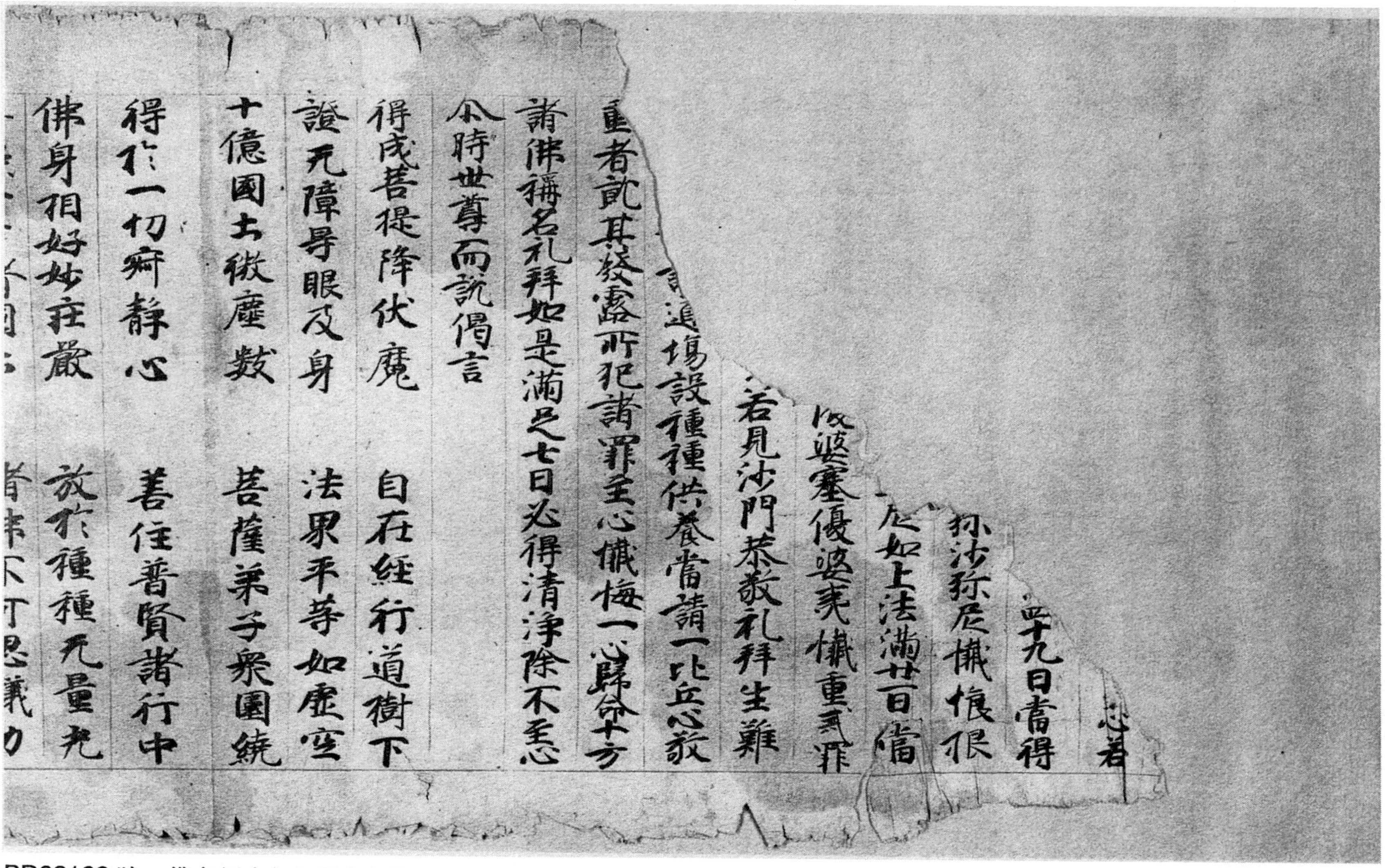

心若
四十九日當得
弥沙弥尼懺悔根
尼如上法滿卅日當
婆塞優婆夷懺重罪
若見沙門恭敬礼拜生難
道場設種種供養當請一比丘心敬
重者既其發露所犯諸罪至心懺悔一心歸命十方
諸佛稱名礼拜如是滿足七日必得清淨除不惡心
尒時世尊而說偈言
得成菩提降伏魔　自在經行道樹下
證无障㝵眼及身　法界平等如虛空
十億國土微塵數　菩薩弟子衆圍繞
得於一切寂靜心　善住普賢諸行中
佛身相好妙莊嚴　放於種種无量光
諸佛不可思議力

BD02163號　佛名經（十六卷本）卷一一　（29–1）

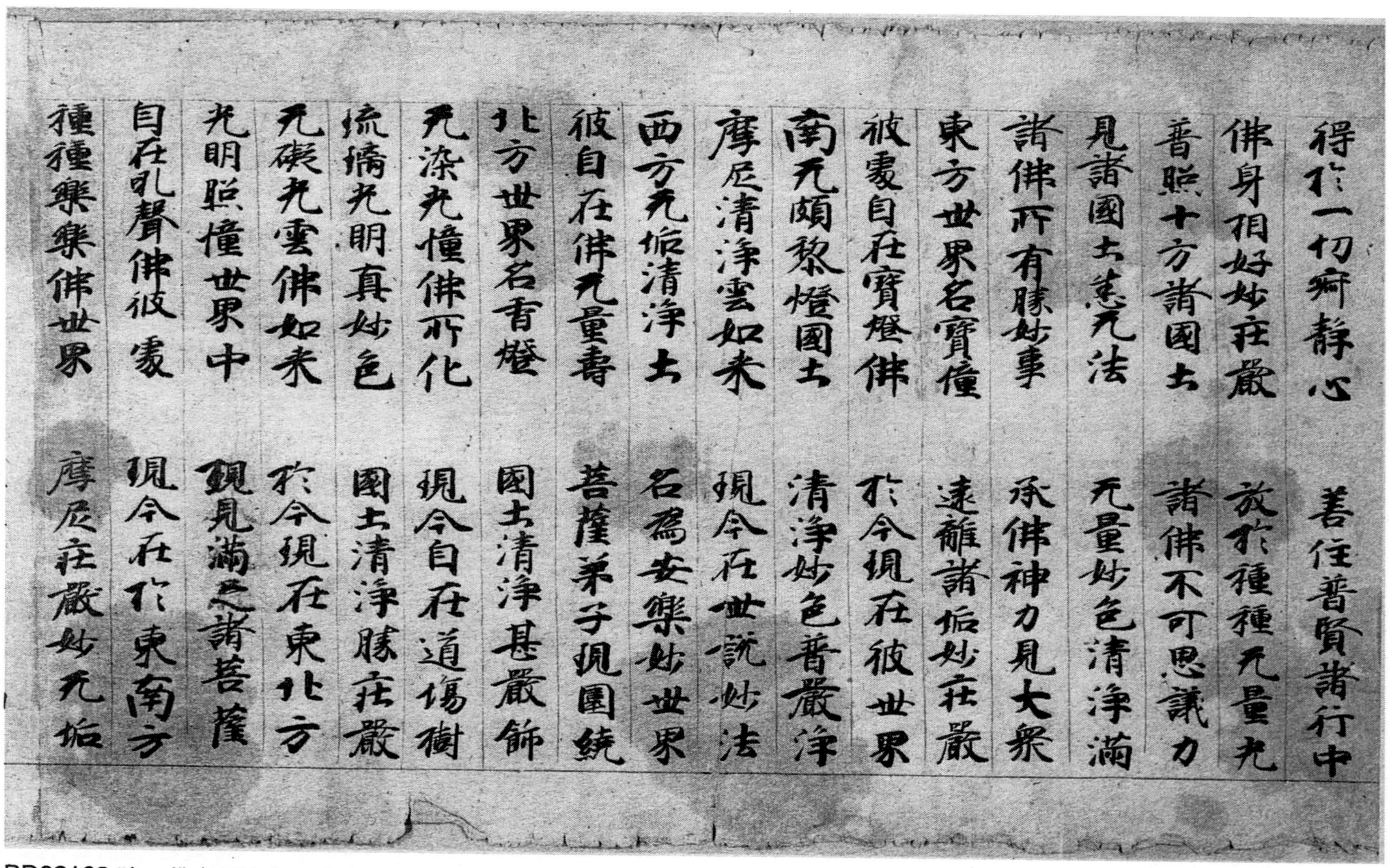

得於一切寂靜心　善住普賢諸行中
佛身相好妙莊嚴　放於種種无量光
普照十方諸國土　諸佛不可思議力
見諸國土悉无法　无量妙色清淨滿
諸佛所有勝妙事　承佛神力見大衆
東方世界名寶幢　遠離諸垢妙莊嚴
彼處自在寶燈佛　於今現在彼世界
南无頻黎燈國土　清淨妙色普嚴淨
摩尼清淨雲如來　現今在世說妙法
西方无垢清淨土　名為安樂妙世界
彼自在佛无量壽　菩薩弟子現圍繞
北方世界名香燈　國土清淨甚嚴飾
无染光幢佛所化　現今自在道場樹
琉璃光明真妙色　國土清淨勝莊嚴
无礙光雲佛如來　於今現在東北方
光明照幢世界中　觀見滿足諸菩薩
自在吼聲佛彼處　現今在於東南方
種種樂樂佛世界　摩尼莊嚴妙无垢

BD02163號　佛名經（十六卷本）卷一一　（29–2）

光明點幢世界中　現見滿足諸菩薩
自在吼聲佛彼處　現今在於東南方
種種樂樂佛世界　摩尼莊嚴妙无垢
勝妙智月如須弥　現見在於西南方
現見西北方如來　弥留光明平等界
彼處大聖自在佛　弟子菩薩衆圍繞
下方世界自在光　國土清淨寶炎藏
光明妙輪不空見　佛今住彼妙國土
上方世界光炎藏　彼世界名淨无垢
普眼功德光明雲　現見菩提樹下坐
即時舍利弗等大衆承佛神力見十方過
去未來現在諸佛无量无邊尒時舍利弗
在大衆中悲泣流淚白佛言希有世尊若善
男子善女人發阿耨多羅三藐三菩提心者不
得成佛我等昔來猶如腐草雖逢春陽无烯
秋實
尒時慧命舍利弗即從坐起偏袒右肩右膝著
地合掌白佛言世尊世尊願更廣說十方所
有諸佛名号我等樂聞尒時佛告舍利弗

BD02163號　佛名經（十六卷本）卷一一　（29–3）

尒時慧命舍利弗即從坐起偏袒右肩右膝著
地合掌白佛言世尊世尊願更廣說十方所
有諸佛名号我等樂聞尒時佛告舍利弗
汝當至心諦聽我爲汝說舍利弗從此世界東
方過百千億世界有佛世界名然燈彼世界有
佛名寶集阿羅訶三藐三佛陁現在說法
舍利弗若有善男子善女人聞彼佛名至心受
持憶念是善男子善女人畢竟得七覺分三
昧得不退轉阿耨多羅三藐三菩提心超越世
間六十劫命時世尊以偈頌曰
東方然燈界　有佛名寶集　若人聞名者　超世六十劫
舍利弗東方有世界名寶集彼佛世界有佛名
寶勝阿羅訶三藐三佛陁現在說法若善男子
善女人聞彼佛名至心受持憶念讀誦合掌礼拜
若復有善男子善女人以滿是三千大千世界珎
寶布施如是日月布施滿一百歲如此布施福德比
前至心礼拜功德分不及一千分不及一百千分不
及一數不及一筭不及一譬喻不及一尒時世尊以偈頌曰
寶集世界　有佛寶勝　若人聞名　施不及一

BD02163號　佛名經（十六卷本）卷一一　（29–4）

前至心礼拜功德亦不及一千分不及一百千分不
及一數不及一筭不及一譬喻不及一尒時世尊以偈頌曰
寶集世界　有佛寶勝　若人聞名　施不及一
舍利弗從此東方過八百世界有佛世界名香
積彼世界有佛名成就盧舍那　阿羅訶三藐三佛
陀現在說法若人聞彼佛名受持讀誦憶念礼拜
超越世間五百劫
舍利弗從此世界東方過千世界名樹提跋提彼
世界有佛名盧舍那鏡像　阿羅訶三藐三佛陀
現在說法若善男子善女人聞彼佛名受持讀
誦至心憶念恭敬礼拜得脫三惡道
舍利弗從此東方過二十世界有佛國土名无量
光明功德世界有佛名盧舍那光明阿羅訶三藐
三佛陀若善男子善女人聞彼佛名五體投地深
心敬重受持讀誦恭敬礼拜是人超世間世劫
舍利弗東方過千世界有佛國土名可樂彼佛名
不動應供正遍知若善男子善女人聞彼佛名
受持讀誦恭敬礼拜是人畢竟不退阿耨多羅
三藐三提一切諸魔所不能動

BD02163號　佛名經（十六卷本）卷一一　（29–5）

舍利弗東方過千世界有佛國土名可樂彼佛名
不動應供正遍知若善男子善女人聞彼佛名
受持讀誦恭敬礼拜是人畢竟不退阿耨多羅
三藐三提一切諸魔所不能動
舍利弗東方過千世界有佛世界名不可量彼
處佛名大光明阿羅訶三藐三佛陀現在說法
若善男子善女人聞彼光明佛名受持讀誦恭敬礼
拜是人常不離一切諸佛菩薩畢竟得不退轉阿
耨多羅三藐三菩提心
舍利弗從此國土東方過六十千世界有佛世界
名然炬佛名不可量聲　阿羅訶三藐三佛陀現
在說法若善男子善女人聞彼阿弥陀佛名三稱
南无不可量聲如来南无不可量聲如来南无不可
量聲如来是人畢不墮三惡道定心阿耨多羅三
藐三菩提　舍利弗復過彼世界度千佛國土
有佛世界名无塵彼有佛名阿弥陀劬沙
阿羅訶三藐三佛陀現在說法若善男子善女人
聞彼佛名深心敬重受持讀誦恭敬礼拜是人超
越世間十二劫

BD02163號　佛名經（十六卷本）卷一一　（29–6）

有佛世界名[illegible]有佛名阿[illegible]陀[illegible]沙
阿羅訶三藐三佛陁現在說法若善男子善女人
聞彼佛名深心敬重受持讀誦恭敬礼拜是人超
越世間十二劫
舍利弗復過廿千佛國土有佛世界名難勝彼
有佛名大稱　阿羅訶三藐三佛陁若善男子
善女人聞彼佛名合掌作如是言南无大稱如
來復有人以須弥山等七寶日日布施滿一百歲
比聞此佛名礼拜功德百分不及一乃至筭數不及一
次礼十二部尊經大藏法輪
南无句義經　南无鷹王經
南无須達經　南无弘道三昧經
南无義決律經　南无須耶越國貢人經
南无齋經　南无等人法嚴經
南无陰持入經　南无佛說護淨經
南无方便心論經　南无諫心經
南无摩訶剎頭經　南无中陰經
南无邪欲到患經　南无流離王經
南无孫陁耶致經　南无逝經

[illegible]
南无摩訶剎頭經　南无中陰經
南无邪欲到患經　南无流離王經
南无孫陁耶致經　南无逝經
南无僧大經　南无夫婦經
南无佛般泥洹後灌經臘　南无天皇梵摩經
南无遺日定行經　南无十二死經
南无和難經　南无施陁梨呪經
南无花式罪報輕重經　南无菩薩大業經
次礼十方諸大菩薩
南无等觀菩薩　南无不等觀菩薩
南无等不等觀菩薩　南无定自在王菩薩
南无法自在王菩薩　南无法相菩薩
南无光相菩薩　南无光嚴菩薩
南无大嚴菩薩　南无寶積菩薩
南无辯積菩薩　南无寶手菩薩
南无寶印手菩薩　南无常舉手菩薩
南无常下手菩薩　南无常慘菩薩
南无喜根菩薩　南无喜王菩薩
[illegible]

南无寶印手菩薩　南无常舉手菩薩
南无常下手菩薩　南无常慘菩薩
南无喜根菩薩　南无喜王菩薩
南无辯音菩薩　南无虛空藏菩薩
南无執寶炬菩薩　南无寶勇菩薩
南无寶見菩薩　南无帝網菩薩
南无明網菩薩　南无无緣觀菩薩
次礼聲聞緣覺一切賢聖
南无見人飛騰辟支佛　南无可波羅辟支佛
南无奈摩利辟支佛　南无月淨辟支佛
南无善智辟支佛　南无脩陁辟支佛
南无善法辟支佛　南无應求辟支佛
南无髻求辟支佛　南无大勢辟支佛
南无脩行不著辟支佛　南无難捨辟支佛
歸命如是等无量无邊辟支佛
礼三寶已次復懺悔
以共懺悔身三業竟今當次第懺悔口四惡業
經中說言口業之罪能令衆生墮於地獄餓鬼受
業若在畜生則受鵂鶹鴝鵒鳥形聞其聲者无不

BD02163號　佛名經（十六卷本）卷一一

（29–9）

以共懺悔身三業竟今當次第懺悔口四惡業
經中說言口業之罪能令衆生墮於地獄餓鬼受
業若在畜生則受鵂鶹鴝鵒鳥形聞其聲者无不
憎惡若生人中口氣常臭所有言說人不信受眷屬
不和常好鬪諍口業既有如是惡果是故弟子今日
至誠歸依於佛
南无東方須彌燈王佛　南无南方大切德佛
南无西方无量力佛　南无北方覺華生德佛
南无東南方一切覺華佛　南无西南方无量壽佛
南无西北方蓮華生王佛　南无東北方滅一切憂佛
南无下方光明王佛　南无上方寶燈王幢佛
如是十方盡虛空界一切三寶
弟子等自從无始以來至於今日妄言兩舌惡口
綺語傳空說有說有言空不見言見見言不見不
聞言聞聞言不聞不知言知知言不知欺賢罔聖言
行相亦自稱讚舉得過人法我得四禪四无色定
阿那般那十六行觀得須陁洹至阿羅漢我得辟支
佛不退菩薩天來龍來鬼來神來旋風土鬼皆至我
所彼問我答顯異惑衆要世名利如是等罪今悉

BD02163號　佛名經（十六卷本）卷一一

（29–10）

阿那般那十六行觀得須陁洹至阿羅漢我得殊更
佛不退菩薩天來龍來鬼來神來旋風土皆至我
所彼問我答顯異或衆要世名利如是等罪今悉
懺悔又復无始以来至於今日或說言鬪乱交扇彼此
兩舌間搆賊弄口舌向彼說此向此道彼離他眷屬
壞人善友使相密者爲踈親舊者成怨或綺語不實
言不及義荘誘若人平薄師長破壞忠良埋沒勝己
通致二國彼此角作浮華虛巧發言常虛口是心非其
逢非一對面譽歎背則呵毀誦耶書傳耶惡法或
惡口罵詈言語麁獷呼天和地牽引鬼神如是口業
所生諸罪无量无邊今日至到向十方佛尊法聖衆
皆悉懺悔
願弟子等承是懺悔口業衆罪所生功德生生世世
具八音聲四无导辯常說和合利益之語其聲清
雅一切樂聞善解衆生方俗言說若有所說應根
彼聽者即得解悟超凡入聖開發慧眼　礼一拜
舍利弗復過三千佛國土有世界名光明佛名寶
光明　阿羅訶三藐三佛陁若善男子善女人受持

舍利弗復過三千佛國土有世界名光明佛名寶
光明　阿羅訶三藐三佛陁若善男子善女人受持
彼佛名超越世間劫得不退轉心阿耨多羅三藐三
菩提若有人不信聞名得如此功德是人當墮阿
鼻地獄滿足千百劫
從此以上八千七百佛十二部経一切賢聖
舍利弗東方過十五佛國土有世界名光明照
彼處有佛名得大无畏　阿羅訶三藐三佛陁現
在說法若善男子善女人聞彼佛名受持讀誦恭
敬礼拜是人畢竟得大无畏攝取无量无邊功德
舍利弗過第七千佛國土有世界名摩尼光明彼
處有佛名然燈佛　阿羅訶三藐三佛陁現在說
法若善男子善女人聞彼佛名至心恭敬礼拜受
持讀誦是人攝得如來十力
舍利弗復過八千佛國土有寶世界彼世界中有
佛名寶聲如來阿羅訶三藐三佛陁現在說法若善
男子善女人聞彼佛名至心受持讀誦至心礼拜是人
畢竟得四聖諦畢竟得阿耨多羅三藐三菩提
舍利弗復過七千佛國土有佛世界名光明佛名

[illegible]
男子善女人聞彼佛名至心受持讀誦至心礼拜是人
畢竟得四聖諦畢竟得阿耨多羅三藐三菩提
舍利弗復過廿千佛國土有佛世界名光明佛名
无邊垢无　阿羅呵三藐三佛陁現在說法若善
男子善女人聞彼佛名至心信受持讀誦恭敬礼
拜若復有人以滿三千大千世界七寶布施比聞无
垢佛名受持讀誦功德千分不及一乃至筭數亦不
及一何以故若衆生善根微薄不能得聞无垢佛名若有
善男子善女人聞无邊離垢如來名是人非於一佛所
種諸善根亦非十佛所種諸善根是人乃是百千万
佛所種諸善根是人超越世間卌八劫
舍利弗東方過九千佛國土有世界名妙聲佛名月
聲　阿羅呵三藐三佛陁現在說法若善男子善女
人聞彼佛名能受持讀誦至心礼拜是人所得一切功德
白法具足如滿月月畢竟得阿耨多羅三藐三菩提
舍利弗復過十千佛國土有世界名无畏佛名无邊
稱阿羅呵三藐三佛陁現在說法若善男子善女人
聞彼佛名受持讀誦合掌作如是言南无无邊稱
[illegible]

舍利弗復過十千佛國土有世界名无畏佛名无邊
稱阿羅呵三藐三佛陁現在說法若善男子善女人
聞彼佛名受持讀誦合掌作如是言南无无邊稱
世尊若復有人以七寶如須弥等布施日日如是滿足
百年此福德聚比持佛名功德百分不及一乃至筭數
譬喻所不能及
舍利弗復過千五百佛國土有世界名日然燈佛
名日月光明　阿羅訶三藐三佛陁現在說法若善
男子善女人聞彼佛名受持讀誦踋跪合掌右膝
着地三遍作如是言南无日月光明世尊南无日月
光明世尊南无日月光明世尊是人速成阿耨多
羅三藐三菩提
舍利弗復過三十千佛國土有世界名无垢佛名
无垢光明　阿羅訶三藐三佛陁現在說法若善
男子善女人天龍夜叉羅刹若人非人聞是佛名畢
竟不退阿耨多羅三藐三菩提不入惡道
舍利弗東方過十千佛國土有世界名百光明
佛名清淨光明　阿羅訶三藐三佛陁現在說法
天龍夜叉人非人聞名者必得人身遠貪瞋癡煩
[illegible]

舍利弗東方過十千佛[illegible]
佛名清淨光明　阿羅訶三藐三佛陁現在說法
天龍夜叉人非人聞名者必得人身遠貪瞋癡煩
惱若人聞不信者六十千劫墮大地獄
舍利弗復過百佛國土有世界名善德佛名日
光明　阿羅訶三藐三佛陁現在說法若人畢竟
清淨心稱彼佛名所得功德之如日輪畢竟能伏
一切諸魔外道超越世間世劫
舍利弗復過六十千佛國土有世界名住七覺分
佛名无邊寶　阿羅訶三藐三佛陁現在說法
若人聞彼佛名是人具足得七寶不能最衆生著
勝寶中畢竟成就无量功德聚
舍利弗復過五百佛國土有世界名華鏡像佛名
華勝　阿羅訶三藐三佛陁現在說法若人聞彼
名信心敬重彼人一切善法成就如華敷超越世
間五十五劫
舍利弗復過百千億佛國土有世界名遠離一切憂
惱佛名妙身　阿羅訶三藐三佛陁現在說法若
人聞彼佛名至心敬重礼拜供養是人畢竟遠離
一切諸障不入惡道超越世間无量劫

舍利弗復過百千億佛國土有世界名遠離一切憂
惱佛名妙身　阿羅訶三藐三佛陁現在說法若
人聞彼佛名至心敬重礼拜供養是人畢竟遠離
一切諸障不入惡道超越世間无量劫
舍利弗復過那由他佛國土有世界名平等彼處
有佛号法光明清淨開敷蓮華佛阿羅訶三藐
三佛陁現在說法若人得聞彼如来名受持不妄
失者永離三惡道
舍利弗若比丘比丘尼優婆塞優婆夷欲懺諸罪
當淨洗浴著新淨衣淨治室內敷高座安置佛
像懸廿五枚幡種種華香供養誦此廿五佛名日
夜六時懺悔滿廿五日滅四重八重等罪式叉摩
那沙弥尼沙弥亦復如是
尒時舍利弗白佛言世尊唯願世尊爲我說過
去七佛姓名壽命長短我等樂聞佛告舍利弗
諦聽諦聽當爲汝說舍利弗過去九十一劫
　有佛名毗婆尸如来過去世劫
有佛名尸棄如来彼劫中復有毗舍浮如来自
此以後无量无邊劫空過无佛至賢劫中有四佛

有佛名尸棄如來彼劫中復有毗舍浮如來自
此以後无量无邊劫空過无佛至賢劫中有四佛
拘留孫佛　拘那含牟尼佛　迦葉佛　我釋迦牟尼佛
毗婆尸佛壽命八十千劫　尸棄佛壽命六十千劫毗
舍浮佛壽命二千劫　拘留孫佛壽命十四小劫
拘那含牟尼佛壽命卅小劫　迦葉佛壽命二小劫
我現在寂小壽命一百歲
毗婆尸佛尸棄佛毗舍浮佛刹利家生拘留孫佛
拘那含牟尼佛迦葉佛婆羅門家生
舍利弗我釋迦牟尼佛刹利家生
毗婆尸佛尸棄佛毗舍浮佛三佛姓拘隣
拘留孫佛拘那含牟尼佛迦葉佛此三佛姓迦葉
舍利弗我釋迦牟尼佛姓瞿曇
舍利弗毗婆尸佛波吒羅樹下得阿耨多羅三
藐三菩提
尸棄佛分陁利樹下得阿耨多羅三藐三菩提
毗舍浮佛沙羅樹下得阿耨多羅三藐三菩提
拘那含牟尼佛尸利沙樹下得阿耨多羅三藐
三菩提
拘留孫佛憂曇跋樹下得阿耨多羅三藐三菩提

BD02163號　佛名經（十六卷本）卷一一　（29–17）

毗舍浮佛沙羅樹下得阿耨多羅三藐三菩提
拘那含牟尼佛尸利沙樹下得阿耨多羅三藐
三菩提
拘留孫佛憂曇跋樹下得阿耨多羅三藐三菩提
迦葉佛尼拘律樹下得阿耨多羅三藐三菩提
我釋迦牟尼佛阿說陁樹下得阿耨多羅三藐三菩提
毗婆尸佛三集聲聞　尸棄佛三集聲聞
毗舍浮佛再集聲聞　拘留孫佛一集聲聞
拘那含牟尼佛一集聲聞　迦葉佛一集聲聞
我釋迦牟尼佛一集聲聞
毗婆尸佛第一聲聞弟子一名吉沙二名看荼
尸棄佛第一聲聞弟子一名勝二名自在
毗舍浮佛第一聲聞弟子一名星宿二名上
拘留孫佛第一聲聞弟子一名疾二名力
拘那含牟尼佛第一聲聞弟子一名活二名毗頭羅
迦葉佛第一聲聞弟子一名輪那二名頗羅墮
我釋迦牟尼佛第一聲聞弟子一名舍利弗二名
目揵連如上二人等前者智慧第一後神通第一
毗婆尸佛侍者名无憂　尸棄佛侍者名離畏

BD02163號　佛名經（十六卷本）卷一一　（29–18）

[illegible]
目揵連如上三人等前者智慧第一後神通第一
毗婆尸佛侍者名无憂　尸棄佛侍者名離畏
毗舍浮佛侍者名寂　拘留孫佛侍者名智
拘那含文尼佛侍者名親
迦葉佛侍者名迦夫　我侍者名歡喜
毗婆尸佛子名氏陰　尸棄佛子名不可量
毗舍浮佛子名善智　拘留孫佛子名上
拘那含文尼佛子名勝　迦葉佛子名導師
我子名羅睺羅
毗婆尸佛父名槃頭母名槃頭意城名槃頭
尸棄佛父名鈎那母名勝城名阿樓那跋提
毗舍浮佛父名阿樓那天子母名稱意城名值意
拘留孫佛父婆羅門種父名功德母名廣波天子
名无畏城名无畏
拘那含文尼佛父婆羅門種父名火德母名難勝天
子名莊嚴　城亦名莊嚴
迦葉佛婆羅門種父名淨德母名善才天子名知
使城亦名知使今時波羅柰城是
我今父名輪頭樹王母名摩訶摩耶　城名迦毗羅

BD02163號　佛名經（十六卷本）卷一一　（29–19）

迦葉佛婆羅門種父名淨德母名善才天子名知
使城亦名知使今時波羅柰城是
我今父名輪頭樹王母名摩訶摩耶　城名迦毗羅
舍利弗應當敬礼我本師謂釋迦牟尼佛稱妙
佛降伏一切德
南无然燈光佛　南无无畏佛
南无法勝佛
如是等初一大阿僧祇劫有八千億佛最後
名釋迦牟尼佛
第二阿僧祇劫初寶勝佛　然燈佛　如聲佛
勝氏佛　善見佛　善眼佛　提待羅吒佛
師子无畏自在不違善眼善山善意旃檀降伏
熱降伏闇師子奮迅妙聲无量威德淨德炎見
第一義復有釋迦牟尼妙行勝妙寂靜妙身功德
梵命月降自在調山因陁羅財此是第二大阿僧
祇劫有如是等七十二億佛應當敬
舍利弗大力大精進淨德大明陽炎復有釋迦牟
尼大龍大威德堅行旃檀寶山因陁羅幢无畏作
富樓那寶髻波頭摩勝妙勝无无與无明降伏怨

BD02163號　佛名經（十六卷本）卷一一　（29–20）

舍利弗[illegible]
尼大龍大威德堅行旃檀寶山目陁羅幢无畏作
富樓那寶髻波頭摩勝妙勝无无與光明降伏怨
波斯他大幢頗羅墮畢沙星宿毗婆尸尸棄拘留毗
舍浮能作光明不可勝復有尸棄善見實後釋
迦牟尼第三大阿僧祇劫中有如是等七十一億
佛應當敬礼
南无歡喜增長佛　南无人自在王佛
舍利弗如是等過去无量佛等應當敬礼
南无不動佛　南无大聖佛
南无歡喜佛　南无自在佛
南无普光明佛　南无滿足佛
南无拘隣佛　南无安隱佛
南无大精進佛　南无智慧佛
南无大稱佛　南无阿嵬律佛
南无妙勝佛　南无不猒足佛
南无大光炎聚佛　南无月光佛
南无大威德佛　南无普寶蓋佛
南无那羅延光明佛　南无師子乘光明佛
南无離一切憂惱光明佛　南无堅固光明佛

BD02163號　佛名經（十六卷本）卷一一　（29–21）

南无大光炎聚佛　南无月光佛
南无大威德佛　南无普寶蓋佛
南无那羅延光明佛　南无師子乘光明佛
南无離一切憂惱光明佛　南无堅固光明佛
南无雲王光明佛　南无无㝵辯光明佛
南无成就義光明佛　南无勝讓光明佛
南无稱勝大王光明佛
南无如是等同名不可說不可說佛
舍利弗汝應當敬礼无量壽佛國安樂世界觀
世音菩薩得大勢菩薩以為上首
及无量无邊菩薩如是摩利支世界華勝佛國
土光明幢菩薩光明勝菩薩以為上首
及无量无邊阿僧祇菩薩衆如是可樂世界阿閦
佛國土香象菩薩妙香菩薩以為上首
及无量无邊菩薩衆如是盧舍那世界日月佛
國土師子菩薩師子慧菩薩以為上首
及无量无邊菩薩衆如是不瞬世界善月佛國
土莎羅胎菩薩一切法得自在菩薩以為上首
及无量无邊菩薩衆樂成世界寶炎如來佛國
土[illegible]以為上首

BD02163號　佛名經（十六卷本）卷一一　（29–22）

及无量无邊菩薩衆如是不眴世界善臣佛國
土莎羅胎菩薩一切法得自在菩薩以為上首
及无量无邊菩薩衆樂成世界寶英如來佛國
土不空奮迅菩薩不空見菩薩以為上首
及无量无邊菩薩衆觀世界普觀如來佛國土
雲菩薩法王菩薩以為上首
及无量无邊菩薩衆見愛世界觀世音如來佛
國土降伏魔菩薩山王菩薩以為上首
及无量无邊菩薩衆如是等十方世界一切佛國
土一切菩薩我皆歸命
舍利弗歸命善清淨无垢寶功德集勝王佛
南无因陀羅幢佛　南无普照佛
南无清淨光明王佛　南无金山光明子奮迅佛
南无普勝山功德佛　南无金剛勝佛
南无普見王佛　南无善住功德摩尼佛
南无普賢佛　南无普照佛
南无寶法勝決定佛　南无无畏王佛
次礼十二部尊經大藏法輪
南无菩薩亦生地經　南无尒然逈國迦羅越經
南无菩薩五十德行經　南无老摩竭經

次礼十二部尊經大藏法輪
南无菩薩亦生地經　南无尒然逈國迦羅越經
南无菩薩五十德行經　南无老摩竭經
南无諦了生死本經　南无阿差末菩薩經
南无了本生死經　南无師比丘經
南无呪盡道呪經　南无善馬有三相經
南无長者法志妻經　南无呪毒虵神呪經
南无移山經　南无須真太子經
南无聖法印經　南无諸佛要集經
南无七夢經　南无四貪想經
南无九傷經　南无諸福德田經
南无神呪辟除賊害經　南无屁吒國王經
南无比丘尒衛經　南无鑪炭經
南无梵摩經　南无須陀洹四功德經
南无待戒而教分金經　南无蓮華女經
次礼十方諸大菩薩
南无慧積菩薩　南无寶勝菩薩
南无天王菩薩　南无壞魔菩薩
南无電德菩薩　南无自在王菩薩
……十二部經一切賢聖

南无慧積菩薩　南无寶勝菩薩
南无天王菩薩　南无壞魔菩薩
南无電德菩薩　南无自在王菩薩
從此以上八千八百佛十二部經一切賢聖
南无切德相嚴菩薩　南无師子吼菩薩
南无雷音菩薩　南无山相擊音菩薩
南无香象菩薩　南无白香象菩薩
南无常精進菩薩　南无不休息菩薩
南无妙生菩薩　南无華嚴菩薩
南无觀世音菩薩　南无得大勢菩薩
南无梵網菩薩　南无寶杖菩薩
南无无勝菩薩　南无嚴土菩薩
南无金髻菩薩　南无珠髻菩薩
南无彌勒菩薩　南无文殊師利法王子菩薩
次禮聲聞緣覺一切賢聖
南无寶辟支佛　南无不可比辟支佛
南无歡喜辟支佛　南无喜辟支佛
南无隨喜辟支佛　南无士婆羅門辟支佛
南无高名婆羅辟支佛　南无大身辟支佛
南无同菩提辟支佛　南无摩訶男辟支佛

BD02163號　佛名經（十六卷本）卷一一　（29–25）

南无歡喜辟支佛　南无喜辟支佛
南无隨喜辟支佛　南无士婆羅門辟支佛
南无高名婆羅辟支佛　南无大身辟支佛
南无同菩提辟支佛　南无摩訶男辟支佛
南无心上辟支佛　南无既淨辟支佛
歸命如是等无量无邊辟支佛
禮三寶已次復懺悔
已懺悔身三口四竟次復懺悔佛法僧間一切諸
障經中佛說人身難得佛法難聞衆僧難值信心難
生六根難具善友難得而今相與宿殖善根得此人
身六根完具又值善友得聞正法於其中間復各能
盡心精懃懇到悲於未來長淪万苦无有出期是
故今日應須至到慙愧稽首歸依於佛
南无東方滿月光明佛　南无南方自在王佛
南无西方无邊光佛　南无北方金剛王佛
南无東南方師子音佛　南无西南方香象遊戲佛
南无西北方須彌相佛　南无東北方寶家高德佛
南无下方寶蓮華佛　南无上方廣衆德佛
如是等十方盡虛空界一切三寶
弟子等自從无始以來至于今日常以无明覆心

BD02163號　佛名經（十六卷本）卷一一　（29–26）

南无西北方須弥相佛　南无東北方寳衆蓋德佛
南无下方寳優鉢花佛　南无上方廣衆德佛
如是等十方盡虛空界一切三寳
弟子等自從无始以来至於今日常以无明覆心
煩惱障竟見佛形像不能盡心恭敬輕蔑衆僧
殘害善友破塔毀寺焚燒形像出佛身血或自處
華堂安置尊像卑猥之處使烟薰日暴風吹雨
露塵土汙坌雀鼠殘毀共住共宿曾无礼敬或
裸露像身初不嚴飾或遮掩燈燭開閉殿宇障佛
光明如是等罪今日至誠皆悉懺悔
又復无始以来至于今日或於法間有障不淨手
爪把捉經卷或臨經書非法俗語或安置床頭坐
起不敬或開閉箱篋虫嚙朽爛或首軸脫落部黨
失次或議脫漏誤紙黑破裂自不脩理不肯流轉如
是等罪今悉懺悔
或眠地聽經仰卧讀誦高聲語咲乱他聽法或邪解
佛語僻說聖意非法說法法說非法非犯說犯犯
說非犯輕罪說重重罪說輕或抄前著後抄後着
前前後着中中着前後綺餙文辤安置己典或爲

佛語僻說聖意非法說法法說非法非犯說犯犯
說非犯輕罪說重重罪說輕或抄前著後抄後着
前前後着中中着前後綺餙文辤安置己典或爲
利養名譽恭敬爲人說法无道德心求法師過而
爲論議非理徵擊不爲長解求出世法或輕慢佛
語尊重邪教毀呰大乘讀聲聞道如是等罪无
量无邊今日至到皆悉懺悔
又復无始以来至于今日或於僧間有障殺害阿
羅漢破和合僧害發无上菩提心人斷滅佛種使聖
道不行或罷脫人道鞭考沙門楚撻駈使昔言加
謗或破淨戒毀於威儀或勸他人捨於八正受行五
法或假託形儀闚竊賦任如是等罪今悉懺悔
或裸形輕衣在經像前不淨脚履蹹上殿塔或着
屧屣入僧伽藍涕唾堂房汙佛僧地乘車策馬排
突寺舍如是等罪及於三寳間所起罪障无量
无邊今日至到向十方佛尊法聖衆皆悉懺悔
願弟子等承是懺悔佛法僧間所有罪障生生
世世常值三寳尊仰恭敬无有猒足天繒妙綵
寳絞絡臺百千伎樂珎異華香非世所有常以

屢覆入僧伽藍涕唾塗房汙佛僧地乘車策馬排
突寺舍如是等罪及於三寶間所起罪障无量
无邊今日至到向十方佛尊法聖衆皆悉懺悔
願弟子等承是懺悔佛法僧間所有罪障生生
世世常值三寶尊仰恭敬无有猒足天繒妙綵
寶絞絡臺百千伎樂珎異華香非世所有常以
供養若未成佛先往勸請開甘露門若入涅槃
願我常得勸最後供於衆僧中脩六和敬得
自在力興隆三寶上弘佛道下化衆生至心歸
命常住三寶

佛說佛名經卷第十一

BD02163號　佛名經（十六卷本）卷一一　（29–29）

通未得自在爲現无明微細秘密未能悟
解事業无明此二无明障於十地於一切境
微細所知障礙无明極細煩惱麤重无明此
二无明障於佛地
善男子菩薩摩訶薩於初地中行施波羅蜜
於第二地行戒波羅蜜於第三地行忍波羅蜜
於第四地行勤波羅蜜於第五地行定波
羅蜜於第六地行慧波羅蜜於第七地行方
便勝智波羅蜜於第八地行願波羅蜜於第
九地行力波羅蜜於第十地行智波羅蜜善
男子菩薩摩訶薩最初發心攝受能生妙寶
三摩地第二發心攝受能生可愛樂三摩地第
三發心攝受能生難動三摩地第四發心攝
受能生不退轉三摩地第五發心攝受能生
生寶花三摩地第六發心攝受能生日圓光
燄三摩地第七發心攝受能生一切願如意
成就三摩地第八發心攝受能生現前證住
三摩地第九發心攝受能生智藏三摩地第
十發心攝受能生勇進三摩地善男子是名
菩薩摩訶薩十種發心善男子菩薩摩訶薩
於此初地得陁羅尼名依功德力尒時世尊

BD02164號　金光明最勝王經卷四　（5–1）

受能生不退轉三摩地第五發心攝受能生
生寶花三摩地第六發心攝受能生日圓光
談三摩地第七發心攝受能生一切願如意
成就三摩地第八發心攝受能生現前證住三
摩地第九發心攝受能生智藏三摩地第
十發心攝受能生勇進三摩地善男子是名
菩薩摩訶薩十種發心善男子菩薩摩訶薩
於此初地得陁羅尼名依功德力尒時世尊
即說呪曰
怛姪他　晡啡你曼奴喇剎
獨虎獨虎獨虎　耶跋蘇利瑜
阿婆婆薩底（丁里反下皆同）　耶跋旃達囉
調怛底　多跋達洛叉溭
憚荼鉢喇訶嚧　矩嚕莎訶
善男子此陁羅尼是過一恒河沙數諸佛所
說為護初地菩薩故若有誦持此陁羅尼呪
者得脫一切怖畏所謂虎狼師子惡獸之
類一切惡鬼人非人等怨賊災橫及諸苦惱
解脫五障不忘念初地
善男子菩薩摩訶薩於第二地得陁羅尼名
善安樂住
怛姪他　嗢蒿（入聲下同）里
質里質里　嗢蒿羅蒿羅（引）喃
繕覩繕覩嗢蒿里　虎嚕虎嚕莎訶
善男子此陁羅尼是過二恒河沙數諸佛所
說為護二地菩薩故若有誦持此陁羅尼呪
者脫諸怖畏惡獸惡鬼人非人等怨賊災橫

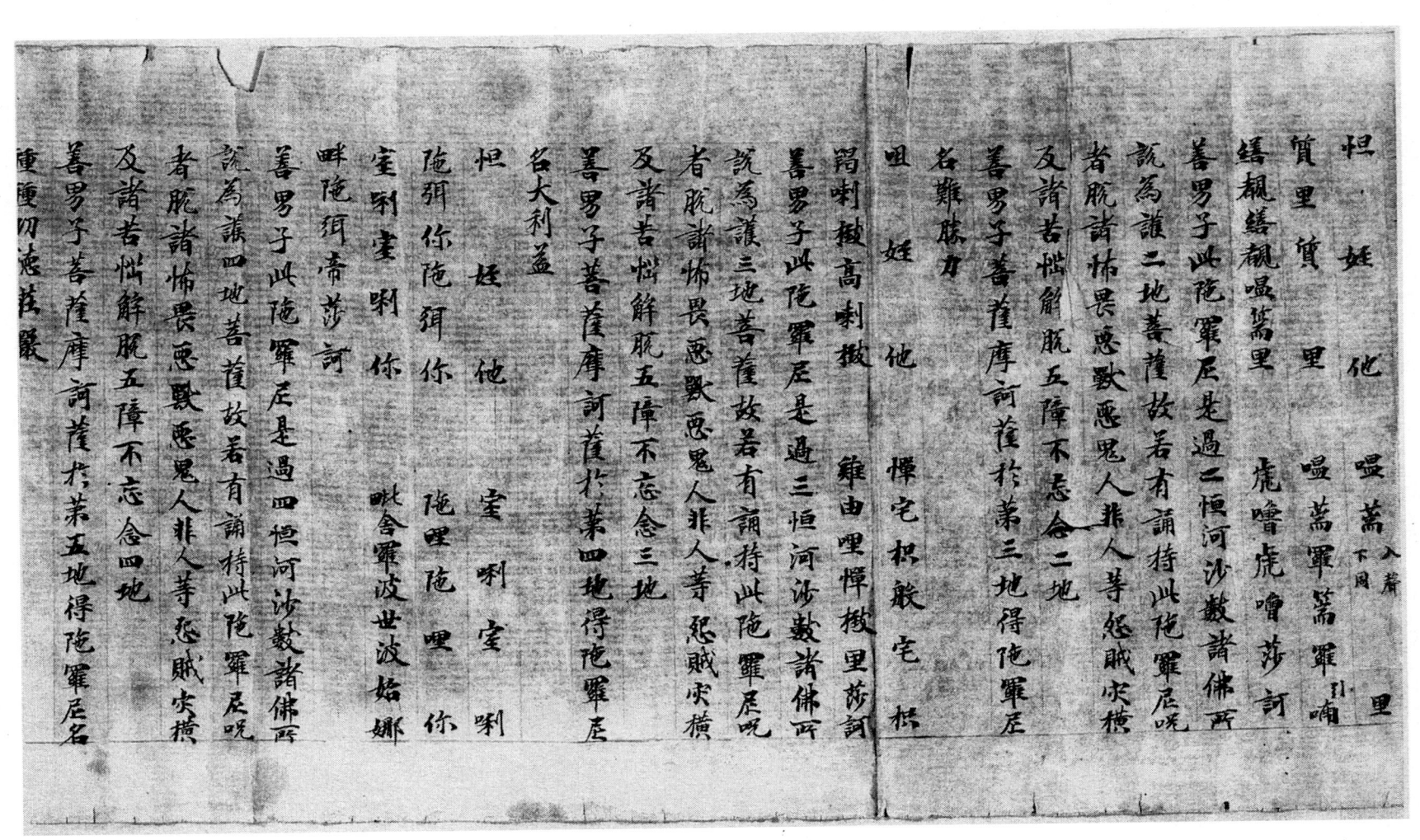

BD02164 號　金光明最勝王經卷四　（5–2）

怛姪他　嗢蒿（入聲下同）里
質里質里　嗢蒿羅蒿羅（引）喃
繕覩繕覩嗢蒿里　虎嚕虎嚕莎訶
善男子此陁羅尼是過二恒河沙數諸佛所
說為護二地菩薩故若有誦持此陁羅尼呪
者脫諸怖畏惡獸惡鬼人非人等怨賊災橫
及諸苦惱解脫五障不忘念二地
善男子菩薩摩訶薩於第三地得陁羅尼
名難勝力
怛姪他　憚宅枳般宅枳
羯喇撥高喇撥　雞由哩憚撥里莎訶
善男子此陁羅尼是過三恒河沙數諸佛所
說為護三地菩薩故若有誦持此陁羅尼呪
者脫諸怖畏惡獸惡鬼人非人等怨賊災橫
及諸苦惱解脫五障不忘念三地
善男子菩薩摩訶薩於第四地得陁羅尼
名大利益
怛姪他　室唎室唎
陁弭你陁弭你　陁哩陁哩你
室唎室唎你　毗舍羅波世波始娜
畔陁弭帝莎訶
善男子此陁羅尼是過四恒河沙數諸佛所
說為護四地菩薩故若有誦持此陁羅尼呪
者脫諸怖畏惡獸惡鬼人非人等怨賊災橫
及諸苦惱解脫五障不忘念四地
善男子菩薩摩訶薩於第五地得陁羅尼名
種種功德莊嚴

BD02164 號　金光明最勝王經卷四　（5–3）

畔陁須帝莎訶
善男子此陁羅尼是過四恒河沙數諸佛所
說為護四地菩薩故若有誦持此陁羅尼呪
者脫諸怖畏惡獸惡鬼人非人等怨賊灾橫
及諸苦惱解脫五障不忘念四地
善男子菩薩摩訶薩於第五地得陁羅尼名
種種功德莊嚴
怛 姪 他 訶 哩 訶 哩 你
遮 哩 遮 哩 你 羯 喇 摩 引 你
僧 羯 喇 摩 引 你 三 婆 山 你 瞻 跋 你
悉 躭 婆 你 謨 漢 你 碎 闍 步 陛 莎 訶
善男子此陁羅尼是過五恒河沙數諸佛所
說為護五地菩薩摩訶薩故若有誦持此陁
羅尼呪者脫諸怖畏惡獸惡鬼人非人等怨
賊灾橫及諸苦惱解脫五障不忘念五地
善男子菩薩摩訶薩於第六地得陁羅尼名
圓滿智
怛 姪 他 毗 徒 哩 毗 徒 哩
摩 哩 你 迦 哩 迦 哩 毗 度 漢 底
嚕 嚕 嚕 主 嚕 主 嚕
杜 嚕 婆 杜 嚕 婆 捨 捨 設 者 婆 哩 灑
莎入悉底薩婆薩埵喃 悉 甸 覩 漫
曼怛囉鉢陁你莎訶
善男子此陁羅尼是過六恒河沙數諸佛所
說為護六地菩薩摩訶薩故若有誦持此陁
羅尼呪者脫諸怖畏惡獸惡鬼人非人等怨
賊灾橫及諸苦惱解脫五障不忘念六地

BD02164 號　金光明最勝王經卷四

（5–4）

遮 哩 遮 哩 你 羯 喇 摩 引 你
僧 羯 喇 摩 引 你 三 婆 山 你 瞻 跋 你
悉 躭 婆 你 謨 漢 你 碎 闍 步 陛 莎 訶
善男子此陁羅尼是過五恒河沙數諸佛所
說為護五地菩薩摩訶薩故若有誦持此陁
羅尼呪者脫諸怖畏惡獸惡鬼人非人等怨
賊灾橫及諸苦惱解脫五障不忘念五地
善男子菩薩摩訶薩於第六地得陁羅尼名
圓滿智
怛 姪 他 毗 徒 哩 毗 徒 哩
摩 哩 你 迦 哩 迦 哩 毗 度 漢 底
嚕 嚕 嚕 主 嚕 主 嚕
杜 嚕 婆 杜 嚕 婆 捨 捨 設 者 婆 哩 灑
莎入悉底薩婆薩埵喃 悉 甸 覩 漫
曼怛囉鉢陁你莎訶
善男子此陁羅尼是過六恒河沙數諸佛所
說為護六地菩薩摩訶薩故若有誦持此陁
羅尼呪者脫諸怖畏惡獸惡鬼人非人等怨
賊灾橫及諸苦惱解脫五障不忘念六地
善男子菩薩摩訶薩於第七地得陁羅尼名
法勝行
怛 姪 他 勺 訶 上 勺 訶 引 嚕

BD02164 號　金光明最勝王經卷四

（5–5）

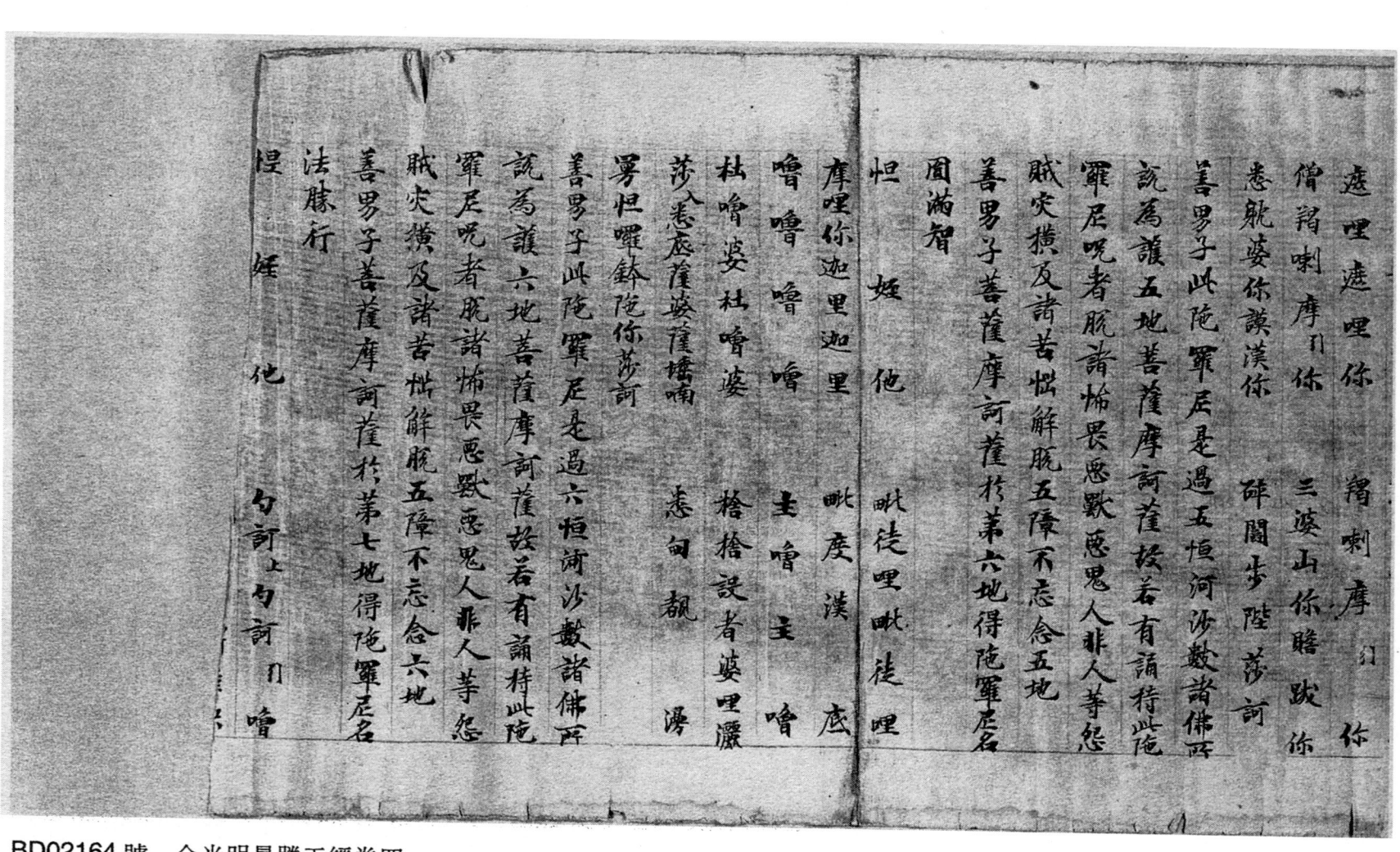

南无難勝佛　南无阿閦佛
南无盧舍佛　南无阿弥陀佛
南无尼弥佛　南无寶光炎佛
南无弥留佛　南无自在佛
南无寶精進月光莊嚴威德聲自在王佛
南无遠離一切諸畏煩惱上功德佛
南无初發心念斷疑發解斷煩惱佛
南无斷諸煩惱闇三昧上王佛
南无寶炎佛　南无大炎積佛
南无栴檀佛　南无手上王佛
南无寶上佛　南无善住智惠王无障佛
南无火光慧滅昏闇佛　南无烏增上佛
南无截金剛佛　南无天王佛
南无一切義上王佛　南无三昧喻佛
南无念王佛　南无光明觀佛
南无一切所依王佛　南无善讃幢王佛
南无發趣速自在王佛　南无寶炎佛
南无積大炎佛　南无栴檀香佛
南无善住慧王无障佛　南无炎智音佛
南无寶藏佛　南无放炎佛
南无迦葉佛　南无多羅住佛
南无智來佛　南无能聖佛
南无過一切憂惱王佛　南无一切德莊嚴佛
[illegible]

BD02165號　佛名經（十六卷本）卷一　（5–1）

[illegible]
南无善住慧王无障佛　南无炎智音佛
南无寶藏佛　南无放炎佛
南无迦葉佛　南无多羅住佛
南无智來佛　南无能聖佛
南无過一切憂惱王佛　南无一切德莊嚴佛
南无成就一切義佛　南无无畏王佛
南无一切衆生導師佛
次礼十二部尊經大藏法輪
凡閻浮界内一切經合有八万四千卷
南无山海慧經　南无日曜經
南无月曜經　南无日淨經
南无池喻經　南无月淨經
南无華鮮經　南无斧柯經
南无法華經　南无摩訶般若波羅蜜經
南无摩訶衍經　南无毗婆沙經
南无增一阿含經　南无華嚴經
南无大般涅槃經　南无大品經
南无阿毗曇經　南无大集經
南无誠實論經　南无雜阿毗曇經
南无長阿含經　南无諸佛下生經
南无舍利弗阿毗曇經　南无出曜經
南无四分經　南无妙讃經
南无光讃經　南无雜阿含經
從此以上四百佛十二部經
次礼十方諸大菩薩　南无文殊師利菩薩
南无无垢稱菩薩　南无地藏菩薩

BD02165號　佛名經（十六卷本）卷一　（5–2）

南无四分経　南无妙讚経
南无光讚経　南无雜阿含経
從此以上四百佛十二部経
次礼十二諸大菩薩　南无文殊師利菩薩
南无无垢稱菩薩　南无地藏菩薩
南无虛空藏菩薩　南无觀世音菩薩
南无大勢至菩薩　南无香象菩薩
南无大香象菩薩　南无藥王菩薩
南无藥上菩薩　南无金剛藏菩薩
南无解脫月菩薩　南无弥勒菩薩
南无奮迅菩薩　南无无所發菩薩
南无陀羅尼自在王菩薩
南无无盡意菩薩　南无堅意菩薩
南无歸命如是无量无邊菩薩
南无東方九十億百千万同名梵勝菩薩
南无南方九十億百千万同名不隣陀羅菩薩
南无西方九十億百千万同名大功德菩薩
南无北方九十億百千万同名大藥王菩薩
歸命如是等十方世界无量无邊菩薩
南无舍利弗應當敬礼十方諸大菩薩摩
訶薩
南无文殊師利菩薩摩訶薩
南无觀世音菩薩
南无大勢至菩薩　南无普賢菩薩
南无龍勝菩薩　南无龍德菩薩
次礼聲聞緣覺一切賢聖

BD02165號　佛名經（十六卷本）卷一

（5–3）

南无文殊師利菩薩摩訶薩
南无觀世音菩薩
南无大勢至菩薩　南无普賢菩薩
南无龍勝菩薩　南无龍德菩薩
次礼聲聞緣覺一切賢聖
南无阿利多辟支佛　南无婆利多辟支佛
南无多伽樓辟支佛　南无稱辟支佛
南无見辟支佛　南无愛見辟支佛
南无見人飛騰辟支佛　南无乾陀羅辟支佛
南无妻辟支佛　南无梨沙婆辟支佛
歸命如是等无量无邊辟支佛
礼三寶已次復懺悔
夫欲礼懺必須先敬三寶所以然者三寶
即是一切衆生良友福田若能歸向者則滅
无量罪長无量福能令行者離生死苦得解
脫樂是故弟子某甲等歸依十方盡虛空
界一切諸佛歸依十方盡虛空界一切尊法歸
依十方盡虛空界一切菩薩聖僧弟子今日所以
懺悔者正言无始以來在凡夫地莫問貴賤
罪自无量或因三業而生罪或從六根而起過
或以內心自邪思惟或藉外境起於染著如
是乃至十惡增長八万四千諸塵勞門然其
罪相雖復无量大而為語不出有三何等為
三一者煩惱二者是業三者是果報此三種
法能障聖道及以人天勝妙好事是故経
中目為三障所以諸佛菩薩教作方便懺悔

BD02165號　佛名經（十六卷本）卷一

（5–4）

或以內心自耶思惟或藉外境起於染著如
是乃至十惡增長八万四千諸塵勞門然其
罪相雖復无量大而為語不出有三何等為
三一者煩惱二者是業三者是果報此三種
法能障聖道及以人天勝妙好事是故經
中目為三障所以諸佛菩薩教作方便懺悔
除滅此三滅者則六根十惡乃至八万四千諸
塵勞門皆悉清淨是故弟子今日運此
增上勝心懺悔三障欲滅此三罪者當用
何等心可令此罪滅除先當興七種心以為
方便然後此罪乃可得滅何等為七一者
慚愧二者恐怖三者猒離四者發菩提
心五者怨親平等六者念報佛恩七者
第一慚愧者自惟我与釋迦如來同為凡
夫而今世尊成道以來已經介所塵沙劫
數而我等相与耽染六塵流浪生死永无
出期此實天下可慚可愧可羞可恥
第二恐怖者既是凡夫身口意業常與罪
相應以是因緣命終之後應墮地獄畜生
餓鬼受无量苦如此實為可驚可恐可怖
可懼

BD02165 號　佛名經（十六卷本）卷一　　（5–5）

戊寅年
戊寅年十月二日
夫欲礼
夫欲礼
夫欲礼
夫欲

BD02165 號背　雜寫　　（1–1）

金有陁羅尼経
如是我聞一時薄伽梵住如□□□□藥叉大
將金剛手俱
尒時天百施住世尊所到已頂礼佛足退
坐一面坐一面已天帝百施白佛言世尊我
入戰陣而闘戰時以阿修羅幻惑呪術藥
力墮於負處而知已不唯然顛世尊慈
愍於我為令摧伏阿修羅衆幻惑呪術及
藥力故善說最勝大蜜之呪時薄伽梵告
天帝百施曰憍尸迦如是如是與阿修羅
而闘戰時實以明呪秘蜜藥力而墮負處
憍尸迦為哀愍故今說明呪欲令幻惑明呪
退散闘戰諍訟悉皆消滅一切秘呪及諸藥
等而得斷除說於明呪
尒時薄伽梵說大金有明呪之日我今為說三
無數劫諸餘外道行者遍遊祼形而起
惡思作諸鄣㝵我從彼來所有幻惑一切
明呪悉能降伏六度圓滿斷除諸餘外道
行者遍遊祼形惱亂曰明呪秘呪藥及一

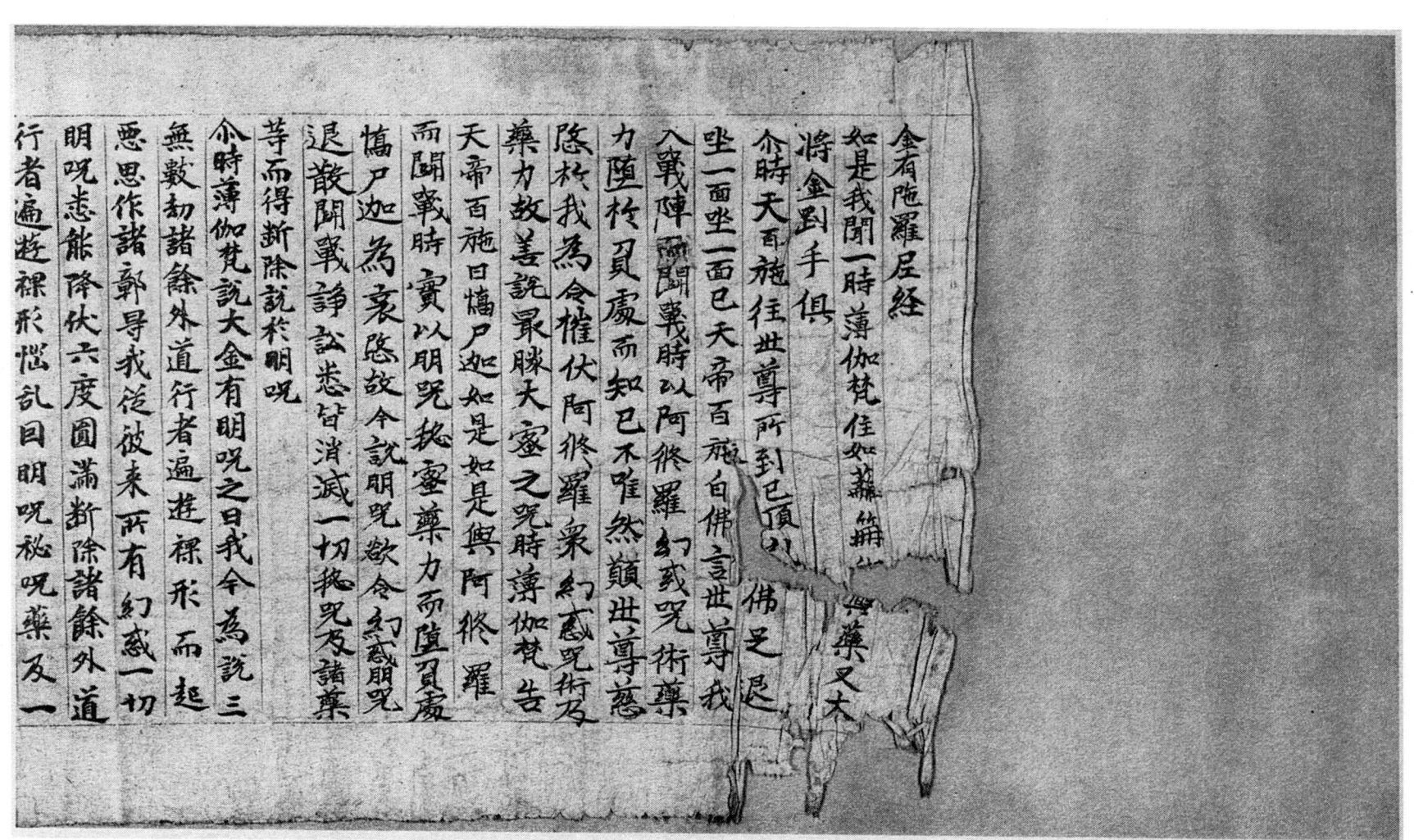

BD02166 號　金有陀羅尼經

（4–1）

等而得斷除說於明呪
尒時薄伽梵說大金有明呪之日我今為說三
無數劫諸餘外道行者遍遊祼形而起
惡思作諸鄣㝵我從彼來所有幻惑一切
明呪悉能降伏六度圓滿斷除諸餘外道
行者遍遊祼形惱亂曰明呪秘呪藥及一
切諸魔朋黨大明之呪憍尸迦汝當攝受諸
有情故受持最勝大秘蜜呪天帝白言如是
世尊唯然受教尒時世尊即說金有大明呪
曰
怛也他唵　希你希你　希離希離　命離命離
希明離　你希你希　你希囉秘你　軌佐那波羅
哺羅枹哆滿怛囉阿地訖梨羯　閉羅閉羅
閉哆滿怛囉　阿地迦囉羅　訶那訶那　訶婆訶婆
覩馱覩馱　頻那頻那　薄迦跋羅　佐曳秘佐曳
横婆你　悉談婆你　畔馱你牟訶你阿牟伽
爍羅馱囉你　訖梨那訖梨那迦多𧂐磨婆耶
横婆也　横婆也　畔佐也畔佐也悉嚟婆也畔馱也畔
馳也牟訶也　牟訶也
所有一切若天幻惑若龍幻惑若藥叉幻惑
若羅刹幻惑若緊那羅幻惑若乹闥婆幻
惑若羅刹幻惑若緊那羅幻惑若乹闥婆幻
惑若阿脩羅幻惑若莫呼洛迦幻惑若大腹
行幻惑若持明呪幻惑若持明呪成就王幻
惑若仙幻惑若持一切明呪幻惑若羣主幻
惑若一切幻惑　囉羅囉羅　囉佐也　囉佐也　始
磨始磨　始始磨囉婆囉婆囉婆耶作割蘭畢
伽蘭他你　訶那訶那　薩婆鞞哆　奢咄嚧難

BD02166 號　金有陀羅尼經

（4–2）

行幻惑若持明呪幻惑若持明呪成就王幻
惑若仙幻惑若持一切明呪幻惑若羣生幻
惑若一切幻惑 囉羅囉羅 囉佐也 囉佐也 姞
磨姞磨 姞姞磨囉婆囉婆囉婆耶作割 蘭單
伽蘭他你 訶耶訶耶 薩婆鞞哆 奢呿盧難
悉詃婆也 婆尹悉詃婆也 秀迟悉詃婆也
薩南悉詃婆也 婆盧難悉詃婆也 悉你富悉詃
婆也 欝軋哆梨哆 梨馱囉㲘惟 馱囉寧波奢
訶悉㲘 薜奢他也婆世耶 若有於我能為
惡叡諸賊嗔恚具極惡心鬪諍極諍欲作
一切无利益者訶耶訶耶哆訶哆訶波佐波
佐半佐也半佐也 横婆也横婆也 悉詃婆也悉
詃婆也 半馱也 半馱也 牟訶也 牟訶也摩訶
牟訶你 薄伽跋㲘莎訶
於一切怖畏嬈惱疾疫巔守護我以馱莎訶
憍尸迦若善男子若善女人若王若王大臣
能憶此金有明呪者彼无他怖畏於彼部黨
他所敵軍不能侵惱亦非天亦非龍亦非藥
叉亦非軋闥婆亦非阿脩羅亦非緊那羅亦
非莫呼洛迦亦非持明呪者亦非毗霊毋等
亦不非時而捨壽命明呪秘呪一切諸藥不能
為害他所敵軍不能侵遶他所敵軍而不傷
命刀不能害水火毒藥明呪秘呪一切諸藥而
不能侵還着於彼自作教他隨喜造罪彼
之處所憍尸迦是淨故信苾蒭苾蒭尼烏波
索迦烏波斯迦善男子善女人等以此明呪
呪水七遍自洗其身能護於身若有欲令於
一切怖畏一切嬈惱一切疾疫一切明呪一切秘

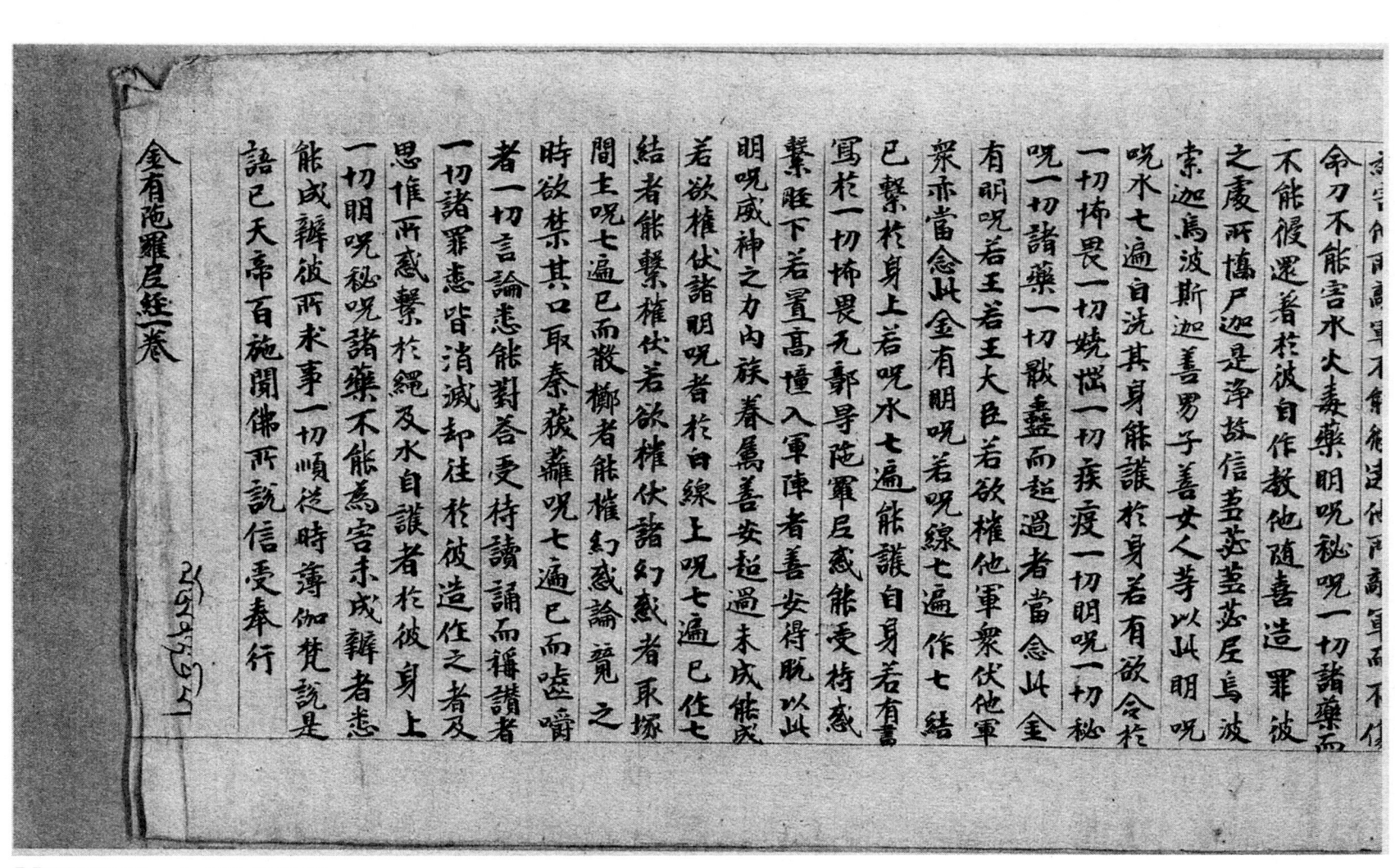

BD02166號　金有陀羅尼經　（4–3）

為害他所敵軍不能侵遶他所敵軍而不傷
命刀不能害水火毒藥明呪秘呪一切諸藥而
不能侵還着於彼自作教他隨喜造罪彼
之處所憍尸迦是淨故信苾蒭苾蒭尼烏波
索迦烏波斯迦善男子善女人等以此明呪
呪水七遍自洗其身能護於身若有欲令於
一切怖畏一切嬈惱一切疾疫一切明呪一切秘
呪一切諸藥一切獸蠱而超過者當念此金
有明呪若王若王大臣若欲權他軍衆伏他軍
衆亦當念此金有明呪若呪線七遍作七結
已繫於身上若呪水七遍能護自身若有書
寫於一切怖畏无鄣㝵陀羅尼惑能受持惑
繫胵下若置高幢入軍陣者善安得脫以此
明呪威神之力内族眷屬善安超過未成能成
若欲權伏諸明呪者於白線上呪七遍已作七
結者能繫權伏若欲權伏諸幻惑者取塚
間土呪七遍已而散擲者能權幻惑論覓之
時欲禁其口取秦荻蘿呪七遍已而嘘嚼
者一切言論悉能對荅受持讀誦而稱讃者
一切諸罪悉皆消滅却往於彼造作之者及
思惟所惑繫於繩及水自護者於彼身上
一切明呪秘呪諸藥不能為害未成辯者悉
能成辯彼所求事一切順從時薄伽梵說是
語已天帝百施聞佛所說信受奉行

金有陀羅尼經一卷

BD02166號　金有陀羅尼經　（4–4）

BD02166 號背　寺院題名

（1-1）

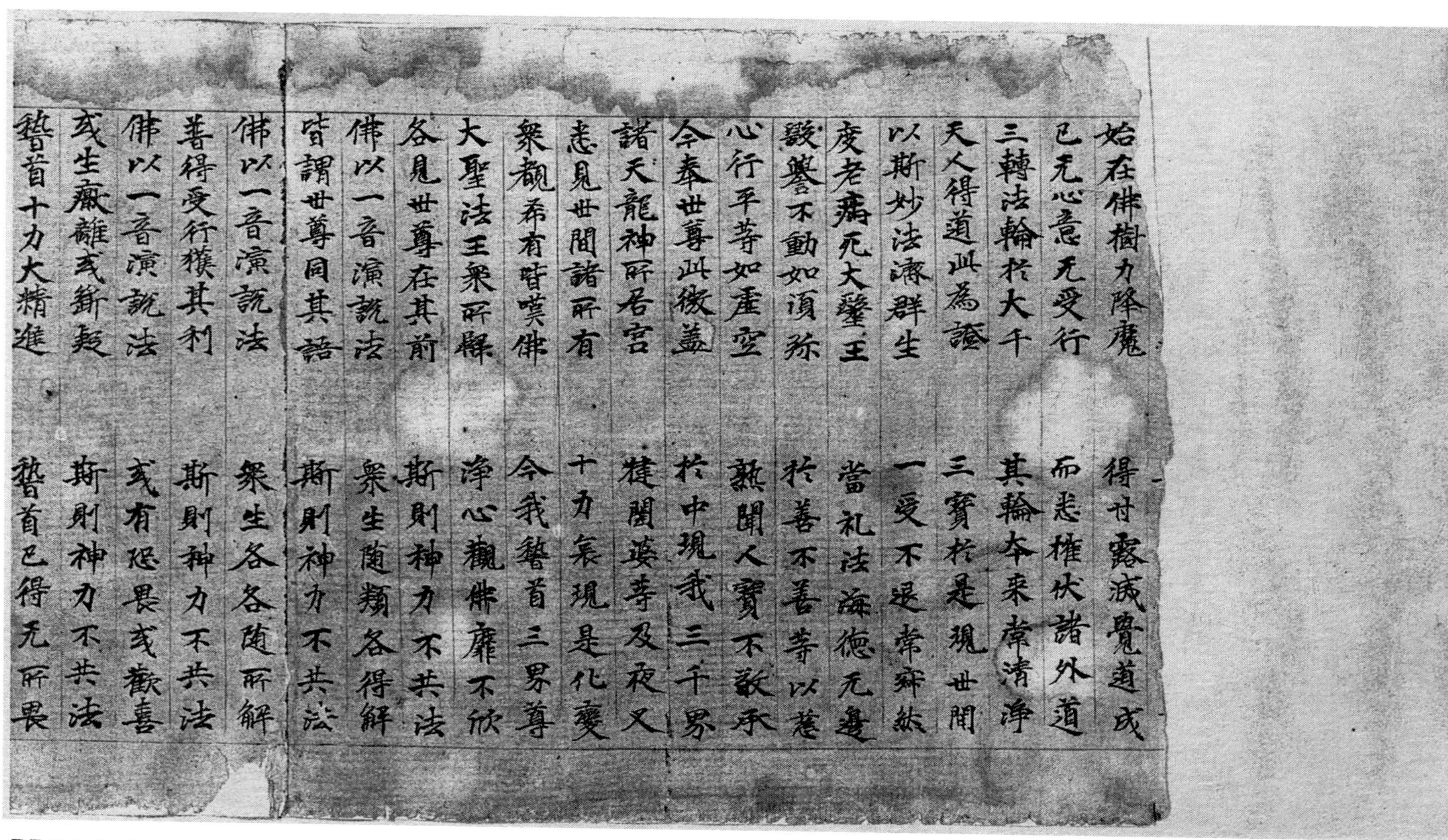

始在佛樹力降魔 得甘露滅覺道成
已无心意无受行 而悉摧伏諸外道
三轉法輪於大千 其輪本來常清淨
天人得道此為證 三寶於是現世間
以斯妙法濟群生 一受不退常寂然
度老病死大醫王 當礼法海德无邊
毀譽不動如須彌 於善不善等以慈
心行平等如虛空 孰聞人寶不敬承
今奉世尊此微蓋 於中現我三千界
諸天龍神所居宮 揵闥婆等及夜叉
悉見世間諸所有 十力哀現是化變
衆覩希有皆歎佛 今我稽首三界尊
大聖法王衆所歸 淨心觀佛靡不欣
各見世尊在其前 斯則神力不共法
佛以一音演說法 衆生隨類各得解
皆謂世尊同其語 斯則神力不共法
佛以一音演說法 衆生各各隨所解
普得受行獲其利 斯則神力不共法
佛以一音演說法 或有恐畏或歡喜
或生厭離或斷疑 斯則神力不共法
稽首十力大精進 稽首已得无所畏

BD02167 號　維摩詰所說經卷上

（24-1）

佛以一音演說法　[illegible]
善得受行獲其利　斯則神力不共法
佛以一音演說法　或有恐畏或歡喜
或生厭離或斷疑　斯則神力不共法
稽首十力大精進　稽首已得无所畏
稽首住於不共法　稽首一切大導師
稽首能斷衆結縛　稽首已到於彼岸
稽首能度諸世間　稽首永離生死道
悉知衆生來去相　善於諸法得解脫
不著世間如蓮華　常善入於空寂行
達諸法相无罣礙　稽首如空無所依
尒時長者子寶積說此偈已白佛言世尊是
五百長者子皆已發阿耨多羅三藐三菩提
心願聞得佛國土清淨唯願世尊說諸菩薩
淨土之行佛言善哉寶積乃能為諸菩薩問
於如來淨土之行諦聽諦聽善思念之當為
汝說於是寶積及五百長者子受教而聽佛
言寶積衆生之類是菩薩佛土所以者何菩薩
隨所化衆生而取佛土隨所調伏衆生而
取佛土隨諸衆生應以何國入佛智慧而取
佛土隨諸衆生應以何國起菩薩根而取佛
土所以者何菩薩取於淨國皆為饒益諸衆
生故譬如有人欲於空地造立宮室隨意无
礙若於虛空終不能成菩薩如是為成就衆
生故願取佛國願取佛國者非於空也寶積
當知直心是菩薩淨土菩薩成佛時不諂衆
生來生其國深心是菩薩淨土菩薩成佛時

礙若於虛空終不能成菩薩如是為成就衆
生故願取佛國願取佛國者非於空也寶積
當知直心是菩薩淨土菩薩成佛時不諂衆
生來生其國深心是菩薩淨土菩薩成佛時
具足功德衆生來生其國大乘心是菩薩淨
土菩薩成佛時大乘衆生來生其國布施是
菩薩淨土菩薩成佛時一切能捨衆生來生
其國持戒是菩薩淨土菩薩成佛時行十善
道滿願衆生來生其國忍辱是菩薩淨土菩
薩成佛時三十二相莊嚴衆生來生其國精進
是菩薩淨土菩薩成佛時勤脩一切功德衆
生來生其國禪定是菩薩淨土菩薩成佛時
攝心不亂衆生來生其國智慧是菩薩淨土
菩薩成佛時正定衆生來生其國四无量心
是菩薩淨土菩薩成佛時成就慈悲喜捨衆
生來生其國四攝法是菩薩淨土菩薩成佛
時解脫所攝衆生來生其國方便是菩薩淨
土菩薩成佛時於一切法方便无礙衆生來
生其國卅七道品是菩薩淨土菩薩成佛時
念處正勤神足根力覺道衆生來生其國迴
向心是菩薩淨土菩薩成佛時得一切具足
功德國土說除八難是菩薩淨土菩薩成佛
時國土无有三惡八難自守戒行不譏彼闕
是菩薩淨土菩薩成佛時國土无有犯禁之
名十善是菩薩淨土菩薩成佛時命不中夭
大富梵行所言誠諦常以軟語眷屬不離善
和諍訟言必饒益不嫉不恚正見衆生來生

時國土无有三惡八難自守戒行不譏彼闕
是菩薩淨土菩薩成佛時國土无有犯禁之
名十善是菩薩淨土菩薩成佛時命不中夭
大富梵行所言誠諦常以軟語眷屬不離善
和諍訟言必饒益不嫉不恚正見衆生來生
其國如是寶積菩薩隨其直心則能發行隨
其發行則得深心隨其深心則意調伏隨意
調伏則如說行隨如說行則能迴向隨其迴
向則有方便隨其方便則成就衆生隨成就
衆生則佛土淨隨佛土淨則說法淨隨說法
淨則智慧淨隨智慧淨則其心淨隨其心淨
則一切功德淨是故寶積若菩薩欲得淨土
當淨其心隨其心淨則佛土淨
尒時舍利弗承佛威神作是念若菩薩心淨
則佛土淨者我世尊本為菩薩時意豈不淨
而是佛土不淨若此佛知其念即告之言於
意云何日月豈不淨耶而盲者不見對曰不
也世尊是盲者過非日月咎舍利弗衆生罪
故不見如來佛國嚴淨非如來咎舍利弗我見
此土清淨而汝不見尒時螺髻梵王語舍利弗
勿作是意謂此佛土以為不淨所以者何我
見釋迦牟尼佛土清淨譬如自在天宮舍利
弗言我見此土丘陵坑坎荊蕀沙礫土石諸
山穢惡充滿螺髻梵言仁者心有高下不依
佛慧故見此土為不淨耳舍利弗菩薩於一
切衆生悉皆平等深心清淨依佛智慧則

BD02167號　維摩詰所說經卷上　（24–4）

山穢惡充滿螺髻梵言仁者心有高下不依
佛慧故見此土為不淨耳舍利弗菩薩於一
切衆生悉皆平等深心清淨依佛智慧則
能見此佛土清淨於是佛以足指案地即時
三千大千世界若干百千珍寶嚴飾譬如寶莊
嚴佛无量功德寶莊嚴土一切大衆歎未曾
有而皆自見坐寶蓮華佛告舍利弗汝且觀
是佛土嚴淨舍利弗言唯然世尊本所不見
本所不聞今佛國土嚴淨悉現佛語舍利弗
我佛國土常淨若此為欲度斯下劣人故示
是衆惡不淨土耳譬如諸天共寶器食隨其
福德飯色有異如是舍利弗若人心淨便見
此土功德莊嚴當現此國土嚴淨之時寶
積所將五百長者子皆得无生法忍八萬四
千人發阿耨多羅三藐三菩提心佛攝神足
於是世界還復如故求聲聞乘三萬二千天
及人知有為法皆悉无常遠塵離垢得法
眼淨八千比丘不受諸法漏盡解
方便品第二
尒時毗耶離大城中有長者名維摩詰已曾
供養无量諸佛深植善本得无生忍辯才无
礙遊戲神通逮諸總持獲无所畏降魔勞怨
入深法門善於智度通達方便大願成就明
了衆生心之所趣又能分別諸根利鈍久於
佛道心已純淑決定大乘諸有所作能善思量
住佛威儀心大如海諸佛咨嗟弟子釋梵

BD02167號　維摩詰所說經卷上　（24–5）

了眾生心之所趣又能分別諸根利鈍久於
佛道心已純淑決定大乘諸有所作能善思量
住佛威儀心大如海諸佛咨嗟弟子釋梵
世主所敬欲度人故以善方便居毗耶離資
財无量攝諸貧民奉戒清淨攝諸毀禁以忍
調行攝諸恚怒以大精進攝諸懈怠一心禪
寂攝諸亂意以決定慧攝諸无智雖為白衣
奉持沙門清淨律行雖處居家不著三界示
有妻子常修梵行現有眷屬常樂遠離雖服
寶飾而以相好嚴身雖復飲食而以禪悅為
味若至博弈戲處輒以度人受諸異道不毀
正信雖明世典常樂佛法一切見敬為供養
中最執持正法攝諸長幼一切治生諧偶雖
獲俗利不以喜悅遊諸四衢饒益眾生入治
正法救護一切入講論處導以大乘入諸學
堂誘開童蒙入諸婬舍示欲之過入諸酒肆
能立其志若在長者長者中尊為說勝法若
在居士居士中尊斷其貪著若在剎利剎利
中尊教以忍辱若在婆羅門婆羅門中尊除
其我慢若在大臣大臣中尊教以正法若在
王子王子中尊示以忠孝若在內官內官中
尊化政宮女若在庶民庶人中尊令興福力
若在梵天梵天中尊誨以勝慧若在帝釋
釋中尊示現无常若在護世護世中尊護諸
眾生長者維摩詰以如是等无量方便饒益
眾生其以方便現身有疾以其疾故國王大

BD02167號　維摩詰所說經卷上　（24–6）

若在梵天梵天中尊誨以勝慧若在帝釋
釋中尊示現无常若在護世護世中尊護諸
眾生長者維摩詰以如是等无量方便饒益
眾生其以方便現身有疾以其疾故國王大
臣長者居士婆羅門等及諸王子并餘官屬
无數人天皆往問疾其往者維摩詰因以身
疾廣為說法諸仁者是身无常无強无力无
堅速朽之法不可信也為苦為惱眾病所集
諸仁者如此身明智者所不怙是身如聚沫
不可撮摩是身如泡不可久立是身如焰從
渴愛生是身如芭蕉中无有堅是身如幻從
顛倒起是身如夢為虛妄見是身如影從業
緣現是身如響屬諸因緣是身如浮雲須臾
變滅是身如電念念不住是身无主為如地
是身无我為如火是身无壽為如風是身无
人為如水是身不實四大為家是身為空離
我我所是身无知如草木瓦礫是身无作風
力所轉是身不淨穢惡充滿是身為虛偽雖
假以澡浴衣食必歸磨滅是身為災百一病
惱是身如丘井為老所逼是身无定為要當
死是身如毒蛇如怨賊如空聚陰界諸入所共
合成諸仁者此可患厭當樂佛身所以者何
佛身者即法身也從无量功德智慧生從
戒定慧解脫解脫知見生從慈悲喜捨生從
布施持戒忍辱柔和勤行精進禪定解脫三
昧多聞智慧諸波羅蜜生從方便生從六通

BD02167號　維摩詰所說經卷上　（24–7）

佛身者即法身也從无量功德智慧生從
戒定慧解脫解脫知見生從慈悲喜捨生從
布施持戒忍辱柔和勤行精進禪定解脫三
昧多聞智慧諸波羅蜜生從方便生從六通
生從三明生從卅七道品生從止觀生從十
力四无所畏十八不共法生從斷一切不善
法集一切善法生從真實生從不放逸生從
如是无量清淨法生如來身諸仁者欲得佛
身斷一切衆生病者當發阿耨多羅三藐三
菩提心如是長者維摩詰為諸問疾者如應
說法令无數千人皆發阿耨多羅三藐三菩
提心

弟子品第三

尒時長者維摩詰自念寢疾于牀世尊大慈
寧不垂愍佛知其意即告舍利弗汝行詣維
摩詰問疾舍利弗白佛言世尊我不堪任詣
彼問疾所以者何憶念我昔曾於林中宴坐
樹下時維摩詰來謂我言唯舍利弗不必是
坐為宴坐也夫宴坐者不於三界現身意是
為宴坐不起滅定而現諸威儀是為宴坐不
捨道法而現凡夫事是為宴坐心不住內亦
不住外是為宴坐於諸見不動而脩行三十
七品是為宴坐不斷煩惱而入涅槃是為宴
坐若能如是坐者佛所印可時我世尊聞是
語已默然而止不能加報故我不任詣彼問疾
佛告大目揵連汝行詣維摩詰問疾目連白

不住外是為宴坐於諸見不動而脩行三十
七品是為宴坐不斷煩惱而入涅槃是為宴
坐若能如是坐者佛所印可時我世尊聞是
語已默然而止不能加報故我不任詣彼問疾
佛告大目揵連汝行詣維摩詰問疾目連白
佛言世尊我不堪任詣彼問疾所以者何憶
念我昔入毗耶離大城於里巷中為諸居士
說法時維摩詰來謂我言唯大目連為白衣
居士說法不當如仁者所說夫說法者當如法
說法无衆生離衆生垢故法无有我離我
垢故法无壽命離生死故法无有人前後際
斷故法常寂然滅諸相故法離於相无所緣
故法无名字言語斷故法无有說離覺觀故
法无形相如虛空故法无戲論畢竟空故法
无我所離我所故法无分別離諸識故法无
有比无相待故法不屬因不在緣故法同法
性入諸法故法隨於如无所隨故法住實際
諸邊不動故法无動搖不依六塵故法无去
來常不住故法順空隨无相應无作法離好
醜法无增損法无生滅法无所歸法過眼耳
鼻舌身心法无高下法常住不動法離一切
觀行唯大目連法相如是豈可說乎夫說法
者无說无示其聽法者无聞无得譬如幻士
為幻人說法當建是意而為說法當了衆生
根有利鈍善於知見无所罣礙以大悲心讚
于大乘念報佛恩不斷三寶然後說法維摩

[illegible]法相如是豈可說乎夫說法
者无說无示其聽法者无聞无得辟如幻士
為幻人說法當建是意而為說法當了衆生
根有利鈍善於知見无所罣礙以大悲心讚
于大乘念報佛恩不斷三寶然後說法維摩
詰說是法時八百居士發阿耨多羅三藐三
菩提心我无此辯是故不任詣彼問疾
佛告大迦葉汝行詣維摩詰問疾迦葉白佛
言世尊我不堪任詣彼問疾所以者何憶念
我昔於貧里而行乞食時維摩詰來謂我言
唯大迦葉有慈悲心而不能普捨豪富從貧
乞迦葉住平等法應次行乞食為不食故應
行乞食為壞和合相故應取揣食為不受故
應受彼食以空聚想入於聚落所見色與盲
等所聞聲與響等所嗅香與風等所食味不
分別受諸觸如智證知諸法如幻相无自性
无他性本自不然今則无滅迦葉若能不捨
八邪入八解脫以邪相入正法以一食施一
切供養諸佛及衆賢聖然後可食如是食者
非有煩惱非離煩惱非入定意非起定意非
住世間非住涅槃其有施者无大福无小福
不為益不為損是為正入佛道不依聲聞迦
葉若如是食為不空食人之施也時我世尊
聞說是語得未曾有即於一切菩薩深起敬
心復作是念斯有家名辯才智慧乃能如是
其誰不發阿耨多羅三藐三菩提心我從是
來不復勸人以聲聞辟支佛行是故我不任

聞說是語得未曾有即於一切菩薩深起敬
心復作是念斯有家名辯才智慧乃能如是
其誰不發阿耨多羅三藐三菩提心我從是
來不復勸人以聲聞辟支佛行是故我不任
詣彼問疾
佛告須菩提汝行詣維摩詰問疾須菩提白
佛言世尊我不堪任詣彼問疾所以者何憶
念我昔入其舍從乞食時維摩詰取我鉢盛
滿飯謂我言唯須菩提若能於食等者諸法
亦等諸法等者於食亦等如是行乞乃可取
食若須菩提不斷婬怒癡亦不與俱不壞於
身而隨一相不滅癡愛起於明脫以五逆相
而得解脫亦不解不縛不見四諦非不見諦
非得果非不得果非凡夫非離凡夫法非聖
人非不聖人雖成就一切法而離諸法相乃
可取食若須菩提不見佛不聞法彼外道六
師富蘭那迦葉末伽梨拘賒梨子刪闍夜毗
羅胝子阿耆多翅舍欽婆羅迦羅鳩馱迦旃
延尼揵陁若提子等是汝之師因其出家彼
師所墮汝亦隨墮乃可取食若須菩提入諸
邪見不到彼岸住於八難不得无難同於煩
惱離清淨法汝得无諍三昧一切衆生亦得是
定其施汝者不名福田供養汝者墮三惡
道為與衆魔共一手作諸勞侶汝與衆魔及
諸塵勞等无有異於一切衆生而有怨心謗
諸佛毀於法不入衆數終不得滅度汝若如
是乃可取食時我世尊聞此茫然不識是何

諸塵勞等无有異於一切衆生而有怨心謗
諸佛毀於法不入衆數終不得滅度汝若如
是乃可取食時我世尊聞此茫然不識是何
言不知以何答便置鉢欲出其舍維摩詰言
唯須菩提取鉢勿懼於意云何如來所作化人
若以是事詰寧有懼不我言不也維摩詰言
一切諸法如幻化相汝今不應有所懼也所以
者何一切言說不離是相至於智者不著
文字故无所懼何以故文字性離无有文字
是則解脫解脫相者則諸法也維摩詰說是
法時二百天子得法眼淨故我不任詣彼問疾
佛告富樓那彌多羅尼子汝行詣維摩詰問
疾富樓那白佛言世尊我不堪任詣彼問疾
所以者何憶念我昔於大林中在一樹下為
諸新學比丘說法時維摩詰來謂我言唯富
樓那先當入定觀此人心然後說法无以穢食
置於寶器當知是比丘心之所念无以瑠璃
同彼水精汝不能知衆生根原无得發起以
小乘法彼自无瘡勿傷之也欲行大道莫示
小徑无以大海內於牛跡无以日光等彼螢
火富樓那此比丘久發大乘心中忘此意
如何以小乘法而教導之我觀小乘智慧微
淺猶如盲人不能分別一切衆生根之利鈍
時維摩詰即入三昧令此比丘自識宿命曾
於五百佛所殖衆得本迴向阿耨多羅三藐
三菩提即時豁然還得本心於是諸比丘稽

BD02167號　維摩詰所說經卷上　　（24–12）

時維摩詰即入三昧令此比丘自識宿命曾
於五百佛所殖衆得本迴向阿耨多羅三藐
三菩提即時豁然還得本心於是諸比丘稽
首礼維摩詰足時維摩詰因為說法於阿耨
多羅三藐三菩提不復退轉我念聲聞不觀
人根不應說法是故不任詣彼問疾
佛告摩訶迦旃延汝行詣維摩詰問疾迦旃
延白佛言世尊我不堪任詣彼問疾所以者
何憶念昔者佛為諸比丘略說法要我即於
後敷演其義謂无常義苦義空義无我義寂
滅義時維摩詰來謂我言唯迦旃延无以生
滅心行說實相法迦旃延諸法畢竟不生不
滅是无常義五受陰洞達空无所起是苦義
諸法究竟无所有是空義於我无我而不二
是无我義法本不然今則无滅是寂滅義說
是法時彼諸比丘心得解脫故我不任詣彼
問疾
佛告阿那律汝行詣維摩詰問疾阿那律白
佛言世尊我不堪任詣彼問疾所以者何憶
念我昔於一處經行時有梵王名曰嚴淨與
萬梵俱放淨光明來詣我所稽首作礼問我
言幾何阿那律天眼所見我即荅言仁者吾
見此釋迦牟尼佛土三千大千世界如觀掌
中菴摩勒果時維摩詰來謂我言唯阿那律
天眼所見為作相耶无作相耶假使作相則
與外道五通等若作无相即是无為不應有

BD02167號　維摩詰所說經卷上　　（24–13）

見此釋迦牟尼佛土三千大千世界如觀掌
中菴摩勒果時維摩詰来謂我言唯阿那律
天眼所見為作相耶无作相耶假使作相則
與外道五通等若作无相即是无為不應有
見世尊我時嘿然彼諸梵聞其言得未曾有
即為作礼而問曰世孰有真天眼者維摩詰
言有佛世尊得真天眼常在三昧悉見諸佛
國不以二相於是嚴淨梵王及其眷屬五百
梵天皆發阿耨多羅三藐三菩提心礼維摩
詰足已忽然不現故我不任詣彼問疾
佛告優波離汝行詣維摩詰問疾優波離白
佛言世尊我不堪任詣彼問疾所以者何憶
念昔者有二比丘犯律行以為耻不敢問佛
来問我言唯優波離我等犯律誠以為耻不
敢問佛願解疑悔得免斯咎我即為其如法
解說時維摩詰来謂我言唯優波離无重增
此二比丘罪當直除滅勿擾其心所以者何
彼罪性不在内不在外不在中間如佛所說
心垢故衆生垢心淨故衆生淨心亦不在内
不在外不在中間如其心然罪垢亦然諸法
亦然不出於如如優波離以心相得解脫時
寧有垢不我言不也維摩詰言一切衆生心
想无垢亦復如是唯優波離妄相是垢无妄
想是淨顛倒是垢无顛倒是淨取我是垢不
取我是淨優波離一切法生滅不住如幻如
電諸法不相待乃至一念不住諸法皆妄見
如夢如焰如水中月如鏡中像以妄想生其

寧有垢不我言不也維摩詰言一切衆生心
想无垢亦復如是唯優波離妄相是垢无妄
想是淨顛倒是垢无顛倒是淨取我是垢不
取我是淨優波離一切法生滅不住如幻如
電諸法不相待乃至一念不住諸法皆妄見
如夢如焰如水中月如鏡中像以妄想生其
知此者是名奉律其知此者是名善解於是
二比丘言上智哉是優波離所不及持律之
上而不能說我荅言自捨如来未有聲聞及
菩薩能制其樂說之辯其智慧明達為若此
也時二比丘疑悔即除發阿耨多羅三藐三
菩提心作是願言令一切衆生皆得是辯故
我不任詣彼問疾
佛告羅睺羅汝行詣維摩詰問疾羅睺羅白
佛言世尊我不堪任詣彼問疾所以者何憶
念昔時毗耶離諸長者子来詣我所稽首作
礼問我言唯羅睺羅汝佛之子捨轉輪王位
出家為道出家者有何等利我即如法為
說出家功德之利時維摩詰来謂我言唯羅
睺羅不應說出家功德之利所以者何无利
无功德是為出家有為法者可說有利有功
德夫出家者為无為法无為法中无利无功
德羅睺羅夫出家者无彼无此亦无中間離
六十二見處於涅槃智者所受聖所行處降伏
衆魔度五道淨五眼得五力立五根不惱於
彼離衆雜悪摧諸外道超越假名出淤泥无
繫著无我所无所受无擾乱内懷喜護彼意

衆魔度五道淨五眼得五力立五根不惱於
彼離衆雜惡摧諸外道超越假名出淤泥无
繫著无我所无所受无擾乱内懷喜護彼意
隨禪定離衆過若能如是是真出家於是維
摩詰語諸長者子汝等於正法中宜共出家
所以者何佛世難值諸長者子言居士我聞
佛言父母不聽不得出家維摩詰言然汝等
便發阿耨多羅三藐三菩提心是即出家是
即具足尒時三十二長者子皆發阿耨多羅
三藐三菩提心故我不任詣彼問疾
佛告阿難汝行詣維摩詰問疾阿難白佛言
世尊我不堪任詣彼問疾所以者何憶念昔
時世尊身小有疾當用牛乳我即持鉢詣大
婆羅門家門下立時維摩詰來謂我言唯阿
難何為晨朝持鉢住此我言居士世尊身小
有疾當用牛乳故來至此維摩詰言止止阿
難莫作是語如來身者金剛之體諸惡已斷
衆善普會當有何疾當有何惱嘿往阿難勿
謗如来莫使異人聞此麁言令大威德諸天
及他方淨土諸来菩薩得斯語阿難轉
輪聖王以少福故尚得无病豈況如来无量福
會普勝者哉行矣阿難勿使我等受斯耻也
外道梵志若聞此語當作是念何名為師自
疾不能救而能救諸疾人可密速去勿使人
聞當知阿難諸如来身即是法身非思欲身
佛為世尊過於三界佛身无漏諸漏已盡佛

BD02167 號　維摩詰所說經卷上　（24–16）

外道梵志若聞此語當作是念何名為師自
疾不能救而能救諸疾人可密速去勿使人
聞當知阿難諸如来身即是法身非思欲身
佛為世尊過於三界佛身无漏諸漏已盡佛
身无為不墮諸數如此之身當有何病時
我世尊實懷慚愧得无近佛而謬聽耶即聞
空中聲曰阿難如居士言但為佛出五濁惡
世現行斯法度脱衆生行矣阿難取乳勿慚
世尊維摩詰智慧辯才為若此也是故不任
詣彼問疾如来百大弟子各各向佛說其
本緣稱述維摩詰所言皆曰不任詣彼問疾

菩薩品第四

於是佛告弥勒菩薩汝行詣維摩詰問疾弥
勒白佛言世尊我不堪任詣彼問疾所以者
何憶念我昔為兜率天王及其眷屬說不退
轉地之行時維摩詰来謂我言弥勒世尊授
仁者記一生當得阿耨多羅三藐三菩提為
用何生得受記乎過去耶未来耶現在耶若
過去生過去生已滅若未来生未来生未至若
現在生現在生无住如佛所說比丘汝今即
時亦生亦老亦滅若以无生得受記者无生
即是正位於正位中亦无受記亦无得阿耨
多羅三藐三菩提云何弥勒受一生記乎為
從如生得受記耶為從如滅得受記耶若
以如生得受記者如无有生若以如滅得　受
記者如无有滅一切衆生皆如也一切法亦

BD02167 號　維摩詰所說經卷上　（24–17）

即是正位正位中亦无受記亦无得阿耨
多羅三藐三菩提云何弥勒受一生記乎為
從如生得受記耶為從如滅得受記耶若
以如生得受記者如无有生若以如滅得受
記者如无有滅一切衆生皆如也一切法亦
如也衆聖賢亦如也至弥勒亦如也若弥
勒得受記者一切衆生亦應受記所以者何
夫如者不二不異若弥勒得阿耨多羅三藐
三菩提者一切衆生皆亦應得所以者何一
切衆生即菩提相若弥勒滅度者一切衆生
亦當滅度所以者何諸佛知一切衆生畢竟
寂滅即涅槃相不復更滅是故弥勒无以此
法誘諸天子實无發阿耨多羅三藐三菩提
心者亦无退者弥勒當令此諸天子捨於分
別菩提之見所以者何菩提者不可以身得不
可以心得寂滅是菩提滅諸相故不觀是
菩提離諸緣故不行是菩提无憶念故斷是
菩提捨諸見故離是菩提離諸妄想故鄣是
菩提鄣諸願故不入是菩提无貪著故順是
菩提順於如故住是菩提住法性故至是菩
提至實際故不二是菩提離意法故等是菩
提等虛空故无為是菩提无生住滅故智是
菩提了衆生心行故不會是菩提諸入不會
故不合是菩提離煩惱習故无處是菩提无
形色故假名是菩提名字空故如化是菩提
无取捨故无乱是菩提常自靜故善寂是菩
提性清淨故无取是菩提離攀緣故无異是

BD02167 號　維摩詰所說經卷上　（24–18）

故不合是菩提離煩惱習故无處是菩提无
形色故假名是菩提名字空故如化是菩提
无取捨故无乱是菩提常自靜故善寂是菩
提性清淨故无取是菩提離攀緣故无異是
菩提諸法等故无比是菩提无可喻故微妙
是菩提諸法難知故世尊維摩詰說是法時
二百天子得无生法忍故我不任詣彼問疾。
佛告光嚴童子汝行詣維摩詰問疾光嚴白
佛言世尊我不堪任詣彼問疾所以者何憶
念我昔出毗耶離大城時維摩詰方入城我
即為作礼而問言居士從何所來答我言吾
從道場來我問道場者何是答曰直心是
道場无虛假故發行是道場能辦事故深心
是道場增益功德故菩提心是道場无錯謬
故布施是道場不望報故持戒是道場得願
具故忍辱是道場於諸衆生心无礙故精進
是道場不懈退故禪定是道場心調柔故智
慧是道場現見諸法故慈是道場等衆生故
悲是道場忍疲苦故喜是道場悅樂法故捨
是道場憎愛斷故神通是道場成就六通故
解脫是道場能背捨故方便是道場教化衆
生故四攝法是道場攝衆生故多聞是道場如
聞行故伏心是道場正觀諸法故卅七品是
道場捨有為法故諦是道場不誑世間故緣
起是道場无明乃至老死皆无盡故諸煩惱
是道場知如實故衆生是道場知无我故一
切法是道場知諸法空故降魔是道場不傾動故

BD02167 號　維摩詰所說經卷上　（24–19）

道場捨有為法故諦是道場不誑世間故緣
起是道場无明乃至老死皆无盡故諸煩惱
是道場知如實故衆生是道場知无我故一
切法是道場知諸法空故降魔是道場不傾
動故三界是道場无所趣故師子吼是道場
无所畏故力无畏不共法是道場无諸過故
三明是道場无餘礙故一念知一切法是道
場成就一切智故如是善男子菩薩若應諸
波羅蜜教化衆生諸有所作舉足下足當知
皆從道場來住於佛法矣說是法時五百天
人皆發阿耨多羅三藐三菩提心故我不任
詣彼問疾
佛告持世菩薩汝行詣維摩詰問疾時世白
佛言世尊我不堪任詣彼問疾所以者何憶
念我昔住於靜室時魔波旬從萬二千天女
狀如帝釋鼓樂絃歌來詣我所與其眷屬稽
首我足合掌恭敬於一面立我意謂是帝釋
而語之言善來憍尸迦雖福應有不當自恣
當觀五欲无常以求善本於身命財而脩堅
法即語我言正士受是萬二千天女可備掃
灑我言憍尸迦无以此非法之物要我沙門
釋子此非我宜所言未訖時維摩詰來謂我
言非帝釋也是為魔來嬈固汝耳即語魔言
是諸女等可以與我如我應受魔即驚懼念
維摩詰將无惱我欲隱形去而不能隱盡其
神力亦不得去即聞空中聲曰波旬以女與

BD02167號　維摩詰所說經卷上　（24–20）

釋子此非我宜所言未訖時維摩詰來謂我
言非帝釋也是為魔來嬈固汝耳即語魔言
是諸女等可以與我如我應受魔即驚懼念
維摩詰將无惱我欲隱形去而不能隱盡其
神力亦不得去即聞空中聲曰波旬以女與
之乃可得去魔以畏故俛仰而與爾時維摩
詰語諸女言魔以汝等與我今汝皆當發阿
耨多羅三藐三菩提心即隨所應而為說法
令發道意復語汝等已發道意有法樂可以
自娛不應復樂五欲樂也天女即問何謂法
樂答言樂常信佛樂欲聽法樂供養衆樂離
五欲樂觀五陰如怨賊樂觀四大如毒蛇樂觀
內入如空聚樂隨護道意樂饒益衆生樂
敬養師樂廣行施樂堅持戒樂忍辱柔和樂
勤集善根樂禪定不亂樂離垢明慧樂廣菩
提心樂降伏衆魔樂斷諸煩惱樂淨佛國土
樂成就相好故脩諸功德樂莊嚴道場樂聞深
法不畏樂三脫門不樂非時樂近同學樂於
非同學中心无恚礙樂將護惡知識樂近善
知識樂心喜清淨樂脩无量道品之法是為
菩薩法樂於是波旬告諸女言我欲與汝俱
還天宮諸女言以我等與此居士有法樂我
等甚樂不復樂五欲樂也魔言居士可捨此
女一切所有施於彼者是為菩薩維摩詰言
我已捨矣汝便將去令一切衆生得法願具
足於是諸女問維摩詰我等云何止於魔宮
言諸姉有法門名无盡燈汝等當學

BD02167號　維摩詰所說經卷上　（24–21）

等甚樂不復樂五欲樂世魔言居士可捨此
女一切所有施於彼者是為菩薩維摩詰言
我已捨矣汝便將去令一切衆生得法願具
足於是諸女問維摩詰我等云何止於魔宮
告言諸姊有法門名无盡燈汝等當學
譬如一燈然百千燈冥者皆明明
是諸姊夫一菩薩開導百千衆生
多羅三藐三菩提心於其道意亦
所說法而自增益一切善法是名
汝等雖住魔宮以是无盡燈令无
皆發阿耨多羅三藐三菩提心者
大饒益一切衆生尒時天女頭
足魔還宮忽然不現世尊維
自在神力智慧辯才故我不
善得汝行詣維摩詰問疾善得
我不堪任詣彼問疾所以者何
於父舍設大施會供養一切沙
諸外道貧窮下賤孤獨乞人期
摩詰來入會中謂我言長者子
當如汝所設當為法施之會何
為我言居士何謂法施之會法
无後一時供養一切衆生是名
明也謂以菩提起於慈心以救
心以持正法起於喜心以攝智
攝慳貪起檀波羅蜜以化犯

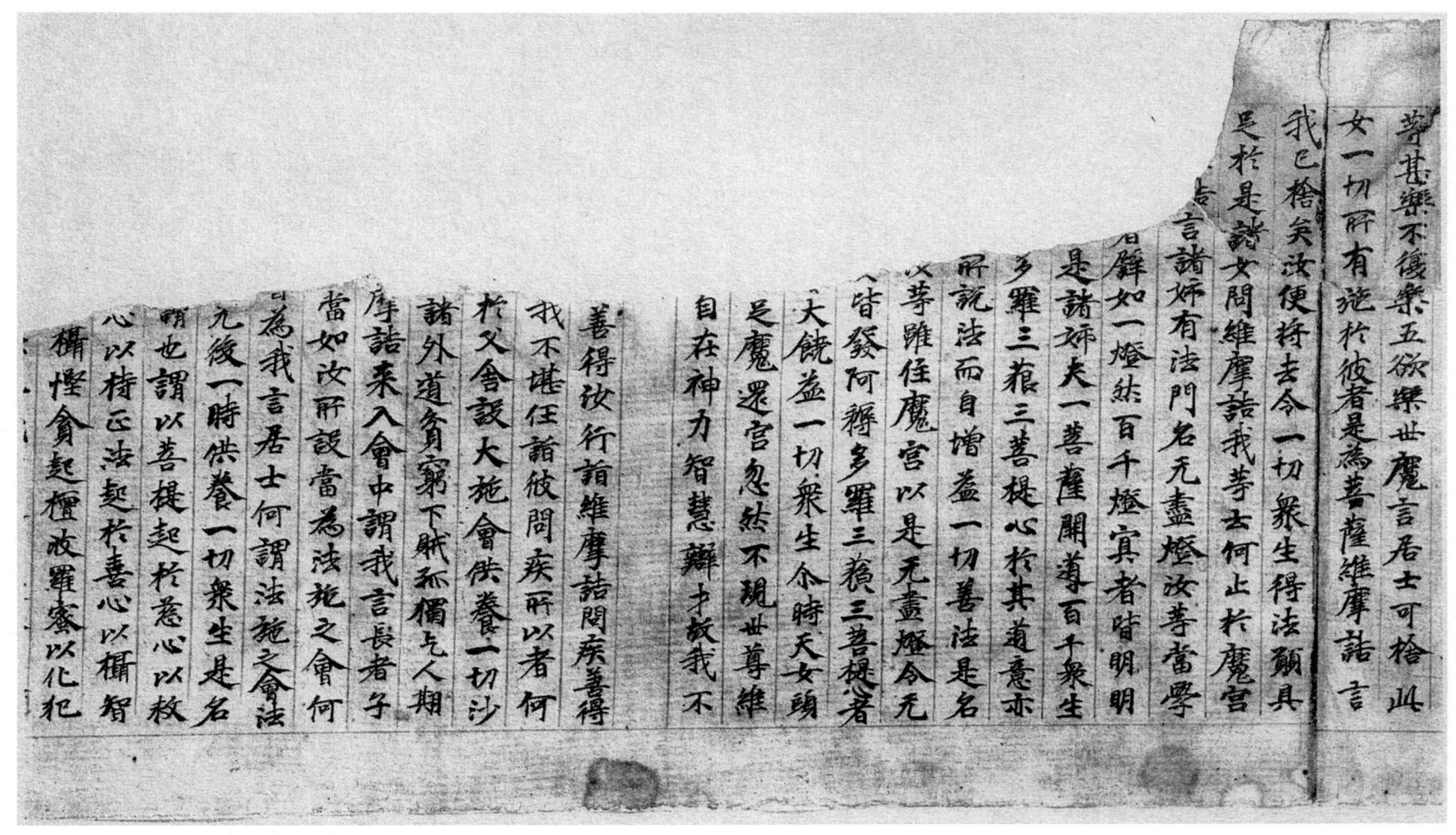

BD02167號　維摩詰所說經卷上　（24–22）

為我言居士何謂法施之會法
无後一時供養一切衆生是名
明也謂以菩提起於慈心以救
心以持正法起於喜心以攝智
攝慳貪起檀波羅蜜以化犯
以无我法起羼提波羅蜜以
邪波羅蜜以菩提相起禪
起般若波羅蜜教化衆生
為法而起无相示現受生
起方便力以度衆生起
除慢法於身命財起
念法於六和敬起質
命心淨歡喜起近賢
以出家法起於深心
以无諍法起空閑處起
衆生縛起脩行地以具
德業知一切衆生心念
知一切法不取不捨入
一切煩惱一切鄣礙一
得一切智慧一切善
知是善男子是為
是法施會者為大施主
維摩詰說是法時
阿耨多羅三藐三
未曾有稽首禮維
千以上之不肯取
所與維摩詰乃受

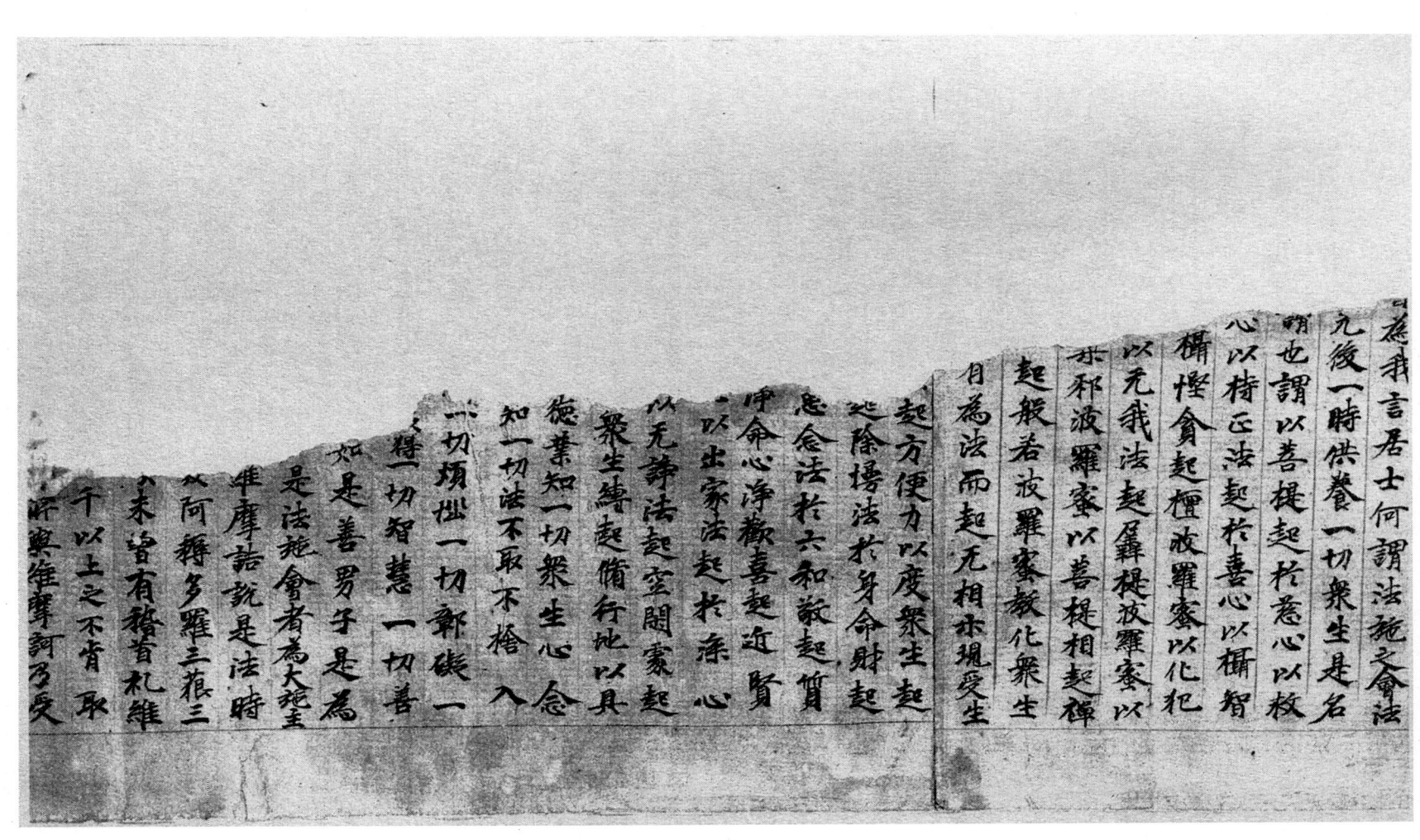

BD02167號　維摩詰所說經卷上　（24–23）

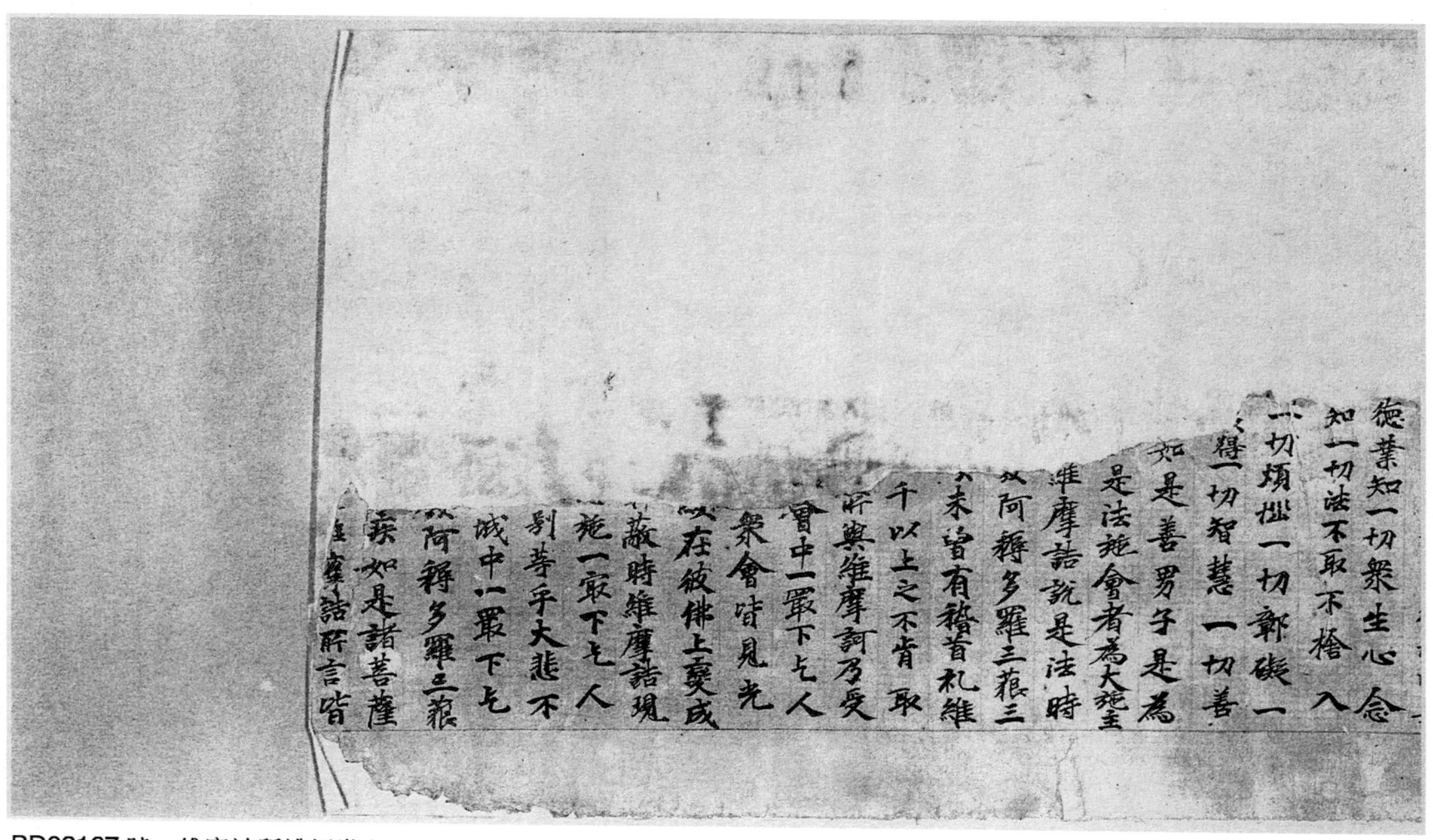

德業知一切衆生心念
知一切法不取不捨入
一切煩惱一切鄣礙一
得一切智慧一切善
如是善男子是為
是法施會者為大施主
維摩詰說是法時
發阿耨多羅三藐三
未曾有稽首礼維
千以上之不肯取
珞與維摩詰乃受
會中一最下乞人
衆會皆見光
國在彼佛上變成
嚴時維摩詰現
施一最下乞人
別等乎大悲不
城中一最下乞
發阿耨多羅三藐
說如是諸菩薩
維摩詰所言皆

BD02167號　維摩詰所說經卷上

（24–24）

也世尊須菩提菩薩无住相布施
如是不可思量須菩提菩薩但應如
須菩提於意云何可以身相見如來
世尊不可以身相得見如來何以故如來
說身相即非身相佛告須菩提凡所有相皆
是虛妄若見諸相非相則見如來
須菩提白佛言世尊頗有衆生得聞如是言
說章句生實信不佛告須菩提莫作是說如
來滅後後五百歲有持戒脩福者於此章句
能生信心以此為實當知是人不於一佛二
佛三四五佛而種善根已於无量千萬佛所
種諸善根聞是章句乃至一念生淨信者須
菩提如來悉知悉見是諸衆生得如是无量
福德何以故是諸衆生无復我相人相衆生
相壽者相无法相亦无非法相何以故是諸
衆生若心取相則為著我人衆生壽者若取
法相即著我人衆生壽者何以故若取非法
相即著我人衆生壽者是故不應取法不應
取非法以是義故如來常說汝等比丘知我

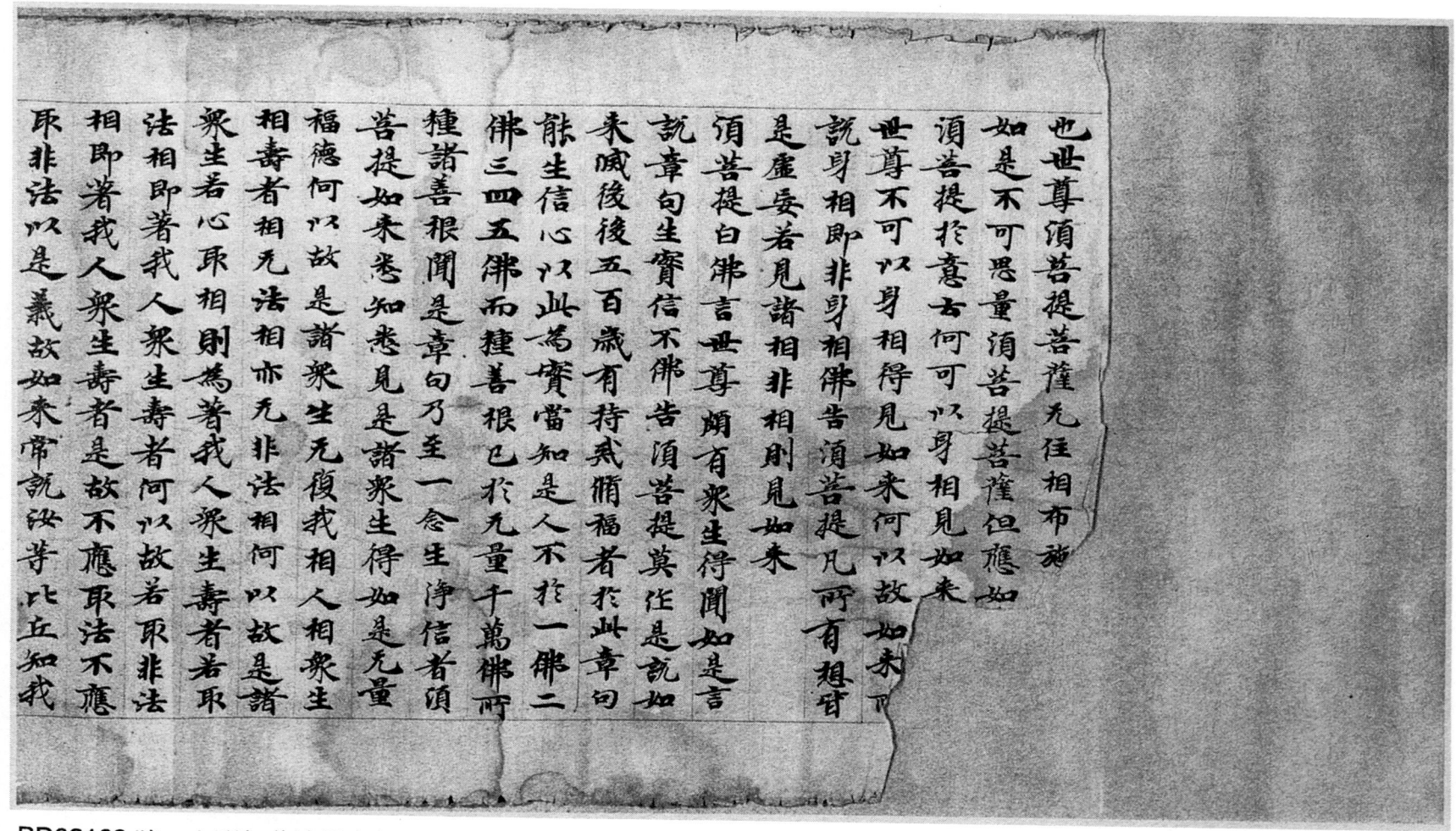

BD02168號　金剛般若波羅蜜經

（14–1）

福德何以故是諸衆生无復我相人相衆生
相壽者相无法相亦无非法相何以故是諸
衆生若心取相則爲著我人衆生壽者若取
法相即著我人衆生壽者何以故若取非法
相即著我人衆生壽者是故不應取法不應
取非法以是義故如來常説汝等比丘知我
説法如筏喻者法尚應捨何况非法
須菩提於意云何如來得阿耨多羅三藐三
菩提耶如來有所説法耶須菩提言如我解
佛所説義无有定法名阿耨多羅三藐三菩
提亦无有定法如來可説何以故如來所説
法皆不可取不可説非法非非法所以者何
一切賢聖皆以无爲法而有差別
須菩提於意云何若人滿三千大千世界七
寶以用布施是人所得福德寧爲多不須菩
提言甚多世尊何以故是福德即非福德性
是故如來説福德多若復有人於此經中受
持乃至四句偈等爲他人説其福勝彼何以
故須菩提一切諸佛及諸佛阿耨多羅三藐
三菩提法皆從此經出須菩提所謂佛法者
即非佛法
須菩提於意云何須陁洹能作是念我得須
陁洹果不須菩提言不也世尊何以故須陁
洹名爲入流而无所入不入色聲香味觸法

BD02168號　金剛般若波羅蜜經　（14–2）

即非佛法
須菩提於意云何須陁洹能作是念我得須
陁洹果不須菩提言不也世尊何以故須陁
洹名爲入流而无所入不入色聲香味觸法
是名須陁洹須菩提於意云何斯陁含能作
是念我得斯陁含果不須菩提言不也世尊
何以故斯陁含名一往來而實无往來是名
斯陁含須菩提於意云何阿那含能作是念
我得阿那含果不須菩提言不也世尊何以
故阿那含名爲不來而實无來是故名阿那
含須菩提於意云何阿羅漢能作是念我得
阿羅漢道不須菩提言不也世尊何以故實
无有法名阿羅漢世尊若阿羅漢作是念我
得阿羅漢道即爲著我人衆生壽者世尊佛
説我得无諍三昧人中最爲第一是第一離
欲阿羅漢我不作是念我是離欲阿羅漢世
尊我若作是念我得阿羅漢道世尊則不説
須菩提是樂阿蘭那行者以須菩提實无所
行而名須菩提是樂阿蘭那行
佛告須菩提於意云何如來昔在然燈佛所
於法有所得不世尊如來在然燈佛所於法實
无所得
須菩提於意云何菩薩莊嚴佛土不不也世
尊何以故莊嚴佛土者則非莊嚴是名莊嚴
是故須菩提諸菩薩摩訶薩應如是生清淨

BD02168號　金剛般若波羅蜜經　（14–3）

无所得
須菩提於意云何菩薩莊嚴佛土不不也世
尊何以故莊嚴佛土者則非莊嚴是名莊嚴
是故須菩提諸菩薩摩訶薩應如是生清淨
心不應住色生心不應住聲香味觸法生心
應无所住而生其心須菩提譬如有人身如
須弥山王於意云何是身為大不須菩提言
甚大世尊何以故佛說非身是名大身
須菩提如恒河中所有沙數如是沙等恒河
於意云何是諸恒河沙寧為多不須菩提言
甚多世尊但諸恒河尚多无數何況其沙須
菩提我今實言告汝若有善男子善女人以
七寶滿尒所恒河沙數三千大千世界以用
布施得福多不須菩提言甚多世尊佛告須
菩提若善男子善女人於此經中乃至受
持四句偈等為他人說而此福德勝前福德
復次須菩提隨說是經乃至四句偈等當知
此處一切世間天人阿脩羅皆應供養如佛
塔廟何況有人盡能受持讀誦須菩提當知
是人成就最上第一希有之法若是經典所
在之處則為有佛若尊重弟子
尒時須菩提白佛言世尊當何名此經我等
云何奉持佛告須菩提是經名為金剛般若
波羅蜜以是名字汝當奉持所以者何須菩
提佛說般若波羅蜜則非般若波羅蜜須菩
提於意云何如來有所說法不須菩提白佛
言世尊如來无所說須菩提於意云何三千
大千世界所有微塵是為多不須菩提言甚
多世尊須菩提諸微塵如來說非微塵是名

BD02168號　金剛般若波羅蜜經

（14–4）

云何奉持佛告須菩提是經名為金剛般若
波羅蜜以是名字汝當奉持所以者何須菩
提佛說般若波羅蜜則非般若波羅蜜須菩
提於意云何如來有所說法不須菩提白佛
言世尊如來无所說須菩提於意云何三千
大千世界所有微塵是為多不須菩提言甚
多世尊須菩提諸微塵如來說非微塵是名
微塵如來說世界非世界是名世界須菩提
於意云何可以三十二相見如來不不也世
尊不可以三十二相得見如來何以故如來
說三十二相即是非相是名三十二相
須菩提若有善男子善女人以恒河沙等身
命布施若復有人於此經中乃至受持四句
偈等為他人說其福甚多
尒時須菩提聞說是經深解義趣涕淚悲泣
而白佛言希有世尊佛說如是甚深經典我
從昔來所得慧眼未曾得聞如是之經世尊
若復有人得聞是經信心清淨則生實相當
知是人成就第一希有功德世尊是實相者
則是非相是故如來說名實相世尊我今得
聞如是經典信解受持不足為難若當來世
後五百歲其有衆生得聞是經信解受持是
人則為第一希有何以故此人无我相人相衆
生相壽者相所以者何我相即是非相人相
衆生相壽者相即是非相何以故離一切諸
相則名諸佛
佛告須菩提如是如是若復有人得聞是經
不驚不怖不畏當知是人甚為希有何以故
須菩提如來說第一波羅蜜非第一波羅蜜
是名第一波羅蜜
須菩提忍辱波羅蜜如來說非忍辱波羅蜜

BD02168號　金剛般若波羅蜜經

（14–5）

衆生相壽者相即是非相何以故離一切諸
相則名諸佛
佛告須菩提如是如是若復有人得聞是經
不驚不怖不畏當知是人甚為希有何以故
須菩提如來說第一波羅蜜非第一波羅蜜
是名第一波羅蜜
須菩提忍辱波羅蜜如來說非忍辱波羅蜜
何以故須菩提如我昔為歌利王割截身體
我於尒時无我相无人相无衆生相无壽者相
何以故我於往昔節節支解時若有我相
人相衆生相壽者相應生瞋恨須菩提又念
過去於五百世作忍辱仙人於尒所世无我相
无人相无衆生相无壽者相是故須菩提菩
薩應離一切相發阿耨多羅三藐三菩提心
不應住色生心不應住聲香味觸法生心應
生无所住心若心有住則為非住是故佛說
菩薩心不應住色布施須菩提菩薩為利益
一切衆生應如是布施如來說一切諸相即
是非相又說一切衆生則非衆生
須菩提如來是真語者實語者如語者不誑
語者不異語者須菩提如來所得法此法无
實无虛
須菩提若菩薩心住於法而行布施如人入
暗則无所見若菩薩心不住法而行布施如人
有目日光明照見種種色
須菩提當來之世若有善男子善女人能於此
經受持讀誦則為如來以佛智慧悉知是人
悉見是人皆得成就无量无邊功德
須菩提若有善男子善女人初日分以恒河
沙等身布施中日分復以恒河沙等身布施

須菩提當來之世若有善男子善女人能於此
經受持讀誦則為如來以佛智慧悉知是人
悉見是人皆得成就无量无邊功德
須菩提若有善男子善女人初日分以恒河
沙等身布施中日分復以恒河沙等身布施
後日分亦以恒河沙等身布施如是无量百
千万億劫以身布施若復有人聞此經典信心
不逆其福勝彼何況書寫受持讀誦為人解
說
須菩提以要言之是經有不可思議不可稱
量无邊功德如來為發大乘者說為發最上
乘者說若有人能受持讀誦廣為人說如來
悉知是人悉見是人皆得成就不可量不可
稱无有邊不可思議功德如是人等則為荷
擔如來阿耨多羅三藐三菩提何以故須菩
提若樂小法者著我見人見衆生見壽者見
則於此經不能聽受讀誦為人解說須菩提
在在處處若有此經一切世間天人阿脩羅
所應供養當知此處則為是塔皆應恭敬作
礼圍遶以諸華香而散其處
復次須菩提善男子善女人受持讀誦此經
若為人輕賤是人先世罪業應墮惡道以今
世人輕賤故先世罪業則為消滅當得阿耨
多羅三藐三菩提須菩提我念過去无量阿
僧祇劫於然燈佛前得值八百四千万億那由
他諸佛悉皆供養承事无空過者若復有
人於後末世能受持讀誦此經所得功德於
我所供養諸佛功德百分不及一千万億分
乃至筭數譬喻所不能及須菩提若善男子
善女人於後末世有受持讀誦此經所得功

他諸佛悉皆供養承事无空過者若復有
人於後末世能受持讀誦此経所得功德於
我所供養諸佛功德百分不及一千万億分
乃至筭數譬喻所不能及須菩提若善男子
善女人於後末世有受持讀誦此経所得功
德我若具說者或有人聞心則狂亂狐疑不
信須菩提當知是経義不可思議果報亦不
可思議
尒時須菩提白佛言世尊善男子善女人發
阿耨多羅三藐三菩提心云何應住云何降
伏其心佛告須菩提善男子善女人發阿耨
多羅三藐三菩提者當生如是心我應滅度
一切衆生滅度一切衆生已而无有一衆生
實滅度者何以故若菩薩有我相人相衆生
相壽者相則非菩薩所以者何須菩提實无
有法發阿耨多羅三藐三菩提者
須菩提於意云何如来於然燈佛所有法得
阿耨多羅三藐三菩提不不也世尊如我解
佛所說義佛於然燈佛所无有法得阿耨多
羅三藐三菩提佛言如是如是須菩提實无
有法如来得阿耨多羅三藐三菩提須菩提
若有法如来得阿耨多羅三藐三菩提然燈
佛則不與我受記汝於来世當得作佛号釋
迦牟尼以實无有法得阿耨多羅三藐三菩
提是故然燈佛與我受記作是言汝於来世
當得作佛号釋迦牟尼何以故如来者即諸
法如義若有人言如来得阿耨多羅三藐三
菩提須菩提實无有法佛得阿耨多羅三
藐三菩提須菩提如来所得阿耨多羅三藐

BD02168號　金剛般若波羅蜜經

（14–8）

提是故然燈佛與我受記作是言汝於来世
當得作佛号釋迦牟尼何以故如来者即諸
法如義若有人言如来得阿耨多羅三藐三
菩提須菩提實无有法佛得阿耨多羅三
藐三菩提須菩提如来所得阿耨多羅三藐
三菩提於是中无實无虛是故如来說一切法
皆是佛法須菩提所言一切法者即非一切
法是故名一切法
須菩提譬如人身長大須菩提言世尊如来
說人身長大則為非大身是名大身
須菩提菩薩亦如是若作是言我當滅度无
量衆生則不名菩薩何以故須菩提實无有
法名為菩薩是故佛說一切法无我无人无衆
生无壽者須菩提若菩薩作是言我當莊嚴
佛土是不名菩薩何以故如来說莊嚴佛土
者即非莊嚴是名莊嚴須菩提若菩薩通
達无我法者如来說名真是菩薩
須菩提於意云何如来有肉眼不如是世尊
如来有肉眼須菩提於意云何如来有天眼
不如是世尊如来有天眼須菩提於意云何
如来有慧眼不如是世尊如来有慧眼須菩
提於意云何如来有法眼不如是世尊如来
有法眼須菩提於意云何如来有佛眼不如
是世尊如来有佛眼須菩提於意云何恒河
中所有沙佛說是沙不如是世尊如来說是沙
須菩提於意云何如一恒河中所有沙有如
是等恒河是諸恒河所有沙數佛世界如是
寧為多不甚多世尊佛告須菩提尒所國
土中所有衆生若干種心如来悉知何以故如

BD02168號　金剛般若波羅蜜經

（14–9）

須菩提於意云何如一恒河中所有沙有如
是等恒河是諸恒河所有沙數佛世界如是
寧為多不甚多世尊佛告須菩提尒所國
土中所有衆生若干種心如來悉知何以故如
來說諸心皆為非心是名為心所以者何須
菩提過去心不可得現在心不可得未來心
不可得須菩提於意云何若有人滿三千大
千世界七寶以用布施是人以是因緣得福
多不如是世尊此人以是因緣得福甚多
須菩提若福德有實如來不說得福德多以
福德无故如來說得福德多
須菩提於意云何佛可以具足色身見不不
也世尊如來不應以具足色身見何以故如
來說具足色身即非具足色身是名具足色
身須菩提於意云何如來可以具足諸相見
不不也世尊如來不應以具足諸相見何以故
如來說諸相具足即非具足是名諸相具足
須菩提汝勿謂如來作是念我當有所說法
莫作是念何以故若人言如來有所說法即
為謗佛不能解我所說故須菩提說法者无
法可說是名說法
須菩提白佛言世尊佛得阿耨多羅三藐三
菩提為无所得耶如是如是須菩提我於阿
耨多羅三藐三菩提乃至无有少法可得是
名阿耨多羅三藐三菩提復次須菩提是法
平等无有高下是名阿耨多羅三藐三菩提
以无我无人无衆生无壽者脩一切善法則
得阿耨多羅三藐三菩提須菩提所言善法
者如來說非善法是名善法
須菩提若三千大千世界中所有諸須弥山

BD02168號　金剛般若波羅蜜經　（14–10）

名阿耨多羅三藐三菩提復次須菩提是法
平等无有高下是名阿耨多羅三藐三菩提
以无我无人无衆生无壽者脩一切善法則
得阿耨多羅三藐三菩提須菩提所言善法
者如來說非善法是名善法
須菩提若三千大千世界中所有諸須弥山
王如是等七寶聚有人持用布施若人以此
般若波羅蜜經乃至四句偈等受持讀誦為
他人說於前福德百分不及一百千万億分
乃至筭數譬喻所不能及
須菩提於意云何汝等勿謂如來作是念我
當度衆生須菩提莫作是念何以故實无有
衆生如來度者若有衆生如來度者如來則
有我人衆生壽者須菩提如來說有我者則
非有我而凡夫之人以為有我須菩提凡夫
者如來說則非凡夫
須菩提於意云何可以卅二相觀如來不須
菩提言如是如是以卅二相觀如來佛言須
菩提若以卅二相觀如來者轉輪聖王則是
如來須菩提白佛言世尊如我解佛所說義
不應以卅二相觀如來尒時世尊而說偈言
若以色見我　以音聲求我　是人行邪道　不能見如來
須菩提汝若作是念如來不以具足相故得阿
耨多羅三藐三菩提須菩提莫作是念如來
不以具足相故得阿耨多羅三藐三菩提
須菩提汝若作是念發阿耨多羅三藐三菩
提者說諸法斷滅莫作是念何以故發阿耨
多羅三藐三菩提者於法不說斷滅相須菩
提若菩薩以滿恒河沙等世界七寶布施若

BD02168號　金剛般若波羅蜜經　（14–11）

須菩提汝若作是念發阿耨多羅三藐三菩
提者說諸法斷滅莫作是念何以故發阿耨
多羅三藐三菩提者於法不說斷滅相須菩
提若菩薩以滿恒河沙等世界七寶布施若
復有人知一切法无我得成於忍此菩薩勝
前菩薩所得功德須菩提以諸菩薩不受福
德故須菩提白佛言世尊云何菩薩不受福
德須菩提菩薩所作福德不應貪著是故說
不受福德
須菩提若有人言如來若來若去若坐若卧
是人不解我所說義何以故如來者无所從
來亦无所去故名如來
須菩提若善男子善女人以三千大千世界
碎為微塵於意云何是微塵眾寧為多不
甚多世尊何以故若是微塵眾實有者佛則
不說是微塵眾所以者何佛說微塵眾則非
微塵眾是名微塵眾世尊如來所說三千大千
世界則非世界是名世界何以故若世界實有
者則是一合相如來說一合相則非一合相
是名一合相須菩提一合相者則是不可說但
凡夫之人貪著其事須菩提若人言佛說我
見人見眾生見壽者見須菩提於意云何是
人解我所說義不世尊是人不解如來所說
義何以故世尊說我見人見眾生見壽者
見即非我見人見眾生見壽者見是名我見
人見眾生見壽者見須菩提發阿耨多羅三
藐三菩提心者於一切法應如是知如是見如
是信解不生法相須菩提所言法相者如來
說即非法相是名法相須菩提若有人以滿
无量阿僧祇世界七寶持用布施若有善男

BD02168 號　金剛般若波羅蜜經　（14–12）

人見眾生見壽者見須菩提發阿耨多羅三
藐三菩提心者於一切法應如是知如是見如
是信解不生法相須菩提所言法相者如來
說即非法相是名法相須菩提若有人以滿
无量阿僧祇世界七寶持用布施若有善男
子善女人發菩薩心者持於此經乃至四句
偈等受持讀誦為人演說其福勝彼云何
為人演說不取於相如如不動何以故
一切有為法　如夢幻泡影　如露亦如電　應作如是觀
佛說是經已長老須菩提及諸比丘比丘尼
優婆塞優婆夷一切世間天人阿脩羅聞佛所
說皆大歡喜信受奉持

金剛般若波羅蜜經

BD02168 號　金剛般若波羅蜜經　（14–13）

佛說是經已長老須菩提及諸比丘比丘尼
優婆塞優婆夷一切世間天人阿脩羅聞佛所
說皆大歡喜信受奉持

金剛般若波羅蜜經

BD02168號　金剛般若波羅蜜經　（14–14）

世世尊須菩提菩薩无住相布施方
如是不可思量須菩提菩薩但應如
須菩提於意云何可以身相見如來不不也
世尊不可以身相得見如來何以故如來所
說身相即非身相佛告須菩提凡所有相皆
是虛妄若見諸相非相則見如來
須菩提白佛言世尊頗有衆生
說章句生實信不佛告須菩提莫作
來滅後後五百歲有持戒脩福者於此章
能生信心以此為實當知是人不於一佛二佛
三四五佛而種善根已於无量千万佛所種
諸善根聞是章句乃至一念生淨信者須菩
提如來悉知悉見是諸衆生得如
德何以故是諸衆生无復我相人相
壽者相无法相亦無非法相何以故是
衆生若心取相則為著我人衆生壽者若取
法相即著我人衆生壽者何以故若取非法
相即著我人衆生壽者是故不應取法不應
取非法以是義故如來常說汝等
說法如筏喻者法尚應捨何況非
須菩提於意云何如來得阿耨多羅三藐
菩提耶如來有所說法耶須菩提

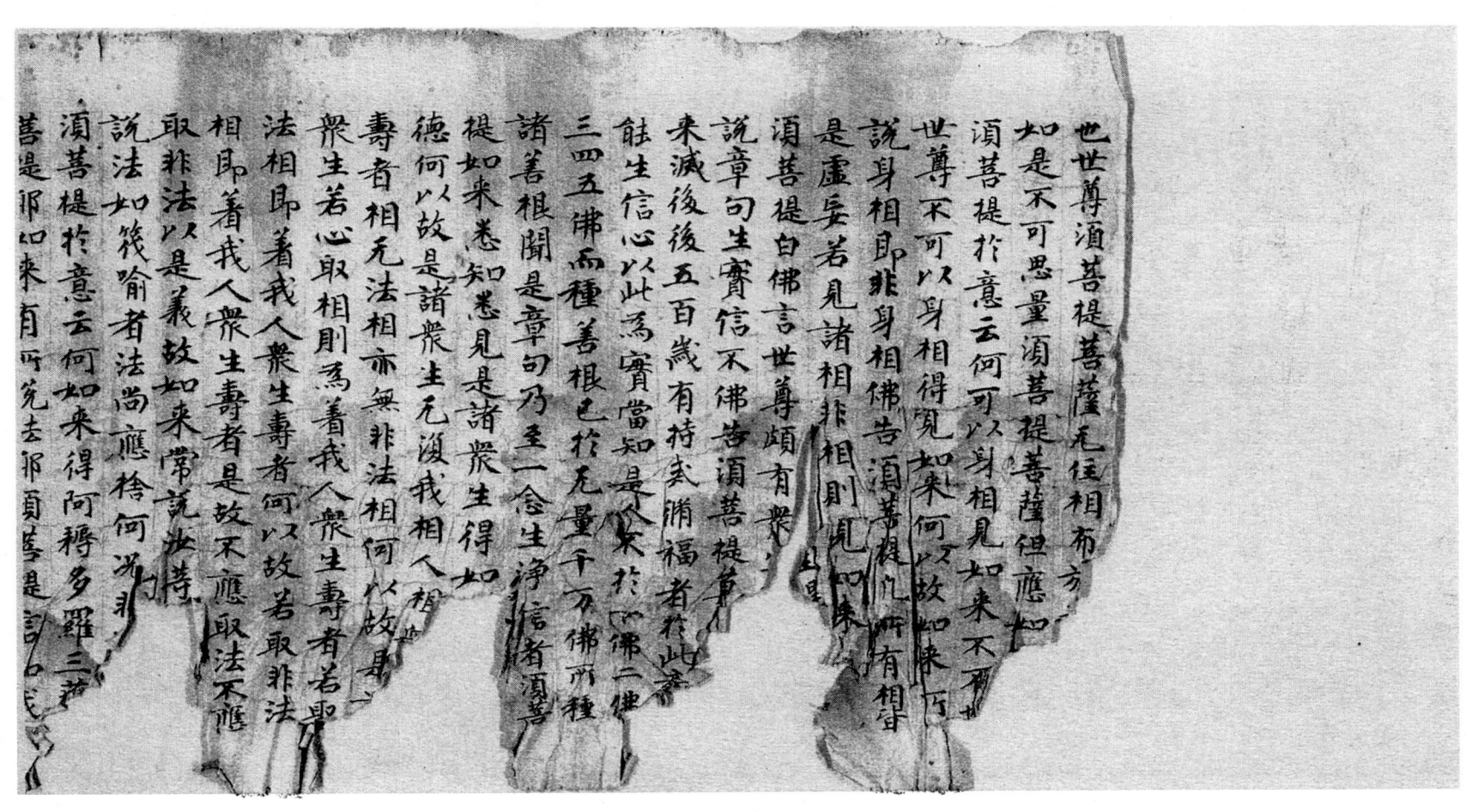

BD02169號　金剛般若波羅蜜經　（6–1）

壽者相无法相亦無非法相何以故是
衆生若心取相則爲著我人衆生壽者若取
法相即著我人衆生壽者何以故若取非法
相即著我人衆生壽者是故不應取法不應
取非法以是義故如來常說汝等
說法如筏喻者法尚應捨何況非
須菩提於意云何如來得阿耨多羅三藐
菩提耶如來有所說法耶須菩提言如我
解佛所說義无有定法名阿耨多羅三藐三
菩提亦无有定法如來可說何以故如來所說
法皆不可取不可說非法非非法所
一切賢聖皆以无爲法而有差別
須菩提於意云何若人滿三千大千世界
寶以用布施是人所得福德寧爲多不須
菩提言甚多世尊何以故是福德即非福德
性是故如來說福德多若復有人於
受持乃至四句偈等爲他人說其福勝彼
以故須菩提一切諸佛及諸佛阿耨多羅三藐
三菩提法皆從此經出須菩提所謂佛法
者即非佛法須菩提於意云何須陁
作是念我得須陁洹果不須菩提言不
尊何以故須陁洹名爲入流而无所入不入色
香味觸法是名須陁洹須菩提於意云何斯陁
含能作是念我得斯陁含果不須菩提言
世尊何以故斯陁含名一往來而實无往來是名
斯陁含須菩提於意云何阿那含能作是念
我得阿那含果不須菩提言不也世尊何以
故阿那含名爲不來而實无來是故名

BD02169號　金剛般若波羅蜜經

（6–2）

含能作是念我得斯陁含果不須菩提言
世尊何以故斯陁含名一往來而實无往來是名
斯陁含須菩提於意云何阿那含能作是念
我得阿那含果不須菩提言不也世尊何以
故阿那含名爲不來而實无來是故名
阿那含須菩提於意云何阿羅漢能作是念我得
阿羅漢道不須菩提言不也世尊何以故實
无有法名阿羅漢世尊若阿羅漢作是念
我得阿羅漢道即爲著我人衆生壽者世尊
佛說我得无諍三昧人中最爲第一是第一離
欲阿羅漢我不作是念我是離欲阿羅漢世
尊我若作是念我得阿羅漢道世尊則不
說須菩提是樂阿蘭那行者以須菩提實
无所行而名須菩提是樂阿蘭那行
佛告須菩提於意云何如來昔在然燈佛所於
法有所得不世尊如來在然燈佛所於法實无
所得須菩提於意云何菩薩莊嚴佛土不不也
世尊何以故莊嚴佛土者則非莊嚴是名莊
嚴是故須菩提諸菩薩摩訶薩應如是生
清淨心不應住色生心不應住聲香味觸法
生心應无所住而生其心須菩提譬如有人身
如須弥山王於意云何是身爲大不須菩提
言甚大世尊何以故佛說非身是名大身
須菩提如恒河中所有沙數如是沙等恒河
於意云何是諸恒河沙寧爲多不須菩提言
甚多世尊但諸恒河尚多无數何況其沙須
菩提我今實言告汝若有善男子善女人
以七寶滿爾所恒河沙數三千大千世界以用

BD02169號　金剛般若波羅蜜經

（6–3）

言甚大世尊何以故佛說非身是名大身
須菩提如恒河中所有沙數如是沙等恒河
於意云何是諸恒河沙寧為多不須菩提言
甚多世尊但諸恒河尚多无數何況其沙須
菩提我今實言告汝若有善男子善女人
以七寶滿尒所恒河沙數三千大千世界以用
布施得福多不須菩提言甚多世尊佛告
須菩提若善男子善女人於此經中乃至受持
四句偈等為他人說而此福德勝前福德
復次須菩提隨說是經乃至四句偈等當知
此處一切世間天人阿脩羅皆應供養如佛
塔廟何況有人盡能受持讀誦須菩提當知
是人成就最上第一希有之法若是經典所
在之處則為有佛若尊重弟子
尒時須菩提白佛言世尊當何名此經我等
云何奉持佛告須菩提是經名為金剛般若
波羅蜜以是名字汝當奉持所以者何須菩
提佛說般若波羅蜜則非般若波羅蜜須
菩提於意云何如來有所說法不須菩提白佛
言世尊如來无所說須菩提於意云何三千
大千世界所有微塵是為多不須菩提言甚
多世尊須菩提諸微塵如來說非微塵是名
微塵如來說世界非世界是名世界須菩提
於意云何可以三十二相見如來不不也世尊
不可以三十二相得見如來何以故如來說
三十二相即是非相是名三十二相須菩提若
有善男子善女人以恒河沙等身命布施若
復有人於此經中乃至受持四句偈等為他

BD02169號　金剛般若波羅蜜經　（6–4）

微塵如來說世界非世界是名世界須菩提
於意云何可以三十二相見如來不不也世尊
不可以三十二相得見如來何以故如來說
三十二相即是非相是名三十二相須菩提若
有善男子善女人以恒河沙等身命布施若
復有人於此經中乃至受持四句偈等為他
人說其福甚多尒時須菩提聞說是經深解
義趣涕淚悲泣而白佛言希有世尊佛說如
是甚深經典我從昔來所得慧眼未曾得聞
如是之經世尊若復有人得聞是經信心清淨
則生實相當知是人成就第一希有功德世尊
是實相者則是非相是故如來說名實相世尊
我今得聞如是經典信解受持不足為難若當
來世後五百歲其有眾生得聞是經信解受
持是則為第一希有何以故此人无我相人相眾
生相壽者相所以者何我相即是非相人相眾生
相壽者相即是非相何以故離一切諸相則名諸
佛佛告須菩提如是如是若復有人得聞是經
不驚不怖不畏當知是人甚為希有何以故
須菩提如來說第一波羅蜜非第一波羅蜜
是名第一波羅蜜須菩提忍辱波羅蜜如
來說非忍辱波羅蜜何以故須菩提如我昔為
歌利王割截身體我於尒時无我相无人相无眾
生相无壽者相何以故我於往昔節節支解
時若有我相人相眾生相壽者相應生瞋恨須菩提
念過去於五百世作忍辱仙人於尒所世
我相人相无眾生无壽者相是故須菩
菩薩應離一切相發阿耨多羅三藐三

BD02169號　金剛般若波羅蜜經　（6–5）

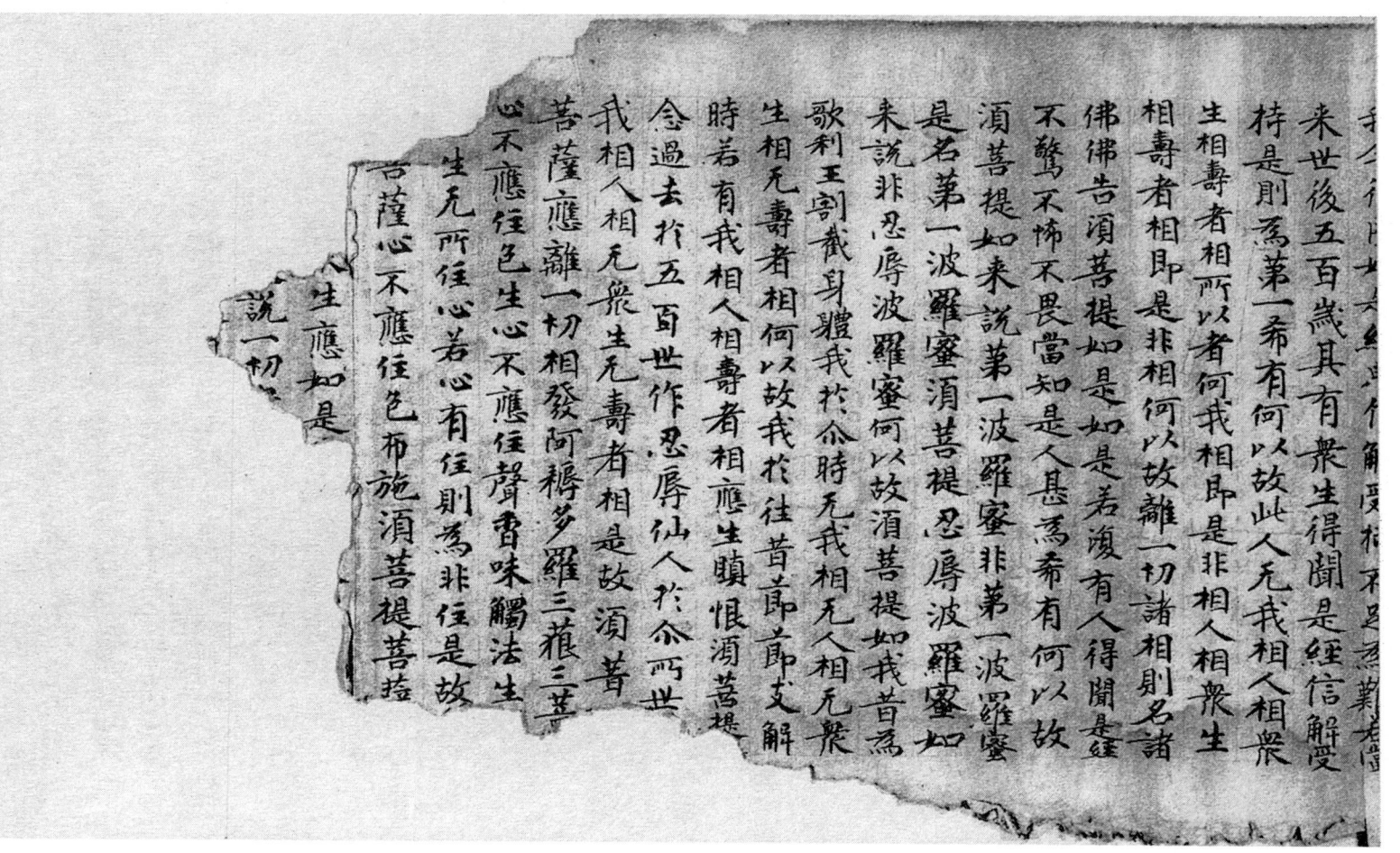

我今得聞如是經典信解受持不足為難若當
來世後五百歲其有眾生得聞是經信解受
持是則為第一希有何以故此人无我相人相眾
生相壽者相所以者何我相即是非相人相眾生
相壽者相即是非相何以故離一切諸相則名諸
佛佛告須菩提如是如是若復有人得聞是經
不驚不怖不畏當知是人甚為希有何以故
須菩提如來說第一波羅蜜非第一波羅蜜
是名第一波羅蜜須菩提忍辱波羅蜜如
來說非忍辱波羅蜜何以故須菩提如我昔為
歌利王割截身體我於尒時无我相无人相无眾
生相无壽者相何以故我於往昔節節支解
時若有我相人相眾生相壽者相應生瞋恨須菩提
念過去於五百世作忍辱仙人於尒所世
我相人相无眾生无壽者相是故須菩
菩薩應離一切相發阿耨多羅三藐三菩
心不應住色生心不應住聲香味觸法生
生无所住心若心有住則為非住是故
菩薩心不應住色布施須菩提菩薩
生應如是
說一切

BD02169號　金剛般若波羅蜜經　（6–6）

應貪
着是故說不受福德須菩提若有人言如來
若來若去若坐若臥是人不解我所說義何
以故如來者无所從來亦无所去故名如來
須菩提若善男子善女人以三千大千世界
碎為微塵於意云何是微塵眾寧為多不甚
多世尊何以故若是微塵眾實有者佛則不
說是微塵眾所以者何佛說微塵眾則非微
塵眾是名微塵眾世尊如來所說三千大千
世界則非世界是名世界何以故若世界實
有者則是一合相如來說一合相則非一合
相是名一合相須菩提一合相者則是不可
說但凡夫之人貪着其事須菩提若人言佛

BD02170號　金剛般若波羅蜜經　（3–1）

多世尊何以故若是微塵衆實有者佛則不
說是微塵衆所以者何佛說微塵衆則非微
塵衆是名微塵衆世尊如來所說三千大千
世界則非世界是名世界何以故若世界實
有者則是一合相如來說一合相則非一合
相是名一合相須菩提一合相者則是不可
說但凡夫之人貪着其事須菩提若人言佛
說我見人見衆生見壽者見須菩提於意云
何是人解我所說義不世尊是人不解如來
所說義何以故世尊說我見人見衆生見壽
者見即非我見人見衆生見壽者見是名我
見人見衆生見壽者見須菩提發阿耨多羅
三藐三菩提心者於一切法應如是知如是見
如是信解不生法相須菩提所言法相如
來說即非法相是名法相須菩提若有人以
滿无量阿僧祇世界七寶持用布施若有善
男子善女人發菩薩心者持於此經乃至四
句偈等受持讀誦為人演說其福勝彼云何
為人演說不取於相如如不動何以故
一切有為法　如夢幻泡影　如露亦如電　應作如是觀
佛說是經已長老須菩提及諸比丘比丘尼
優婆塞優婆夷一切世間天人阿脩羅聞佛
所說皆大歡喜信受奉行
金剛般若　蜜經

BD02170號　金剛般若波羅蜜經　（3–2）

來說即非法相是名法相須菩提若有人以
滿无量阿僧祇世界七寶持用布施若有善
男子善女人發菩薩心者持於此經乃至四
句偈等受持讀誦為人演說其福勝彼云何
為人演說不取於相如如不動何以故
一切有為法　如夢幻泡影　如露亦如電　應作如是觀
佛說是經已長老須菩提及諸比丘比丘尼
優婆塞優婆夷一切世間天人阿脩羅聞佛
所說皆大歡喜信受奉行
金剛般若　蜜經

BD02170號　金剛般若波羅蜜經　（3–3）

菩薩摩訶薩成就靜慮波羅蜜善男子復依
法菩薩摩訶薩成就智慧波羅蜜云何為五
一者常於一切諸佛菩薩及明智者供養親
近不生猒背二者諸佛如來説甚深法心常
樂聞无有猒足三者真俗勝智樂善分別四
者見脩煩惱咸速斷除五者世間伎術五明
之法皆悉通達善男子是名菩薩摩訶薩
成就智慧波羅蜜善男子復依五法菩薩摩
訶薩成就方便波羅蜜云何為五一者於一切
衆生意樂煩惱心行差別悉皆通達二者无
量諸法對治之門心皆曉了三者大慈悲定
出入自在四者於諸波羅蜜多皆願脩行成
熟滿足五者一切佛法皆願了達攝受无遺
善男子是名菩薩摩訶薩成就方便勝智波
羅蜜善男子復依五法菩薩摩訶薩成就願
波羅蜜云何為五一者於一切法從本以來不
生不滅非有非无心得安住二者觀一切法最
妙理趣離垢清淨心得安住三者過一切相心
本真如无作无行不異不動心得安住四
者為欲利益諸衆生事於俗諦中心得安住

BD02171號　金光明最勝王經卷四

（6–1）

熟滿足五者一切佛法皆願了達攝受无遺
善男子是名菩薩摩訶薩成就方便勝智波
羅蜜善男子復依五法菩薩摩訶薩成就願
波羅蜜云何為五一者於一切法從本以來不
生不滅非有非无心得安住二者觀一切法最
妙理趣離垢清淨心得安住三者過一切相心
本真如无作无行不異不動心得安住四
者為欲利益諸衆生事於俗諦中心得安住
五者於奢摩他毗鉢舍那同時運行心得安
住善男子是名菩薩摩訶薩成就願波羅
蜜善男子復依五法菩薩摩訶薩成就力
波羅蜜云何為五一者以正智力能了一切
衆生心行善惡二者能令一切衆生入於甚
深微妙之法三者一切衆生轉迴生死隨其
緣業如實了知四者於諸衆生三種根性以
正智力能分別知五者於諸衆生如理為説
令種善根成熟度脱皆是智力故善男子是
名菩薩摩訶薩成就力波羅蜜善男子復依
五法菩薩摩訶薩成就智波羅蜜云何為五
一者能於諸法分別善惡二者於黑白法遠
離攝受三者能於生死涅槃不猒不喜四者
具福智行至究竟處五者受勝灌頂能得
諸佛不共法等及一切智智善男子是名菩
薩摩訶薩成就智波羅蜜善男子何者是波
羅蜜義所謂脩習勝利是波羅蜜義滿足无
量大甚深智是波羅蜜義行非法心不執著
是波羅蜜義生死過失涅槃功德正覺正觀

BD02171號　金光明最勝王經卷四

（6–2）

五法菩薩摩訶薩成就智波羅蜜云何為五
一者能於諸法分別善惡二者於黑白法遠
離攝受三者能於生死涅槃不厭不喜四者
具福智行至究竟處五者受勝灌頂能得
諸佛不共法等及一切智智善男子是名菩
薩摩訶薩成就智波羅蜜善男子何者是波
羅蜜義所謂脩習勝利是波羅蜜義滿足无
量大甚深智是波羅蜜義行非法心不執著
是波羅蜜義生死過失涅槃功德正覺正觀
是波羅蜜義愚人智人皆悉攝受是波羅蜜
義能現種種珍妙法寶是波羅蜜義无礙解
脫智慧滿足是波羅蜜義法界衆生界正分
別知是波羅蜜義施等及智能令至不退轉
是波羅蜜義无生法忍能令滿足是波羅蜜
義一切衆生功德善根能令成熟是波羅蜜
義能於菩提成佛十力四无所畏不共法等
皆悉成就是波羅蜜義生死涅槃了无二相
是波羅蜜義濟度一切是波羅蜜義一切外
道來相詰難善能解釋令其降伏是波羅
蜜義能轉十二妙行法輪是波羅蜜義无所著
无所見无患累是波羅蜜多義
善男子初地菩薩是相先現三千大千世界
无量无邊種種寶藏无不盈滿菩薩悉見
善男子二地菩薩是相先現三千大千世界地
平如掌无量无邊種種妙色清淨珍寶莊嚴
之具菩薩悉見善男子三地菩薩是相先現
自身勇健甲仗莊嚴一切怨賊皆能摧伏菩

BD02171號　金光明最勝王經卷四　（6-3）

无所見无患累是波羅蜜多義
善男子初地菩薩是相先現三千大千世界
无量无邊種種寶藏无不盈滿菩薩悉見
善男子二地菩薩是相先現三千大千世界地
平如掌无量无邊種種妙色清淨珍寶莊嚴
之具菩薩悉見善男子三地菩薩是相先現
自身勇健甲仗莊嚴一切怨賊皆能摧伏菩
薩悉見善男子四地菩薩是相先現四方風
輪種種妙花悉皆散灑充布地上菩薩悉見
善男子五地菩薩是相先現有妙寶女衆寶
瓔珞周遍嚴身首冠名花以為其飾菩薩悉
見善男子六地菩薩是相先現七寶花池有
四階道金砂遍布清淨无穢八功德水皆悉
盈滿嗢鉢羅花拘物頭花分陁利花隨處莊
嚴於花池所遊戲快樂清涼无比菩薩悉見
善男子七地菩薩是相先現於菩薩前有
諸衆生應墮地獄以菩薩力便得不墮无有損
傷亦无恐怖菩薩悉見善男子八地菩薩是
相先現於身兩邊有師子王以為衛護一切衆
獸悉皆怖畏菩薩悉見善男子九地菩薩
是相先現轉輪聖王无量億衆圍繞供養頂
上白蓋无量衆寶之所莊嚴菩薩悉見善男
子十地菩薩是相先現如來之身金色晃耀
無量淨光悉皆圓滿有无量億梵王圍繞恭
敬供養轉於无上微妙法輪菩薩悉見
善男子云何初地名為歡喜謂初證得出世
之心昔所未得而今始得於大事用如其所

BD02171號　金光明最勝王經卷四　（6-4）

是相先現轉輪聖王无量億衆圍繞供養頂
上白蓋无量衆寶之所莊嚴菩薩悉見善男
子十地菩薩是相先現如来之身金色晃耀
無量淨光悉皆圓滿有无量億梵王圍繞恭
敬供養轉於无上微妙法輪菩薩悉見
善男子云何初地名為歡喜謂初證得出世
之心昔所未得而今始得於大事用如其所
願悉皆成就生極喜樂是故最初名為歡喜
諸微細垢犯戒過失皆得清淨是故二地名
為无垢无量智慧三昧光明不可傾動无能
摧伏聞持陁羅尼以為根本是故三地名為
明地以智慧火燒諸煩惱增長光明脩行覺
品是故四地名為燄地脩行方便勝智自在
極難得故見脩煩惱難伏能伏是故五地名
為難勝行法相續了了顯現无相思惟皆悉
現前是故六地名為現前无漏无間无相思
惟解脫三昧遠脩行故是地清淨无有障礙
是故七地名為遠行无相思惟脩得自在諸
煩惱行不能令動是故八地名為不動說一
切法種種差別皆得自在无患无累增長智
慧自在無礙是故九地名為善慧法身如虗
空智慧如大雲皆能遍滿覆一切故是故第
十名為法雲
善男子執著有相我法無明怖畏生死惡趣
无明此二无明障於初地微細學處誤犯无
明發起種種業行无明此二无明障於二地

BD02171號　金光明最勝王經卷四

（6–5）

品是故四地名為燄地脩行方便勝智自在
極難得故見脩煩惱難伏能伏是故五地名
為難勝行法相續了了顯現无相思惟皆悉
現前是故六地名為現前无漏无間无相思
惟解脫三昧遠脩行故是地清淨无有障礙
是故七地名為遠行无相思惟脩得自在諸
煩惱行不能令動是故八地名為不動說一
切法種種差別皆得自在无患无累增長智
慧自在無礙是故九地名為善慧法身如虗
空智慧如大雲皆能遍滿覆一切故是故第
十名為法雲
善男子執著有相我法無明怖畏生死惡趣
无明此二无明障於初地微細學處誤犯无
明發起種種業行无明此二无明障於二地
未得令得愛著无明能障殊勝總持无明
此二无明障於三地味著等至喜悅无明微
妙淨法愛樂无明此二无明障於四地欲背
生死无明希趣涅槃无明此二无明障於五
地觀行流轉无明麁相現前无明此二无明
障於六地微細諸相現行无明作意欣樂无相
无明此二无明障於七地於无相觀功用无明
執相自在无明此二无明障於八地於所說
義及名句文此二无量未善巧无明於詞辯
才不隨意无明此二无明障於九地於大神

BD02171號　金光明最勝王經卷四

（6–6）

妙法蓮華經卷第七

BD02172 號背　妙法蓮華經卷七護首　（1–1）

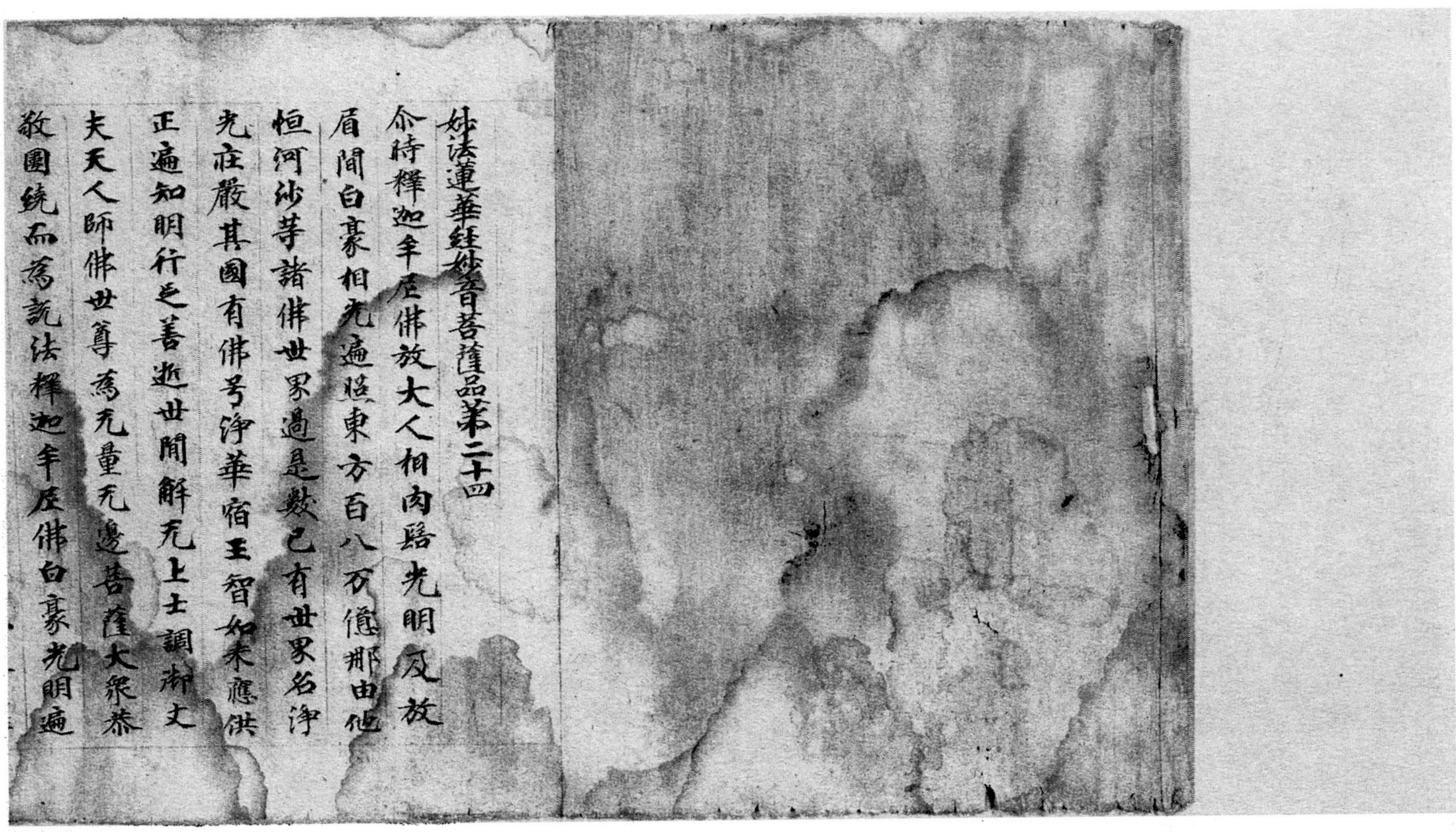

妙法蓮華經妙音菩薩品第二十四
尒時釋迦牟尼佛放大人相肉髻光明及放
眉間白毫相光遍照東方百八万億那由他
恒河沙等諸佛世界過是數已有世界名淨
光莊嚴其國有佛号淨華宿王智如來應供
正遍知明行足善逝世間解无上士調御丈
夫天人師佛世尊為无量无邊菩薩大衆恭
敬圍繞而為說法釋迦牟尼佛白毫光明遍

BD02172 號　妙法蓮華經卷七　（7–1）

肩閒白毫相光遍照東方百八万億那由他
恒河沙等諸佛世界過是數已有世界名淨
光莊嚴其國有佛号淨華宿王智如來應供
正遍知明行足善逝世間解无上士調御丈
夫天人師佛世尊為无量无邊菩薩大衆恭
敬圍繞而為說法釋迦牟尼佛白毫光明遍
照其國尒時一切淨光莊嚴國中有一菩薩
名曰妙音久已殖衆德本供養親近无量百
千万億諸佛而悉成就甚深智慧得妙幢相
三昧法華三昧淨德三昧宿王戲三昧无緣
三昧智印三昧解一切衆生語言三昧集一
切功德三昧清淨三昧神通遊戲三昧慧炬
三昧莊嚴王三昧淨光明三昧淨藏三昧不
共三昧日旋三昧得如是百千万億恒河沙
等諸大三昧釋迦牟尼佛光照其身即白淨
華宿王智佛言世尊我當往詣娑婆世界
礼拜親近供養釋迦牟尼佛及見文殊師利
法王子菩薩藥王菩薩勇施菩薩宿王華菩
薩上行意菩薩莊嚴王菩薩藥王菩薩尒時淨
華宿王智佛告妙音菩薩汝莫輕彼國生下
劣想善男子彼娑婆世界高下不平土石諸
山穢惡充滿佛身卑小諸菩薩衆其形亦小
而汝身四万二千由旬我身六百八十万由
旬汝身第一端正百千万福光明殊妙是故

BD02172號　妙法蓮華經卷七　（7–2）

華宿王智佛告妙音菩薩汝莫輕彼國生下
劣想善男子彼娑婆世界高下不平土石諸
山穢惡充滿佛身卑小諸菩薩衆其形亦小
而汝身四万二千由旬我身六百八十万由
旬汝身第一端正百千万福光明殊妙是故
汝往莫輕彼國若佛菩薩及國土生下劣想
妙音菩薩白其佛言世尊我今詣娑婆世界
皆是如來之力如來神通遊戲如來功德智
慧莊嚴於是妙音菩薩不起于座身不動搖
而入三昧以三昧力於耆闍崛山去法座不
遠化作八万四千衆寶蓮華閻浮檀金為莖
白銀為葉金剛為鬚甄叔迦寶以為其臺尒
時文殊師利法王子見是蓮華而白佛言世
尊是何因緣先現此瑞有若干千万蓮華閻
浮檀金為莖白銀為葉金剛為鬚甄叔迦寶
以為其臺尒時釋迦牟尼佛告文殊師利是
妙音菩薩摩訶薩欲從淨華宿王智佛國與
八万四千菩薩圍繞而來至此娑婆世界供
養親近礼拜於我亦欲供養聽法華經文殊
師利白佛言世尊是菩薩種何善本脩何功
德而能有是大神通力行何三昧願為我等
說是三昧名字我等亦欲勤脩行之行此三
昧乃能見是菩薩色相大小威儀進止唯願
世尊以神通力彼菩薩來令我得見尒時釋

BD02172號　妙法蓮華經卷七　（7–3）

德而能有是大神通力行何三昧願爲我等
說是三昧名字我等亦欲勤脩行之行此三
昧乃能見是菩薩色相大小威儀進止唯願
世尊以神通力彼菩薩來令我得見尒時釋
迦牟尼佛告文殊師利此久滅度多寶如來
當爲汝等而現其相時多寶佛告彼菩薩善
男子來文殊師利法王子欲見汝身于時妙
音菩薩於彼國沒與八万四千菩薩俱共發
來所經諸國六種震動皆悉雨於七寶蓮華
百千天樂不鼓自鳴是菩薩目如廣大青蓮
華葉正使和合百千万月其面皃端正復過
於此身真金色无量百千功德莊嚴威德熾
盛光明照曜諸相具足如那羅延堅固之身
入七寶臺上昇虛空去地七多羅樹諸菩薩
衆恭敬圍繞而來詣此娑婆世界耆闍崛山
到已下七寶臺以價直百千瓔珞持至釋迦
牟尼佛所頭面礼足奉上瓔珞而白佛言世
尊淨華宿王智佛問訊世尊少病少惱起居
輕利安樂行不四大調和不世事可忍不衆
生易度不无多貪欲瞋恚愚癡嫉妬慳慢不
无不孝父母不敬沙門耶見不善心不攝五
情不世尊衆生能降伏諸魔怨不久滅度多
寶如來在七寶塔中來聽法不又問訊多寶

生易度不无多貪欲瞋恚愚癡嫉妬慳慢不
无不孝父母不敬沙門耶見不善心不攝五
情不世尊衆生能降伏諸魔怨不久滅度多
寶如來在七寶塔中來聽法不又問訊多寶
如來安隱少惱堪忍久住不世尊我今欲見
多寶佛身唯願世尊示我令見尒時釋迦牟
尼佛語多寶佛是妙音菩薩欲得相見時多
寶佛告妙音言善哉善哉汝能爲供養釋迦
牟尼佛及聽法華經并見文殊師利等故來
至此尒時華德菩薩白佛言世尊是妙音菩
薩種何善根脩何功德有是神力佛告華德
菩薩過去有佛名雲雷音王多陁阿伽度阿
羅呵三藐三佛陁國名現一切世間劫名憙見
妙音菩薩於万二千歲以十万種伎樂供
養雲雷音王佛并奉上八万四千七寶鉢以
是因緣果報今生淨華宿王智佛國有是神
力華德於汝意云何尒時雲雷音王佛所妙
音菩薩伎樂供養奉上寶器者豈異人乎今
此妙音菩薩摩訶薩是華德是妙音菩薩已
曾供養親近无量諸佛久殖德本又值恒河
沙等百千万億那由他佛華德汝但見妙音
菩薩其身在此而是菩薩現種種身處處爲
諸衆生說是經典或現梵王身或現帝釋身
或現自在天身大自在天身或現天大將軍

曾供養親近无量諸佛久殖德本又值恒河
沙等百千万億那由他佛華德汝但見妙音
菩薩其身在此而是菩薩現種種身處處為
諸衆生說是經典或現梵王身或現帝釋身
或現自在天身大自在天身或現天大將軍
身或現毗沙門天王身或現轉輪聖王身或
現諸小王身或現長者身或現居士身或現
宰官身或現婆羅門身或現比丘比丘尼優
婆塞優婆夷身或現長者居士婦女身或現
宰官婦女身或現婆羅門婦女身或現童男
童女身或現天龍夜叉乾闥婆阿脩羅迦樓
羅緊那羅摩睺羅伽人非人等身而說是經
諸有地獄餓鬼畜生及衆難處皆能救濟乃
至於王後宮變為女身而說是經華德是妙
音菩薩能救護娑婆世界諸衆生者是妙音
菩薩如是種種變化現身在此娑婆國土為
諸衆生說是經典於神通變化智慧无所損
減是菩薩以若干智慧明照娑婆世界令一
切衆生各得所知於十方恒河沙世界中亦
復如是若應以聲聞形得度者現聲聞形而
為說法應以辟支佛形得度者現辟支佛形
而為說法應以菩薩形得度者現菩薩形而
為說法應以佛形得度者即現佛形而為說
法如是種種隨所應度而為現形乃至應以

BD02172 號　妙法蓮華經卷七

（7–6）

為說法應以辟支佛形得度者現辟支佛形
而為說法應以菩薩形得度者現菩薩形而
為說法應以佛形得度者即現佛形而為說
法如是種種隨所應度而為現形乃至應以
滅度而得度者示現滅度華德妙音菩薩摩
訶薩成就大神通智慧之力其事如是尒時
華德菩薩白佛言世尊是妙音菩薩深種善
根世尊是菩薩住何三昧而能如是在所變
現度脫衆生佛告華德菩薩善男子其三昧
名現一切色身妙音菩薩住是三昧中能如
是饒益无量衆生說是妙音菩薩品時與妙
音菩薩俱来者八万四千人皆得現一切色
身三昧此娑婆世界无量菩薩亦得是三昧
及陀羅尼尒時妙音菩薩摩訶薩供養釋迦
牟尼佛及多寶佛塔已還歸本土所經諸國
六種震動雨寶蓮華作百千万億種種伎樂
既到本國與八万四千菩薩圍繞至淨華宿
王智佛所白佛言世尊我到娑婆世界饒益
衆生見釋迦牟尼佛及見多寶佛塔礼拜供
養又見文殊師利法王子菩薩及見藥王菩
薩得勤精進力菩薩勇施菩薩等亦令八万
四千菩薩得現一切色身三昧說是妙音菩
薩来往品時四万二千天子得无生法忍華
德菩薩得法華三昧

BD02172 號　妙法蓮華經卷七

（7–7）

迦
是我方便　諸佛亦
諸聲聞衆　皆非滅度
漸漸修學　悉當成佛
妙法蓮華經授記品第六
尒時世尊說是偈已告
此弟子摩訶迦葉於未
萬億諸佛世尊供養恭
諸佛无量大法於最後身得成
如來應供正遍知明行足善逝世間解无上
士調御丈夫天人師佛世尊國名光德劫名
大莊嚴佛壽十二小劫正法住世二十小劫
像法亦住二十小劫國界嚴飾无諸穢惡瓦
礫荊棘便利不淨其土平正无有高下坑坎
堆阜琉璃爲地寶樹行列黃金爲繩以界道
側散諸寶華周遍清淨其國菩薩无量千億
諸聲聞衆亦復无數无有魔事雖有魔及魔
民皆護佛法尒時世尊欲重宣此義而說偈
言
告諸比丘　我以佛眼　見是迦葉　於未來世

BD02173 號　妙法蓮華經卷三　（23–1）

堆阜琉璃爲地寶樹行列黃金爲繩以界道
側散諸寶華周遍清淨其國菩薩无量千億
諸聲聞衆亦復无數无有魔事雖有魔及魔
民皆護佛法尒時世尊欲重宣此義而說偈
言
告諸比丘　我以佛眼　見是迦葉　於未來世
過无數劫　當得作佛　而於來世　供養奉見
三百萬億　諸佛世尊　爲佛智慧　淨修梵行
供養最上　二足尊已　修習一切　无上之慧
於最後身　得成爲佛　其土清淨　琉璃爲地
多諸寶樹　行列道側　金繩界道　見者歡喜
常出好香　散衆名華　種種奇妙　以爲莊嚴
其地平正　无有丘坑　諸菩薩衆　不可稱計
其心調柔　逮大神通　奉持諸佛　大乘經典
諸聲聞衆　无漏後身　法王之子　亦不可計
乃以天眼　不能數知　其佛當壽　十二小劫
正法住世　二十小劫　像法亦住　二十小劫
光明世尊　其事如是
尒時大目揵連須菩提摩訶迦旃延等皆悉
悚慄一心合掌瞻仰尊顏目不暫捨即共同
聲而說偈言
大雄猛世尊　諸釋之法王　哀愍我等故　而賜佛音聲
若知我深心　見爲授記者　如以甘露灑　除熱得清涼
如從飢國來　忽遇大王饍　心猶懷疑懼　未敢即便食
若復得王教　然後乃敢食　我等亦如是　每惟小乘過
不知當云何　得佛无上慧　雖聞佛音聲　言我等作佛
心尚懷憂懼　如未敢便食　若蒙佛授記　尒乃快安樂

BD02173 號　妙法蓮華經卷三　（23–2）

若知我深心　見為授記者　如以甘露灑　除熱得清涼
如從飢國來　忽遇大王饍　心猶懷疑懼　未敢即便食
若復得王教　然後乃敢食　我等亦如是　每惟小乘過
不知當云何　得佛无上慧　雖聞佛音聲　言我等作佛
心尚懷憂懼　如未敢便食　若蒙佛授記　尒乃快安樂
大雄猛世尊　常欲安世間　願賜我等記　如飢須教食
尒時世尊知諸大弟子心之所念告諸比丘
是須菩提於當來世奉覲三百萬億那由他
佛供養恭敬尊重讚嘆常脩梵行具菩薩道
於最後身得成為佛号曰名相如來應供正遍
知明行足善逝世間解无上士調御丈夫天
人師佛世尊劫名有寶國名寶生其土平正
頗梨為地寶樹莊嚴无諸丘坑沙礫荊蕀
便利之穢寶華覆地周遍清淨其土人民皆
處寶臺珍妙樓閣聲聞弟子无量无邊筭數
譬喻所不能知諸菩薩衆无數千萬億那由他
佛壽十二小劫正法住世二十小劫像法亦
住二十小劫其佛常處虛空為衆說法度
脫无量菩薩及聲聞衆尒時世尊欲重宣此
義而說偈言
諸比丘衆　今告汝等　皆當一心　聽我所說
我大弟子　須菩提者　當得作佛　号曰名相
當供无數　萬億諸佛　隨佛所行　漸具大道
最後身得　三十二相　端正姝妙　猶如寶山
其佛國土　嚴淨第一　衆生見者　无不愛樂
佛於其中　度无量衆　其佛法中　多諸菩薩

BD02173號　妙法蓮華經卷三

（23–3）

我大弟子　須菩提者　當得作佛　号曰名相
當供无數　萬億諸佛　隨佛所行　漸具大道
最後身得　三十二相　端正姝妙　猶如寶山
其佛國土　嚴淨第一　衆生見者　无不愛樂
佛於其中　度无量衆　其佛法中　多諸菩薩
皆悉利根　轉不退輪　彼國常以　菩薩莊嚴
諸聲聞衆　不可稱數　皆得三明　具六神通
住八解脫　有大威德　其佛說法　現於无量
神通變化　不可思議　諸天人民　數如恒沙
皆共合掌　聽受佛語　其佛當壽　十二小劫
正法住世　二十小劫　像法亦住　二十小劫
尒時世尊復告諸比丘衆我今語汝是大迦
旃延於當來世以諸供具供養奉事八千億
佛恭敬尊重諸佛滅後各起塔廟高千由旬
縱廣正等五百由旬以金銀琉璃車𤦲馬瑙
真珠玫瑰七寶合成衆華瓔珞塗香抹香燒
香繒蓋幢幡供養塔廟過是已後當復供養
二萬億佛亦復如是供養是諸佛已具菩薩
道當得作佛号曰閻浮那提金光如來應供
正遍知明行足善逝世間解无上士調御丈
夫天人師佛世尊其土平正頗梨為地寶樹
莊嚴黃金為繩以界道側妙華覆地周遍清
淨見者歡喜无四惡道地獄餓鬼畜生阿脩
羅道多有天人諸聲聞衆及諸菩薩无量萬
億莊嚴其國佛壽十二小劫正法住世二十
小劫像法亦住二十小劫尒時世尊欲重宣此

BD02173號　妙法蓮華經卷三

（23–4）

莊嚴黃金為繩以界道側妙華覆地周遍清
淨見者歡喜无四惡道地獄餓鬼畜生阿脩
羅道多有天人諸聲聞衆及諸菩薩无量萬
億莊嚴其國佛壽十二小劫正法住世二十
小劫像法亦住二十小劫尒時世尊欲重宣此
義而說偈言
諸比丘衆　皆一心聽　如我所說　真實无異
是迦旃延　當以種種　妙好供具　供養諸佛
諸佛滅後　起七寶塔　亦以華香　供養舍利
其最後身　得佛智慧　成等正覺　國土清淨
度脫无量　萬億衆生　皆為十方　之所供養
佛之光明　无能勝者　其佛號曰　閻浮金光
菩薩聲聞　斷一切有　无量无數　莊嚴其國
尒時世尊復告大衆我今語汝是大目揵連
當以種種供具供養八千諸佛恭敬尊重諸
佛滅後各起塔廟高千由旬縱廣正等五百
由旬以金銀琉璃車𤦲馬瑙真珠玫瑰七寶
合成衆華瓔珞塗香粖香燒香繒蓋幢幡以
用供養過是已後當復供養二百萬億諸佛
亦復如是當得成佛號曰多摩羅跋栴檀香
如來應供正遍知明行足善逝世間解无上
士調御丈夫天人師佛世尊劫名喜滿國名
意樂其土平正頗梨為地寶樹莊嚴散真珠
華周遍清淨見者歡喜多諸天人菩薩聲聞其
數无量佛壽二十四小劫正法住世四十小
劫像法亦住四十小劫尒時世尊欲重宣

BD02173號　妙法蓮華經卷三　（23–5）

意樂其土平正頗梨為地寶樹莊嚴散真珠
華周遍清淨見者歡喜多諸天人菩薩聲聞其
數无量佛壽二十四小劫正法住世四十小
劫像法亦住四十小劫尒時世尊欲重宣
此義而說偈言
我此弟子　大目揵連　捨是身已　得見八千
二百萬億　諸佛世尊　為佛道故　供養恭敬
於諸佛所　常脩梵行　於无量劫　奉持佛法
諸佛滅後　起七寶塔　長表金刹　華香伎樂
而以供養　諸佛塔廟　漸漸具足　菩薩道已
於意樂國　而得作佛　號多摩羅　栴檀之香
其佛壽命　二十四劫　常為天人　演說佛道
聲聞无量　如恒河沙　三明六通　有大威德
菩薩无數　志固精進　於佛智慧　皆不退轉
佛滅度後　正法當住　四十小劫　像法亦尒
我諸弟子　威德具足　其數五百　皆當授記
於未來世　咸得成佛　我及汝等　宿世因緣
吾今當說　汝等善聽

妙法蓮華經化城喻品第七

佛告諸比丘乃往過去无量无邊不可思議
阿僧祇劫尒時有佛名大通智勝如來應供
正遍知明行足善逝世間解无上士調御丈
夫天人師佛世尊其國名好成劫名大相諸
比丘彼佛滅度已來甚大久遠譬如三千大
千世界所有地種假使有人磨以為墨過於
東方千國土乃下一點大如微塵又過千國

BD02173號　妙法蓮華經卷三　（23–6）

正遍知明行足善逝世間解无上士調御丈
夫天人師佛世尊其國名好成劫名大相諸
比丘彼佛滅度已来甚大久遠譬如三千大
千世界所有地種假使有人磨以為墨過於
東方千國土乃下一點大如微塵又過千國
土復下一點如是展轉盡地種墨於汝等意
云何是諸國土若筭師若筭師弟子能得邊
際知其數不不也世尊諸比丘是人所經國
土若點不點盡抹為塵一塵一劫彼佛滅度
已来復過是數无量无邊百千萬億阿僧祇
劫我以如来知見力故觀彼久遠猶若今日
尒時世尊欲重宣此義而說偈言

我念過去世　无量无邊劫　有佛兩足尊　名大通智勝
如人以力磨　三千大千土　盡此諸地種　皆悉以為墨
過於千國土　乃下一塵點　如是展轉點　盡此諸塵墨
如是諸國土　點與不點等　復盡抹為塵　一塵為一劫
此諸微塵數　其劫復過是　彼佛滅度来　如是无量劫
如来无㝵智　知彼佛滅度　及聲聞菩薩　如見今滅度
諸比丘當知　佛智淨微妙　无漏无所㝵　通達无量劫

佛告諸比丘大通智勝佛壽五百四十萬億
那由他劫其佛本坐道場破魔軍已垂得阿
耨多羅三藐三菩提而諸佛法不現在前如
是一小劫乃至十小劫結跏趺坐身心不動
而諸佛法猶不在前尒時忉利諸天先為彼
佛於菩提樹下敷師子座高一由旬佛於此
座當得阿耨多羅三藐三菩提適坐此座時
諸梵天王雨衆天華面百由旬香風時来吹

BD02173號　妙法蓮華經卷三　（23–7）

是一小劫乃至十小劫結跏趺坐身心不動
而諸佛法猶不在前尒時忉利諸天先為彼
佛於菩提樹下敷師子座高一由旬佛於此
座當得阿耨多羅三藐三菩提適坐此座時
諸梵天王雨衆天華面百由旬香風時来吹
去萎華更雨新者如是不絶滿十小劫供養
於佛乃至滅度常雨此華四王諸天為供養
佛常擊天鼓其餘諸天作天伎樂滿十小劫
至于滅度亦復如是諸比丘大通智勝佛過
十小劫諸佛之法乃現在前成阿耨多羅三
藐三菩提其佛未出家時有十六子其第一
者名曰智積諸子各有種種珎異玩好之具
聞父得成阿耨多羅三藐三菩提皆捨所珎
往詣佛所諸母涕泣而随送之其祖轉輪聖
王與一百大臣及餘百千萬億人民皆共圍
繞随至道場咸欲親近大通智勝如来供養
恭敬尊重讚嘆到已頭面礼足繞佛畢已一心
合掌瞻仰世尊以偈頌曰

大威德世尊　為度衆生故　於无量億歲　尒乃得成佛
諸願已具足　善哉吉无上　世尊甚希有　一坐十小劫
身體及手足　靜然安不動　其心常惔怕　未曾有散亂
究竟永寂滅　安住无漏法　今者見世尊　安隱成佛道
我等得善利　稱慶大歡喜　衆生常苦惱　盲瞑无導師
不識苦盡道　不知求解脫　長夜增惡趣　減損諸天衆
從瞑入於瞑　永不聞佛名　今佛得最上　安隱无漏道
我等及天人　為得最大利　是故咸稽首　歸命无上尊

尒時十六王子偈讚佛已勸請世尊轉於法

BD02173號　妙法蓮華經卷三　（23–8）

我等得善利 稱慶大歡喜 衆生常苦惱 盲瞑无導師
不識苦盡道 不知求解脫 長夜增惡趣 減損諸天衆
從瞑入於瞑 永不聞佛名 今佛得最上 安隱无漏道
我等及天人 為得最大利 是故咸稽首 歸命无上尊
尒時十六王子偈讚佛已勸請世尊轉於法
輪咸作是言世尊說法多所安隱憐愍饒益
諸天人民重說偈言
世雄无等倫 百福自莊嚴 得无上智慧 願為世間說
度脫於我等 及諸衆生類 為分別顯示 令得是智慧
若我等得佛 衆生亦復然 世尊知衆生 深心之所念
亦知所行道 又知智慧力 欲樂及脩福 宿命所行業
世尊悉知已 當轉无上輪
佛告諸比丘大通智勝佛得阿耨多羅三藐
三菩提時十方各五百萬億諸佛世界六種
震動其國中間幽瞑之處日月威光所不能
照而皆大明其中衆生各得相見咸作是言
此中云何忽生衆生又其國界諸天宮殿乃
至梵宮六種震動大光普照遍滿世界勝諸
天光尒時東方五百萬億諸國土中梵天宮
殿光明照曜倍於常明諸梵天王各作是念
今者宮殿光明昔所未有以何因緣而現此
相是時諸梵天王即各相詣共議此事時彼
衆中有一大梵天王名救一切為諸梵衆而
說偈言
我等諸宮殿 光明昔未有 此是何因緣 宜各共求之
為大德天生 為佛出世間 而此大光明 遍照於十方
尒時五百萬億國土諸梵天王與宮殿俱各

BD02173號　妙法蓮華經卷三　（23–9）

衆中有一大梵天王名救一切為諸梵衆而
說偈言
我等諸宮殿 光明昔未有 此是何因緣 宜各共求之
為大德天生 為佛出世間 而此大光明 遍照於十方
尒時五百萬億國土諸梵天王與宮殿俱各
以衣裓盛諸天華共詣西方推尋是相見大
通智勝如來處于道場菩提樹下坐師子座
諸天龍王乾闥婆緊那羅摩睺羅伽人非人
等恭敬圍繞及見十六王子請佛轉法輪即
時諸梵天王頭面禮佛繞百千帀即以天華
而散佛上其所散華如須弥山并以供養佛
菩提樹其菩提樹高十由旬華供養已各以
宮殿奉上彼佛而作是言唯見哀愍饒益我
等所獻宮殿願垂納處時諸梵天王即於佛
前一心同聲以偈頌曰
世尊甚希有 難可得值遇 具无量功德 能救護一切
天人之大師 哀愍於世間 十方諸衆生 普皆蒙饒益
我等所從來 五百萬億國 捨深禪定樂 為供養佛故
我等先世福 宮殿甚嚴飾 今以奉世尊 唯願哀納受
尒時諸梵天王偈讚佛已各作是言唯願世
尊轉於法輪度脫衆生開涅槃道時諸梵天
王一心同聲而說偈言
世雄兩足尊 唯願演說法 以大慈悲力 度苦惱衆生
尒時大通智勝如來默然許之又諸比丘東南
方五百萬億國土諸大梵王各自見宮殿
光明照曜昔所未有歡喜踊躍生希有心即
各相詣共議此事時彼衆中有一大梵天王

BD02173號　妙法蓮華經卷三　（23–10）

世雄兩足尊　唯願演說法　以大慈悲力　度苦惱衆生
尒時大通智勝如來黙然許之又諸比丘東南
方五百萬億國土諸大梵王各自見宮殿
光明照曜昔所未有歡喜踊躍生希有心即
各相詣共議此事時彼衆中有一大梵天王
名曰大悲為諸梵衆而說偈言
是事何因緣　而現如此相　我等諸宮殿　光明昔未有
為大德天生　為佛出世間　未曾見此相　當共一心求
過千萬億土　尋光共推之　多是佛出世　度脫苦衆生
尒時五百萬億諸梵天王與宮殿俱各以衣
裓盛諸天華共詣西北方推尋是相見大通
智勝如來處于道場菩提樹下坐師子座諸
天龍王乾闥婆緊那羅摩睺羅伽人非人等
恭敬圍繞及見十六王子請佛轉法輪時諸
梵天王頭面礼佛繞百千帀即以天華而散
佛上所散之華如須弥山并以供養佛菩提
樹華供養已各以宮殿奉上彼佛而作是言
唯見哀愍饒益我等所獻宮殿願垂納受尒
時諸梵天王即於佛前一心同聲以偈頌曰
聖主天中王　迦陵頻伽聲　哀愍衆生者　我等今敬礼
世尊甚希有　久遠乃一現　一百八十劫　空過无有佛
三惡道充滿　諸天衆減少　今佛出於世　為衆生作眼
世間所歸趣　救護於一切　為衆生之父　哀愍饒益者
我等宿福慶　今得值世尊
尒時諸梵天王偈讚佛已各作是言唯願世
尊哀愍一切轉於法輪度脫衆生時諸梵天
王一心同聲而說偈言

世間所歸趣　救護於一切　為衆生之父
我等宿福慶　今得值世尊
尒時諸梵天王偈讚佛已各作是言唯願世
尊哀愍一切轉於法輪度脫衆生時諸梵天
王一心同聲而說偈言
大聖轉法輪　顯示諸法相　度苦惱衆生　令得大歡喜
衆生聞此法　得道若生天　諸惡道減少　忍善者增益
尒時大通智勝如來黙然許之又諸比丘南
方五百萬億國土諸大梵王各自見宮殿光
明照曜昔所未有歡喜踊躍生希有心即各
相詣共議此事以何因緣我等宮殿有此光
曜而彼衆中有一大梵天王名曰妙法為諸
梵衆而說偈言
我等諸宮殿　光明甚威曜　此非无因緣　是相宜求之
過於百千劫　未曾見是相　為大德天生　為佛出世間
尒時五百萬億諸梵天王與宮殿俱各以衣
裓盛諸天華共詣北方推尋是相見大通智
勝如來處于道場菩提樹下坐師子座諸天
龍王乾闥婆緊那羅摩睺羅伽人非人等恭
敬圍繞及見十六王子請佛轉法輪時諸梵
天王頭面礼佛繞百千帀即以天華而散佛
上所散之華如須弥山并以供養佛菩提樹
華供養已各以宮殿奉上彼佛而作是言唯
見哀愍饒益我等所獻宮殿願垂納受尒時
諸梵天王即於佛前一心同聲以偈頌曰
世尊甚難見　破諸煩惱者　過百三十劫　今乃得一見
諸飢渴衆生　以法雨充滿　昔所未曾見　无量智慧者

諸梵天王即於佛前一心同聲以偈頌曰
世尊甚難見　破諸煩惱者　過百三十劫　今乃得一見
諸飢渴衆生　以法雨充滿　昔所未曾見　无量智慧者
如優曇鉢羅　今日乃值遇　我等諸宮殿　蒙光故嚴飾
世尊大慈愍　唯願垂納受
尒時諸梵天王偈讚佛已各作是言唯願世
尊轉於法輪令一切世間諸天魔梵沙門婆
羅門皆獲安隱而得度脫時諸梵天王一心
同聲以偈頌曰
唯願天人尊　轉无上法輪　擊于大法鼓　而吹大法螺
普雨大法雨　度无量衆生　我等咸歸請　當演深遠音
尒時大通智勝如來默然許之西南方乃至
下方亦復如是尒時上方五百萬億國土諸
大梵王皆悉自覩所止宮殿光明威曜昔所
未有歡喜踊躍生希有心即各相詣共議此
事以何因緣我等宮殿有斯光明時彼衆中
有一大梵天王名曰尸棄為諸梵衆而說偈
言
今以何因緣　我等諸宮殿　威德光明曜　嚴飾未曾有
如是之妙相　昔所未聞見　為大德天生　為佛出世間
尒時五百萬億諸梵天王與宮殿俱各以衣
裓盛諸天華共詣下方推尋是相見大通智
勝如來處于道場菩提樹下坐師子座諸天
龍王乾闥婆緊那羅摩睺羅伽人非人等恭
敬圍繞及見十六王子請佛轉法輪時諸梵
天王頭面禮佛繞百千帀即以天華而散佛

勝如來處于道場菩提樹下坐師子座諸天
龍王乾闥婆緊那羅摩睺羅伽人非人等恭
敬圍繞及見十六王子請佛轉法輪時諸梵
天王頭面禮佛繞百千帀即以天華而散佛
上所散之華如須弥山并以供養佛菩提樹
華供養已各以宮殿奉上彼佛而作是言唯
見哀愍饒益我等所獻宮殿願垂納受時諸
梵天王即於佛前一心同聲以偈頌曰
世尊甚難見　破諸煩惱者　過百三十劫　今乃得一見
諸飢渴衆生　以法雨充滿　昔所未曾見　无量智慧者
如優曇鉢羅　今日乃值遇　我等諸宮殿　蒙光故嚴飾
世尊大慈愍　唯願垂納受
尒時諸梵天王偈讚佛已各作是言唯願世
尊轉於法輪令一切世間諸天魔梵沙門婆
羅門皆獲安隱而得度脫時諸梵天王一心
同聲以偈頌曰
唯願天人尊　轉无上法輪　擊于大法鼓　而吹大法螺
普雨大法雨　度无量衆生　我等咸歸請　當演深遠音
尒時大通智勝如來默然許之西南方乃至
下方亦復如是尒時上方五百萬億國土諸
大梵王皆悉自覩所止宮殿光明威曜昔所
未有歡喜踊躍生希有心即各相詣共議此
事以何因緣我等宮殿有斯光明時彼衆中
有一大梵天王名曰尸棄為諸梵衆而說偈
言
今以何因緣　我等諸宮殿　威德光明曜　嚴飾未曾有
如是之妙相　昔所未聞見　為大德天生　為佛出世間

事以何因緣我等宮殿有斯光明時彼衆中
有一大梵天王名曰尸棄為諸梵衆而說偈
言
今以何因緣　我等諸宮殿　威德光明曜　嚴飾未曾有
如是之妙相　昔所未聞見　為大德天生　為佛出世間
尒時五百萬億諸梵天王與宮殿俱各以衣
裓盛諸天華共詣下方推尋是相見大通智
勝如来處于道場菩提樹下坐師子座諸天
龍王乾闥婆緊那羅摩睺羅伽人非人等恭
敬圍繞及見十六王子請佛轉法輪時諸梵
天王頭面礼佛繞百千帀即以天華而散佛
上所散之華如須弥山并以供養佛菩提樹
華供養已各以宮殿奉上彼佛而作是言唯
見哀愍饒益我等所獻宮殿願垂納受時諸
梵天王即於佛前一心同聲以偈頌曰
善哉見諸佛　救世之聖尊　能於三界獄　勉出諸衆生
普智天人尊　愍哀羣萌類　能開甘露門　廣度於一切
於昔无量劫　空過无有佛　世尊未出時　十方常暗暝
三惡道增長　阿脩羅亦盛　諸天衆轉减　死多墮惡道
不從佛聞法　常行不善事　色力及智慧　斯等皆减少
罪業因緣故　失樂及樂想　住於邪見法　不識善儀則
不蒙佛所化　常墮於惡道　佛為世間眼　久遠時乃出
哀愍諸衆生　故現於世間　超出成正覺　我等甚欣慶
及諸一切衆　喜嘆未曾有　我等諸宮殿　蒙光故嚴飾
今以奉世尊　唯垂哀納受　願以此功德　普及於一切
我等與衆生　皆共成佛道
尒時五百萬億諸梵天王偈讚佛已各白佛言

哀愍諸衆生　故現於世間　超出成正覺　我等甚欣慶
及諸一切衆　喜嘆未曾有　我等諸宮殿　蒙光故嚴飾
今以奉世尊　唯垂哀納受　願以此功德　普及於一切
我等與衆生　皆共成佛道
尒時五百萬億諸梵天王偈讚佛已各白佛言
唯願世尊轉於法輪多所安隱多所度脫時諸
梵天王而說偈言
世尊轉法輪　擊甘露法鼓　度苦惱衆生　開示涅槃道
唯願受我請　以大微妙音　哀愍而敷演　无量劫習法
尒時大通智勝如来受十方諸梵天王及十
六王子請即時三轉十二行法輪若沙門婆
羅門若天魔梵及餘世間所不能轉謂是苦
是苦集是苦滅是苦滅道及廣說十二因緣
法无明緣行行緣識識緣名色名色緣六入
六入緣觸觸緣受受緣愛愛緣取取緣有有
緣生生緣老死憂悲苦惱无明滅則行滅行
滅則識滅識滅則名色滅名色滅則六入滅
六入滅則觸滅觸滅則受滅受滅則愛滅愛
滅則取滅取滅則有滅有滅則生滅生滅則
老死憂悲苦惱滅佛於天人大衆之中說是
法時六百萬億那由他人以不受一切法故
而於諸漏心得解脫皆得深妙禪定三明六
通具八解脫第二第三第四說法時千萬億
恒河沙那由他等衆生亦以不受一切法故
而於諸漏心得解脫從是已後諸聲聞衆无
量无邊不可稱數尒時十六王子皆以童子
出家而為沙弥諸根通利智慧明了已曾供

通具八解脫第二第三第四說法時千萬億
恒河沙那由他等衆生亦以不受一切法故
而於諸漏心得解脫從是已後諸聲聞衆无
量无邊不可稱數尒時十六王子皆以童子
出家而為沙弥諸根通利智慧明了已曾供
養百千萬億諸佛淨脩梵行求阿耨多羅三
藐三菩提俱白佛言世尊是諸无量千萬億
大德聲聞皆已成就世尊亦當為我等說阿
耨多羅三藐三菩提法我等聞已皆共脩學
世尊我等志願如來知見深心所念佛自證
知尒時轉輪聖王所將衆中八萬億人見十
六王子出家亦求出家王即聽許尒時彼佛
受沙弥請過二萬劫已乃於四衆之中說是
大乘經名妙法蓮華教菩薩法佛所護念說
是經已十六沙弥為阿耨多羅三藐三菩提
故皆共受持諷誦通利說是經時十六菩薩
沙弥皆悉信受聲聞衆中亦有信解其餘衆
生千萬億種皆生疑惑佛說是經於八千劫
未曾休廢說此經已即入靜室住於禪定八
萬四千劫是時十六菩薩沙弥知佛入室寂
然禪定各昇法座亦於八萬四千劫為四部
衆廣說分別妙法華經一一皆度六百萬億
那由他恒河沙等衆生示教利喜令發阿耨
多羅三藐三菩提心大通智勝佛過八萬四
千劫已從三昧起往詣法座安詳而坐普告
大衆是十六菩薩沙弥甚為希有諸根通利

BD02173號　妙法蓮華經卷三　（23–17）

衆廣說分別妙法華經一一皆度六百萬億
那由他恒河沙等衆生示教利喜令發阿耨
多羅三藐三菩提心大通智勝佛過八萬四
千劫已從三昧起往詣法座安詳而坐普告
大衆是十六菩薩沙弥甚為希有諸根通利
智慧明了已曾供養无量千萬億數諸佛於
諸佛所常脩梵行受持佛智開示衆生令入
其中汝等皆當數數親近而供養之所以者
何若聲聞辟支佛及諸菩薩能信是十六菩
薩所說經法受持不毀者是人皆當得阿耨
多羅三藐三菩提如來之慧佛告諸比丘是
十六菩薩常樂說是妙法蓮華經一一菩薩
所化六百萬億那由他恒河沙等衆生世世
所生與菩薩俱從其聞法悉皆信解以此因
緣得值四萬億諸佛世尊于今不盡諸比丘
我今語汝彼佛弟子十六沙弥今皆得阿耨
多羅三藐三菩提於十方國土現在說法有
无量百千萬億菩薩聲聞以為眷屬其二沙
弥東方作佛一名阿閦在歡喜國二名須弥
頂東南方二佛一名師子音二名師子相南
方二佛一名虛空住二名常滅西南方二佛
一名帝相二名梵相西方二佛一名阿弥陀
二名度一切世間苦惱西北方二佛一名多
摩羅跋栴檀香神通二名須弥相北方二佛
一名雲自在二名雲自在王東北方佛名壞
一切世間怖畏第十六我釋迦牟尼佛於娑
婆國土成阿耨多羅三藐三菩提諸比丘我

BD02173號　妙法蓮華經卷三　（23–18）

摩羅跋栴檀香神通二名須弥相北方二佛
一名雲自在二名雲自在王東北方佛名壞
一切世間怖畏第十六我釋迦牟尼佛於娑
婆國土成阿耨多羅三藐三菩提諸比丘我
等為沙弥時各各教化无量百千萬億恒河
沙等眾生從我聞法為阿耨多羅三藐三菩
提此諸眾生于今有住聲聞地者我常教化
阿耨多羅三藐三菩提是諸人等應以是法
漸入佛道所以者何如來智慧難信難解尒
時所化无量恒河沙等眾生者汝等諸比丘
及我滅度後未來世中聲聞弟子是也我
滅度後復有弟子不聞是經不知不覺菩薩所
行自於所得功德生滅度想當入涅槃我於
餘國作佛更有異名是人雖生滅度之想入
於涅槃而於彼土求佛智慧得聞是經唯以
佛乘而得滅度更无餘乘除諸如來方便說
法諸比丘若如來自知涅槃時到眾又清淨
信解堅固了達空法深入禪定便集諸菩薩
及聲聞眾為說是經世間无有二乘而得滅
度唯一佛乘得滅度耳比丘當知如來方便
深入眾生之性知其志樂小法深著五欲為
是等故說於涅槃是人若聞則便信受譬如
五百由旬險難惡道曠絕无人怖畏之處若
有多眾欲過此道至珎寶處有一導師聰慧
明達善知險道通塞之相將導眾人欲過此
難所將人眾中路懈退白導師言我等疲極

BD02173號　妙法蓮華經卷三

（23-19）

深入眾生之性知其志樂小法深著五欲為
是等故說於涅槃是人若聞則便信受譬如
五百由旬險難惡道曠絕无人怖畏之處若
有多眾欲過此道至珎寶處有一導師聰慧
明達善知險道通塞之相將導眾人欲過此
難所將人眾中路懈退白導師言我等疲極
而復怖畏不能復進前路猶遠今欲退還導
師多諸方便而作是念此等可愍云何捨大
珎寶而欲退還作是念已以方便力於險道
中過三百由旬化作一城告眾人言汝等勿
怖莫得退還今此大城可於中止隨意所作
若入是城快得安隱若能前至寶所亦可得
去是時疲極之眾心大歡喜歎未曾有我等
今者免斯惡道快得安隱於是眾人前入化
城生已度想生安隱想尒時導師知此人眾
既得止息无復疲惓即滅化城語眾人言汝
等去來寶處在近向者大城我所化作為止
息耳諸比丘如來亦復如是今為汝等作大
導師知諸生死煩惱惡道險難長遠應去應
度若眾生但聞一佛乘者則不欲見佛不欲
親近便作是念佛道長遠久受懃苦乃可得
成佛知是心怯弱下劣以方便力而於中道
為止息故說二涅槃若眾生住於二地如來
尒時即便為說汝等所作未辦汝所住地近
於佛慧當觀察籌量所得涅槃非真實也但
是如來方便之力於一佛乘分別說三如彼
導師為止息故化作大城既知息已而告之

BD02173號　妙法蓮華經卷三

（23-20）

為止息故說二涅槃若衆生住於二地如來
尒時即便為說汝等所作未辦汝所住地近
於佛慧當觀察籌量所得涅槃非真實也但
是如來方便之力於一佛乘分別說三如彼
導師為止息故化作大城既知息已而告之
言寶處在近此城非實我化作耳尒時世尊
欲重宣此義而說偈言
大通智勝佛　十劫坐道場　佛法不現前　不得成佛道
諸天神龍王　阿脩羅衆等　常雨於天華　以供養彼佛
諸天擊天鼓　并作衆伎樂　香風吹萎華　更雨新好者
過十小劫已　乃得成佛道　諸天及世人　心皆懷踊躍
彼佛十六子　皆與其眷屬　千萬億圍繞　俱行至佛所
頭面禮佛足　而請轉法輪　聖師子法雨　充我及一切
世尊甚難值　久遠時一現　為覺悟群生　震動於一切
東方諸世界　五百萬億國　梵宮殿光曜　昔所未曾有
諸梵見此相　尋來至佛所　散華以供養　并奉上宮殿
請佛轉法輪　以偈而讚歎　佛知時未至　受請嘿然坐
三方及四維　上下亦復尒　散華奉宮殿　請佛轉法輪
世尊甚難值　願以本慈悲　廣開甘露門　轉无上法輪
无量慧世尊　受彼衆人請　為宣種種法　四諦十二緣
无明至老死　皆從生緣有　如是衆過患　汝等應當知
宣暢是法時　六百萬億姟　得盡諸苦際　皆成阿羅漢
第二說法時　千萬恒沙衆　於諸法不受　亦得阿羅漢
從是後得道　其數无有量　萬億劫算數　不能得其邊
時十六王子　出家作沙弥　皆共請彼佛　演說大乘法
我等及營從　皆當成佛道　願得如世尊　慧眼第一淨
佛智童子心　宿世之所行　以无量因緣　種種諸譬喻

BD02173號　妙法蓮華經卷三　（23-21）

從是後得道　其數无有量　萬億劫算數　不能得其邊
時十六王子　出家作沙弥　皆共請彼佛　演說大乘法
我等及營從　皆當成佛道　願得如世尊　慧眼第一淨
佛智童子心　宿世之所行　以无量因緣　種種諸譬喻
說六波羅蜜　及諸神通事　分別真實法　菩薩所行道
說是法華經　如恒河沙偈　彼佛說經已　靜室入禪定
一心一處坐　八萬四千劫　是諸沙弥等　知佛禪未出
為无量億衆　說佛无上慧　各各坐法座　說是大乘經
於佛宴寂後　宣揚助法化　一一沙弥等　所度諸衆生
有六百萬億　恒河沙等衆　彼佛滅度後　是諸聞法者
在在諸佛土　常與師俱生　是十六沙弥　具足行佛道
今現在十方　各得成正覺　尒時聞法者　各在諸佛所
其有住聲聞　漸教以佛道　我在十六數　曾亦為汝說
是故以方便　引汝趣佛慧　以是本因緣　今說法華經
令汝入佛道　慎勿懷驚懼　譬如險惡道　迥絕多毒獸
又復无水草　人所怖畏處　无數千萬衆　欲過此險道
其路甚曠遠　經五百由旬　時有一導師　強識有智慧
明了心決定　在險濟衆難　衆人皆疲惓　而白導師言
我等今頓乏　於此欲退還　導師作是念　此輩甚可愍
如何欲退還　而失大珍寶　尋時思方便　當設神通力
化作大城郭　莊嚴諸舍宅　周匝有園林　渠流及浴池
重門高樓閣　男女皆充滿　即作是化已　慰衆言勿懼
汝等入此城　各可隨所樂　諸人既入城　心皆大歡喜
皆生安隱想　自謂已得度　導師知息已　集衆而告言
汝等當前進　此是化城耳　我見汝疲極　中路欲退還
故以方便力　權化作此城　汝今勤精進　當共至寶所
我亦復如是　為一切導師　見諸求道者　中路而懈廢

BD02173號　妙法蓮華經卷三　（23-22）

其路甚曠遠　經五百由旬　時有一導師　強識有智慧
明了心決定　在險濟衆難　衆人皆疲惓　而白導師言
我等今頓乏　於此欲退還　導師作是念　此輩甚可愍
如何欲退還　而失大珍寶　尋時思方便　當設神通力
化作大城郭　莊嚴諸舍宅　周匝有園林　渠流及浴池
重門高樓閣　男女皆充滿　即作是化已　慰衆言勿懼
汝等入此城　各可隨所樂　諸人既入城　心皆大歡喜
皆生安隱想　自謂已得度　導師知息已　集衆而告言
汝等當前進　此是化城耳　我見汝疲極　中路欲退還
故以方便力　權化作此城　汝今勤精進　當共至寶所
我亦復如是　為一切導師　見諸求道者　中路而懈廢
不能度生死　煩惱諸險道　故以方便力　為息說涅槃
言汝等苦滅　所作皆已辦　既知到涅槃　皆得阿羅漢
爾乃集大衆　為說真實法　諸佛方便力　分別說三乘
唯有一佛乘　息處故說二　今為汝說實　汝所得非滅
為佛一切智　當發大精進　汝證一切智　十力等佛法
具三十二相　乃是真實滅　諸佛之導師　為息說涅槃
既知是息已　引入於佛慧

妙法蓮華經卷第三

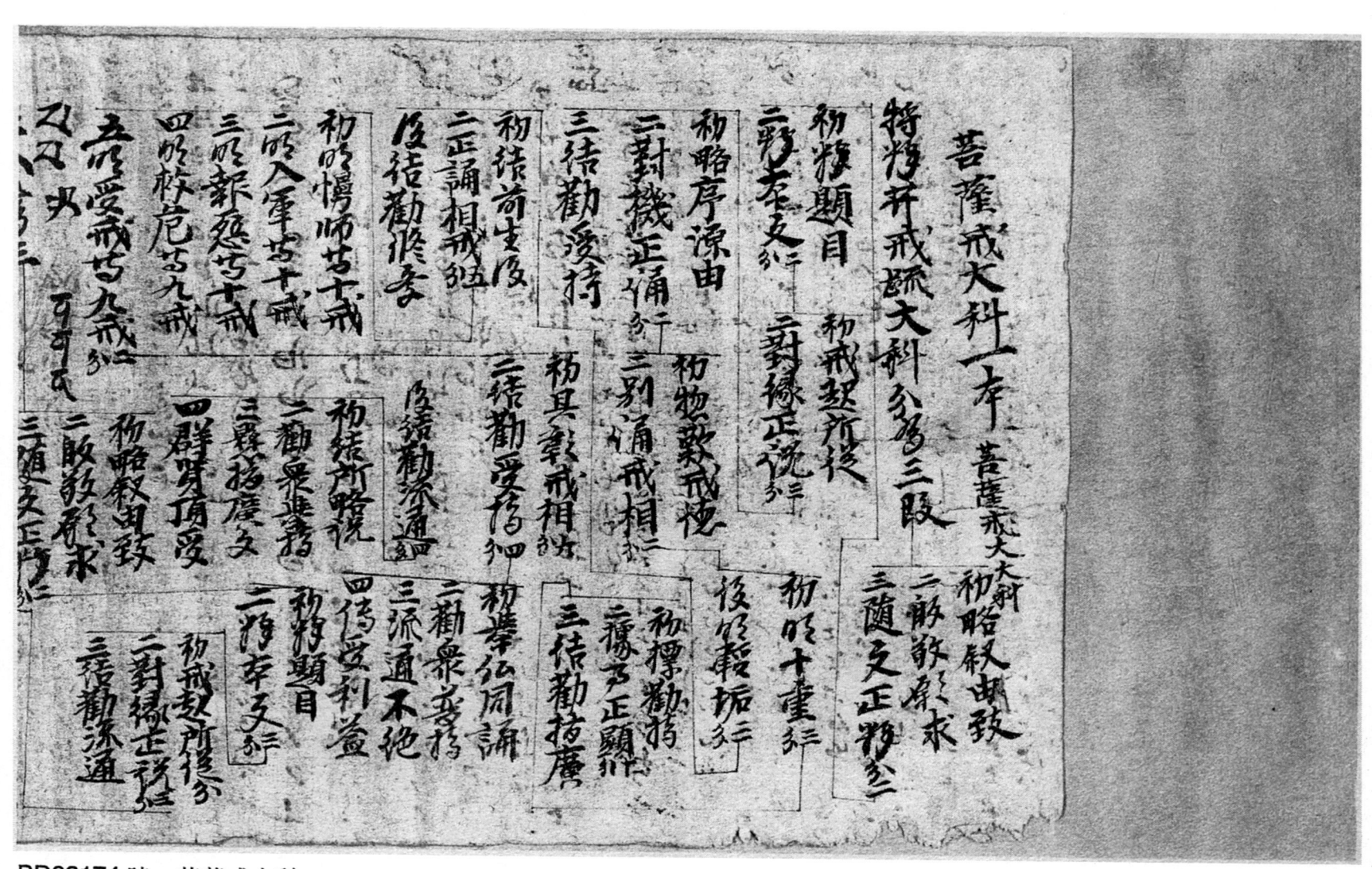

BD02173號　妙法蓮華經卷三

（23–23）

菩薩戒大科一本

特將科戒疏大科分為三段

初牒題目

二彰本文 分二

初略序源由

二對機正誦 分二

三結勸受持

初結前生後

二正誦相戒 分五

後結勸依奉

初明慢師等十戒

二明入軍等十戒

三明薪燒等十戒

四明救危等九戒

五明受戒等九戒 分二

初戒起所從

二對緣正說 分三

初物數戒德

二別誦戒相 分二

初具數戒相 分

二結勸受持 分四

後結勸流通

初結所略說

二勸衆護持

三顯指廣文

四群賢頂受

初略叙由致

二敗救衆求

三隨文正釋 分二

菩薩戒大科

初略叙由致

二敗救衆求

三隨文正釋 分二

初明十重 分二

後明輕垢 分二

初標勸持

二勸示正顯

三結勸指廣

初舉佛同誦

二勸衆護持

三流通不絕

四偈讚利益

初牒題目

二釋本文 分三

初戒起所從 分

二對緣正說 分二

三結勸流通

BD02174號　菩薩戒大科

（2–1）

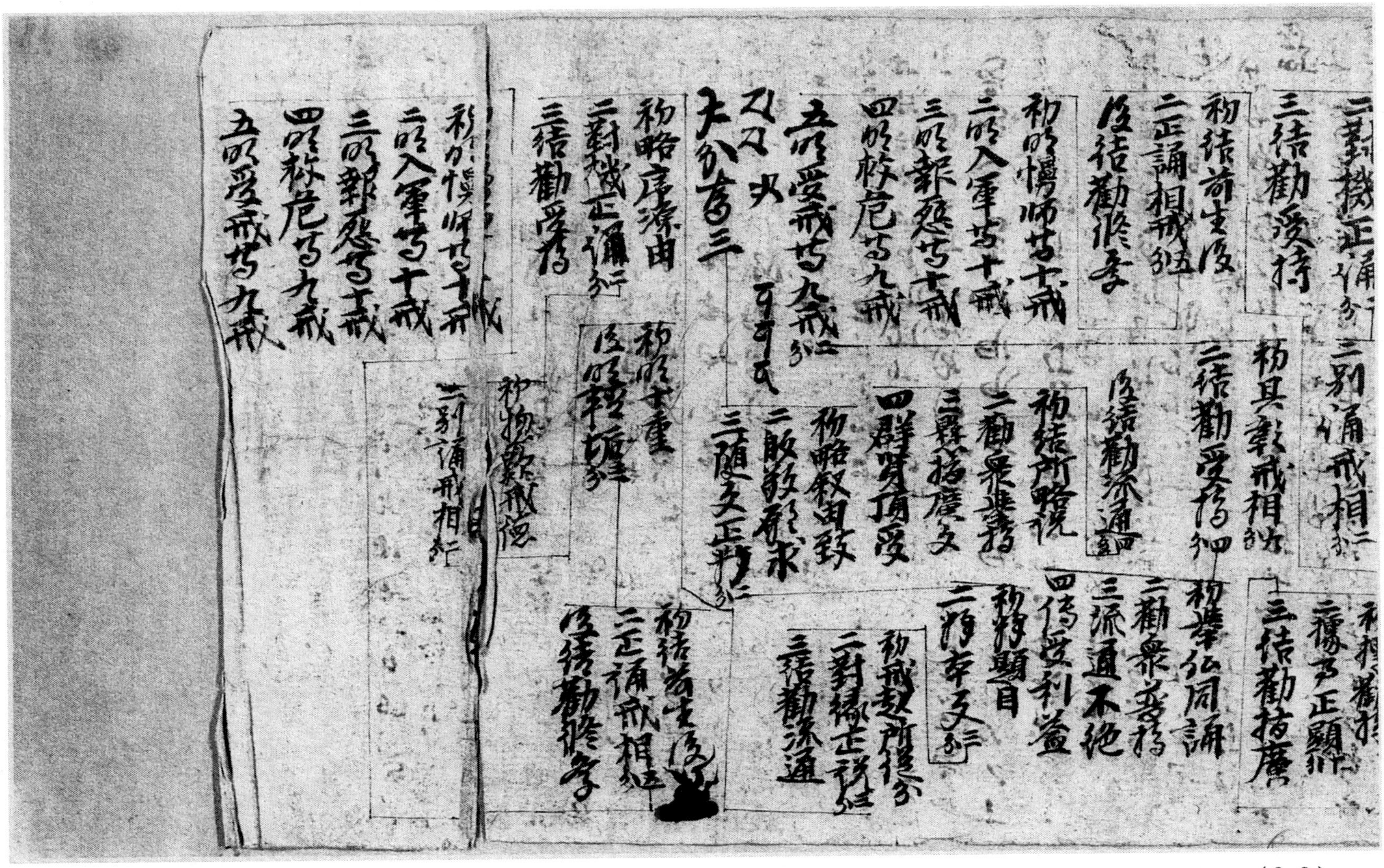

BD02174 號　菩薩戒大科　　（2–2）

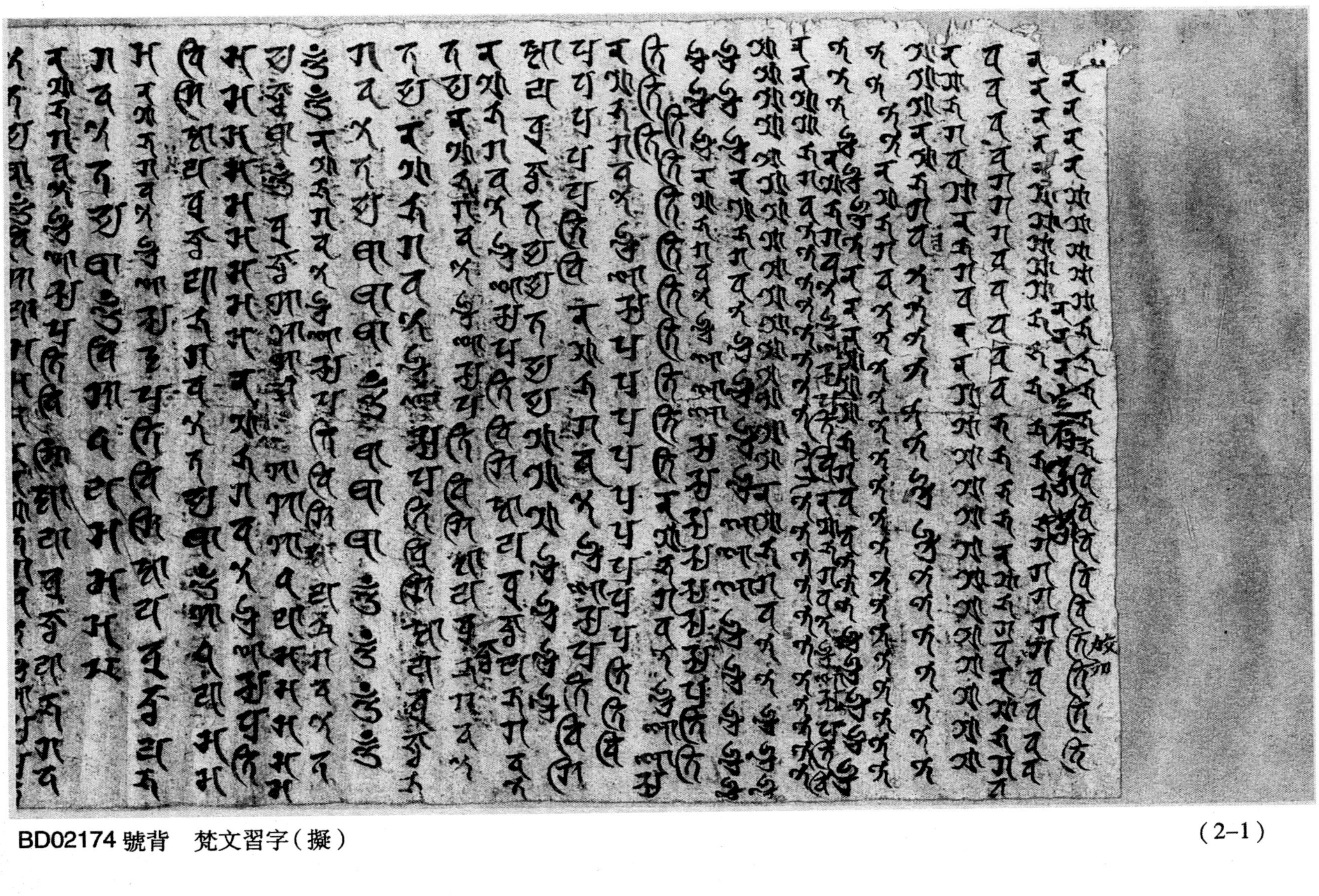

BD02174 號背　梵文習字（擬）　　（2–1）

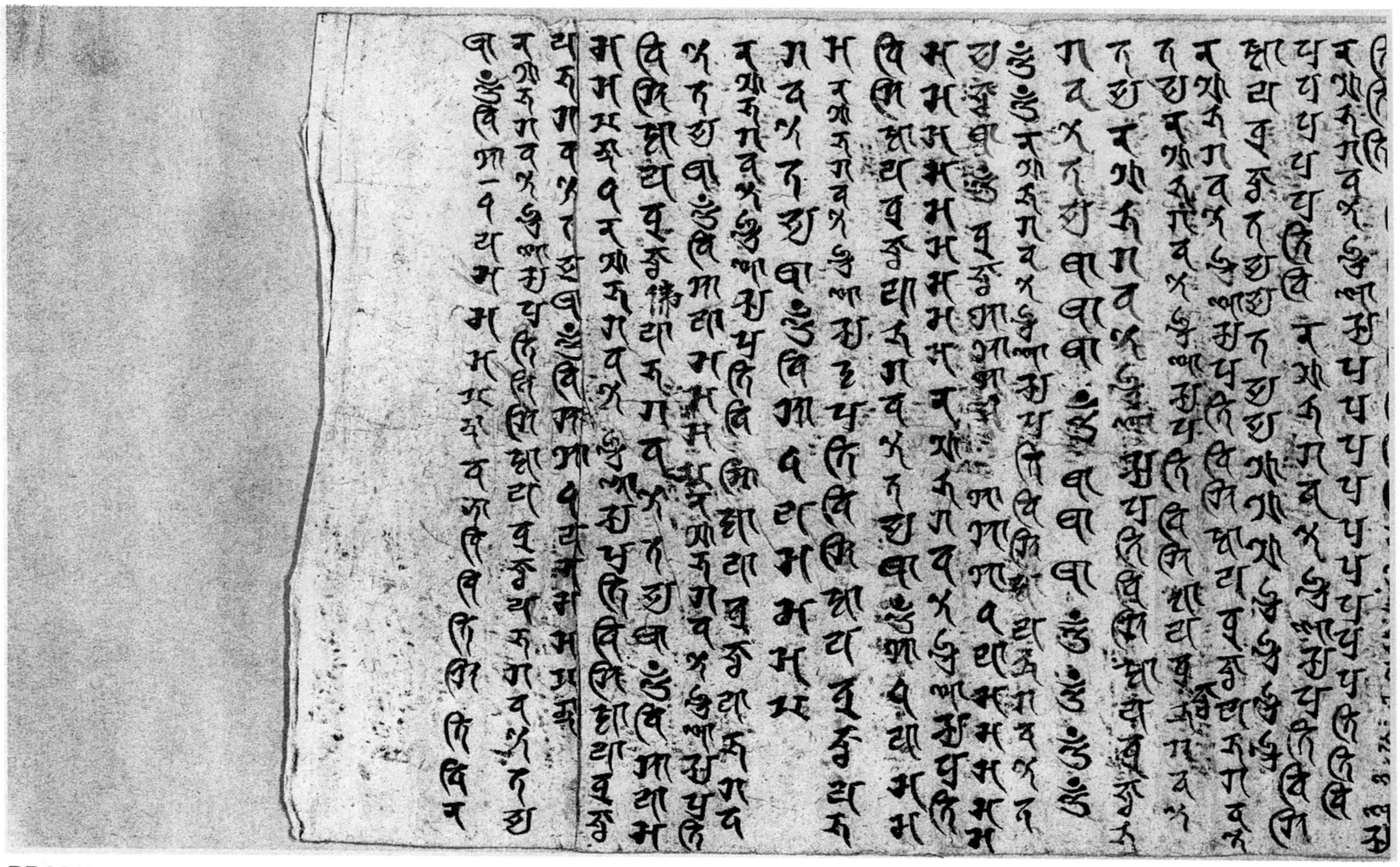

BD02174 號背　梵文習字（擬）

（2–2）

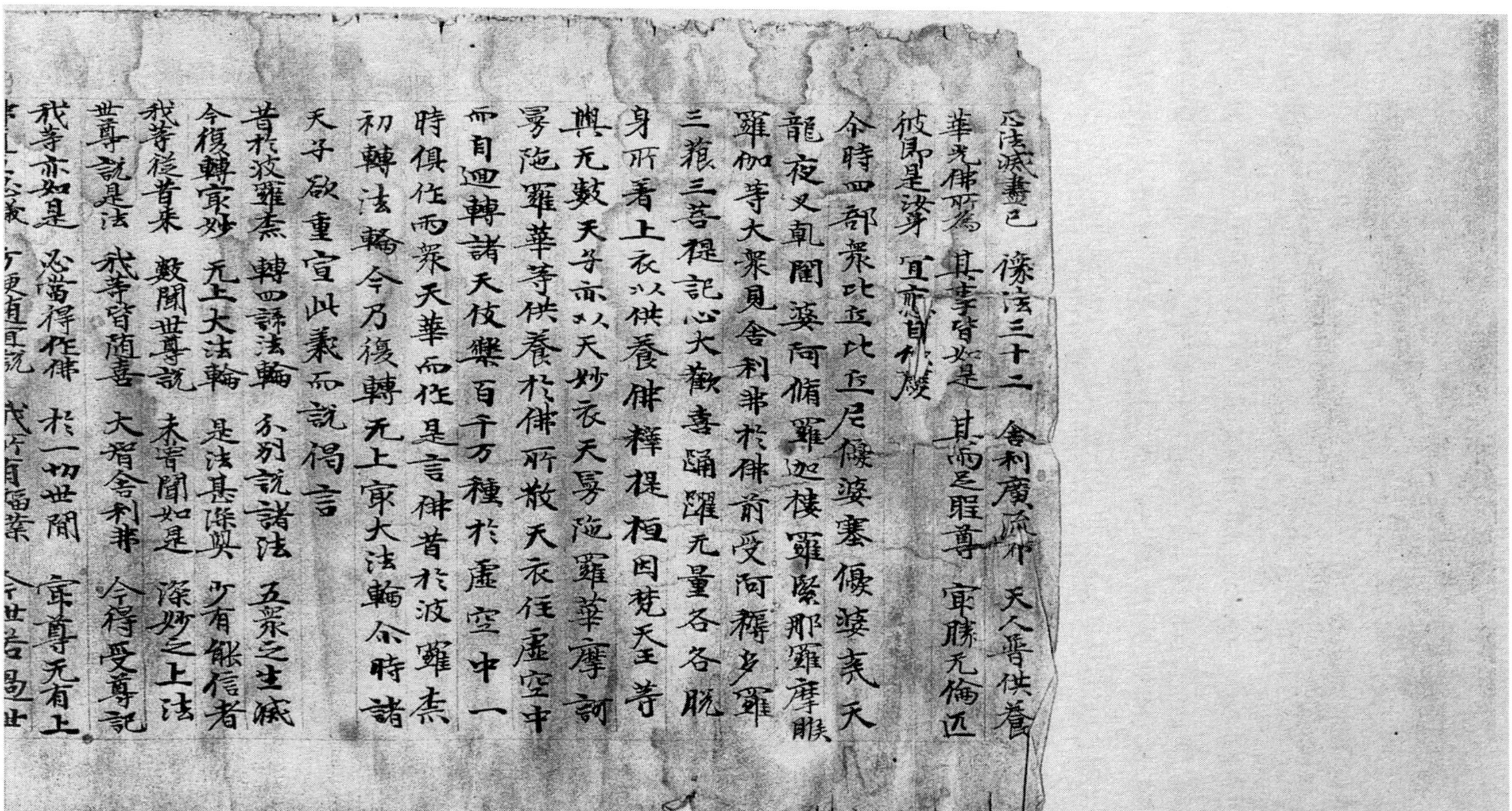

正法滅盡已　像法三十二　舍利廣流布　天人普供養
華光佛所為　其事皆如是　其兩足聖尊　最勝无倫匹
彼即是汝身　宜應自欣慶
尒時四部衆比丘比丘尼優婆塞優婆夷天
龍夜叉乾闥婆阿脩羅迦樓羅緊那羅摩睺
羅伽等大衆見舍利弗於佛前受阿耨多羅
三藐三菩提記心大歡喜踊躍无量各各脫
身所著上衣以供養佛釋提桓因梵天王等
與无數天子亦以天妙衣天曼陁羅華摩訶
曼陁羅華等供養於佛所散天衣住虛空中
而自迴轉諸天伎樂百千万種於虛空中一
時俱作雨衆天華而作是言佛昔於波羅柰
初轉法輪今乃復轉无上最大法輪尒時諸
天子欲重宣此義而說偈言
昔於波羅柰　轉四諦法輪　分別說諸法　五衆之生滅
今復轉最妙　无上大法輪　是法甚深奧　少有能信者
我等從昔來　數聞世尊說　未曾聞如是　深妙之上法
世尊說是法　我等皆隨喜　大智舍利弗　今得受尊記
我等亦如是　必當得作佛　於一切世間　最尊无有上
[illegible]議　方便隨宜說　我所有福業　今世若過世

BD02175 號　妙法蓮華經卷二

（9–1）

今復轉最妙　无上大法輪　是法甚深奧　少有能信者
我等從昔來　數聞世尊說　未曾聞如是　深妙之上法
世尊說是法　我等皆隨喜　大智舍利弗　今得受尊記
我等亦如是　必當得作佛　於一切世間　冣尊无有上
佛道叵思議　方便隨宜說　我所有福業　今世若過世
及見佛功德　盡迴向佛道
尒時舍利弗白佛言世尊我今无復疑悔親
於佛前得受阿耨多羅三藐三菩提記是諸
千二百心自在者昔住學地佛常教化言我
法能離生老病死究竟涅槃是學无學人亦
各自以離我見及有无見等謂得涅槃而今於
世尊前聞所未聞皆墮疑惑善哉世尊願
為四衆說其因緣令離疑悔尒時佛告舍利
弗我先不言諸佛世尊以種種因緣辟喻言
辞方便說法皆為阿耨多羅三藐三菩提耶
是諸所說皆為化菩薩故然舍利弗今當復
以辟喻更明此義諸有智者以辟喻得解舍
利弗若國邑聚落有大長者其年衰邁財富
无量多有田宅及諸僮僕其家廣大唯有一
門多諸人衆一百二百乃至五百人止住其
中堂閣朽故墻壁頹落柱根腐敗梁棟傾危
周帀俱時欻然火起焚燒舍宅長者諸子若
十二十或至三十在此宅中長者見是大火
從四面起即大驚怖而作是念我雖能於此
所燒之門安隱得出而諸子等於火宅內樂
著嬉戲不覺不知不驚不怖火來逼身苦痛
切己心不猒患无求出意舍利弗是長者作
是思惟我身手有力當以衣裓若以几案從
舍出之復更思惟是舍唯有一門而復狹小

所燒之門安隱得出而諸子等於火宅內樂
著嬉戲不覺不知不驚不怖火來逼身苦痛
切己心不猒患无求出意舍利弗是長者作
是思惟我身手有力當以衣裓若以几案從
舍出之復更思惟是舍唯有一門而復狹小
諸子幼稚未有所識戀著戲處或當墮落為
火所燒我當為說怖畏之事此舍已燒宜時
疾出无令為火之所燒害作是念已如所思
惟具告諸子汝等速出父雖憐愍善言誘
喻而諸子等樂著嬉戲不肯信受不驚不畏
了无出心亦復不知何者是火何者為舍云何
為失但東西走戲視父而已尒時長者即作
是念此舍已為大火所燒我及諸子若不時
出必為所焚我今當設方便令諸子等得免
斯害父知諸子先心各有所好種種珍玩奇
異之物情必樂著而告之言汝等所可玩好
希有難得汝若不取後必憂悔如此種種羊
車鹿車牛車今在門外可以遊戲汝等於此
火宅宜速出來隨汝所欲皆當與汝尒時諸
子聞父所說珍玩之物適其願故心各勇鋭
互相推排競共馳走爭出火宅是時長者見
諸子等安隱得出皆於四衢道中露地而坐
无復障礙其心泰然歡喜踊躍時諸子等各
白父言父先所許玩好之具羊車鹿車牛車
願時賜與舍利弗尒時長者各賜諸子等一
大車其車高廣衆寶莊校周帀欄楯四面懸
鈴又於其上張設幰蓋亦以珍奇雜寶而嚴
飾之寶繩交絡垂諸華瓔重敷綩綖安置丹

白父言父先所許玩好之具羊車鹿車牛車
願時賜與舍利弗尒時長者各賜諸子等一
大車其車高廣衆寶莊校周帀欄楯四面懸
鈴又於其上張設幰蓋亦以珎奇雜寶而嚴
飾之寶繩交絡垂諸華瓔重敷綩綖安置丹
枕駕以白牛膚色充潔形體姝好有大筋力
行步平正其疾如風又多僕從而侍衛之所
以者何是大長者財富无量種種諸藏悉皆
充溢而作是念我財物无極不應以下劣小
車與諸子等今此幼童皆是吾子愛无偏黨
我有如是七寶大車其數无量應當等心各
各與之不宜差別所以者何以我此物周給
一國猶尚不匱何況諸子是時諸子各乘大
車得未曾有非本所望舍利弗於汝意云何
是長者等與諸子珎寶大車寧有虛妄不
舍利弗言不也世尊是長者但令諸子得免火
難全其軀命非為虛妄何以故若全身命便
為已得玩好之具況復方便於彼大宅而拔
濟之世尊若是長者乃至不與最小一車猶
不虛妄何以故是長者先作是意我以方便
令子得出以是因緣无虛妄也何況長者自
知財富无量欲饒益諸子等與大車佛告舍
利弗善哉善哉如汝所言舍利弗如來亦復
如是則為一切世間之父於諸怖畏衰惱憂
患无明闇蔽永盡无餘而悉成就无量知見
力无所畏有大神力及智慧力具足方便智
慧波羅蜜大慈大悲常无懈惓恒求善事
利益一切而生三界朽故大宅為度衆生生老

BD02175號　妙法蓮華經卷二

（9–4）

如是則為一切世間之父於諸怖畏衰惱憂
患无明闇蔽永盡无餘而悉成就无量知見
力无所畏有大神力及智慧力具足方便智
慧波羅蜜大慈大悲常无懈惓恒求善事
利益一切而生三界朽故大宅為度衆生生老
病死憂悲苦惱愚癡闇蔽三毒之火教化令
得阿耨多羅三藐三菩提見諸衆生為生老
病死憂悲苦惱之所燒煮亦以五欲財利故
受種種苦又以貪著追求故現受衆苦後受
地獄畜生餓鬼之苦若生天上及在人間貧
窮困苦愛別離苦怨憎會苦如是等種種諸
苦衆生沒在其中歡喜遊戲不覺不知不驚
不怖亦不生猒不求解脫於此三界火宅東
西馳走雖遭大苦不以為患舍利弗佛見此
已便作是念我為衆生之父應拔其苦難與
无量无邊佛智慧樂令其遊戲舍利弗如來
復作是念若我但以神力及智慧力捨於方
便為諸衆生讚如來知見力无所畏者衆生
不能以是得度所以者何是諸衆生未免生
老病死憂悲苦惱而為三界火宅所燒何由
能解佛之智慧舍利弗如彼長者雖復身手
有力而不用之但以慇懃方便勉濟諸子火
宅之難然後各與珎寶大車如來亦復如是
雖有力无所畏而不用之但以智慧方便於
三界火宅拔濟衆生為說三乘聲聞辟支佛
佛乘而作是言汝等莫得樂住三界火宅勿
貪麤弊色聲香味觸也若貪著生愛則為
所燒汝速出三界當得三乘聲聞辟支佛
乘我今為汝保任此事終不虛也汝等但當勤

BD02175號　妙法蓮華經卷二

（9–5）

三界大宅拔濟衆生為諸三乘聲聞辟支佛
佛乘而作是言汝等莫得樂住三界火宅勿
貪麁弊色聲香味觸也若貪著生愛則為
所燒汝速出三界當得三乘聲聞辟支佛佛
乘我今為汝保任此事終不虛也汝等但當勤
脩精進如来以是方便誘進衆生復作是言
汝等當知此三乘法皆是聖所稱歎自在无
繫无所依求乘是三乘以无漏根力覺道禪
之解脫三昧等而自娛樂便得无量安隱快
樂舍利弗若有衆生內有智性從佛世尊
聞法信受慇勤精進欲速出三界自求涅槃是
名聲聞乘如彼諸子為求羊車出於火宅若
有衆生從佛世尊聞法信受慇勤精進求自
然慧樂獨善寂深知諸法因緣是名辟支佛
乘如彼諸子為求鹿車出於火宅若有衆生
從佛世尊聞法信受勤脩精進求一切智佛
智自然智无師智如来知見力无所畏愍念
安樂无量衆生利益天人度脫一切是名大
乘菩薩求此乘故名為摩訶薩如彼諸子為
求牛車出於火宅舍利弗如彼長者見諸子
等安隱得出火宅到无畏處自惟財富无量
等以大車而賜諸子如来亦復如是為一切
衆生之父若見无量億千衆生以佛教門出
三界苦怖畏險道得涅槃樂如来尒時便作
是念我有无量无邊智慧力无畏等諸佛法
藏是諸衆生皆是我子等與大乘不令有人
獨得滅度皆以如来滅度而滅度之是諸衆
生脫三界者悉與諸佛禪定解脫等娛樂之

BD02175號　妙法蓮華經卷二

（9–6）

三界苦怖畏險道得涅槃樂如来尒時便作
是念我有无量无邊智慧力无畏等諸佛法
藏是諸衆生皆是我子等與大乘不令有人
獨得滅度皆以如来滅度而滅度之是諸衆
生脫三界者悉與諸佛禪定解脫等娛樂之
具皆是一相一種聖所稱歎能生淨妙第一
之樂舍利弗如彼長者初以三車誘引諸子
然後但與大車寶物莊嚴安隱第一然彼長
者无虛妄之咎如来亦復如是无有虛妄初
說三乘引導衆生然後但以大乘而度脫之
何以故如来有无量智慧力无所畏諸法之
藏能與一切衆生大乘之法但不盡能受舍
利弗以是因緣當知諸佛方便力故於一佛
乘分別說三佛欲重宣此義而說偈言
譬如長者　有一大宅　其宅久故　而復頓弊
高舍高危　柱根摧朽　梁棟傾斜　基陛頹毀
牆壁圮坼　泥塗褫落　覆苫亂墜　椽梠差脫
周障屈曲　雜穢充遍　有五百人　止住其中
鵄梟鵰鷲　烏鵲鳩鴿　蚖蛇蝮蝎　蜈蚣蚰蜒
守宮百足　狖狸鼷鼠　諸惡蟲輩　交橫馳走
屎尿臭處　不淨流溢　蜣蜋諸蟲　而集其上
狐狼野干　咀嚼踐蹹　嚌齧死屍　骨肉狼藉
是由群狗　競来搏撮　飢羸慞惶　處處求食
鬪諍𪙊掣　啀喍嗥吠　其舍恐怖　變狀如是
處處皆有　魑魅魍魎　夜叉惡鬼　食噉人肉
毒蟲之屬　諸惡禽獸　孚乳產生　各自藏護
夜叉競来　爭取食之　食之既飽　惡心轉熾
鳩槃荼鬼　蹲踞土埵

BD02175號　妙法蓮華經卷二

（9–7）

是由群狗　競来搏撮　飢羸慞惶　處處求食
鬬諍齰掣　嘊喍嗥吠　其舍恐怖　變狀如是
處處皆有　魑魅魍魎　夜叉惡鬼　食噉人肉
毒虫之屬　諸惡禽獸　孚乳產生　各自藏護
夜叉競来　爭取食之　食之既飽　惡心轉熾
鬬諍之聲　甚可怖畏　鳩槃荼鬼　蹲踞土埵
或時離地　一尺二尺　往返遊行　縱逸嬉戲
捉狗兩足　撲令失聲　以脚加頸　怖狗自樂
復有諸鬼　其身長大　裸形黑瘦　常住其中
發大惡聲　叫呼求食　復有諸鬼　其咽如針
復有諸鬼　首如牛頭　或食人肉　或復噉狗
頭髮髼亂　殘害凶險　飢渴所逼　叫喚馳走
夜叉餓鬼　諸惡鳥獸　飢急四向　窺看窗牖
如是諸難　恐畏无量　是朽故宅　屬于一人
其人近出　未久之間　於後舍宅　欻然火起
四面一時　其焰俱熾　棟梁椽柱　爆聲震裂
摧折墮落　墻壁崩倒　諸鬼神等　揚聲大叫
鵰鷲諸鳥　鳩槃荼等　周慞惶怖　不能自出
惡獸毒虫　藏竄孔穴　毗舍闍鬼　亦住其中
薄福德故　為火所逼　共相殘害　飲血噉肉
野干之屬　並已前死　諸大惡獸　競来食噉
臭烟熢㶿　四面充塞　蜈蚣蚰蜒　毒蛇之類
為火所燒　爭走出穴　鳩槃荼鬼　隨取而食
又諸餓鬼　頭上火然　飢渴熱惱　周慞悶走
其宅如是　甚可怖畏　毒害火災　眾難非一
是時宅主　在門外立　聞有人言　汝諸子等

BD02175號　妙法蓮華經卷二

（9–8）

摧折墮落　墻壁崩倒　諸鬼神等　揚聲大叫
鵰鷲諸鳥　鳩槃荼等　周慞惶怖　不能自出
惡獸毒虫　藏竄孔穴　毗舍闍鬼　亦住其中
薄福德故　為火所逼　共相殘害　飲血噉肉
野干之屬　並已前死　諸大惡獸　競来食噉
臭烟熢㶿　四面充塞　蜈蚣蚰蜒　毒蛇之類
為火所燒　爭走出穴　鳩槃荼鬼　隨取而食
又諸餓鬼　頭上火然　飢渴熱惱　周慞悶走
其宅如是　甚可怖畏　毒害火災　眾難非一
是時宅主　在門外立　聞有人言　汝諸子等
先因遊戲　来入此宅　稚小无知　歡娛樂著
長者聞已　驚入火宅　方宜救濟　令无燒害
告喻諸子　說眾患難　惡鬼毒虫　災火蔓莚
眾苦次第　相續不絕　毒蛇蚖蝮　及諸夜叉
鳩槃荼鬼　野干狐狗　鵰鷲鵄梟　百足之屬
飢渴惱急　甚可怖畏　此苦難處　況復大火
諸子无知　雖聞父誨　猶故樂著　嬉戲不已
是時長者　而作是念　諸子如此　益我愁惱
今此舍宅　无一可樂　而諸子等　耽湎嬉戲
不受我教　將為火害　即便思惟　設諸方便
告諸子等　我有種種　珍玩之具　妙寶好車

BD02175號　妙法蓮華經卷二

（9–9）

手相推排競共馳走爭出火宅是時長者見
諸子等安隱得出皆於四衢道中露地而坐
无復鄣㝵其心泰然歡喜踊躍時諸子等各白
父言父先所許玩好之具羊車鹿車牛車願
時賜與舍利弗尒時長者各賜諸子等一
大車其車高廣衆寶莊校周匝欄楯四面懸
鈴又於其上張設幰蓋亦以珎奇雜寶而嚴
飾之寶繩交絡垂諸華纓重敷綩綖安置丹
枕駕以白牛膚色充潔形體姝好有大筋力
行步平正其疾如風又多僕從而侍衛之所
以者何是長者財富无量種種諸藏悉皆充
溢而作是念我財物无極不應以下劣小車
與諸子等今此幼童皆是吾子愛无偏黨我
有如是七寶大車其數无量應當等心各各
與之不宜差別所以者何以我此物周給一國
猶尚不匱何況諸子是時諸子各乘大車得
未曾有非本所望舍利弗於汝意云何是長
者等與諸子珎寶大車寧有虛妄不舍利
弗言不也世尊是長者但令諸子得免火難
全其軀命非為虛妄何以故若全身命便為
已得玩好之具況復方便於彼火宅而拔濟之

BD02176號　妙法蓮華經卷二　（12–1）

猶尚不匱何況諸子是時諸子各乘大車得
未曾有非本所望舍利弗於汝意云何是長
者等與諸子珎寶大車寧有虛妄不舍利
弗言不也世尊是長者但令諸子得免火難
全其軀命非為虛妄何以故若全身命便為
已得玩好之具況復方便於彼火宅而拔濟之
世尊若是長者乃至不與最小一車猶不虛
妄何以故是長者先作是意我以方便令子
得出以是因緣无虛妄也何況長者自知財
富无量欲饒益諸子等與大車佛告舍利
弗善哉善哉如汝所言舍利弗如來亦復如
是則為一切世間之父於諸怖畏衰惱憂患
无明闇蔽永盡无餘而悉成就无量知見力
无所畏有大神力及智慧力具足方便智慧
波羅蜜大慈大悲常无懈惓恒求善事利
益一切而生三界朽故火宅為度衆生生老
病死憂悲苦惱愚癡闇蔽三毒之火教化令得
阿耨多羅三藐三菩提見諸衆生為生老
病死憂悲苦惱之所燒煮亦以五欲財利故受
種種苦又以貪著追求故現受衆苦後受地
獄畜生餓鬼之苦若生天上及在人間貧窮
困苦愛別離苦怨憎會苦如是等種種諸苦
衆生沒在其中歡喜遊戲不覺不知不驚不
怖亦不生猒不求解脫於此三界火宅東西
馳走雖遭大苦不以為患舍利弗佛見此已
便作是念我為衆生之父應拔其苦難與无

BD02176號　妙法蓮華經卷二　（12–2）

困苦愛別離苦怨憎會苦如是等種種諸苦
衆生沒在其中歡喜遊戲不覺不知不驚不
怖亦不生猒不求解脫於此三界火宅東西
馳走雖遭大苦不以爲患舍利弗佛見此已
便作是念我爲衆生之父應拔其苦難與无
量无邊佛智慧樂令其遊戲舍利弗如來
復作是念若我但以神力及智慧力捨於方便
爲諸衆生讚如來知見力无所畏者衆生不
能以是得度所以者何是諸衆生未免生老
病死憂悲苦惱而爲三界火宅所燒何由能
解佛之智慧舍利弗如彼長者雖復身手
有力而不用之但以慇懃方便勉濟諸子火
宅之難然後各與珎寶大車如來亦復如是雖
有力无所畏而不用之但以智慧方便於三
界火宅拔濟衆生爲說三乘聲聞辟支佛佛
乘而作是言汝等莫得樂住三界火宅勿貪
麁弊色聲香味觸也若貪著生愛則爲所燒
汝速出三界當得三乘聲聞辟支佛佛乘我
今爲汝保任此事終不虛也汝等但當懃脩
精進如來以是方便誘進衆生復作是言汝
等當知此三乘法皆是聖所稱歎自在无繫
无所依求乘是三乘以无漏根力覺道禪定
解脫三昧等而自娛樂便得无量安隱快樂
舍利弗若有衆生內有智性從佛世尊聞法
信受慇懃精進欲速出三界自求涅槃是名
聲聞乘如彼諸子爲求羊車出於火宅若有

BD02176號　妙法蓮華經卷二

（12–3）

求

无所依求乘是三乘以无漏根力覺道禪定
解脫三昧等而自娛樂便得无量安隱快樂
舍利弗若有衆生內有智性從佛世尊聞法
信受慇懃精進欲速出三界自求涅槃是名
聲聞乘如彼諸子爲求羊車出於火宅若有
衆生從佛世尊聞法信受慇懃精進求自然
慧樂獨善寂深知諸法因緣是名辟支佛乘
如彼諸子爲求鹿車出於火宅若有衆生從
佛世尊聞法信受懃脩精進求一切智佛智
自然智无師智如來知見力无所畏愍念安
樂无量衆生利益天人度脫一切是名大乘菩
薩求此乘故名爲摩訶薩如彼諸子爲求牛
車出於火宅舍利弗如彼長者見諸子等
安隱得出火宅到无畏處自惟財富无量等
以大車而賜諸子如來亦復如是爲一切衆生
之父若見无量億千衆生以佛教門出三界
苦怖畏險道得涅槃樂如來尒時便作是
念我有无量无邊智慧力无畏等諸佛法藏
是諸衆生皆是我子等與大乘不令有人獨
得滅度皆以如來滅度而滅度之是諸衆生
脫三界者悉與諸佛禪定解脫等娛樂之具
皆是一相一種聖所稱歎能生淨妙第一之
樂舍利弗如彼長者以三車誘引諸子然後
但與大車寶物莊嚴安隱第一然彼長者无
虛妄之咎如來亦復如是无有虛妄初說三
乘引導衆生然後但以大乘而度脫之何以

BD02176號　妙法蓮華經卷二

（12–4）

但與大車寶物莊嚴安隱第一然彼長者无
虛妄之咎如來亦復如是无有虛妄初說三
乘引導衆生然後但以大乘而度脫之何以
故如來有无量智慧力无所畏諸法之藏能
與一切衆生大乘之法但不盡能受舍利弗
以是因緣當知諸佛方便力故於一佛乘分
別說三佛欲宣此義而說偈言
譬如長者　有一大宅　其宅久故　而復頓弊
堂舍高危　柱根摧朽　梁棟傾斜　基陛頹毀
墻壁圮坼　泥塗褫落　覆苫亂墜　椽梠差脫
周障屈曲　雜穢充遍　有五百人　止住其中
鵄梟鵰鷲　烏鵲鳩鴿　蚖蛇蝮蠍　蜈蚣蚰蜒
守宮百足　狖狸鼷鼠　諸惡虫輩　交横馳走
屎尿臭處　不淨流溢　蜣蜋諸虫　而集其上
狐狼野干　咀嚼踐蹋　嚌齧死屍　骨肉狼藉
由是群狗　競來搏撮　飢羸慞惶　處處求食
鬬諍齟掣　啀喍嗥吠　其舍恐怖　變狀如是
處處皆有　魑魅魍魎　夜叉惡鬼　食噉人肉
毒虫之屬　諸惡禽獸　孚乳產生　各自藏護
夜叉競來　爭取食之　食之既飽　惡心轉熾
鬬諍之聲　甚可怖畏　鳩槃茶鬼　蹲踞土埵
或時離地　一尺二尺　往返遊行　縱逸嬉戲
捉狗兩足　撲令失聲　以腳加頸　怖狗自樂
復有諸鬼　其身長大　裸形黑瘦　常住其中
發大惡聲　叫呼求食　復有諸鬼　其咽如針

BD02176號　妙法蓮華經卷二　（12-5）

或時離地　一尺二尺　往返遊行　縱逸嬉戲
捉狗兩足　撲令失聲　以腳加頸　怖狗自樂
復有諸鬼　其身長大　裸形黑瘦　常住其中
發大惡聲　叫呼求食　復有諸鬼　其咽如針
復有諸鬼　首如牛頭　或食人肉　或復噉狗
頭髮蓬亂　殘害兇險　飢渴所逼　叫喚馳走
夜叉餓鬼　諸惡鳥獸　飢急四向　窺看窻牖
如是諸難　恐畏无量　是朽故宅　屬于一人
其人近出　未久之間　於後宅舍　忽然火起
四面一時　其焰俱熾　棟梁椽柱　爆聲震裂
摧折墮落　墻壁崩倒　諸鬼神等　揚聲大叫
鵰鷲諸鳥　鳩槃茶等　周章惶怖　不能自出
惡獸毒虫　藏竄孔穴　毗舍闍鬼　亦住其中
薄福德故　為火所逼　共相殘害　飲血噉肉
野干之屬　並已前死　諸大惡獸　競來食噉
臭煙熢㶿　四面充塞　蜈蚣蚰蜒　毒蛇之類
為火所燒　爭走出穴　鳩槃茶鬼　隨取而食
又諸餓鬼　頭上火燃　飢渴熱惱　周章悶走
其宅如是　甚可怖畏　毒害火災　衆難非一
是時宅主　在門外立　聞有人言　汝諸子等
先因遊戲　來入此宅　稚小无知　歡娛樂著
長者聞已　驚入火宅　方宜救濟　令无燒害
告喻諸子　說衆患難　惡鬼毒虫　災火蔓延
衆苦次第　相續不絕　毒蛇蚖蝮　及諸夜叉
鳩槃茶鬼　野干狐狗　鵰鷲鵄梟　百足之屬
飢渴惱急　甚可怖畏　此苦難處　況復大火

BD02176號　妙法蓮華經卷二　（12-6）

先因遊戲 來入此宅 稚小无知 歡娛樂著
長者聞已 驚入火宅 方宜救濟 令无燒害
告喻諸子 說衆患難 惡鬼毒虫 災火蔓莚
衆苦次第 相續不絕 毒蛇蚖蝮 及諸夜叉
鳩槃荼鬼 野干狐狗 鵰鷲鵄梟 百足之屬
飢渴惱急 甚可怖畏 此苦難處 況復大火
諸子无知 雖聞父誨 猶故樂著 嬉戲不已
是時長者 而作是念 諸子如此 益我愁惱
今此舍宅 无一可樂 而諸子等 耽湎嬉戲
不受我教 將為火害 即便思惟 設諸方便
告諸子等 我有種種 珍玩之具 妙寶好車
羊車鹿車 大牛之車 今在門外 汝等出來
吾為汝等 造作此車 隨意所樂 可以遊戲
諸子聞說 如此諸車 即時奔競 馳走而出
到於空地 離諸苦難 長者見子 得出火宅
住於四衢 坐師子座 而自慶言 我今快樂
此諸子等 生育甚難 愚小无知 而入險宅
多諸毒虫 魑魅可畏 大火猛炎 四面俱起
而此諸子 貪樂嬉戲 我已救之 令得脫難
是故諸人 我今快樂
尒時諸子 知父安坐 皆詣父所 而白父言
願賜我等 三種寶車 如前所許 諸子出來
當以三車 隨汝所欲 今正是時 唯垂給與
長者大富 庫藏衆多 金銀琉璃 車𤦲馬瑙
以衆寶物 造諸大車 莊校嚴飾 周迊欄楯
四面懸鈴 金繩絞絡 真珠羅網 張施其上

BD02176號　妙法蓮華經卷二　　（12–7）

長者大富 庫藏衆多 金銀琉璃 車𤦲馬瑙
以衆寶物 造諸大車 莊校嚴飾 周迊欄楯
四面懸鈴 金繩絞絡 真珠羅網 張施其上
金華諸瓔 處處垂下 衆綵雜飾 周迊圍遶
柔軟繒纊 以為茵蓐 上妙細疊 價直千億
鮮白淨潔 以覆其上 有大白牛 肥壯多力
形體姝好 以駕寶車 多諸儐從 而侍衛之
如是妙車 等賜諸子 諸子是時 歡喜踊躍
乘此寶車 遊於四方 嬉戲快樂 自在无㝵
告舍利弗 我亦如是 衆聖中尊 世間之父
一切衆生 皆是吾子 深著世樂 无有慧心
三界无安 猶如火宅 衆苦充滿 甚可怖畏
常有生老 病死憂患 如是等火 熾然不息
如來已離 三界火宅 寂然閑居 安處林野
今此三界 皆是我有 其中衆生 悉是吾子
而今此處 多諸患難 唯我一人 能為救護
雖復教詔 而不信受 於諸欲染 貪著深故
是以方便 為說三乘 令諸衆生 知三界苦
開示演說 出世間道 是諸子等 若心決定
具足三明 及六神通 有得緣覺 不退菩薩
汝舍利弗 我為衆生 以此譬喻 說一佛乘
汝等若能 信受是語 一切皆當 成得佛道
是乘微妙 清淨第一 於諸世間 為无有上
佛所悅可 一切衆生 所應稱讚 供養礼拜
无量億千 諸力解脫 禪定智慧 及佛餘力

BD02176號　妙法蓮華經卷二　　（12–8）

佛所悅可　一切衆生　所應稱讚　供養礼拜
无量億千　諸力解脫　禪定智慧　及佛餘力
得如是乘　令諸子等　日夜劫數　常得遊戲
與諸菩薩　及聲聞衆　乘此寶乘　直至道場
以是因緣　十方諦求　更无餘乘　除佛方便
告舍利弗　汝諸人等　皆是吾子　我則是父
汝等累劫　衆苦所燒　我皆濟拔　令出三界
我雖先說　汝等滅度　但盡生死　而實不滅
今所應作　唯佛智慧
若有菩薩　於是衆中　能一心聽　諸佛實法
諸佛世尊　雖以方便　所化衆生　皆是菩薩
若人小智　深著愛欲　為此等故　說於苦諦
衆生心喜　得未曾有　佛說苦諦　真實无異
若有衆生　不知苦本　深著苦因　不能暫捨
為是等故　方便說道　諸苦所因　貪欲為本
若滅貪欲　无所依止　滅盡諸苦　名第三諦
為滅諦故　脩行於道　離諸苦縛　名得解脫
是人於何　而得解脫　但離虛妄　名為解脫
其實未得　一切解脫　佛說是人　未實滅度
斯人未得　无上道故　我意不欲　令至滅度
我為法王　於法自在　安隱衆生　故現於世
汝舍利弗　我此法印　為欲利益　世間故說
在所遊方　勿妄宣傳
若有聞者　隨喜頂受　當知此人　阿鞞跋致
若有信受　此經法者　是人已曾　見過去佛

BD02176號　妙法蓮華經卷二　（12–9）

在所遊方　勿妄宣傳
若有聞者　隨喜頂受　當知此人　阿鞞跋致
若有信受　此經法者　是人已曾　見過去佛
恭敬供養　亦聞是法　若有人能　信汝所說
則為見我　亦見於汝　及比丘僧　并諸菩薩
斯法華經　為深智說　淺識聞之　迷惑不解
一切聲聞　及辟支佛　於此經中　力所不及
汝舍利弗　尚於此經　以信得入　況餘聲聞
其餘聲聞　信佛語故　隨順此經　非己智分
又舍利弗　憍慢懈怠　計我見者　莫說此經
凡夫淺識　深著五欲　聞不能解　亦勿為說
若人不信　毀謗此經　則斷一切　世間佛種
或復顰蹙　而懷疑惑　汝當聽說　此人罪報
若佛在世　若滅度後　其有誹謗　如斯經典
見有讀誦　書持經者　輕賤憎嫉　而懷結恨
此人罪報　汝今復聽
其人命終　入阿鼻獄　具足一劫　劫盡更生
如是展轉　至无數劫　從地獄出　當墮畜生
若狗野干　其形領瘦　梨黮疥癩　人所觸嬈
又復為人　之所惡賤　常困飢渴　骨肉枯竭
生受楚毒　死被凡石　斷佛種故　受斯罪報
若作駱駝　或生驢中　身常負重　加諸杖捶
但念水草　餘无所知　謗斯經故　獲罪如是
有作野干　來入聚落　身體疥癩　又无一目
為諸童子　之所打擲　受諸苦痛　或時致死

BD02176號　妙法蓮華經卷二　（12–10）

但念水草 餘无所知 謗斯經故 獲罪如是
有作野干 来入聚落 身體疥癩 又无一目
為諸童子 之所打擲 受諸苦痛 或時致死
於是死已 更受蟒身 其形長大 五百由旬
聾騃无足 婉轉腹行 為諸小虫 之所唼食
晝夜受苦 无有休息 謗斯經故 獲罪如是
若得為人 諸根闇鈍 矬陋攣躄 盲聾背傴
有所言說 人不信受 口氣常臭 鬼魅所著
貧窮下賤 為人所使 多病痟瘦 无所依怙
雖親附人 人不在意 若有所說 尋復亡失
若脩醫道 順方治病 更增他疾 或復致死
若自有病 无人救療 設服良藥 而復增劇
若他反逆 抄劫竊盜 如是等罪 横羅其殃
如斯罪人 永不見佛 衆聖之王 說法教化
如斯罪人 常生難處 狂聾心亂 永不聞法
於无數劫 如恒河沙 生輒聾瘂 諸根不具
常處地獄 如遊園觀 在餘惡道 如己舍宅
駝驢猪狗 是其行處 謗斯經故 獲罪如是
若得為人 聾盲瘖瘂 貧窮諸衰 以自莊嚴
水腫乾消 疥癩癰疽 如是等病 以為衣服
身常臭處 垢穢不淨 深著我見 增益瞋恚
婬欲熾盛 不擇禽獸 謗斯經故 獲罪如是
告舍利弗 謗斯經者 若說其罪 窮劫不盡
以是因緣 我故語汝 无智人中 莫說此經
若有利根 智慧明了 多聞強識 求佛道者
如是之人 乃可為說

BD02176號　妙法蓮華經卷二　（12–11）

若自有病 无人救療 設服良藥 而復增劇
若他反逆 抄劫竊盜 如是等罪 横羅其殃
如斯罪人 永不見佛 衆聖之王 說法教化
如斯罪人 常生難處 狂聾心亂 永不聞法
於无數劫 如恒河沙 生輒聾瘂 諸根不具
常處地獄 如遊園觀 在餘惡道 如己舍宅
駝驢猪狗 是其行處 謗斯經故 獲罪如是
若得為人 聾盲瘖瘂 貧窮諸衰 以自莊嚴
水腫乾消 疥癩癰疽 如是等病 以為衣服
身常臭處 垢穢不淨 深著我見 增益瞋恚
婬欲熾盛 不擇禽獸 謗斯經故 獲罪如是
告舍利弗 謗斯經者 若說其罪 窮劫不盡
以是因緣 我故語汝 无智人中 莫說此經
若有利根 智慧明了 多聞強識 求佛道者
如是之人 乃可為說
若人曾見 億百千佛 殖諸善本 深心堅固
如是之人 乃可為說
若人精進 常脩慈心 不惜身命 乃可為說

BD02176號　妙法蓮華經卷二　（12–12）

東方不動南方寶相西无量壽北天鼓音是
四如来各於其座跏趺而坐放大光明周遍照
耀王舍大城及此三千大千世界乃至十方恒河
沙等諸佛國土雨諸天華奏諸天樂尒
時於此贍部洲中及三千大千世界所有衆
生以佛威力受勝妙樂无有乏少若身不具
皆蒙具足盲者能視聾者得聞瘂者能言
愚者得智若心亂者得本心若衣无者得衣
服被惡賤者人所敬有垢穢者身清潔於此
世間所有利益未曾有事悉皆顯現
尒時妙幢菩薩見四如来及希有事歡喜踊
躍合掌一心瞻仰諸佛殊勝之相亦復思惟釋
迦牟尼如来无量功德唯於壽命生疑惑
心云何如来功德无量壽命短促唯八十年
尒時四佛告妙幢菩薩言善男子汝今不應
思忖如来壽命長短何以故善男子我等不
見諸天世間梵魔沙門婆羅門等人及非人
有能筭知佛之壽量知其齊限唯除无上正
正遍知者時四如来欲說釋迦牟尼佛所有壽
量以佛威力欲色界天諸龍鬼神健闥婆阿
蘇羅揭路茶緊那羅莫呼洛伽及无量百千
億那庾多菩薩摩訶薩悉来集會入妙幢

BD02177 號　金光明最勝王經卷一　（2–1）

見諸天世間梵魔沙門婆羅門等人及非人
有能筭知佛之壽量知其齊限唯除无上正
正遍知者時四如来欲說釋迦牟尼佛所有壽
量以佛威力欲色界天諸龍鬼神健闥婆阿
蘇羅揭路茶緊那羅莫呼洛伽及无量百千
億那庾多菩薩摩訶薩悉来集會入妙幢
菩薩淨妙室中尒時四佛於大衆中欲顯釋
迦牟尼如来所有壽量而說頌曰
一切諸海水　可知其渧數　无有能數知　釋迦之壽量
析諸妙高山　如芥可知數　无有能數知　釋迦之壽量
一切大地土　可知其塵數　无有能筭知　釋迦之壽量
假使量虛空　可得盡邊際　无有能度知　釋迦之壽量
若人住億劫　盡力常筭數　亦復不能知　世尊之壽量
不害衆生命　及施於飲食　由斯二種因　得壽命長遠
是故大覺尊　壽命難知數　如劫无邊際　壽量亦如是
妙幢汝當知　不應起疑惑　冣勝壽无量　莫能知數者
尒時妙幢菩薩聞四如来說釋迦牟尼佛壽
量无限白言世尊云何如来現如是短促壽
量時四世尊告妙幢菩薩言善男子彼釋迦
牟尼佛於五濁世出現之時人壽百年稟
性下劣善根微薄復无信解此諸衆生多有
我見人見衆生壽者見養育邪見我我所見斷
常見等為欲利益此諸異生及衆外道如是
等類令生正解速得成就无上菩提是故釋
迦牟尼如来示現如是短促壽命善男子然
彼如来欲令衆生見涅槃已生難遭想憂
苦等想於佛世尊所說經教速當受持讀誦

BD02177 號　金光明最勝王經卷一　（2–2）

復次舍利子有菩薩摩訶薩修行般若
蜜多時安住布施波羅蜜多嚴淨一切智
一切相智道由畢竟空不起惠施慳貪心故復
次舍利子有菩薩摩訶薩脩行般若波羅蜜
多時安住淨戒波羅蜜多嚴淨一切智一切
相智道由畢竟空不起持戒犯戒心故復次
舍利子有菩薩摩訶薩脩行般若波羅蜜多
時安住安忍波羅蜜多嚴淨一切智一切相
智道由畢竟空不起慈悲忿恚心故復次舍
利子有菩薩摩訶薩修行般若波羅蜜多時
安住精進波羅蜜多嚴淨一切智一切相智
道由畢竟空不起勤勇懈怠心故復次舍利
子有菩薩摩訶薩修行般若波羅蜜多時安
住靜慮波羅蜜多嚴淨一切智一切相智道
由畢竟空不起寂靜散亂心故復次舍利子
有菩薩摩訶薩修行般若波羅蜜多時還住
般若波羅蜜多嚴淨一切智一切相智道由
畢竟空不起智慧愚癡心故
復次舍利子有菩薩摩訶薩脩行般若波羅
蜜多時安住布施淨戒波羅蜜多嚴淨一切
智一切相智道由畢竟空不起惠施慳貪持

BD02178號　大般若波羅蜜多經卷九　（16–1）

有菩薩摩訶薩修行般若波羅蜜多時還住
般若波羅蜜多嚴淨一切智一切相智道由
畢竟空不起智慧愚癡心故
復次舍利子有菩薩摩訶薩脩行般若波羅
蜜多時安住布施淨戒波羅蜜多嚴淨一切
智一切相智道由畢竟空不起惠施慳貪持
戒犯戒心故復次舍利子有菩薩摩訶薩脩
行般若波羅蜜多時安住布施安忍波羅蜜
多嚴淨一切智一切相智道由畢竟空不起
惠施慳貪慈悲忿恚心故復次舍利子有
菩薩摩訶薩修行般若波羅蜜多時安住布
施精進波羅蜜多嚴淨一切智一切相智道由
畢竟空不起惠施慳貪勤勇懈怠心故復次
舍利子有菩薩摩訶薩修行般若波羅蜜多
時安住布施靜慮波羅蜜多嚴淨一切智一
切相智道由畢竟空不起惠施慳貪寂靜散
亂心故復次舍利子有菩薩摩訶薩脩行般
若波羅蜜多時安住布施般若波羅蜜多嚴
淨一切智一切相智道由畢竟空不起惠施
慳貪智慧愚癡心故復次舍利子有菩薩摩
訶薩脩行般若波羅蜜多時安住淨戒安忍
波羅蜜多嚴淨一切智一切相智道由畢竟
空不起持戒犯戒慈悲忿恚心故復次舍利
子有菩薩摩訶薩脩行般若波羅蜜多時安
住淨戒精進波羅蜜多嚴淨一切智一切相
智道由畢竟空不起持戒犯戒勤勇懈怠心

BD02178號　大般若波羅蜜多經卷九　（16–2）

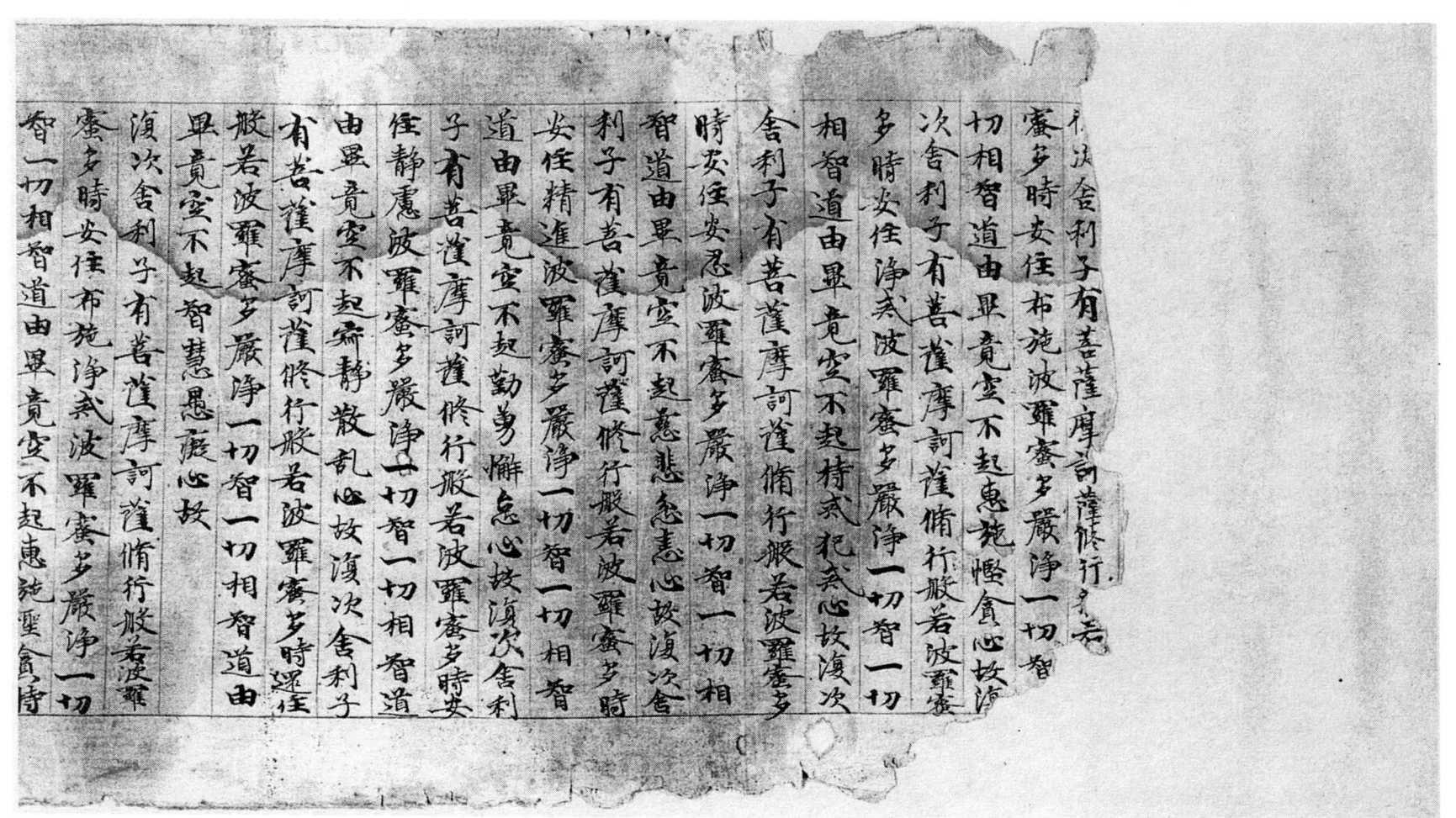

訶薩脩行般若波羅蜜多時安住淨戒安忍
波羅蜜多嚴淨一切智一切相智道由畢竟
空不起持戒犯戒慈悲忿恚心故復次舍利
子有菩薩摩訶薩脩行般若波羅蜜多時安
住淨戒精進波羅蜜多嚴淨一切智一切相
智道由畢竟空不起持戒犯戒勤勇懈怠心
故復次舍利子有菩薩摩訶薩脩行般若波
羅蜜多時安住淨戒靜慮波羅蜜多嚴淨一
切智一切相智道由畢竟空不起持戒犯戒
寂靜散乱心故復次舍利子有菩薩摩訶薩
脩行般若波羅蜜多時安住淨戒般若波羅
蜜多嚴淨一切智一切相智道由畢竟空不
起持戒犯戒智慧愚癡心故復次舍利子有
菩薩摩訶薩脩行般若波羅蜜多時安住安
忍精進波羅蜜多嚴淨一切智一切相智道
由畢竟空不起慈悲忿恚勤勇懈怠心故復
次舍利子有菩薩摩訶薩脩行般若波羅蜜
多時安住安忍靜慮波羅蜜多嚴淨一切智
一切相智道由畢竟空不起慈悲忿恚寂靜
散乱心故復次舍利子有菩薩摩訶薩脩行
般若波羅蜜多時安住安忍般若波羅蜜多
嚴淨一切智一切相智道由畢竟空不起慈
悲忿恚智慧愚癡心故復次舍利子有菩薩
摩訶薩脩行般若波羅蜜多時安住精進靜
慮波羅蜜多嚴淨一切智一切相智道由畢
竟空不起勤勇懈怠寂靜散乱心故復次舍
利子有菩薩摩訶薩脩行般若波羅蜜多時

BD02178號　大般若波羅蜜多經卷九　（16–3）

[illegible]
摩訶薩脩行般若波羅蜜多時安住精進靜
慮波羅蜜多嚴淨一切智一切相智道由畢
竟空不起勤勇懈怠寂靜散乱心故復次舍
利子有菩薩摩訶薩脩行般若波羅蜜多時
安住精進般若波羅蜜多嚴淨一切智一切
相智道由畢竟空不起勤勇懈怠智慧愚癡
心故復次舍利子有菩薩摩訶薩脩行般若
波羅蜜多時安住靜慮般若波羅蜜多嚴淨
一切智一切相智道由畢竟空不起寂靜散
乱智慧愚癡心故
復次舍利子有菩薩摩訶薩脩行般若波羅
蜜多時安住布施淨戒安忍波羅蜜多嚴淨
一切智一切相智道由畢竟空不起惠施慳
貪持戒犯戒慈悲忿恚心故復次舍利子有
菩薩摩訶薩脩行般若波羅蜜多時安住布
施淨戒精進波羅蜜多嚴淨一切智一切相
智道由畢竟空不起惠施慳貪持戒犯戒勤
勇懈怠心故復次舍利子有菩薩摩訶薩修行
般若波羅蜜多時安住布施淨戒靜慮波羅
蜜多嚴淨一切智一切相智道由畢竟空不
起惠施慳貪持戒犯戒寂靜散乱心故復次
舍利子有菩薩摩訶薩脩行般若波羅蜜多
時安住布施淨戒般若波羅蜜多嚴淨一切智
一切相智道由畢竟空不起惠施慳貪持戒
犯戒智慧愚癡心故復次舍利子有菩薩摩
訶薩修行般若波羅蜜多時安住布施安忍
精進波羅[illegible]

BD02178號　大般若波羅蜜多經卷九　（16–4）

時安住布施淨戒般若波羅蜜多嚴淨一切智
一切相智道由畢竟空不起惠施慳貪持戒
犯戒智慧愚癡心故復次舍利子有菩薩摩
訶薩修行般若波羅蜜多時安住布施安忍
精進波羅蜜多嚴淨一切智一切相智道由
畢竟空不起惠施慳貪慈悲忿恚勤勇懈
怠心故復次舍利子有菩薩摩訶薩修行般
若波羅蜜多時安住布施安忍靜慮波羅蜜多
嚴淨一切智一切相智道由畢竟空不起惠
施慳貪慈悲忿恚寂靜散亂心故復次舍利
子有菩薩摩訶薩修行般若波羅蜜多時安
住布施安忍般若波羅蜜多嚴淨一切智一
切相智道由畢竟空不起惠施慳貪慈悲忿
恚智慧愚癡心故復次舍利子有菩薩摩訶
薩修行般若波羅蜜多時安住布施精進靜
慮波羅蜜多嚴淨一切智一切相智道由畢
竟空不起惠施慳貪勤勇懈怠寂靜散亂心
故復次舍利子有菩薩摩訶薩修行般若波
羅蜜多時安住布施精進般若波羅蜜多嚴
淨一切智一切相智道由畢竟空不起惠施慳
貪勤勇懈怠智慧愚癡心故復次舍利子有
菩薩摩訶薩修行般若波羅蜜多時安住布
施靜慮般若波羅蜜多嚴淨一切智一切相
智道由畢竟空不起惠施慳貪寂靜散亂智
慧愚癡心故復次舍利子有菩薩摩訶薩修
行般若波羅蜜多時安住淨戒安忍精進波羅
蜜多嚴淨一切智一切相智道由

BD02178號　大般若波羅蜜多經卷九

（16–5）

菩薩摩訶薩修行般若波羅蜜多時安住布
施靜慮般若波羅蜜多嚴淨一切智一切相
智道由畢竟空不起惠施慳貪寂靜散亂智
慧愚癡心故復次舍利子有菩薩摩訶薩修
行般若波羅蜜多時安住淨戒安忍精進波羅
蜜多嚴淨一切智一切相智道由畢竟空不
起持戒犯戒慈悲忿恚勤勇懈怠心故復次
舍利子有菩薩摩訶薩修行般若波羅蜜多
時安住淨戒安忍靜慮波羅蜜多嚴淨一切
智一切相智道由畢竟空不起持戒犯戒慈
悲忿恚寂靜散亂心故復次舍利子有菩薩
摩訶薩修行般若波羅蜜多時安住淨戒安
忍般若波羅蜜多嚴淨一切智一切相智道
由畢竟空不起持戒犯戒慈悲忿恚智慧愚
癡心故復次舍利子有菩薩摩訶薩修行般
若波羅蜜多時安住淨戒精進靜慮波羅蜜
多嚴淨一切智一切相智道由畢竟空不起
持戒犯戒勤勇懈怠寂靜散亂心故復次舍
利子有菩薩摩訶薩修行般若波羅蜜多時
安住淨戒精進般若波羅蜜多嚴淨一切智
一切相智道由畢竟空不起持戒犯戒勤勇
懈怠智慧愚癡心故復次舍利子有菩薩摩
訶薩修行般若波羅蜜多時安住淨戒靜慮
般若波羅蜜多嚴淨一切智一切相智道由
畢竟空不起持戒犯戒寂靜散亂智慧愚癡
心故復次舍利子有菩薩摩訶薩修行般若
波羅蜜多時安住安忍精進靜慮波羅蜜多

BD02178號　大般若波羅蜜多經卷九

（16–6）

懈怠智慧愚癡心故復次舍利子有菩薩摩
訶薩修行般若波羅蜜多時安住淨戒靜慮
般若波羅蜜多嚴淨一切智一切相智道由
畢竟空不起持戒犯戒寂靜散乱智慧愚癡
心故復次舍利子有菩薩摩訶薩修行般若
波羅蜜多時安住安忍精進靜慮波羅蜜多
嚴淨一切智一切相智道由　畢竟空不起慈
悲忿恚勤勇懈怠寂靜散乱心故復次舍利
子有菩薩摩訶薩修行般若波羅蜜多時安
住安忍精進般若波羅蜜多嚴淨一切智一
切相智道由畢竟空不起慈悲忿恚勤勇懈
怠智慧愚癡心故復次舍利子有菩薩摩訶
薩修行般若波羅蜜多時安住安忍靜慮般
若波羅蜜多嚴淨一切智一切相智道由畢
竟空不起慈悲忿恚寂靜散乱智慧愚癡
心故復次舍利子有菩薩摩訶薩修行般若波
羅蜜多時安住精進靜慮般若波羅蜜多嚴
淨一切智一切相智道由畢竟空不起勤勇
懈怠寂靜散乱智慧愚癡心故
復次舍利子有菩薩摩訶薩修行般若波羅
蜜多時安住布施淨戒安忍精進波羅蜜多
嚴淨一切智一切相智道由畢竟空不起惠
施慳貪持戒犯戒慈悲忿恚勤勇懈怠故
復次舍利子有菩薩摩訶薩修行般若波羅
蜜多時安住布施淨戒安忍靜慮波羅蜜多
嚴淨一切智一切相智道由畢竟空不起惠
施慳貪持戒犯戒慈悲忿恚寂靜散乱心故

BD02178號　大般若波羅蜜多經卷九　（16–7）

施慳貪持戒犯戒慈悲忿恚勤勇懈怠故
復次舍利子有菩薩摩訶薩修行般若波羅
蜜多時安住布施淨戒安忍靜慮波羅蜜多
嚴淨一切智一切相智道由畢竟空不起惠
施慳貪持戒犯戒慈悲忿恚寂靜散乱心故
復次舍利子有菩薩摩訶薩修行般若波羅
蜜多時安住布施淨戒安忍般若波羅蜜多
嚴淨一切智一切相智道由畢竟空不起惠
施慳貪持戒犯戒慈悲忿恚智慧愚癡心故
復次舍利子有菩薩摩訶薩修行般若波羅
蜜多時安住布施淨戒精進靜慮波羅蜜多
嚴淨一切智一切相智道由畢竟空不起惠
施慳貪持戒犯戒勤勇懈怠寂靜散乱心故
復次舍利子有菩薩摩訶薩修行般若波羅
蜜多時安住布施淨戒精進般若波羅蜜多
嚴淨一切智一切相智道由畢竟空不起惠
施慳貪持戒犯戒勤勇懈怠智慧愚癡心故
復次舍利子有菩薩摩訶薩修行般若波羅
蜜多時安住布施淨戒靜慮般若波羅蜜多
嚴淨一切智一切相智道由畢竟空不起惠
施慳貪持戒犯戒寂靜散乱智慧愚癡心故
復次舍利子有菩薩摩訶薩修行般若波羅
蜜多時安住布施安忍精進靜慮波羅蜜多
嚴淨一切智一切相智道由畢竟空不起惠
施慳貪慈悲忿恚勤勇懈怠寂靜散乱心
故復次舍利子有菩薩摩訶薩修行般若波羅
蜜多時安住布施安忍靜慮般若波羅蜜多

BD02178號　大般若波羅蜜多經卷九　（16–8）

嚴淨一切智一切相智道由畢竟空不起恚
施慳貪慈悲忿恚勤勇懈怠寂靜散亂心
故復次舍利子有菩薩摩訶薩修行般若波羅
蜜多時安住布施安忍靜慮般若波羅蜜多
嚴淨一切智一切相智道由畢竟空不起恚
施慳貪慈悲忿恚寂靜散亂智慧愚癡心故
復次舍利子有菩薩摩訶薩修行般若波羅
蜜多時安住布施精進靜慮般若波羅蜜多
嚴淨一切智一切相智道由畢竟空不起恚
施慳貪勤勇懈怠寂靜散亂智慧愚癡心故
復次舍利子有菩薩摩訶薩修行般若波羅
蜜多時安住淨戒安忍精進靜慮波羅蜜多
嚴淨一切智一切相智道由畢竟空不起持
戒犯戒慈悲忿恚勤勇懈怠寂靜散亂心故
復次舍利子有菩薩摩訶薩修行般若波羅
蜜多時安住淨戒安忍精進般若波羅蜜多
嚴淨一切智一切相智道由畢竟空不起持
戒犯戒慈悲忿恚勤勇懈怠智慧愚癡心
故復次舍利子有菩薩摩訶薩修行般若波羅
蜜多時安住淨戒安忍靜慮般若波羅蜜多
嚴淨一切智一切相智道由畢竟空不起持
戒犯戒慈悲忿恚寂靜散亂智慧愚癡心故
復次舍利子有菩薩摩訶薩修行般若波羅
蜜多時安住淨戒精進靜慮般若波羅蜜多
嚴淨一切智一切相智道由畢竟空不起持
戒犯戒勤勇懈怠寂靜散亂智慧愚癡心故
復次舍利子有菩薩摩訶薩修行般若波羅

BD02178號　大般若波羅蜜多經卷九

（16–9）

復次舍利子有菩薩摩訶薩修行般若波羅
蜜多時安住淨戒精進靜慮般若波羅蜜多
嚴淨一切智一切相智道由畢竟空不起持
戒犯戒勤勇懈怠寂靜散亂智慧愚癡心故
復次舍利子有菩薩摩訶薩修行般若波羅
蜜多時安住安忍精進靜慮般若波羅蜜多
嚴淨一切智一切相智道由畢竟空不起慈
悲忿恚勤勇懈怠寂靜散亂智慧愚癡心故
復次舍利子有菩薩摩訶薩修行般若波羅
蜜多時安住布施淨戒安忍精進靜慮波羅
蜜多嚴淨一切智一切相智道由畢竟空不
起恚施慳貪持戒犯戒慈悲忿恚勤勇懈怠
寂靜散亂心故復次舍利子有菩薩摩訶薩
修行般若波羅蜜多時安住布施淨戒安忍
精進般若波羅蜜多嚴淨一切智一切相智
道由畢竟空不起恚施慳貪持戒犯戒慈
悲忿恚勤勇懈怠智慧愚癡心故復次舍利子
有菩薩摩訶薩修行般若波羅蜜多時安住
布施淨戒精進靜慮般若波羅蜜多嚴淨一
切智一切相智道由畢竟空不起恚施慳貪
持戒犯戒勤勇懈怠寂靜散亂智慧愚癡
心故復次舍利子有菩薩摩訶薩修行般若波
羅蜜多時安住布施安忍精進靜慮般若波
羅蜜多嚴淨一切智一切相智道由畢竟空
不起恚施慳貪慈悲忿恚勤勇懈怠寂靜
散亂智慧愚癡心故復次舍利子有菩薩摩訶
薩修行般若波羅蜜多時安住淨戒安忍精

BD02178號　大般若波羅蜜多經卷九

（16–10）

羅蜜多嚴淨一切智一切相智道由畢竟空
不起惠施慳貪慈悲忿恚勤勇懈怠寂靜
散亂智慧愚癡心故復次舍利子有菩薩摩訶
薩脩行般若波羅蜜多時安住淨戒安忍精
進靜慮般若波羅蜜多嚴淨一切智一切相
智道由畢竟空不起持戒犯戒慈悲忿恚勤
勇懈怠寂靜散亂智慧愚癡心故復次舍利
子有菩薩摩訶薩脩行般若波羅蜜多時安
住布施淨戒安忍精進靜慮般若波羅蜜多
嚴淨一切智一切相智道由畢竟空不起惠
施慳貪持戒犯戒慈悲忿恚勤勇懈怠寂靜
散亂智慧愚癡心故
如是舍利子諸菩薩摩訶薩脩行般若波羅
蜜多時安住六種波羅蜜多嚴淨一切智一
切相智道由畢竟空无去来故无布施无慳
貪唯假施設故无淨戒无犯戒唯假施設故
无安忍无忿恚唯假施設故无精進无懈怠
唯假施設故无靜慮无散亂唯假施設故无
般若无愚癡唯假施設故是菩薩摩訶薩不
著趣入不著不趣入不著已度不著非已度
不著布施不著慳貪不著淨戒不著犯戒不
著安忍不著忿恚不著精進不著懈怠不著
靜慮不著散亂不著般若不著愚癡舍利子
是菩薩摩訶薩當於尒時亦不著布施者不
著慳貪者不著淨戒者不著犯戒者不著安
忍者不著忿恚者不著精進者不著懈怠者
不著靜慮者不著散亂者不著般若者不著

BD02178號　大般若波羅蜜多經卷九　（16–11）

靜慮不著散亂不著般若不著愚癡舍利子
是菩薩摩訶薩當於尒時亦不著布施者不
著慳貪者不著淨戒者不著犯戒者不著安
忍者不著忿恚者不著精進者不著懈怠者
不著靜慮者不著散亂者不著般若者不著
愚癡者舍利子是菩薩摩訶薩當於尒時於
著不著亦無所著何以故舍利子是菩薩摩
訶薩達一切法畢竟空故舍利子是菩薩摩
訶薩當於尒時不著毀罵不著讚歎不著損
害不著饒益不著輕慢不著恭敬何以故舍
利子是菩薩摩訶薩達一切法畢竟不生无
生法中无有毀罵讚歎法故无有損害饒益
法故无有輕慢恭敬法故舍利子是菩薩摩
訶薩當於尒時不著毀罵者不著讚歎者不
著損害者不著饒益者不著輕慢者不著恭
敬者何以故舍利子是菩薩摩訶薩達一切
法皆本性空本性空中无有毀罵讚歎者故
无有損害饒益者故无有輕慢恭敬者故舍
利子是菩薩摩訶薩當於尒時於著不著亦
无所著何以故舍利子是菩薩摩訶薩脩行
般若波羅蜜多永斷一切著不著故如是舍
利子諸菩薩摩訶薩脩行般若波羅蜜多時
所獲功德冣上冣妙不可思議一切聲聞及
諸獨覺皆所非有舍利子此菩薩摩訶薩如
是功德既圓滿已復以殊勝布施愛語利行
同事成熟有情復以種種堅固大願勇猛
精進嚴淨佛土由斯疾證所求无上正等菩提

BD02178號　大般若波羅蜜多經卷九　（16–12）

所獲功德无上微妙不可思議一切聲聞及
諸獨覺皆所非有舍利子此菩薩摩訶薩如
是功德既圓滿已復以殊勝布施愛語利行
同事成熟有情復以種種堅固大願勇猛
精進嚴淨佛土由斯疾證所求无上正等菩提
復次舍利子諸菩薩摩訶薩修行般若波羅
蜜多時於一切有情若劣若勝若妙若醜起
平等心是菩薩摩訶薩於一切有情起平等
心已復起利益安樂之心是菩薩摩訶薩於
一切有情起利益安樂心已於一切法性皆
得平等是菩薩摩訶薩於一切法性得平等
已普能安立一切有情於一切法平等性中
作大饒益舍利子是菩薩摩訶薩由此因
緣於現法中得十方界一切如來應正等覺共
所護念亦得十方一切菩薩摩訶薩衆共所
稱讚亦得一切聲聞獨覺脩梵行者共所敬
愛亦爲一切世間天人阿素洛等供養恭敬
尊重讚歎舍利子是菩薩摩訶薩由此因緣
隨所生處眼常不見不可愛色耳常不聞不
可愛聲鼻常不嗅不可愛香舌常不嘗不可
愛味身常不覺不可愛觸意常不取不可愛
法舍利子是菩薩摩訶薩由此因緣所獲功
德轉增轉勝乃至无上正等菩提常无退轉
當佛說是甚深般若波羅蜜多勝功德時會
中无量大苾芻衆從座而起各持種種新淨
上服奉獻世尊奉已皆發阿耨多羅三藐三
菩提心[illegible]

法舍利子是菩薩摩訶薩由此因緣所獲功
德轉增轉勝乃至无上正等菩提常无退轉
當佛說是甚深般若波羅蜜多勝功德時會
中无量大苾芻衆從座而起各持種種新淨
上服奉獻世尊奉已皆發阿耨多羅三藐三
菩提心尒時世尊即便微笑從面門出種種
色光時阿難陀即從座起偏覆左肩右膝著
地合掌恭敬白言世尊何因何緣現此微笑
諸佛微笑非无因緣唯願世尊哀愍爲說尒
時佛告阿難陀言此從座起无量苾芻從是
已後六十一劫星喻劫中當得作佛皆同一
号謂大幢相如來應正等覺明行圓滿善逝
世間解无上丈夫調御士天人師佛薄伽梵
是諸苾芻從此沒已當生東方不動佛國於
彼佛所勤脩梵行尒時復有六百千諸天
子衆聞佛所說甚深般若波羅蜜多功德勝
利皆發无上正等覺心世尊記彼當於慈氏
如來法中淨信出家勤脩梵行慈氏如來皆
爲授記當得无上正等菩提轉正法輪度无
量衆皆令證得常樂涅槃
尒時此間一切衆會以佛神力皆見十方各
千佛土諸佛世尊及彼衆會彼諸佛土功德
莊嚴微妙殊勝當於尒時此堪忍界功德莊
嚴所不能及時此衆會无量百千諸有情類
各發願言以我所脩諸純淨業願當往生彼
彼佛土尒時世尊知其心願即復微笑面門
又出種種色光時阿難陀復從座起恭敬問

莊嚴微妙殊勝當於尒時此堪忍界切德莊
嚴所不能及時此衆會无量百千諸有情類
各發願言以我所脩諸純淨業願當往生彼
彼佛土尒時世尊知其心願即復微笑面門
又出種種色光時阿難陁復從座起恭敬問
佛微笑因緣尒時佛告阿難陁言汝今見此
從座而起无量百千諸有情不阿難白言唯
然已見佛告阿難是諸有情從此壽盡隨彼
願力各得往生彼彼佛土於諸佛所脩菩薩
行乃至无上正等菩提在所生處常不離佛
供養恭敬尊重讚歎精勤脩習布施淨戒安
忍精進靜慮般若波羅蜜多安住內空外空
內外空空空大空勝義空有爲空无爲空畢
竟空无際空散空无變異空本性空自相空
共相空一切法空不可得空无性空自性空
无性自性空安住真如法界法性不虛妄性
不變異性平等性離生性法定法住實際虛
空界不思議界脩行四念住四正斷四神足
五根五力七等覺支八聖道支安住苦集滅
道聖諦脩行四靜慮四无量四无色定脩行
八解脫八勝處九次第定十遍處脩行空无
相无願解脫門脩行一切陁羅尼門三摩地
門脩行菩薩摩訶薩地脩行五眼六神通脩
行佛十力四无所畏四无礙解大慈大悲大
喜大捨十八佛不共法脩行无忘失法恒住
捨性脩行一切智道相智一切相智及餘菩
薩摩訶薩行得圓滿已俱時成佛皆同一号

BD02178號　大般若波羅蜜多經卷九　（16–15）

內外空空空大空勝義空有爲空无爲空畢
竟空无際空散空无變異空本性空自相空
共相空一切法空不可得空无性空自性空
无性自性空安住真如法界法性不虛妄性
不變異性平等性離生性法定法住實際虛
空界不思議界脩行四念住四正斷四神足
五根五力七等覺支八聖道支安住苦集滅
道聖諦脩行四靜慮四无量四无色定脩行
八解脫八勝處九次第定十遍處脩行空无
相无願解脫門脩行一切陁羅尼門三摩地
門脩行菩薩摩訶薩地脩行五眼六神通脩
行佛十力四无所畏四无礙解大慈大悲大
喜大捨十八佛不共法脩行无忘失法恒住
捨性脩行一切智道相智一切相智及餘菩
薩摩訶薩行得圓滿已俱時成佛皆同一号
謂莊嚴王如來應正等覺明行圓滿善逝世
間解无上丈夫調御士天人師佛薄伽梵

大般若波羅蜜多經卷第九

BD02178號　大般若波羅蜜多經卷九　（16–16）

食與無人故又外道得食反謗故佛制斯戒　若比丘外道男外道女自手
與食波逸提　此滿足戒本文有四句一犯人二所與處三與業四結罪言比丘者
食與無人故又道得食反謗故佛制斯戒　若比丘外道男外道女自手
與食波逸提　此滿足戒本文有四句一犯人二所與處三與業四結罪言比丘
者義如上釋言外道男女者裸形異學人此衆外出家者是言自手與
食者謂正非食乃至蘓油等不置地不使人與者名自手與言波逸提
者是違句律云彼謂受與者提若不受吉五分云持已食分一揣別著使
自取不得僧食與若與無見稱鳥等應量已食分多必然後減不得
持分與十云外道何求長短與食不名汙家多云時人見者自與不犯謂
僧共與僧食無過唯不得自手與律云不犯者若置地謂使人與父母外
道謂作仏塔僧房人計價與謂勢力強奪並皆不犯
先受前請後食至他家不囑戒第四十二　三過故制一者凡俗里多務
為善事難慢其家業專崇福會已許受請行詣他家妨彼事業
怨處不往二既有食處宜息緣修道無事游散妨廢可習三共衆達
請皆入聚落令他施主見僧不集竟不設供馨留大衆使不得飽
滿怨衆殊深故禁制　別緣有五一先受他請以不了故佛聞不囑入村
二食前後三不囑授四白衣家除詣伽藍又除病作衣等緣五入門犯　已
下四明戒本此戒四段難故隨令僧食時不得食好菓故制斯戒　若比丘
先受食請已前食後食詣餘家不囑授除比丘除餘時波逸提　時者
病時作衣時施衣時是謂餘時　此滿足戒本文有三段初略制次隨制
後廣制為前食故初略結為後食故隨結為請喚故廣制就廣
戒本句有其五一四明是比丘先受他請二食前食後至他家三不囑
授四除開緣五結犯除時者已下誦前第四句并相具釋初句可知言
前食後食者從明相出至食時名前食從食時至日中名後食三
[illegible]

梵

下四明戒本此戒曰跋難故陀令僧食時不得食好菓故制斯戒　若比丘
先受食請已前食後食詣餘家不囑授餘比丘除餘時波逸提時者
病時作衣時施衣時是謂餘時　此滿足戒本文有三段初略制次隨制
後廣制爲前食故初略結爲後食故隨結爲請喚故廣制就廣
戒本句有其五一四明是比丘先受他請二食前食後至他家三不囑
授四除開緣五結犯除時者已下誦前第四句并相具釋初句可知言
前食後食者從明相出至食時名前食從食時至日中名後食三
言不囑餘比丘者律云若同房同住同界者應令知受請受四言除
時者是開緣於中有三一病二作衣三施衣義如別衆食界說竟
波逸提者是遠犯結罪句律云若受請已欲至餘家不囑同界同
受請者若去入門便犯不同展轉食界戒囑異爲囑同界者容
有義故律云若囑授諸村而中還若至餘家或至寺內庫藏
處及聚落邊房若尼寺若至彼白衣家還出並失前囑要更
當囑他若不爾者入門即犯　律云不犯者如戒本開緣及無比丘可
囑至餘庫藏及尼寺若家家多敷坐具請比丘或一會隨至皆是請
處是故不犯十云若食不足若不囑餘處求不犯多云檀越明日設供
比丘今日往犯提除喚不犯　食家强坐戒第四十三
制意者凡在家俗人婚會無時久坐不去妨彼恥心迷相逼斥理非
所宜又復出家離欲受潔潔所事須防遠容自壞心行外法譏醜故
所以制　別緣有四一是食家二夫婦欲果家及二俱受齋不犯三夫
婦常所居屏處三無第四人四申手不及戶處坐便犯　此戒曰迦留陀
夷起過仏便制戒　若比丘在食家中有實强安坐者波逸提
此滿足戒本文有三句一犯人二食家有實三强坐結犯并相中初
句可知二言食家有實者男以女爲食女以男爲食故名食家實者七
寶夫妻相重如寶故名中有實五分云男女情相共食名食家十云前
婦欲家及俱受齋戒名非食家三言强安坐者律云若當舒手不及
戶處坐以防其事故名强安坐言波逸提者律云若比丘在食家婦夫
俱不受齋强坐犯提若二句犯吉若俱受齋不犯祇云見色受者
故名食也此食爲四食之中是觸食以眼根對色故名觸食五分云若
知妨其事者犯十云此舍多人出入不犯多云言有實者以著實衣莊
明莊欲故四分云第四人若盲聾俱有亦提五有者羅一盲一聾共者
一人不犯比丘立而不坐吉羅不犯者若食家有實舒手及戶處坐若
有二比丘爲伴有識別人若作人在一處或從前過不住若病患倒地
若力勢所持或被繫縛或命梵難不犯　屏與女人坐戒第四十四
制意同前唯無第三人爲異　別緣有四一是俗女二是屏處三無第三
四申手不及戶處坐犯已下四明戒本此戒曰同前戒　若比丘食家中有

明義欲故四分云第四人為盲聾俱有亦提互有吉羅一盲一聾共成
一人不犯比丘立而不坐吉羅不犯者為食家有疑餘手及戶處坐為
有二比丘為伴有識別人為作人於一處或從前逢過不往為病羸倒地
為力勢所持或被繫縛或命難梵難不犯　屏與女人坐戒第四十四
制意同前唯无第三人為異別緣有四一是俗女二是屏處三无第三之
四申手不及戶處坐犯已下四明戒本此戒因同前戒　若比丘食家中有
寶在屏處坐者波逸提　文有四句一者犯人二食家有寶三屏處四結
犯並相文中前二後一可知三言屏處者為樹墻壁籬柵為衣及餘
物障故名屏處此中犯者謂夫主不在獨與其妻屏處故犯提多論
云閉戶无淨人提開戶外有淨人吉戶內有淨人不犯於為母姊妹為大
小淨人睡眠癡狂嬰兒雖有是人名觸不堪為證故同犯住為淨人
作務來往不斷為閣上閣下淨人覓見者不犯開緣如前戒
獨與俗女露地坐戒第四十五　制意同前別緣有四一是俗人女二是露處
三无第三人此是離見聞屏而非重物鄣故稱露故與前戒並開第三
人四在申手內坐犯為申手外吉已下四明戒本此戒犯緣與前戒同
若比丘獨與女人露地坐者波逸　此滿足戒本文有四句一犯人二犯境三
犯處四結罪初句可知言獨者一女人一比丘第二言女人者是犯境律云
人女有知命根不斷第三言露地者是犯處謂在見聞屏處相去申
手內坐故十律云相去一丈犯第四言波逸提者是謂為犯句故律云若
獨女坐无第三人為於隨起還坐隨亦數墮相去一尋內犯提一尋半
犯吉二尋已外无犯十云相一丈提丈五吉二丈不犯離相開緣並同前戒
不犯　驅他出聚落戒四十六　制意者凡出家之人理懷貞實忠信
自居先許他家食而竟不與要心驅出時限已過使他一日不得食
以无驅處至重故所以制別緣有六一是大比丘二先許三不與食四无因緣
謂有舉擯命梵等難不犯故示五要心驅出六相離見聞或彼去已去
故已下四明戒本此戒因跋難陀令餘比丘至食時驅不得食佛便制戒
若比丘語餘比丘如是言大德共至聚落當與汝等食彼比丘竟不教
與是比丘食語汝去我與汝一處若坐若語不樂我獨坐獨語以此因
緣非餘方便遣他去波逸提　此滿足戒本文有三句一犯人二語餘下
至與汝食正明將至聚落許與彼食三彼比丘竟不已下不與彼食遣
去結罪以此因緣者謂是惱亂因緣非餘者非餘不犯者等緣如主无
威儀等弁相者初句可知言聚落者有四種村如上言與食者謂是五
正明律云若方便捨見處至聞處犯吉　作亦吉見聞俱離犯提律云不
犯者與食遣去若病為无威儀人見不喜自送食與若破戒破見等
故梵等難為无瞋恨亦无嫌心悉皆不犯　過受四月藥請戒第卌七
制意者然篤士供辦藥送請僧衆虔心供養施主有限宜應持護

至与汝食正明將至聚落許与彼食三彼比丘竟不已下不与彼食遣
去結罪以此曰緣者謂是擾亂曰緣非餘者非餘不犯者等緣如上无
威儀等并相者初句可知言聚落者有四種村如上言與食者謂是五
正明律云若方便捨見處至聞處犯吉 作亦吉見聞俱離犯提 律云不
犯者与食遣去若病若无威儀人見不喜自送食与若破戒破見等
故梵等難若无瞋恨亦无慊心恚皆不犯 過受四月藥請戒弟廿七
制意者然篤士供辦藥送請僧衆虔心供養施主有限宜應將護
稱施而受今過受他藥長貪惱物敗善增惡損處不輕故令聖制
別緣具六 一是藥請 二施心限定 三知其限定 四過限而受 五无曰緣 六食
咽咽犯 已下正明戒本此戒曰六群比丘起過故制戒 請比丘四月与藥无病
比丘應受若過受除常請更請分請盡壽請波逸提 此滿足戒
本文有六句 一犯人 二藥請 三无病 下教齊四四月受 五開緣 六過受
結犯 并相中比丘者如上釋 二四月請与藥者律云四月者夏四月也
祇云春夏冬三時俱時犯 三言无病比丘應受者教齊四月受也 四是
受藥方法 四言若過受者此明過四月受 律云若夜藥有分齊夏
四月應受若夜无分齊隨施時應受不論藥分齊 五言除常請
者明開受緣 律云常請者施主作如是言我常与藥 更請者新
已復更請与藥 分請者將藥至伽藍中分与 盡形壽請者施主
言我常盡形与藥 次前四句通違制緣 末六言波逸提者是違
犯句 律云四藥之中過受三藥俱犯提罪 故伽論過受時藥亦犯提
罪七日盡形如律下文鑿所教服藥故知是犯 如施一食過受尚犯
豈況過四月寧不犯提 故十律云過四月已復索藕等七日藥及終
身中樹蓮畢鉢墙等犯提 若既臨勒等三吉羅 非時藥賊又廣
出義 故受義希故犯小罪 問施一食中過受藕油犯輕此受藕
油何以便重 答彼援身外塗足燃燈既是外用過義受希故彼輕
犯此施因資過受義數故得提罪 又善論為擅越四月与油索藕者
羅 若及知索藥罪輕 過受便重 所以爾者解言施主先有好心四月与
藥期限已滿供養心息過受致惱損敗更凍又復乘前供養食善
過受故過受重 為索藥者以其居士先无施心乞任彼量損惱義
微 有以施主先无心故乞希故輕 与衣不同衣資義寬与乞過受
二俱是數故希犯提罪 律云不犯者如戒本四緣是
觀軍陣戒弟卌八 制意者凡軍陣凶險兵刀交鬱寔則傾敗識
亦亂 使令心蕩逸招譏損道 懲滯過甚交遠甚愆 故不聽觀 別
緣有四 一是軍陣 二故往觀 三无曰緣 謂被請及軍陣後至水陸險
難等不犯故 四往見便犯 已下正明戒本此曰六群觀陣波斯匿見
心甚不悅 仏便制戒 若比丘往觀軍陣除時曰緣波逸提 此滿足
戒本文有四句 一犯人 二觀陣 [illegible]

陣

觀軍陣戒第卅八　制意者凡軍陣凶險兵力交競實則傾敗俄
亦藏佞令心蕩逸招譏損道德障過甚交遠慈悲故不聽觀　別
緣有四一是軍陣二故往觀三无因緣謂被請及軍陣凌逼求睦險
罪等不犯故四往見便犯已下正明戒本言曰六群觀陣彼斯遙見
心甚不悅仏便制戒　若比丘往觀軍陣除時因緣波逸提　此滿足
戒本文有四句一犯人二觀陣三開緣四結罪　弁相中初可知二言軍
陣者於中有三一釋名軍幕七聚稱軍行列相對名陣二舉數
者律云有四種謂象馬車步等兼雜二種如律廣說都有十六
軍三弁相者祇云象力最大四人從之我一象軍馬力次弱八人從之
我一馬軍　車軍次弱十六人從我一車軍卅二人帶仗我一步軍　所言
陣者行列相對或方或圓或半形或張翅或減陣等名戲名鬪
戰三言除是因緣者律云若自有事須往若彼請喚乃至勢力將去
及餘種種不自在緣四言波逸提者是違犯結罪句律云彼比丘往
觀軍陣從道至道從道至非道乃至從下至高去若見者犯提不
見吉罪若方便莊嚴欲觀而不去者吉若比丘先在道行軍陣
後至應避下道若不避者吉乃至下戒亦尔若見犯提不見吉羅
祇云若逢軍不作意見者无犯若作意舉頭窺望見提若天
王出作意看者越乃至看畜生鬪及看人諍口皆越十誦為作元
章觀故雖觀不犯如前所說　有緣至軍過限宿戒第卌九
別緣有五一有因緣至軍中宿二曾逕二宿三至三宿不離見聞受
四无因緣謂二道斷命梵難不去无罪五過三夜明相出犯已下正明
戒本此戒因六群有緣至軍中宿居士譏嫌比丘舉過仏制戒
若比丘有因緣聽至軍中二宿三宿過者波逸提　此滿足戒本文有
三句一犯人二開緣三違犯罪　初句可知二言有因緣者律云有喚及自
事等緣多論開往者為沙門果故長養仏法故長信敬心故又道俗
相須成就仏法故聽往有益至三宿三言過者波逸提是違犯結罪
律云若至第三宿明相未出應離見聞處若不離明相出犯提見聞處
不離犯吉若第四夜往受初夜即犯不待明相　律云不犯者得二宿至第
三宿明相未出離見聞處若水陸道斷惡獸等難並不犯
有緣至軍二宿往觀軍陣合戰戒第五十　過不異前既有因緣聽
至軍中宜應坐住復方便往觀過同於初句所以制　別緣有五一先有
緣在軍中宿二軍陣合戰三方便往觀四見便犯已下正明戒本此戒因
六群有緣在軍觀諍鬪力中有一人為箭所射居士怯情比丘自仏因斯
制戒　若比丘二宿三宿軍中住或觀軍陣鬪戰若遊軍象馬力勢者
波逸提　此滿足戒本文有五句一者犯人二有緣先在軍中三或觀者心
明觀業四軍陣已下所觀之境於中有四一軍二陣三鬪戰四勢力五者結
[illegible]

緣在軍中宿二軍陣合戰三方便往觀四見便犯已下正明戒本此戒曰
六群有緣在軍觀諍鬪力中有一人為箭所射居士嫌責比丘白仏因斯
制戒　若比丘二宿三宿軍中住或觀軍陣鬪戰若觀遊軍象馬力勢者
波逸提　此滿足戒本文有五句一者犯人二有緣先在軍中三或觀者心
明觀業四軍陣已下所觀之境於中有四一軍二陣三鬪戰四勢力五者結
罪弁相中初句可知第二句如前戒所辨末三言觀軍陣者是觀業
四言軍陣等者軍陣如前所明鬪戰相秋為鬪鬪直實鬪言勢力者
末一象力馬力車力步力等五言波逸提者是遲犯句輕重不同為比
丘往觀見者犯提不見犯吉除如前式不犯者為有請喚及勢等難命
梵之難難不離不犯　飲酒式第五十一　制意者酒為毒水飲則識
患令人志性昌狂廣興諸惡妨修癈業損道招譏生患之本寧容
不禁是故聖制　別緣有三一是酒二无重病三飲即犯已下正明戒本緣戒
因娑伽陁比丘起過故制斯戒　若比丘飲酒者波逸提　滿足戒本
文有三句一犯人二所飲之酒三飲而結罪　弁相中初可知二言飲酒者於中
有二初列五種酒如律所明一木酒二粳米酒三餘米酒四大麦酒五有餘
法作酒者二就木酒偏舉斯蘭律去木酒者有六一是梨汁酒二閻乳
浮菓酒三甘蔗酒四舍樓伽菓酒五蕤汁酒六蒲桃酒梨酒者為以
石蜜雜作乃至蒲桃酒亦如是三言波逸提者是結罪律去但使是
酒乃至草木作者无酒色香味為非酒而有酒色香味並不合飲
若酒初和之飲皆犯提甜酢酒食麴酒糟一切吉羅十去為飲似酒酢酒糟
醫為麴能醉人咽之皆墮多去酒之想酒疑酒无酒想一切墮羅无酒有酒
想疑皆吉莫非恥境犯罪前有方便又不得強勸飲酒前人為飲勸
者犯提不飲吉羅祇去一切果漿令人醉越為麴飯相和食者提善見
去為酒煮藥故有酒香味犯吉无者得飲四分去以我為師者不得以
草內酒中渧口五分以降龍故得酒醉衣盃躍擲乃至仏說偈昔日敬
仏令不能敬昔伏毒龍令不能降蝦蟆多去此戒極重能作四逆除一破
僧又亦能破諸戒律行而及能作衆作業故律重制律去不犯者為有
病餘藥持不差以酒為藥為以酒塗瘡一切不犯五分去若先習酒人不
酒者氣絶欲死飲食不消聽嗅酒器為不差者以酒著麪餅中令食
不差者以酒与飲漸之斷之　水中戲嬉式第五十二　多論四義故制
一仏法尊重理宜表敬今入水遊戲損壞匪輕二理宜威儀庠序外長
信敬入水遊戲動越威儀招世譏過三宜息循道入水遊戲妨癈正業四
宜修正念入水戲謔令心散乱失正念故是以聖制別緣有三一是水二无緣
三戲即犯　此戒因十七群河中遊戲波斯匿王遙見譏嫌仏便制
若比丘水中嬉戲者波逸提　戒本有三句一犯二水戲三結罪弁相中初句可
知二言水中戲者律去放意自恣從此至波逆流順流此没彼出手畫
[illegible]

BD02179號　四分戒本疏卷三　（12–6）

宜於正念入水戲謔令心散亂失正念故是以聖制別緣有三一是水二尤緣
三戲即犯　此戒因十七群河中遊戲波斯匿王遥見譏嫌仏便制
若比丘水中嬉戲者波逸提　戒本有三句一犯二水戲三結罪并相中初句可
知二言水中戲者律云放意自恣從此至彼逆流順流此沒彼出手畫
水相潰乃至以鉢盛水戲擲者是三言波逸提者違犯名律去比丘水中
如上所戲者犯提罪除水已為酪漿為酒麦汁器中擲戲皆犯吉羅
秖去水睦為澆潰越俱水中者提　五分擲雪及草頭露擲者吉伽云
乃至水滴地亦吉大雲経說王見遊戲說偈夫人言五聞諸比丘久已離塵
羈戲慕泥水中去何為人師諸遊戲已足入定知心逝以神力鷹行去夫人
見而向王說偈吾家諸比丘久以離塵羈沙弥尚如是何况釋迦師王曰
生信　律去不犯者為道行渡水或水中牽竹木捍順流上下為失物流
入水底此沒彼出或從此岸渡至彼岸或學知浮泳而擢臂水中潰水者
一切不犯　擊攊比丘戒第五十三　事雖是輕過容至重人之喜為特
宜須禁故所以制別緣有五一天比丘二作惱乱意三手脚十指四无緣若眠觸令
覺行来設觸等不犯故五觸着即犯此戒因六群中一人擊攊十七群中一人乃至
令命終比丘舉過仏便呵制戒　若比丘以指相擊攊者波逸提　戒本三
句一犯人二攊三結罪并相中初句可知二言以指擊攊者律去指者手脚廿指三
言波逸提者違犯罪名四分以手脚相擊指攊一切提罪　秖去以手指除脚已
若杖若拂柄及戶鑰餘一切物擊攊者吉指比丘亦提五指之五提乃至差會
以指某甲去之者亦提五分去為擊攊沙弥乃至畜生亦吉　律去不犯者為
不故作為睡覺令覺為出入行来若掃地誤觸舉並不犯
不接諫戒第五十四　制意者凡出家之人理宜離惡為宗然已違情將
欲作過他以理諫復不從順苟且為非違損處重故須聖制別緣有五
一已作非法事二他如法設諫三知已所作非前人諫者是四拒諫不受五隨
所作根本不從語波逸提　已下並明戒本此戒因闡陀比丘犯戒餘比丘諫
言莫作此意不應尒不從他諫即犯諸罪比丘白仏々呵制戒
若比丘不受諫者波逸提　此戒文有三句一犯人二不受諫三結罪并相中初
句可知二言不受諫者自知作非他勸莫作拒而不從故曰不受諫三言
波逸提者是違犯罪名釋去但使知已為非前諫者是故違情重是以
得提為謂已所作是前諫者非過輕波故得吉罪隨所作事邊以識事
故作以不知得脫猶犯根本罪此違一人諫不隨前事結罪雖重但說心并
虛故罪重心實故輕文中先結心實之吉次結心虛提是以律去為他諫言
莫作此事然故犯根本不從語吉若自知所作非然故作犯根本不從語提
多去欲作前犯吉後作已根本外别得提罪凶違僧諫中諫竟即犯不諫
作事此中所以諫竟未犯要待作事此戒既是人設諫无有僧命終須可
遠是以諫竟未犯要待作事違諫義成是以不類為尒下拒勸學戒

[illegible]作事邊以陰事
故作以不知得脫猶犯根本罪此邊一人諫不隨前事結罪輕重但就心弁
虗故罪重心實故輕文中先結心實〻吉次結心虗提是以律云爲他諫言
莫作此事然故犯根本不從語吉若自知所作非然故作犯根本不從語提
多云欲作前犯吉後作已根本外別得提罪冋違僧諫中諫竟即犯不諫
作事此中所以諫竟未犯要待作事此戒踨是一人設諫无有僧命終注可
違是以諫竟未犯要待作事違諫義成是以不類爲亦下拒勸學戒亦
是一人所諫而无衆命違何以諫竟即犯与此相違答彼諫正犯先是不學
此犯之人𦵔言拒諫道已不學即是正犯表違已成故所以犯此諫作犯雖
言拒諫道我作者仍猶未作違未就要待作事違諫義成亦非一類律
云不犯者前人无智報言可冋汝師乃至知諫者法爲諫當用爲戲語獨
語夢語錯說等一切不犯　恐怖比丘戒第五十五　制意者凡出家人
冝須將護不相惱亂今以六塵等事迭相恐怖令彼惶懅廢脩正業
事惱殊深故須制斷別緣有五一大比丘二作恐怖意三以六塵等事一〻
說示四言辭了〻五前人見聞𠂢知便犯　已下正明戒本此戒曰郁迦波羅
反被拘執衣欲怖仏令還入房仏便呵責制斯戒本　若比丘怖恐他比丘
者波逸提　此滿足戒本文有三句一犯人二恐怖三結罪弁相中初句可知
二言恐怖者律明恐業先列名後隨釋言列名者彼以色香聲味觸
法六事一〻示之言色恐怖者或作鳥形乃至鬼及獸形是以色恐怖
前人言聲恐怖者或貝聲鳥聲等以如是聲恐怖前人乃至以法恐
怖前人我見如是相汝當死若失衣鉢及汝和上亦尔汝父母得病爲死
等以此法恐怖者三言波逸提者是遠犯句律云爲以六事随一〻是令
彼見聞等若恐怖若不恐怖一〻皆得提罪爲不了前人不知等一〻吉羅
律云不犯者或闇地坐无燈火或大小便處遥見謂言惡獸乃至行聲
咊聲𠂢聲而恐者或以色等示人不作恐怖意或爲實有是見夢
當死失衣乃至父母重病爲死落彼令知及誤一切不犯
過半月洗浴戒第五十六　十律云洗浴有五利一除垢穢二身清淨三
除身中寒冷病四除風五得安隱故温失經云欲除七病故　凡身多
不淨事須澡除但眈樂過常令身光澤翫著色身无心厭背煩違
出離故須限約半月一洗爲過即犯別緣有五一曾前洗浴二未滿半月
三更洗浴四无緣曰五洗身半犯　已下正明戒本此戒曰瓶沙王聽諸比丘
於竹園池中常浴六群欲次王与婇女浴池相值王竟不欲大臣嫌恚比
丘白仏呵制戒　若比丘半月洗浴无病應〻夌不得過除餘時波逸提
餘時者熱時病時作時風雨時道行時此是時　此滿足戒本文有四句
一犯人二明半月一洗不得過三除开緣四結罪餘時者下論前中三句弁相
中初句可知二言半月洗浴者明半月一浴不得過半月洗論於半月
內不得弁洗故曰不得過　祇云應隨浴日數要滿十五日乃應〻更洗三先言除餘

丘白仏仏呵制戒　若比丘半月洗浴无病應爾不得過除餘時波逸提
餘時者熱時病時作時風雨時道行時此是時　此滿足戒本文有四句
一犯人二明半月一洗不得過三除開緣四結罪餘時者下消前中三句并相
中初句可知二言半月洗浴者明半月一浴不得過半月洗消於半月
內不得再洗故曰不得過　祇云應隨俗日數要滿十五日乃應更洗三先言除餘
時者明開緣言除熱時律後四十五日夏初一月是熱時天竺熱早故三初月至
五月十五日此兩月半熱洗无罪隨國土早　熱用此限洗又此兩月半時日滿便
是是名熱時言病時四分云下至身體臭穢是謂病時言作時者下至
掃屋前地十五乃至掃僧房內地五尺多云五六尺五分乃至掃屋內地言
風雨時者下至一旋風一滴雨著身言道行者下至半由旬爲來爲往若
是四言波逸提是過洗得罪句爲過限洗一遍洗身一波逸提者爲洗半
身亦犯提爲方便欲洗不者吉羅五分云爲共白衣同室浴身偷蘭
多云露地不應共欲浴爲在室中知白衣善而无口過者聽共浴比丘
揩白衣吉爲自揩不用他揩者善要著僧祇支一當有慙愧二不生他
欲曰洗罪漢身輙有內見便起染失根乃至罷道悔得本男身律云不
犯者如上六緣開數洗不犯及被刀勢所縛强令者　无事露地然火
戒五十七　制意者凡火性炎熾事憂无恒容有燒壞不可禁又復然
火群聚多著俗話癡循正業是以聖制別緣有四一是无因緣欲去
曰緣不犯二雖无曰緣爲在覆鄣受生患義故亦是不犯故須者二
是露地三然草木等歘去然炭生過義故但犯小罪四燒便犯當但
制无事然火罪不然言壞地傷五生種罪已上制竟故亦皆云六群露
地大枯枝內有蛇得火氣出遂驚鄉大燒仏講堂比丘舉過仏制斯
戒　若比丘无病自爲炙身故在露地然火若教人然除時因緣波逸
提　戒本三句一犯人二除病三爲已然火結犯并相中初可知二言自爲已
除病不開三言波逸者是遠犯結罪故律云被於露地爲然草木枝
葉牛糞糠等一切然者皆犯提罪爲以火置草木乃至糠麩中犯提
罪五分爲炙然火炎高四指者隨多論爲他已然後隨作何事皆隨
祇云旋火作輪或火中有草火撥聚一切墮爲壞生二罪一壞生三然火
若在生地理有墮二一被燒半燋擲火中者吉然炭火吉不落前人知是
看是吉律云不犯者語前人知是看是爲病人自然教人然有緣看
病人爲病者煮羹粥美飲等在死去及名并餘物上作火開不犯若
在厨屋中浴室中若熏鉢煮染然燈一切无犯　藏他衣鉢戒五十八
制意者一調戲譏嫌因事相惱藏他衣鉢竟不時得令彼惶恐惱受
匪輕二容生盜心臨色事險可懼之甚三假无盜心致被言謗清白彰夸
莫能自拔以斯諸過故須聖制別緣有四一是大比丘衣鉢事鉢等二作
驚動彼意三无因緣或物主傍藏及二雜等不犯四取藏舉便犯吉戒

BD02179號　四分戒本疏卷三　（12–9）

病人香病者責其席䌁美飲等在死士及名并餘物上作大開不犯若
在閣屋中洛室中若熏鉢若染然燈一切无犯　藏他衣鉢戒五十八
制意者一調戲諠煩因事相惱慝藏他衣鉢竟不時得令彼惶恐憂
匪輕二容生盜心臨色事險可懼々甚三假无盜心致彼言謗清白邪ム
莫能自拔以斯諸過故須聖制別緣有四一是大比丘衣鉢等二作
驚動彼意三无因緣或物主慢藏及二雜等不犯四取藏舉便犯此戒
因六群十七群衣鉢等諸比丘白佛々制斯戒　若比丘藏他比丘衣鉢坐具鍼
筒若自藏若教人藏下至戲笑者波逸提　此滿足戒文有三句一犯人二所
藏物三自他藏而結罪并相中三句可知律去上至物他下至笑戲皆犯
提罪故云戲笑尚犯況爲　惚多云若五大色衣及不淨衣吉羅末重
鉢鍵鎡衣鉢不作淨畜者皆隨律去不犯者若實知彼人物相解而舉
若在露地風雨漂漬舉々若物主爲性慢藏衣物狼藉爲誡勅々
若借他衣而彼不收舉若因此衣鉢有命梵等緣故藏一切不犯
真實淨施不問主取戒五十九　制意者凡淨施之法爲去在著之情遣
同大行事既付彼取用之時一須諮問輙取理違聖教又復前人既不見物謂
戒失奪惱他不輕是故聖制釋名者捨与前人不虛稱爲真實此物不
復染心名爲淨施故曰真實淨施輙取戒別緣有四一是已物二作真施淨
施法不語主令知四取用便犯此戒因六群真親々施厚衣比丘已後輙著比丘白佛
呵制戒　若比丘與比丘々尼式叉摩那沙彌々尼衣還取著者波逸提　滿足
戒本文有三句一犯人二作淨施法三輙取結罪并相中初句可知二言与衣
者律云淨施有二真實二展轉者長衣戒說三言波逸提者是輙遮
取犯句故律云若作真實淨施應問主然後取著不尒者犯提　然此
淨主文通五衆人解不定有說此是同戒通僧尼二衆合說豈有比丘從
尼取衣取衣也各對同類僧二尼三作法文說依文通五衆爲主任心所
樂問沙彌邊作淨受已云何答稱无歲比丘問幾物應說淨答稱衣
藥鉢寶等問衣物尺量如何答衣尺六八寸故律云長如來八指廣四
指是若互及全減並悉不說无罪鉢量可知藥无其量謂取七日加口
法者餘悉非也寶无多少但金銀錢問幾種人開心念說淨答十律開
五種人作七種心念法律云不犯者若真實施語主取展轉者隨意之
取　白色三衣戒六十　制意者凡壞色染衣道服標識內遣著情外
長信敬今不染畜著非是沙門道服々標內長貪著外招譏損過
是不輕故須聖制別緣有四一是三衣二是已物三不染壞四著便犯此
戒因六群著白色衣居士譏嫌比丘白佛々呵制戒　若比丘得新衣應三
種壞色一々色中隨意壞若青若黑若木蘭若比丘不以三種壞色
若青若黑若木蘭著餘新衣者著波逸提　滿足戒本文有三句一犯
人二得新衣已下教染壞方法三若比丘已以下不壞故違遠聖教畜著

[illegible]
耶　白色三衣戒六十　制者凡壞色染衣道服標式內遣著情外
長信敬令不染畜著非是沙门道服ㄋ標內長貪着外招譏損過
是不輕故須聖制別緣有四一是三衣二是己物三不染壞四著便犯此
戒曰六群著白色衣居士譏嫌比丘白仏ㄋ呵制戒　若比丘得新衣應三
種壞色一一色中隨意壞若青若黑若木蘭乃比丘不以三種壞色
若青若黑乃木蘭著餘新衣者者波逸提　滿足戒本文有三句一犯
人二得新衣已下教染壞方法三乃比丘已下不壞故違返聖教畜著
結罪弁相中初句可知二言得新衣應三種壞者律去新衣者乃新
若物從人得俱名新衣十誦去得他故者乃初得名新衣言三種壞色
者青黑木蘭三言不以三色壞著新衣波逸提者是違返聖教結
罪句彼得衣不作三種壞色著者隨乃重衣若輕衣不作淨而畜
者吉羅若非衣鉢囊及諸巾不作畜者吉羅謂點色作淨作一切
緣身所受用物皆須作淨而畜乃未染衣寄白衣家者吉羅准
此言淨者謂以戒色衣或餘物以點著名淨而並須染壞非謂三衣
須染餘者但淨而已乃准律文一切不染皆提一切不淨皆吉五分所
以作淨者異外道故令与俗別作三種記故夫則易覓多論去五色
大衣不成受乃應量不應量一切不得著乃點著者吉羅此律犯留
要三色想現成壞色衣畜者无罪純色患犯祇云純色不點壞提
著白色衣捏點淨者不得並作或一三五七九為點極大齊四指極小如
豌豆善見如麻子大乃約四分著白色衣提不點犯捏三色ㄋ中以一
色壞則成沙门衣重衣不作淨吉不得如花形作澆纈有涅汗
鳥足汗即名為淨乃新大衣趣一角作乃至一切衣新細摞文云乃
衆多縫衣一處合補者一處作別者一ㄋ作淨律去不犯者乃得白
衣染作三種色條捏重乃至內作淨者不犯

戒疏卷第三

着白色衣𨊂點淨者不得並作或一三五七九爲點極大齊四指極小如
豌豆善見如麻子大若約四分着白色衣提不點犯挃三色〻中以一
色壞則成沙门衣重衣不作淨吉不得如花形作澆埶褁有泥汙
鳥足汙即名爲淨若新大衣趣一角作乃至一切衣新細㲲生𮧂
衆多卧衣一處合補者一處作別者一〻作淨律云不犯者若得白
衣染作三種色條挃重乃至內作淨者不犯

戒疏卷第三

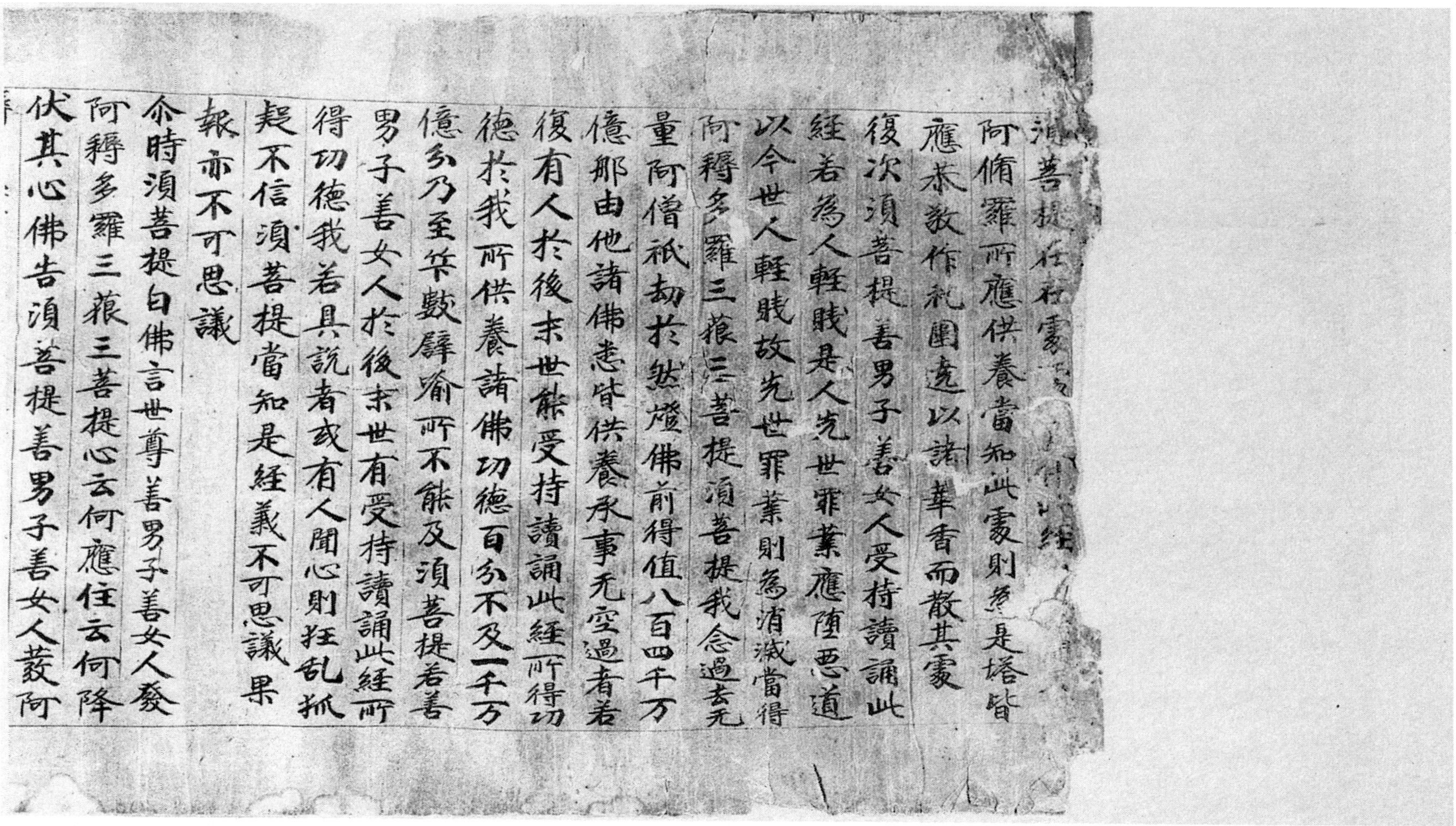

須菩提在在處[illegible]有此經
阿脩羅所應供養當知此處則為是塔皆
應恭敬作禮圍遶以諸華香而散其處
復次須菩提善男子善女人受持讀誦此
經若為人輕賤是人先世罪業應墮惡道
以今世人輕賤故先世罪業則為消滅當得
阿耨多羅三藐三菩提須菩提我念過去无
量阿僧祇劫於然燈佛前得值八百四千万
億那由他諸佛悉皆供養承事无空過者若
復有人於後末世能受持讀誦此經所得功
德於我所供養諸佛功德百分不及一千万
億分乃至筭數譬喻所不能及須菩提若善
男子善女人於後末世有受持讀誦此經所
得功德我若具說者或有人聞心則狂乱狐
疑不信須菩提當知是經義不可思議果
報亦不可思議
尒時須菩提白佛言世尊善男子善女人發
阿耨多羅三藐三菩提心云何應住云何降
伏其心佛告須菩提善男子善女人發阿

BD02180 號　金剛般若波羅蜜經　（8–1）

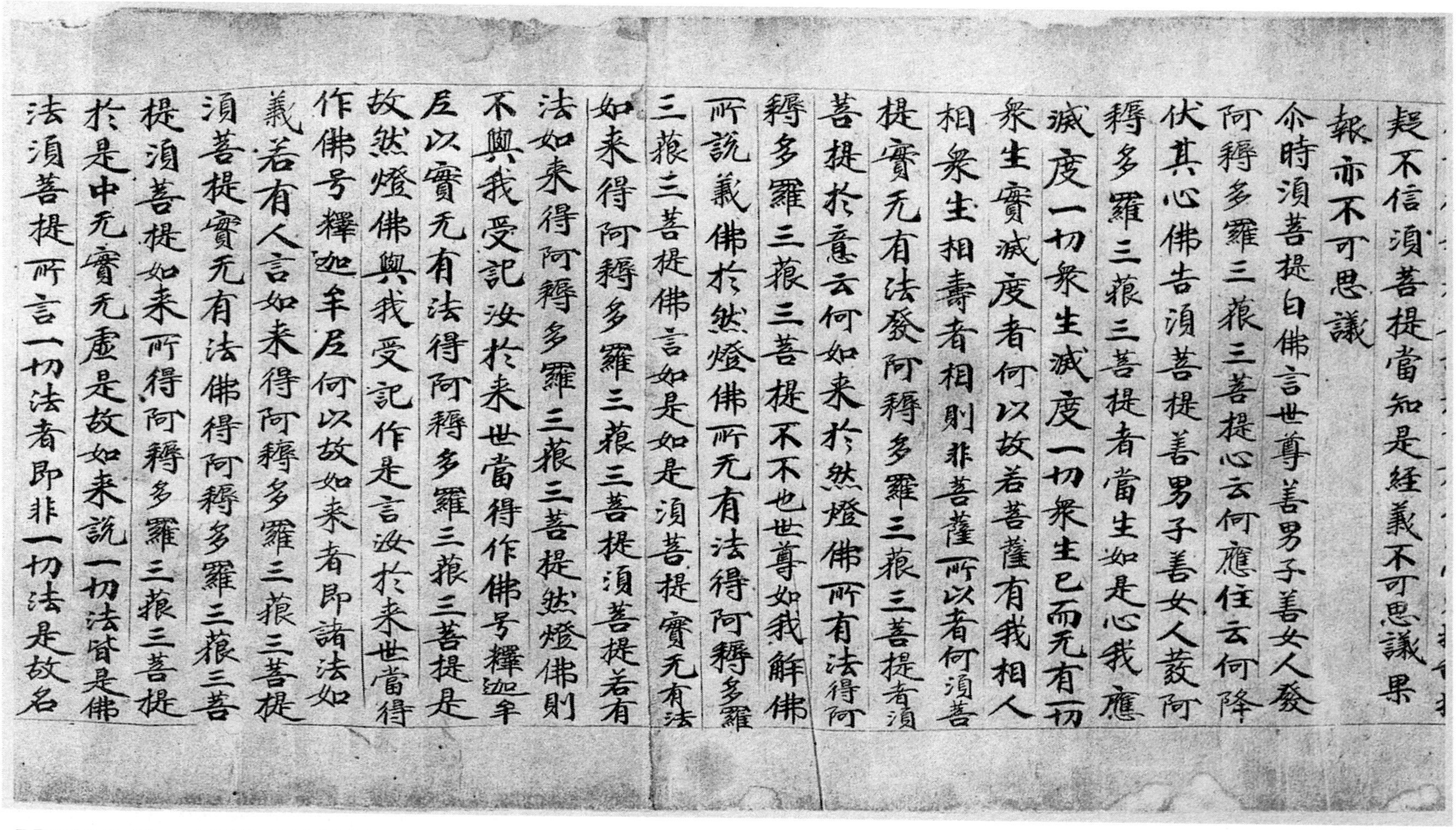

疑不信須菩提當知是經義不可思議果
報亦不可思議
尒時須菩提白佛言世尊善男子善女人發
阿耨多羅三藐三菩提心云何應住云何降
伏其心佛告須菩提善男子善女人發阿
耨多羅三藐三菩提者當生如是心我應
滅度一切衆生滅度一切衆生已而无有一切
衆生實滅度者何以故若菩薩有我相人
相衆生相壽者相則非菩薩所以者何須菩
提實无有法發阿耨多羅三藐三菩提者須
菩提於意云何如来於然燈佛所有法得阿
耨多羅三藐三菩提不不也世尊如我解佛
所說義佛於然燈佛所无有法得阿耨多羅
三藐三菩提佛言如是如是須菩提實无有法
如来得阿耨多羅三藐三菩提須菩提若有
法如来得阿耨多羅三藐三菩提然燈佛則
不與我受記汝於来世當得作佛号釋迦牟
尼以實无有法得阿耨多羅三藐三菩提是
故然燈佛與我受記作是言汝於来世當得
作佛号釋迦牟尼何以故如来者即諸法如
義若有人言如来得阿耨多羅三藐三菩提
須菩提實无有法佛得阿耨多羅三藐三菩
提須菩提如来所得阿耨多羅三藐三菩提
於是中无實无虛是故如来說一切法皆是佛
法須菩提所言一切法者即非一切法是故名

BD02180 號　金剛般若波羅蜜經　（8–2）

義若有人言如來得阿耨多羅三藐三菩提
須菩提實无有法佛得阿耨多羅三藐三菩
提須菩提如來所得阿耨多羅三藐三菩提
於是中无實无虛是故如來說一切法皆是佛
法須菩提所言一切法者即非一切法是故名
一切法須菩提譬如人身長大須菩提言世
尊如來說人身長大則為非大身是名大身
須菩提菩薩亦如是若作是言我當滅度
无量衆生則不名菩薩何以故須菩提實无
有法名為菩薩是故佛說一切法无我无人
无衆生无壽者須菩提若菩薩作是言我
當庄嚴佛土是不名菩薩何以故如來說庄
嚴佛土者即非庄嚴是名庄嚴須菩提若
菩薩通達无我法者如來說名真是菩薩
須菩提於意云何如來有肉眼不如是世
尊如來有肉眼須菩提於意云何如來有
天眼不如是世尊如來有天眼須菩提於意
云何如來有慧眼不如是世尊如來有慧眼
須菩提於意云何如來有法眼不如是世尊
如來有法眼須菩提於意云何如來有佛眼
不如是世尊如來有佛眼須菩提於意云何
恒河中所有沙佛說是沙不如是世尊如來
說是沙須菩提於意云何如一恒河中所有沙
有如是等恒河是諸恒河所有沙數佛世界

BD02180號　金剛般若波羅蜜經　（8–3）

不如是世尊如來有佛眼須菩提於意云何
恒河中所有沙佛說是沙不如是世尊如來
說是沙須菩提於意云何如一恒河中所有沙
有如是等恒河是諸恒河所有沙數佛世界
如是寧為多不甚多世尊佛告須菩提尒所
國土中所有衆生若干種心如來悉知何以故
如來說諸心皆為非心是名為心所以者何
須菩提過去心不可得現在心不可得未來
心不可得須菩提於意云何若有人滿三
千大千世界七寶以用布施是人以是因緣
得福多不如是世尊此人以是因緣得福甚
多須菩提若福德有實如來不說得福得
多以福德故如來說得福德多
須菩提於意云何佛可以具足色身見不
不也世尊如來不應以具足色身見何以
故如來說具足色身即非具足色身是名
具足色身須菩提於意云何如來可以具足諸
相見不不也世尊如來不應以具足諸相見何
以故如來說諸相具足即非具足是名諸相具
足須菩提汝勿謂如來作是念我當有所說
法莫作是念何以故若人言如來有所說法
即為謗佛不能解我所說故須菩提說法
者無法可說是名說法須菩提白佛言世尊
佛得阿耨多羅三藐三菩提為無所得耶如

BD02180號　金剛般若波羅蜜經　（8–4）

法莫作是念何以故若人言如來有所說法
即為謗佛不能解我所說故須菩提說法
者無法可說是名說法須菩提白佛言世尊
佛得阿耨多羅三藐三菩提為無所得耶如
是如是須菩提我於阿耨多羅三藐三菩提
乃至無有少法可得是名阿耨多羅三藐三
菩提復次須菩提是法平等無有高下是
名阿耨多羅三藐三菩提以無我無人無衆
生無壽者脩一切善法則得阿耨多羅三藐
三菩提須菩提所言善法者如來說非善法
是名善法須菩提若三千大千世界中所有諸
須弥山王如是等七寶聚有人持用布施若
人以此般若波羅蜜經乃至四句偈等受持
讀誦為他人說於前福德百分不及一百千
萬億分乃至筭數譬喻所不能及
須菩提於意云何汝等勿謂如來作是念我
當度衆生須菩提莫作是念何以故實無
有衆生如來度者若有衆生如來度者如
來則有我人衆生壽者須菩提如來說有
我者則非有我而凡夫之人以為有我須菩提
凡夫者如來說則非凡夫須菩提於意云何可
以三十二相觀如來不須菩提言如是如是以
三十二相觀如來佛言須菩提若以三十二

BD02180號　金剛般若波羅蜜經

（8–5）

我者則非有我而凡夫之人以為有我須菩提
凡夫者如來說則非凡夫須菩提於意云何可
以三十二相觀如來不須菩提言如是如是以
三十二相觀如來佛言須菩提若以三十二
相觀如來者轉輪聖王則是如來須菩提白
佛言世尊如我解佛所說義不應以三十二
相觀如來尒時世尊而說偈言
若以色見我　以音聲求我　是人行邪道　不能見如來
須菩提汝若作是念如來不以具足相故得
阿耨多羅三藐三菩提須菩提莫作是念如
來不以具足相故得阿耨多羅三藐三菩提
須菩提汝若作是念發阿耨多羅三藐三
菩提者說諸法斷滅莫作是念何以故發阿
耨多羅三藐三菩提者於法不說斷滅相須
菩提若菩薩以滿恒河沙等世界七寶布施若
復有人知一切法無我得成於忍此菩薩勝
前菩薩所得功德須菩提以諸菩薩不受福
德故須菩提白佛言世尊云何菩薩不受
福德須菩提菩薩所作福德不應貪著是
故說不受福德須菩提若有人言如來若來
若去若坐若卧是人不解我所說義何以故
如來者無所從來亦無所去故名如來
須菩提若善男子善女人以三千大千世界
碎為微塵於意云何是微塵衆寧為多

BD02180號　金剛般若波羅蜜經

（8–6）

故說不受福德須菩提若[illegible]
若去若坐若卧是人不解我所說義何以故
如来者無所從来亦無所去故名如来
須菩提若善男子善女人以三千大千世界
碎為微塵於意云何是微塵衆寧為多
不甚多世尊何以故若是微塵衆實有者
佛則不說是微塵衆所以者何佛說微塵衆
則非微塵衆是名微塵衆世尊如来所說三
千大千世界則非世界是名世界何以故若世界
實有者則是一合相如来說一合相則非一合
相是名一合相須菩提一合相者則是不可
說但凡夫之人貪着其事須菩提若人言佛
說我見人見衆生見壽者見須菩提於意
云何是人解我所說義不世尊是人不解如
来所說義何以故世尊說我見人見衆生見
壽者見即非我見人見衆生見壽者見是
名我見人見衆生見壽者見須菩提發阿耨
多羅三藐三菩提心者於一切法應如是知如
是見如是信解不生法相須菩提所言法相
者如来說即非法相是名法相須菩提若有
人以滿無量阿僧祇世界七寶持用布施若
有善男子善女人發菩薩心者持於此經乃
至四句偈等受持讀誦為人演說其福勝彼
云何為人演說不取於相如如不動何以故
一切有為法　如夢幻泡影　如露亦如電　應作如是觀

BD02180號　金剛般若波羅蜜經　（8–7）

云何是人解我所說義不世尊是人不解如
来所說義何以故世尊說我見人見衆生見
壽者見即非我見人見衆生見壽者見是
名我見人見衆生見壽者見須菩提發阿耨
多羅三藐三菩提心者於一切法應如是知如
是見如是信解不生法相須菩提所言法相
者如来說即非法相是名法相須菩提若有
人以滿無量阿僧祇世界七寶持用布施若
有善男子善女人發菩薩心者持於此經乃
至四句偈等受持讀誦為人演說其福勝彼
云何為人演說不取於相如如不動何以故
一切有為法　如夢幻泡影　如露亦如電　應作如是觀
佛說是經已長老須菩提及諸比丘比丘尼
優婆塞優婆夷一切世間天人阿修羅聞佛
所說皆大歡喜信受奉行

金剛般若波羅蜜經

BD02180號　金剛般若波羅蜜經　（8–8）

如強力轉[illegible]
諸小王不順其[illegible]
討伐王見兵衆[illegible]
賜或與田宅聚[illegible]
或與種種珍寶[illegible]
珀象馬車乘奴婢人[illegible]
之所以者何獨王頂上有此一珠若
王諸眷屬必大驚怪文殊師利如來亦
是以禪定智慧力得法國土王於三界
魔王不肯順伏如來賢聖諸將與之共
有功者心亦歡喜於四衆中為說諸經令其
心悅賜以禪定解脫无漏根力諸法之財又
復賜與涅槃之城言得滅度引導其心令皆
歡喜而不為說是法華經文殊師利如轉輪
王見諸兵衆有大功者心甚歡喜以此難信
之珠久在髻中不妄與人而今與之如來
復如是於三界中為大法王以法教化一切
衆生見賢聖軍與五陰魔煩惱魔死魔共戰
有大功勳滅三毒出三界破魔網尒時如來
亦大歡喜此法華經能令衆生至一切智一
切世間多怨難信先所未說而今說之文殊
師利此法華經是諸如來第一之說於諸
中最為甚深末後賜與如彼強力之王久

BD02181 號　妙法蓮華經卷五

（24–1）

亦大歡喜此法華經能令衆生至一切智一
切世間多怨難信先所未說而今說之文殊
師利此法華經是諸如來第一之說於諸
中最為甚深末後賜與如彼強力之王久
明珠今乃與之文殊師利此法華經諸佛如
來祕密之藏於諸經中最在其上長夜守護
不妄宣說始於今日乃與汝等而敷演之尒
時世尊欲重宣此義而說偈言
常行忍辱　哀愍一切　乃能演說　佛所讚經
後末世時　持此經者　於家出家　及非
應生慈悲　斯等不聞　不信是經　則為大失
我得佛道　以諸方便　為說此法　令住其中
譬如強力　轉輪之王　兵戰有功　賞賜諸物
象馬車乘　嚴身之具　及諸田宅　聚落城邑
或與衣服　種種珍寶　奴婢財物　歡喜賜與
如有勇健　能為難事　王解髻中　明珠賜之
如來亦尒　為諸法王　忍辱大力　智慧寶藏
以大慈悲　如法化世　見一切人　受諸苦惱
欲求解脫　與諸魔戰　為是衆生　說種種法
以大方便　說此諸經　既知衆生　得其力已
末後乃為　說是法華　如王解髻　明珠與之
此經為尊　衆經中上　我常守護　不妄開
今正是時　為汝等說　我滅度後　求佛道者
欲得安隱　演說斯經　應當親近　如是四法
讀是經者　常无憂惱　又无病痛　顏色鮮白
不生貧窮　卑賤醜陋　衆生樂見　如慕賢聖

BD02181 號　妙法蓮華經卷五

（24–2）

末後乃為　說是法華　如王解髻　明珠與之
此經為尊　衆經中上　我常守護　不妄開
今正是時　為汝等說　我滅度後　求佛道者
欲得安隱　演說斯經　應當親近　如是四法
讀是經者　常无憂惱　又无病痛　顏色鮮白
不生貧窮　卑賤醜陋　衆生樂見　如慕賢聖
天諸童子　以為給使　刀杖不加　毒不能害
若人惡罵　口則閉塞　遊行无畏　如師子王
智慧光明　如日之照　若於夢中　但見妙事
見諸如來　坐師子座　諸比丘衆　圍繞說法
又見龍神　阿脩羅等　數如恒沙　恭敬合掌
自見其身　而為說法　又見諸佛　身相金色
放无量光　照於一切　以梵音聲　演說諸法
佛為四衆　說无上法　見身處中　合掌讚佛
聞法歡喜　而為供養　得陁羅尼　證不退智
佛知其心　深入佛道　即為授記　成最正覺
汝善男子　當於來世　得无量智　佛之大道
國土嚴淨　廣大无比　亦有四衆　合掌聽法
又見自身　在山林中　脩習善法　證諸實相
深入禪定　見十方佛
諸佛身金色　百福相莊嚴　聞法為人說　常有是好夢
又夢作國王　捨宮殿眷屬　及上妙五欲　行詣於道場
在菩提樹下　而處師子座　求道過七日　得諸佛之智
成无上道已　起而轉法輪　為四衆說法　經千万億劫
說无漏妙法　度无量衆生　後當入涅槃　如烟盡燈滅
若後惡世中　說是第一法　是人得大利　如上諸功德

BD02181號　妙法蓮華經卷五　（24–3）

在菩提樹下　而處師子座　求道過七日　得諸佛之智
成无上道已　起而轉法輪　為四衆說法　經千万億劫
說无漏妙法　度无量衆生　後當入涅槃　如烟盡燈滅
若後惡世中　說是第一法　是人得大利　如上諸功德
妙法蓮華經從地踊出品第十五
尒時他方國土諸來菩薩摩訶薩過八恒河
沙數於大衆中起合掌作礼而白佛言世尊
若聽我等於佛滅後在此娑婆世界勤加精
進護持讀誦書寫供養是經典者當於此土
而廣說之尒時佛告諸菩薩摩訶薩衆止善
男子不須汝等護持此經所以者何我娑婆
世界自有六万恒河沙等菩薩摩訶薩一一
菩薩各有六万恒河沙眷屬是諸人等能於
我滅後護持讀誦廣說此經佛說是時娑婆
世界三千大千國土地皆震裂而於其中有
无量千万億菩薩摩訶薩同時踊出是諸菩
薩身皆金色三十二相无量光明先盡在此
娑婆世界之下此界虛空中住是諸菩薩聞
釋迦牟尼佛所說音聲從下發來一一菩薩
皆是大衆唱導之首各將六万恒河沙眷屬
況將五万四万三万二万一万恒河沙等眷
屬者況復乃至一恒河沙半恒河沙四分之
一乃至千万億那由他分之一況復千万億
那由他眷屬況復億万眷屬況復千万百万
乃至一万況復一千一百乃至一十況復將
五四三二一弟子者況復單己樂遠離行如

BD02181號　妙法蓮華經卷五　（24–4）

況將五万四万三万二万一万恒河沙等眷
屬者況復乃至一恒河沙半恒河沙四分之
一乃至千万億那由他分之一況復千万億
那由他眷屬況復億万眷屬況復千万百万
乃至一万況復一千一百乃至一十況復將
五四三二一弟子者況復單己樂遠離行如
是等比无量无邊筭數譬喻所不能知是諸
菩薩從地出已各詣虛空七寶妙塔多寶如
來釋迦牟尼佛所到已向二世尊頭面礼足
及至諸寶樹下師子座上佛所亦皆作礼右
繞三帀合掌恭敬以諸菩薩種種讚法而以
讚歎住在一面欣樂瞻仰於二世尊是諸菩
薩摩訶薩從初踊出以諸菩薩種種讚法而
讚於佛如是時間經五十小劫是時釋迦牟
尼佛嘿然而坐及諸四衆亦皆嘿然五十小
劫佛神力故令諸大衆謂如半日尒時四衆
亦以佛神力故見諸菩薩遍滿无量百千万
億國土虛空是菩薩衆中有四導師一名上
行二名无邊行三名淨行四名安立行是四
菩薩於其衆中最為上首唱導之師在大衆
前各共合掌觀釋迦牟尼佛而問訊言世尊
少病少惱安樂行不所應度者受教易不不
令世尊生疲勞耶尒時四大菩薩而說偈言
世尊安樂　少病少惱　教化衆生　得无疲惓
又諸衆生　受化易不　不令世尊　生疲勞耶
尒時世尊於菩薩大衆中而作是言如是如

BD02181號　妙法蓮華經卷五

（24–5）

少病少惱安樂行不所應度者受教易不不
令世尊生疲勞耶尒時四大菩薩而說偈言
世尊安樂　少病少惱　教化衆生　得无疲惓
又諸衆生　受化易不　不令世尊　生疲勞耶
尒時世尊於菩薩大衆中而作是言如是如
是諸善男子如來安樂少病少惱諸衆生等
易可化度无有疲勞所以者何是諸衆生世
世已來常受我化亦於過去諸佛供養尊重
種諸善根此諸衆生始見我身聞我所說即
皆信受入如來慧除先脩習學小乘者如是
之人我今亦令得聞是經入於佛慧尒時諸
大菩薩而說偈言
善哉善哉　大雄世尊　諸衆生等　易可化度
能問諸佛　甚深智慧　聞已信行　我等隨喜
於時世尊讚歎上首諸大菩薩善哉善哉善
男子汝等能於如來發隨喜心尒時彌勒菩
薩及八千恒河沙諸菩薩衆皆作是念我等
從昔已來不見不聞如是大菩薩摩訶薩衆
從地踊出住世尊前合掌供養問訊如來時
彌勒菩薩摩訶薩知八千恒河沙諸菩薩等
心之所念并欲自決所疑合掌向佛以偈問
曰
无量千万億　大衆諸菩薩　昔所未曾見　願兩足尊說
是從何所來　以何因緣集　巨身大神通　智慧叵思議
其志念堅固　有大忍辱力　衆生所樂見　為從何所來
一一諸菩薩　所將諸眷屬　其數无有量　如恒河沙等

BD02181號　妙法蓮華經卷五

（24–6）

无量千万億　大衆諸菩薩　昔所未曾見　願兩足尊說
是從何所來　以何因緣集　巨身大神通　智慧叵思議
其志念堅固　有大忍辱力　衆生所樂見　為從何所來
一一諸菩薩　所將諸眷屬　其數无有量　如恒河沙等
或有大菩薩　將六万恒沙　如是諸大衆　一心求佛道
是諸大師等　六万恒河沙　俱來供養佛　及護持此經
將五万恒沙　其數過於是　四万及三万　二万至一万
一千一百等　乃至一恒沙　半及三四分　億万分之一
千万那由他　万億諸弟子　乃至於半億　其數復過上
百万至一万　一千及一百　五十與一十　乃至三二一
單己无眷屬　樂於獨處者　俱來至佛所　其數轉過上
如是諸大衆　若人行籌數　過於恒沙劫　猶不能盡知
是諸大威德　精進菩薩衆　誰為其說法　教化而成就
從誰初發心　稱揚何佛法　受持行誰經　脩習何佛道
如是諸菩薩　神通大智力　四方地震裂　皆從中踊出
世尊我昔來　未曾見是事　願說其所從　國土之名号
我常遊諸國　未曾見是衆　我於此衆中　乃不識一人
忽然從地出　願說其因緣　今此之大會　无量百千億
是諸菩薩等　皆欲知此事　是諸菩薩衆　本末之因緣
无量德世尊　唯願決衆疑
尒時釋迦牟尼佛分身諸佛從无量千万億
他方國土來者在於八方諸寶樹下師子座
上結跏趺坐其佛侍者各各見是菩薩大衆
於三千大千世界四方從地踊出住於虛空
各白其佛言世尊此諸无量无邊阿僧祇菩
薩大衆從何所來尒時諸佛各告侍者諸善

BD02181 號　妙法蓮華經卷五　（24–7）

上結跏趺坐其佛侍者各各見是菩薩大衆
於三千大千世界四方從地踊出住於虛空
各白其佛言世尊此諸无量无邊阿僧祇菩
薩大衆從何所來尒時諸佛各告侍者諸善
男子且待須臾有菩薩摩訶薩名弥勒釋迦
牟尼佛之所授記次後作佛已問斯事佛今
荅之汝等自當因是得聞尒時釋迦牟尼佛
告弥勒菩薩善哉善哉阿逸多乃能問佛如
是大事汝等當共一心被精進鎧發堅固意
如來今欲顯發宣示諸佛智慧諸佛自在神
通之力諸佛師子奮迅之力諸佛威猛大勢
之力尒時世尊欲重宣此義而說偈言
當精進一心　我欲說此事　勿得有疑悔　佛智叵思議
汝今出信力　住於忍善中　昔所未聞法　今皆當得聞
我今安慰汝　勿得懷疑懼　佛无不實語　智慧不可量
所得第一法　甚深叵分別　如是今當說　汝等一心聽
尒時世尊說此偈已告弥勒菩薩我今於此
大衆宣告汝等阿逸多是諸大菩薩摩訶薩
无量无數阿僧祇從地踊出汝等昔所未見
者我於是娑婆世界得阿耨多羅三藐三菩
提已教化示導是諸菩薩調伏其心令發道
意此諸菩薩皆於是娑婆世界之下此界虛
空中住於諸經典讀誦通利思惟分別正憶
念阿逸多是諸善男子等不樂在衆多有所
說常樂靜處勤行精進未曾休息亦不依止
人天而住常樂深智无有障礙亦常樂於諸

BD02181 號　妙法蓮華經卷五　（24–8）

空中住於諸經典讀誦通利思惟分別正憶
念阿逸多是諸善男子等不樂在衆多有所
說常樂靜處勤行精進未曾休息亦不依止
人天而住常樂深智无有障礙亦常樂於諸
佛之法一心精進求无上慧尒時世尊欲重
宣此義而說偈言

阿逸汝當知　是諸大菩薩　從无數劫來　脩習佛智慧
悉是我所化　令發大道心　此等是我子　依止是世界
常行頭陁事　志樂於靜處　捨大衆憒鬧　不樂多所說
如是諸子等　學習我道法　晝夜常精進　為求佛道故
在娑婆世界　下方空中住　志念力堅固　常勤求智慧
說種種妙法　其心无所畏　我於伽耶城　菩提樹下坐
得成最正覺　轉无上法輪　尒乃教化之　令初發道心
今皆住不退　悉當得成佛　我今說實語　汝等一心信
我從久遠來　教化是等衆

尒時彌勒菩薩摩訶薩及无數諸菩薩等心
生疑惑怪未曾有而作是念云何世尊於少
時間教化如是无量无邊阿僧祇諸大菩薩
令住阿耨多羅三藐三菩提即白佛言世尊
如來為太子時出於釋宮去伽耶城不遠坐
於道場得成阿耨多羅三藐三菩提從是已
來始過四十餘年世尊云何於此少時大作
佛事以佛勢力以佛功德教化如是无量大
菩薩衆當成阿耨多羅三藐三菩提世尊此
大菩薩衆假使有人於千万億劫數不能盡
不得其邊斯等久遠已來於无量无邊諸佛

佛事以佛勢力以佛功德教化如是无量大
菩薩衆當成阿耨多羅三藐三菩提世尊此
大菩薩衆假使有人於千万億劫數不能盡
不得其邊斯等久遠已來於无量无邊諸佛
所殖諸善根成就菩薩道常脩梵行世尊如
此之事世所難信譬如有人色美髮黑年二
十五指百歲人言是我子其百歲人亦指年
少言是我父生育我等是事難信佛亦如是
得道已來其實未久而此大衆諸菩薩等已
於无量千万億劫為佛道故勤行精進善入
出住无量百千万億三昧得大神通久脩梵
行善能次第習諸善法巧於問荅人中之寶
一切世間甚為希有今日世尊方云得佛道
時初令發心教化示導令向阿耨多羅三藐
三菩提世尊得佛未久乃能作此大功德事
我等雖復信佛隨宜所說佛所出言未曾虛
妄佛所知者皆悉通達然諸新發意菩薩於
佛滅後若聞是語或不信受而起破法罪業
因緣唯然世尊願為解說除我等疑及未來
世諸善男子聞此事已亦不生疑尒時彌勒
菩薩欲重宣此義而說偈言

佛昔從釋種　出家近伽耶　坐於菩提樹　尒來尚未久
此諸佛子等　其數不可量　久已行佛道　住神通智力
善學菩薩道　不染世間法　如蓮華在水　從地而踊出
皆起恭敬心　住於世尊前　是事難思議　云何而可信
佛得道甚近　所成就甚多　願為除衆疑　如實分別說

佛昔從釋種　出家近伽耶　坐於菩提樹　尒来尚未久
此諸佛子等　其數不可量　久已行佛道　住神通智力
善學菩薩道　不染世間法　如蓮華在水　從地而踊出
皆起恭敬心　住於世尊前　是事難思議　云何而可信
佛得道甚近　所成就甚多　願為除衆疑　如實分別說
辟如少壯人　年始二十五　示人百歲子　髮白而面皺
是等我所生　子亦說是父　父少而子老　舉世所不信
世尊亦如是　得道来甚近　是諸菩薩等　志固无怯弱
從无量劫来　而行菩薩道　巧於難問荅　其心无所畏
忍辱心決定　端正有威德　十方佛所讚　善能分別說
不樂在人衆　常好在禪定　為求佛道故　於下空中住
我等從佛聞　於此事无疑　願佛為未来　演說令開解
若有於此經　生疑不信者　即當墮惡道　願今為解說
是无量菩薩　云何於少時　教化令發心　而住不退地

妙法蓮華經如来壽量品第十六

尒時佛告諸菩薩及一切大衆諸善男子汝
等當信解如来誠諦之語復告大衆汝等當
信解如来誠諦之語又復告諸大衆汝等當
信解如来誠諦之語是時菩薩大衆弥勒為
首合掌白佛言世尊唯願說之我等當信受
佛語如是三白已復言唯願說之我等當信
受佛語尒時世尊知諸菩薩三請不止而告
之言汝等諦聽如来秘密神通之力一切世
間天人及阿脩羅皆謂今釋迦牟尼佛出釋
氏宮去伽耶城不遠坐於道場得阿耨多羅
三藐三菩提然善男子我實成佛已来无量

BD02181號　妙法蓮華經卷五　（24–11）

受佛語尒時世尊知諸菩薩三請不止而告
之言汝等諦聽如来秘密神通之力一切世
間天人及阿脩羅皆謂今釋迦牟尼佛出釋
氏宮去伽耶城不遠坐於道場得阿耨多羅
三藐三菩提然善男子我實成佛已来无量
无邊百千万億那由他劫辟如五百千万億
那由他阿僧祇三千大千世界假使有人末
為微塵過於東方五百千万億那由他阿僧
祇國乃下一塵如是東行盡是微塵諸善男
子於意云何是諸世界可得思惟挍計知其
數不弥勒菩薩等俱白佛言世尊是諸世界
无量无邊非筭數所知亦非心力所及一切
聲聞辟支佛以无漏智不能思惟知其限數
我等住阿惟越致地於是事中亦所不達世
尊如是諸世界无量无邊尒時佛告大菩薩
衆諸善男子今當分明宣語汝等是諸世界
若著微塵及不著者盡以為塵一塵一劫我
成佛已来復過於此百千万億那由他阿僧
祇劫自從是来我常在此娑婆世界說法教
化亦於餘處百千万億那由他阿僧祇國導
利衆生諸善男子於是中間我說燃燈佛等
又復言其入於涅槃如是皆以方便分別諸
善男子若有衆生来至我所我以佛眼觀其
信等諸根利鈍隨所應度處處自說名字不
同年紀大小亦復現言當入涅槃又以種種
方便說微妙法能令衆生發歡喜心諸善男

BD02181號　妙法蓮華經卷五　（24–12）

信等諸根利鈍隨所應度處處自說名字不
同年紀大小亦復現言當入涅槃又以種種
方便說微妙法能令衆生發歡喜心諸善男
子如来見諸衆生樂於小法德薄垢重者為
是人說我少出家得阿耨多羅三藐三菩提
然我實成佛已来久遠若斯但以方便教化
衆生令入佛道作如是說諸善男子如来所
演經典皆為度脫衆生或說己身或說他身
或示己身或示他身或示己事或示他事諸
所言說皆實不虛所以者何如来如實知見
三界之相无有生死若退若出亦无在世及
滅度者非實非虛非如非異不如三界見於
三界如斯之事如来明見无有錯謬以諸衆
生有種種性種種欲種種行種種憶想分別
故欲令生諸善根以若干因緣譬喻言辞種
種說法所作佛事未曾暫癈如是我成佛已
来甚大久遠壽命无量阿僧祇劫常住不滅
諸善男子我本行菩薩道所成壽命今猶未
盡復倍上數然今非實滅度而便唱言當取
滅度如来以是方便教化衆生所以者何若
佛久住於世薄德之人不種善根貧窮下賤
貪著五欲入於憶想妄見網中若見如来常
在不滅便起憍恣而懷猒怠不能生難遭之
想恭敬之心是故如来以方便說比丘當知
諸佛出世難可值遇所以者何諸薄德人過
无量百千万億劫或有見佛或不見者以此

BD02181號　妙法蓮華經卷五　（24–13）

在不滅便起憍恣而懷猒怠不能生難遭之
想恭敬之心是故如来以方便說比丘當知
諸佛出世難可值遇所以者何諸薄德人過
无量百千万億劫或有見佛或不見者以此
事故我作是言諸比丘如来難可得見斯衆
生等聞如是語必當生於難遭之想心懷戀
慕渴仰於佛便種善根是故如来雖不實滅
而言滅度又善男子諸佛如来法皆如是為
度衆生皆實不虛譬如良醫智慧聡達明練
方藥善治衆病其人多諸子息若十二十乃
至百數以有事緣遠至餘國諸子於後飲他
毒藥藥發悶亂宛轉于地是時其父還来歸
家諸子飲毒或失本心或不失者遥見其父
皆大歡喜拜跪問訊善安隱歸我等愚癡誤
服毒藥願見救療更賜壽命父見子等苦惱
如是依諸經方求好藥草色香美味皆悉具
足擣篩和合與子令服而作是言此大良藥
色香美味皆悉具足汝等可服速除苦惱无
復衆患其諸子中不失心者見此良藥色香
俱好即便服之病盡除愈餘失心者見其父
来雖亦歡喜問訊求索治病然與其藥而不
肯服所以者何毒氣深入失本心故於此好
色香藥而謂不美父作是念此子可愍為毒
所中心皆顛倒雖見我喜求索救療如是好
藥而不肯服我今當設方便令服此藥即作
是言汝等當知我今衰老死時已至是好良

BD02181號　妙法蓮華經卷五　（24–14）

色香藥而謂不美父作是念此子可愍為毒
所中心皆顛倒雖見我喜求索救療如是好
藥而不肯服我今當設方便令服此藥即作
是言汝等當知我今衰老死時已至是好良
藥今留在此汝可取服勿憂不差作是教已
復至他國遣使還告汝父已死是時諸子聞
父背喪心大憂惱而作是念若父在者慈愍
我等能見救護今者捨我遠喪他國自惟孤
露无復恃怙常懷悲感心遂醒悟乃知此藥
色味香美即取服之毒病皆愈其父聞子悉
已得差尋便來歸咸使見之諸善男子於意
云何頗有人能說此良醫虛妄罪不不也世
尊佛言我亦如是成佛已來无量无邊百千
万億那由他阿僧祇劫為衆生故以方便力
言當滅度亦无有能如法說我虛妄過者尒
時世尊欲重宣此義而說偈言

自我得佛來　所經諸劫數　无量百千万　億載阿僧祇
常說法教化　无數億衆生　令入於佛道　尒來无量劫
為度衆生故　方便現涅槃　而實不滅度　常住此說法
我常住於此　以諸神通力　令顛倒衆生　雖近而不見
衆見我滅度　廣供養舍利　咸皆懷戀慕　而生渴仰心
衆生既信伏　質直意柔軟　一心欲見佛　不自惜身命
時我及衆僧　俱出靈鷲山　我時語衆生　常在此不滅
以方便力故　現有滅不滅　餘國有衆生　恭敬信樂者
我復於彼中　為說无上法　汝等不聞此　但謂我滅度
我見諸衆生　沒在於苦惱　故不為現身　令其生渴仰

BD02181號　妙法蓮華經卷五　（24–15）

時我及衆僧　俱出靈鷲山　我時語衆生　常在此不滅
以方便力故　現有滅不滅　餘國有衆生　恭敬信樂者
我復於彼中　為說无上法　汝等不聞此　但謂我滅度
我見諸衆生　沒在於苦惱　故不為現身　令其生渴仰
因其心戀慕　乃出為說法　神通力如是　於阿僧祇劫
常在靈鷲山　及餘諸住處　衆生見劫盡　大火所燒時
我此土安隱　天人常充滿　園林諸堂閣　種種寶莊嚴
寶樹多華菓　衆生所遊樂　諸天擊天鼓　常作衆伎樂
雨曼陁羅華　散佛及大衆　我淨土不毀　而衆見燒盡
憂怖諸苦惱　如是悉充滿　是諸罪衆生　以惡業因緣
過阿僧祇劫　不聞三寶名　諸有脩功德　柔和質直者
則皆見我身　在此而說法　或時為此衆　說佛壽无量
久乃見佛者　為說佛難值　我智力如是　慧光照无量
壽命无數劫　久脩業所得　汝等有智者　勿於此生疑
當斷令永盡　佛語實不虛　如醫善方便　為治狂子故
實在而言死　无能說虛妄　我亦為世父　救諸苦患者
為凡夫顛倒　實在而言滅　以常見我故　而生憍恣心
放逸著五欲　墮於惡道中　我常知衆生　行道不行道
隨應所可度　為說種種法　每自作是意　以何令衆生
得入无上道　速成就佛身

妙法蓮華經分別功德品第十七

尒時大會聞佛說壽命劫數長遠如是无量
无邊阿僧祇衆生得大饒益於時世尊告弥
勒菩薩摩訶薩阿逸多我說是如來壽命長
遠時六百八十万億那由他恒河沙衆生得
无生法忍復千倍菩薩摩訶薩得聞持陁羅

BD02181號　妙法蓮華經卷五　（24–16）

无邊阿僧祇衆生得大饒益於時世尊告弥
勒菩薩摩訶薩阿逸多我說是如來壽命長
遠時六百八十万億那由他恒河沙衆生得
无生法忍復千倍菩薩摩訶薩得聞持陁羅
尼門復有一世界微塵數菩薩摩訶薩得樂
說无礙辯才復有一世界微塵數菩薩摩訶
薩得百万億无量旋陁羅尼復有三千大千
世界微塵數菩薩摩訶薩能轉不退法輪復
有二千中國土微塵數菩薩摩訶薩能轉清
淨法輪復有小千國土微塵數菩薩摩訶薩
八生當得阿耨多羅三藐三菩提復有四四
天下微塵數菩薩摩訶薩四生當得阿耨多
羅三藐三菩提復有三四天下微塵數菩薩
摩訶薩三生當得阿耨多羅三藐三菩提復
有二四天下微塵數菩薩摩訶薩二生當得
阿耨多羅三藐三菩提復有一四天下微塵
數菩薩摩訶薩一生當得阿耨多羅三藐三
菩提復有八世界微塵數衆生皆發阿耨多
羅三藐三菩提心佛說是諸菩薩摩訶薩得
大法利時於虛空中雨曼陁羅華摩訶曼陁
羅華以散无量百千万億寶樹下師子座上
諸佛并散七寶塔中師子座上釋迦牟尼佛
及久滅度多寶如來亦散一切諸大菩薩及
四部衆又雨細末栴檀沉水香等於虛空中
天皷自鳴妙聲深遠又雨千種天衣垂諸瓔
珞真珠瓔珞摩尼珠瓔珞如意珠瓔珞遍於
九方衆寶香爐燒无價香自然周至供養大

BD02181 號　妙法蓮華經卷五

（24–17）

四部衆又雨細末栴檀沉水香等於虛空中
天皷自鳴妙聲深遠又雨千種天衣垂諸瓔
珞真珠瓔珞摩尼珠瓔珞如意珠瓔珞遍於
九方衆寶香爐燒无價香自然周至供養大
會一一佛上有諸菩薩執持幡蓋次第而上
至于梵天是諸菩薩以妙音聲歌无量頌讚
歎諸佛尒時弥勒菩薩從座而起偏袒右肩
合掌向佛而說偈言
佛說希有法　昔所未曾聞　世尊有大力　壽命不可量
无數諸佛子　聞世尊分別　說得法利者　歡喜充遍身
或住不退地　或得陁羅尼　或无礙樂說　万億旋捴持
或有大千界　微塵數菩薩　各各皆能轉　不退之法輪
或有中千界　微塵數菩薩　各各皆能轉　清淨之法輪
復有小千界　微塵數菩薩　餘各八生在　當得成佛道
復有四三二　如是四天下　微塵諸菩薩　隨數生成佛
或一四天下　微塵數菩薩　餘有一生在　當成一切智
如是等衆生　聞佛壽長遠　得无量无漏　清淨之果報
復有八世界　微塵數衆生　聞佛說壽命　皆發无上心
世尊說无量　不可思議法　多有所饒益　如虛空无邊
雨天曼陁羅　摩訶曼陁羅　釋梵如恒沙　无數佛土來
雨栴檀沉水　繽紛而亂墜　如鳥飛空下　供散於諸佛
天皷虛空中　自然出妙聲　天衣千万種　旋轉而來下
衆寶妙香爐　燒无價之香　自然悉周遍　供養諸世尊
其大菩薩衆　執七寶幡蓋　高妙万億種　次第至梵天
一一諸佛前　寶幢懸勝幡　亦以千万偈　歌詠諸如來
如是種種事　昔所未曾有　聞佛壽无量　一切皆歡喜
佛名聞十方　廣饒益衆生　一切具善根　以助无上心

BD02181 號　妙法蓮華經卷五

（24–18）

其大菩薩眾　執七寶幡蓋　高妙万億種　次第至梵天
一一諸佛前　寶幢懸勝幡　亦以千万偈　歌詠諸如來
如是種種事　昔所未曾有　聞佛壽无量　一切皆歡喜
佛名聞十方　廣饒益眾生　一切具善根　以助无上心
尒時佛告弥勒菩薩摩訶薩阿逸多其有眾
生聞佛壽命長遠如是乃至能生一念信解
所得功德无有限量若有善男子善女人為
阿耨多羅三藐三菩提於八十万億那由他
劫行五波羅蜜檀波羅蜜尸羅波羅蜜羼提
波羅蜜毗梨耶波羅蜜禪波羅蜜除般若波
羅蜜以是功德比前功德百分千分百千万
億分不及其一乃至筭數譬喻所不能知若
善男子有如是功德於阿耨多羅三藐三菩
提退者无有是處尒時世尊欲重宣此義而
說偈言
若人求佛慧　於八十万億　那由他劫數　行五波羅蜜
於是諸劫中　布施供養佛　及緣覺弟子　并諸菩薩眾
珍異之飲食　上服與卧具　栴檀立精舍　以園林莊嚴
如是等布施　種種皆微妙　盡此諸劫數　以迴向佛道
若復持禁戒　清淨无缺漏　求於无上道　諸佛之所歎
若復行忍辱　住於調柔地　設眾惡來加　其心不傾動
諸有得法者　懷於增上慢　為此所輕惱　如是亦能忍
若復勤精進　志念常堅固　於无量億劫　一心不懈息
又於无數劫　住於空閑處　若坐若經行　除睡常攝心
以是因緣故　能生諸禪定　八十億万劫　安住心不亂
持此一心福　願求无上道　我得一切智　盡諸禪定際

BD02181號　妙法蓮華經卷五　（24–19）

若復勤精進　志念常堅固　於无量億劫　一心不懈息
又於无數劫　住於空閑處　若坐若經行　除睡常攝心
以是因緣故　能生諸禪定　八十億万劫　安住心不亂
持此一心福　願求无上道　我得一切智　盡諸禪定際
是人於百千　万億劫數中　行此諸功德　如上之所說
有善男女等　聞我說壽命　乃至一念信　其福過於彼
若人悉无有　一切諸疑悔　深心須臾信　其福為如此
其有諸菩薩　无量劫行道　聞我說壽命　是則能信受
如是諸人等　頂受此經典　願我於未來　長壽度眾生
如今日世尊　諸釋中之王　道場師子吼　說法无所畏
我等未來世　一切所尊敬　坐於道場時　說壽亦如是
若有深心者　清淨而質直　多聞能總持　隨義解佛語
如是諸人等　於此无有疑
又阿逸多若有聞佛壽命長遠解其言趣是
人所得功德无有限量能起如來无上之慧
何況廣聞是經若教人聞若自持若教人持
若自書若教人書若以華香瓔珞幢幡繒蓋
香油蘇燈供養經卷是人功德无量无邊能
生一切種智阿逸多若善男子善女人聞我
說壽命長遠深心信解則為見佛常在耆闍
崛山共大菩薩諸聲聞眾圍繞說法又見此
娑婆世界其地琉璃坦然平正閻浮檀金以
界八道寶樹行列諸臺樓觀皆悉寶成其菩
薩眾咸處其中若有能如是觀者當知是為
深信解相又復如來滅後若聞是經而不毀
呰起隨喜心當知已為深信解相何況讀誦

BD02181號　妙法蓮華經卷五　（24–20）

[illegible]
界八道寶樹行列諸臺樓觀皆悉寶成其菩
薩眾咸處其中若有能如是觀者當知是為
深信解相又復如來滅後若聞是經而不毀
呰起隨喜心當知已為深信解相何況讀誦
受持之者斯人則為頂戴如來阿逸多是善
男子善女人不須為我復起塔寺及作僧坊
以四事供養眾僧所以者何是善男子善女
人受持讀誦是經典者為已起塔造立僧坊
供養眾僧則為以佛舍利起七寶塔高廣漸
小至于梵天懸諸幡蓋及眾寶鈴華香瓔珞
末香塗香燒香眾鼓伎樂簫笛箜篌種種儛
戲以妙音聲歌唄讚頌則為於无量千万億
劫作是供養已阿逸多若我滅後聞是經典
有能受持若自書若教人書則為起立僧坊
以赤栴檀作諸殿堂三十有二高八多羅樹
高廣嚴好百千比丘於其中止園林流池經
行禪窟衣服飲食床褥湯藥一切樂具充滿
其中如是僧坊堂閣若干百千万億其數无
量以此現前供養於我及比丘僧是故我說
如來滅後若有受持讀誦為他人說若自書
若教人書供養經卷不須復起塔寺及造僧
坊供養眾僧況復有人能持是經兼行布施
持戒忍辱精進一心智慧其德最勝无量无
邊譬如虛空東西南北四維上下无量无邊
是人功德亦復如是无量无邊疾至一切種
智若人讀誦受持是經為他人說若自書若

坊供養眾僧況復有人能持是經兼行布施
持戒忍辱精進一心智慧其德最勝无量无
邊譬如虛空東西南北四維上下无量无邊
是人功德亦復如是无量无邊疾至一切種
智若人讀誦受持是經為他人說若自書若
教人書復能起塔及造僧坊供養讚歎聲聞
眾僧亦以百千万億讚歎之法讚歎菩薩功
德又為他人種種因緣隨義解說此法華經
復能清淨持戒與柔和者而共同止忍辱无
瞋志念堅固常貴坐禪得諸深定精進勇猛
攝諸善法利根智慧善荅問難阿逸多若我
滅後諸善男子善女人受持讀誦是經典者
復有如是諸善功德當知是人已趣道場近
阿耨多羅三藐三菩提坐道樹下阿逸多是
善男子若坐若立若行處此中便應起塔一
切天人皆應供養如佛之塔尒時世尊欲重
宣此義而說偈言
若我滅度後　能奉持此經　斯人福无量　如上之所說
是則為具足　一切諸供養　以舍利起塔　七寶而莊嚴
表剎甚高廣　漸小至梵天　寶鈴千万億　風動出妙音
又於无量劫　而供養此塔　華香諸瓔珞　天衣眾伎樂
燃香油蘇燈　周帀常照明　惡世法末時　能持是經者
則為已如上　具足諸供養　若能持此經　則如佛現在
以牛頭栴檀　起僧坊供養　堂有三十二　高八多羅樹
上饌妙衣服　床臥皆具足　百千眾住處　園林諸流池
經行及禪窟　種種皆嚴好　若有信解心　受持讀誦書
[illegible]

表刹甚高廣　漸小至梵天　寶鈴千万億　風動出妙音
又於无量劫　而供養此塔　華香諸瓔珞　天衣衆伎樂
燃香油蘇燈　周帀常照明　惡世法末時　能持是經者
則為已如上　具足諸供養　若能持此經　則如佛現在
以牛頭栴檀　起僧坊供養　堂有三十二　高八多羅樹
上饌妙衣服　床卧皆具足　百千衆住處　園林諸流池
經行及禪窟　種種皆嚴好　若有信解心　受持讀誦書
若復教人書　及供養經卷　散華香末香　以須曼瞻蔔
阿提目多伽　薰油常燃之　如是供養者　得无量功德
如虛空无邊　其福亦如是　況復持此經　兼布施持戒
忍辱樂禪定　不瞋不惡口　恭敬於塔廟　謙下諸比丘
遠離自高心　常思惟智慧　有問難不瞋　隨順為解說
若能行是行　功德不可量　若見此法師　成就如是德
應以天華散　天衣覆其身　頭面接足礼　生心如佛想
又應作是念　不久詣道樹　得无漏无為　廣利諸人天
其所住止處　經行若坐卧　乃至說一偈　是中應起塔
莊嚴令妙好　種種以供養　佛子住此地　則是佛受用
常在於其中　經行及坐卧

妙法蓮華經卷第五

BD02181號　妙法蓮華經卷五　（24–23）

又應作是念　不久詣道樹　得无漏无為　廣利諸人天
其所住止處　經行若坐卧　乃至說一偈　是中應起塔
莊嚴令妙好　種種以供養　佛子住此地　則是佛受用
常在於其中　經行及坐卧

妙法蓮華經卷第五

BD02181號　妙法蓮華經卷五　（24–24）

四分戒本疏卷第三　沙門慧述

諸大德是九十波逸提法半月半月說戒經中來　此明第二篇初標儀次陳本
戒後問清淨此是文也　初約總相七門分別後乃別相隨文解釋　言總相者一約
身口分別二約自他兩業三約遮性并釋四就持犯五随遂制不同六約二部同異
七說下衆任運　初身口者位有其三一有廿戒口業成犯二有卅一戒身業成犯三
有卅九戒身口合犯　口廿者謂妄語毀呰兩舌同誦說麁實得道說法過五六語嫌罵
輙教戒教十日暮恐怖疑惱度淨說欲不障拒勸學毀毗尼同羯磨悔与欲已悔
无根謗可是　身業卅一戒者二宿强敷坐脫着覆處屋作衣尼坐過受別衆三十五
非時殘宿不受外道食藥請三前坐二軍陣十如非時食咽着豈非兩通名身業
此一既尒餘類可知第三軍陣飲酒水戲過洗擊歷白色二衣二随村傳變入一等是
身口合犯卅九者位以為三第一有兩戒身口正作業共身犯謂屏露二教具若自
教身作業若教人教口作業去時不自舉身正業不教人舉口作正業出门界犯
豈非共身犯　第二有七戒口家正業共身犯謂覆藏麁罪見論身心犯見聞作犯
此是通名身業未即成罪若度露无過由口正不發露故心地覆藏違是便犯是
名假正業共身犯餘有六戒皆有口業作法本自无過由口正故身作前事即得
其罪謂背請足食二入聚輙着不与欲是等假口正業共身犯　第三有廿戒口作
共身犯於內位四一有十九戒自口作業假他身是中若論自作唯身心犯且約教人遣
說知教壞地言雖了了未即犯根要假前人身業壞地教者處便犯是若自口作業假
他身犯餘皆類然教人壞生種地牽他出房用虫水无事驚恐藏他衣盃鉢畜
主驗他出聚飲虫水遣使持已衣与尼從寶高床下次第七戒此等戒是　第二有
四戒自身假他口謂讚食減年受戒不囑耳聽屏聽此等是如尼讚食戒若尼不
[illegible]余者

名假正業共身犯餘有六戒皆有口業作法本自无過由口心故身作前事即得
其罪謂背請足食二入聚輒著不与欲及等假口正業共身犯　第三有廿戒口作
共身犯於内位四一有十九戒自口作業假他身業中若論自作唯身心犯且務教人遣
説如教壞地言雖了了未即犯撥要假前人身業壞地教者方便犯是若自口作業假
他身犯餘皆類然教人壞生種地等他出房用虫水无事然火藏他衣畜殘宿
主駈他出聚飲虫水遣使持已衣与尼種實高床下次第七戒也等戒足　第二有
四戒自身假他口謂讃食減年受戒不囑耳聽屏聽也等是如尼讃食戒若尼不
讃但尒直食本自无犯假尼口讃食方成犯減年受戒和上得提假羯磨責餘者
可知第三有五戒自身口假他身如四期索美食第四有兩戒自身口假他口假異
語单悩身口兩業假僧作白又須嘆呵故假他口不受屏諫所作之事通於七聚並
非身口要假他諫作方得犯故　第二自作教他兩業者勸足食一戒唯教他業足食一戒
唯自作業自他兩戒業合為二戒有廿一戒有教人同犯而不別立自他之異既知斯義往
均為四一唯教人謂勸足食是第二有十一戒自他俱犯謂掘地壞生出虫水恐怖然火
藏衣畜殘宿由主无根謗種實於中掘壞種寶也三大護仏法故餘總境重故但使教人
一切同犯第三有十戒教人同不同謂屏露二數持衣与尼高床下七教人作也於已有関是
以同犯若直教人於已无益但得輕懺第四餘有六十八中六十七戒自重教輕足食一戒
但自作業　第三遮性分別者廿是性餘悉輕遮其廿者謂妄語兩舌異語嫌罵
毒掌用譏駈諫恐怖飲酒覆起説隨擯謗同欲悔聽打搏謗也等性悪餘並
遮懺　第四持犯者有十三戒具二持犯謂五雙三隻知得羯磨一雙説戒教誡
尼受功德衣復有一雙不犯背別請受一入聚落作餘食法得无足食勸足
七日盡形作口法受不犯殘宿不受淨施問主无具輒罪以麁疎露僧事与欲
此復三隻合十三戒由聖開聽作其口法若順聖教作口法竟作也十二而无罪過
若為作持止不作法而身作事有違若為止犯枝作事違復名作犯也上止作
二犯業思體一而名是別若止事名為止持作持止持名體各別立可作雙作事從作
法違即是作持以作法故縱作前事而无作犯及却作犯豈非止持也上體一名
異餘七十七事單持犯中不攝耳一作持止犯餘止持作犯如釋時不攝耳一
唯作持止犯十三少分作持止犯餘七十七及十三少分通論八十九止持作犯持品別
已如上弁　第五遠制不同者異語説欲及以二隨也遠僧制餘遠仏制通而言
之並是仏制但諸羯磨要須僧衆若不作也羯磨法作无所違故言遠僧制
得罪　第六二部同異者三種不同一有三戒有无不同謂輒教日暮譏教戒師
大僧則有尼无可知二有十三戒輕重不同謂食三衣五坐一行三不用針筒大
僧便重尼衆咸輕多以大僧數故便重尼希故輕謂讃食勸足索美三与尼衣
作衣三過量是衣五三有五戒犯同縁異謂背請足食犯同而開縁不同立可

[illegible]
已如上辨 第五遠制不同者羯磨說欲及以二隨 此遠僧制餘遠佛制通聖言
之並是佛制但諸羯磨要須僧集若不作此羯磨法作無所遠故言遠僧制
得罪 第六二部同異者三種不同一有三戒有無不同謂輙教日暮誨教戒師
大僧則有尼無可知二有十三戒輕重不同謂食三衣五坐一行三才用鍼筒大
僧便重尼衆咸輕多以大僧數故便重尼希故輕謂讚食勸足索美三與尼衣
作及三過量是衣五三有五戒犯同緣異謂皆請之食犯同而開緣不同亦可
離合不同與外道食犯罪是同與緣不同一減年受戒緣同不過量浴衣主
犯緣同緣不同亦可名字不同此等俱得提罪名為犯同緣有異故下尼律
云別制不同之義至文中解餘以同故至尼律中直列戒本此位言於中細論如覆
藏僧寬尼狹或有境界翻倒隨義有異如兩舌鬪諍二宿過五六語等文說
可知 第七任運者前自他四位第二第三教人犯中有一戒除屏露二數餘九十戒皆
有任運餘未可知也下文別釋 故妄語戒第一 【制意者然出家之人理宜稱
實寧棄身命許無虛誑今反遠心背想欺誑前人令他虛解自失正利過患之
甚是以聖制 二釋名者言不稱實所以名妄彰之在口曰語无心不犯故曰故妄語戒
三具緣通緣如上別緣有六一人二作人想三違想說四知違想語說五口言了了六前
人聞知 四闕緣此說可知多論妄語兩舌惡口歷作四句或有是妄語非兩舌非惡口
傳他語時以不實故是妄語不爲離心非兩舌濫語說故非惡口第二是妄語是兩舌
非惡口不實故是妄爲離故是兩舌濫語說故非惡口第三是妄語是惡口非
兩舌第四具有三下斷皆兩舌作法亦有四句類說可知下已正明戒本此戒因象
力比丘善能談論與外道議前後語異梵志譏嫌比丘舉過佛便制戒 若比
丘知而妄語者波逸提 此備是戒本文有三句一者犯人二故妄語三辨結犯初句可知
第二言知而妄語者於中文三一明妄語境二辨誑人犯義三前後方便多少言妄語境
者有其八種一見言不見二聞言不聞三觸言不觸四知言不知餘四反上可知此是妄
語境言第二犯義者眼見者識能見知者乃至意能知不見者除眼識餘五識是
類及言第三方便多少者於中有四初三時有心本作妄語念時境是妄語之已知
是妄語第二第三各有兩句二時有心一時无心第四一句三時無心第三言波逸提者犯
名若三時有心妄語者皆得根本提罪次有兩句二時有心一時无心者亦得根本有
心前後无心妄語者此四者亦提前後有心根本无心前一有心後一无心後一有心前二
无心此三得吉如律廣說第四一句三時无心者皆不犯又律云所見異所忍異所欲異
所觸異所想異所心異如此諸事皆是妄語言所見異者行心之中見於眼根言見
佛像是言所忍異者領納遠境安心苦受名之爲忍對他樂受異本所忍故曰所
忍異言所欲異者緣於眼色悕須名欲即言欲得聞法故曰所欲異言所觸異者
坐禪行中實得冷觸言得暖觸是名所觸異言所思異者无主異思異言所思

……時有心一時无心者四……三時无心者三言波逸提者犯
名若三時有心妄語者皆得根本提罪次有兩句二時有心一時无心者未句根本有
心前後无心妄語者此四者亦提前後有心根本无心前一有心後一无心後一有心前二
无心此三得吉如律廣說第四一句三時无心悉皆不犯又律云所見異所忍異所欲異
所觸異所想異所心異如此諸事皆是妄語言所見異者行心心中見於佛根言見
仏像是言所忍異者領納違境安心苦受名之為忍對他樂受異本所忍故曰所
忍異言所欲異者緣於財色悕須名欲即言欲得聞此故曰所欲異言所觸異者
坐禪行中實得冷觸言得熱觸是名所觸異言所想異者无主異想想言有想
親故曰世言所心異者行心緣此答言緣被故云所心異皆得異皆得提罪又律云
說戒時乃至三問憶念有罪而不發露者犯吉妄語吉羅　僧祇屠兒等逐畜生
問言見不得妄語不得亦妄應問餘事乃至看自指甲應方便引接令畜生遠
去如是方便无犯十誦若高姓人去是下姓者犯隨若語兩眼人去唯一眼得妄語提又輕
惱比丘故提若語一眼人去唯是瞎眼人得輕惱他罪又明五種妄語從義至吉是今約
此戒因果三種若起心欲誑前人得責心吉若發言前人未解得對首吉若言了前
人解即得提罪不犯者律云但枰相說見言見不見言不見乃至知等八種皆尒若
意有見便想言說者皆不犯　毀呰戒第二　制意者然夫人之法宜出善言
逆相讚嘆令彼歡喜勇進脩道反以下賤之言形呰前人令彼慚愧廢於正業
傷切人心甚於劍割惣處不輕故所以聖制則緣有六一大比丘十誦五分破下四衆皆
吉二是毀呰語三知是毀呰語四作祈辱意五言章了了六前人聞知此毀呰語名有四句
此前而說已下正明戒本此戒因六群比丘鬪事種類罵彼忘失前後慚愧不稱比丘
舉過仏引古牛以辯畜生得毀不堪進力等使制此戒　若比丘種類毀呰語者波
逸提　此滿是戒本文有三句一犯人二毀語三結犯初句可知言種類毀呰者於中有
二初引六惡法次明所罵事言六惡者如律中說種類一種界二姓界三業界四相負界
五犯過界六結使界言種界者汝是界家生言姓界者汝是下姓人言業界者汝
是伎術工巧人言相根界者汝是盲瞎等人言犯過界者汝是犯過人言結使界
者汝是多結使人第二所罵事者有三一若面罵二喻罵三自比罵言面罵者汝
是除糞家生等是言喻罵者汝似除糞種等言自比罵者我非除糞種乃至
我非販賣殺牛羊跛躃人等又作善法罵之三種面罵者汝是阿蘭若坐禪等
人餘二例知第三句言波逸提者是結罪文於輕重有二一以六種惡法罵比丘者
皆得提罪二以善法三種罵者悉犯吉羅就惡罵法中若罵比丘及父母者得
提罪若罵和上闍梨得蘭若罵親友同學等吉眦尼云比罵外更加是中有是
人之犯謂小妹比丘与大姓者同住云此中有小姓比丘不犯者律云若為相利故說為
法故說為教授故說為親友故說或善笑或因語次或失口或獨處說或誤說皆

我非畏責怨牛羊蹈蹋人等又作善法罵名三種面罵者後是阿蘭若坐禪等
人餘二例知第三句言波逸提者是結罪文於輕重有二一以六種惡法罵比丘者
皆得提罪二以善法三種罵者悉犯吉羅既惡罵法中若罵比丘及父母者得
提罪若罵和上闍梨得蘭若罵親友同學等吉羅尼云比罵外更加是中有定
人名犯謂小姓比丘與大姓者同住云云是中有小姓比丘不犯者律云若為相利故說為
法故說為教授故說為親友故說或善發或因語次或失口或獨處說或悞說皆
不犯　兩舌語戒第三　制意夫出家同住无心生別專稱私屏傳於彼此令僧
未有淨事而生已有淨事不可除滅鬪亂僧衆惱壞處重是故聖制別緣有六
一善大比丘除餘衆及破僧助伴等二說鄙惡事三傳於彼此四作離意五言章了
六前人聞知論云鬪亂大比丘提餘衆罪輕以鬪比丘容有別部破僧事起為斯故重五
有四句比前以說已下正明戒本六群傳他彼此令衆鬪諍不能除滅比丘舉過佛
引野干鬪諍二獸況復於人便為制戒　若比丘兩舌語者波逸提　此滿足戒本文有
三句一犯人二兩舌三結罪初句可知二言兩舌語者鬪亂兩頭令他破也故律云鬪亂十
衆出家五衆在家亦爾三言波逸提者是結犯文律云若鬪亂比丘者犯提餘九悉輕
祇云以惡法言某甲說汝是无有上中下法欲令他離若被離不離皆隨多論說
已更說隨若不傳彼此語但兩邊說合離散者一切吉羅不犯中律云若破惡知識惡伴
黨和上同師親友知識於僧塔廟作无利欲方便作无義破如是人者一切无犯　若
女人同室宿戒第四　制意者男女形殊理无同居境界交涉容生穢染又致譏醜
莫能自撿患累不輕是故聖制別緣有五一是人女二室相成就三共同室宿四知共
宿五隨卧轉側結罪言人女者四五二律局取人女人簡餘女畜果男等但是人女
不問道俗親踈大小五分乃至初生具除死女也祇十二律通三趣女僧祇中五母女姊妹
大小道俗識是犯境十律云三趣女共宿並犯若驢馬牛羊若卧五等鵝鷹孔雀雞
等若一脚五頭置頂上即名犯宿乃至他舍有女人容貓子處宿亦犯四知共同宿者
但知宿即犯不同二行要須共顯方犯五分若母女姊妹近親病者有知男自樂不卧
皆不犯此律下開自病不犯對上病開亦應生緣已下正明戒本此戒因阿那律行路至婬
女舍宿被女娆尊者昇在虛空中被慚愧懺悔說法得道比丘舉過佛便制戒
若比丘與女人同室者波逸提　此滿足戒本文有四句一犯人二女人三同室宿四結犯初
句可知第二言與女人者律云人女有知命根不斷三言同室宿者室有四種一四周障
上有覆即同在一堂內中有隔者准論不合二前敞无壁即長行房檐下兩頭有
障三雖覆而不遍即周匝同院一门上通覆開中央四雖有覆遍而開支謂通覆
障上少開明孔言宿者此等四室比丘共女人同宿或女人後至或比丘後至或二人俱至若
出卧隨脇轉側一一皆犯四言波逸提者是犯句於中有二若與女人同室宿隨轉側一一
犯提若與女人畜生若人黃门二根人同宿吉羅若比丘晝日卧女人立者吉羅

[illegible]四句一犯人二女人三同室宿四結犯初
句可知第二言与女人者律云人女有知命根不斷三言同室宿者室有四種一四周障
上有覆即同在一堂內中有隔者准論不合二前敵無辟即長行房檐下而頭有
障三雖覆而不遍即周匝同院一門上通覆開中央四雖有覆遍而開交謂通覆
障上少開明孔言宿者此等四室比丘共女人同宿或女人臥至或比丘臥至或二人俱至若
坐臥隨脇轉側一一皆犯四言波逸提者是犯句於中有二若与女人同室宿隨轉側一一
犯提若与女人畜生若人黃門二根人同宿吉羅若比丘晝日臥女人立者吉羅女人
若坐犯屏隨多善二論若都集堂同障內設使堂中有諸小房雖各別以堂同故
猶是一房若多房共一戶亦犯乃至由一戶出入皆犯十誦若在堂中通夜坐者不犯然應
多共受有明不睡者祇云一房別戶有隔無犯若大會通夜說法露地風雨寒雪欲
入房內應端身直坐若老病不能坐者當施隔不得用疎物高齊肩脇下至地不
得容猫兒過若無隔者女人可信應語女人言汝無眠我坐比丘欲眠語令起我欲
眠汝莫眠若眠者汝無福德多論与千女宿得千墮一一轉各得千墮若白衣舍与女
人並房不閉戶吉羅不犯中律云若先不知室內有女宿若不戌室相若行若坐若
病若為強力所捉若為人所縛若命梵等並無犯　与未受具戒人同室宿過限
戒第五　制意者凡道俗路乖情事相反始習未閑事多相拙迫即生慢亂道廢
業故宜別受存道益敬為是故須制然出家之人栖心無定事有遊行投人止宿存形
濟命又沙彌離俗憑蔭在老處無所仗事須眷接是以開聽限聽二宿然禁則防其
過開則通其益開制之宜理所應然　別緣具五一未受具人男子簡去女人以仏不聽
与女人同室本不開二夜何有過三之咎故伽論云以二夜共沙彌宿第三夜共女人宿得
二提罪二室相成就三共同室四知同室五隨過三夜犯提已下正明戒本此戒文三初
句略制二緣制隨開二夜三夜後廣制言略制者因六群共長者同室宿中有比丘
亂心睡眠形露為彼調弄仏制不聽共宿言緣隨開者次因羅云開聽二三同仏既不聽
与未受具人宿驅出羅云是順教何以可言癡人無慈不護我意若夫為弟子有事
之時理須諮啟仏因事開輙尓驅出乖弟子之儀無慈之甚是以仏呵癡人無慈觀是
仏子尚不慈念豈況餘人寧有慈愍五分仏呵癡人云何野干驅逐師子讚嘆持戒
因聽共未受具人二宿言第三廣制者下所斥是　若比丘与未受具戒人共宿過二宿
至三宿波逸提　此滿足戒本文有四句一犯人二未受具三共宿過限四結罪初句可知
二言未受具人者除比丘比丘尼餘未受大戒人是三言共宿者律云同室宿有四種如前
所明於中四句差別一人一室異二室一人異三人室俱一四室人俱異此等並是共宿
中攝言過二宿者至三宿者是開限律云共宿至三夜明相未出應起避去若至
第四宿若自去若使彼去若不避明相似應明相出第四日旦即犯一提若避明相旦
時未犯於第四夜隨宿轉側一一提罪今戒本中直對不避明相遠法一邊而結故言

至三宿波逸提　此滿足戒本文有四句一犯人二未受具三共宿過限四結罪初句可知
二言未受具人者除比丘比丘尼餘未受大戒人是三言共宿者律云同室宿有四種如前
所明於中四句差別一人一室異二室一人異三人室俱一四室人俱異此等並是共宿
中攝言過二宿者至三宿者是謂限律云共宿至三夜明相未出應起避去若至
第四宿若自去若使彼去若不避明相似應明相出第四日旦即犯一提若避明相旦
時未犯於第四夜隨宿轉側一一提罪今戒本中直對不避明相遠法一邊而結故言
過二宿至三宿提若避明相過三未犯第四夜秖若三夜犯責未懺悔无二夜開
隨宿宿結罪若懺責得開二夜十誦若通夜坐若病得與沙彌過宿病人卧者開
餘不病比丘不應卧四言波逸提者是犯名　毋論云若至第三夜比丘无去處若不應
卧坐至明相現若至第四宿又无去處明相欲現時若自去若遣彼去若不爾者皆犯
提罪若與非人畜生男共過三宿一切吉羅餘不犯緣並同戒　共未受具人同誦戒
第六　制意者多論四種義故佛制此戒一為異外道故二為師與弟子位別故三為分
別言語明了故四為依實義不貴音聲故對緣有五一是佛所說法二字句味三未受
具人四齊聲同誦五言說了了便犯已下正明戒本此戒因六群比丘與諸長者在講堂
高聲同誦經語擾亂坐禪比丘便制戒　若比丘與未受具戒人同誦者波逸提　此滿足
戒本文有四句一犯人二未受具人三同誦四結罪前二句可知三言同誦法者謂名字
不前不後同時而誦或抄前抄後二誦皆名同誦所言法者佛所說聲聞所說仙人所
說諸天所說皆是正法四言波逸提者是遮犯罪故律云若聲聞弟子餘人等說為
佛印可即名為法此法若抄前抄後而說皆犯提罪故律云共誦者謂誦句義句味
字義非句義而亦不言句義者二人齊誦聲同句表三行理圓名為句義提犯十誦
云齊聲句異名羅言非句義者前人說諸惡莫作未竟後人抄前言諸惡莫作
使前人言教表正行不圓故曰非句義並犯提罪以句同聲相接故言句味者句表无常
理固有資神之益名曰句味抄集前言表理不周无資神之用故曰非句義之字義者
齊聲同誦表名體理圓名為字義抄棄前言名體不圓故曰非字義見論云一切律
藏阿毗曇修多羅是是佛所說後五百羅漢結集此法同誦悉犯提罪十誦隨一品
一章一段各得提殘若自以己意撰集文字乃至俗書非佛所說故无罪不犯中律云應
言我說竟汝說若一人誦竟一人書若二人同業同誦若錯說彼此皆不犯　向未受
具人說他麁罪戒第七　制意者出家僧眾理宜清顯善名外彰生人信敬以此
丘麁惡之事向俗人說前人聞之於彼僧實情生薄諓失其敬信崇重之意損壞
妄深故須聖制別緣有七一是比丘及尼二犯初二篇罪三知犯麁罪四僧法開五向未
受具人說六言辭了了七前人聞知　已下正明戒本此戒因六群比丘向白衣說犯僧殘
比丘過彼犯者聞聲慚乃餘比丘白佛佛便制戒若比丘知他比丘犯麁惡罪向未受
大戒人說除僧羯磨波逸提　此滿足戒本文有五句一犯人二知麁罪三向未受人一說

具人說他麁罪戒第七　制意者出家僧衆理宜清顯善名外彰生人信敬此比
丘麁惡之事向俗人說前人聞之於彼僧實情生薄誹失其敬信崇重之意損壞
處深故須聖制列緣有七一是比丘及尼二犯初二篇罪三知犯麁罪四僧法開五向未
受具人說六言辭了了七前人聞知　已下正明戒本此戒因六群比丘向白衣說犯僧殘
比丘過彼犯者聞聲慚乃餘比丘白佛佛便制戒若比丘知他比丘犯麁惡罪向未受
大戒人說除僧羯磨波逸提　此滿足戒本文有五句一犯人二知麁罪三向未受人說
四除僧羯磨五結罪初句可知第二句言知他犯麁罪者律云犯初二兩篇名為麁
惡罪第三句言向未受戒人說者律云除比丘比丘尼餘人是第四句言除僧羯磨者是開
限文第五句言波逸提者遠犯罪故多論云寧破塔壞像不說他麁罪若破佛塔其
罪有限說他麁罪破壞法身罪同五逆故律云寧不問前人有罪无罪衆僧不作
羯磨向一人說一一皆隨　五分尼向白衣說僧殘亦小小罪過皆隨僧祇若人問言某甲比
丘犯婬飲酒答云彼自當知除上二篇說餘罪一一犯吉又若說名字若種姓若衣服
若房舍若相貌皆犯偸罪說下三篇得吉若說自麁罪亦犯吉羅不犯者不知若
僧差若非麁相若白衣先已聞皆不犯非不有小罪　實得道向未受具戒人說第
八　論云二義故制一為大人法故理宜韜德覆藏諸惡發露令自說德行隱瑕罪過非
大人之法二自顯聖德則賢愚有異前人聞之偏心尊敬失於平等淨善之心是故聖
制　緣別有五一內有實德簡去增上慢人境虛不犯二自言已有三向未受具人說
四言辭了了五前人聞知然復此戒不別有緣舉大妄語中或有實得者以制斯戒此聖
人制竟不復更犯謂是制聖遮凡　若比丘向未受大戒人說過人法言我見是我知
是實者波逸提　此戒文有四句一人二前境三說已所得四結罪言若比丘者義如
上弁言未受具戒者除比丘比丘尼餘人是言過人法者是聖所證法是言波逸
提者是遠犯罪故十律云比丘實得是四果四向或得四禪四空或成就慈悲喜
捨不淨阿那等說者皆犯提罪或見實諸天龍鬼來至我所說者亦提問說已
得罪別義提所以現通但有吉羅答若論口說義乃聖事尚虛實虛則過重實
則德微故別義提神通聖能更无有濫但得吉羅問義境所對說七衆犯實除
二具現神足者唯二俗犯所以不同答咸儀過有增微故此階降然復此戒不別有
緣舉大妄語中　與女人說法過五六語戒第九　制意者凡說法生善事須應時
不請而說理无稱機本无信敬情懷奢慢脫因斯致興過非不免世呵又女人形貌
福緣難遇若全不說无由生善於法長隔永淪苦海復聽說齊五六語過則制犯
別緣有六一是人女二知是人女三不請四无有智俗人男女子五言辭了了六過五六語便犯
已下正明戒本此戒因迦留陀夷在姑前與兒婦耳語說法便起譏謗佛便制斯限
因請說故聽齊五六語及有智男子證開過限說　若比丘為女人說法過五六語除

緣舉大妄語中　與女人說法過五六語戒第九　制意者凡說法生善事須應時
不請而說理无彊椽本无信敬情懷奢愓脫因斯致興過非不免世可叉女人形事
福緣難過若全不說无由生善於法長隔永淪善海復聽說齊五六語過則制犯
別緣有六一是人女二知是人女三不請四无有智俗人男女子五言辞了了六過五六語便犯
已下正明戒本此戒因迦留陀夷在姑前与兒婦耳語說法便起譏謗佛便制斷後
因請說故聽齊五六語又有智男子證開過限說　若比丘為女人說法過五六語除
有智男子依見犯　此滿足戒本文有五句一犯人二所為女人三說過限四除開五結罪
初二兩句可知三言說法過五六語者法者謂是如來親所宣說及諸天等所說忠亦名
為法言過五六語者五謂五蘊言色是无我受想行識亦復无我六謂六根言眼
是无常乃至意亦无常謂五至六過六至七故名為過五六語言四除有智男子者
是開緣律云智男子者知麁惡不麁惡事多人倫解人情語可作證明故名有智男子
中邊不同者不聽也須俗人出家不得以事同故若盲若聾亦是二當一人若眠亦
名无人若減七歲若過不解好惡義味亦名无人知男子及上可知五言波逸提者是
遠犯罪律云若過已外說聲相接不斷一罪若句句斷絕說句句得罪五分為說
五六竟從坐起去更有因緣還坐為說不犯若五六語竟為後女人說如是相因為无
量女人說不犯及上部犯若辞句不了了犯吉若向非人畜生說亦吉不犯者律云若依
限說若知男子前過說若无知男子請應說廣若受五戒說五戒法受八戒開齋
法乃至女人聽明轉生疑問廣說皆得无犯　掘地戒第十　多論三種益故不聽掘
地壞生一為不惱害衆生故出家人務燕宜戮物命二為止誹謗故三為大護佛法故若
佛不制此二戒者國王大臣役使比丘由佛制故王臣息心不復役使得令靜緣脩道業
智斷惑是名斷惑　別緣有五一是生地二作生地想三自掘四使人掘時不作知淨語五
隨傷便犯　已下正明戒本此戒因六群為脩治講堂故自掘地居士譏嫌比丘舉過佛
為制戒　若比丘自手掘地若教人掘者波逸提　此滿足戒本文有三節一自掘故略制
二教人掘時不行知淨前制非圖更復續結三滿足戒本文有五句一犯人二自作業三所
傷地四教人業五結罪初句可知第二言自手掘者律云若用鋤钁或椎打刀刺指搯抓
傷第三言地者律云若已掘地已掘者經四月被雨漬還如本見論生地无有砂石瓦礫
純土是名生地若四分砂一分土此非生地自掘无過祇云地有二種一生二作者大地作者
有二種一作者露地辟二上作者重閣上露土是皆名所傷之地第四言若教掘者律云
若不教言者是亦是犯緣第五言波逸提者是遠犯罪律云若比丘如上所傷之地以
用鋤钁乃至指抓損傷及地上燃火但使地作地想一切皆墮若使掘時不教者是知是
亦犯吉羅祇云若轉石排地數手欲使地平者傷如數腳一切犯捶提主塊一人不勝破
上了也是畫地作字大小便者若大小便寺手舊地已遍若說器物床等在露地至雨

傷第三言地者律云若已掘地已掘者經四月被雨漬還如本見論生地无有砂石瓦礫
純土是名生地若四分砂一分土亦非生地自掘无過祇云地有二種一生二作者大地作者
有二種一作為露地肆二上作者重閣上覆土是皆名所傷々地第四言若教掘者律云
若不教言者是亦是犯緣第五言波逸提者是遠犯罪律云若比丘如上所傷々地以
用鋤钁乃至指抓搯傷及地上然火但使地作地相一切皆隨若使掘時不教者是知是
不犯吉羅祇云若轉石擲地驅牛欲使地平靑傷如蚊脚一切犯樹提王塊一人不勝破
者犯提畫地作字亦提若大小便時手磨地犯隨若瓶器物木塼瓦等在露地經雨
已不得自取犯提若綫砂无罪半砂得吉　多論使淨人掘地作知淨語提教下三衆
淨人掘不作知淨語吉若三衆不為三寶利益因緣自壞生木吉羅五分云蘭若无
淨人聽比丘以水澆地擲草布上踐使成泥取用　祇云覆受地得自掘不犯者律云若
語言知是看是若或木杖若扶籬正若反塼石取牛屎取崩岸地若鼠壤土除經行
處土及屋內土若來往擲地不作故掘意一切不犯　壞生種戒第十一　制意如上犯
緣亦同地戒不別有緣舉前就戒緣中比丘自斫樹以為緣起　若比丘壞鬼神村者波
逸提　此滿足戒本文有五句一犯人二壞義三鬼神四所傷々境五結犯初句可知二言
壞者律云若斫若截若墮若落並名為壞三言鬼神者律云非人是也四言村者一切
草木是鬼所依名村十誦云村者蚊蝻蛱蝶蟻子諸虫以之為舍律云村者有五種一謂根
種二謂枝種三謂節種四謂覆羅種五子種生種雜有五合則是三第一種根生二種枝
生三種子生又根種分二不假節生作根種々名根中假節生者作覆羅々種又枝種
分二枝中不假節生者作枝種々名假節生者作節生々回子々種中當體立一始終是
別雜成有五合即是三此等皆名所傷々境五言波逸提者是遠犯罪句故律云若比
五生種就地離地以刀乃至餘物壞者皆名壞村而得提罪　祇云掘地草覆白
不必者一提若中間見了提也又曰自壞教他壞俱隨若打杙著生草樹上若以火然並
隨若壞多分生草木者隨壞乾半生者吉若不言知是者是名吉因明淨生種
法祇云根莖種以刀中破淨節種者亦以刀破又摘却牙自淨心種者謂羅勒蔡等
㮈淨子種者十七種穀脫皮火淨通五種又五果中桑核種如棗杏之屬爪甲淨去
核食火淨合食火淨者謂生熟二果合核膚果種者火淨合食如畢鉢桒椹梨柰
之屬若熟時落地傷如蚊脚者名膚淨去子食殼裹種者火淨椰子胡桃石榴之
屬榆莢種者香菜薤荏之屬未有子時火淨角莢種者淨法如榆莢法大小豆
等也准此萬中含子々草應得火淨但令相著即得淨法亦故律云若以五生種樹著
地井水中大小便中糞掃中吉若飛犯提若草中行欲令死吉傷如蚊脚根問打杙樹
上隨打多少一々提罪數當何不隨所得提耶答草木有多生相故隨壞
處皆障一分生不起是以隨壞得罪當生報者一假名命要斷方犯　律云不犯者若言
看是知是若斷乾枯草木若於生草木上曳材曳竹正籬障若撥墼石若取牛屎若

等也准此蒿中含子々草應得大淨但令相著即得淨法亦故律云若以五生種擲著
地井水中大小便中糞掃中吉若飛犯提若草中行欲令死者傷如數聽根問打杙樹
上隨打多少一々提罪盜畜何不隨所得提要待斷命耶　答草木有多生相故隨壞
處皆隨一分生不起是以隨壞得罪畜生報者一報名命要斷方犯　律云不犯者若書
看是知是若斷乾枯草木若於生草木上曳材曳竹正籬障若撥甎石若取牛屎若
生草覆道以杖披遠令開若以瓦石拄之而斷傷草木若除經行地土若掃經行地若
以杖築地而誤撥生草木斷者並皆不犯　異語惱僧戒十二　制意者凡身口業綺被
而難制過不至重惱眾非輕事須眾僧作法呵制仍作不止遠法惱僧其過不淺故隨
得罪　別緣有五一身口業二數惱不止三作白呵制四僧如法喚問五更作便犯已下正
明戒本此戒未作制前未有僧命眾法可遠但犯小戀制後遠者方犯提罪口業綺者
作異語々名身業綺者作單惱々樣　雖前後二結遠制受同合為一戒口餘三過妄
毀兩舌惱境事重直作是提此之綺者事似輕微惱眾不少故制方犯提如闡陀比丘
犯罪餘比丘問以別事答仏便呵已作餘語白仏便惱眾喚來不來乃至不應語而語
又仏呵已作單惱白仏因此制戒　若比丘異語惱他者波逸提　此戒本文有三節初略
制次隨結後滿足制持此滿足戒本句有三一犯人二惱業三結罪初句可知二言妄作餘
語惱他者於中分二初僧未白前妄作餘語者律云餘語者汝向誰說為說何事為論
何理為我說為餘人說我不見此罪如是語者犯吉若僧白已如是語者犯提二惱他者
如律中說僧喚來不來乃至不應語而語未作白前如是惱者得吉羅若白已作者犯
提三言波逸提者是犯遠々罪律云如上惱僧者了犯提若上座喚來不來吉羅
不犯者重聽不解前語有參錯便言汝向誰說為論何事乃至我不見此罪若欲
作非法无利羯磨不与和合喚來不來不犯若為作非法羯磨若不欲知教言莫
來便來不犯若一坐食若不作餘食法食若病喚起不起不犯若命難梵難教莫
起便起不犯若惡心問不与說若作非法事便語者若小語錯誤一切不犯又見云罵成
謝僧里然者得　嫌罵戒第十三　制意者凡僧務事廣受々不易故簡擇德
々人如法料理宜應讚嘆令彼勤營反懷恚怒發言嫌罵令彼生惱廢營僧事
損壞不輕是故須制次釋名者見而不同受說有愛恚名嫌聞不見受名罵雖前
後二結同惱知事合為一戒　次弁具緣通緣如上別緣有六一是羯磨所差二知是
所差人三如法經營无愛恚等四說嫌罵語五言了々詞六前人見而不聞々而不見便犯
闡緣比說可知已下正明戒本此戒因慈地比丘於沓婆比丘所有根故齊眼見受譏
嫌餘比丘白仏々便呵制戒後又於聞處罵以事白仏々兼前重制此戒故律云初略次
隨後廣制　若比丘嫌罵者波逸提　此滿足戒本文有三句一犯人二罵業三結犯
初句可知言嫌罵者律云嫌者謂面見不聞受謗言有愛有恚有怖有癡等是

所著人三如法往替无愛恚等四挽嫌罵語五言了〻云前人見而不聞〻而不見便犯
闕緣比說可知已下正明戒本此戒因慈地比丘於沓婆比丘所有恨故脣眼見受譏
嫌餘比丘白佛〻便呵制戒後又於聞處罵以事白佛〻乘前重制此戒故律云初略次
隨後廣制　若比丘嫌罵者波逸提　此滿足戒本文有三句一犯人二罵業三結犯
初句可知言嫌罵者律云嫌者謂面見不聞受謗言有愛有恚有怖有癡等是
言罵者背面耳聞不見受而投罵三言波逸提者是遠犯罪問此罵戒何別吾
前非知事人此是知事人又前戒實不實犯此戒實不犯虛律云若虛嫌罵者隨
嫌隨罵〻〻隨若不受上座教嫌罵者吉羅　律云不犯者實有其事恐後悔損諸
令如法發露便言有愛恚等若戲若錯說者並皆不犯　露受敷僧臥具戒第十四
制意者多論云三義故制此戒一臥具是四方僧物皆是篤信檀越所施供僧受用
利益事應理宜貴護資身行道得安樂故二既施主〻物詳心愛惜常存受用
為令檀越長信敬〻心三用助收舉使僧物不壞令受用功德反資施主善根成就故
為護三益是以聖制　別緣有六一四方僧臥具二知是僧物三露受四自敷使人敷為己
受用五去時不自舉不教人舉六出門便犯　十誦出門卅九步祇廿五肘乃犯已下正明
戒本此因六群比丘敷僧坐具忘去不收風塵所汙佛便制戒　若比丘取僧繩床木牀
若臥具坐褥露地敷若教人敷捨去不自舉不教人舉者波逸提　此滿足戒
本文有四句一犯人二是僧物三露已下正明受用四捨去已下結不舉〻罪一言若比丘者
義如上釋二言取僧物者律云僧者謂四方現前僧言物者繩床有五旋脚直脚
曲脚入陛无脚木床亦有五種如上所說臥具或用坐或用臥坐褥者㲲常用坐此
等四種皆是僧物三言露地敷若教人敷是其露地受用四言捨去不自舉不教
人舉波逸提者是不舉〻罪律云若比丘敷僧物已而不收舉出寺時不囑知事者
出門便犯隨若方便還悔者吉羅　若二人同坐下座收不者犯三罪上座犯一提
若俱不收二俱隨故論云上座同一床坐下座謂上座收而上座不收下座犯提及吉上
座責謂下座當收下坐責不收上座犯提二人不前不後俱不收二俱得提若露敷
僧物而入房思惟吉　五分見僧臥具在露地以不自敷不使人敷故而不舉亦隨到屋
寺數居僧臥具不舉亦提又俗人家會借僧臥具食訖比丘不舉亦隨祇云若行路
中挽亂草坐已去時聚已當去　多云露地敷已不囑人遊行諸房吉　不犯者律云
若取僧物露地敷去時語知事人令知若无餘人當舉著屏處若无屏處然知不失
當持麁者覆好者上若即時還便應隨雨中疾及時還應往彼次第作如是方
便應去若不爾者初出門即犯提罪　屏處敷僧臥具戒第十五　制意同前六
緣成犯一是僧物二知是僧物三是屏處四為己敷用五去時不舉六過限便犯已下正
明戒本此戒因客比丘在邊房敷臥具宿去時不語知事臥具爛壞蟲齧色變佛
便制戒　若比丘於僧房中敷僧臥具若自敷若教人敷若坐若臥去不自舉不

若取僧物露地敷去時語知事人令知若无餘人當舉著屏處若无屏處然知不失
當持應者覆好者上若即時還便應隨雨中疾疾時還應往彼彼若作如是者
便應去若不尔者初出門即犯提罪　屏處敷僧卧具戒第十五　制意同前六
緣成犯一是僧物二知是僧物三是屏處四為已敷用五去時不舉六過限便犯已下正
明戒本此戒因客比丘在邊房敷卧具宿去時不語知事卧具爛壞虫齧色變佛
便制戒　若比丘於僧房中敷僧卧具若自敷若教人敷若坐若卧去不時自舉不
教人舉者波逸提　戒滿足戒本文有五句一犯人二屏處三用僧物四為已受用五去時
已下結不舉罪比丘義如上僧房者屏處僧卧具者謂繩床木床上褥褥坐具下
至卧褥四言若自敷若教人敷者為已受用故五言去時不自舉不教人舉波逸提
者不舉之罪律云彼去時應語舊住比丘言与我守舉若无人不畏失當移床離
壁高枝床脚持褥褥卧具置裏以餘重覆若恐壞敢取卧具等置衣架上豎床
去若不作如是出界犯隨欲去還悔吉羅若即日還不久聽二宿界外第三宿明相
未出若自至房中若遣使至語知事人囑授不失明相出便犯不犯者作如上方便
或水陸道斷命梵等緣者開　強敷卧具戒第十六　制意者然物有限事局彼此情
同則我為彼有意隔則事須進否然知无得住處竟不籌量輒便於中強敷
卧具共相逼惱非家之式故佛所制　別緣有六一无得住處安正已定二知他先住
三作彼意四強敷卧具五无因緣謂无親舊人及病与二難等緣六隨卧犯提
已下正明戒本此戒因六群比丘惱十七群比丘故佛制斯戒　若比丘住處後來強
於中間敷卧具正病念言彼若嫌窄者自當避我去作是如因緣非餘非威儀
波逸提　戒滿足戒本文有四句一犯人二他知先得住處三後來下強敷相惱四作是
下結非威儀罪初二兩句可知三言強於中間敷卧具者中間者若頭邊若脚邊
若兩脇邊是敷卧具者若草敷葉敷下至地敷卧氈四言作如是因緣者謂
作故惱因緣言非餘者非病等諸緣故言非威儀者彰顯其過言波逸提者
是犯罪如律所說言知他先得住處後來強於中間敷卧具正宿隨轉側脇著床結
犯十去若為惱他故開户然火滅火若唄呪願讀經說法隨他不樂事作之隨一不
犯者律云若先不知若語已住若与洲間若間寬不相妨惱若親舊教言但敷我
自語主若倒地若病轉側隨上若命梵等難一切不犯　牽他出房戒第十七
制意者然四方僧房眾人共有理无偏屬先料理安正已定後來之徒宜共受用嗔
心牽出自懷惱他淨覺之本損而不益是以須制　別緣有六一四方僧房二先
至安正已定三作惱亂彼意四嗔心牽出五无因緣為舉等不犯故六隨出門便犯
已下正明戒本此戒因六比丘共十七群道行至小住處十七群先入寺掃灑房舍令淨
六群知彼得好住處遂牽出房比丘舉過佛便制戒　若比丘嗔他比丘不喜僧房
中若自牽出若教人牽出波逸提　戒滿足戒本文有四句一犯人二動心嗔然三是曾

者其不然四者僧房衆人共有理无偏屬若新理要心已定後來之徒宜共受用寘
心牽出自壞惱他淨覺之本損妄不輕是以須制 別緣有六一四方僧牽二不房二无
至妄心已定三作惱亂彼意四嗔心牽出五无因緣為舉等不犯故六隨出門便犯
已下正明戒本 此戒因六比丘共十七群道行至小住處十七群先入寺掃灑房舍令淨
六群知彼得好住處遂牽出房比丘舉過仏便制戒 若比丘嗔他比丘不喜僧房
中若自牽出教人牽出彼波逸提 此滿足戒本文有四句一犯人二內心嗔忿三是僧
房私房不犯四若自己下牽出結罪前三句可知第四言自牽出至彼波逸提已來是
遠犯罪故律云隨所牽多少一一皆犯若牽多人出一戶多提若牽一人多戶多提若
五分若後屋牽至前屋若牽出戶外若牽至庭之中若牽至庭外一一犯提若持他物擲
著戶外閉他戶外並吉 祇云牽他出時若抱柱根戶倚壁一一提若呵叱隨語一一離
下一提若嗔蛇鼠驅出越若物並吉 云无益物驅出无罪 十云若善射眼應去輕行
不能經行應起屏處不應惱他 五分若降伏弟子而牽出者不犯若將不喜人
未欲令自出不出吉羅牽下四衆並吉 律云不犯者无嗔恨心隨次出共宿過限
遣未受具人出若破戒見威儀為他舉及擯應因此故有命梵難驅出並皆不
犯 問前房開親不蘭淨識此戒局淨不除者答前是他物屬无借者親則无
過非僧住處故不蘭淨此是僧房淨有共住不淨无共驅出无犯 重屋上脫脚
床戒第十八 制意者凡事宜審危險須慎重屋薄覆脫脚之床放身坐卧
容有墜墮傷於下人惱害不輕是故聖制 別緣有四一重屋二薄覆三脫脚床
四放身坐卧已下正明戒本 此戒因同房重屋比丘起過制 此戒若比丘若房若
重閣上脫脚繩床木床若坐若卧波逸提 此滿足戒本文有四句一犯人二重屋三
脫脚床四坐卧結犯 初句可知二若房者謂僧私兩種房重閣者謂立頭不至上三
言脫脚床者律云脫脚者謂脚入髀四言若坐若卧律云隨脇著床隨轉側言波
逸提者是遠犯罪 律云比丘如上坐卧者隨轉側一一犯提 除脫脚床外坐獨坐床
或一板床浴床一切吉羅 不犯者律云若重屋板覆若以木作花覆若厚覆若旋床
坐若脫脚坐若脚安細要並不犯 用虫水戒第十九 制意者慈濟物命道之
正要知水有虫而故受用將損物命違其慈道若存自營所為无理事是非輕故所
以制 別緣有四一是虫水二知有虫水三不作漉法四隨所用犯已下正明戒本 此戒因闡
陀比丘起過造屋虫水知居士譏嫌仏便制戒 若比丘知水有虫若澆泥若澆草若
教人澆者波逸提 此滿足戒本文有三句一犯人二犯業三犯罪 比丘者義如上釋已下
二句可知 故律云若不知水有虫无罪知即犯提 言虫水者濾囊所遮肉眼所見 十云眼
所見漉囊所遮若用此水隨虫多少一一犯提 祇云用虫水一息一提隨息多少一一得提 四
分云若以草土擲虫水中若虫酪漿清酪漿若清麥漿若醋有虫以澆泥草若
以草土擲中一切皆墮教人亦同 五分云隨用虫一一下墮 律云若以草土擲虫水中道可也

教人漉者波逸提　此滿足戒本文有三句一犯人二犯業三犯罪比丘者義如上釋已下
二句可知故律云若不知水有虫无罪知即犯提言虫水者漉囊所遮肉眼所見十云眼
所見漉囊所遮若用此水隨虫多少一一犯提　祇云用虫水一一息一一提隨息多少一一得提四
分云若以草土擲虫水中若虫酪漿清酪漿若清麦漿若酢有虫以澆泥草若
以草土擲中一切皆隨教人亦同五分云隨用虫一一隨　律云若以草土擲虫水中隨所泡
中虫虫一一提　大集云畜生身細猶如微塵十分之一乃至大者百千万由旬　祇云細故
應作三重漉猶有者捨去故多論云若作住處先應看水用已漉羅著器中向日細看
諦看若故有虫者應二三重作漉羅若故有虫此處不應住四分雜法揵度中云
无漉囊不得半由旬行若无漉囊應用衣角漉水　律云不犯者若不知有虫若作
无虫想若大以手動水令虫去若漉水用若教人漉用不犯　覆屋過三節戒第廿
制意者凡物有限事成為要貪不知量重覆不已令屋崩倒損壞功業譏過不輕
是以聖制　別緣有四一自為己作屋二使人覆三至三節未竟不離見聞處四第三節
竟即犯已下正明戒本此戒因闡陀比丘起房重覆不止使摧居士譏言施者雖无厭
受者應知足佛隨制戒　若比丘作大房舍戶扉窗牖及餘莊飾具指授覆苫齊二
三節若過者波逸提　此滿足戒本文有四句一犯人二作房法式三指授已下明限四過限
結罪言比丘者義如上并二言作大房者多用財物及餘莊飾者彩鏤彩畫三言
指授覆苫者覆有二種一者縱覆二者橫覆言齊二三節者是明限律云齊三節
未竟指授无犯四言若過波逸提者是過限之罪故律云若比丘指授三節未竟自
至不見聞處若不至不見聞處者即犯提罪若互離見聞處犯吉見云若過三
節竟无處看隨用草把一一提犯　律云不犯者如上指授避覆避覆第三節若水陸道
斷賊難惡獸難命梵難故不避第三節无犯　輒教尼戒第廿一　制意者有
有三一尼須教授意者尼是女弱溺於遊方語稟未聞遂於理行二教宜其表遊
故須教授曲示行儀大僧丈夫形无障导處處諮承故不制教授二須善意者教
授事難須備德行故委任衆量簡遣有德免心訓誨開曉心懷令生解行終登道
益故須差遣三結罪意者今不被僧差輒往教授濫行風教乖軌於道道方失
於風靡靡之化輕法自尊損處不輕故得提罪　次釋名尊任自由不慕僧命稱之
為輒宣傳行德開曉未閑名為教授故曰輒教授尼又明具緣通緣如上別緣有五少
德行為簡全无德者亦无教授之義理不合差故无輒教尼罪少謂極五如增五說
有五法得教誡尼謂十德中初二八九十等是雖備上德若被僧差本自无過故初
第二僧不差雖不被差不作衆法雖教誡雖已自无犯故次第三集尼衆衆集竟
說八敬主過義微但得小罪故須第四說法除八敬第五隨所說法言了便犯已下正
明戒本此戒因愛道尼來請教授佛令差往僧次難陀往被說法六群次往為說世論
愛道白佛佛令羯磨而差因制戒　若比丘僧不差教授比丘尼者波逸提　此滿足戒本

BD02182號　四分戒本疏卷三　　（28–15）

有五法得教誡尼謂十德中初二八九十等是雖備上德若被僧差本自無過故次
第二僧不差雖不被差不作衆法雖教誡雖已爲自無犯故次第三集尼衆衆集若
說八敬主過義微但得小罪故須第四說法除八敬第五隨所說法言了便犯也下正
明戒本此戒因愛道尼來請教授佛令差往僧次輪隨往被說法六群次往爲說世論
愛道白佛佛令羯磨而差因制戒 若比丘僧不差教授比丘尼者波逸提 此滿足戒本
文有四句一犯人二僧不差三輒往教授四結僧不差說法乃罪言比丘者義如上釋二
者僧不差者律云僧中白二羯磨不差要具十德方始成差少謂極五如增五中說
三言往輒教授者律云說八不可違法如律廣說四言波逸提者是僧不差說法乃罪
若說餘法即得提罪若說八敬尼常聞故但得吉羅律云若於說戒時上座問答
已若僧差若隨尼請彼比丘到時到尼出迎時迎若遠俱犯吉羅若聞來者當出
半由旬迎供給所須不者吉羅若僧不差非教授日与說八敬法若不差与說法者
隨若僧病不和合衆不病滿應遣人礼拜問訊若尼衆病等無遣礼拜問訊若不者
吉羅律云非日者前三後二不應往也前者三說戒後三日後二者至後說戒二日難復
僧差此五日中不應往也此謂往尼寺教誡 不犯者若僧差若時往若尼爲水陸
道斷賊難緣不得迎礼拜問訊者並不犯 說法至日暮戒廿二 一制意者夫男
女有別居不同處僧衆舉動須避譏涉生人信敬日沒群聚致外情疑容自壞行過
積不輕故所制 別緣有六一是僧差二集尼衆三教授說法四日暮五日暮想
六說法不止便犯 已下正明戒本此戒因難陀教授尼至日暮不送本寺爲俗所
譏佛便制戒 若比丘爲僧差教授比丘尼乃至日暮者波逸提 此滿足戒本文
有三句一犯人二爲僧所差三教授下說法過時結罪言若比丘者如上二言僧差者
二羯磨差令教授三言教授至日暮波逸提者是結罪句釋重文四一若至日暮
教授提 五分云白沒語語提若餘教授外授經若誦經等犯吉三若爲餘女授經等
至暮一切吉羅四境想其吉 律云不犯者若教授至日未暮便休除婦女也爲賃人若
船濟受說法尼自聽若与估價夜說法若尼寺中若因人請值說便聽去一切不犯
此戒就大僧寺教授有日暮罪尼寺不犯唯此就僧尼二寺俱得教尼
譏呵教授師戒第廿三 一制意者夫德備德之人衆僧差遣慈心教授情存爲法不
悕飲食而見他得利內生嫉妒發言譏呵擾亂賢善事絕兼益損壞不輕是故聖制
別緣有六一是僧差二情存爲法不悕飲食三生嫉妒心四發譏呵五言辭了了六前人
知聞犯 已下正明戒本此戒因尼迎教授師供給六群生嫉妒發言彼無實但爲飲食
故教授尼比丘白佛便制戒 若比丘語諸比丘作如是語諸比丘爲飲食故教授比丘尼者波
逸提 此滿足戒本文有三句一犯人二譏呵三結犯初句可知二言譏呵者見他得利心生擾
亂故起譏呵三言波逸提者是犯罪句律云若如上譏訶說了了提不了吉羅 不犯者其

別緣有六：一是僧差，二情存為作求悕飲食，三生嫉妬心，四發譏呵，五言辭了了，六前人
知聞犯。已下正明戒本。此戒因居迦教授師供給六群生嫉妬言，彼無實但為飲食
故教授尼。比丘白佛，佛制戒。　若比丘語諸比丘作如是語：諸比丘為飲食故教授比丘尼者，波
逸提。此滿足戒本文有三句：一犯人，二識呵，三結犯。初句可知，二言識呵者，見他得利，心生恨
故起識呵。三言波逸提者，是犯罪句。律云若如上識呵說了了，提；不了，吉羅。不犯者，其
事實爾，為飲食供養故教授等，若戲、若錯說，並皆不犯。　與非親尼衣戒第廿四　制意
者，凡男女形殊，理無交雜，無緣取與，事招外譏，因交致染，容壞梵行，損敗不輕，是故聖制。
別緣有四：一是比丘尼，二非親里，三虛心與衣，四彼尼領受便犯。已下正明戒本。此制因乞食
比丘與尼衣，後因嫌責，數向人說。比丘白佛，佛呵制。　若比丘與非親里比丘尼衣，除貿易，波
逸提。此滿足戒文有五句：一犯人，二非親尼，三所與衣，四除貿易，五結罪。上二可知，第三言
衣者，有十種，如上多論。應量衣提，不應量吉；鉢亦犯提，非應量盔、鍵鎔等吉。四言貿
易者，義如上，下至藥草一片相易，得。五言波逸提者，結犯。律云若二比丘共與一尼衣，或一衣
與二尼，並犯提。多論言犯吉。此律但言尼提，與下眾吉。若依多論，與尼三眾俱犯提，義亦
應然。不同說衣，壞事多少中制，又有希數。又律云，尼與大僧吉，羅若就希數大僧與希
應犯輕罪，尼與義數，尼是下眾，奉於上尊，生譏義微，故所以輕。不犯者，五分律云，若
為料理切業事，若為說法，為多誦經，戒與衣作衣，並不此律。與親尼衣，共相貿易，若
與塔、與佛、與僧無犯。　為非親尼作衣戒第廿五　制意同前，但作為異。別緣有五：
一是比丘尼，二非親里，三自送衣，遣比丘作，四無因緣，律云若借著、浣染、持還主，無犯，五
隨所作便犯。已下正明戒本。此戒因迦留陀夷為尼作衣，裁作婬像，成已付尼，令在眾著，
居士譏嫌，佛便制戒。　若比丘與非親里比丘尼作衣者，波逸提。此滿足戒本文有四句：一犯
人，二非親尼，三作衣，四結犯。上三句可知，言波逸提者，是遠犯罪。故律云，彼比丘隨刀截，多少
隨一縫一鍼皆墮。問：所以不待成而隨針針得罪者？何答：是中多過故。亦大僧上尊為下
人作衣，多生染患，又招外譏，廢妨正業，容作非法，衣具斯諸過，故隨針得罪。如尼
造塔，博得罪。此並過多，故爾。若浣被、看著、授與衣，以手摩捫，若提角頭挽方更
緣索，綫一切吉羅。不犯者，與親尼作，若為僧作，為塔，若錯著、浣染、治還主，並開不犯。
獨與尼屏露坐戒第廿六　此戒過與女人同室宿無異。屏坐為別。別緣有四：一是尼，二無
第三人，三在屏露二處，四共坐便犯。已下正明戒本。此戒因迦留陀夷與偷蘭難陀尼顏貌
端正，乎有欲意，在門外坐，居士共嫌，罵。鬪諍比丘舉過，佛便制。　若比丘與比丘尼在
屏處坐者，波逸提。此滿足戒本文有四句：一犯人，二尼，三處，四罪。初兩二句可知，三言屏處
坐者，律云屏有二種：一見屏，謂霧、烟、雲、黑闇不明見；二聞屏，處乃至不聞常語聲。
言坐者，一尼一僧無餘人，故名屏處坐。四言波逸提者，是遠犯句。律云比丘與尼屏露坐，
無第三人為證，故犯提。多論或比丘坐，從尼起已更坐，隨坐多少，一一得提。比丘起而更坐，一一得
罪。若二人俱坐一一正犯一罪。十誦並坐相去一丈是大丘二丈不之……

端正平有欲意在門外坐居士共婦鴛鴦為辭比丘舉過佛便制若比丘与比丘尼在
屏處坐者波逸提　此滿足戒本文有四句一犯人二尼三處四罪初兩二句可知三言屏處
坐者律云屏有二種一見屏謂霧烟雲黑闇不明見二聞屏處乃至不聞常語聲
言坐者一尼一僧無餘人故名屏處坐四言波逸提者是遠犯句律云比丘与尼屏處坐
無本三人為證故犯提多論或比丘坐但尼起已更坐隨坐多少下下得提比丘起而更坐下下得
罪若為二人俱坐一一下一犯一罪十誦屏坐相去一丈提大丈吉二丈不犯初五共一尼屏坐或尼
請食已尼益食去時下提比丘應起不得嘿起便尼疑應語言我欲起不語而起
若尼去者不犯多論屏處者無慚愧處可作婬處是名屏處律云證人若聾若盲
不成證吉提盲而不聾聾而不盲吉羅二人俱立住者吉羅尼犯吉羅問尼所以輕者為上
尊共坐盡容教授去不自由情過是微故所以輕律云不犯者若比丘有伴若有知
有二不盲不聾若行過倒地若病若力勢所犯命梵等難並聞不犯　与尼同道
行戒第廿七
譏嫌不殊故次前戒也　此過不異前以行為別　別緣有六一是尼二眾五分三非俱犯理並應然
除三同一道行　顯去異路為无其德四不離見聞處行多論小罪故須
俱不離犯提五无因緣除白衣大伴行有怖畏因緣等不犯故尔六隨所度界一一提罪
多論水陸二路同行悉屬此戒故比丘与尼各別乘船同水路行越界得罪並屬此
戒同乘一船在落後戒已下正明戒本此戒因六群比丘与六群尼人間遊行居士譏嫌比
丘舉過佛制　若比丘与比丘尼共期同一道行乃至一村間除異時波逸提異時者与估
客行時若疑畏怖時是謂異時　此滿足戒本文有五句一犯人二共期三同行四除緣
五結犯初二兩句可知言期者期共至某處三言同一道行至一村者是同道者村間有
分齊行處是四言除異時者開緣不犯五言波逸提者越界結犯句律云隨村分齊眾
多界多少一一犯提言眾多界者謂眾多村界非村落空處乃至十里提若減一村若
減十里得吉若多村間同一界行又吉方便共期不行又吉尼又吉羅尼是女人弱要藉
丈夫以為伴護情過是微五分從此聚落到彼聚落及无聚落處半由旬犯提
律云不犯者若不共期一大估客伴行二疑處三恐怖處有盜賊四若往
彼得安隱五若勢力所持命梵等難並開不犯十誦開為尼過嶮路　与尼期
同船乘戒第廿八　譏過同前正以船為異　別緣有六一是尼二眾二共期三同乘
一船除異船不犯此四作順流上下之意除為直渡船失濟不犯五无因緣顯去命
難力勢所持或彼岸不得安隱六雙腳入船便犯已下正明戒本此緣如前　若比丘
与比丘尼共期同乘一船若上水下水除直渡者波逸提　此滿足戒本文有五句一犯人
二与尼共期三言同乘一船上水下水者舉乘船之意以其相隨欲得久往故四言除
直渡者是開限以其直渡非久故无過五言波逸提者是遠犯結罪律云共期乘

一船隨異船不犯此四作順流上下々意除為直渡船失濟不犯五无因緣難去命
難力勢所持或被岸不得安隱六雙脚入船便犯已下正明戒本此緣如前若比丘
与比丘尼共與同乘一船若上水下水除直渡者波逸提　此滿足戒本文有五句一犯之
二与尼共期三言同乘一船上水下水者舉乘船之意以其相隨欲得久往故四言除
直渡者是開限以其直渡非久故无過五言波逸提者是違犯結罪律云共期已雙
脚入船提一脚入吉多論若船有多白衣則无罪或船有一比丘多尼或多比丘一尼隨
境業多少犯尔所提縱有俗人為第三亦犯以其將同久受譏損非輕故不同坐行是重故
開有邊人不犯若期別船並去及車犯同道行隨聚落界分齊十里犯若期与俗
女人同船亦是犯限　此略不載下房舍文若女人上船疑仏言聽直渡故知上下明亦同
犯祇十多三文並言越界者犯不同此律不犯者除期直渡彼岸若入船已船呼失
濟上下若往彼岸不得安隱乃至難緣如上所統並皆不犯　食尼嘆食戒廿九
有四種過故制一者遣尼嘆已德行相美求利長已食结壞於正命知足心故二偏心曲
嘆現情親厚好相致外譏損受不輕三令施主隨言供養无德之人即是損惱施主闕奉
福田獲反報之益四毀出好人令他施主於勝福不生敬重又是惱亂賢善具斯多過
是故聖制　別緣有四一是尼嘆德教化食二知嘆三受得四食是咽々犯提已下正明戒
本此戒因居士請舍利弗等偷蘭難陀尼言所請並是下賤若請者應請調達等
龍中之龍食還具說仏使制戒　若比丘知比丘尼讚嘆教化因緣得食除檀越先有
意者波逸提　此滿足戒本文有六句一犯人二知三讚嘆四得食五開緣六結罪初句可
知二言知者律云若不知食无犯三言尼讚嘆教化者律云讚言謂阿練若乞食人乃至
持三衣嘆多聞法師律師坐禪四言得食者從旦至中得食五言除檀越先有意者
律云彼有施心故開不犯六言波逸提者是犯句律云若食所嘆食者咽々犯提除飲食
得餘襯衣燈油犯吉　祇云除舊檀越乃至下食已唱等供時更有餘比丘來尼言更
有餘比丘施主言善哉者不犯若尼言此十二頭陁者隨若言多与好食平等与不
犯　若通讚一舉衆一切不犯提若其甲衆主精進為是比丘故遍請廿人一人名讚
嘆餘者不犯若有嘆食不得捨去當展轉貿食若比坐嫌穢不淨不喜与貿者
當念此器中食是其甲比丘許我當食不犯五分若先不知臨時言好与比丘食者
不犯問所以得襯衣燈油犯吉者答財物利重情著難捨又是別屬无通用勸捨
義希致受不數是以犯輕食无獨食勸辯義易致受義數是故制重燈油外用嘆
勸之希是以制輕又大僧嘆尼義希致受不數故尼犯輕　律云不犯者若不知若先
有意若无教化想若尼自作若檀越令尼經營若不教化而乞食与並開不犯
与女人期同道行戒第卅　制意同前唯以俗女為異別緣有六一是人女二共期三
同一道行四不離見聞處行五无難等緣六隨所越界分齊便犯但使共期不問第三
人多少皆犯以非同法不類於尼開多伴行已下正明戒本此戒因飛律被打為緣起

勸之希望以制經又大僧嘆尼義希致受不數故尼犯輕　律云不犯者若不知若先
有意若無教化想若尼自作若檀越令尼經營若不教化而乞食與並開不犯
與女人期同道行戒第卅　制意同前唯以俗女爲異　別緣有六一是人女二共期三
同一道行四不離見聞處行五無難等緣六隨所越界分齊便犯　但使共期不問多三
人多少皆犯以非同法不類於尼開多伴行已下正明戒本　此戒因舵律被打爲緣起
若比丘與女人共期同一道行乃至一村間波逸提　此滿足戒本文有五句一犯人二同行境
三共期四同道行五結犯　初句可知二言婦女者如上三言共期者律云言共至某村城
國主四同一道行至村間者律云有分齊處是五言波逸提者律云若村內一界行一隨
多村內多界行多隨餘文如前與尼同行說戒　不犯者先不知若不共期須往彼得
安若力勢諸難等皆開不犯　施一食處過受戒第卅一　制意者篤信居士割
捨家珍造立住處標心一食供施僧衆宜量其分稱施而受即彰內有廉節之心外不
惱施主令久近不去過受他食長貪慾物耽著增惡過損不輕是故聖制　別緣有
五一非親居士限施一食二知限一食三無病及不請住因緣四過受食五食則便犯
已下正明戒本　此戒因六群比丘起過故制　若比丘施一食處無病比丘應受一食若過受
者波逸提　此滿足戒本文有五句一施一食處二無病者及舉開緣三比丘者犯四處
一食者食之分齊五若過下結犯　言施一食處者律云在中一宿也食者謂時食除
餘三藥輕故二言無病者及舉開緣律云病者離彼村增劇者是三言比丘應一食
犯人四言應食者明食之分齊五言若過受波逸提者律云無病比丘一宿受過食
咽咽結墮若受餘襯身衣及燈油犯吉　問所以食重衣輕　答食資最急人喜
過受又復受用體壞損施主故所以重施主造立福舍安襯身衣聽一夜受用不
聽將去過受義希雖過受用衣財不壞猶屬施主損惱義微故所以輕燈油塗足
雖體盡壞身外受用過受義希是故犯輕　問別食七緣此獨開病者善哉病人舍
惱去則成損住則有益施主體知不生譏惱是故聖開別衆食中施主請與開六無
損此戒一食復無施心是以六緣開使成損惱故無餘六　律云不犯者一宿受食若病過
受若居士請住與食若次第請食若水陸道斷等緣並開不犯　展轉食戒第
卅二　制意者篤信居士供辦美食延請衆僧歸存受用而今許而復遠使
他欲食徒設而已無供僧之益損惱施主其過非輕所以聖制　釋名者受前請已復
受後請手背彼此稱爲展轉故展轉食戒具緣如上別緣有五一先受前家五正食
請二食體清淨堪飽足三更異處受五正食請四無因緣謂除有病及施衣時捨
請因緣不犯五隨食即犯以初二緣前對第三後請可爲三對四句一前後俱正提
中二差互次一俱不正下三皆吉羅須足不足爲四初前後俱足皆犯提罪須三
差互等並得吉羅須淨前淨此二皆提餘二皆吉已下正明正戒本此

請二食體清淨堪飽足三更異處受五正食請四無因緣謂除有病及施衣時捨
請因緣不犯五隨食即犯以初二緣前對本三後請可為三對四句一前後俱正食
中二若五次一俱不正下三背善羅須之不足為四初前後俱是背犯提罪須三
善五等善淨善羅須淨為四俱淨前淨次二背提餘二背吉已下正明正戒本文
戒因開食竊後受正食種越譏嫌比丘舉過佛便制戒　若比丘展轉食除餘時波
逸提餘時者病時施衣時是謂時　此滿足戒本文有四句一犯人二所犯事三開緣四
結罪時者已下誦前第三初句可知二言展轉食者律云背請食也請有二種一僧
次二別請食謂五正食飯麨飯等三言除餘時者是開緣緣如下說四言波逸提
者是犯句言開緣中病時者為病比丘不能一坐好食令足故聽無犯言施衣時
者有二一月衣時為迦提月二五月衣為功德衣月故律云自恣竟無功德衣一月
若有衣五月更復有餘施食及衣聽受背請　問所以開病者病人若捨若不開
所資形命難立又施主雖知不生譏嫌故背無罪非情所許十二月常開不局時限
施衣開者有二義故一為益比丘有待之形假衣資養若施時不受後須難得
無理求多生患累二者為利家施主使衣食二施獲得兩種反報之福為斷
二益故聖制許衣利既重或長貪結故以時之開非一切時故文言一月五月得者有
餘施食及衣聽受者前言一月是時提時望衣之食之是時家之餘單時無開要
假施食及衣故言有請後衣請取衣無犯還前家食不食遣信開故吉三前家
食請後之請背犯提罪衣作頭立有三句一前之衣食請後之衣食請聽背無罪
以衣後或多及勝二前家食請後單衣請如前三前家衣食後唯食請犯提
祇律云若到俗家言今我家食即為請受作食未熟欲往他家應白而起不
白去者至被得正食犯二提罪一不白故二背前請故四分律云若得多請應應捨
前請而受一請不爾者咽咽犯隨若不捨後請食前請咽咽吉若一日受十請食竟後
犯一提八吉以其初一是前餘八是後若背後九得九吉罪若食中間比說可知伽論云
若受前請往至請家坐上食未若更有異家送若食後家食犯背請食前請
已即坐食後家食無犯　律云不犯者若病時施衣時一日得多請自受一請餘
者迴施与人若請非正食或不足食或無請受隨食不犯或一受弃從五正捨主
一故之無背請一切開不犯　別眾食戒第卅三　制意有二一慈慇白衣故歧
橫食有限事難普周人少易供多則傾竭生惱損重故制別食二為攝難調
人故恐自結別眾羯磨以惱眾僧故制不聽別眾食次釋名者能別之人
食受成眾以眾別他不共同味故曰別眾食戒　次解其緣通緣如上別緣有
七一有施主二別請別乞三五正食體清淨在時中四食受成眾五知眾內不盡
集六無因緣七食便犯　已下正明戒本此戒因提婆達多与五比丘家家乞食故

人故比自結別衆羯磨以總衆僧故制不聽別衆食次釋名者能別之人
食受成衆以衆別他不共同味故曰別衆食戒　次解具緣通緣如上別緣有
七一有施主二別請別乞三五正食體清淨在時中四食受成衆五知界內不盡
集六無因緣七食便犯　已下正明戒本此戒因提婆達多与五比丘家家乞食故
佛制戒　若比丘別衆食除餘時波逸提餘時者病時作衣時施衣時道行時
乘船時大衆集時沙門施食時此是時　此滿足戒本文有四句一者犯人二別
衆食三除開緣四結犯罪下言餘時謂前第三句一言若比丘者義如上釋二言別
衆食律云若四人若過四人名衆食者飯麨乾飯等三四兩句可知言餘時者謂
前第三開緣言病時作衣時施衣時此三緣如前戒說第四言道行時者律云
下至半由旬內有來去者佛聽別食第五言乘船時者下至半由旬乘上下者
是第六言大衆集時八人已上名為大衆食無倍供又是難得開使不犯已下小衆
食雖難得容有兼濟故之不開又言大衆者四人已上名為大衆故律云食足四人
長一人為患乃至百人長一人為患此是兩家聚落東家限与四人西家局与一
人彼比二家施心限局各不相融餘受乞食復是難得若不開者西家一人与東
四人作患由是患故開使不犯此謂舉患以開不患如是乃至百人長一人為患者
但使食之難得悉皆不犯故云大衆集時第七言沙門施食時者律云諸外道
中出家者是名沙門施食緣如律中廣說准此而言比丘施食不開別衆故律
云比丘無別衆食緣麁求出家三三人隨意食若
四人應作二部更互入食律云為攝難調人故制不聽別衆食若依多論界
內不集名名別衆若作四相有客比丘來遮不聽入名是別衆若不依僧次差
往者名別衆若先別請後不遮入轉別名次餘義廣如大疏說律云不犯者如上
七緣開食無罪多論若四人各自乞食共在一處受無有過以非一家故善見云
人別各乞至同一處受一時受皆犯二各各去一時受各處食犯小罪三各去各處各食
不犯四若一人貲鉢不食待餘三食竟後一人食不犯多論三比丘一狂心三人在內
一在界外三是大僧一是沙彌皆不犯不成別衆不相足數故又有四句一食主是
一盡僕無過二食一處二彼比乃異故不犯三食別處一前後食故不犯四食別處
別彼比二衆五請一人不犯善見五種是四不犯一不請是四施主別請四人一人不去
種識見步臨中見一比丘即喚与食請無間別故名僧次二乞食是四名以別請一人不
去臨中乞食比丘至彼依次与食三沙彌是四四鉢盂是四別請四人三人身至一人齋請
五人病是四狂等三病並非別衆食皆不犯　取歸婦價客道糧過三鉢戒第
卅四　制意者然歸婦價客愍已資糧施諸比丘理宜將護依限而取今乃過取三
鉢令食罄竭長貪違教損惱不輕故以制　別緣具五一歸婦食價客道

去臨中乞食比丘至彼縁及与食三沙弥是四〻鉢盂是四　別請四人三人身至一人齋請
五人病是四狂等〻病並非別衆食皆不犯　取歸婦價客道粮過三鉢戒第
卌四　制意者然歸婦價客檐已塗粮施諸比丘理宜將護依限而取今乃過取三
盋令食罄竭長貪遠教損惱不輕故所以制　別緣具五一歸婦食價客道
粮二知是三无因緣除有病緣不犯四取過三盋五出門便犯已下正明戒本此戒
因乞食比丘從彼歸婦取塗粮又從商客數乞因起過失仏便制戒　若比丘至
白衣家請与比丘餅麨飯又比丘須者當取二三鉢受還至僧伽藍中分与餘
比丘食〻者比丘无病過兩三盋受持還僧伽藍中分与餘比丘食者波逸提　比滿
是戒本文有三句一犯人二開受分齋食〻方軌三是无病已下過取違教結罪
初句可知第二句中文有三節初施塗粮二是比丘下教受分齋所以開齋三者爲
令施主獲及報〻福名令比丘資身長道三還僧伽藍下教食方法第三句及
上第二受持等文　弁相中初句可知如上二句中言白衣家者律云有男有女
故曰言与餅麨飯者是五正食言二三盋受者是教受分齋多論云是上鉢取一
鉢无罪取兩鉢犯中鉢取二鉢不犯三乃便犯下鉢取三不犯四鉢方犯文云過三
鉢者就下鉢爲言第二言无病者是開緣律云爲不能一坐食好飽足故聽不
犯言過受犯提者是第三結犯句律云若一人取過三鉢前三人不犯以不過限
故後一人犯以前三人語莫持來而往取過在後人出彼門限即犯提罪若方
便悔者吉羅五分云過受不分比丘食俱犯提罪四分過受犯提不分故吉祇云
女及價客去後不犯律云不犯者若兩鉢受若病過受若問已共分若被自送
僧寺若送居寺供受不犯　足食戒第卅五　制意者凡食以充軀爲用
過則長貪少復不足事須節量但四大身力報有強弱致聖持補有羅
之者始於一揣終至作餘食法滅是節量隨根〻法今第四人不作殘法毋
食五正長貪妨道違教損深故所以制　別緣有五一是足食二足食想三
捨威儀四无因緣除有病及作殘法因緣不犯五更食隨犯已下正明戒
本此因貪饕不知足食比丘起故制斯戒　若比丘食竟或時受請不作
餘法而食者波逸提　此滿足戒本文有三句一犯人二食足三違犯結罪
初句可知二足食中文二初食竟者律云謂緣有五一知是飯善知五正
食犯足非正不犯足二知持來知彼爲我持來境多足三知遮五正食
聖制不聽一日兩時飽食故曰知遮即知前坐食多堪飽鄣於日中少
食不鄣故可知遮四知威儀知行住坐卧四儀隨壞一〻犯足故五知捨威
儀多坐牀而食前境堪足忽從頭取与後分離牀〻例故曰捨威儀
具此五緣即名食竟言或時受請者五習種越食五受戒足故第三
句言不作餘食法者此違制緣律云若比丘食未足應持食對前

食犯足非正不犯足二知持來知彼爲我持來境多足三知處五正食
聖制不聽一日兩時飽食故曰知處即知前坐食多堪飽鄣於日中少
食不鄣故曰知遮四知威儀知於行住坐卧四儀隨壞一一犯足故五知捨威
儀多坐牀而食前境堪足忽從頭取乃後分離牀牀例故曰捨威儀
具此五緣即名食竟言或時受請者五謂種越食五更成足故第三
句言不作餘食法者此遠補緣律云若比丘食未足應持食對前
比丘言我足食已食大德知是者是我作殘食法彼應取少食已
當語彼言我止取食食言而食者波逸提是遠犯結罪故律云
足食已捨威儀不作餘食法後若食正不正咽咽犯墮五分云不作
殘食法口口犯提 律云不犯者食作非食想不受作餘食法非食
不作若病不作法病人殘不作法若已作餘食法一切不犯
勸足食戒第三十六 制意者然出家之人理須益物遞相遵尊勸
脩衆善今乃惡心勸彼食令他得罪已自招愆人我俱損理所不
應是故聖制 別緣有五一他足食竟二知他足食三惡勸彼欲食
他犯四不作餘食法五前人食便犯 已下正明戒本此戒曰兒弟同
作比丘一者貪餮嗜食不知足食餘非不餘食得而食之以彼呵責此心懷
恚見彼食已惡心强勸食佛便制戒 若比丘知他比丘足食已若請不作
餘食法慇懃請與食長老取是食以是因緣非餘欲令他犯者波逸提
此滿足戒本文有四句一能勸犯人二知三他二種食竟四不作餘食法下勸足
結罪以是因緣者明能勸之意 弁相中初句可知四釋勸意者欲使他犯
故勸令食言非餘者謂非不犯及供養意等律云彼若食者二俱犯提
前人不食若作法而食者勸者吉羅若持病見殘食欲令他犯勸者犯
吉此由惡心故制同罪律云不犯者勸令作法謂不犯故及供養意故勸食
者悉皆不犯 非時食戒第卅七 凡食有時節數則致患事須限約軌
則合定是以始從平旦實終至日午事順應法名之爲時過則非宜長貪
妨道招世譏過事不應法廣生罪累名爲非時故毗羅三昧經云平
旦諸天食日中應法食日西畜生食日暮鬼神食出家應佛法故制同
天法二種食名時多論云四義故佛制中前食一始從日出乃至日中其明
轉盛名之爲時聽食无過從中後乃至後夜其明轉設故曰非時而不
聽食二從旦至中是作食時節乞不生惱故聽而食從中後乃至後夜倍
人醼會遊戲若乞生惱故制不聽三從旦至中俗人事務婚惱未發乞不
生謗故聽乞食從中已後事務休息婚善言嘆入村乞食多被譏謗

天㳂二種食名時多論云四義故仏制中前食一始從日出乃至日中其明
轉盛名々為時聽食无過從中後乃至後夜其明搏設故曰非時而不
聽食二從旦至中是作食時節乞不生惱故聽而食從中後乃至後夜俗
人醼會遊戲若乞生惱故制不聽三從旦至中俗人事務嬈惱未發乞不
生謗故聽乞食從中已後事務休息嬈害言嗘入村乞食多被譏謗
受諸惱辱故不聽食四從旦至中正是乞時為濟身命故聽乞食從中
已後冝應靜緣循道端坐念誦持禪非是往来時節是故聖制不聽
入乞犯緣有四一非時二非時想三時食四食咽々犯已下正明戒本此戒曰難
陁跋難陁及迦留陁夷超過故制斯戒　若比丘非時受食々者波逸提
此滿足戒本文有四句一犯人二非時三食四結罪初句可知二言非時者從日中
乃至明相未出三言食者律云食有二種佉闍尼食及蒲闍尼食僧祇云
一五正食二雜正食枝葉花果細末磨等名佉闍尼善見云佉闍尼食
者来麦作飯麨等是蒲闍尼者一切菓是四言波逸提者是遠犯結罪
句故律云若非時食咽々墮若非時将来明相出若七日藥過七日苛犯已
食過時故藥過限失受故若盡形藥无緣服故犯吉羅律云不犯者
作黑石蜜和米作法若有病服藥時過者大麦令皮不破濾汁飯若嗘
中嗢出還咽不犯五六病人不及食腹中空㘭聽以藴塗身故不差麪
塗身猶故不犯差藴和麨塗又不差以湯洗若不差瓮咸肉計坐中
如是等足以至曉一切不得過食　食殘宿食戒第卅八　制意者凡飯食
繁職近則長貪令人不節又䆁現變盡義无貯畜故宜別處理无共
宿是故聖制別緣有三一是殘宿食二知是殘三食即犯釋名者今日所
食是時回々殘經夜日宿故名殘宿食戒　已下正明戒本此戒曰迦羅比丘
坐禪思惟底昔食先得者仏曰制戒　若比丘殘宿食々者波逸提　此
滿足戒本文有三句一犯人二殘宿食三食便結犯初句可知二言殘宿食
者律云今日受已至明日於一切沙门釋子受大戒者皆不清淨食有二
種一正食二非正食正食飯等五正是非正食者根菓食乃至細末食
等三言食波逸提者律云若食宿食咽々犯墮　問殘々与宿為一為異
答有四不同一殘而非宿耳受四藥不加口法過中若食犯吉二宿而非殘
謂未受食或共同宿食犯吉不宿无犯三亦殘亦宿若食犯提四非殘
非宿食无罪殘宿內宿亦作四句一是殘宿非內宿今日受食安果外不共
宿非內宿若食得提二是內宿非殘三四俱句類知善見云多比丘一沙弥共
行比丘各自擔食至時各々自分已沙弥語比丘云我持己分与大德易々易
寻之复有第二比丘易乃至下座若沙弥不許皆比丘自持食…

……食宿食咽〻犯墮　問殘〻与宿為一為異
荅有四不同一殘而非宿耳受四藥不加口法過中若食犯者二宿而非殘
謂未受食或共同宿食犯吉不宿无犯三亦殘亦宿若食犯提四非殘
非宿食无罪殘宿内宿亦作四句一是殘宿非内宿今日受食安果外不共
宿非内宿若食得提二是内宿非殘三四俱句類知善見云若比丘一沙弥共
行比丘各自擔食至時各〻自分已沙弥語比丘云我持已分与大德易〻食
得已復与第二比丘易乃至下座若沙弥不解者比丘自持食与教共易
得无犯以无殘宿惡觸等過乃至持米行沙弥小比丘得作飯唯不得然
火若沸不得吹撓吉羅熟已如上分展轉易者得五分比丘殘果与淨人
已不作還意後淨人還与比丘仏言離手已名淨食无犯祇云莫問時
非時受若過非時如簸胸若食得提停過須臾復得停食〻亦提謂
旦起受食至中過中已去限一須臾若過二時名曰非時　十云沙弥持不淨
鉢与師仏言若无急事不應使持鉢若使持應從受若洗鉢已不
得麤拭食時當護淨手若磨頭口手相揩者即須却洗若捉袈
裟衣亦應須洗　律云不犯者若宿受食与父母若塔作人計價与後
乞食无犯若鉢盂有孔鑠食入中如法洗除不出者得故食律云若
鉢鐁條著器瓶用音心三洗故膩用食不犯若宿食蘊油灌鼻若
隨唾出弃餘不犯　不受食戒第三十九　多論云五義故制不聽自取食
一為斷盜竊因緣故二為作證明故從非人受食得成受不成於明證於
曠野非人〻所為是謂聽若於人中非畜无知小兒患不成受三為正誹
謗故四為成少欲知足故五為生他信敬心故為令外道得益故亦別緣
具四一是食二不受三知不受四食即犯　已下正明戒本與戒回頭隨乞食
比丘採(?)澗自取食〻居士共嫌比丘舉過仏僉(?)呵制戒　若比丘不受食若
藥著口中除水及楊枝波逸提　此滿足戒本文有五句二犯人三不受二食
幹四謂緣五結犯弁相者初句可知二言不受者律云他不与未受者是
受有五種一手与手受二手与持物受三持物与手受四持物与持物受五
若遙過物与者受者俱知中間无所觸尋得墮手中是復有五種一身
与身受二衣与衣受三曲肘与曲肘受四器与器受五若有因緣置地与是
為五二言食者明所食幹律云佉闍尼食根細末摩及五正食等是為
食幹四言除水及楊枝者此明開緣祇云若楊枝咽汁者須受水濁者
須受雪雹亦受五分若水性醎不著壇聽不受飲又水性黃者自飲无罪
五言波逸提者是結犯句律云若不受如上等食隨咽隨犯了論云若
破戒被殯別住十三難三舉滅殯應滅殯學悔等人所受食清淨者

BD02182號　四分戒本疏卷三　　（28–26）

爲五二言食者明所食噉律云佉闍尼食根細末摩及五正食等是爲
食噉四言除水及楊枝者此明開緣祇云若楊枝咽汁者須受水濁者
須受雪雹亦受五分若水性醎不著塩聽不受飲又水性黃者自飲无罪
五言波逸提者是結犯句律云若不受如上等食隨咽隨犯了論云若
破戒被殯別住十三難三舉滅殯應滅殯學悔等人所受食清淨者
若取食不成受五分云從人受成若從非人畜生受者不成若於壙野无
淨人受聽自洗燒器安水淨人安米自煮若熟從他受祇云曠野中行
牛上受食長鐵連𨨏一日一繫々置牛上人不得觸々至時一比丘引繩一丘
受取口云受々等十云飛鳥來啄一口去但棄啄處受餘殘得食見云天人鬼
神畜生飛來皆成又若塵土落鉢中可除者去々除者不犯細者良受
若病急緣大小便灰土得自取十云聽擔食行不使人見若食當下
道取一撥不受而食此是无人受若有人受自擔粮從他易淨食又山野
受无人者日中不得往返應七日自作无淨米取祇云口中有熱氣生瘡
須咽楊枝汁應受若悞咽不犯若淨人行果塩菜應語懸放果墮
草上即去者不名受小停者名受若淨人邪得自至食受物受而行
若淨人舉不離地亦名受而非威儀律云若病不正食不與自取著口中
咽々墮非時七日限過亦墮盡形无緣不受食犯吉不犯者取淨水楊
枝若不受蘇油灌鼻与唾俱出餘不犯吉乞食時鳥銜食若風
吹墮鉢中除去此食乃至一指爪可除者不犯　索美食戒第卌　制意
者出家之事特宜廉潔今既著美味求索好食長己貪情惱亂施
主招世譏過是故聖制別緣有五一是美食乳酪魚肉等二隨非親乞
三爲已乞四无因緣爲病一坐間不堪食飽者五食即便犯已下正明戒
本此戒因跋難陀從檀越索雜食被譏訶責比丘舉過因制此戒
若比丘得好美食蘇酪魚肉若比丘知此美食无病爲身索者波逸
提　此滿足戒本文有四句一犯人二食體三无緣四爲已結犯罪并相者
可知祇云不得從屠家乳酪家乞恐招譏過居家无緣亦同此例詞
律結尼吉者何答尼是女弱求索美食女人所譏爲之義希故犯吉
大僧丈夫身報力強丈乞美食資身數故是以犯提律云不犯者病人自
乞爲病人乞或自他教乞不求自得並皆不犯　與外道食戒第四十一
制意者三意過故制不与食一異學者又亘衰來非目理觀罪

[illegible]
三為已乞四无因緣為病一坐間不堪食飽者五食即便犯已下正明戒
本此戒因跋難陀從擅越索雜食被譏訶嘖比丘舉過因制此戒
若比丘得好美食蘇酪魚肉為比丘知此美食无病為身索者波逸
提 此滿足戒本文有四句一犯人二食體三无緣四為已結犯罪弁相者
可知 祇云不得從屠家乳酪家乞 恐招譏過登家乞綿亦同此例訟
律結屋吉者何以故屋是女弱求索美食女人所諱為之義希故犯吉
大僧丈夫身報力强夫乞美食資身數故是以犯提 律云不犯者病人自
乞為病人乞或自他教乞不求自得並皆不犯 與外道食戒第四十一
制意者三意過故制不与食一異學情反恒懷悚外雖与理親難
復惠施不二何其恩反生譏謗二乖見乖宗非真福田令以施主之食
授与外道損他施主不得勝田獲反報之福三朝自持食授与外道容
生惑倒謂外道是勝比丘不如以斯過故不許自手与食別緣有六是
出家外道弼去在家外道白衣犯提故尔二知是出家外道不知犯輕三
非親為与父母外道恩重故聽四是食与衣義希故犯小罪五自手与
除置地遣人與不犯六被手受即犯 已下正明戒本此戒因阿難分殘

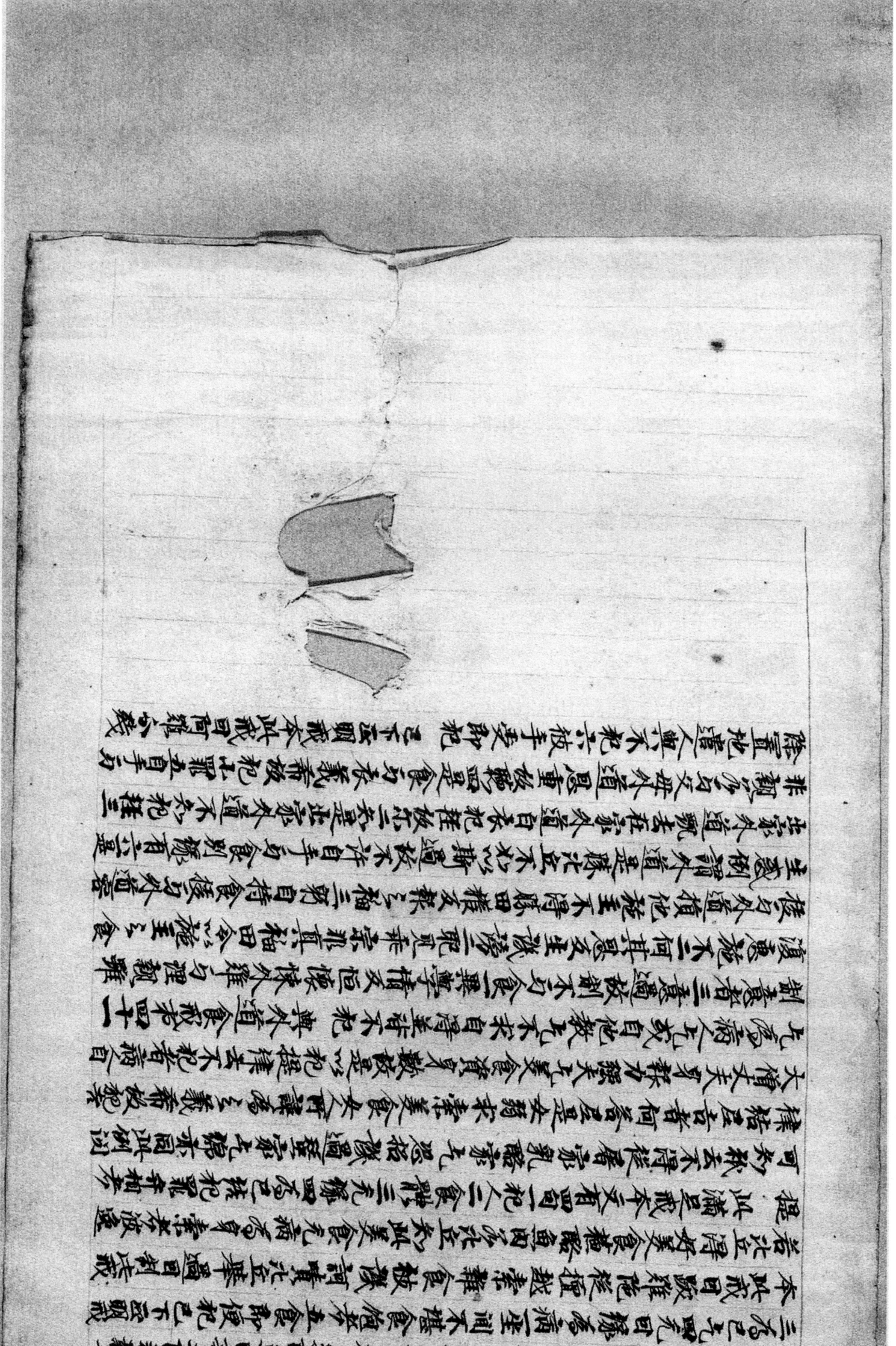

BD02182號背　勘記　　（1-1）

兊

不止迦葉實言血時即止佛言非但今日過
去世時亦復如是昔有一婆羅門生產一子
名日无害而白父言田中行時莫害衆生父
告子言汝欲作仙人也生活之法云何避垂
子言我今望得父現世安樂後世安樂不用
我語用是活為即向毒龍泉邊而坐欲求取
死世有毒龍見之害人時婆羅門子即見毒
龍毒遍身體命即欲斷父時憂惱不知兒處
尋即求覓見兒欲死父到兒所而作是言我子
從来無害心者此毒應消作是語已毒氣即
消平復如故尒時父者十力迦葉是尒時子
者我身是也於過去世中能作實語消除我
病於今現世亦以實言而愈我病
佛在菩提樹下魔王波旬欲來惱佛緣
昔如来在菩提樹下惡魔波旬將八十億衆
欲来壞佛至如来所而作是言瞿曇汝獨一
身何能坐此急可起去若不去者我捉汝脚
擲着海外佛言我觀世間無能擲我着海外
者汝於前世但曾作一寺受一日八戒施辟
支佛一鉢之食故生六天為大魔王而我乃

兊　為證字凡

從来無害心者此毒應消作是語已毒氣即
消平復如故尒時父者十力迦葉是尒時子
者我身是也於過去世中能作實語消除我
病於今現世亦以實言而愈我病
佛在菩提樹下魔王波旬欲來惱佛緣
昔如来在菩提樹下惡魔波旬將八十億衆
欲来壞佛至如来所而作是言瞿曇汝獨一
身何能坐此急可起去若不去者我捉汝脚
擲着海外佛言我觀世間無能擲我着海外
者汝於前世但曾作一寺受一日八戒施辟
支佛一鉢之食故生六天為大魔王而我乃
於三阿僧祇劫廣脩功德一阿僧祇劫我曽
供養无量諸佛第二第三阿僧祇劫亦復如
是供養聲聞緣覺之人不可計數一切大地
无有針許非我身骨魔言瞿曇汝道我昔一
日持戒施辟支佛食信有真實我亦自知汝
亦知我汝自道者誰為證知佛以手指地言
此地證我作是語時一切大地六種震動地
神即從金剛際出合掌白佛言我為作證有

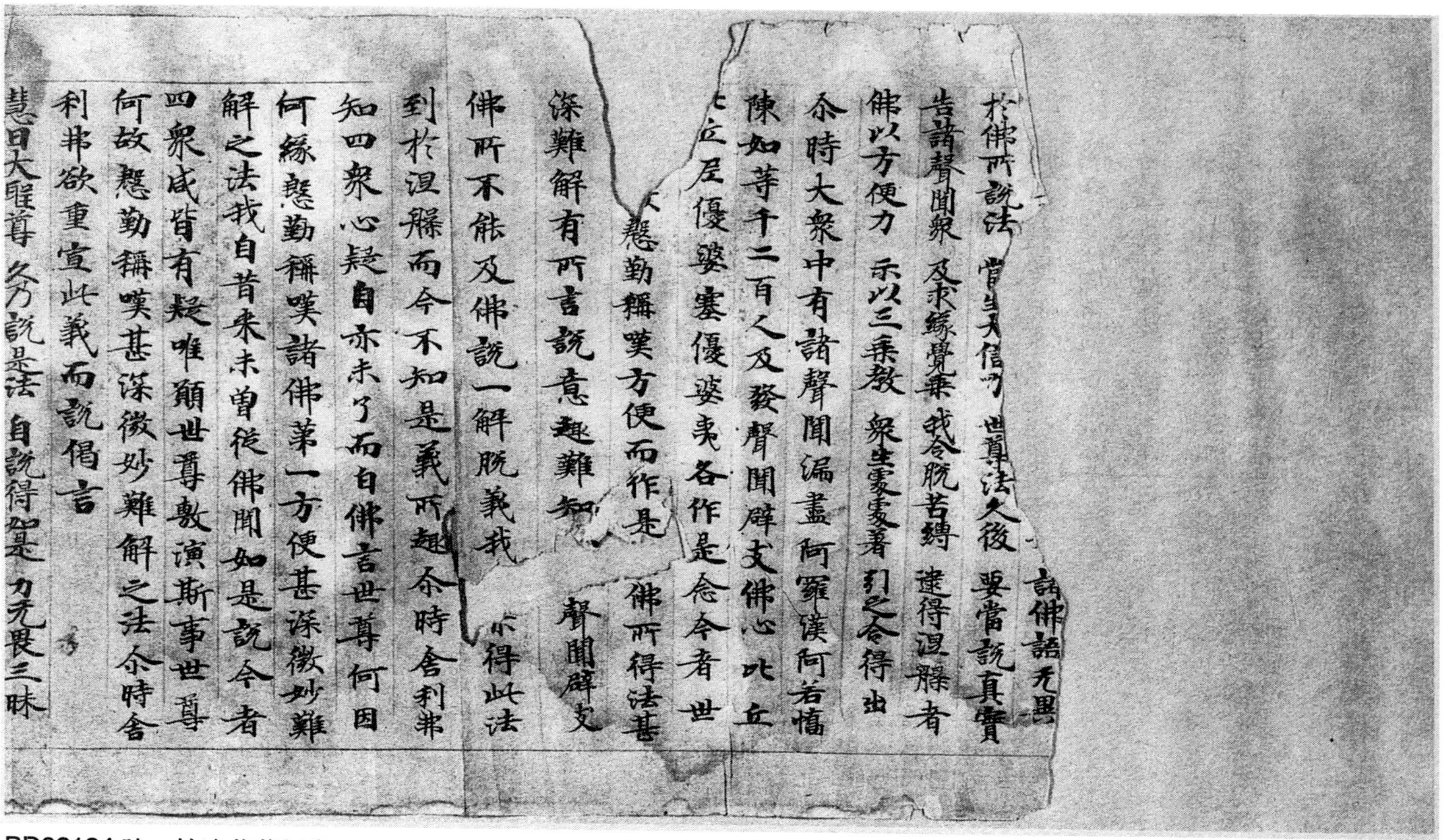
諸佛語无異
於佛所說法　當生大信力　世尊法久後　要當說真實
告諸聲聞衆　及求緣覺乘　我令脫苦縛　逮得涅槃者
佛以方便力　示以三乘教　衆生處處著　引之令得出
尒時大衆中有諸聲聞漏盡阿羅漢阿若憍
陳如等千二百人及發聲聞辟支佛心比丘
比丘尼優婆塞優婆夷各作是念今者世
慇懃稱歎方便而作是　佛所得法甚
深難解有所言說意趣難知　聲聞辟支
佛所不能及佛說一解脫義我　亦得此法
到於涅槃而今不知是義所趣尒時舍利弗
知四衆心疑自亦未了而白佛言世尊何因
何緣慇懃稱歎諸佛第一方便甚深微妙難
解之法我自昔來未曾從佛聞如是說今者
四衆咸皆有疑唯願世尊敷演斯事世尊
何故慇懃稱歎甚深微妙難解之法尒時舍
利弗欲重宣此義而說偈言
慧日大聖尊　久乃說是法　自說得如是　力无畏三昧

BD02184號　妙法蓮華經卷一

（13–1）

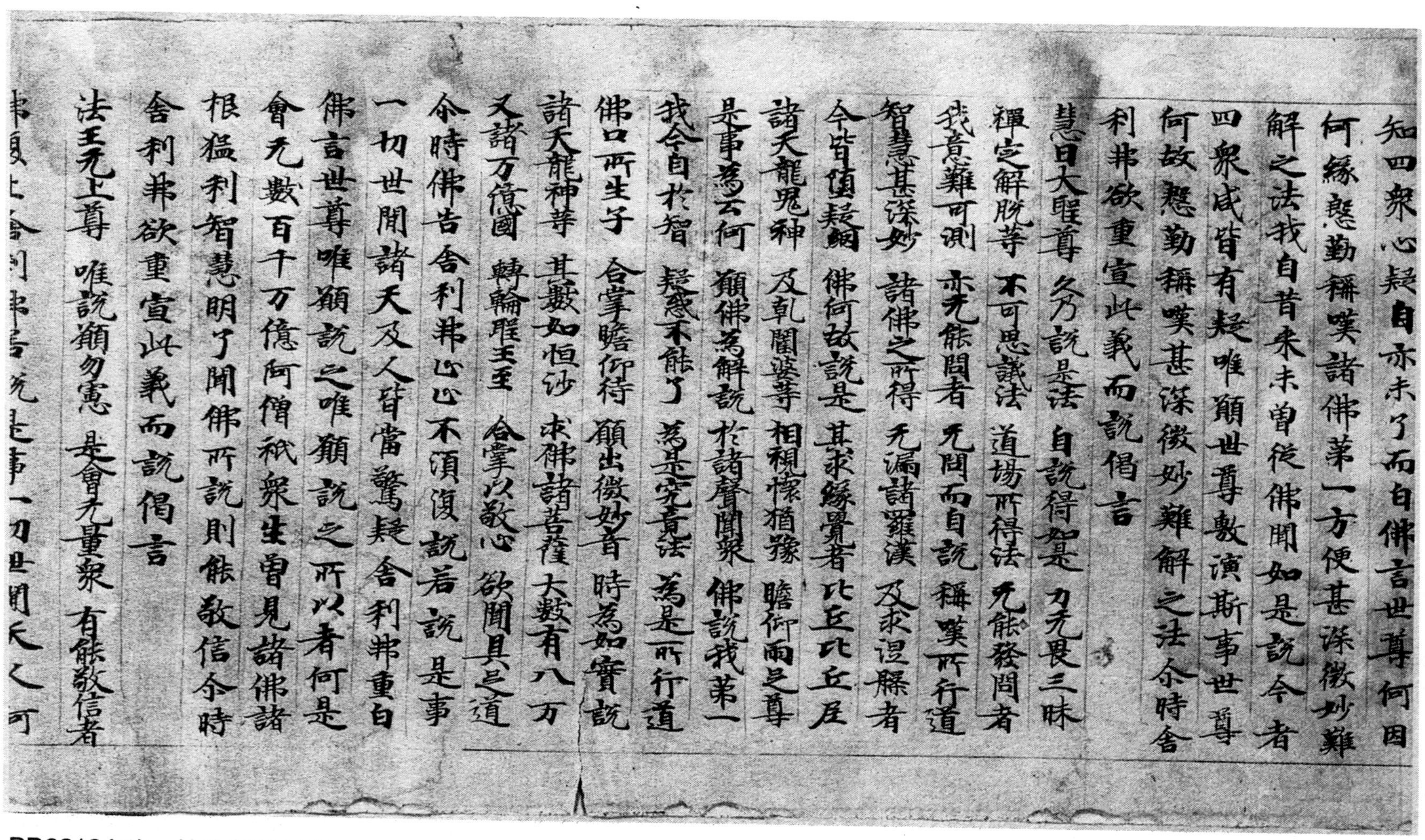
知四衆心疑自亦未了而白佛言世尊何因
何緣慇懃稱歎諸佛第一方便甚深微妙難
解之法我自昔來未曾從佛聞如是說今者
四衆咸皆有疑唯願世尊敷演斯事世尊
何故慇懃稱歎甚深微妙難解之法尒時舍
利弗欲重宣此義而說偈言
慧日大聖尊　久乃說是法　自說得如是　力无畏三昧
禪定解脫等　不可思議法　道場所得法　无能發問者
我意難可測　亦无能問者　无問而自說　稱歎所行道
智慧甚深妙　諸佛之所得　无漏諸羅漢　及求涅槃者
今皆墮疑網　佛何故說是　其求緣覺者　比丘比丘尼
諸天龍鬼神　及乾闥婆等　相視懷猶豫　瞻仰兩足尊
是事為云何　願佛為解說　於諸聲聞衆　佛說我第一
我今自於智　疑惑不能了　為是究竟法　為是所行道
佛口所生子　合掌瞻仰待　願出微妙音　時為如實說
諸天龍神等　其數如恒沙　求佛諸菩薩　大數有八万
又諸万億國　轉輪聖王至　合掌以敬心　欲聞具足道
尒時佛告舍利弗止止不須復說若說是事
一切世間諸天及人皆當驚疑舍利弗重白
佛言世尊唯願說之唯願說之所以者何是
會无數百千万億阿僧祇衆生曾見諸佛諸
根猛利智慧明了聞佛所說則能敬信尒時
舍利弗欲重宣此義而說偈言
法王无上尊　唯說願勿慮　是會无量衆　有能敬信者
佛復止舍利弗若說是事一切世間天人阿

BD02184號　妙法蓮華經卷一

（13–2）

根猛利智慧明了聞佛所說則能敬信尒時
舍利弗欲重宣此義而說偈言
法王无上尊　唯說願勿慮　是會无量衆　有能敬信者
佛復止舍利弗若說是事一切世間天人阿
脩羅皆當驚疑增上慢比丘将墜於大坑尒
時世尊重說偈言
止止不須說　我法妙難思　諸增上慢者　聞必不敬信
尒時舍利弗重白佛言世尊唯願說之唯願
說之今此會中如我等比百千万億世世已
曾從佛受化如此人等必能敬信長夜安隱
多所饒益尒時舍利弗欲重宣此義而說偈
言
无上兩足尊　願說第一法　我爲佛長子　唯垂分別說
是會无量衆　能敬信此法　佛已曾世世　教化如是等
皆一心合掌　欲聽受佛語　我等千二百　及餘求佛者
願爲此衆故　唯垂分別說　是等聞此法　則生大歡喜
尒時世尊告舍利弗汝已慇懃三請豈得不
說汝今諦聽善思念之吾當爲汝分別解說
說此語時會中有比丘比丘尼優婆塞優婆
夷五千人等即從坐起礼佛而退所以者何此
輩罪根深重及增上慢未得謂得未證謂證
有如此失是以不住世尊嘿然而不制止尒
時佛告舍利弗我今此衆无復枝葉純有貞

BD02184號　妙法蓮華經卷一　（13–3）

夷五千人等即從坐起礼佛而退所以者何此
輩罪根深重及增上慢未得謂得未證謂證
有如此失是以不住世尊嘿然而不制止尒
時佛告舍利弗我今此衆无復枝葉純有貞
實舍利弗如是增上慢人退亦佳矣汝今善
聽當爲汝說舍利弗言唯然世尊願樂欲聞
佛告舍利弗如是妙法諸佛如來時乃說之如
優曇鉢華時一現耳舍利弗汝等當信佛
之所說言不虛妄舍利弗諸佛隨宜說法意
趣難解所以者何我以无數方便種種因緣
譬喻言辭演說諸法是法非思量分別之所
能解唯有諸佛乃能知之所以者何諸佛世
尊唯以一大事因緣故出現於世舍利弗云
何名諸佛世尊唯以一大事因緣故出現於
世諸佛世尊欲令衆生開佛知見使得清
淨故出現於世欲示衆生佛知見故出現於
世欲令衆生悟佛知見故出現於世欲令衆生
入佛知見道故出現於世舍利弗是爲諸佛
以一大事因緣故出現於世
佛告舍利弗諸佛如來但教化菩薩諸有所
作常爲一事唯以佛之知見示悟衆生舍利
弗如來但以一佛乘故爲衆生說法无有餘
乘若二若三舍利弗一切十方諸佛法亦如
是舍利弗過去諸佛以无量无數方便種種

BD02184號　妙法蓮華經卷一　（13–4）

作常為一事唯以佛之知見示悟衆生舍利
弗如來但以一佛乘故為衆生說法无有餘
乘若二若三舍利弗一切十方諸佛法亦如
是舍利弗過去諸佛以无量无數方便種種
因緣譬喻言辭而為衆生演說諸法是法皆
為一佛乘故是諸衆生從諸佛聞法究竟皆
得一切種智舍利弗未來諸佛當出於世亦
以无量无數方便種種因緣譬喻言辭而為
衆生演說諸法是法皆為一佛乘故是諸衆
生從佛聞法究竟皆得一切種智舍利弗現
在十方无量百千万億佛土中諸佛世尊多
所饒益安樂衆生是諸佛亦以无量无數方
便種種因緣譬喻言辭而為衆生演說諸法
是法皆為一佛乘故是諸衆生從佛聞法究
竟皆得一切種智舍利弗是諸佛但教化菩
薩欲以佛之知見示衆生故欲以佛之知見
悟衆生故欲令衆生入佛知見故舍利弗我今
亦復如是知諸衆生有種種欲深心所著
隨其本性以種種因緣譬喻言辭方便力故
而為說法舍利弗如此皆為得一佛乘一切
種智故舍利弗十方世界中尚无二乘何況
有三
舍利弗諸佛出於五濁惡世所謂劫濁煩惱
濁衆生濁見濁命濁如是舍利弗劫濁亂時

BD02184號　妙法蓮華經卷一　（13–5）

而為說法舍利弗如此皆為得一佛乘一切
種智故舍利弗十方世界中尚无二乘何況
有三
舍利弗諸佛出於五濁惡世所謂劫濁煩惱
濁衆生濁見濁命濁如是舍利弗劫濁亂時
衆生垢重慳貪嫉妬成就諸不善根故諸佛
以方便力於一佛乘分別說三舍利弗若我
弟子自謂阿羅漢辟支佛者不聞不知諸佛
如來但教化菩薩事此非佛弟子非阿羅漢
非辟支佛又舍利弗是諸比丘比丘尼自謂
已得阿羅漢是最後身究竟涅槃便不復志
求阿耨多羅三藐三菩提當知此輩皆是增
上慢人所以者何若有比丘實得阿羅漢若
不信此法无有是處除佛滅度後現前无佛
所以者何佛滅度後如是等經受持讀誦解
義者是人難得若遇餘佛於此法中便得決
了舍利弗汝等當一心信解受持佛語諸佛
如來言无虛妄无有餘乘唯一佛乘尒時世
尊欲重宣此義而說偈言
比丘比丘尼　有懷增上慢　優婆塞我慢　優婆夷不信
如是四衆等　其數有五千　不自見其過　於戒有缺漏
護惜其瑕疵　是小智已出　衆中之糟糠　佛威德故去
斯人尠福德　不堪受是法　此衆无枝葉　唯有諸貞實
舍利弗善聽　諸佛所得法　无量方便力　而為衆生說
衆生心所念　種種所行道　若干諸欲性　先世善惡業

BD02184號　妙法蓮華經卷一　（13–6）

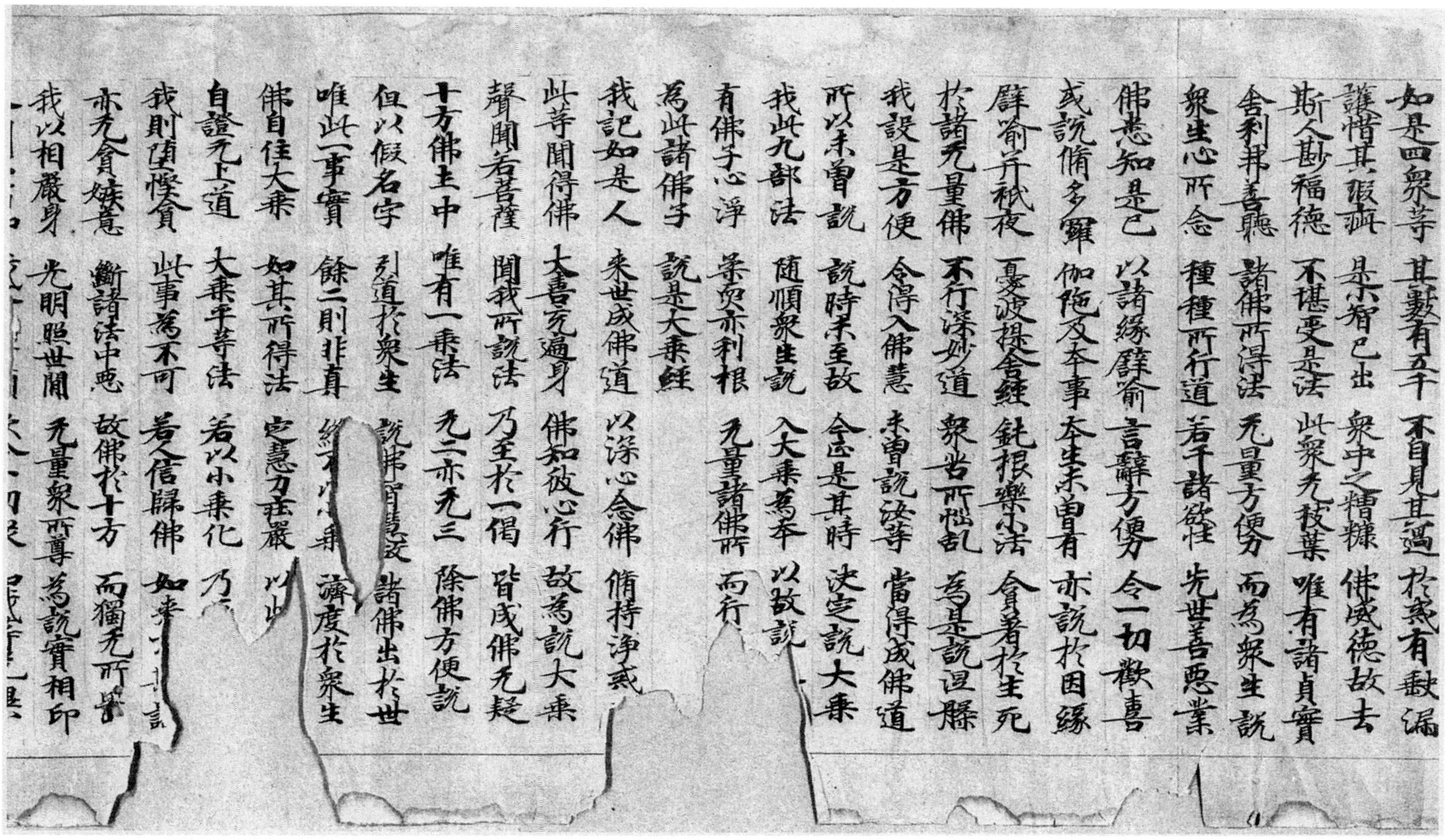

如是四衆等 其數有五千 不自見其過 於戒有缺漏
護惜其瑕疵 是小智已出 衆中之糟糠 佛威德故去
斯人尠福德 不堪受是法 此衆无枝葉 唯有諸貞實
舍利弗善聽 諸佛所得法 无量方便力 而為衆生說
衆生心所念 種種所行道 若干諸欲性 先世善惡業
佛悉知是已 以諸緣譬喻 言辭方便力 令一切歡喜
或說脩多羅 伽陀及本事 本生未曾有 亦說於因緣
譬喻并祇夜 優波提舍經 鈍根樂小法 貪著於生死
於諸无量佛 不行深妙道 衆苦所惱亂 為是說涅槃
我設是方便 令得入佛慧 未曾說汝等 當得成佛道
所以未曾說 說時未至故 今正是其時 決定說大乘
我此九部法 隨順衆生說 入大乘為本 以故說[illegible]
有佛子心淨 柔軟亦利根 无量諸佛所 而行[illegible]
為此諸佛子 說是大乘經
我記如是人 來世成佛道 以深心念佛 脩持淨戒[illegible]
此等聞得佛 大喜充遍身 佛知彼心行 故為說大乘
聲聞若菩薩 聞我所說法 乃至於一偈 皆成佛无疑
十方佛土中 唯有一乘法 无二亦无三 除佛方便說
但以假名字 引導於衆生 說佛智慧故 諸佛出於世
唯此一事實 餘二則非真 終不以小乘 濟度於衆生
佛自住大乘 如其所得法 定慧力莊嚴 以此[illegible]
自證无上道 大乘平等法 若以小乘化 乃[illegible]
我則墮慳貪 此事為不可 若人信歸佛 如來[illegible]誑
亦无貪嫉意 斷諸法中惡 故佛於十方 而獨无所畏
我以相嚴身 光明照世間 无量衆所尊 為說實相印

BD02184號　妙法蓮華經卷一　（13–7）

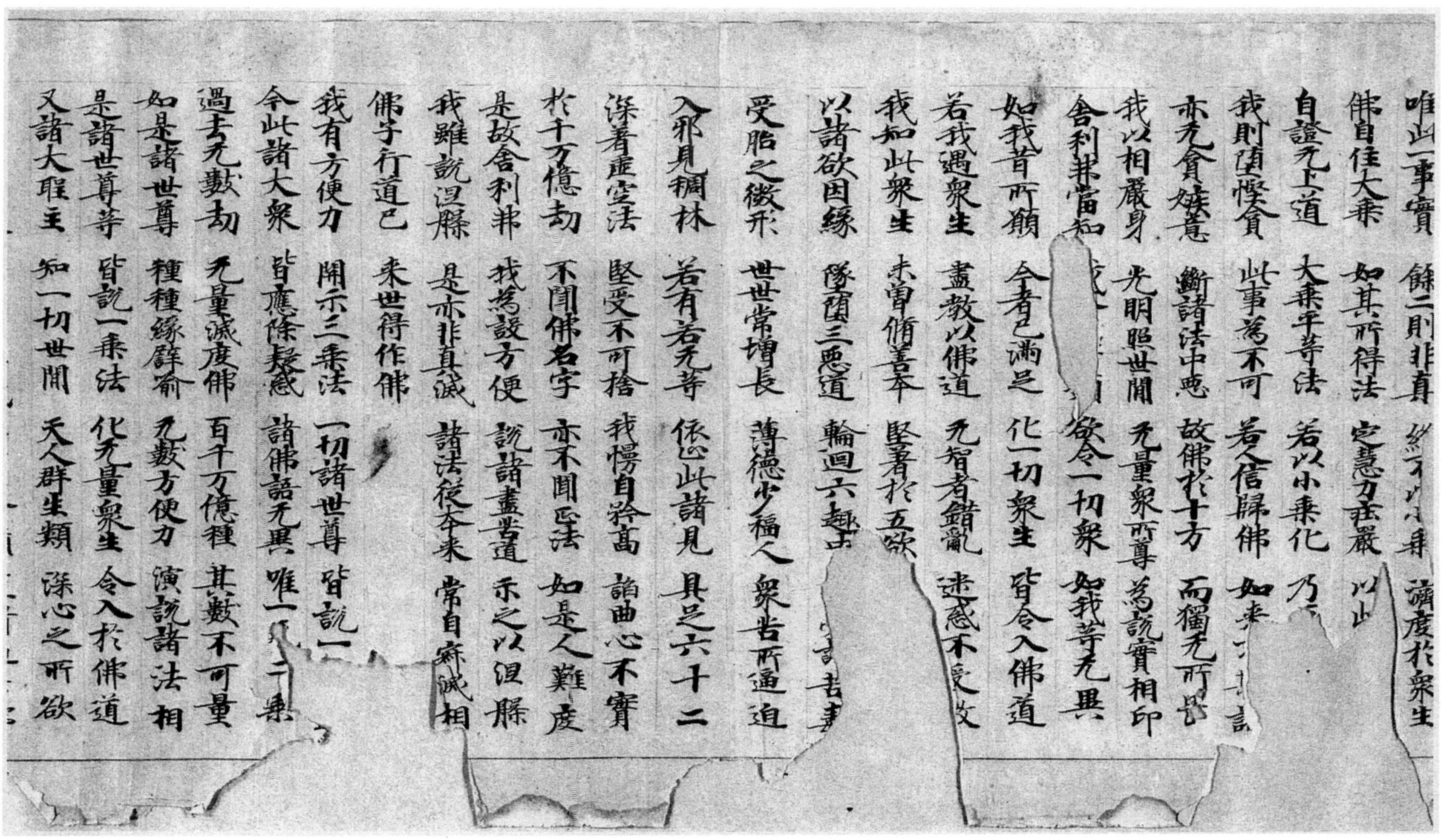

唯此一事實 餘二則非真 終不以小乘 濟度於衆生
佛自住大乘 如其所得法 定慧力莊嚴 以此[illegible]
自證无上道 大乘平等法 若以小乘化 乃[illegible]
我則墮慳貪 此事為不可 若人信歸佛 如來[illegible]誑
亦无貪嫉意 斷諸法中惡 故佛於十方 而獨无所畏
我以相嚴身 光明照世間 无量衆所尊 為說實相印
舍利弗當知 [illegible]欲令一切衆 如我等无異
如我昔所願 今者已滿足 化一切衆生 皆令入佛道
若我遇衆生 盡教以佛道 无智者錯亂 迷惑不受教
我知此衆生 未曾脩善本 堅著於五欲 [illegible]
以諸欲因緣 墜墮三惡道 輪迴六趣中 [illegible]苦毒
受胎之微形 世世常增長 薄德少福人 衆苦所逼迫
入邪見稠林 若有若无等 依止此諸見 具足六十二
深著虛妄法 堅受不可捨 我慢自矜高 諂曲心不實
於千万億劫 不聞佛名字 亦不聞正法 如是人難度
是故舍利弗 我為設方便 說諸盡苦道 示之以涅槃
我雖說涅槃 是亦非真滅 諸法從本來 常自寂滅相
佛子行道已 來世得作佛
我有方便力 開示三乘法 一切諸世尊 皆說一乘道
今此諸大衆 皆應除疑惑 諸佛語无異 唯一[illegible]二乘
過去无數劫 无量滅度佛 百千万億種 其數不可量
如是諸世尊 種種緣譬喻 无數方便力 演說諸法相
是諸世尊等 皆說一乘法 化无量衆生 令入於佛道
又諸大聖主 知一切世間 天人群生類 深心之所欲

BD02184號　妙法蓮華經卷一　（13–8）

佛子行道已　來世得作佛
我有方便力　開示三乘法　一切諸世尊　皆說一
今此諸大衆　皆應除疑惑　諸佛語无異　唯一无二乘
過去无數劫　无量滅度佛　百千万億種　其數不可量
如是諸世尊　種種緣譬喻　无數方便力　演說諸法相
是諸世尊等　皆說一乘法　化无量衆生　令入於佛道
又諸大聖主　知一切世間　天人群生類　深心之所欲
更以異方便　助顯第一義　若有衆生類　值諸過去佛
若聞法布施　或持戒忍辱　精進禪智等　種種脩福德
如是諸人等　皆已成佛道　諸佛滅度已　若人善耎心
如是諸衆生　皆已成佛道　諸佛滅度已　供養舍利者
起万億種塔　金銀及頗梨　車璖与馬瑙　玫瑰琉璃珠
清淨廣嚴飾　莊校於諸塔　或有起石廟　栴檀及沈水
木櫁并餘材　甎瓦泥土等　若於曠野中　積土成佛廟
乃至童子戲　聚沙為佛塔　如是諸人等　皆已成佛道
若人為佛故　建立諸形像　刻彫成衆相　皆已成佛道
或以七寶成　鍮石赤白銅　白鑞及鉛錫　鐵木及與泥
或以膠漆布　嚴飾作佛像　如是諸人等　皆已成佛道
彩畫作佛像　百福莊嚴相　自作若使人　皆已成佛道
乃至童子戲　若草木及筆　或以指爪甲　而畫作佛像
如是諸人等　漸漸積功德　具足大悲心　皆已成佛道
但化諸菩薩　度脫无量衆　若人於塔廟　寶像及畫像
以華香幡蓋　敬心而供養　若使人作樂　擊鼓吹角貝
簫笛琴箜篌　琵琶鐃銅鈸　如是衆妙音　盡持以供養
或以歡喜心　歌唄頌佛德　乃至一小音　皆已成佛道
或

BD02184號　妙法蓮華經卷一

（13-9）

如是諸人等　漸漸積功德　具足大悲心　皆已成佛道
但化諸菩薩　度脫无量衆　若人於塔廟　寶像及畫像
以華香幡蓋　敬心而供養　若使人作樂　擊鼓吹角貝
簫笛琴箜篌　琵琶鐃銅鈸　如是衆妙音　盡持以供養
或以歡喜心　歌唄頌佛德　乃至一小音　皆已成佛道
若人散亂心　乃至以一華　供養於畫像　漸見无數佛
或有人禮拜　或復但合掌　乃至舉一手　或復小低頭
以此供養像　漸見无量佛　自成无上道　廣度无數衆
入无餘涅槃　如薪盡火滅
若人散亂心　入於塔廟中　一稱南无佛　皆已成佛道
於諸過去佛　現在或滅後　若有聞是法　皆已成佛道
未來諸世尊　其數无有量　是諸如來等　亦方便說法
一切諸如來　以无量方便　度脫諸衆生　入佛无漏智
若有聞法者　无一不成佛　諸佛本誓願　我所行佛道
普欲令衆生　亦同得此道　未來世諸佛　雖說百千億
无數諸法門　其實為一乘　諸佛兩足尊　知法常无性
佛種從緣起　是故說一乘　是法住法位　世間相常住
於道場知已　導師方便說　天人所供養　現在十方佛
其數如恒沙　出現於世間　安隱衆生故　亦說如是法
知第一寂滅　以方便力故　雖示種種道　其實為佛乘
知衆生諸行　深心之所念　過去所習業　欲性精進力
及諸根利鈍　以種種因緣　譬喻亦言辭　隨應方便說
今我亦如是　安隱衆生故　以種種法門　宣示於佛道
我以智慧力　知衆生性欲　方便說諸法　皆令得歡喜
舍利弗當知　我以佛眼觀　見六道衆生　貧窮无福慧

BD02184號　妙法蓮華經卷一

（13-10）

知衆生諸行 深心之所念 過去所習業 欲性精進力
及諸根利鈍 以種種因緣 譬喻亦言辭 隨應方便說
今我亦如是 安隱衆生故 以種種法門 宣示於佛道
我以智慧力 知衆生性欲 方便說諸法 皆令得歡喜
舍利弗當知 我以佛眼觀 見六道衆生 貧窮无福慧
入生死險道 相續苦不斷 深著於五欲 如犛牛愛尾
以貪愛自蔽 盲瞑无所見 不求大勢佛 及与斷苦法
深入諸邪見 以苦欲捨苦 為是衆生故 而起大悲心
我始坐道場 觀樹亦經行 於三七日中 思惟如是事
我所得智慧 微妙最第一 衆生諸根鈍 著樂癡所盲
如斯之等類 云何而可度
尒時諸梵王 及諸天帝釋 護世四天王 及大自在天
并餘諸天衆 眷屬百千万 恭敬合掌禮 請我轉法輪
我即自思惟 若但讚佛乘 衆生沒在苦 不能信是法
破法不信故 墜於三惡道 我寧不說法 疾入於涅槃
尋念過去佛 所行方便力 我今所得道 亦應說三乘
作是思惟時 十方佛皆現 梵音慰喻我 善哉釋迦文
第一之導師 得是无上法 隨諸一切佛 而用方便力
我等亦皆得 最妙第一法 為諸衆生類 分別說三乘
少智樂小法 不自信作佛 是故以方便 分別說諸果
雖復說三乘 但為教菩薩
舍利弗當知 我聞聖師子 深淨微妙音 稱南无諸佛
復作如是念 我出濁惡世 如諸佛所說 我亦隨順行
思惟是事已 即趣波羅捺 諸法寂滅相 不可以言宣
以方便力故 為五比丘說 是名轉法輪 便有涅槃音

BD02184號　妙法蓮華經卷一　（13–11）

雖復說三乘 但為教菩薩
舍利弗當知 我聞聖師子 深淨微妙音 稱南无諸佛
復作如是念 我出濁惡世 如諸佛所說 我亦隨順行
思惟是事已 即趣波羅捺 諸法寂滅相 不可以言宣
以方便力故 為五比丘說 是名轉法輪 便有涅槃音
及以阿羅漢 法僧差別名 從久遠劫來 讚示涅槃法
生死苦永盡 我常如是說 舍利弗當知 我見佛子等
志求佛道者 无量千万億 咸以恭敬心 皆來至佛所
曾從諸佛聞 方便所說法 我即作是念 如來所以出
為說佛慧故 今正是其時 舍利弗當知 鈍根小智人
著相憍慢者 不能信是法 今我喜无畏 於諸菩薩中
正直捨方便 但說无上道 菩薩聞是法 疑網皆已除
千二百羅漢 悉亦當作佛 如三世諸佛 說法之儀式
我今亦如是 說无分別法 諸佛興出世 懸遠值遇難
正使出于世 說是法復難 无量无數劫 聞是法亦難
能聽是法者 斯人亦復難
譬如優曇華 一切皆愛樂 天人所希有 時時乃一出
聞法歡喜讚 乃至發一言 則為已供養 一切三世佛
是人甚希有 過於優曇華 汝等勿有疑 我為諸法王
普告諸大衆 但以一乘道 教化諸菩薩 无聲聞弟子
汝等舍利弗 聲聞及菩薩 當知是妙法 諸佛之秘要
以五濁惡世 但樂著諸欲 如是等衆生 終不求佛道
當來世惡人 聞佛說一乘 迷惑不信受 破法墮惡道
有慚愧清淨 志求佛道者 當為如是等 廣讚一乘道

BD02184號　妙法蓮華經卷一　（13–12）

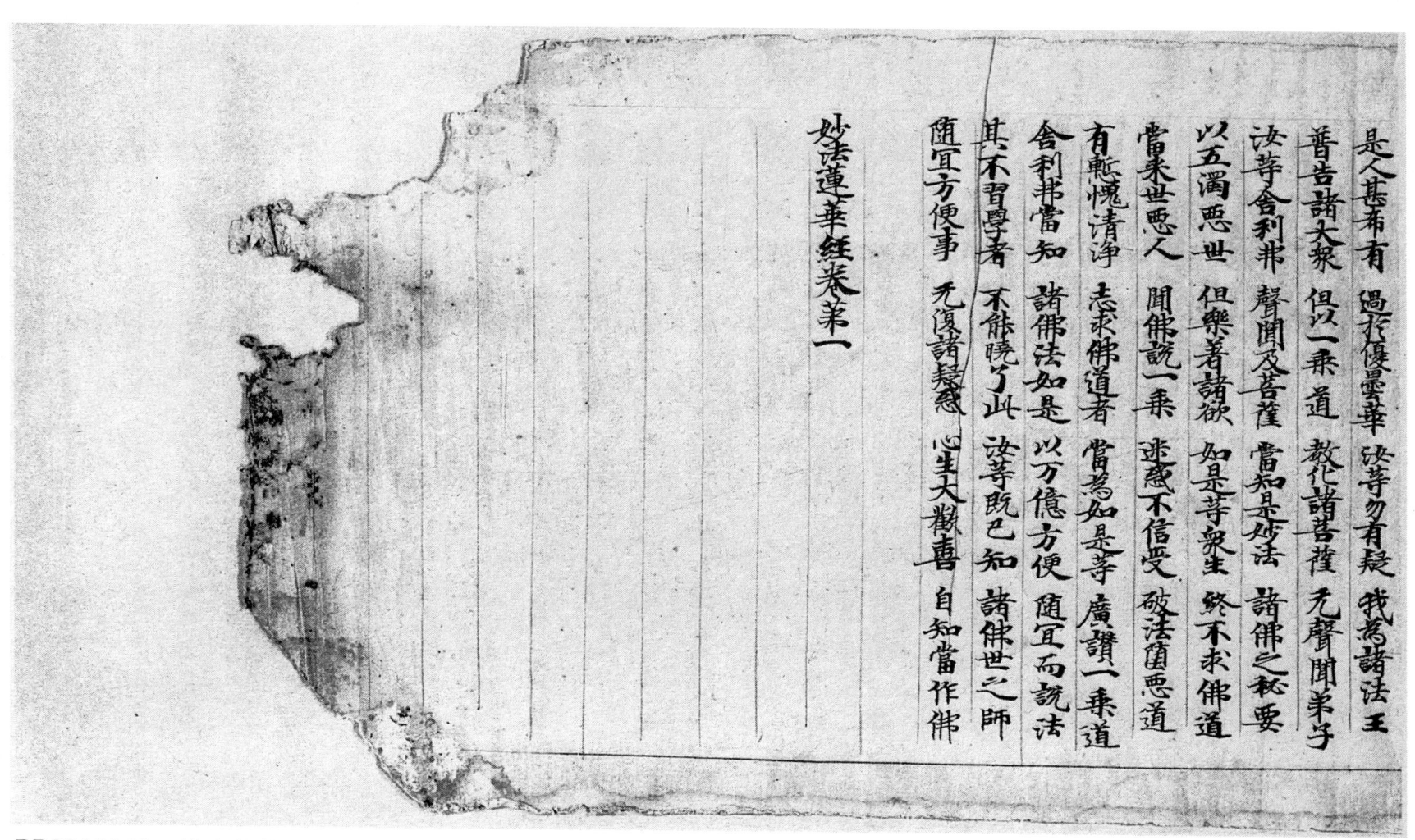

是人甚希有 過於優曇華 汝等勿有疑 我為諸法王
普告諸大衆 但以一乘道 教化諸菩薩 无聲聞弟子
汝等舍利弗 聲聞及菩薩 當知是妙法 諸佛之秘要
以五濁惡世 但樂著諸欲 如是等衆生 終不求佛道
當來世惡人 聞佛說一乘 迷惑不信受 破法墮惡道
有慚愧清淨 志求佛道者 當為如是等 廣讚一乘道
舍利弗當知 諸佛法如是 以万億方便 隨宜而說法
其不習學者 不能曉了此 汝等既已知 諸佛世之師
隨宜方便事 无復諸疑惑 心生大歡喜 自知當作佛

妙法蓮華經卷第一

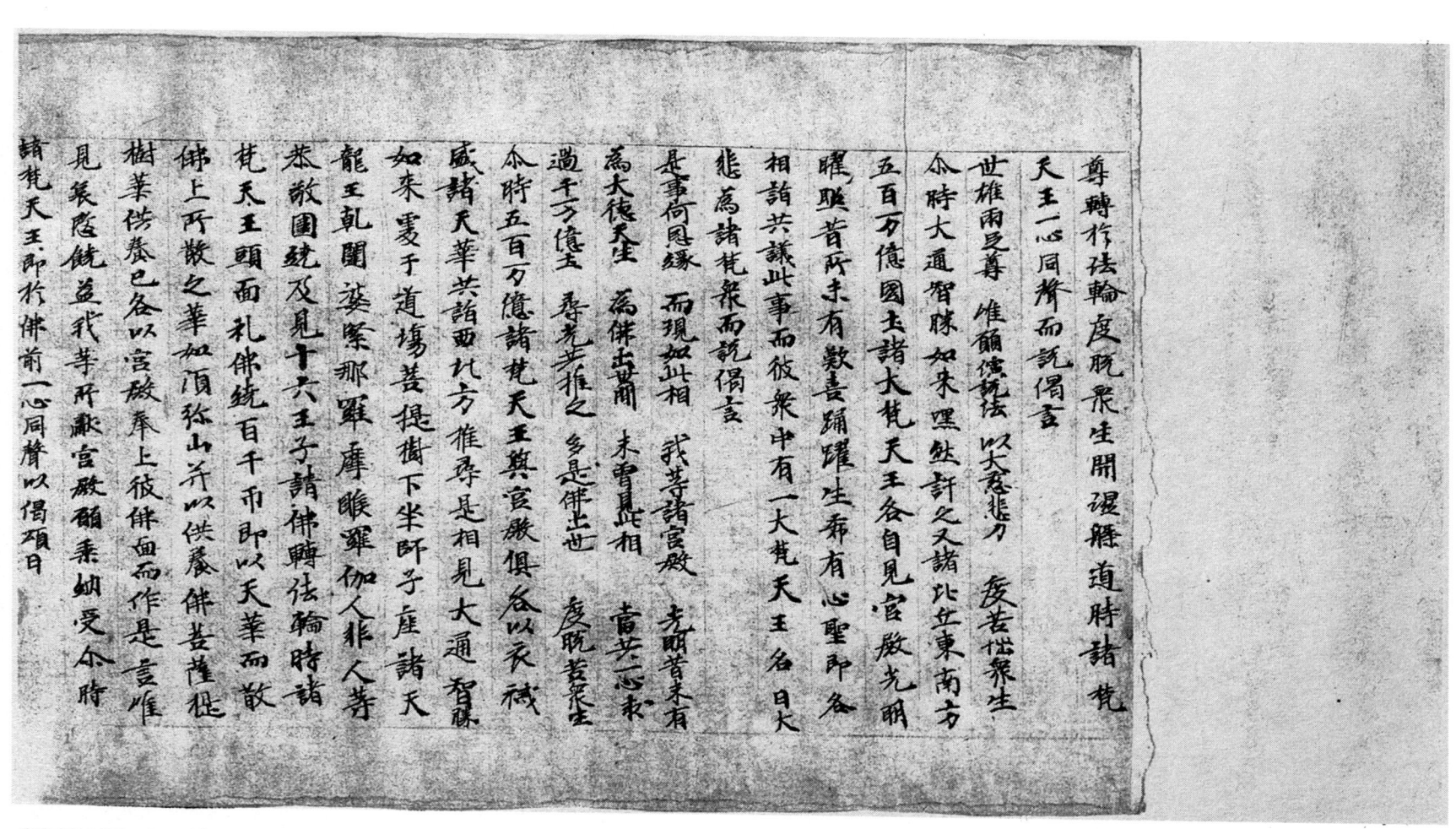

BD02184號　妙法蓮華經卷一

（13–13）

尊轉於法輪 度脫衆生開涅槃道時諸梵
天王一心同聲而說偈言
世雄兩足尊 唯願演說法 以大慈悲力 度苦惱衆生
尒時大通智勝如來黙然許之又諸比丘東南方
五百万億國土諸大梵天王各自見宮殿光明
照曜昔所未有歡喜踊躍生希有心即各
相詣共議此事而彼衆中有一大梵天王名曰大
悲為諸梵衆而說偈言
是事何因緣 而現如此相 我等諸宮殿 光明昔未有
為大德天生 為佛出世間 未曾見此相 當共一心求
過千万億土 尋光共推之 多是佛出世 度脫苦衆生
尒時五百万億諸梵天王與宮殿俱各以衣裓
盛諸天華共詣西北方推尋是相見大通智勝
如來處于道場菩提樹下坐師子座諸天
龍王乾闥婆緊那羅摩睺羅伽人非人等
恭敬圍繞及見十六王子請佛轉法輪時諸
梵天王頭面礼佛繞百千帀即以天華而散
佛上所散之華如須弥山并以供養佛菩提
樹華供養已各以宮殿奉上彼佛而作是言唯
見哀愍饒益我等所獻宮殿願垂納受尒時
諸梵天王即於佛前一心同聲以偈頌曰

BD02185號　妙法蓮華經卷三

（12–1）

梵天王頭面礼佛繞百千帀即以天華而散
佛上所散之華如須弥山并以供養佛菩提
樹華供養已各以宮殿奉上彼佛而作是言唯
見哀愍饒益我等所獻宮殿願垂納受尒時
諸梵天王即於佛前一心同聲以偈頌曰
聖主天中王　迦陵頻伽聲　哀愍衆生者　我等今敬礼
世尊甚希有　久遠乃一現　一百八十劫　空過无有佛
三惡道充滿　諸天衆減少　今佛出於世　爲衆生作眼
世間所歸趣　救護於一切　爲衆生之父　哀愍饒益者
我等宿福慶　今得值世尊
尒時諸梵天王偈讚佛已各作是言唯願世尊
哀愍一切轉於法輪度脫衆生時諸梵天王一心同
聲而說偈言
大聖轉法輪　顯示諸法相　度苦惱衆生　令得大歡喜
衆生聞此法　得道若生天　諸惡道減少　忍善者增益
尒時大通智勝如來黙然許之又諸比丘南方
五百万億國土諸大梵天王各自見宮殿光明
照曜昔所未有歡喜踊躍生希有心即各相
詣共議此事以何因緣我等宮殿有此光曜
而彼衆中有一大梵天王名曰妙法爲諸梵衆
而說偈言
我等諸宮殿　光明甚威曜　此非无因緣　是相宜求之
過於百千劫　未曾見是相　爲大德天生　爲佛出世間
尒時五百万億諸梵天王與宮殿俱各以衣裓
盛諸天華共詣北方推尋是相見大通智勝
如來處于道場菩提樹下坐師子座諸天龍

我等諸宮殿　光明甚威曜　此非无因緣　是相宜求之
過於百千劫　未曾見是相　爲大德天生　爲佛出世間
尒時五百万億諸梵天王與宮殿俱各以衣裓
盛諸天華共詣北方推尋是相見大通智勝
如來處于道場菩提樹下坐師子座諸天龍
王乾闥婆緊那羅摩睺羅伽人非人等恭敬
圍繞及見十六王子請佛轉法輪時諸梵天王
頭面礼佛繞百千帀即以天華而散佛上所
散之華如須弥山并以供養佛菩提樹華供
養已各以宮殿奉上彼佛而作是言唯見哀
愍饒益我等所獻宮殿願垂納受尒時諸
天梵王即於佛前一心同聲以偈頌曰
世尊甚難見　破諸煩惱者　過百三十劫　今乃得一見
諸飢渴衆生　以法雨充滿　昔所未曾覩　无量智慧者
如優曇波羅　今日乃值遇　我等諸宮殿　蒙光故嚴飾
世尊大慈愍　唯願垂納受
尒時諸梵天王偈讚佛已各作是言唯願世尊
轉於法輪令一切世間諸天魔梵沙門婆羅
門皆獲安隱而得度脫時諸梵天王一心同
聲以偈頌曰
唯願天人尊　轉无上法輪　擊于大法鼓　而吹大法螺
普雨大法雨　度无量衆生　我等咸歸請　當演深遠音
尒時大通智勝如來黙然許之西南方乃至
下方亦復如是尒時上方五百万億國土諸大
梵天王皆悉自覩所止宮殿光明威曜昔所
未有歡喜踊躍生希有心即各相詣共議此

普雨大法雨　度无量衆生　我等咸歸請　當演深遠音
尒時大通智勝如來嘿然許之　西南方乃至
下方亦復如是　尒時上方五百万億國土諸大
梵天王皆悉自覩所止宮殿光明威曜　昔所
未有　歡喜踊躍生希有心　即各相詣共議此
事　以何因緣我等宮殿有斯光明　而彼衆中
有一大梵天王名曰尸棄　為諸梵衆而說偈言
今以何因緣　我等諸宮殿　威德光明曜　嚴飾未曾有
如是之妙相　昔所未聞見　為大德天生　為佛出世間
尒時五百万億諸梵天王與宮殿俱　各以衣裓
盛諸天華　共詣下方推尋是相　見大通智
勝如來處于道場菩提樹下　坐師子座　諸天
龍王乾闥婆緊那羅摩睺羅伽人非人等恭
敬圍繞　及見十六王子請佛轉法輪　時諸梵
天王頭面禮佛　繞百千帀　即以天華而散佛
上　所散之華如須弥山　并以供養佛菩提樹
華供養已　各以宮殿奉上彼佛　而作是言
見哀愍饒益我等　所獻宮殿願垂納處　尒
時諸梵天王即於佛前一心同聲以偈頌曰
善哉見諸佛　救世之聖尊　能於三界獄　勉出諸衆生
普智天人尊　哀愍群萌類　能開甘露門　廣度於一切
於昔无量劫　空過无有佛　世尊未出時　十方常闇瞑
三惡道增長　阿脩羅亦盛　諸天衆轉減　死多墮惡道
不從佛聞法　常行不善事　色力及智慧　斯等皆減少
罪業因緣故　失樂及樂想　住於邪見法　不識善儀則
不蒙佛所化　常墮於惡道　佛為世間眼　久遠時乃出
哀愍諸衆生　故現於世間　超出成正覺　我等甚欣慶

BD02185號　妙法蓮華經卷三

(12–4)

於昔无量劫　空過无有佛　世尊未出時　十方常闇瞑
三惡道增長　阿脩羅亦盛　諸天衆轉減　死多墮惡道
不從佛聞法　常行不善事　色力及智慧　斯等皆減少
罪業因緣故　失樂及樂想　住於邪見法　不識善儀則
不蒙佛所化　常墮於惡道　佛為世間眼　久遠時乃出
哀愍諸衆生　故現於世間　超出成正覺　我等甚欣慶
及餘一切衆　喜歎未曾有　我等諸宮殿　蒙光故嚴飾
今以奉世尊　唯垂哀納受　願以此功德　普及於一切
我等與衆生　皆共成佛道
尒時五百万億諸梵天王偈讚佛已　各白佛言
唯願世尊轉於法輪　多所安隱　多所度脫　時諸
梵天王而說偈言
世尊轉法輪　擊甘露法鼓　度苦惱衆生　開示涅槃道
唯願受我請　以大微妙音　哀愍而敷演　无量劫習法
尒時大通智勝如來受十方諸梵天王及十
六王子請　即時三轉十二行法輪　若沙門婆
羅門若天魔梵及餘世間所不能轉　謂是苦
是苦集　是苦滅　是苦滅道　及廣說十二因緣
法　无明緣行　行緣識　識緣名色　名色緣六入
六入緣觸　觸緣受　受緣愛　愛緣取　取緣有　有
緣生　生緣老死憂悲苦惱　无明滅則行滅　行
滅則識滅　識滅則名色滅　名色滅則六入滅　六
入滅則觸滅　觸滅則受滅　受滅則愛滅　愛滅則取
滅　取滅則有滅　有滅則生滅　生滅則老死憂
悲苦惱滅　佛於天人大衆之中說是法時
六百万億那由他人以不受一切法故　而於
諸漏心得解脫　皆得深妙禪定　三明六通具

BD02185號　妙法蓮華經卷三

(12–5)

滅取滅則有滅有滅則生滅生滅則老死憂
悲苦惱滅佛於天人大衆之中說是法時
六百万億那由他人以不受一切法故而於
諸漏心得解脫皆得深妙禪定三明六通具
八解脫第二第三第四說法時千萬億恒
河沙那由他等衆生亦以不受一切法故而於
諸漏心得解脫從是已後諸聲聞衆无量
无邊不可稱數尒時十六王子皆以童子出
家而爲沙弥諸根通利智慧明了已曾供養
百千万億諸佛淨脩梵行求阿耨多羅三藐
三菩提俱白佛言世尊是諸无量千万億大
德聲聞皆已成就世尊亦當爲我等說阿耨
多羅三藐三菩提法我等聞已皆共脩學
世尊我等志願如來知見深心所念佛自
證知尒時轉輪聖王所將衆中八万億人見十
六王子出家亦求出家王即聽許尒時彼佛
受沙弥請過二万劫已乃於四衆之中說是
大乘經名妙法蓮花教菩薩法佛所護念
說是經已十六沙弥爲阿耨多羅三藐三菩
提故皆受持諷誦通利說是經時十六菩薩
沙弥皆悉信受聲聞衆中亦有信解其餘
衆生千万億種皆生疑惑佛說是經於八千劫
未曾休廢說此經已即入靜室住於禪定八
万四千劫是十六菩薩沙弥知佛入室寂然
禪定各昇法座亦於八万四千劫爲四部衆
廣說分別妙法華經一一皆度六百万億那
由他恒河沙等衆生示教利喜令發阿耨

BD02185號　妙法蓮華經卷三　（12–6）

未曾休廢說此經已即入靜室住於禪定八
万四千劫是十六菩薩沙弥知佛入室寂然
禪定各昇法座亦於八万四千劫爲四部衆
廣說分別妙法華經一一皆度六百万億那
由他恒河沙等衆生示教利喜令發阿耨
多羅三藐三菩提心大通智勝佛過八万四
千劫已從三昧起往詣法座安詳而坐普告
大衆是十六菩薩沙弥甚爲希有諸根通利
智慧明了已曾供養无量千万億數諸佛
於諸佛所常脩梵行受持佛智開示衆生令
入其中汝等皆當數數親近而供養之所以者
何若聲聞辟支佛及諸菩薩能信是十六
菩薩所說經法受持不毀者是人皆當得
阿耨多羅三藐三菩提如來之慧佛告諸比丘
是十六菩薩常樂說是妙法蓮華經一一菩
薩所化六百万億那由他恒河沙等衆生世世
所生與菩薩俱從其聞法悉皆信解以此因緣得
值四万億諸佛世尊于今不盡諸比丘我今
語汝彼佛弟子十六沙弥今皆得阿耨多羅
三藐三菩提於十方國土現在說法有无量
百千万億菩薩聲聞以爲眷屬其二沙弥東
方作佛一名阿閦在歡喜國二名須弥頂
東南方二佛一名師子音二名師子相南
方二佛一名虛空住二名常滅西南方二
佛一名帝相二名梵相西方二佛一名阿弥陀
二名度一切世間苦惱西北方二佛一名多摩

BD02185號　妙法蓮華經卷三　（12–7）

方作佛一名阿閦在歡喜國二名須彌頂
南東方二佛一名師子音二名師子相南
方二佛一名虛空住二名常滅西南方二
佛一名帝相二名梵相西方二佛一名阿彌陀
二名度一切世間苦惱西北方二佛一名多摩
羅跋栴檀香神通二名須彌相北方二佛名
雲自在二名雲自在王東北方佛名壞一切
世間怖畏第十六我釋迦牟尼佛於娑婆國
土成阿耨多羅三藐三菩提諸比丘我等為
沙彌時各各教化无量百千万億恒河沙等
衆生從我聞法為阿耨多羅三藐三菩提
此諸衆生于今有住聲聞地者我常教化
阿耨多羅三藐三菩提是諸人等應以是法
漸入佛道所以者何如來智慧難信難解尒
時所化无量恒河沙等衆生者汝等諸比丘
及我滅度後未來世中聲聞弟子是也我滅
度後復有弟子不聞是經不知不覺菩薩
所行自於所得功德生滅度想當入涅槃我
於餘國作佛更有異名是人雖生滅度之想
入於涅槃而於彼土求佛智慧得聞是經唯
以佛乘而得滅度更无餘乘除諸如來方便說
法諸比丘若如來自知涅槃時到衆又清淨
信解堅固了達空法深入禪定便集諸菩
薩及聲聞衆為說是經世間无有二乘而得
滅度唯一佛乘得滅度耳比丘當知如來方
便深入衆生之性知其志樂小法深著五欲為
是等故說於涅槃是人若聞則便信受譬如

BD02185號　妙法蓮華經卷三

（12-8）

薩及聲聞衆為說是經世間无有二乘而得
滅度唯一佛乘得滅度耳比丘當知如來方
便深入衆生之性知其志樂小法深著五欲為
是等故說於涅槃是人若聞則便信受譬如
五百由旬險難惡道曠絕无人怖畏之處若
有多衆欲過此道至珍寶處有一導師聰慧
明達善知險道通塞之相將導衆人欲過此
難所將人衆中路懈退白導師言我等疲
極而復怖畏不能復進前路猶遠今欲退還
導師多諸方便而作是念此等可愍云何捨大
珍寶而欲退還作是念已以方便力於險道中
過三百由旬化作一城告衆人言汝等勿怖莫
得退還今此大城可於中止隨意所作若入
是城快得安隱若能前至寶所亦可得去是
時疲極之衆心大歡喜歎未曾有我等今
者免斯惡道快得安隱於是衆人前入化
城生已度想生安隱想尒時導師知此人
衆既得止息无復疲倦即滅化城語衆人
言汝等去來寶處在近向者大城我所化作為
止息耳諸比丘如來亦復如是今為汝等作大
導師知諸生死煩惱惡道險難長遠應去應
度若衆生但聞一佛乘者則不欲見佛不欲
欲親近便作是念佛道長遠久受勤苦乃可
得成佛知是心怯弱下劣以方便力而於中道
為止息故說二涅槃若衆生住於二地如來
時即便為說汝等所作未辦汝所住地近於
佛慧當觀察籌量所得涅槃非真實也但

BD02185號　妙法蓮華經卷三

（12-9）

欲親近便作是念佛道長遠久受懃苦乃可
得成佛知是心怯弱下劣以方便力而於中道
為止息故說二涅槃若眾生住於二地如來尒
時即便為說汝等所作未辦汝所住地近於
佛慧當觀察籌量所得涅槃非真實也但
是如來方便之力於一佛乘分別說三如彼導
師為止息故化作大城既知息已而告之言寶處
在近此城非實我化作耳尒時世尊欲
重宣此義而說偈言
大通智勝佛　十劫坐道場　佛法不現前　不得成佛道
諸天神龍王　阿脩羅眾等　常雨於天華　以供養彼佛
諸天擊天鼓　并作眾伎樂　香風吹萎華　更雨新好者
過十小劫已　乃得成佛道　諸天及世人　心皆懷踊躍
彼佛十六子　皆與其眷屬　千万億圍繞　俱行至佛所
頭面礼佛足　而請轉法輪　聖師子法雨　充我及一切
世尊甚難值　久遠時一現　為覺悟群生　震動於一切
東方諸世界　五百万億國　梵宮殿光曜　昔所未曾有
諸梵見此相　尋來至佛所　散華以供養　并奉上宮殿
請佛轉法輪　以偈而讚歎　佛知時未至　受請嘿然坐
三方及四維　上下亦復尒　散華奉宮殿　請佛轉法輪
世尊甚難值　願以大慈悲　廣開甘露門　轉无上法輪
无量慧世尊　受彼眾人請　為宣種種法　四諦十二緣
无明至老死　皆從生緣有　如是眾過患　汝等應當知
宣暢是法時　六百万億姟　得盡諸苦際　皆成阿羅漢
第二說法時　千万恒沙眾　於諸法不受　亦得阿羅漢
從是後得道　其數无有量　万億劫筭數　不能得其邊
時十六王子　出家作沙弥　皆共請彼佛　演說大乘法

BD02185號　妙法蓮華經卷三　（12–10）

宣暢是法時　六百万億姟　得盡諸苦際　皆成阿羅漢
第二說法時　千万恒沙眾　於諸法不受　亦得阿羅漢
從是後得道　其數无有量　万億劫筭數　不能得其邊
時十六王子　出家作沙弥　皆共請彼佛　演說大乘法
我等及營從　皆當成佛道　願得如世尊　慧眼第一淨
佛知童子心　宿世之所行　以无量因緣　種種諸譬喻
說六波羅蜜　及諸神通事　分別真實法　菩薩所行道
說是法華經　如恒河沙偈　彼佛說經已　靜室入禪定
一心一處坐　八万四千劫　是諸沙弥等　知佛禪未出
為无量億眾　說佛无上慧　各各坐法坐　說是大乘經
於佛宴寂後　宣揚助法化　一一沙弥等　所度諸眾生
有六百万億　恒河沙等眾　彼佛滅度後　是諸聞法者
在在諸佛土　常與師俱生　是十六沙弥　具足行佛道
今現在十方　各得成正覺　尒時聞法者　各在諸佛所
其有住聲聞　漸教以佛道　我在十六數　曾亦為汝說
是故以方便　引汝趣佛慧　以是本因緣　今說法華經
令汝入佛道　慎勿懷驚懼　譬如險惡道　迥絕多毒獸
又復无水草　人所怖畏處　无數千万眾　欲過此險道
其路甚曠遠　經五百由旬　時有一導師　強識有智慧
明了心決定　在險濟眾難　眾人皆疲惓　而白導師言
我等今頓乏　於此欲退還　導師作是念　此輩甚可愍
如何欲退還　而失大珍寶　尋時思方便　當設神通力
化作大城郭　莊嚴諸舍宅　周帀有園林　渠流及浴池
重門高樓閣　男女皆充滿　即作是化已　慰眾言勿懼
汝等入此城　各可隨所樂　諸人既入城　心皆大歡喜
皆生安隱想　自謂已得度　導師知息已　集眾而告言

BD02185號　妙法蓮華經卷三　（12–11）

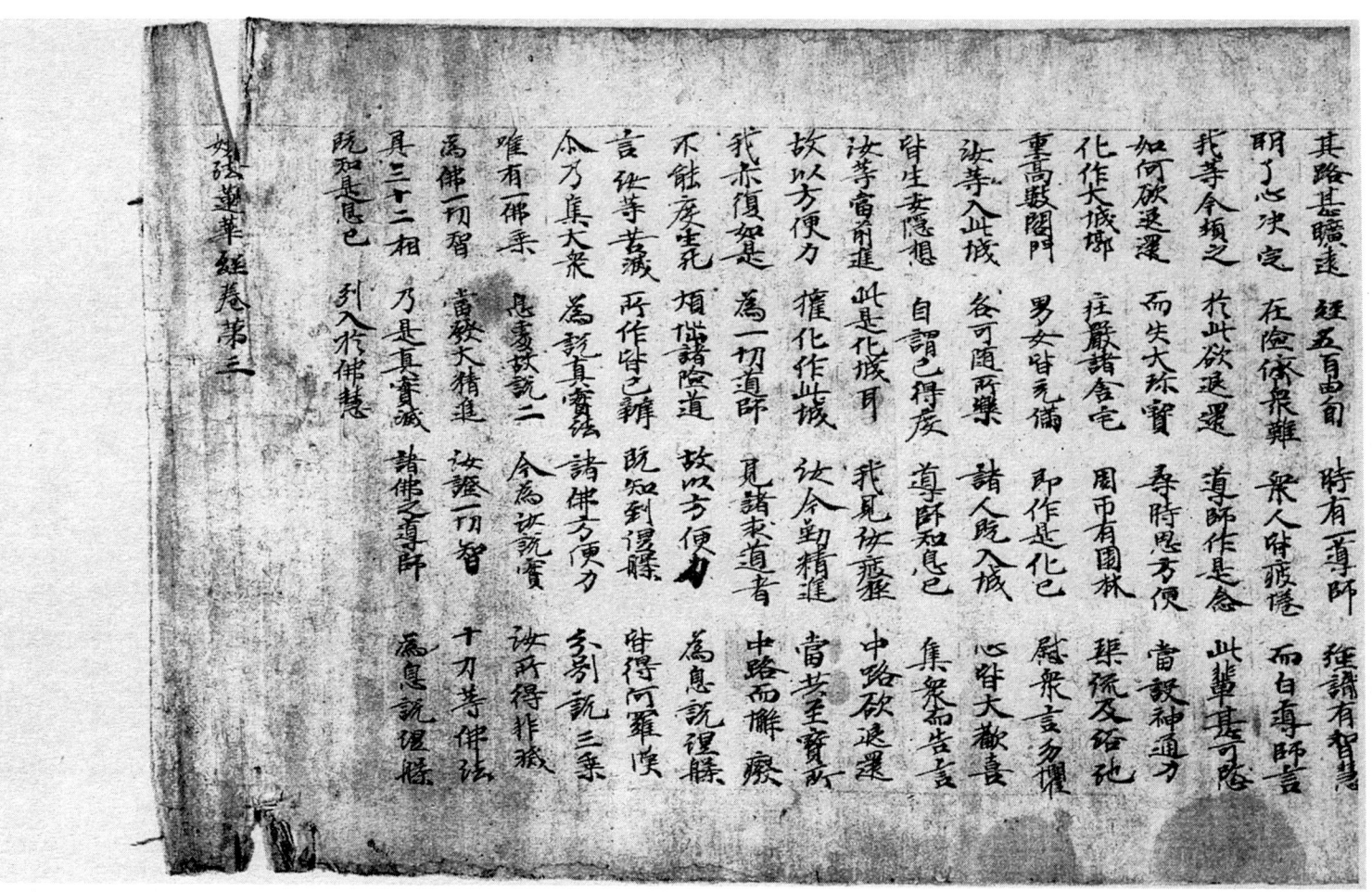

其路甚曠遠　經五百由旬　時有一導師　強識有智慧
明了心決定　在險濟衆難　衆人皆疲惓　而白導師言
我等今頓乏　於此欲退還　導師作是念　此輩甚可愍
如何欲退還　而失大珍寶　尋時思方便　當設神通力
化作大城郭　莊嚴諸舍宅　周帀有園林　渠流及浴池
重高樓閣門　男女皆充滿　即作是化已　慰衆言勿懼
汝等入此城　各可隨所樂　諸人既入城　心皆大歡喜
皆生安隱想　自謂已得度　導師知息已　集衆而告言
汝等當前進　此是化城耳　我見汝疲極　中路欲退還
故以方便力　權化作此城　汝今勤精進　當共至寶所
我亦復如是　為一切導師　見諸求道者　中路而懈廢
不能度生死　煩惱諸險道　故以方便力　為息說涅槃
言汝等苦滅　所作皆已辦　既知到涅槃　皆得阿羅漢
尒乃集大衆　為說真實法　諸佛方便力　分別說三乘
唯有一佛乘　息處故說二　今為汝說實　汝所得非滅
為佛一切智　當發大精進　汝證一切智　十力等佛法
具三十二相　乃是真實滅　諸佛之導師　為息說涅槃
既知是息已　引入於佛慧

妙法蓮華經卷第三

BD02185號　妙法蓮華經卷三　（12–12）

大千世界所有地種假使有人磨以為墨過於
東方千國土乃下一點大如微塵又過千國土
復下一點如是展轉盡地種墨於汝等意云
何是諸國土若筭師若筭師弟子能得邊
際知其數不不也世尊諸比丘是人所經國土
若點不點盡末為塵一塵一劫彼佛滅度已
來復過是數无量无邊百千万億阿僧祇劫
我以如來知見力故觀彼久遠猶若今日尒
時世尊欲重宣此義而說偈言
我念過去世　无量无邊劫　有佛兩足尊　名大通智勝
如人以力磨　三千大千土　盡此諸地種　皆悉以為墨
過於千國土　乃下一塵點　如是展轉點　盡此諸塵墨
如是諸國土　點與不點等　復盡末為塵　一塵為一劫
此諸微塵數　其劫復過是　彼佛滅度來　如是无量劫
如來无礙智　知彼佛滅度　及聲聞菩薩　如見今滅度
諸比丘當知　佛智淨微妙　无漏无所礙　通達无量劫
佛告諸比丘大通智勝佛壽五百四十万億那
由他劫其佛本坐道場破魔軍已垂得阿
耨多羅三藐三菩提而諸佛法不現在前如

BD02186號　妙法蓮華經卷三　（10–1）

諸比丘當知　佛智淨微妙　无漏无所礙　通達无量劫
佛告諸比丘大通智勝佛壽五百四十万億那
由他劫其佛本坐道場破魔軍已垂得阿
耨多羅三藐三菩提而諸佛法不現在前如
是一小劫乃至十小劫結跏趺坐身心不動而
諸佛法猶不在前介時忉利諸天先為彼佛
於菩提樹下敷師子座高一由旬佛於此座
當得阿耨多羅三藐三菩提適坐此座時諸
梵天王雨衆天華面百由旬香風時來吹去
萎華更雨新者如是不絕滿十小劫供養於
佛乃至滅度常雨此華四王諸天為供養佛常
擊天鼓其餘諸天作天伎樂十小劫至于滅度
亦復如是諸比丘大通智勝佛過十小劫諸
佛之法乃現在前成阿耨多羅三藐三菩提
其佛未出家時有十六子其第一者名
日智積諸子各有種種珎異玩好之具聞父
得成阿耨多羅三藐三菩提皆捨所珎往詣
佛所諸母涕泣而隨送之其祖轉輪聖王與
一百大臣及餘百千万億人民皆共圍繞隨
至道場咸欲親近大通智勝如來供養恭
敬尊重讚歎到已頭面礼足繞佛畢已一心
合掌瞻仰世尊以偈頌曰
大威德世尊　為度衆生故　於无量億歲　介乃得成佛
諸願已具足　善哉吉无上　世尊甚希有　一坐十小劫
身體及手足　靜然安不動　其心常惔怕　未曾有散亂
究竟永寂滅　安住无漏法　今者見世尊　安隱成佛道

BD02186號　妙法蓮華經卷三　（10–2）

敬尊重讚歎到已頭面礼足繞佛畢已一心
合掌瞻仰世尊以偈頌曰
大威德世尊　為度衆生故　於无量億歲　介乃得成佛
諸願已具足　善哉吉无上　世尊甚希有　一坐十小劫
身體及手足　靜然安不動　其心常惔怕　未曾有散亂
究竟永寂滅　安住无漏法　今者見世尊　安隱成佛道
我等得善利　稱慶大歡喜　衆生常苦惱　盲瞑无導師
不識苦盡道　不知求解脫　長夜增惡趣　減損諸天衆
從冥入於冥　永不聞佛名　今佛得最上　安隱无漏道
我等及天人　為得最大利　是故咸稽首　歸命无上尊
介時十六王子偈讚佛已勸請世尊轉於法輪
咸作是言世尊說法多所安隱憐愍饒益
諸天人民重說偈言
世雄无等倫　百福自莊嚴　得无上智慧　願為世間說
度脫於我等　及諸衆生類　為分別顯示　令得是智慧
若我等得佛　衆生亦復然　世尊知衆生　深心之所念
亦知所行道　又知智慧力　欲樂及修福　宿命所行業
世尊悉知已　當轉无上輪
佛告諸比丘大通智勝佛得阿耨多羅三藐
三菩提時十方各五百万億諸佛世界六種
震動其國中間幽冥之處日月威光所不能
照而皆大明其中衆生各得相見咸作是言此
中云何忽生衆生又其國界諸天宮殿乃至
梵宮六種震動大光普照遍滿世界勝諸天
光介時東方五百万億諸國土中梵天宮殿
光明照曜倍於常明諸梵天王各作是念

BD02186號　妙法蓮華經卷三　（10–3）

震動其國中間幽冥之處日月威光所不能
照而皆大明其中眾生各得相見咸作是言此
中云何忽生眾生又其國界諸天宮殿乃至
梵宮六種震動大光普照遍滿世界勝諸天
光尒時東方五百万億諸國土中梵天宮殿
光明照曜倍於常明諸梵天王各作是念
今者宮殿光明昔所未有以何因緣而現此
相是時諸梵天王即各相詣共議此事而彼
眾中有一大梵天王名救一切為諸梵眾而
說偈言
我等諸宮殿　光明昔未有　此是何因緣　宜各共求之
為大德天生　為佛出世間　而此大光明　遍照於十方
尒時五百万億國土諸梵天王與宮殿俱各
以衣裓盛諸天華共詣西方推尋是相見大
通智勝如來處于道場菩提樹下坐師子座
諸天龍王乾闥婆緊那羅摩睺羅伽人非人
等恭敬圍繞及見十六王子請佛轉法輪即
時諸梵天王頭面礼佛繞百千匝即以天華
而散佛上其所散華如須弥山并以供養佛
菩提樹其菩提樹高十由旬華供養已各以宮
殿奉上彼佛而作是言唯見哀愍饒益我等
所獻宮殿願垂納處尒時諸梵天王即於
佛前一心同聲以偈頌曰
世尊甚希有　難可得值遇　具无量功德　能救護一切
天人之大師　哀愍於世間　十方諸眾生　普皆蒙饒益
我等所從來　五百万億國　捨深禪定樂　為供養佛故
我等先世福　宮殿甚嚴飾　今以奉世尊　唯願哀納受

BD02186號　妙法蓮華經卷三　（10–4）

佛前一心同聲以偈頌曰
世尊甚希有　難可得值遇　具无量功德　能救護一切
天人之大師　哀愍於世間　十方諸眾生　普皆蒙饒益
我等所從來　五百万億國　捨深禪定樂　為供養佛故
我等先世福　宮殿甚嚴飾　今以奉世尊　唯願哀納受
尒時諸梵天王偈讚佛已各作是言唯願世
尊轉於法輪度脫眾生開涅槃道時諸梵天
王一心同聲而說偈言
世雄兩足尊　唯願演說法　以大慈悲力　度苦惱眾生
尒時大通智勝如來嘿然許之又諸比丘東南
方五百万億國土諸大梵王各自見宮殿光
明照曜昔所未有歡喜踊躍生希有心即
各相詣共議此事而彼眾中有一大梵天王
名曰大悲為諸梵眾而說偈言
是事何因緣　而現如此相　我等諸宮殿　光明昔未有
為大德天生　為佛出世間　未曾見此相　當共一心求
過千万億土　尋光共推之　多是佛出世　度脫苦眾生
尒時五百万億諸梵天王與宮殿俱各以衣裓
盛諸天華共詣西北方推尋是相見大通智
勝如來處于道場菩提樹下坐師子座諸天
龍王乾闥婆緊那羅摩睺羅伽人非人等
恭敬圍繞及見十六王子請佛轉法輪時諸
梵天王頭面礼佛繞百千匝即以天華而散
佛上所散之華如須弥山并以供養佛菩提
樹華供養已各以宮殿奉上彼佛而作是言
唯見哀愍饒益我等所獻宮殿願垂納處尒

BD02186號　妙法蓮華經卷三　（10–5）

恭敬圍繞及見十六王子請佛轉法輪時諸
梵天王頭面礼佛繞百千匝即以天華而散
佛上所散之華如須弥山并以供養佛菩提
樹華供養已各以宮殿奉上彼佛而作是言
唯見哀愍饒益我等所獻宮殿願垂納處尒
時諸梵天王即於佛前一心同聲以偈頌曰
聖主天中王　迦陵頻伽聲　哀愍衆生者　我等今敬礼
世尊甚希有　久遠乃一現　一百八十劫　空過无有佛
三惡道充滿　諸天衆減少　今佛出於世　為衆生作眼
世間所歸趣　救護於一切　為衆生之父　哀愍饒益者
我等宿福慶　今得值世尊
尒時諸梵天王偈讚佛已各作是言唯願世尊
哀愍一切轉於法輪度脫衆生時諸梵天
王一心同聲而說偈言
大聖轉法輪　顯示諸法相　度苦惱衆生　令得大歡喜
衆生聞是法　得道若生天　諸惡道減少　忍善者增益
尒時大通智勝如來嘿然許之
又諸比丘南方五百万億國土諸大梵王各自
見宮殿光明照曜昔所未有歡喜踊躍生希
有心即各相詣共議此事以何因緣我等
宮殿有此光曜而彼衆中有一大梵天王名
曰妙法為諸梵衆而說偈言
我等諸宮殿　光明甚威曜　此非无因緣　是相宜求之
過於百千劫　未曾見是相　為大德天生　為佛出世間
尒時五百万億諸梵天王與宮殿俱各以衣裓
盛諸天華共詣北方推尋是相見大通智勝

BD02186 號　妙法蓮華經卷三　（10–6）

曰妙法為諸梵衆而說偈言
我等諸宮殿　光明甚威曜　此非无因緣　是相宜求之
過於百千劫　未曾見是相　為大德天生　為佛出世間
尒時五百万億諸梵天王與宮殿俱各以衣裓
盛諸天華共詣北方推尋是相見大通智勝
如來處于道場菩提樹下坐師子座諸天龍
王乾闥婆緊那羅摩睺羅伽人非人等恭敬
圍繞及見十六王子請佛轉法輪時諸梵天王
頭面礼佛繞百千帀即以天華而散佛上所
散之華如須弥山并以供養佛菩提樹華供
養已各以宮殿奉上彼佛而作是言唯見
哀愍饒益我等所獻宮殿願垂納處尒時
諸梵天王即於佛前一心同聲以偈頌曰
世尊甚難見　破諸煩惱者　過百三十劫　今乃得一見
諸飢渴衆生　以法雨充滿　昔所未曾覩　无量智慧者
如優曇波羅　今日乃值遇　我等諸宮殿　蒙光故嚴飾
世尊大慈愍　唯願垂納受
尒時諸梵天王偈讚佛已各作是言唯願世
尊轉於法輪令一切世間諸天魔梵沙門婆
羅門皆獲安隱而得度脫時諸梵天王一心
同聲以偈頌曰
唯願天人尊　轉无上法輪　擊于大法鼓　而吹大法螺
普雨大法雨　度无量衆生　我等咸歸請　當演深遠音
尒時大通智勝如來默然許之西南方乃至下
方亦復如是尒時上方五百万億國土諸大梵
王皆悉自覩所止宮殿光明威曜昔所未有歡

BD02186 號　妙法蓮華經卷三　（10–7）

同聲以偈頌曰
唯願天人尊　轉无上法輪　擊于大法鼓　而吹大法螺
普雨大法雨　度无量衆生　我等咸歸請　當演深遠音
尒時大通智勝如来默然許之西南方乃至下
方亦復如是尒時上方五百万億國土諸大梵
王皆悉自覩所止宮殿光明威曜昔所未有歡
喜踊躍生希有心即各相詣共議此事以何
因緣我等宮殿有斯光明而彼衆中有一大
梵天王名曰尸棄為諸梵衆而說偈言
今以何因緣　我等諸宮殿　威德光明曜　嚴飾未曾有
如是之妙相　昔所未聞見　為大德天生　為佛出世間
尒時五百万億諸梵天王與宮殿俱各以衣裓
盛諸天華共詣下方推尋是相見大通智
勝如来處于道場菩提樹下坐師子座諸天
龍王乾闥婆緊那羅摩睺羅伽人非人等
恭敬圍繞及見十六王子請佛轉法輪時諸梵
天王頭面礼佛繞百千帀即以天華而散佛
上所散之華如須弥山并以供養佛菩提樹
華供養已各以宮殿奉上彼佛而作是言唯
見哀愍饒益我等所獻宮殿願垂納處時
諸梵天王即於佛前一心同聲以偈頌曰
善哉見諸佛　救世之聖尊　能於三界獄　勉出諸衆生
普智天人尊　愍哀群萠類　能開甘露門　廣度於一切
於昔无量劫　空過无有佛　世尊未出時　十方常暗瞑
三惡道增長　阿脩羅亦盛　諸天衆轉減　死多墮惡道
不從佛聞法　常行不善事　色力及智慧　斯等皆減少

BD02186號　妙法蓮華經卷三

(10–8)

諸梵天王即於佛前一心同聲以偈頌曰
善哉見諸佛　救世之聖尊　能於三界獄　勉出諸衆生
普智天人尊　愍哀群萠類　能開甘露門　廣度於一切
於昔无量劫　空過无有佛　世尊未出時　十方常暗瞑
三惡道增長　阿脩羅亦盛　諸天衆轉減　死多墮惡道
不從佛聞法　常行不善事　色力及智慧　斯等皆減少
罪業因緣故　失樂及樂想　住於邪見法　不識善儀則
不蒙佛所化　常墮於惡道　佛為世間眼　久遠時乃出
哀愍諸衆生　故現於世間　超出成正覺　我等甚欣慶
及餘一切衆　喜歎未曾有　我等諸宮殿　蒙光故嚴飾
今以奉世尊　唯垂哀納受　願以此功德　普及於一切
我等與衆生　皆共成佛道
尒時五百万億諸梵天王偈讚佛已各白佛言
唯願世尊轉於法輪多所安隱多所度脫時
諸梵天王而說偈言
世尊轉法輪　擊甘露法鼓　度苦惱衆生　開示涅槃道
唯願受我請　以大微妙音　哀愍而敷演　无量劫習法
尒時大通智勝如来受十方諸梵天王及十
六王子請即時三轉十二行法輪若沙門婆
羅門若天魔梵及餘世間所不能轉謂是苦是
苦集是苦滅是苦滅道及廣說十二因緣法
无明緣行行緣識識緣名色名色緣六入
六入緣觸觸緣受受緣愛愛緣取取緣有有
緣生生緣老死憂悲苦惱无明滅則行滅行
滅則識滅則名色滅名色滅則六入滅六入滅
觸滅觸滅則受滅受滅愛滅愛滅則取滅

BD02186號　妙法蓮華經卷三

(10–9)

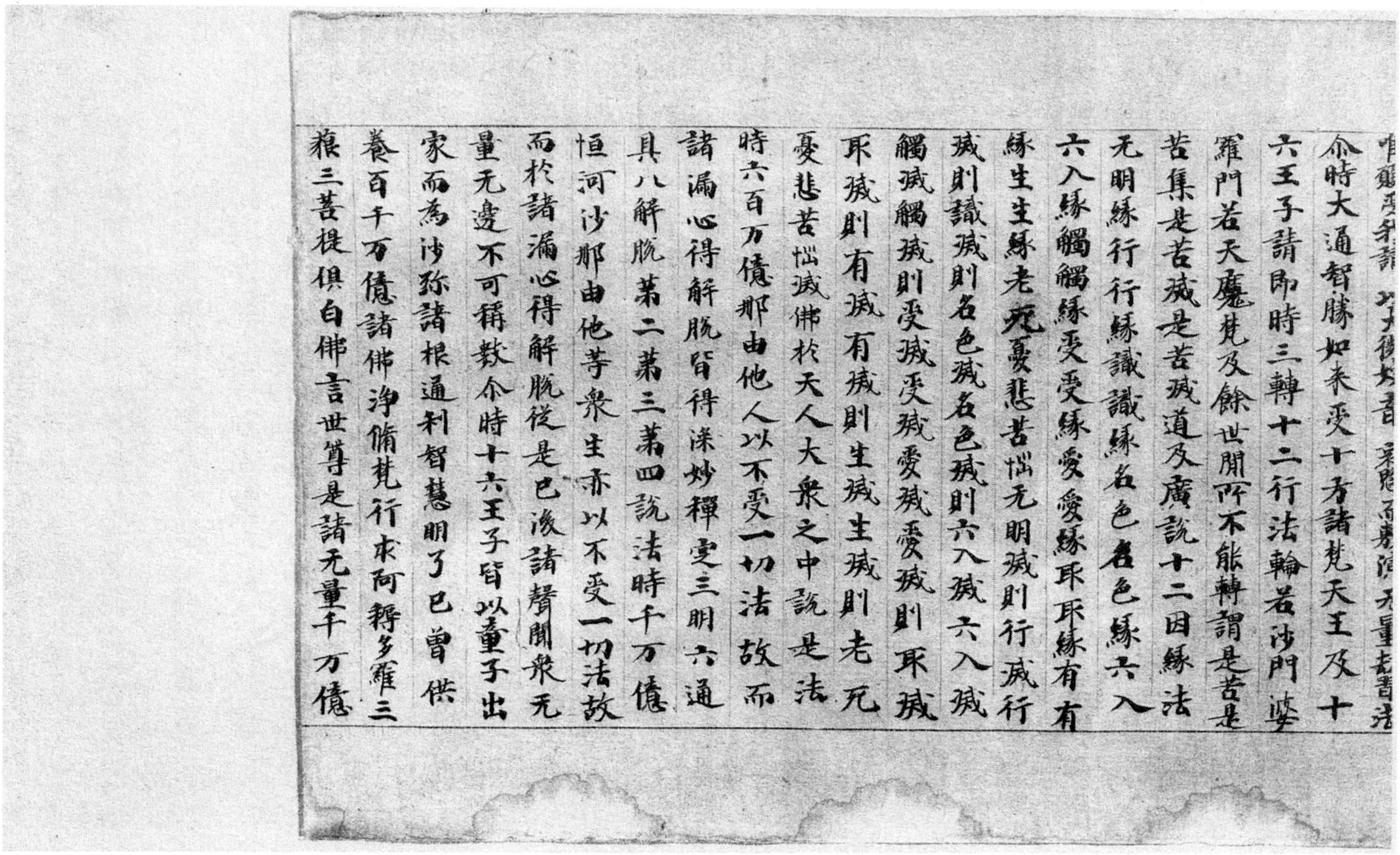

唯願受歡請　以大微妙音　哀愍而敷演　无量劫習法
尒時大通智勝如來受十方諸梵天王及十
六王子請即時三轉十二行法輪若沙門婆
羅門若天魔梵及餘世間所不能轉謂是苦是
苦集是苦滅是苦滅道及廣說十二因緣法
无明緣行行緣識識緣名色名色緣六入
六入緣觸觸緣受受緣愛愛緣取取緣有有
緣生生緣老死憂悲苦惱无明滅則行滅行
滅則識滅識滅則名色滅名色滅則六入滅六入滅
觸滅觸滅則受滅受滅則愛滅愛滅則取滅
取滅則有滅有滅則生滅生滅則老死
憂悲苦惱滅佛於天人大衆之中說是法
時六百万億那由他人以不受一切法故而
諸漏心得解脫皆得深妙禪定三明六通
具八解脫第二第三第四說法時千万億
恒河沙那由他等衆生亦以不受一切法故
而於諸漏心得解脫從是已後諸聲聞衆无
量无邊不可稱數尒時十六王子皆以童子出
家而為沙弥諸根通利智慧明了已曾供
養百千万億諸佛淨脩梵行求阿耨多羅三
藐三菩提俱白佛言世尊是諸无量千万億

BD02186 號　妙法蓮華經卷三　（10–10）

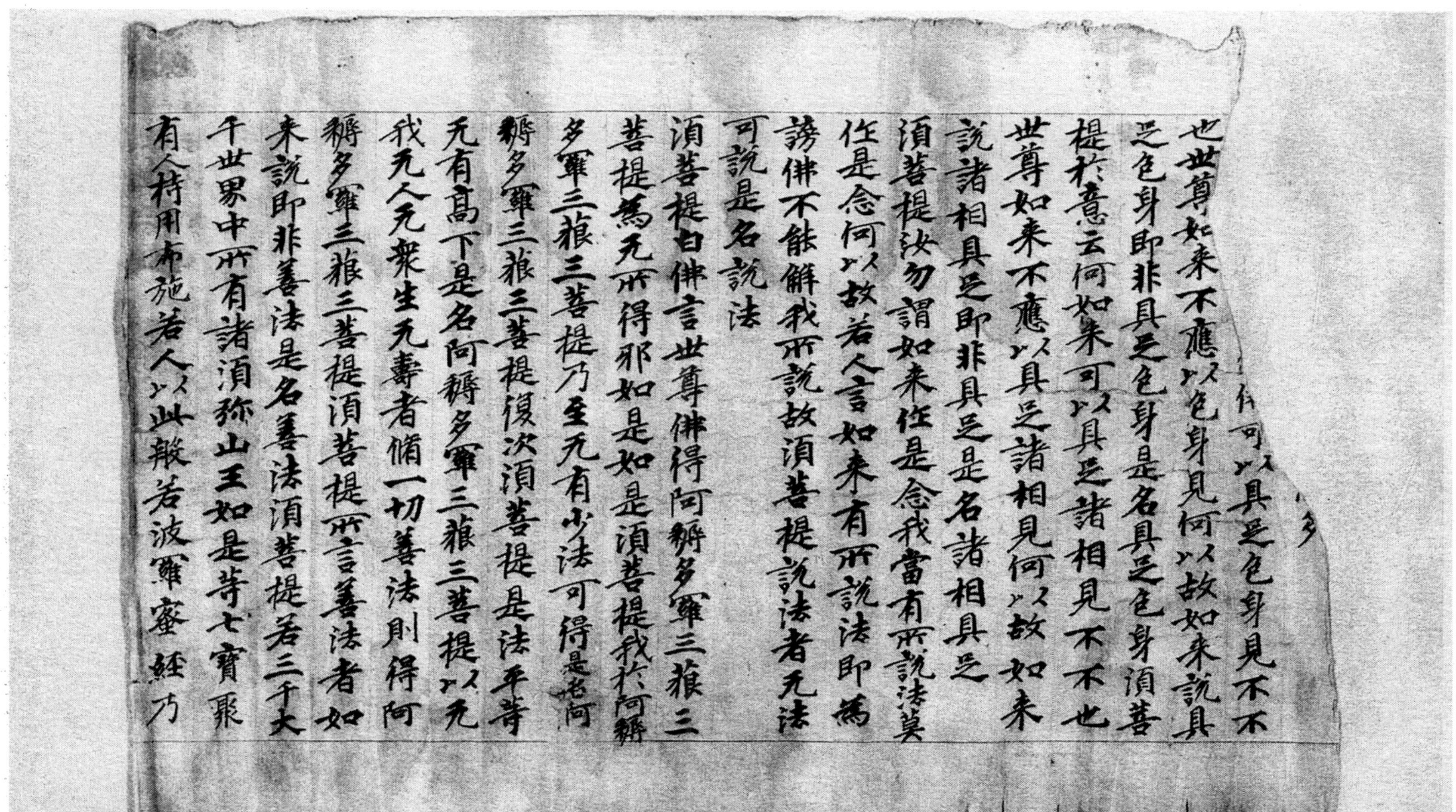

多
佛可以具足色身見不不
也世尊如來不應以色身見何以故如來說具
足色身即非具足色身是名具足色身須菩
提於意云何如來可以具足諸相見不不也
世尊如來不應以具足諸相見何以故如來
說諸相具足即非具足是名諸相具足
須菩提汝勿謂如來作是念我當有所說法莫
作是念何以故若人言如來有所說法即為
謗佛不能解我所說故須菩提說法者无法
可說是名說法
須菩提白佛言世尊佛得阿耨多羅三藐三
菩提為无所得耶如是如是須菩提我於阿耨
多羅三藐三菩提乃至无有少法可得是名阿
耨多羅三藐三菩提復次須菩提是法平等
无有高下是名阿耨多羅三藐三菩提以无
我无人无衆生无壽者脩一切善法則得阿
耨多羅三藐三菩提須菩提所言善法者如
來說即非善法是名善法須菩提若三千大
千世界中所有諸須弥山王如是等七寶聚
有人持用布施若人以此般若波羅蜜經乃

BD02187 號　金剛般若波羅蜜經　（1–1）

中能施无畏是故此娑婆
无畏者无盡意菩薩白佛言世尊我今當供
養觀世音菩薩即解頸衆寶珠瓔珞價直百
千兩金而以與之作是言仁者受此法施珎
寶瓔珞時觀世音菩薩不肯受之无盡意復
白觀世音菩薩言仁者愍我等故受此瓔珞
尒時佛告觀世音菩薩當愍此无盡意菩薩
及四衆天龍夜叉乾闥婆阿脩羅迦樓羅緊
那羅摩睺羅伽人非人等故受是瓔珞即時
觀世音菩薩愍諸四衆及於天龍人非人等
故受其瓔珞分作二分一分奉釋迦牟尼佛
一分奉多寶佛塔无盡意觀世音菩薩有如
是自在神力遊於娑婆世界
尒時无盡意菩薩以偈問曰
世尊妙相具 我今重問彼 佛子何因緣 名為觀世音

BD02188號 妙法蓮華經（八卷本）卷八 （18–1）

故受其瓔珞分作二分一分奉釋迦牟尼佛
一分奉多寶佛塔无盡意觀世音菩薩有如
是自在神力遊於娑婆世界
尒時无盡意菩薩以偈問曰
世尊妙相具 我今重問彼 佛子何因緣 名為觀世音
具足妙相尊 偈荅无盡意 汝聽觀音行 善應諸方所
弘誓深如海 歷劫不思議 侍多千億佛 發大清淨願
我為汝略說 聞名及見身 心念不空過 能滅諸有苦
假使興害意 推落大火坑 念彼觀音力 火坑變成池
或漂流巨海 龍魚諸鬼難 念彼觀音力 波浪不能沒
或在須彌峯 為人所推墮 念彼觀音力 如日虛空住
或被惡人逐 墮落金剛山 念彼觀音力 不能損一毛
或值怨賊遶 各執刀加害 念彼觀音力 咸即起慈心
或遭王難苦 臨刑欲壽終 念彼觀音力 刀尋段段壞
或囚禁枷鎖 手足被杻械 念彼觀音力 釋然得解脫
呪咀諸毒藥 所欲害身者 念彼觀音力 彼即轉迴去
或遇惡羅刹 毒龍諸鬼等 念彼觀音力 時悉不敢害
若惡獸圍遶 利牙爪可怖 念彼觀音力 疾走无邊方
蚖蛇及蝮蠍 氣毒烟火然 念彼觀音力 尋聲自迴去
雲雷鼓掣電 降雹澍大雨 念彼觀音力 應時得消散
衆生被困厄 无量苦逼身 觀音妙智力 能救世間苦
具足神通力 廣脩智方便 十方諸國土 无刹不現身
種種諸惡趣 地獄鬼畜生 生老病死苦 以漸悉令滅
真觀清淨觀 廣大智慧觀 悲觀及慈觀 常願常瞻仰

BD02188號 妙法蓮華經（八卷本）卷八 （18–2）

衆生被困厄 无量苦逼身 觀音妙智力 能救世間苦
具足神通力 廣脩智方便 十方諸國土 无刹不現身
種種諸惡趣 地獄鬼畜生 生老病死苦 以漸悉令滅
真觀清淨觀 廣大智慧觀 悲觀及慈觀 常願常瞻仰
无垢清淨光 慧日破諸闇 能伏災風火 普明照世間
悲體戒雷震 慈意妙大雲 澍甘露法雨 滅除煩惱焰
諍訟經官處 怖畏軍陣中 念彼觀音力 衆怨悉退散
妙音觀世音 梵音海潮音 勝彼世間音 是故須常念
念念勿生疑 觀世音淨聖 於苦惱死厄 能為作依怙
具一切功德 慈眼視衆生 福聚海无量 是故應頂禮
尒時持地菩薩即從坐起前白佛言世尊若
有衆生聞是觀世音菩薩品自在之業普門
示現神通力者當知是人功德不少佛說是
普門品時衆中八万四千衆生皆發无等等
阿耨多羅三藐三菩提心
妙法蓮華經陁羅尼品第廿六
尒時藥王菩薩即從坐起偏袒右肩合掌向
佛而白佛言世尊若善男子善女人有能受
持法華經者若讀誦通利若書寫經卷得
幾所福佛告藥王若有善男子善女人供養
八百万億那由他恒河沙等諸佛於汝意云
何其所得福寧為多不甚多世尊佛言若善
男子善女人能於是經乃至受持一四句偈

BD02188號　妙法蓮華經（八卷本）卷八　（18–3）

八百万億那由他恒河沙等諸佛於汝意云
何其所得福寧為多不甚多世尊佛言若善
男子善女人能於是經乃至受持一四句偈
讀誦解義如說脩行功德甚多
尒時藥王菩薩白佛言世尊我今當與說法
者陁羅尼呪以守護之即說呪曰
安尒一 曼尒二 摩祢三 摩摩祢四 旨隸五 遮梨
苐六 賒咩羊鳴音七 賒履罔雉反 多瑋八 羶輸千反帝九 目
帝十 目多履十一 娑履十二 阿瑋娑履十三 桑履十四
娑履十五 叉裔十六 阿叉裔十七 阿耆膩十八 羶帝十九 賒
履二十 陁羅尼二十一 阿盧伽婆娑蘇故反簸蔗毗叉
膩二十二 祢毗剃二十三 阿便哆都餓反邏祢履剃二十四 阿
亶哆波隸輸地途賣反二十五 漚究隸二十六 牟究隸二十七 阿
羅隸二十八 波羅隸二十九 首迦差初几反三十 阿三磨三履三十一
佛馱毗吉利袠帝三十二 達磨波利差猜離反帝三十三
僧伽涅瞿沙祢三十四 婆舍婆舍輸地三十五 曼哆邏
三十六 曼哆邏叉夜多三十七 郵樓哆三十八 郵樓哆憍舍
略来加反三十九 惡叉邏四十 惡叉冶多冶四十一 阿婆盧四十二
摩若荏蔗反那多夜四十三
世尊是陁羅尼神呪六十二億恒河沙等諸
佛所說若有侵毀此法師者則為侵毀是諸
佛已時釋迦牟尼佛讚藥王菩薩言善哉善
哉藥王汝愍念擁護此法師故說是陁羅尼
於諸衆生多所饒益

BD02188號　妙法蓮華經（八卷本）卷八　（18–4）

佛所說若有侵毀此法師者則為侵毀是諸
佛已時釋迦牟尼佛讚藥王菩薩言善哉善
哉藥王汝愍念擁護此法師故說是陁羅尼
於諸眾生多所饒益
尒時勇施菩薩白佛言世尊我亦為擁護讀
誦受持法華經者說陁羅尼若此法師得是
陁羅尼若夜叉若羅剎若富單那若吉蔗若
鳩槃茶若餓鬼等伺求其短无能得便即於
佛前而說呪曰
痤誰蠷反隸一摩訶痤隸二郁枳三目枳四阿隸五阿羅
婆第六涅隸第七涅隸多婆第伊緻猪履反柅九韋
緻柅十旨緻柅十一涅隸墀柅二十涅犁墀婆底十三
世尊是陁羅尼神呪恒河沙等諸佛所說亦
皆隨喜若有侵毀此法師者則為侵毀是諸
佛已
尒時毗沙門天王護世者白佛言世尊我亦
為愍念眾生擁護此法師故說是陁羅尼即
說呪曰
阿梨一那梨二㝹那梨三阿那盧四那履五拘
那履六
世尊以是神呪擁護法師我亦自當擁護持
是經者令百由旬內无諸衰患
尒時持國天王在此會中與千萬億那由他
乾闥婆眾恭敬圍繞前詣佛所合掌白佛言

BD02188號　妙法蓮華經（八卷本）卷八　（18–5）

是經者令百由旬內无諸衰患
尒時持國天王在此會中與千萬億那由他
乾闥婆眾恭敬圍繞前詣佛所合掌白佛言
世尊我亦以陁羅尼神呪擁護持法華經者即
說呪曰
阿伽禰一伽禰二瞿利三乾陁利四栴陁利五
摩蹬耆六常求利七浮樓莎柅八頞底九
世尊是陁羅尼神呪四十二億諸佛所說若
有侵毀此法師者則為侵毀是諸佛已
尒時有羅剎女等一名藍婆二名毗藍婆三
名曲齒四名華齒五名黑齒六名多髮七名
无猒足八名持瓔珞九名睪帝十名奪一切
眾生精氣是十羅剎女與鬼子母并其子及
眷屬俱詣佛所同聲白佛言世尊我亦欲擁
護讀誦受持法華經者除其衰患若有伺求
法師短者令不得便即於佛前而說呪曰
伊提履一伊提泯二伊提履三阿提履四伊提
履五泥履六泥履七泥履八泥履九泥履十樓
醯十一樓醯十二樓醯十三樓醯十四多醯十五多醯十六
多醯十七兜醯十八㝹醯十九
寧上我頭上莫惱於法師若夜叉若羅剎若
餓鬼若富單那若吉蔗若毗陁羅若揵馱若
烏摩勒伽若阿跋摩羅若夜叉吉蔗若人吉

BD02188號　妙法蓮華經（八卷本）卷八　（18–6）

寧上我頭上莫惱於法師若夜叉若羅剎若
餓鬼若富單那若吉蔗若毗陁羅若揵馱若
烏摩勒伽若阿跋摩羅若夜叉吉蔗若人吉
蔗若熱病若一日若二日若三日若四日若
至七日若常熱病若男形若女形若童男形
若童女形乃至夢中亦復莫惱即於佛前而
說偈言
若不順我呪　惱亂說法者　頭破作七分　如阿梨樹枝
如殺父母罪　亦如壓油殃　斗秤欺誑人　調達破僧罪
犯此法師者　當獲如是殃
諸羅剎女說此偈已白佛言世尊我等亦當
身自擁護受持讀誦脩行是經者令得安隱
離諸衰患消衆毒藥佛告諸羅剎女善哉善
哉汝等但能擁護受持法華名者福不可量
何況擁護具足受持供養經卷華香瓔珞末
香塗香燒香幡蓋伎樂然種種燈蘇燈油燈
諸香油燈蘇摩那華油燈瞻蔔華油燈婆師
迦華油燈優波羅華油燈如是等百千種供
養者睪帝汝等及眷屬應當擁護如是法師
說是陁羅尼品時六萬八千人得无生法忍
妙法蓮華經妙莊嚴王本事品第廿七
尒時佛告諸大衆乃往古世過无量无邊不
可思議阿僧祇劫有佛名雲雷音宿王華智
多陁阿伽度阿羅訶三藐三佛陁國名光明

BD02188號　妙法蓮華經（八卷本）卷八　（18–7）

妙法蓮華經妙莊嚴王本事品第廿七
尒時佛告諸大衆乃往古世過无量无邊不
可思議阿僧祇劫有佛名雲雷音宿王華智
多陁阿伽度阿羅訶三藐三佛陁國名光明
莊嚴劫名憙見彼佛法中有王名妙莊嚴其
王夫人名曰淨德有二子一名淨藏二名淨
眼是二子有大神力福德智慧久脩菩薩所
行之道所謂檀波羅蜜尸羅波羅蜜羼提波
羅蜜毗梨耶波羅蜜禪波羅蜜般若波羅蜜
方便波羅蜜慈悲喜捨乃至三十七品助道
法皆悉明了通達又得菩薩淨三昧日星宿
三昧淨光三昧淨色三昧淨照明三昧長莊
嚴三昧大威德藏三昧於此三昧亦悉通達
尒時彼佛欲引導妙莊嚴王及愍念衆生故
說是法華經時淨藏淨眼二子到其母所合
十指爪掌白言願母往詣雲雷音宿王華智
佛所我等亦當侍從親近供養禮拜所以者
何此佛於一切天人衆中說法華經宜應聽
受母告子言汝父信受外道深著婆羅門法
汝等應往白父與共俱去淨藏淨眼合十指
爪掌白母我等是法王子而生此邪見家母
告子言汝等當憂念汝父為現神變若得見
者心必清淨或聽我等往至佛所於是二子
念其父故踊在虛空高七多羅樹現種種神

BD02188號　妙法蓮華經（八卷本）卷八　（18–8）

告子言汝等當憂念汝父為現神變若得見
者心必清淨或聽我等往至佛所於是二子
念其父故踊在虛空高七多羅樹現種種神
變於虛空中行住坐卧身上出水身下出火
身下出水身上出火或現大身滿虛空中而
復現小小復現大於空中滅忽然在地入地
如水履水如地現如是等種種神變令其父
王心淨信解時父見子神力如是心大歡喜
得未曾有合掌向子言汝等師為是誰誰之
弟子二子白言大王彼雲雷音宿王華智佛
今在七寶菩提樹下法座上坐於一切世間
天人眾中廣說法華經是我等師我是弟子
父語子言我今亦欲見汝等師可共俱往於
是二子從空中下到其母所合掌白母父王
今已信解堪任發阿耨多羅三藐三菩提心
我等為父已作佛事願母見聽於彼佛所出
家脩道尒時二子欲重宣其意以偈白母
願母放我等　出家作沙門　諸佛甚難值　我等隨佛學
如優曇波羅　值佛復難是　脫諸難亦難　願聽我出家
母即告言聽汝出家所以者何佛難值故於
是二子白父母言善哉父母願時往詣雲雷
音宿王華智佛所親近供養所以者何佛難
得值如優曇波羅華又如一眼之龜值浮木
孔而我等宿福深厚生值佛法是故父母當

是二子白父母言善哉父母願時往詣雲雷
音宿王華智佛所親近供養所以者何佛難
得值如優曇波羅華又如一眼之龜值浮木
孔而我等宿福深厚生值佛法是故父母當
聽我等令得出家所以者何諸佛難值時亦
難遇彼時妙莊嚴王後宮八萬四千人皆悉
堪任受持是法華經淨眼菩薩於法華三昧
久已通達淨藏菩薩已於无量百千萬億劫
通達離諸惡趣三昧欲令一切眾生離諸惡
趣故其王夫人得諸佛習三昧能知諸佛秘
密之藏二子如是以方便力善化其父令心
信解好樂佛法於是妙莊嚴王與羣臣眷屬
俱淨德夫人與後宮綵女眷屬俱其王二子
與四万二千人俱一時共詣佛所到已頭面
礼足繞佛三帀却住一面尒時彼佛為王說
法示教利喜王大歡悅尒時妙莊嚴王及其
夫人解頸真珠瓔珞價直百千以散佛上於
虛空中化成四柱寶臺臺中有大寶牀敷百
千万天衣其上有佛結加趺坐放大光明尒
時妙莊嚴王作是念佛身希有端嚴殊特成
就第一微妙之色時雲雷音宿王華智佛告
四眾言汝等見是妙莊嚴王於我前合掌立
不此王於我法中作比丘精勤脩習助佛道
法當得作佛号娑羅樹王國名大光劫名大

時妙莊嚴王作是念佛身希有端嚴殊特成
就第一微妙之色時雲雷音宿王華智佛告
四衆言汝等見是妙莊嚴王於我前合掌立
不此王於我法中作比丘精勤脩習助佛道
法當得作佛号娑羅樹王國名大光劫名大
高王其娑羅樹王佛有无量菩薩衆及无量
聲聞其國平正功德如是其王即時以國付
弟與夫人二子并諸眷屬於佛法中出家脩
道王出家已於八万四千歲常勤精進脩行
妙法華經過是已後得一切淨功德莊嚴三
昧即昇虛空高七多羅樹而白佛言世尊此
我二子已作佛事以神通變化轉我耶心令
得安住於佛法中得見世尊此二子者是我
善知識為欲發起宿世善根饒益我故來生
我家尒時雲雷音宿王華智佛告妙莊嚴王
言如是如是如汝所言若善男子善女人種
善根故世世得善知識其善知識能作佛事
示教利喜令入阿耨多羅三藐三菩提大王
當知善知識者是大因緣所謂化導令得見
佛發阿耨多羅三藐三菩提心大王汝見此
二子不此二子已曾供養六十五百千万億
那由他恒河沙諸佛親近恭敬於諸佛所受
持法華經愍念耶見衆生令住正見妙莊嚴
王即從虛空中下而白佛言世尊如來甚希
有以功德智慧故頂上肉髻光明顯照其眼

BD02188號　妙法蓮華經（八卷本）卷八　（18–11）

二子不此二子已曾供養六十五百千万億
那由他恒河沙諸佛親近恭敬於諸佛所受
持法華經愍念耶見衆生令住正見妙莊嚴
王即從虛空中下而白佛言世尊如來甚希
有以功德智慧故頂上肉髻光明顯照其眼
長廣而紺青色眉間豪相白如珂月齒白齊
密常有光明脣色赤好如頻婆菓尒時妙莊
嚴王讚歎佛如是等无量百千万億功德已
於如來前一心合掌復白佛言世尊未曾有
世如來之法具足成就不可思議微妙功德
教戒所行安隱快善我從今日不復自隨心
行不生耶見憍慢瞋恚諸惡之心說是語已
礼佛而出
佛告大衆於意云何妙莊嚴王豈異人乎今
華德菩薩是其淨德夫人今佛前光照莊嚴
相菩薩是哀愍妙莊嚴王及諸眷屬故於彼
中生其二子者今藥王菩薩藥上菩薩是是
藥王藥上菩薩成就如此諸大功德已於无
量百千萬億諸佛所殖衆德本成就不可思
議諸善功德若有人識是二菩薩名字者一
切世間諸天人民亦應礼拜佛說是妙莊嚴
王本事品時八萬四千人遠塵離垢於諸法
中得法眼淨
妙法蓮華經普賢菩薩勸發品第廿八

BD02188號　妙法蓮華經（八卷本）卷八　（18–12）

王本事品時八萬四千人遠塵離垢於諸法
中得法眼淨
妙法蓮華經普賢菩薩勸發品第廿八
尒時普賢菩薩以自在神通力威德名聞與
大菩薩无量无邊不可稱數從東方来所經
諸國普皆震動雨寶蓮華作无量百千万億
種種伎樂又與无數諸天龍夜叉乹闥婆阿
脩羅迦樓羅緊那羅摩睺羅伽人非人等大
衆圍繞各現威德神通之力到娑婆世界耆
闍崛山中頭面礼釋迦牟尼佛右繞七帀白
佛言世尊我於寶威德上王佛國遥聞此娑
婆世界說法華經與无量无邊百千万億諸
菩薩衆共来聽受唯願世尊當為說之若善
男子善女人於如来滅後云何能得是法華
經佛告普賢菩薩若善男子善女人成就四
法於如来滅後當得是法華經一者為諸佛
護念二者殖諸德本三者入正定聚四者發
救一切衆生之心善男子善女人如是成就
四法於如来滅後必得是經
尒時普賢菩薩白佛言世尊於後五百歲濁
惡世中其有受持是經典者我當守護除其
衰患令得安隱使无伺求得其便者若魔若
魔子若魔女若魔民若為魔所著者若夜叉
若羅刹若鳩槃荼若毗舍闍若吉蔗若富單
那若韋陁羅等諸惱人者皆不得便是人若

惡世中其有受持是經典者我當守護除其
衰患令得安隱使无伺求得其便者若魔若
魔子若魔女若魔民若為魔所著者若夜叉
若羅刹若鳩槃荼若毗舍闍若吉蔗若富單
那若韋陁羅等諸惱人者皆不得便是人若
行若立讀誦此經我尒時乘六牙白象王與
大菩薩衆俱詣其所而自現身供養守護安
慰其心亦為供養法華經故是人若坐思惟
此經尒時我復乘白象王現其人前其人若
於法華經有所忘失一句一偈我當教之與
共讀誦還令通利尒時受持讀誦法華經者
得見我身甚大歡喜轉復精進以見我故即
得三昧及陁羅尼名為旋陁羅尼百千萬億
旋陁羅尼法音方便陁羅尼得如是等陁羅
尼世尊若後世後五百歲濁惡世中比丘比
丘尼優婆塞優婆夷求索者受持者讀誦者
書寫者欲脩習是法華經於三七日中應一
心精進滿三七日已我當乘六牙白象與无
量菩薩而自圍繞以一切衆生所憙見身現
其人前而為說法示教利喜亦復與其陁羅
尼呪得是陁羅尼故无有非人能破壞者亦
不為女人之所惑亂我身亦自常護是人唯
願世尊聽我說此陁羅尼即於佛前而說呪
曰

尼呪得是陁羅尼故无有非人能破壊者亦
不為女人之所惑亂我身亦自常護是人唯
願世尊聽我說此陁羅尼即於佛前而說呪
曰
阿檀地(途賣反一) 檀陁婆地(二) 檀陁婆帝(三) 檀陁鳩舍
隸(四) 檀陁脩陁隸(五) 脩陁隸(六) 脩陁羅婆底(七) 佛
馱波羶祢(八) 薩婆陁羅尼阿婆多尼(九) 薩婆婆
娑阿婆多尼(十) 脩阿婆多尼(十一) 僧伽婆履叉
尼(十二) 僧伽涅伽陁尼(十三) 阿僧祇(十四) 僧伽波
伽地(十五) 帝隸阿惰僧伽兜略(盧遮反) 阿羅帝波
羅帝(十六) 薩婆僧伽三摩地伽蘭地(十七) 薩婆達
磨脩波利刹帝(十八) 薩婆薩埵樓馱憍舍略阿
㝹伽地(十九) 辛阿毗吉利地帝(二十)
世尊若有菩薩得聞是陁羅尼者當知普賢
神通之力若法華經行閻浮提有受持者應
作此念皆是普賢威神之力若有受持讀誦
正憶念解其義趣如說脩行當知是人行普
賢行於无量无邊諸佛所深種善根為諸如
来手摩其頭若但書寫是人命終當生忉利
天上是時八萬四千天女作衆伎樂而来迎
之其人即著七寶冠於婇女中娛樂快樂何
況受持讀誦正憶念解其義趣如說脩行若
有人受持讀誦解其義趣是人命終為千佛
授手令不恐怖不墮惡趣即往兜率天上祢

之其人即著七寶冠於婇女中娛樂快樂何
況受持讀誦正憶念解其義趣如說脩行若
有人受持讀誦解其義趣是人命終為千佛
授手令不恐怖不墮惡趣即往兜率天上祢
勒菩薩所祢勒菩薩有三十二相大菩薩衆
所共圍繞有百千萬億天女眷屬而於中生
有如是等功德利益是故智者應當一心自
書若使人書受持讀誦正憶念如說脩行世
尊我今以神通力故守護是經於如来滅後
閻浮提内廣令流布使不斷絶
尒時釋迦牟尼佛讚言善哉善哉普賢汝能
護助是經令多所衆生安樂利益汝已成就
不可思議功德深大慈悲從久遠来發阿耨
多羅三藐三菩提意而能作是神通之願守
護是經我當以神通力守護能受持普賢菩
薩名者普賢若有受持讀誦正憶念脩習書
寫是法華經者當知是人則見釋迦牟尼佛
如從佛口聞此經典當知是人供養釋迦牟
尼佛當知是人佛讚善哉當知是人為釋迦
牟尼佛手摩其頭當知是人為釋迦牟尼佛
衣之所覆如是之人不復貪著世樂不好外
道經書手筆亦復不憙親近其人及諸惡者
若屠兒若畜猪羊雞狗若獵師若衒賣女色
是人心意質直有正憶念有福德力是人不

牟尼佛手摩其頭當知是人為釋迦牟尼佛
衣之所覆如是之人不復貪著世樂不好外
道經書手筆亦復不憙親近其人及諸惡者
若屠兒若畜猪羊雞狗若獵師若衒賣女色
是人心意質直有正憶念有福德力是人不
為三毒所惱亦不為嫉妬我慢邪慢增上慢
所惱是人少欲知足能脩普賢之行普賢若
如來滅後後五百歲若有人見受持讀誦法
華經者應作是念此人不久當詣道場破諸
魔衆得阿耨多羅三藐三菩提轉法輪擊法
鼓吹法螺雨法雨當坐天人大衆中師子法
座上普賢若於後世受持讀誦是經典者是
人不復貪著衣服卧具飲食資生之物所願
不虛亦於現世得其福報若有人輕毀之言
汝狂人耳空作是行終无所獲如是罪報當
世世无眼若有供養讚歎之者當於今世得
現果報若復見受持是經者出其過惡若實
若不實此人現世得白癩病若輕咲之者當
世世牙齒踈缺醜脣平鼻手脚繚戾眼目角
睞身體臭穢惡瘡膿血水腹短氣諸惡重病
是故普賢若見受持是經者當起遠迎當
如敬佛說是普賢勸發品時恒河沙等无量
无邊菩薩得百千万億旋陁羅尼三千大千
世界微塵等諸菩薩具普賢道佛說是經時

BD02188號　妙法蓮華經（八卷本）卷八　（18–17）

華經者應作是念此人不久當詣道場破諸
魔衆得阿耨多羅三藐三菩提轉法輪擊法
鼓吹法螺雨法雨當坐天人大衆中師子法
座上普賢若於後世受持讀誦是經典者是
人不復貪著衣服卧具飲食資生之物所願
不虛亦於現世得其福報若有人輕毀之言
汝狂人耳空作是行終无所獲如是罪報當
世世无眼若有供養讚歎之者當於今世得
現果報若復見受持是經者出其過惡若實
若不實此人現世得白癩病若輕咲之者當
世世牙齒踈缺醜脣平鼻手脚繚戾眼目角
睞身體臭穢惡瘡膿血水腹短氣諸惡重病
是故普賢若見受持是經者當起遠迎當
如敬佛說是普賢勸發品時恒河沙等无量
无邊菩薩得百千万億旋陁羅尼三千大千
世界微塵等諸菩薩具普賢道佛說是經時
普賢等諸菩薩舍利弗等諸聲聞及諸天龍
人非人等一切大會皆大歡喜受持佛語作
礼而去

卌欧盧穫旁謕奴葩柰多夜卌一

妙法蓮華經卷第八

BD02188號　妙法蓮華經（八卷本）卷八　（18–18）

衆唱導之師即從坐起偏袒右肩右膝著地叉
手合掌而白佛言唯願世尊加威神力令
我等輩得往娑婆世界親近供養釋迦牟尼
如來并欲聽大方便佛報恩微妙經典
尒時彼佛告諸菩薩言善男子汝往娑婆世
界若見彼佛應生供養恭敬難遭之想何以
故釋迦如來於无量百千萬億阿僧祇劫難
行苦行發大悲願若我得成佛時當於穢惡
國土山陵堆埠瓦礫荊棘其中衆生具足煩
惱五逆十惡於中成佛而利益之使斷一切苦
獲一切樂成就法身永盡无餘其佛本願
如是汝等今往當如佛住住如佛住諸菩薩
衆俱發聲言如世尊勅一一菩薩各將无量
百千萬億諸菩薩衆以為眷屬前後圍繞往
詣娑婆世界所經國土皆六種震動大光普
照虛空神天雨曼陁羅華摩訶曼陁羅華放
大光明神足感動恒沙世界復有无量百千
萬種諸天伎樂於虛空中不鼓自鳴是諸菩薩
等往詣耆闍崛山到如來所頭面礼足繞佛
三匝却住一面
尒時釋迦如來五色光明照於北方過五百

BD02189號　大方便佛報恩經卷一　（6–1）

照虛空神天雨曼陁羅華摩訶曼陁羅華放
大光明神足感動恒沙世界復有无量百千
萬種諸天伎樂於虛空中不鼓自鳴是諸菩薩
等往詣耆闍崛山到如來所頭面礼足繞佛
三匝却住一面
尒時釋迦如來五色光明照於北方過五百
萬億那由他諸佛國土有世界名自在稱王
其中有佛号曰紅蓮華光如來應供正遍知
明行足善逝世間解无上士調御丈夫天人
師佛世尊國名離垢其土清淨琉璃為地黃
金為繩以界道側七寶行樹其樹皆高盡一
箭道華菓枝葉次第莊嚴微風吹動出微
妙音衆生樂聞无有猒足處處皆有流泉浴
池其池清淨金沙布地八功德水盈滿其中其
池四邊有妙香華波頭摩華分陁利華跋師
迦華青黃赤白大如車輪而覆其上其池中
有異類諸鳥相和悲鳴出微妙音甚可愛樂
有七寶船亦在其中而諸衆生自在遊戲其
樹林間敷師子座高一由旬亦以七寶而校
飾之復以天衣重敷其上燒天寶香諸天寶
華遍布其地紅蓮華光如來而坐其上結跏
趺坐彼國菩薩无量億千前後圍繞却住一面
合掌向於如來異口同音俱發聲言唯願
世尊哀慈憐愍以何因緣有此光明青黃赤
白其色暉艷難可得喻從南方來照此大衆
其有遇斯光者心意泰然唯願世尊斷我

BD02189號　大方便佛報恩經卷一　（6–2）

跌坐彼國菩薩无量億千前後圍繞却住一面
合掌向於如來異口同音俱發聲言唯願
世尊哀慈憐愍以何因緣有此光明青黃赤
白其色暉艷難可得喻從南方來照此大衆
其有遇斯光者心意泰然唯願世尊斷我
疑網佛言善男子諦聽諦聽善思念之吾當
為汝分別解說南方去此无量百千諸佛世界
有世界號名娑婆其中有佛號曰釋迦牟尼
如來應供正遍知明行足善逝世間解无上
士調御丈夫天人師佛世尊大衆圍繞今欲
為諸大衆說 大方便大報恩經為欲饒益一
切諸衆生故 為欲令初發意菩薩堅固菩提
不退轉故 為令一切聲聞辟支佛究竟一乘
道故為諸 大菩薩速成菩提報佛恩故欲令
一切衆生 念重恩故欲令衆生越於苦海故
欲令衆生 孝養父母故以是因緣故放斯光
明
尒時 八衆中有十千菩薩一一菩薩皆是大
衆唱導之師即從坐起偏袒右肩右膝著地
叉手合掌而白佛言唯願世尊加威神力令我
等輩得往娑婆世界親近供養釋迦牟尼如來
并欲聽大方便佛報恩微妙經典
尒時彼佛告諸菩薩言善男子汝往娑婆世
界若見彼佛應生供養恭敬難遭之想何以
故釋迦如來於无量百千萬億阿僧祇劫難
行苦行發大悲願若我得成佛時當於穢惡

BD02189號　大方便佛報恩經卷一　（6–3）

等輩得往娑婆世界親近供養釋迦牟尼如來
并欲聽大方便佛報恩微妙經典
尒時彼佛告諸菩薩言善男子汝往娑婆世
界若見彼佛應生供養恭敬難遭之想何以
故釋迦如來於无量百千萬億阿僧祇劫難
行苦行發大悲願若我得成佛時當於穢惡
國土山陵堆埠凡礫荊棘其中衆生具足煩
惱五逆十惡於中成佛而利益之使斷一切
苦獲一切樂成就法身永盡无餘其佛本願
如是汝等今往當如佛往住如佛住諸 菩薩
衆俱發聲言如世尊勅一一菩薩各將无量百
千萬億諸菩薩衆以為眷屬前後圍繞往詣
娑婆世界所經國土皆六種震動大光普照
虛空神天雨曼陀羅華摩訶曼陀羅華放
大光明神足感動恒沙世界復有无量百千種
諸天伎樂於虛空中不鼓自鳴是諸菩薩等
往詣耆闍崛山到如來所頭面礼足繞佛三
迊却住一面
乃至四維上下十方諸來大菩薩摩訶薩衆
各與若干百千眷屬俱至如來所供養恭敬
尊重讚嘆異口同音各說百千偈頌讚嘆於
佛讚嘆佛已却住一面時娑婆世界即變清
淨无諸山數大小諸山江河池湖溪澗溝壑
其中衆生尋光見佛歡喜合掌頭頂礼敬心
生戀慕目不暫捨尒時世尊即攝光明繞身
七迊還從頂入尊者阿難觀察衆心亦咸皆
有疑欲顯發如來方便密行故并欲為未來

BD02189號　大方便佛報恩經卷一　（6–4）

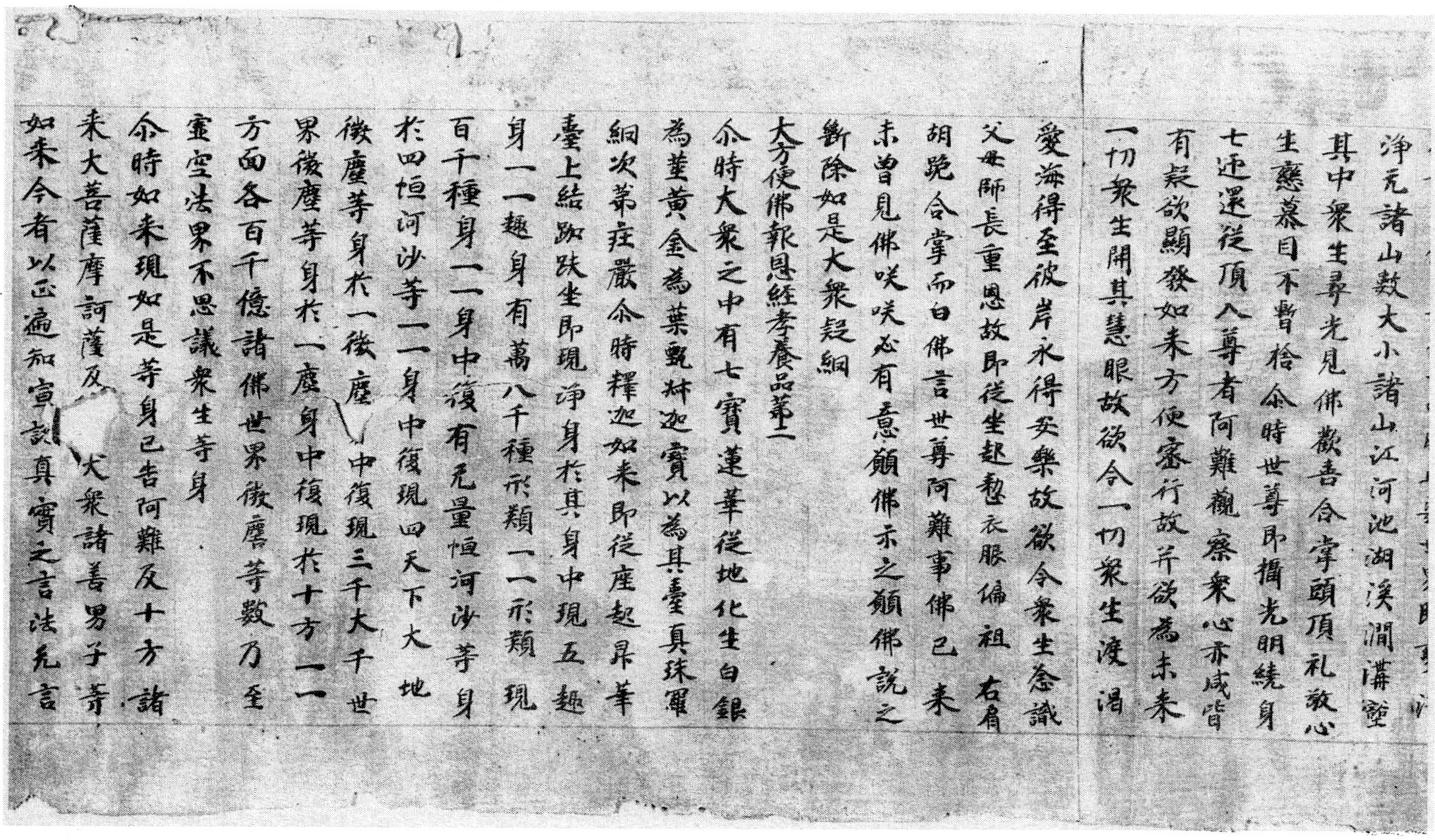
淨无諸山數大小諸山江河池湖溪澗溝壑
其中衆生尋光見佛歡喜合掌頭頂礼敬心
生戀慕目不暫捨尒時世尊即攝光明遶身
七匝還從頂入尊者阿難觀察衆心亦咸皆
有疑欲顯發如來方便密行故并欲為未來
一切衆生開其慧眼故欲令一切衆生渡渴
愛海得至彼岸永得安樂故欲令衆生念識
父母師長重恩故即從坐起整衣服偏袒右肩
胡跪合掌而白佛言世尊阿難事佛已來
未曾見佛咲咲必有意願佛示之願佛說之
斷除如是大衆疑網
大方便佛報恩經孝養品第二
尒時大衆之中有七寶蓮華從地化生白銀
為莖黃金為葉甄叔迦寶以為其臺真珠羅
網次第莊嚴尒時釋迦如來即從座起昇華
臺上結跏趺坐即現淨身於其身中現五趣
身一一趣身有萬八千種形類一一形類現
百千種身一一身中復有无量恒河沙等身
於四恒河沙等一一身中復現四天下大地
微塵等身於一微塵　中復現三千大千世
界微塵等身於一塵身中復現於十方一一
方面各百千億諸佛世界微塵等數乃至
虛空法界不思議衆生等身
尒時如來現如是等身已告阿難及十方諸
來大菩薩摩訶薩及　大衆諸善男子等
如來今者以正遍知宣說真實之言法无言

BD02189號　大方便佛報恩經卷一　（6–5）

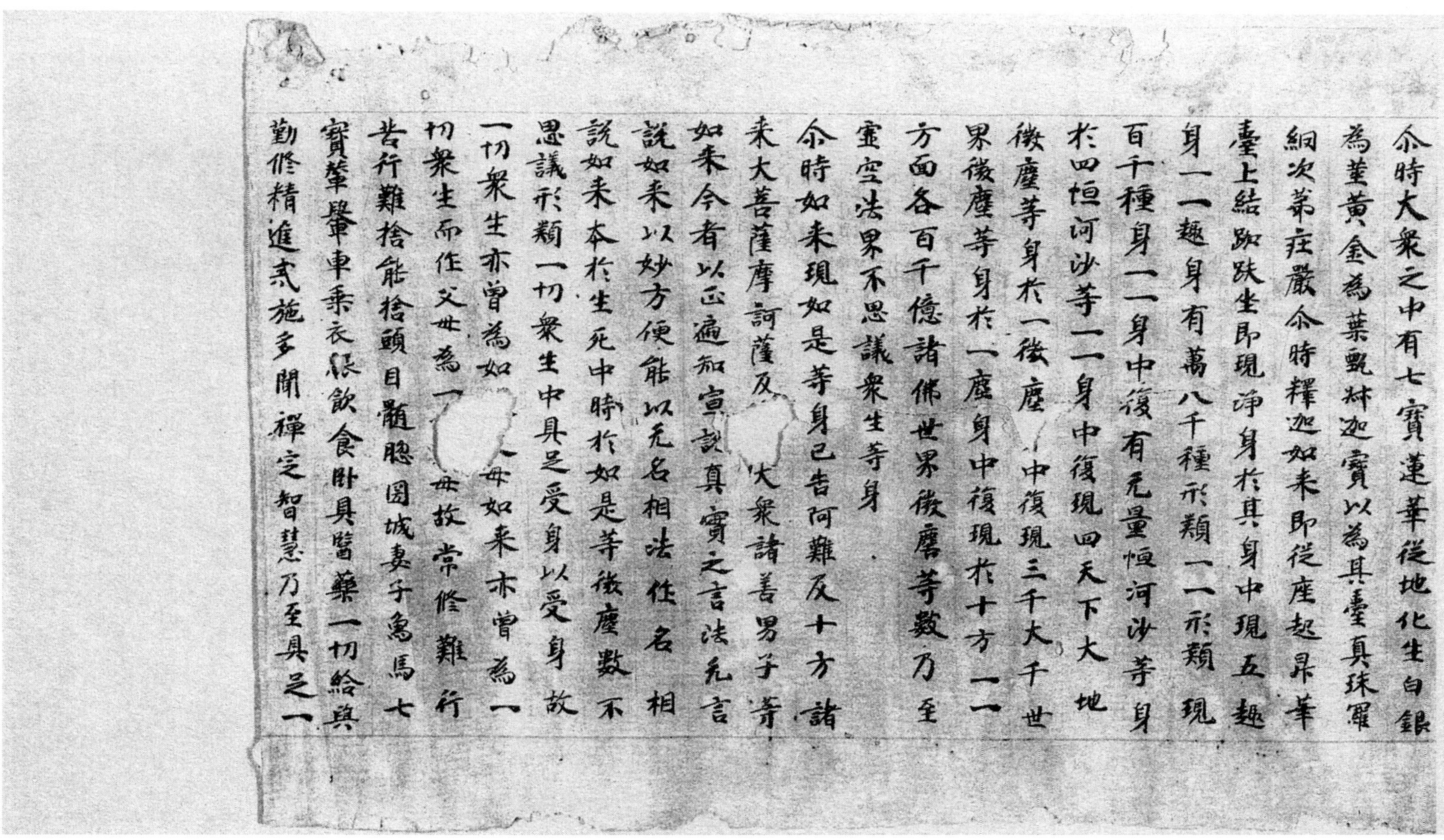
尒時大衆之中有七寶蓮華從地化生白銀
為莖黃金為葉甄叔迦寶以為其臺真珠羅
網次第莊嚴尒時釋迦如來即從座起昇華
臺上結跏趺坐即現淨身於其身中現五趣
身一一趣身有萬八千種形類一一形類現
百千種身一一身中復有无量恒河沙等身
於四恒河沙等一一身中復現四天下大地
微塵等身於一微塵　中復現三千大千世
界微塵等身於一塵身中復現於十方一一
方面各百千億諸佛世界微塵等數乃至
虛空法界不思議衆生等身
尒時如來現如是等身已告阿難及十方諸
來大菩薩摩訶薩及　大衆諸善男子等
如來今者以正遍知宣說真實之言法无言
說如來以妙方便能以无名相法作名相
說如來本於生死中時於如是等微塵數不
思議形類一切衆生中具足受身以受身故
一切衆生亦曾為如　母如來亦曾為一
切衆生而作父母為一　母故常修難行
苦行難捨能捨頭目髓腦國城妻子象馬七
寶輦轝車乘衣服飲食卧具醫藥一切給與
勤修精進戒施多聞禪定智慧乃至具足一

BD02189號　大方便佛報恩經卷一　（6–6）

……殊師……
來若去已更不去所以者
去者无所至所可見者更
居士是疾寧可忍不療治……
尊殷勤致問无量居士是疾何所因……
久如當云何滅維摩詰言從癡有……
生以一切衆生病是故我病若一切衆生病
滅則我病滅所以者何菩薩為衆生故入
死有生死則有病若衆生得離病者則菩薩
无復病譬如長者唯有一子其子得病父母
亦病若子病愈父母亦愈菩薩如是於諸衆
生愛之若子衆生病則菩薩病衆生病愈菩
薩亦愈又言是病何所因起菩薩疾者以大
悲起文殊師利言居士此室何以空无侍者
維摩詰言諸佛國土亦復皆空又問以何為
空答曰以空空又問空何用空答曰以无分
別空故空又問空可分別耶答曰分別亦空
又問空當於何求答曰當於六十二見求又
問六十二見當於何求答曰當於諸佛解脫
中求又問諸佛解脫當於何求答曰當於一
切衆生心行中求又仁所問何无侍者一切
衆魔及諸外道皆吾侍也所以者何衆魔者
樂生死菩薩於生死而不捨外道者樂諸見

BD02190 號　維摩詰所說經卷中

（9–1）

又問空當於何求答曰當於六十二見求又
問六十二見當於何求答曰當於諸佛解脫
中求又問諸佛解脫當於何求答曰當於一
切衆生心行中求又仁所問何无侍者一切
衆魔及諸外道皆吾侍也所以者何衆魔者
樂生死菩薩於生死而不捨外道者樂諸見
菩薩於諸見而不動文殊師利言居士所疾
為何等相維摩詰言我病无形不可見又問
此病身合耶心合耶答曰非身合身相離故
亦非心合心如幻故又問地大水大火大風
大於此四大何大之病答曰是病非地大亦
不離地大水火風大亦復如是而衆生病從
四大起以其有病是故我病
尒時文殊師利問維摩詰言菩薩應云何慰
喻有疾菩薩維摩詰言說身无常不說猒離於
身說身有苦不說樂於涅槃說身无我而說
教導衆生說身空寂不說畢竟寂滅說悔先
罪而不說入於過去以己之疾愍於彼疾當
識宿世無數劫苦當念饒益一切衆生憶所
脩福念於淨命勿生憂惱常起精進當作醫
王療治衆病菩薩應如是慰喻有疾菩薩
令其歡喜文殊師利言居士有疾菩薩云何
調伏其心維摩詰言有疾菩薩應作是念
我此病皆從前世妄想顛倒諸煩惱生无有
實法誰受病者所以者何四大合故假名為
身四大无主身亦无我又此病起皆由著我

BD02190 號　維摩詰所說經卷中

（9–2）

脩福念於淨命勿生憂惱常起精進當作醫
王療治衆病菩薩應如是慰喻有疾菩薩
令其歡喜文殊師利言居士有疾菩薩云何
調伏其心維摩詰言有疾菩薩應作是念今
我此病皆從前世妄想顛倒諸煩惱生无有
實法誰受病者所以者何四大合故假名為
身四大无主身亦无我又此病起皆由著我
是故於我不應生著既知病本即除我想及
衆生想當起法想應作是念但以衆法合成此
身起唯法起滅唯法滅又此法者各不相知
起時不言我起滅時不言我滅彼有病菩薩
為滅法想當作是念此法想者亦是顛倒顛
倒者即是大患我應離之云何為離離我我
所云何離我我所謂離二法云何離二法謂
不念內外諸法行於平等云何平等謂我等
涅槃等所以者何我及涅槃此二皆空以何
為空但以名字故空如此二法无決定性得
是平等无有餘病唯有空病空病亦空是有
疾菩薩以无所受而受諸受未具佛法亦不
滅受而取證也設身有苦念惡趣衆生起大
悲心我既調伏亦當調伏一切衆生但除其
病而不除法為斷病本而教導之何謂病本
謂有攀緣從有攀緣則為病本何所攀緣謂
之三界云何斷攀緣以无所得若无所得則
无攀緣何謂无所得謂離二見何謂二見謂內
見外見是无所得文殊師利是名有疾菩薩

BD02190號　維摩詰所說經卷中　（9–3）

病而不除法為斷病本而教導之何謂病本
謂有攀緣從有攀緣則為病本何所攀緣謂
之三界云何斷攀緣以无所得若无所得則
无攀緣何謂无所得謂離二見何謂二見謂內
見外見是无所得文殊師利是名有疾菩薩
調伏其心為斷老病死苦是名菩薩菩提若
不如是已所修治為无慧利譬如勝怨乃可
為勇如是兼除老病死者菩薩之謂也彼有
疾菩薩應作是念如我此病非真非有衆生
病亦非真非有作是觀時於諸衆生若起愛
見大悲即應捨離所以者何菩薩斷除客塵
煩惱而起大悲愛見悲者則於生死有疲猒
心若能離此无有疲猒在在所生不為愛見
之所覆也所生无縛能為衆生說法解縛如
佛所說若自有縛能解彼縛无有是處若自
无縛能解彼縛斯有是處是故菩薩不應
起縛何謂縛何謂解貪著禪味是菩薩縛以
方便生是菩薩解又无方便慧縛有方便慧解
无慧方便縛有慧方便解何謂无方便慧縛
謂菩薩以愛見心莊嚴佛土成就衆生於空
无相无作法中而自調伏是名无方便慧縛
何謂有方便慧解謂不以愛見心莊嚴佛土成
就衆生於空无相无作法中以自調伏而不
疲猒是名有方便慧解何謂无慧方便縛
謂菩薩住貪欲瞋恚邪見諸煩惱而植衆
德本名无慧方便縛何謂有慧方便解
謂離諸貪欲瞋恚邪見等諸煩惱而植

BD02190號　維摩詰所說經卷中　（9–4）

无相无作法中而自調伏是名无方便慧縛
何謂有方便慧解謂不以愛見心莊嚴佛土成
就衆生於空无相无作法中以自調伏而不
疲猒是名有方便慧解何謂无慧方便縛
謂菩薩住貪欲瞋恚邪見等諸煩惱而植衆
德本是名无慧方便縛何謂有慧方便解
謂離諸貪欲瞋恚邪見等諸煩惱而植
衆德本迴向阿耨多羅三藐三菩提名
有慧方便解文殊師利彼有疾菩薩應
如是觀諸法又復觀身无常苦空非
我是名爲慧雖身有疾常在生死饒益
一切而不猒惓是名方便又復觀身身不
離病病不離身是病是身非新非故是
名爲慧設身有病而不永滅是名方便文
殊師利有疾菩薩應如是調伏其心不住
其中亦復不住不調伏心所以者何若住不
調伏心是愚人法若住調伏心是聲聞法是
故菩薩不當住於調伏不調伏心離此二法
是菩薩行在於生死不爲汙行住於涅槃不
永滅度是菩薩行非凡夫行非賢聖行是菩
薩行非垢行非淨行是菩薩行雖過魔行
而現降伏衆魔是菩薩行求一切智无非時求
是菩薩行雖觀諸法不生而不入正位是菩
薩行雖觀十二緣起而入諸邪見是菩薩行
雖攝一切衆生而不愛著是菩薩行雖樂遠
離而不依身心盡是菩薩行雖行三界而不
壞法性是菩薩行雖行於空而植衆德本是

BD02190號　維摩詰所說經卷中

（9–5）

薩行非垢行非淨行是菩薩行雖過魔行
而現降伏衆魔是菩薩行求一切智无非時求
是菩薩行雖觀諸法不生而不入正位是菩
薩行雖觀十二緣起而入諸邪見是菩薩行
雖攝一切衆生而不愛著是菩薩行雖樂遠
離而不依身心盡是菩薩行雖行三界而不
壞法性是菩薩行雖行於空而植衆德本是
菩薩行雖行无相而度衆生是菩薩行雖行
无作而現受身是菩薩行雖行无起而起一
切善行是菩薩行雖行六波羅蜜而遍知衆
生心心數法是菩薩行雖行六通而不盡漏
是菩薩行雖行四无量心而不貪著生於梵
世是菩薩行雖行禪定解脫三昧而不隨禪
生是菩薩行雖行四念處而不永離身受心
法是菩薩行雖行四正勤而不捨身心精進
是菩薩行雖行四如意足而得自在神通是
菩薩行雖行五根而分別衆生諸根利鈍是
菩薩行雖行五力而樂求佛十力是菩薩行
雖行七覺分而分別佛之智慧是菩薩行雖
行八正道而樂行无量佛道是菩薩行雖行
止觀助道之法而不畢竟墮於寂滅是菩薩
行雖行諸法不生不滅而以相好莊嚴其身
是菩薩行雖現聲聞辟支佛威儀而不捨佛
法是菩薩行雖隨諸法究竟淨相而隨所應
爲現其身是菩薩行雖觀諸佛國土永寂如
空而現種種清淨佛土是菩薩行雖得佛道
轉于法輪入於涅槃而不捨於菩薩之道是

BD02190號　維摩詰所說經卷中

（9–6）

是菩薩行雖現聲聞辟支佛威儀而不捨佛
法是菩薩行雖隨諸法究竟淨相而隨所應
爲現其身是菩薩行雖觀諸佛國土永寂如
空而現種種清淨佛土是菩薩行雖得佛道
轉于法輪入於涅槃而不捨於菩薩之道是
菩薩行說是法時文殊師利所將大衆其中
八千天子皆發阿耨多羅三藐三菩提心
不思議品第六
尒時舍利弗見此室中无有牀座作是念斯
諸菩薩大弟子衆當於何坐長者維摩詰知
其意語舍利弗言云何仁者爲法來耶求牀
座耶舍利弗言我爲法來非爲牀座維摩詰
言唯舍利弗夫求法者不貪軀命何況牀座
夫求法者非有色受想行識之求非有界入
之求非有欲色无色之求唯舍利弗夫求法
者不著佛求不著法求不著衆求夫求法者
无見苦求无斷集求无造盡證脩道之求所
以者何法无戲論若言我當見苦斷集證滅
脩道是則戲論非求法也唯舍利弗法名寂
滅若行生滅是求生滅非求法也法名无染
若染於法乃至涅槃是則染著非求法也法
无行處若行於法是則行處非求法也法无
取捨若取捨法是則取捨非求法也法无處
所若著處所是則著處非求法也法名无相
若隨相識是則求相非求法也法不可住若
住於法是則住法非求法也法不可見聞覺

BD02190 號　維摩詰所說經卷中　（9–7）

若染於法乃至涅槃是則染著非求法也法
无行處若行於法是則行處非求法也法无
取捨若取捨法是則取捨非求法也法无處
所若著處所是則著處非求法也法名无相
若隨相識是則求相非求法也法不可住若
住於法是則住法非求法也法不可見聞覺
知若行見聞覺知是則見聞覺知非求法也
法名无爲若行有爲是求有爲非求法也是
故舍利弗若求法者於一切法應无所求說
是語時五百天子於諸法中得法眼淨
尒時長者維摩詰問文殊師利仁者遊於无
量千万億阿僧祇國何等佛土有好上妙功
德成就師子之座文殊師利言居士東方度
卅六恒河沙國有世界名須弥相其佛号須弥
燈王今現在彼佛身長八万四千由旬其
師子座高八万四千由旬嚴飾第一於是長
者維摩詰現神通力即時彼佛遣三万二千
師子座高廣嚴淨來入維摩詰室諸菩薩大
弟子釋梵四天王等昔所未見其室廣博悉
苞容三万二千師子座无所妨閡於毗耶離
城及閻浮提四天下亦不迫迮悉見如故
尒時維摩詰語文殊師利就師子座與諸菩
薩上人俱坐當自立身如彼座像其得神通
菩薩即自變形爲四万二千由旬坐師子座
諸新發意菩薩及大弟子皆不能昇尒時維
摩詰語舍利弗就師子座舍利弗言居士此

BD02190 號　維摩詰所說經卷中　（9–8）

卅六恒河沙國有世界名須弥相其佛号須弥
燈王今現在彼佛身長八万四千由旬其
師子座高八万四千由旬嚴飾第一於是長
者維摩詰現神通力即時彼佛遣三万二千
師子座高廣嚴淨來入維摩詰室諸菩薩大
弟子釋梵四天王等昔所未見其室廣博悉
苞容三万二千師子座无所妨閡於毗耶離
城及閻浮提四天下亦不迫迮悉見如故
尒時維摩詰語文殊師利就師子座與諸菩
薩上人俱坐當自立身如彼座像其得神通
菩薩即自變形為四万二千由旬坐師子座
諸新發意菩薩及大弟子皆不能昇尒時維
摩詰語舍利弗就師子座舍利弗言居士此
座高廣吾不能昇維摩詰言唯舍利弗為
須弥燈王如來作礼乃可得坐於是新發意菩
薩及大弟子師為須弥燈王如來作礼便得
坐師子座
[illegible]弗言居士未曾有也如是小室乃容受
[illegible]座无所妨礙又於閻

BD02190號　維摩詰所說經卷中

（9–9）

子亦皆隨
於[illegible]息
悶驚惶於
二王子復作
愛有別離
無恐怖別離憂
當獲殊勝諸功德
時諸王子各說本心所念之事次復前行見
有一虎產生七子纔經七日諸子圍繞飢渴
所逼身形羸瘦將死不久第一王子作如是
言哀哉此虎產來七日七子圍繞無暇求食
飢渴所逼必還噉子薩埵王子問言此虎每
常所食何物第一王子答曰
虎豹豺師子　唯噉熱血肉　更無餘飲食　可濟此虛羸
第二王子聞此語已作如是言此虎羸瘦飢
渴所逼餘命無幾我等何能為求如是難得
飲食誰復為斯自捨身命濟其飢苦第一王
子言一切難捨無過己身薩埵王子言我等
[illegible]

BD02191號　金光明最勝王經卷一〇

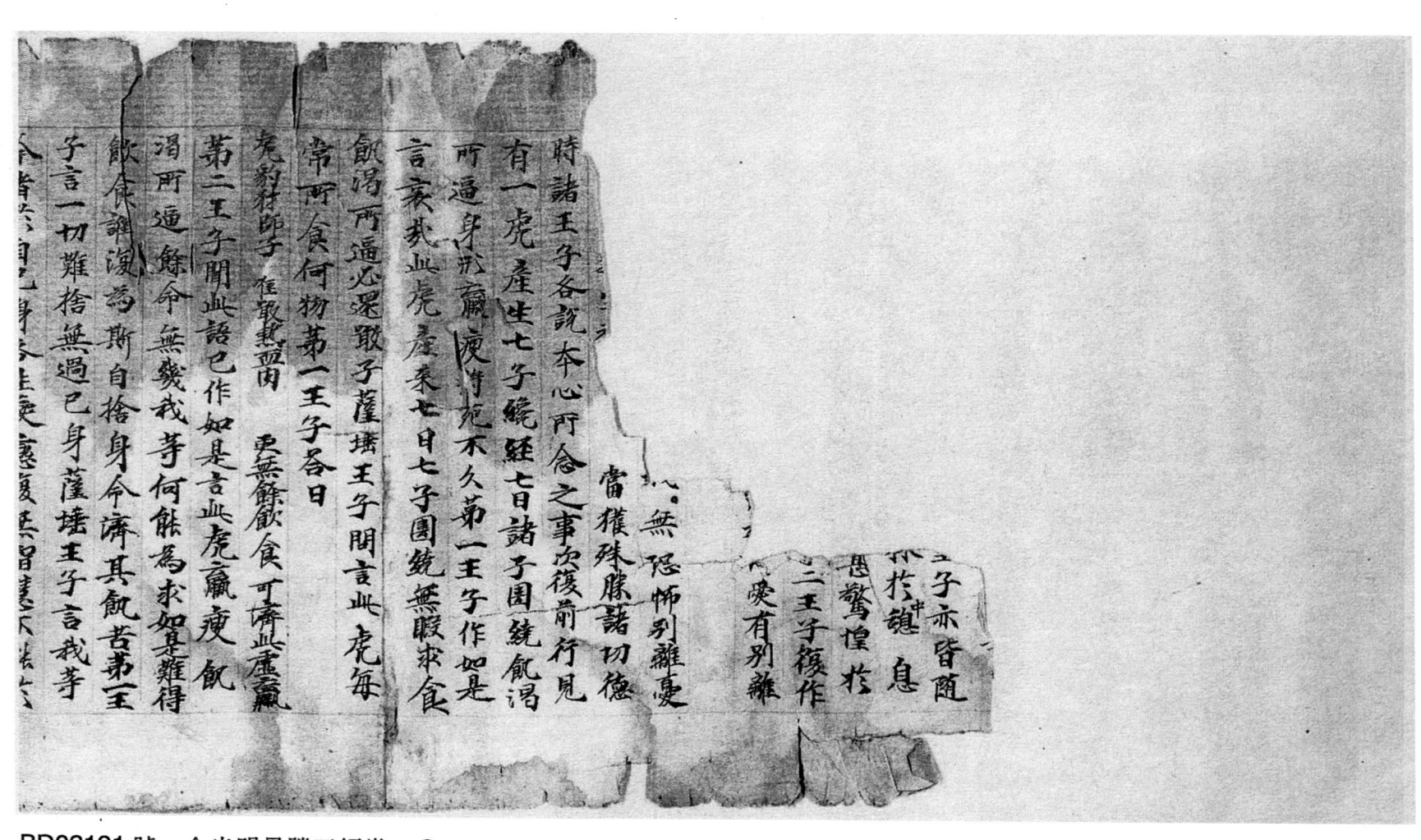

（17–1）

常所食何物第一王子荅曰
虎豹豺師子 唯噉熱血肉 更無餘飲食 可濟此虛羸
第二王子聞此語已作如是言此虎羸瘦飢
渴所逼餘命無幾我等何能為求如是難得
飲食誰復為斯自捨身命濟其飢苦第三王
子言一切難捨無過己身薩埵王子言我等
今者於自己身各生愛戀復無智慧不能於
他而興利益然有上士懷大悲心常為利他
忘身濟物復作是念我今此身於百千生虛
棄爛壞曾無所益云何今日而不能捨以濟
飢苦如捐涕唾時諸王子作是議已各起慈
心悽傷愍念共觀羸虎目不暫捨徘徊久之
俱捨而去尒時薩埵王子便作是念我捨身
命今正是時何以故
我從久來持此身 臭穢膿流不可愛
供給敷具并衣食 象馬車乘及珍財
變壞之法體無常 恒求難滿難保守
雖常供養懷怨害 終歸棄我不知恩
復次此身不堅於我无益可畏如賊不淨如
糞我於今日當使此身修廣大業於生死海
作大舟航棄捨輪迴令得出離復作是念若
捨此身則捨无量癰疽惡疾百千怖畏是身
唯有大小便利不堅如泡諸蟲所集血脉筋
骨共相連持甚可厭患是故我今應當棄捨
以求无上究竟涅槃永離憂患无常苦惱生
无休息斷諸塵累以定慧力圓滿熏修百福
莊嚴成一切智諸佛所讚微妙法身既證得
已施諸眾生无量法樂是時王子興大勇猛

BD02191號　金光明最勝王經卷一〇　（17–2）

无休息斷諸塵累以定慧力圓滿熏修百福
莊嚴成一切智諸佛所讚微妙法身既證得
已施諸眾生无量法樂是時王子興大勇猛
發弘誓願以大悲念增益其心慮彼二兄情
懷怖懼共為留難不果所祈即便白言二兄
前去我且於後尒時王子摩訶薩埵還入林
中至其虎所脫去衣服置於竹上作是誓言
我為法界諸眾生 志求无上菩提處
起大悲心不傾動 當捨凡夫所愛身
菩提无患无熱惱 諸有智者之所樂
三界苦海諸眾生 我今拔濟令安樂
是時王子作是言已於餓虎前委身而臥由
此菩薩慈悲威勢虎无能為菩薩見已即上
高山投身于地復作是念虎今羸弱不能食
我即起求刀竟不能得即以乾竹刺頸出血
漸近虎邊是時大地六種震動如風激水涌
沒不安日无精明如羅睺障諸方闇蔽无復
光輝天雨名花及妙香末繽紛亂墜遍滿林
中尒時虛空有諸天眾見是事已生隨喜心
歎未曾有咸共讚言善哉大士即說頌曰
大士救護運悲心 等視眾生如一子
勇猛歡喜情无悋 捨身濟苦福難思
定至真常勝妙處 永離生死諸纏縛
不久當獲菩提果 寂靜安樂證无生
是時餓虎既見菩薩頸下血流即便舐血噉
肉皆盡唯留餘骨尒時第一王子見地動已
告其弟曰
大地山河皆震動 [illegible]

BD02191號　金光明最勝王經卷一〇　（17–3）

定至真常勝妙處　永離生死諸纏縛
不久當獲菩提果　寂靜安樂證无生
是時餓虎既見菩薩頸下血流即便舐血噉
肉皆盡唯留餘骨尒時第一王子見地動已
告其弟曰
大地山河皆震動　諸方闇蔽日无光
天花亂墜遍空中　定是我弟捨身相
第二王子聞兄語已說伽他曰
我聞薩埵作悲言　見彼餓虎身羸瘦
飢苦所纏恐食子　我今疑弟捨其身
時二王子生大愁苦啼泣悲歎即共相隨還
至虎所見弟衣服在竹枝上骸骨及髮在處
縱橫流血成泥霑污其地見已悶絕不能自
持投身骨上久乃得蘇即起舉手哀號大
哭俱時歎曰
我弟貌端嚴　父母偏愛念　云何俱共出　捨身而不歸
父母若問時　我等如何答　寧可同捐命　豈復自存身
時二王子悲泣懊惱漸捨而去時小王子所將
侍從互相謂曰王子何在宜共推求
尒時國大夫人寢高樓上便於夢中見不祥
相被割兩乳牙齒墮落得三鴿雛一為鷹奪
二被驚怖地動之時夫人遂覺心大愁惱作
如是言
何故今時大地動　江河林樹皆搖震
日无精光如覆蔽　目瞤乳動異常時
如箭射心憂苦逼　遍身戰掉不安隱
我之所夢不祥徵　必有非常災變事
夫人兩乳忽然流出念此必有變怪之事時

日无精光如覆蔽　目瞤乳動異常時
如箭射心憂苦逼　遍身戰掉不安隱
我之所夢不祥徵　必有非常災變事
夫人兩乳忽然流出念此必有變怪之事時
有侍女聞外人言求覓王子今猶未得心大
驚怖即入宮中白夫人曰大家知不外聞諸
人散覓王子遍求不得時彼夫人聞是語已
生大憂惱悲淚盈目至大王所白言大王我
聞外人作如是語失我最小所愛之子王聞
語已驚惶失所悲哽而言苦哉今日失我愛
子即便抆淚慰喻夫人告言賢首汝勿憂
感吾今共出求覓愛子王與大臣及諸人眾即
共出城各各分散隨處求覓未久之頃有一
大臣前白王曰聞王子在願勿憂愁其最小
者今猶未見王聞是語悲歎而言苦哉苦哉
失我愛子
初有子時歡喜少　後失子時憂苦多
若使我兒重壽命　縱我身亡不為苦
夫人聞已憂惱纏懷如被箭中而嗟歎曰
我之三子并侍從　俱往林中共遊賞
最小愛子獨不還　定有乖離災厄事
次第二臣來至王所王問臣曰愛子何在第
二大臣懊惱啼泣喉舌乾燥口不能言竟无
所答夫人問曰
速報小子今何在　我身熱惱遍燒然
悶亂荒迷失本心　勿使我胸今破裂
時第二臣即以王子捨身之事具白王知王
及夫人聞其事已不勝悲噎望捨身處駕

所愛夫人問曰
速報小子今何在　我身熱惱遍燒然
悶亂荒迷失本心　勿使我身今破裂
時第二臣即以王子捨身之事具白王知王
及夫人聞其事已不勝悲噎望捨身處驟駕
前行詣竹林所至彼菩薩捨身之地見其骸
骨隨處交横俱時投地悶絶將死猶如猛
風吹倒大樹心迷失緒都无所知時大臣等以水
遍灑王及夫人良久乃蘇舉手而哭咨嗟
歎曰
禍哉愛子端嚴相　因何死苦先來逼
若我得在汝前亡　豈見如斯大苦事
尒時夫人迷悶稍止頭髮蓬亂兩手椎胸宛
轉于地如魚處陸若牛失子悲泣而言
我子誰屠割　餘骨散于地　失我所愛子　憂悲不自勝
苦哉誰殺子　致斯憂惱事　我心非金剛　云何而不破
我夢中所見　兩乳皆被割　牙齒悉墮落　今遭大苦痛
又夢三鴿鷇　一被鷹擒去　今失愛愛子　惡相表非虛
尒時大王及於夫人并二王子盡哀號哭瓔
珞不御与諸人衆共收菩薩遺身舍利為於
供養置窣覩波中阿難陁汝等應知此即是
彼菩薩舍利復告阿難陁我於昔時雖具煩
惱貪瞋癡等能於地獄餓鬼傍生五趣之中
隨緣救濟令得出離何况今時煩惱都盡无
復餘習号天人師具一切智而不能為一衆
生經於多劫在地獄中及於餘處代受衆
苦令出生死煩惱輪迴尒時世尊欲重宣此
義而說頌言

BD02191號　金光明最勝王經卷一〇　（17–6）

復餘習号天人師具一切智而不能為一衆
生經於多劫在地獄中及於餘處代受衆
苦令出生死煩惱輪迴尒時世尊欲重宣此
義而說頌言
我念過去世　无量无數劫　或時作國王　或復為王子
常行於大施　及捨所愛身　願出離生死　至妙菩提處
昔時有大國　國主名大車　王子名勇猛　常施心无恪
王子有二兄　号大渠大天　三人同出遊　漸至山林所
見虎飢所逼　便生如是心　此虎飢火燒　更无餘可食
大士覩如斯　恐其將食子　捨身无所顧　救子不令傷
大地及諸山　一時皆震動　江海皆騰躍　驚波水逆流
天地失光明　昬冥无所見　林野諸禽獸　飛奔失所依
二兄怪不還　憂慼生悲苦　即与諸侍從　林藪遍尋求
兄弟共籌議　復往深山處　四顧无所有　見虎處空林
其母并七子　口皆有血汙　殘骨并餘髮　縱横在地中
復見有流血　散在竹林所　二兄既見已　心生大恐怖
悶絶俱躄地　荒迷不覺知　塵土坌其身　六情皆失念
王子諸侍從　啼泣心憂惱　以水灑令蘇　舉手號咷哭
菩薩捨身時　慈母在宮中　五百諸婇女　共受於妙樂
夫人之兩乳　忽然自流出　遍體如針刺　苦痛不能安
欻生失子想　憂箭苦傷心　即白大王知　陳斯苦惱事
悲泣不堪忍　哀聲白王說　大王今當知　我生大苦惱
兩乳忽流出　禁止不隨心　如針遍刺身　煩寃胷欲破
我先夢惡徵　必當失愛子　願王濟我命　知兒在与亡
夢見三鴿鷇　小者是愛子　忽被鷹擒去　悲愁難具陳
我今沒憂海　趣死將不久　恐子命不全　願為速求覓
又聞外人語　小子求不得　我今意不安　願王哀愍我
夫人白王已　舉身而躄地　悲痛心悶絶　荒迷不覺知

BD02191號　金光明最勝王經卷一〇　（17–7）

我先夢兆徵　必當失愛子　願王濟我命　知兒在与亡
夢見三鴿鶵　小者是愛子　忽被鷹奪去　悲愁難具陳
我今沒憂海　趣死將不久　恐子命不全　願為速求覓
又聞外人語　小子求不得　我今意不安　願王哀愍我
夫人白王已　舉身而躃地　悲痛心悶絕　荒迷不覺知
婇女見夫人　悶絕在於地　舉聲皆大哭　憂惶失所依
王聞如是語　懷憂不自勝　因命諸群臣　尋求所愛子
皆共出城外　隨處而追覓　涕泣問諸人　王子今何在
今者為存亡　誰知所去處　云何令得見　適我憂惱心
諸人悉共傳　咸言王子死　聞者皆傷悼　悲歎苦難裁
尒時大車王　悲號從座起　即就夫人處　以水灑其身
夫人蒙水灑　久乃得醒悟　悲啼以問王　我兒今存不
王告夫人曰　我已使諸人　四向求王子　尚未有消息
王又告夫人　汝莫生煩惱　且當自安慰　可共出追尋
王即与夫人　嚴駕而前進　號動聲悽感　憂心若火然
士庶百千万　亦隨王出城　各欲求王子　悲號聲不絕
王求愛子故　目視於四方　見有一人來　被髮身塗血
遍體蒙塵土　悲哭逆前來　王見是惡相　倍復生憂惱
王便舉兩手　哀號不自裁　初有一大臣　忿怪至王所
進白大王曰　幸願勿悲哀　王之所愛子　今雖求未獲
不久當來至　以釋大王憂　王復更前行　見次大臣至
其臣詣王所　流淚白王言　二子今現存　被憂火所逼
其第三王子　已被无常吞　見餓虎初生　將欲食其子
彼薩埵王子　見此起悲心　願求无上道　當度一切衆
繫想妙菩提　廣大深如海　即上高山頂　投身餓虎前
虎羸不能食　以竹自傷頸　遂噉王子身　唯有餘骸骨
時王及夫人　聞已俱悶絕　心沒於憂海　煩惱火燒然
臣以栴檀水　灑王及夫人　俱起大悲號　舉手推胸臆

虎羸不能食　以竹自傷頸　遂噉王子身　唯有餘骸骨
時王及夫人　聞已俱悶絕　心沒於憂海　煩惱火燒然
臣以栴檀水　灑王及夫人　俱起大悲號　舉手推胸臆
第三大臣來　白王如是語　我見二王子　悶絕在林中
臣以冷水灑　今乃蘇醒息　顧視於四方　如猛火周遍
暫起而還伏　悲號不自勝　舉手以哀言　稱歎弟希有
王聞如是說　倍增憂火煎　夫人大號哭　高聲作是語
我之小子偏重愛　已為无常羅剎吞
餘有二子今現在　復被憂火所燒逼
我今速可之山下　安慰令其保餘命
即便馳駕望前路　一心詣彼捨身崖
路逢二子行啼泣　推胸懊惱失容儀
父母見已抱憂悲　俱往山林捨身處
既至菩薩捨身地　共聚悲號生大苦
脫去瓔珞盡哀心　收取菩薩身餘骨
与諸人衆同供養　共造七寶窣覩波
以彼舍利置函中　整駕懷憂趣城邑
復告阿難陀　往時薩埵者　即我牟尼是　勿生於異念
王是父淨飯　后是母摩耶　太子謂慈氏　次為殊室利
虎是大世主　五兒五苾芻　一是大目連　一是舍利子
我為汝等說　往昔利他緣　如是菩薩行　成佛因當學
菩薩捨身時　發如是弘誓　願我身餘骨　來世益衆生
此是捨身處　七寶窣覩波　以經无量時　遂沉於厚地
由昔本願力　隨緣興濟度　為利於人天　從地而涌出
尒時世尊說是往昔因緣之時，无量阿僧企
耶人天大衆皆大悲喜，歎未曾有，悉發阿
耨多羅三藐三菩提心。復告樹神：我為報恩
故致礼敬。佛攝神力，其窣覩波還沒於地。

此是捨身處　七寶窣覩波　以經無量時　遂沉於厚地
由昔本願力　隨緣興濟度　為利於人天　從地而涌出
尒時世尊說是往昔因緣之時，無量阿僧企
耶人天大衆皆大悲喜，歎未曾有，悉發阿
耨多羅三藐三菩提心。復告樹神：我為報恩
故致礼敬。佛攝神力，其窣覩波還沒于地。

金光明最勝王經十方菩薩讚歎品第廿七

尒時釋迦牟尼如來說是經時，於十方世界
有無量百千万億諸菩薩衆，各從本土詣鷲
峯山至世尊所，五輪著地礼世尊已，一心合
掌異口同音而讚歎曰：

佛身微妙真金色　其光普照等金山
清淨柔耎若蓮花　無量妙彩而嚴飾
三十二相遍莊嚴　八十種好皆圓備
光明晒著無與等　離垢猶如淨滿月
其聲清徹甚微妙　如師子吼震雷音
八種微妙應群機　超勝迦陵頻伽等
百福妙相以嚴容　光明具足淨無垢
智慧澄明如大海　功德廣大若虛空
圓光遍滿十方界　隨緣普濟諸有情
煩惱愛染習皆除　法炬恒然不休息
哀愍利益諸衆生　現在未來能与樂
常為宣說第一義　令證涅槃真寂靜
佛說甘露殊勝法　能与甘露微妙義
引入甘露涅槃城　令受甘露無為樂
常持生死大海中　解脫一切衆生苦
令彼能住安隱路　恒与難思如意樂
如來德海甚深廣　非諸譬喻所能知

佛說甘露殊勝法　能与甘露微妙義
引入甘露涅槃城　令受甘露無為樂
常持生死大海中　解脫一切衆生苦
令彼能住安隱路　恒与難思如意樂
如來德海甚深廣　非諸譬喻所能知
於衆常起大悲心　方便精勤恒不息
如來知海無邊際　一切人天共測量
假使千万億劫中　不能得知其少分
我今略讚佛功德　於德海中唯一渧
迴斯福聚施群生　皆願速證菩提果
尒時世尊告諸菩薩言：善哉善哉，汝等善
能如是讚佛功德，利益有情，廣興佛事，能滅
諸罪，生無量福。

金光明最勝王經妙幢菩薩讚品第廿八

尒時妙幢菩薩即從座起，偏袒右肩，右膝著
地，合掌向佛而說讚曰：

牟尼百福相圓滿　無量功德以嚴身
廣大清淨人樂觀　猶如千日光明照
燄彩無邊光熾盛　如妙寶聚相端嚴
如日初出映虛空　紅白分明間金色
亦如金山光普照　悉能周遍百千土
能滅衆生無量苦　皆与無邊勝妙樂
諸相具足悉嚴淨　衆生樂觀無猒足
頭髮柔耎紺青色　猶如黑蜂集妙花
大喜大捨淨莊嚴　大慈大悲皆具足
衆妙相好為嚴飾　菩提分法之所成
如來能施衆福利　令彼常蒙大安樂
種種妙德共莊嚴　光明普照千万土

頭髮柔耎紺青色　猶如黑蜂集妙花
大喜大捨淨莊嚴　大慈大悲皆具足
衆妙相好為嚴飾　菩提分法之所成
如來能施衆福利　令彼常獲大安樂
種種妙德共莊嚴　光明普照千万土
如來光相極圓滿　猶如赫日遍空中
佛如須弥功德具　示現能周於十方
如來金口妙端嚴　齒白齊密如珂雪
如來面貌无倫匹　眉間毫相常右旋
光潤鮮白等頗梨　猶如滿月居空界
佛告妙幢菩薩汝能如是讚佛功德不可思
議利益一切令未知者隨順修學
金光明最勝王經菩提樹神讚歎品第廿九
尒時菩提樹神亦以伽他讚世尊曰
敬礼如來清淨慧　敬礼常求正法慧
敬礼能離非法慧　敬礼恒无分別慧
希有世尊无邊行　希有難見比優曇
希有如海鎮山王　希有善逝光无量
希有調御弘慈願　希有釋種明逾日
能說如是經中寶　哀愍利益諸群生
牟尼寂靜諸根定　能入寂靜涅槃城
能住寂靜等持門　能知寂靜深境界
兩足中尊住空寂　聲聞弟子身亦空
一切法體皆无　一切衆生悉空寂
我常憶念於諸佛　我常樂見諸世尊
我常發起慇重心　常得值遇如來日
我常頂礼於世尊　願常渴仰心不捨
悲泣流淚情无間　常得奉事不知猒

BD02191號　金光明最勝王經卷一〇

（17–12）

兩足中尊住空寂　聲聞弟子身亦空
一切法體皆无　一切衆生悉空寂
我常憶念於諸佛　我常樂見諸世尊
我常發起慇重心　常得值遇如來日
我常頂礼於世尊　願常渴仰心不捨
悲泣流淚情无間　常得奉事不知猒
唯願世尊起悲心　和顏常得令我見
佛及聲聞衆清淨　願常普濟於人天
佛身本淨若虛空　亦如幻燄及水月
願說涅槃甘露法　能生一切功德聚
世尊所有淨境界　慈悲正行不思議
聲聞獨覺非所量　大仙菩薩不能測
唯願如來哀愍我　常令覩是大悲身
三業无倦奉慈尊　速出生死歸真際
尒時世尊聞是讚已以梵音聲告樹神曰善
哉善哉天女汝能於我真實无妄清淨法
身自利利他宣揚妙相以此功德令汝速證
最上菩提一切有情同所修習若得聞者皆
入甘露无生法門
金光明最勝王經大辯才天女讚歎品第卅
尒時大辯才天女即從座起合掌恭敬以直
言詞讚世尊曰
南謨釋迦牟尼如來應正等覺身真金色咽
如螺貝面如滿月目類青蓮脣口赤好如頗
梨色鼻高脩直如截金鋌齒白齊密如拘物
頭花身光普照如百千日光彩暎徹如贍部
金所有言詞皆无謬失示三解脫門開三菩
提路心常清淨意樂亦然佛所住處及所行

BD02191號　金光明最勝王經卷一〇

（17–13）

南謨釋迦牟尼如來應正等覺身真金色咽
如螺貝面如滿月目類青蓮脣口赤好如頗
梨色鼻高脩直如截金鋌齒白齊密如拘物
頭花身光普照如百千日光彩暎徹如贍部
金所有言詞皆无誤失示三解脫門開三菩
提路心常清淨意樂亦然佛所住處及所行
境亦常清淨離非威儀進止无謬六年苦行
三轉法輪度苦衆生令歸彼岸身相圓滿如
拘陁樹六度熏脩三業无失具一切智自他
利滿所有宣說常為衆生言不虛設於釋種
中為大師子堅固勇猛具八解脫我今隨力
稱讚如来少分功德猶如蚊子飲大海水願
以此福廣及有情永離生死成无上道
尒時世尊告大辯天曰善哉善哉汝久脩習
具大辯才今復於我廣陳讚歎令汝速證无
上法門相好圓明普利一切

金光明最勝王經付囑品第卅一

尒時世尊普告无量菩薩及諸人天一切大
衆汝等當知我於无量无數大劫勤脩苦行
獲甚深法菩提正因已為汝說汝等誰能發
勇猛心恭敬守護我涅槃後於此法門廣宣
流布能令正法久住世間尒時衆中有六十
俱胝諸大菩薩六十俱胝諸天大衆異口同
音作如是語世尊我等咸有欣樂之於佛
世尊无量大劫勤脩苦行所獲甚深微妙之
法菩提正因恭敬護持不惜身命佛涅槃後
於此法門廣宣流布當令正法久住世間尒
時諸大菩薩即於佛前說伽他曰

世尊无量大劫勤脩苦行所獲甚深微妙之
法菩提正因恭敬護持不惜身命佛涅槃後
於此法門廣宣流布當令正法久住世間尒
時諸大菩薩即於佛前說伽他曰
世尊真實語　安住於實法　由彼真實故　護持於此經
大悲為甲冑　安住於大慈　由彼慈悲力　護持於此經
福資糧圓滿　生起智資糧　由資糧滿故　護持於此經
降伏一切魔　破滅諸邪論　斷除惡見故　護持於此經
護世幷釋梵　乃至阿蘇羅　龍神藥叉等　護持於此經
地上及虛空　久住於斯者　奉持佛教故　護持於此經
四梵住相應　四聖諦嚴飾　降伏四魔故　護持於此經
虛空成質礙　質礙成虛空　諸佛所護持　无能傾動者
尒時四大天王聞佛說此護持妙法各生隨喜
護正法心一時同聲說伽他曰
我今於此經　及男女眷屬　皆一心擁護　令得廣流通
若有持經者　能作菩提因　我常於四方　擁護而承事
尒時天帝釋合掌恭敬說伽他曰
諸佛證此法　為欲報恩故　饒益菩薩衆　出世演斯經
我於彼諸佛　報恩常供養　護持如是經　及以持經者
尒時覩史多天子合掌恭敬說伽他曰
佛說如是經　若有能持者　當住菩提位　來生覩史天
世尊我慶悅　捨天殊勝報　住於贍部洲　宣揚是經典
時索訶世界主梵天王合掌恭敬說伽他曰
諸靜慮无量　諸乘及解脫　皆從此經出　是故演斯經
若說是經處　我捨梵天樂　為聽如是經　亦常為擁護
尒時魔王子名曰商主合掌恭敬說伽他曰
若有受持此　正義相應經　不隨魔所行　淨除魔惡業

時索訶世界主梵天王合掌恭敬說伽他曰
諸靜慮无量　諸乘及解脫　皆從此經出　是故演斯經
若說是經處　我捨梵天樂　為聽如是經　亦常為擁護
尒時魔王子名曰商主合掌恭敬說伽他曰
若有受持此　正義相應經　不隨魔所行　淨除魔惡業
我等持此經　亦當勤守護　發大精進意　隨處廣流通
尒時魔王合掌恭敬說伽他曰
若有持此經　能伏諸煩惱　如是眾生類　擁護令安樂
若有說是經　諸魔不得便　由佛威神故　我當擁護彼
尒時妙吉祥天子亦於佛前說伽他曰
諸佛妙菩提　於此經中說　若持此經者　是供養如來
我當持此經　為俱胝天說　恭敬聽聞者　勸至菩提處
尒時慈氏菩薩合掌恭敬說伽他曰
若見住菩提　与為不請友　乃至捨身命　為護此經王
我聞如是法　當往覩史天　由世尊加護　廣為人天說
尒時上坐大迦攝波合掌恭敬說伽他曰
佛於聲聞乘　說我勘智慧　我今隨自力　護持如是經
若有持此經　我當攝受彼　授其詞辯力　常隨讚善哉
尒時具壽阿難陁合掌向佛說伽他曰
我親從佛聞　无量眾經典　未曾聞如是　深妙法中王
我今聞是經　親於佛前受　諸樂菩提者　當為廣宣通
尒時世尊見諸菩薩人天大眾各各發心於此
經典流通擁護勸進菩薩廣利眾生讚言
善哉善哉汝等能持如是微妙經王虔誠流布
乃至於我般涅槃後不令散滅即是无上菩提
正因所獲功德於恒沙劫說不能盡若有苾
芻苾芻尼鄔波索迦鄔波斯迦及餘善
男子善女人等供養恭敬書寫流通為人解

BD02191號　金光明最勝王經卷一〇

(17-16)

我親從佛聞　无量眾經典　未曾聞如是　深妙法中王
我今聞是經　親於佛前受　諸樂菩提者　當為廣宣通
尒時世尊見諸菩薩人天大眾各各發心於此
經典流通擁護勸進菩薩廣利眾生讚言
善哉善哉汝等能持如是微妙經王虔誠流布
乃至於我般涅槃後不令散滅即是无上菩提
正因所獲功德於恒沙劫說不能盡若有苾
芻苾芻尼鄔波索迦鄔波斯迦及餘善
男子善女人等供養恭敬書寫流通為人解
說所獲功德亦復如是是故汝等應勤脩習尒
時无量无邊恒沙大眾聞佛說已皆大歡喜信
受奉行

金光明最勝王經卷第十

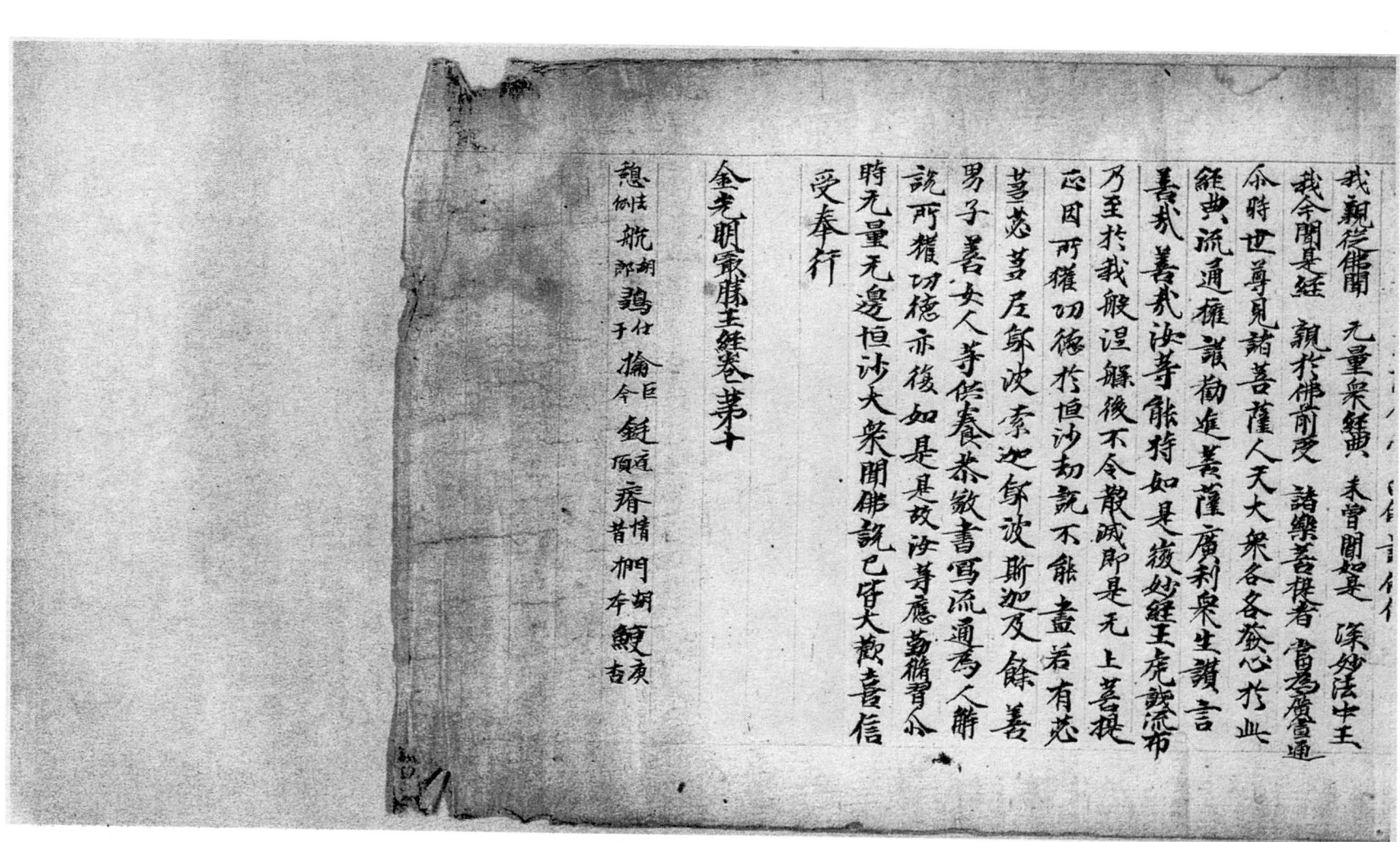

憁法側　航胡郎　鵄仕子　揄巨令　鋌達頂　瘠情昔　捫胡本　鯁庚杏

BD02191號　金光明最勝王經卷一〇

(17-17)

南无賢佛　南无善手

南无淨自在佛　南无師子月佛

南无勝威德佛　南无善勝佛

南无不可勝輪佛　南无勝親佛

南无寶名佛　南无大行佛

南无高光明佛　南无功德山佛

南无大稱佛　南无法稱佛

南无施光明佛　南无雲德佛

南无寶作佛　南无命佛　二千八百

南无善炎佛　南无善首佛

南无丈之慧佛　南无離有佛

南无摩尼香佛　南无勝喜佛

南无師子光明佛　南无普照佛

南无稱勝佛　南无善智慧佛

南无摩尼月佛　南无高光佛

南无不可降伏行佛　南无大佛

南无摩尼輪佛　南无世尊佛

南无師子像佛　南无月佛

南无寶炎佛　南无羅睺佛

南无善讃佛　南无希覺佛

南无同光明佛　南无寂靜去佛

BD02192號　佛名經（二十卷本）卷五　（12–1）

南无摩尼輪　南无世尊

南无師子像佛　南无月佛

南无寶炎佛　南无羅睺佛

南无善讃佛　南无希覺佛

南无同光明佛　南无寂靜去佛

南无安隱世間佛　南无无惱佛

南无十行佛　南无力喜佛

南无大體勝佛　南无聖大體佛

南无得大勢佛　南无功德藏佛

南无寶行佛　南无无畏勝佛

南无樹提佛　南无大光明佛

南无寶功德佛　南无廣功德佛

南无田光佛　南无自在佛

南无摩香佛　南无作業佛

南无師子手佛　南无善花佛

南无寶高佛　南无海佛

南无住持佛　南无義智佛

南无善思惟慧佛　南无大衆輪佛

南无寶火佛　南无脩行義佛

南无世間月佛　南无華聲佛

南无淨幢佛　南无大衆上首佛

南无師子步佛　南无威德佛

南无福德成就佛　南无大光明佛

南无寶稱佛　南无信衆佛

南无无邊稱佛　南无不空光明佛

BD02192號　佛名經（二十卷本）卷五　（12–2）

南无師子步佛　南无威德佛
南无福德成就佛　南无大光明佛
南无寶稱佛　南无信眾佛
南无无邊稱佛　南无不空光明佛
南无聖大佛　南无金剛眾佛
南无善堅佛　南无幢佛
南无華成佛　南无鑑慧佛
南无風行佛　南无善思惟佛
南无稱佛　南无快貶佛
南无甘露聚佛　南无功德護佛
南无義去佛　南无无畏佛
南无慈佛　南无任分別佛
南无摩尼是佛　南无解脫威德佛
南无善報佛　南无善寂等威德佛
南无智勝佛　南无善天佛
南无寶聲佛　南无智力德佛
南无師子慧佛　南无華高佛
南无智作佛　南无華德佛
南无功德藏佛　南无寶稱佛
南无寶稱佛　南无不可降伏佛
南无无畏自在佛　南无淨佛
南无諸天佛　南无何愛佛（二千五百）
南无寶天佛　南无寶藏佛
南无功德稱佛　南无智積佛
南无清白佛　南无遠行佛

BD02192號　佛名經（二十卷本）卷五　（12–3）

南无无畏自在佛　南无淨佛
南无諸天佛　南无何愛佛（二千五百）
南无寶天佛　南无寶藏佛
南无功德稱佛　南无智積佛
南无清白佛　南无遠行佛
南无天威德佛　南无淨聖佛
南无喜去佛　南无大憂威德佛
南无炎聚佛　南无大勝佛
南无華佛　南无自在幢佛
南无大愛佛　南无善心佛
南无降伏他眾佛　南无勇猛佛
南无成就佛　南无威德佛
南无善思義境界佛　南无善辯佛
南无大寶佛　南无稱意佛
南无世間尊佛　南无功德光明佛
南无寶聲佛　南无金剛仙佛
南无成就佛　南无師子力佛
南无无垢明佛　南无迦葉佛
南无清淨智佛　南无智步佛
南无高威德佛　南无大光明佛
南无日光明佛　南无无垢身佛
南无差別身佛　南无差別威德佛
南无不可比甘露鉢佛　南无月光明雷德佛
南无寂滅去佛　南无不動佛
南无多稱佛　南无功德法佛

BD02192號　佛名經（二十卷本）卷五　（12–4）

南无差別身佛　南无差別威德佛
南无不可比甘露鉢佛　南无月光明雷德佛
南无寂滅去佛　南无不動佛
南无多稱佛　南无功德法佛
南无歡喜无畏佛　南无莊嚴王佛
南无妙稱佛　南无多炎佛
南无華勝佛　南无莊嚴佛
南无善賢佛　南无寶妙佛
南无善智慧佛　南无善賢德佛
南无梵幢佛　南无月蓋佛
南无羅網炎佛　南无廣光明佛
南无智稱佛　南无名相佛
南无切德光明佛　南无稱名聲佛
南无漏月佛　南无華光佛
南无善行佛　南无燃燈王佛
南无電幢佛　南无光明王佛
南无星宿光佛　南无不可嫌名佛
南无波頭摩藏佛　南无佛沙快佛
南无眼佛　南无无獨義佛
南无高威德佛　南无華威德佛
南无奮迅佛　南无无鄣智佛
南无羅睺天佛　南无智聚佛
南无上首佛　南无自在劫佛
南无華幢佛　南无羅睺佛
南无大乘佛　南无星宿王佛

BD02192 號　佛名經（二十卷本）卷五　（12–5）

南无奮迅佛　南无无鄣智佛
南无羅睺天佛　南无智聚佛
南无上首佛　南无自在劫佛
南无華幢佛　南无羅睺佛
南无大乘佛　南无星宿王佛
南无明王佛　南无福德王佛
南无稱光佛　南无日光明佛
南无法藏佛　南无善智慧佛
南无切德自在劫佛　南无金剛仙佛
南无智慧積佛　南无善任佛
南无善聖智慧佛 三千　南无淨聲佛
南无龍乳聲佛　南无桐幢佛
南无智慧聚佛　南无无畏佛
南无淨上首佛　南无快眼佛
南无龍德佛　南无寶幢佛
南无點慧佛　南无不怯弱聲佛
南无寶相佛　南无聲德佛
南无師子佛　南无種種說佛
南无智色佛　南无波頭摩聚佛
南无華佛　南无奮迅去佛
南无華積佛　南无勝色佛
南无星宿色佛　南无月燈佛
南无威德聚佛　南无菩提王佛
南无无盡佛　南无善慧眼佛
南无喜身佛　南无智慧國上佛

BD02192 號　佛名經（二十卷本）卷五　（12–6）

南无[illegible]佛　南无[illegible]佛
南无威德聚佛　南无菩提王佛
南无无盡佛　南无善慧眼佛
南无喜身佛　南无智慧國土佛
南无上佛　南无淨威德佛
南无有智佛　南无真聲佛
南无尊佛　南无无郭号藏佛
南无勝德佛　南无勝智奮迅佛
南无火炎佛　南无自在住持威德佛
南无善光明勝佛　南无善色王佛
南无成就義佛　南无師子仙佛
南无天佛　南无施佛
南无快藏佛　南无福德光明佛
南无淨佛　南无燃燈王佛
南无智生佛　南无妙天佛
南无地天佛　南无得解脫去佛
南无金頂佛　南无得解衆説佛
南无難勝佛　南无信聖佛
南无月光佛　南无金光佛
南无善才佛　南无功德自在天佛
南无十二部經般若海藏
南无諸法最上王經　南无成具光明定意經
南无太子須大拏經　南无太子慕魄經
南无須賴經　南无金色王經
南无獨證自誓三昧經　南无摩訶摩耶經

BD02192號　佛名經（二十卷本）卷五　（12–7）

南无十二部經般若海藏
南无諸法最上王經　南无成具光明定意經
南无太子須大拏經　南无太子慕魄經
南无須賴經　南无金色王經
南无獨證自誓三昧經　南无摩訶摩耶經
南无大方等如來藏經　南无如來方便善巧呪經
南无勝鬘師子吼一乘大方廣經　南无須摩提經
南无希有挍量功德經　南无梵女首意經
南无差摩婆帝受記經　南无月明菩薩經
南无滅十方冥經　南无出生菩提心經
南无普門品經　南无菩薩十住經
南无諸大菩薩摩訶薩衆
南无聖藏菩薩　南无不捨行菩薩
南无不空見菩薩　南无妙聲菩薩
南无妙聲吼菩薩　南无常徹精根菩薩
南无波頭摩道勝菩薩　南无廣恩菩薩
南无憂波羅眼菩薩　南无可供養菩薩
南无常憶菩薩　南无住一切悲見菩薩
南无斷一切惡法菩薩　南无住一切聲菩薩
南无住一切有菩薩　南无住佛聲菩薩
南无无垢菩薩　南无勇猛德菩薩
南无淨菩薩　南无寶勝菩薩　三千百
南无聲聞緣覺一切辟支佛
南无有香辟支佛　南无見大飛騰辟支佛
南无可波羅辟支佛　南无泰摩利辟支佛

BD02192號　佛名經（二十卷本）卷五　（12–8）

南无淨菩　薩　南无寶勝菩薩 三千一百
南无聲聞緣覺一切辟支佛
南无有香辟支佛　南无見飛騰辟支佛
南无可波羅辟支佛　南无泰摩利辟支佛
南无月淨辟支佛　南无聲聞緣覺一切賢聖
南无過現未來三世諸佛歸命懺悔
次懺劫盜之業經中說言若物屬他他所
守護於此物中一草一葉不取何況盜竊
自衆生唯見現在利故以種種不道而取
致使未來受此殃咎是故經言劫盜之罪能
令衆生墮於地獄餓鬼受苦若在畜生則受
牛馬驢騾駱駞等形所有身力與其償他宿債
若生人中為他奴婢衣不蔽形食不充命貧
寒困苦人理殆盡劫盜既有如是苦報是
故弟子今日歸依十方諸佛
南无東方璟諸煩惱佛　南无南方妙音自在佛
南无西方大雲光佛　南无北方雲自在王佛
南无東南方无緣莊嚴佛　南无西南方過諸魔境界佛
南无西北方見无怨懼佛　南无東北方一切德嚴佛
南无上方蓮華藏光佛　南无下方妙善住王佛
如是十方盡虛空界一切三寶
弟子自從无始以來至于今日或盜他財寶
興刃强奪或自恃身逼迫而取或恃公威
或假勢力高桁大械枉押良善吞納姧貨寡
直為曲為此因緣身罹憲網或王邪治領

BD02192號　佛名經（二十卷本）卷五　（12–9）

如是十方盡虛空界一切三寶
弟子自從无始以來至于今日或盜他財寶
興刃强奪或自恃身逼迫而取或恃公威
或假勢力高桁大械枉押良善吞納姧貨寡
直為曲為此因緣身罹憲網或任邪治領
他財物侵公益私假私益公損彼利此損此利
彼割他自饒口與心恡或竊沒租估偷度關利
居公課輸藏隱使役如是等罪今悉懺悔
弟子等從无始以來至于今日或偷佛法僧
物不與而取或經像物或治塔寺物或供養常
住僧物或擬招提僧物或盜取恃用恃勢不
還或自借或貸人或復換貸漏忘或三寶混
亂雜用或以衆䉛米樵薪薑豉鹽菜茹
菓實錢帛竹木繒綵幡蓋香花油燭隨情
逐意或自用或與人或摘佛花菓用僧鬘物
因三寶財私自利己如是等罪无量无邊今
日慚愧皆悉懺悔
又復无始以來至于今日或作周旋朋友師
僧同學父母兄弟六親眷屬共住同止百一
所須更相欺罔或於鄉隣比近移離籬墻侵
他地宅改標易相虜略田園因公託私奪人
邸店及以七野如是等罪今悉懺悔
又復无始以來或攻城破邑燒村壞柵偷賣
良民誘他奴婢或復枉押无罪之人使其[illegible]

BD02192號　佛名經（二十卷本）卷五　（12–10）

所須更相欺罔或於鄉隣比近移離标墻假
他地宅殴攔易相虜略田園因公託私奪人
邸店及以七野如是等罪今悉懺悔
又復无始以來或攻城破邑燒村壞柵偷賣
良民誘他奴婢或復枉押无罪之人使其形組
血刃身被徒鏁家業破散骨肉生離分張異
域生死隔絶如是等罪无量无邊今悉發
露皆當懺悔
又復无始以來至于今日或商估博貨邸店
市易輕秤小外減割尺寸盜竊分銖欺罔
圭合以麁易好以短換長巧欺百端希望豪
利如是等罪今悉懺悔
又復无始以來至于今日穿踰墻壁斷道抄
掠觝捍債息負情違要面欺心口或非道陵
奪鬼神禽獸四生之物或假託卜相取人財
物乃至以利求利惡求多求无厭无足如是
等罪无量无邊不可說盡今日慇重向十方佛
尊法聖衆皆悉懺悔
願弟子等承是懺悔劫盜等罪所生功德
生生世世得如意寶常雨七珎上妙衣服
百味甘露種種湯藥隨意所須應念即至
一切衆生无偷奪相一切皆能少欲知足不
躭不染常樂惠施行急濟道頭目髓腦如
棄涕唾迴向滿足檀波羅蜜
大乘蓮華寶達問答報應沙門品第廿八

BD02192號　佛名經（二十卷本）卷五

（12–11）

百味甘露種種湯藥隨意所須應念即至
一切衆生无偷奪相一切皆能少欲知足不
躭不染常樂惠施行急濟道頭目髓腦如
棄涕唾迴向滿足檀波羅蜜
大乘蓮華寶達問答報應沙門品第廿八
寶[illegible]獄云何名鐵鋸地獄此
地獄[illegible]五[illegible]旬鐵城周迊上有鐵網羅
覆其上猛火焚赫周遍獄中鎖鎔鐵鉾遍布
其地烟火洞燃四方俱熾中有鐵鋸上利刀
利如鋒鋌火從中出絶炎俱熾東門之中
有七百沙門拍手呼天唱言苦哉我今何
罪來諸其中跳踉宛轉高聲大呼馬頭羅
刹手捉三鈷鐵叉望腰而鍾齊中而出擎
者鐵鋸之上利刀仰刺腹背俱徹千生千死
万生万死一日一夜受罪无量從地獄出生
於人中諸根不具
寶達問馬頭羅刹曰此沙門作何業行受
罪如是馬頭羅刹荅曰此諸沙門受佛淨
戒不求未來无上佛道但取現在名聞利
養身犯四禁八万威儀貪求信施如火得草
不知滿足坐人床座亦不如法與白衣共宿
如俗人法坐佛床上登踊師坐臥佛形像階

BD02192號　佛名經（二十卷本）卷五

（12–12）

信故不能受持讀誦書寫解說其義不為衆
人之所恭敬乃至供養見受持者輕毀誹謗汝
是六師非佛弟子當知佛法將滅不久世尊迦葉
如来有是經不如其有者云何言滅如其无者
云何說言大涅槃經是諸如来秘密之藏佛
言善男子我先說言唯有文殊乃解其義今
當重說至心諦聽善男子諸佛世尊有二種
法一者世法二者第一義法世法可滅第一義法
不壞滅復有二種一者无常无我无樂无淨二者
常樂我淨无常无我无樂无淨則有壞滅常
樂我淨則无壞滅復有二種一者二乘所持二
者菩薩所持二乘所持則有壞滅菩薩所持
則无壞滅復有二種一者外二者内外法者則
有壞滅内法者則无壞滅復有二種一者有
為二者无為有為之法則有壞滅无為之法
无有壞滅復有二種一者可得二不可得可得
之法則有壞滅不可得者无有壞滅復有二種一
共法二者不共共法壞滅不共之法无有壞滅
復有二種一者人中二者天中人中壞滅天无壞
滅復有二種一者十一部經二者方等經十一部
經則有壞滅方等經典无有壞滅善男子若
我弟子受持讀誦書寫解說方等經典恭敬
供養尊重讚嘆當知尒時佛法不滅善男子

BD02193號　大般涅槃經（北本）卷一八　（2–1）

法一者世法二者第一義法世法可滅第一義法
不壞滅復有二種一者无常无我无樂无淨二者
常樂我淨无常无我无樂无淨則有壞滅常
樂我淨則无壞滅復有二種一者二乘所持二
者菩薩所持二乘所持則有壞滅菩薩所持
則无壞滅復有二種一者外二者内外法者則
有壞滅内法者則无壞滅復有二種一者有
為二者无為有為之法則有壞滅无為之法
无有壞滅復有二種一者可得二不可得可得
之法則有壞滅不可得者无有壞滅復有二種一
共法二者不共共法壞滅不共之法无有壞滅
復有二種一者人中二者天中人中壞滅天无壞
滅復有二種一者十一部經二者方等經十一部
經則有壞滅方等經典无有壞滅善男子若
我弟子受持讀誦書寫解說方等經典恭敬
供養尊重讚嘆當知尒時佛法不滅善男子
汝向所問迦葉如来有是經不善男子大涅槃
悉是一切諸佛秘藏何以故諸佛雖有十一
說佛性不說如来常樂我淨諸佛世
經名為如来秘密之藏
不出

BD02193號　大般涅槃經（北本）卷一八　（2–2）

[illegible]…[illegible]…行
……忘性不變異性平等性
離生性法定法住實際虛空界不思議界清
淨法界乃至不思議界清淨故七等覺支清
淨何以故若一切智智清淨若法界乃至不
思議界清淨若七等覺支清淨無二無二分
無別無斷故善現一切智智清淨故苦聖諦
清淨苦聖諦清淨故七等覺支清淨何以故
若一切智智清淨若苦聖諦清淨若七等覺
支清淨無二無二分無別無斷故一切智智
清淨故集滅道聖諦清淨集滅道聖諦清
淨故七等覺支清淨何以故若一切智智清淨
若集滅道聖諦清淨若七等覺支清淨無二
無二分無別無斷故善現一切智智清淨故
四靜慮清淨四靜慮清淨故七等覺支清淨
何以故若一切智智清淨若四靜慮清淨若
七等覺支清淨無二無二分無別無斷故一
切智智清淨故四無量四無色定清淨四無
量四無色定清淨故七等覺支清淨何以故
若一切智智清淨若四無量四無色定清淨
若七等覺支清淨無二無二分無別無斷故
善現一切智智清淨故八解脫清淨八解脫

BD02194號　大般若波羅蜜多經卷二七一　（19–1）

切智智清淨故四無量四無色定清淨四無
量四無色定清淨故七等覺支清淨何以故
若一切智智清淨若四無量四無色定清淨
若七等覺支清淨無二無二分無別無斷故
善現一切智智清淨故八解脫清淨八解脫
清淨故七等覺支清淨何以故若一切智智
清淨若八解脫清淨若七等覺支清淨無二
無二分無別無斷故一切智智清淨故八勝處
九次第定十遍處清淨八勝處九次第定
十遍處清淨故七等覺支清淨何以故若一
切智智清淨若八勝處九次第定十遍處清
淨若七等覺支清淨無二無二分無別無斷
故善現一切智智清淨故四念住清淨四念
住清淨故七等覺支清淨何以故若一切智
智清淨若四念住清淨若七等覺支清淨
無二無二分無別無斷故一切智智清淨故四
正斷四神足五根五力八聖道支清淨四正斷
乃至八聖道支清淨故七等覺支清淨何
以故若一切智智清淨若四正斷乃至八聖道
支清淨若七等覺支清淨無二無二分無
別無斷故善現一切智智清淨故空解脫門
清淨空解脫門清淨故七等覺支清淨何以
故若一切智智清淨若空解脫門清淨若七
等覺支清淨無二無二分無別無斷故一切
智智清淨故無相無願解脫門清淨無相無
願解脫門清淨故七等覺支清淨何以故若一
切智智清淨若無相無願解脫門清淨若七
等覺支清淨無二無二分無別無斷故善

BD02194號　大般若波羅蜜多經卷二七一　（19–2）

智智清淨故無相無願解脫門清淨無相無
願解脫門清淨故七等覺支清淨何以故若一
切智智清淨若無相無願解脫門清淨若七
等覺支清淨無二無二分無別無斷故善
現一切智智清淨故菩薩十地清淨菩薩十
地清淨故七等覺支清淨何以故若一切
智智清淨若菩薩十地清淨若七等覺支清
淨無二無二分無別無斷故
善現一切智智清淨故五眼清淨五眼清淨
故七等覺支清淨何以故若一切智智清淨
若五眼清淨若七等覺支清淨無二無二分
無別無斷故一切智智清淨故六神通清淨
六神通清淨故七等覺支清淨何以故若一
切智智淨清若六神通清淨若七等覺支清
淨無二無二分無別無斷故善現一切智智
清淨故佛十力清淨佛十力清淨故七等覺
支清淨何以故若一切智智清淨若佛十力
清淨若七等覺支清淨無二無二分無別無
斷故一切智智清淨故四無所畏四無礙解
大慈大悲大喜大捨十八佛不共法清淨四
無所畏乃至十八佛不共法清淨故七等覺
支清淨何以故若一切智智清淨若四無所畏
乃至十八佛不共法清淨若七等覺支清淨
無二無二分無別無斷故善現一切智智
清淨故無忘失法清淨無忘失法清淨故七
等覺支清淨何以故若一切智智清淨若無
忘失法清淨若七等覺支清淨無二無二分
無別無斷故一切智智清淨故恒住捨性清

BD02194號　大般若波羅蜜多經卷二七一　（19-3）

清淨故無忘失法清淨無忘失清淨故七
等覺支清淨何以故若一切智智清淨若無
忘失法清淨若七等覺支清淨無二無二分
無別無斷故一切智智清淨故恒住捨性清
淨恒住捨性清淨故七等覺支清淨何以故
若一切智智清淨若恒住捨性清淨若七等
覺支清淨無二無二分無別無斷故善現一
切智智清淨故一切智清淨一切智清淨故
七等覺支清淨何以故若一切智智清淨若
一切智清淨若七等覺支清淨無二無二分
無別無斷故一切智智清淨故道相智一切
相智清淨道相智一切相智清淨故七等覺
支清淨何以故若一切智智清淨若道相智
一切相智清淨若七等覺支清淨無二無二
分無別無斷故善現一切智智清淨故一切陁
羅尼門清淨一切陁羅尼門清淨故七等
覺支清淨何以故若一切智智清淨若一切
陁羅尼門清淨若七等覺支清淨無二無
二分無別無斷故一切智智清淨故一切三摩地
門清淨一切三摩地門清淨故七等覺支
清淨何以故若一切智智清淨若一切三摩
地門清淨若七等覺支清淨無二無二分無別
無斷故
善現一切智智清淨故預流果清淨預流果清
淨故七等覺支清淨何以故若一切智智
清淨若預流果清淨若七等覺支清淨無二
無二分無別無斷故一切智智清淨故一來
不還阿羅漢果清淨一來不還阿羅漢果清

BD02194號　大般若波羅蜜多經卷二七一　（19-4）

淨故七等覺支清淨何以故若一切智智
清淨若預流果清淨若七等覺支清淨無二
無二分無別無斷故一切智智清淨故一來
不還阿漢果清淨來不還阿羅漢果清
淨故七等覺支清淨何以故若一切智智清
淨若一來不還阿羅漢果清淨若七等覺支
清淨無二無二分無別無斷故善現一切智
智清淨故獨覺菩提清獨覺菩提清淨故
七等覺支清淨何以故若一切智智清淨若
獨覺菩提清淨若七等覺支清淨無二無二
分無別無斷故善現一切智智清淨故一切菩
薩摩訶薩行清淨一切菩薩摩訶薩行清
淨故七等覺支清淨何以故若一切智智清
淨若一切菩薩摩訶薩行清淨若七等覺支
清淨無二無二分無別無斷故現善一切智
智清淨故諸佛無上正等菩提清淨諸佛無
上正等菩提清淨故七等覺支清淨何以故
若一切智智清淨若諸佛無上正等菩提清
淨若七等覺支清淨無二無二分無別無斷
故

復次善現一切智智清淨故色清淨色清淨
故八聖道支清淨何以故若一切智智清淨
若色清淨若八聖道支清淨無二無二分無別
無斷故一切智智清淨故受想行識清淨
受想行識清淨故八聖道支清淨何以故若
一切智智清淨若受想行識清淨若八聖道
支清淨無二無二分無別無斷故善現一切
智智清淨故眼處清淨眼處清淨故八聖道

BD02194 號　大般若波羅蜜多經卷二七一

（19–5）

一切智智清淨若受想行識清淨若八聖道
支清淨無二無二分無別無斷故善現一切
智智清淨故眼處清淨眼處清淨故八聖道
支清淨何以故若一切智智清淨若眼處清
淨若八聖道支清淨無二無二分無別無斷
故一切智智清淨故耳鼻舌身意處清淨
耳鼻舌身意處清淨故八聖道支清淨何以
故若一切智智清淨若耳鼻舌身意處清淨
若八聖道支清淨無二無二分無別無斷故善
現一切智智清淨故色處清淨色處清淨故
八聖道支清淨何以故若一切智智清淨若
色處清淨若八聖道支清淨無二無二分無
別無斷故一切智智清淨故聲香味觸法
處清淨聲香味觸法處清淨故八聖道支
清淨何以故若一切智智清淨若聲香味觸法處
清淨若八聖道支清淨無二無二分無別無
斷故善現一切智智清淨故眼界清淨眼界
清淨故八聖道支清淨何以故若一切智智
清淨若眼界清淨若八聖道支清淨無二無
二分無別無斷故一切智智清淨故色界眼
識界及眼觸眼觸為緣所生諸受清淨色界
乃至眼觸為緣所生諸受清淨故八聖道支
清淨何以故若一切智智清淨若色界乃至
眼觸為緣所生諸受清淨若八聖道支清淨
無二無二分無別無斷故善現一切智智清淨
故耳界清淨耳界清淨故八聖道支清淨
何以故若一切智智清淨若耳界清淨若八
聖道支清淨無二無二分無別無斷故一切

BD02194 號　大般若波羅蜜多經卷二七一

（19–6）

淸淨何以故若一切智智清淨若色界乃至
眼觸爲緣所生諸受清淨若八聖道支清淨
無二無二分無別無斷故善現一切智智清淨
故耳界清淨耳界清淨故八聖道支清淨
何以故若一切智智清淨若耳界清淨若八
聖道支清淨無二無二分無別無斷故一切
智智清淨故聲界耳識界及耳觸耳觸爲緣
所生諸受清淨聲界乃至耳觸爲緣所生諸
受清淨故八聖道支清淨何以故若一切智
智清淨若聲界乃至耳觸爲緣所生諸受清
淨若八聖道支清淨無二無二分無別無斷
故
善現一切智智清淨故鼻界清淨鼻界清淨
故八聖道支清淨何以故若一切智智清淨
若鼻界清淨若八聖道支清淨無二無二
分無別無斷故一切智智清淨故香界鼻識
界及鼻觸鼻觸爲緣所生諸受清淨香界乃
至鼻觸爲緣所生諸受清淨故八聖道支清
淨何以故若一切智智清淨若香界乃至鼻
觸爲緣所生諸受清淨若八聖道支清淨無
二無二分無別無斷故善現一切智智清淨故
舌界清淨舌界清淨故八聖道支清淨何以
故若一切智智清淨若舌界清淨若八聖道
支清淨無二無二分無別無斷故一切智智
清淨故味界舌識界及舌觸舌觸爲緣所生
諸受清淨味界乃至舌觸爲緣所生諸受清
淨故八聖道支清淨何以故若一切智智清
淨若味界乃至舌觸爲緣所生諸受清淨若

BD02194號　大般若波羅蜜多經卷二七一　　（19–7）

諸受清淨味界乃至舌觸爲緣所生諸受清
淨故八聖道支清淨何以故若一切智智清
淨若味界乃至舌觸爲緣所生諸受清淨若
八聖道支清淨無二無二分無別無斷故善
現一切智智清淨故身界清淨身界清淨故
八聖道支清淨何以故若一切智智清淨若身
界清淨若八聖道支清淨無二無二分無
別無斷故一切智智清淨故觸界身識界及
身觸身觸爲緣所生諸受清淨觸界乃至身
觸爲緣所生諸受清淨故八聖道支清淨何
以故若一切智智清淨若觸界乃至身觸爲
緣所生諸受清淨若八聖道支清淨無二無
二分無別無斷故善現一切智智清淨故意
界清淨意界清淨故八聖道支清淨何以故
若一切智智清淨若意界清淨若八聖道支
清淨無二無二分無別無斷故一切智智清
淨故法界意識界及意觸意觸爲緣所生
諸受清淨法界乃至意觸爲緣所生諸受清
淨故八聖道支清淨何以故若一切智智清淨
若法界乃至意觸爲緣所生諸受清淨若
八聖道支清淨無二無二分無別無斷故善現
一切智智清淨故地界清淨地界清淨故八
聖道支清淨何以故若一切智智清淨若地
界清淨若八聖道支清淨無二無二分無別
無斷故一切智智清淨故水火風空識界清
淨水火風空識界清淨故八聖道支清淨何
以故若一切智智清淨若水火風空識界清
淨若八聖道支清淨無二無二分無別無斷

BD02194號　大般若波羅蜜多經卷二七一　　（19–8）

無斷故一切智智清淨故水火風空識界清
淨水火風空識界清淨故八聖道支清淨何
以故若一切智智清淨若水火風空識界清
淨若八聖道支清淨無二無二分無別無斷
故善現一切智智清淨故無明清淨無明清
淨故八聖道支清淨何以故若一切智智清
淨若無明清淨若八聖道支清淨無二無二分
無別無斷故一切智智清淨故行識名色
六處觸受愛取有生老死愁歎苦憂惱清
淨行乃至老死愁歎苦憂惱清淨故八聖道支
清淨何以故若一切智智清淨若行乃至老
死愁歎苦憂惱清淨若八聖道支清淨無二
無二分無別無斷故
善現一切智智清淨故布施波羅蜜多清淨
布施波羅蜜多清淨故八聖道支清淨何以
故若一切智智清淨若布施波羅蜜多清淨
若八聖道支清淨無二無二分無別無斷故
一切智智清淨故淨戒安忍精進靜慮般若
波羅蜜多清淨淨戒乃至般若波羅蜜多清
淨故八聖道支清淨何以故若一切智智清
淨若淨戒乃至般若波羅蜜多清淨若八聖
道支清淨無二無二分無別無斷故善現一
切智智清淨故內空清淨內空清淨故八聖
道支清淨何以故若一切智智清淨若內空
清淨若八聖道支清淨無二無二分無別無斷
故一切智智清淨故外空內外空空空大空
勝義空有為空無為空畢竟空無際空散
空無變異空本性空自相空共相空一切法

BD02194號　大般若波羅蜜多經卷二七一　（19-9）

清淨若八聖道支清淨無二無二分無別無斷
故一切智智清淨故外空內外空空空大空
勝義空有為空無為空畢竟空無際空散
空無變異空本性空自相空共相空一切法
空不可得空無性空自性空無性自性空清
淨外空乃至無性自性空清淨故八聖道支
清淨何以故若一切智智清淨若外空乃至
無性自性空清淨若八聖道支清淨無二無
二分無別無斷故善現一切智智清淨故真
如清淨真如清淨故八聖道支清淨何以故
若一切智智清淨若真如清淨若八聖道支
清淨無二無二分無別無斷故一切智智清
淨故法界法性不虛妄性不變異性平等性
離生性法定法住實際虛空界不思議界清
淨法界乃至不思議界清淨故八聖道支清
淨何以故若一切智智清淨若法界乃至不思
議界清淨若八聖道支清淨無二無二分
無別無斷故善現一切智智清淨故苦聖諦
清淨苦聖諦清淨故八聖道支清淨何以故
若一切智智清淨若苦聖諦清淨若八聖道
支清淨無二無二分無別無斷故一切智智
清淨故集滅道聖諦清淨集滅道聖諦清淨
故八聖道支清淨何以故若一切智智清淨
若集滅道聖諦清淨若八聖道支清淨無二
無二分無別無斷故善現一切智智清淨故
四靜慮清淨四靜慮清淨故八聖道支清淨
何以故若一切智智清淨若四靜慮清淨若
八聖道支清淨無二無二分無別無斷故一

BD02194號　大般若波羅蜜多經卷二七一　（19-10）

若集滅道聖諦清淨若八聖道支清淨無二
無二分無別無斷故善現一切智智清淨故
四靜慮清淨四靜慮清淨故八聖道支清淨
何以故若一切智智清淨若四靜慮清淨若
八聖道支清淨無二無二分無別無斷故一
切智智清淨故四無量四無色定清淨四無
量四無色定清淨故八聖道支清淨何以故
若一切智智清淨若四無量四無色定清淨
若八聖道支清淨無二無二分無別無斷故
善現一切智智清淨故八解脫清淨八解脫清
淨故八聖道支清淨何以故若一切智智清
淨若八解脫清淨若八聖道支清淨無二
無二分無別無斷故一切智智清淨故八勝
處九次第定十遍處清淨八勝處九次第定
十遍處清淨故八聖道支清淨何以故若一
切智智清淨若八勝處九次第定十遍處清
淨若八聖道支清淨無二無二分無別無
斷故善現一切智智清淨故四念住清淨四念
住清淨故八聖道支清淨何以故若一切智
智清淨若四念住清淨若八聖道支清淨無
二無二分無別無斷故一切智智清淨故四正
斷四神足五根五力七等覺支清淨四正
斷乃至七等覺支清淨故八聖道支清淨何
以故若一切智智清淨若四正斷乃至七等
覺支清淨若八聖道支清淨無二無二分無
別無斷故善現一切智智清淨故空解脫門
清淨空解脫門清淨故八聖道支清淨何以故
若一切智智清淨若空解脫門清淨若八聖

別無斷故善現一切智智清淨故空解脫門
清淨空解脫門清淨故八聖道支清淨何以故
若一切智智清淨若空解脫門清淨若八聖
道支清淨無二無二分無別無斷故一切智
智清淨故無相無願解脫門清淨無相無
願解脫門清淨故八聖道支清淨何以故若
一切智智清淨若無相無願解脫門清淨若八
聖道支清淨無二無二分無別無斷故善現
一切智智清淨故菩薩十地清淨菩薩十地
清淨故八聖道支清淨何以故若一切智智
清淨若菩薩十地清淨若八聖道支清淨無
二無二分無別無斷故
善現一切智智清淨故五眼清淨五眼清淨
故八聖道支清淨何以故若一切智智清淨
若五眼清淨若八聖道支清淨無二無二分
無別無斷故一切智智清淨故六神通清淨
六神通清淨故八聖道支清淨何以故若一
切智智清淨若六神通清淨若八聖道支清
淨無二無二分無別無斷故善現一切智智
清淨故佛十力清淨佛十力清淨故八聖道
支清淨何以故若一切智智清淨若佛十力
清淨若八聖道支清淨無二無二分無別無
斷故一切智智清淨故四無所畏四無礙解
大慈大悲大喜大捨十八佛不共法清淨四
無所畏乃至十八佛不共法清淨故八聖道
支清淨何以故若一切智智清淨若四無所
畏乃至十八佛不共法清淨若八聖道支清
淨無二無二分無別無斷故善現一切智智

何以故若一切智智清淨若四無所
畏乃至十八佛不共法清淨若八聖道支清
淨無二無二分無別無斷故善現一切智智
清淨故無忘失法清淨無忘失法清淨故八
聖道支清淨何以故若一切智智清淨若無
忘失法清淨若八聖道支清淨無二無二分
無別無斷故一切智智清淨故恒住捨性清
淨恒住捨性清淨故八聖道支清淨何以故
若一切智智清淨若恒住捨性清淨若八聖
道支清淨無二無二分無別無斷故善現一
切智智清淨故一切智清淨一切智清淨故
八聖道支清淨何以故若一切智智清淨若
一切智清淨若八聖道支清淨無二無二分
無別無斷故一切智智清淨故道相智一切
相智清淨道相智一切相智清淨故八聖道
支清淨何以故若一切智智清淨若道相智
一切相智清淨若八聖道支清淨無二無二
分無別無斷故善現一切智智清淨故一切
陀羅尼門清淨一切陀羅尼門清淨故八聖
道支清淨何以故若一切智智清淨若一切
陀羅尼門清淨若八聖道支清淨無二無二
分無別無斷故一切智智清淨故一切三摩
地門清淨一切三摩地門清淨故八聖道支
清淨何以故若一切智智清淨若一切三摩
地門清淨若八聖道支清淨無二無二分無
別無斷故善現一切智智清淨故預流果清
淨預流果清淨故八聖道支清淨何以故若
一切智智清淨若預流果清淨若八聖道支清

BD02194號　大般若波羅蜜多經卷二七一　（19–13）

別無斷故善現一切智智清淨故預流果清
淨預流果清淨故八聖道支清淨何以故若
一切智智清淨若預流果清淨若八聖道支清
淨無二無二分無別無斷故一切智智清淨
故一來不還阿羅漢果清淨一來不還阿羅
漢果清淨故八聖道支清淨何以故若一切
智智清淨若一來不還阿羅漢果清淨若八
聖道支清淨無二無二分無別無斷故善現
一切智智清淨故獨覺菩提清淨獨覺菩
提清淨故八聖道支清淨何以故若一切智智
清淨若獨覺菩提清淨若八聖道支清淨無
二無二分無別無斷故善現一切智智清淨
故一切菩提摩訶薩行清淨一切菩薩摩訶
薩行清淨故八聖道支清淨何以故若一切
智智清淨若一切菩薩摩訶薩行清淨若
八聖道支清淨無二無二分無別無斷故善現
一切智智清淨故諸佛無上正等菩提清淨
諸佛無上正等菩提清淨故八聖道支清淨
何以故若一切智智清淨若諸佛無上正等
菩提清淨若八聖道支清淨無二無二分無
別無斷故
復次善現一切智智清淨故色清淨色清淨
故空解脫門清淨何以故若一切智智清淨
若色清淨若空解脫門清淨無二無二分無
別無斷故一切智智清淨故受想行識清淨
受想行識清淨故空解脫門清淨何以故若
一切智智清淨若受想行識清淨若空解脫
門清淨無二無二分無別無斷故善現一切智

BD02194號　大般若波羅蜜多經卷二七一　（19–14）

一切智智清淨若受想行識清淨若空解脫
門清淨無二無二分無別無斷故善現一切智
智清淨故眼處清淨眼處清淨故空解脫
門清淨何以故若一切智智清淨若眼處清
淨若空解脫門清淨無二無二分無別無斷故
一切智智清淨故耳鼻舌身意處清淨耳
鼻舌身意處清淨故空解脫門清淨何以
故若一切智智清淨若耳鼻舌身意處清淨若
空解脫門清淨無二無二分無別無斷故善現
一切智智清淨故色處清淨色處清淨故
空解脫門清淨何以故若一切智智清淨若
色處清淨若空解脫門清淨無二無二分無
別無斷故一切智智清淨故聲香味觸法處
清淨聲香味觸法處清淨故空解脫門清淨
何以故若一切智智清淨若聲香味觸法處
清淨若空解脫門清淨無二無二分無別無斷
故善現一切智智清淨故眼界清淨眼界
清淨故空解脫門清淨何以故若一切智智
清淨若眼界清淨若空解脫門清淨無二無
二分無別無斷故一切智智清淨故色界眼
識界及眼觸眼觸為緣所生諸受清淨色界
乃至眼觸為緣所生諸受清淨故空解脫門
清淨何以故若一切智智清淨若色界乃至
眼觸為緣所生諸受清淨若空解脫門清淨
無二無二分無別無斷故善現一切智智清
淨故耳界清淨耳界清淨故空解脫門清淨
何以故若一切智智清淨若耳界清淨若空解

BD02194 號　大般若波羅蜜多經卷二七一　（19–15）

無二無二分無別無斷故善現一切智智清
淨故耳界清淨耳界清淨故空解脫門清淨
何以故若一切智智清淨若耳界清淨若空解
脫門清淨無二無二分無別無斷故一切智智
清淨故聲界耳識界及耳觸耳觸為緣所生
諸受清淨聲界乃至耳觸為緣所生諸受清
淨故空解脫門清淨何以故若一切智智清
淨若聲界乃至耳觸為緣所生諸受清淨
若空解脫門清淨無二無二分無別無斷故
善現一切智智清淨故鼻界清淨鼻界清
淨故空解脫門清淨何以故若一切智智清
淨若鼻界清淨若空解脫門清淨無二無二
分無別無斷故一切智智清淨故香界鼻識
界及鼻觸鼻觸為緣所生諸受清淨香界
乃至鼻觸為緣所生諸受清淨故空解脫門清
淨何以故若一切智智清淨若香界乃至鼻
觸為緣所生諸受清淨若空解脫門清淨
無二無二分無別無斷故善現一切智智清淨
故舌界清淨舌界清淨故空解脫門清淨何
以故若一切智智清淨若舌界清淨若空解
脫門清淨無二無二分無別無斷故一切智
智清淨故味界舌識界及舌觸舌觸為緣所
生諸受清淨味界乃至舌觸為緣所生諸受
清淨故空解脫門清淨何以故若一切智智
清淨若味界乃至舌觸為緣所生諸受清淨
若空解脫門清淨無二無二分無別無斷故
善現一切智智清淨故身界清淨身界清淨
故空解脫門清淨何以故若一切智智清淨

BD02194 號　大般若波羅蜜多經卷二七一　（19–16）

若空解脫門清淨無二無二分無別無斷故
善現一切智智清淨故身界清淨身界清淨
故空解脫門清淨何以故若一切智智清淨
若身界清淨若空解脫門清淨無二無二分
無別無斷故一切智智清淨故觸界身識界
及身觸身觸為緣所生諸受清淨觸界乃至
身觸為緣所生諸受清淨故空解脫門清淨
何以故若一切智智清淨若觸界乃至身觸
為緣所生諸受清淨若空解脫門清淨無二
無二分無別無斷故善現一切智智清淨故
意界清淨意界清淨故空解脫門清淨何
以故若一切智智清淨若意界清淨若空解脫
門清淨無二無二分無別無斷故一切智智
清淨故法界意識界及意觸意觸為緣所
生諸受清淨法界乃至意觸緣所生諸受清
淨故空解脫門清淨何以故若一切智智清淨
若法界乃至意觸緣所生諸受清淨若
空解脫門清淨無二無二分無別無斷故善
現一切智智清淨故地界清淨地界清淨故
空解脫門清淨何以故若一切智智清淨若
地界清淨若空解脫門清淨無二無二分無
別無斷故一切智智清淨故水火風空識界
清淨水火風空識界清淨故空解脫門清淨
何以故若一切智智清淨若水火風空識界
清淨若空解脫門清淨無二無二分無別無
斷故善現一切智智清淨故無明清淨無明
清淨故空解脫門清淨何以故若一切智智
清淨若無明清淨若空解脫門清淨無二無

BD02194 號　大般若波羅蜜多經卷二七一　（19–17）

[illegible]
清淨水火風空識界清淨故空解脫門清淨
何以故若一切智智清淨若水火風空識界
清淨若空解脫門清淨無二無二分無別無
斷故善現一切智智清淨故無明清淨無明
清淨故空解脫門清淨何以故若一切智智
清淨若無明清淨若空解脫門清淨無二無
二分無別無斷故一切智智清淨故行識名
色六處觸受愛取有生老死愁歎苦憂惱清
淨行乃至老死愁歎苦憂惱清淨故空解脫
門清淨何以故若一切智智清淨若行乃至老
死愁歎苦憂惱清淨若空解脫門清淨無
二無二分無別無斷故
善現一切智智清淨故布施波羅蜜多清淨
布施波羅蜜多清淨故空解脫門清淨何以
故若一切智智清淨若布施波羅蜜多清淨
若空解脫門清淨無二無二分無別無斷故
一切智智清淨故淨戒安忍精進靜慮般若
波羅蜜多清淨淨戒乃至般若波羅蜜多清
淨故空解脫門清淨何以故若一切智智清
淨若淨戒乃至般若波羅蜜多清淨若空
脫解清淨無二無二分無別無斷故

大般若波羅蜜多經卷第二百七十一

BD02194 號　大般若波羅蜜多經卷二七一　（19–18）

二無二分無斷故
善現一切智智清淨故布施波羅蜜多清淨
布施波羅蜜多清淨故空解脫門清淨何以
故若一切智智清淨若布施波羅蜜多清淨
若空解脫門清淨無二無二分無別無斷故
一切智智清淨故淨戒安忍精進靜慮般若
波羅蜜多清淨淨戒乃至般若波羅蜜多清
淨故空解脫門清淨何以故若一切智智清
淨若淨戒乃至般若波羅蜜多清淨若空
脫解清淨無二無二分無別無斷故
大般若波羅蜜多經卷第二百七十一

BD02194號　大般若波羅蜜多經卷二七一　（19–19）

國界　種種殊妙
…我見此　得未曾有
…世尊何故　放斯光明
…其光明　演斯光明　佛坐道場
所得妙法　…　差當授記　為當授記　是諸佛土　衆寶嚴淨
…見諸佛　此非小緣　文殊當知　四衆龍神　瞻察仁者　為說何華
爾時文殊師利語彌勒菩薩摩訶薩及諸大士善男子等如我惟忖今佛世尊
欲說大法雨大法雨吹大法螺擊大法鼓演大法義諸善男子我於過去諸佛
曾見此瑞放斯光已即說大法是故當知今佛現光亦復如是欲令一切
咸得聞知一切世尊闇難信之法故現斯瑞諸善男子如過去无量无邊
不可思議阿僧祇劫尒時有佛号日月燈明如來應供正遍知明行
足善逝世間解无上士調御丈夫天人師佛世尊演說正法初善中
善後善其義深遠其語巧妙純一无雜具足清白梵行之相為求
聲聞者說應四諦法度生老病死究竟涅槃為求辟支佛者說應
十二因緣法為諸菩薩說應六波羅蜜令得阿耨多羅三藐三菩提
成一切種智次復有佛亦名日月燈明次復有佛亦名日月燈明如是二
万佛皆同一字号日月燈明又同一姓姓頗羅墮彌勒當知初佛後佛
皆同一字名日月燈明十号具足所可說法初中後善其最後佛未
出家時有八王子一名有意二名善意三名无量意四名寶意五
名增意六名除疑意七名響意八名法意是八王子威德自在各
領四天下是諸王子聞父出家得阿耨多羅三藐三菩提悉捨
王位亦隨出家發大乘意常脩梵行皆為法師已於千万佛所殖
衆德本是時日月燈明佛說大乘經名无量義教菩薩法佛所護
念說是經已即於大衆中結加趺坐入於无量義處三昧身心
不動是時天雨曼陀羅華摩訶曼陀羅華曼殊沙華摩訶曼殊沙華而散佛
上及諸大衆普佛世界六種震動尒時會中比丘比丘尼優婆塞
優婆夷天龍夜叉乾闥婆阿修羅迦樓羅緊那羅摩睺羅伽

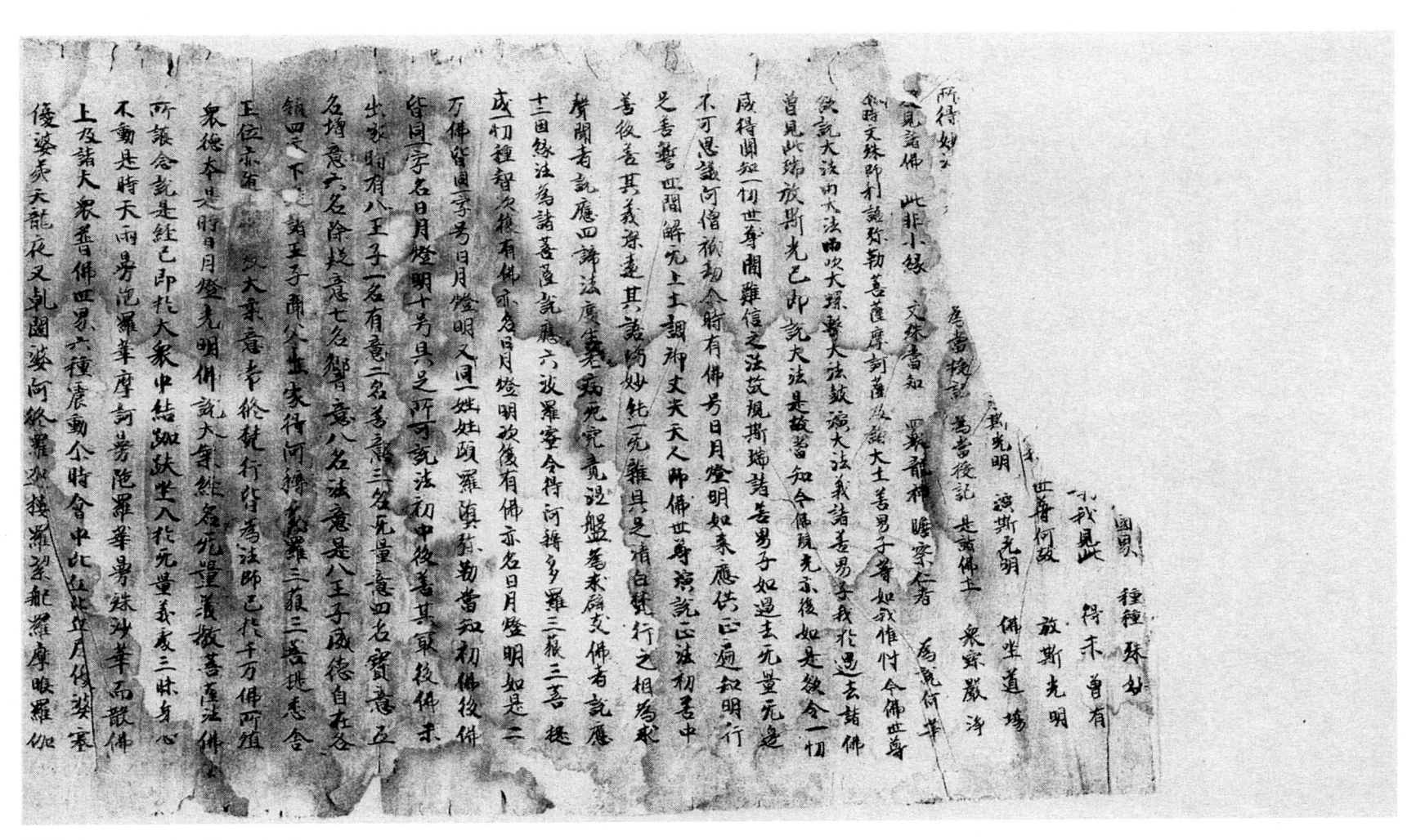

BD02195號 1　妙法蓮華經卷一　（11–1）

王位亦隨□□大乘意常修梵行皆為法師已於千万佛所殖
衆德本是時日月燈明佛說大乘經名无量義教菩薩法佛
所護念說是經已即於大衆中結加趺坐入於无量義處三昧身心
不動是時天雨曼陁羅華摩訶曼陁羅華曼殊沙華而散佛
上及諸大衆普佛世界六種震動尒時會中比丘比丘尼優婆塞
優婆夷天龍夜叉乾闥婆阿修羅迦樓羅緊那羅摩睺羅伽
人非人及諸小王轉輪聖王是諸大衆得未曾有歡喜合掌一心觀
佛尒時如來放眉間白毫相光照東方万八千佛土靡不周遍如今
所見是諸佛土彌勒當知尒時會中有廿億菩薩樂欲聽法是諸菩
薩見此光明普照佛土得未曾有欲知此光所為因緣時有菩薩名
曰妙光有八百弟子是時日月燈明佛從三昧起因妙光菩薩說大
乘經名妙法蓮華教菩薩法佛所護念六十小劫不起于座時會聽
者亦座一處六十小劫身心不動是時天雨曼陁羅華摩訶曼陁
羅華曼殊沙華摩訶曼殊沙華而散佛上及
者亦坐一處六十小劫身心不動聽佛所說謂如食頃是時衆中无
有一人若身若心而生懈惓日月燈明佛於六十小劫說是經已即於
梵魔沙門婆羅門及天人阿修羅衆中而宣此言如來於今日中
夜當入无餘涅槃時有菩薩名曰德藏日月燈明佛即授其
記告諸比丘是德藏菩薩次當作佛号曰淨身多陁阿伽度阿
羅訶三藐三佛陁佛授記已便於中夜入无餘涅槃佛滅度後妙光
菩薩持妙法華經滿八十小劫為人演說日月燈明佛八子皆師妙
光妙光教化令其堅固阿耨多羅三藐三菩提是諸王子供養
无量百千万億佛已皆成佛道其最後成佛者名曰然燈八百弟子
中有一人号曰求名貪著利養雖復讀誦衆經而不通利多所妄
故号求名是人亦以種諸善根因緣故得值无量百千佛已皆成佛（諸佛供養恭敬）
供養恭敬尊重讚歎彌勒當知尒時妙光菩薩豈異
人乎我身是也求名菩薩汝身是也今見此瑞與本無異是
故惟忖今日如來當說大乘經名妙法蓮華教菩薩法佛所護
念尒時文殊師利於大衆中欲重宣此義而說偈言
我念過去世 无量无數劫 有佛人中尊 号日月燈明 世尊演說法
度无量衆生 无數億菩薩 令入佛智慧 佛未出家時 所生八王子
見大聖出家 亦隨修梵行 時佛說大乘 經名无量義 於諸大衆中 而為廣分別
佛說此經已 即於法座上 加趺坐三昧 名无量義處 天雨曼陁華 天鼓自然鳴

BD02195 號 1　妙法蓮華經卷一

（11–2）

故惟忖今日如來當說大乘經名妙法蓮華教菩…
念尒時文殊師利於大衆中欲重宣此義而說偈言
我念過去世 无量无數劫 有佛人中尊 号日月燈明 世尊演說法
度无量衆生 无數億菩薩 令入佛智慧 佛未出家時 所生八王子
見大聖出家 亦隨修梵行 時佛說大乘 經名无量義 於諸大衆中 而為廣分別
佛說此經已 即於法座上 加趺坐三昧 名无量義處 天雨曼陁華 天鼓自然鳴
諸天龍鬼神 供養人中尊 一切諸佛土 即時大震動 佛放眉間光 現諸希有事
此光照東方 万八千佛土 示一切衆生 生死業報處 有見諸佛土 以衆寶莊嚴
瑠璃頗梨色 斯由佛光照 及見諸天人 龍神夜叉衆 乾闥緊那羅 各供養其佛
又見諸如來 自然成佛道 身色如金山 端嚴甚微妙 如淨瑠璃中 內現真金像
世尊在大衆 敷演深法義 一一諸佛土 聲聞衆无數 因佛光所照 悉見彼大衆
或有諸比丘 在於山林中 精進持淨戒 猶如護明珠 又見諸菩薩 行施忍辱等
其數如恒沙 斯由佛光照 又見諸菩薩 深入諸禪定 身心寂不動 以求无上道
又見諸菩薩 知法寂滅相 各於其國土 說法求佛道 尒時四部衆 見日月燈佛
現大神通力 其心皆歡喜 各各自相問 是事何因緣 天人所奉尊 適從三昧起
讚妙光菩薩 汝為世間眼 一切所歸信 能奉持法藏 如我所說法 唯汝能證知
世尊既讚歎 令妙光歡喜 說是法華經 滿六十小劫 不起於此座 所說上妙法
是妙光法師 悉皆能受持 佛說是法華 令衆歡喜已 尋即於是日 告於天人衆
諸法實相義 已為汝等說 我今於中夜 當入於涅槃 汝一心精進 當離於放逸
諸佛甚難值 億劫時一遇 世尊諸子等 聞佛入涅槃 各各懷悲惱
佛滅一何速 聖主法之王 安慰无量衆 我若滅度時 汝等勿憂怖 是德藏菩薩
於无漏實相 心已得通達 其次當作佛 号曰為淨身 亦度无量衆 佛此夜滅度
如薪盡火滅 分布諸舍利 而起无量塔 比丘比丘尼 其數如恒沙 倍復加精進
以求无上道 是妙光法師 奉持佛法藏 八十小劫中 廣宣法華經 是諸八王子
妙光所開化 堅固无上道 當見无數佛 供養諸佛已 隨順行大道 相繼得成佛
轉次而授記 最後天中天 号曰然燈佛 諸仙之導師 度脫无量衆 是妙光法師
時有一弟子 心常懷懈怠 貪著於名利 求名利无猒 多遊族姓家 棄捨所習誦
廢忘不通利 以是因緣故 号之為求名 亦行衆善業 得見无數佛 供養於諸佛
隨順行大道 具六波羅蜜 今見釋師子 其後當作佛 号名曰彌勒 廣度諸衆生
其數无有量 彼佛滅度後 懈怠者汝是 妙光法師者 今則我身是 我見燈明佛
本光瑞如此 以是知今佛 欲說法華經 今相如本瑞 是諸佛方便 今佛放光明
助發實相義 諸人今當知 合掌一心待 佛當雨法雨 充足求道者 諸求三乘人
若有疑悔者 佛當為除斷 令盡无有餘
妙法蓮華經方便品第二

BD02195 號 1　妙法蓮華經卷一

（11–3）

其數无有量 彼佛滅度後 懈怠者汝是 妙光法師者 今則我身是 我見燈明佛
本光瑞如此 以是知今佛 欲說法華經 今相如本瑞 是諸佛方便 今佛放光明
助發實相義 諸人今當知 合掌一心待 佛當雨法雨 充足求道者 諸求三乘人
若有疑悔者 佛當為除斷 令盡无有餘 妙法蓮華經方便品第二
尒時世尊從三昧安詳而起 告舍利弗 諸佛智慧甚深无量 其智慧門難解難入
一切聲聞辟支佛所不能知 所以者何 佛曾親近百千万億无數諸佛 盡行諸佛
无量道法 勇猛精進 名稱普聞 成就甚深未曾有法 隨宜所說 意趣難解 舍利弗
吾從成佛已來 種種因緣 種種譬喻 廣演言教 无數方便 引導眾生 令離諸著
所以者何 如來方便知見波羅蜜皆已具足 舍利弗 如來知見 廣大深遠 无量
无礙力无所畏禪定解脫三昧 深入无際 成就一切未曾有法 舍利弗 如來能種種
分別 巧說諸法 言辭柔軟 悅可眾心 舍利弗 取要言之 无量无邊未曾有法 佛
悉成就 止 舍利弗 不須復說 所以者何 佛所成就第一希有難解之法 唯佛與
佛乃能究盡諸法實相 所謂諸法如是相 如是性 如是體 如是力
如是作 如是因 如是緣 如是果 如是報 如是本末究竟等 尒時世尊欲重宣
此義而說偈言 世雄不可量 諸天及世人 一切眾生類
无能知佛者 佛力无所畏 解脫諸三昧 及佛諸餘法 无能測量者 本從无數佛
具足行諸道 甚深微妙法 難見難可了 於无量億劫 行此諸道已 道場得成果
我已悉知見 如是大果報 種種性相義 我及十方佛 乃能知是事 是法不可示
言辭相寂滅 諸餘眾生類 无有能得解 除諸菩薩眾 信力堅固者 諸佛弟子眾
曾供養諸佛 一切漏已盡 住是最後身 如是諸人等 其力所不堪 假使滿世間
皆如舍利弗 盡思共度量 不能測佛智 正使滿十方 皆如舍利弗 及餘諸弟子
亦滿十方剎 盡思共度量 亦復不能知 又告舍利弗 无漏不思議 甚深微妙法
辟支佛利智 无漏最後身 亦滿十方界 其數如竹林 斯等共一心 於億无量劫
欲思佛實智 莫能知少分 新發意菩薩 供養无數佛 了達諸義趣 又能善說法
如稻麻竹葦 充滿十方剎 一心以妙智 於恒河沙劫 咸皆共思量 不能知佛智
不退諸菩薩 其數如恒沙 一心共思求 亦復不能知 又告舍利弗 无漏不思議
甚深微妙法 我今已具得 唯我知是相 十方佛亦然 舍利弗當知 諸佛語无異
於佛所說法 當生大信力 世尊法久後 要當說真實 告諸聲聞眾 及求緣覺乘
我令脫苦縛 逮得涅槃者 佛以方便力 示以三乘教 眾生處處著 引之令得出
尒時大眾中有諸聲聞漏盡阿羅漢阿若憍陳如等千二百人及發聲聞辟
支心比丘比丘尼優婆塞優婆夷各作是念 今者世尊何故慇懃稱歎方便而作是
言 佛所得法甚深難解 有所言說意趣難知 一切聲聞辟支佛所不能及

BD02195號1 妙法蓮華經卷一 (11-4)

於佛所說法 當生大信力 世尊法久後 要當說真實 告諸聲聞眾 及求緣覺乘
我令脫苦縛 逮得涅槃者 佛以方便力 示以三乘教 眾生處處著 引之令得出
尒時大眾中有諸聲聞漏盡阿羅漢阿若憍陳如等千二百人及發聲聞辟
支心比丘比丘尼優婆塞優婆夷各作是念 今者世尊何故慇懃稱歎方便而作是
言 佛所得法甚深難解 有所言說意趣難知 一切聲聞辟支佛所不能及 尒時
說佛一解脫義 我等亦得此法到於涅槃 而今不知是義所趣 尒時
利弗知四眾心疑 自亦未了 而白佛言 世尊 何因何緣慇懃稱
佛第一方便甚深微妙難解之法 我自昔來未曾從佛聞如是說 今
者四眾咸皆有疑 唯願世尊敷演斯事 世尊何故慇懃稱歎甚深
微妙難解之法 尒時舍利弗欲重宣此義而說偈言
慧日大聖尊 久乃說是法 自說得如是 力无畏三昧 禪定解脫等
不可思議法 道場所得法 无能發問者 我意難可測 亦无能問者
无問而自說 稱歎所行道 智慧甚微妙 諸佛之所得 无漏諸羅漢
及求涅槃者 今皆墮疑網 佛何故說是 其求緣覺者 比丘比丘尼 諸天龍鬼神
及乾闥婆等 相視懷猶豫 瞻仰兩足尊 是事為云何 願佛為解說 於諸聲聞眾
佛說我第一 我今自於智 疑惑不能了 為是究竟法 為是所行道 佛口所生子
合掌瞻仰待 願出微妙音 時為如實說 諸天龍神等 其數如恒沙
求佛諸菩薩 大數有八万 又諸万億國 轉輪聖王至 合掌以敬心
欲聞具足道 尒時佛告舍利弗 止止不須復說 若說是事 一切世間諸
天及人皆當驚疑 舍利弗重白佛言 世尊 唯願說之 唯願說之 所以者何
是會无數百千万億阿僧祇眾生 曾見諸佛 諸根猛利 智慧明了 聞佛
所說 則能敬信 尒時舍利弗欲重宣此義而說偈言
法王无上尊 唯說願勿慮 是會无量眾 有能敬信者
佛復止舍利弗 若說是事 一切世間天人阿脩羅皆當驚疑 增上慢比丘將墜
於大坑 尒時世尊重說偈言 止止不須說 我法妙難思 諸增上慢者
聞必不敬信 尒時舍利弗重白佛言 世尊 唯願說之 唯願說之 今
此會中如我等比百千万億 世世已曾從佛受化 如此人等必能敬信 長夜
安隱 多所饒益 尒時舍利弗欲重宣此義而說偈言 无上兩足尊
願說第一法 我為佛長子 唯垂分別說 是會无量眾 能敬信此法 佛已曾世世
教化如是等 皆一心合掌 欲聽受佛語 我等千二百 及餘求佛者 願為此眾故
唯垂分別說 是等聞此法 則生大歡喜 尒時世尊告舍利弗 汝已三請
豈得不說 汝今諦聽 善思念之 吾當為汝分別解說 說此語時 會中有比丘比

BD02195號1 妙法蓮華經卷一 (11-5)

教化如是等　皆一心合掌　欲聽受佛語　我等千二百　及餘求佛者　願為此眾故
唯垂分別說　是等聞此法　則生大歡喜　尒時世尊告舍利弗汝以三請
豈得不說汝今諦聽善思念之吾當為汝分別解說說此語時會中有比丘比
丘尼優婆塞優婆夷五千人等即從座起礼佛而退所以者何此輩罪根深
重及增上慢未得謂得未證謂證有如此失是以不住世尊嘿然而不制止尒
時佛告舍利弗我今此眾无復枝葉純有貞實舍利弗如是增上慢人退
亦佳矣汝今諦聽當為汝說舍利弗言唯然世尊願樂欲聞佛告舍
利弗如是妙法諸佛如來時乃說之如優曇鉢華時一現耳舍利弗汝等
當信佛之所說言不虛妄舍利弗諸佛隨宜說法意趣難解所以者何我
以无數方便種種因緣譬喻言辭演說諸法是法非思量分別之所能解唯
有諸佛乃能知之所以者何諸佛世尊唯以一大事因緣故出現於世舍利
弗云何名諸佛世尊唯以一大事因緣故出現於世諸佛世尊欲令眾生開
佛知見使得清淨故出現於世欲示眾生佛知見故出現於世欲令眾生悟佛知
見故出現於世欲令眾生入佛知見道故出現於世舍利弗是為諸佛以一大事
因緣故出現於世佛告舍利弗諸佛如來但教化菩薩諸有所作常為一事唯
以佛之知見示悟眾生舍利弗如來但以一佛乘故為眾生說法无有餘乘若二
若三舍利弗一切十方諸佛法亦如是舍利弗過去諸佛以无量无數方便
種種因緣譬喻言辭而為眾生演說諸法是法皆為一佛乘故是諸
眾生從諸佛聞法究竟皆得一切種智舍利弗未來諸佛當出於世亦以无
量无數方便種種因緣譬喻言辭而為眾生演說諸法是法皆為一佛乘故
是諸眾生從佛聞法究竟皆得（一切種智）舍利弗是諸佛
是諸眾生從佛聞法究竟皆得一切種智舍利弗是諸佛現在十方无量
百千万億佛土中諸佛世尊多所饒益安樂眾生是諸佛亦以无量无數
方便種種因緣譬喻言辭而為眾生演說諸法是法皆為一佛乘故是諸
眾生從佛聞法究竟皆得一切種智舍利弗是諸佛但教化菩薩諸欲以
佛之知見示眾生故欲以佛之知見悟眾生故欲令眾生入佛之知見故舍利
弗我今亦復如是知諸眾生有種種欲深心所著隨其本性以種種因緣譬喻言辭
方便力故而為說法舍利弗如此皆為一佛乘一切種智故舍利弗十方世界中尚
无二乘何況有三舍利弗諸佛出於五濁惡世所謂劫濁煩惱濁眾生濁見濁
命濁如是舍利弗劫濁亂時眾生垢重慳貪嫉妒成就諸不善根故諸佛
以方便力於一佛乘分別說三舍利弗若我弟子自謂阿羅漢辟支佛者不聞不
知諸佛如來但教化菩薩事此非佛弟子非阿羅漢非辟支佛又舍利弗

方便力故而為說法舍利弗如此皆為一佛乘一切種智故舍利弗十方世界中尚
无二乘何況有三舍利弗諸佛出於五濁惡世所謂劫濁煩惱濁眾生濁見濁
命濁如是舍利弗劫濁亂時眾生垢重慳貪嫉妒成就諸不善根故諸佛
以方便力於一佛乘分別說三舍利弗若我弟子自謂阿羅漢辟支佛者不聞不
知諸佛如來但教化菩薩事此非佛弟子非阿羅漢非辟支佛又舍利弗
是諸比丘比丘尼自謂已得阿羅漢是最後身究竟涅槃便不復志求阿
耨多羅三藐三菩提當知此輩皆是增上慢人所以者何若有比丘實得
阿羅漢若不信此法无有是處除佛滅度後現前无佛所以者何佛
滅度後如是等經受持讀誦解義者是人難得若遇餘佛於此法中便
得決了舍利弗汝等當一心信解受持佛語諸佛如來言无虛妄无有餘
乘唯一佛乘尒時世尊欲重宣此義而說偈言
比丘比丘尼　有懷增上慢　優婆塞我慢　優婆夷不信　如是四眾等　其數有五千
不自見其過　於戒有缺漏　護惜其瑕疵　是小智已出　眾中之糟糠　佛威德故去
斯人尠福德　不堪受是法　此眾无枝葉　唯有諸貞實　舍利弗善聽　諸佛所得法
无量方便力　而為眾生說　眾生心所念　種種所行道　若干諸欲性　先世善惡業
佛悉知是已　以諸緣譬喻　言辭方便力　令一切歡喜　或說修多羅　伽陀及本事
本生未曾有　亦說於因緣　譬喻并祇夜　優波提舍經　鈍根樂小法　貪著於生死
於諸无量佛　不行深妙道　眾苦所惱亂　為是說涅槃　我設是方便　令得入佛慧
未曾說汝等　當得成佛道　所以未曾說　說時未至故　今正是其時　決定說大乘
我此九部法　隨順眾生說　入大乘為本　以故說是經　有佛子心淨　柔軟亦利根
无量諸佛所　而行深妙道　為此諸佛子　說是大乘經　我記如是人　來世成佛道
以深心念佛　修持淨戒故　此等聞得佛　大喜充遍身　佛知彼心行　故為說大乘
聲聞若菩薩　聞我所說法　乃至於一偈　皆成佛无疑　十方佛土中　唯有一乘法
无二亦无三　除佛方便說　但以假名字　引導於眾生　說佛智慧故　諸佛出於世
唯此一事實　餘二則非真　終不以小乘　濟度於眾生　佛自住大乘　如其所得法
定慧力莊嚴　以此度眾生　自證无上道　大乘平等法　若以小乘化　乃至於一人
我則墮慳貪　此事為不可　若人信歸佛　如來不欺誑　亦无貪嫉意　斷諸法中惡
故佛於十方　而獨无所畏　我以相嚴身　光明照世間　无量眾所尊　為說實相印
舍利弗當知　我本立誓願　欲令一切眾　如我等无異　如我昔所願　今者已滿足
化一切眾生　皆令入佛道　若我遇眾生　盡教以佛道　无智者錯亂　迷惑不受教
我知此眾生　未曾修善本　堅著於五欲　癡愛故生惱　以諸欲因緣　墜墮三惡道
輪迴六趣中　被受諸苦毒　受胎之微形　世世常增長　薄德少福人　眾苦所逼迫
入邪見稠林　若有若无等　依止此諸見　具足六十二　深著虛妄法　堅受不可捨

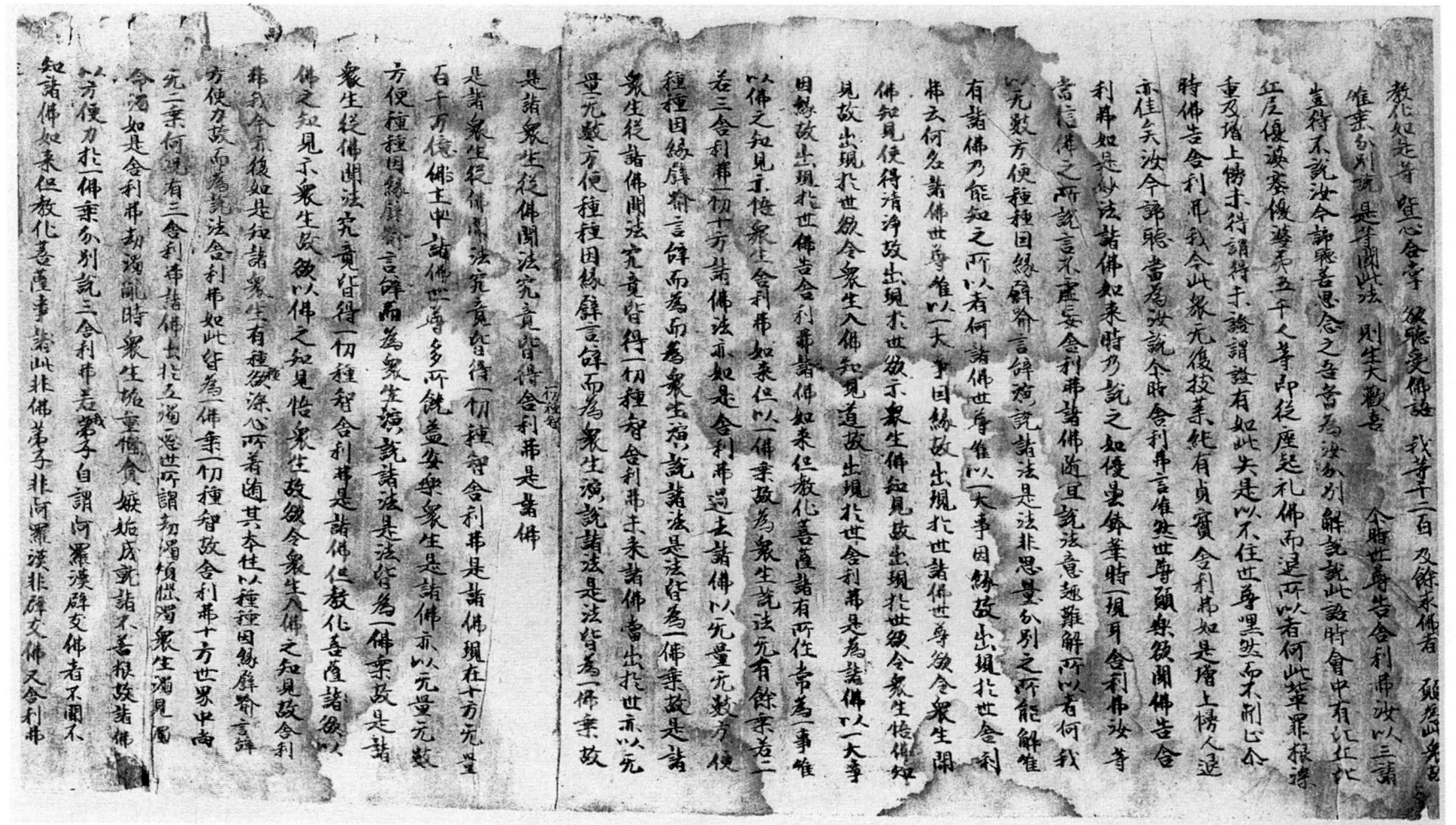

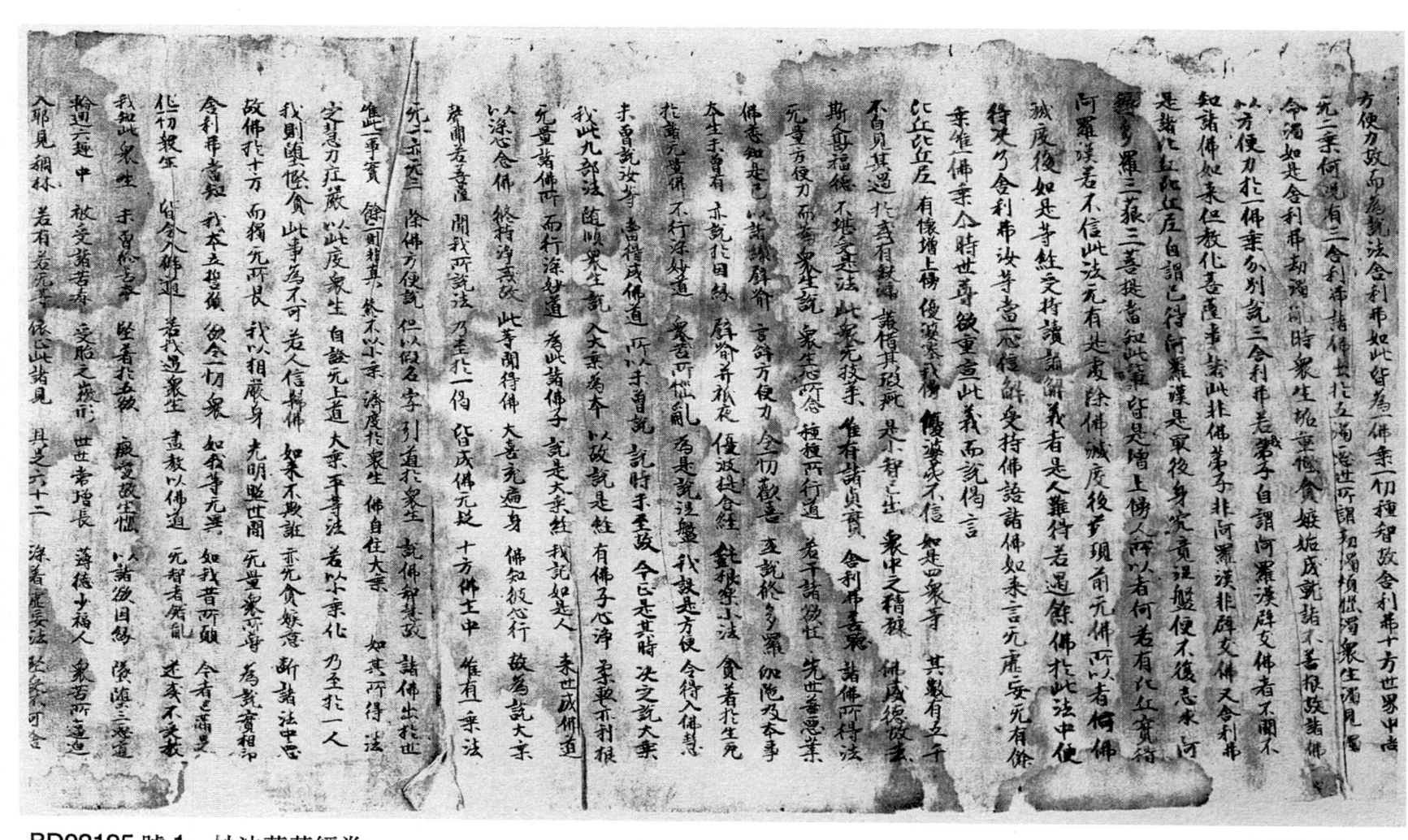

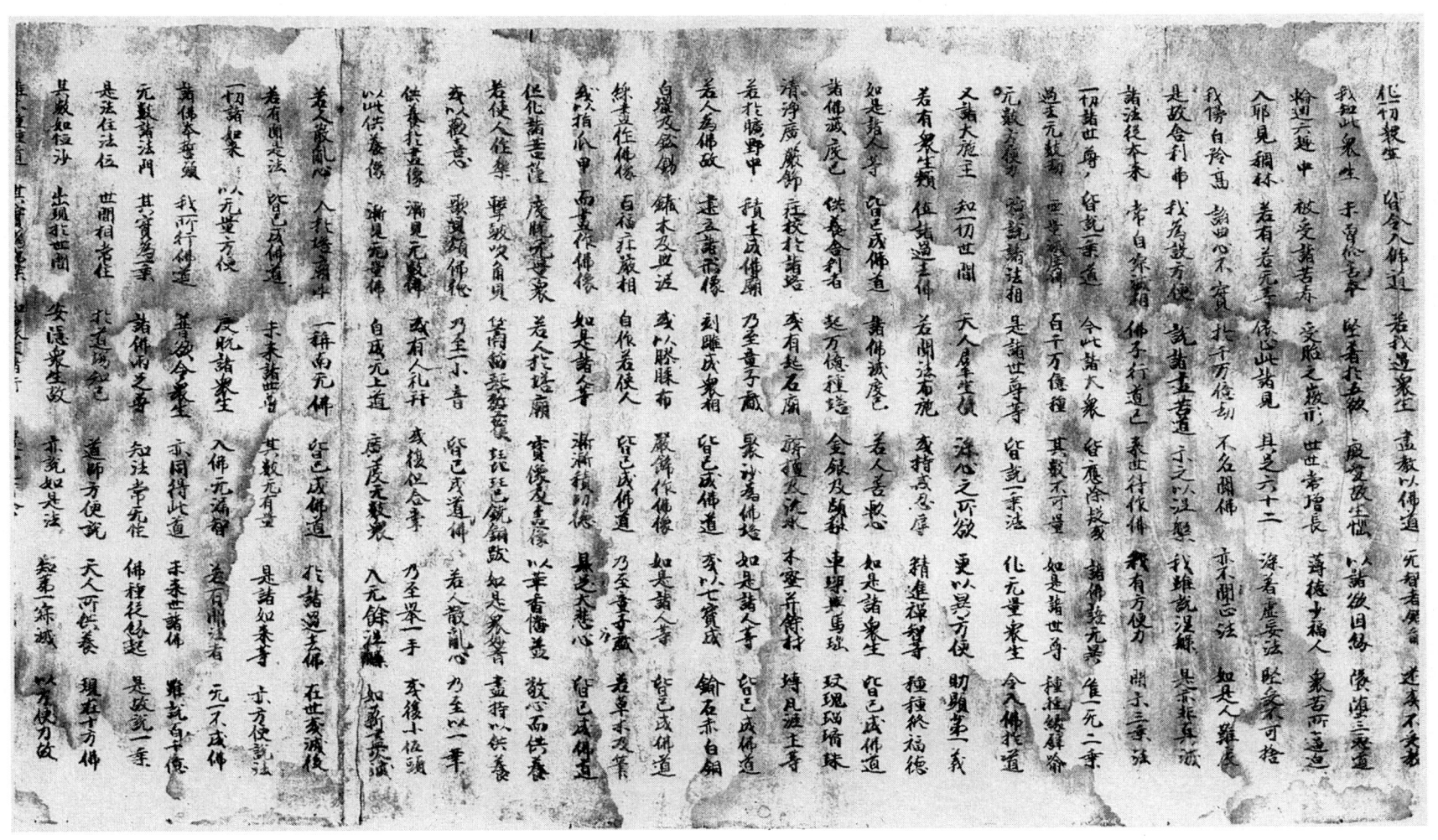

化一切衆生　皆令入佛道　若我遇衆生　盡教以佛道　无智者錯亂　迷惑不受教
我知此衆生　未曾修善本　堅著於五欲　癡愛故生惱　以諸欲因緣　墜墮三惡道
輪迴六趣中　備受諸苦毒　受胎之微形　世世常增長　薄德少福人　衆苦所逼迫
入邪見稠林　若有若无等　依止此諸見　具足六十二　深著虛妄法　堅受不可捨
我慢自矜高　諂曲心不實　於千萬億劫　不聞佛名字　亦不聞正法　如是人難度
是故舍利弗　我為設方便　說諸盡苦道　示之以涅槃　我雖說涅槃　是亦非真滅
諸法從本來　常自寂滅相　佛子行道已　來世得作佛　我有方便力　開示三乘法
一切諸世尊　皆說一乘道　今此諸大衆　皆應除疑惑　諸佛語无異　唯一无二乘
過去无數劫　无量滅度佛　百千萬億種　其數不可量　如是諸世尊　種種緣譬喻
无數方便力　演說諸法相　是諸世尊等　皆說一乘法　化无量衆生　令入於佛道
又諸大聖主　知一切世間　天人羣生類　深心之所欲　更以異方便　助顯第一義
若有衆生類　值諸過去佛　若聞法布施　或持戒忍辱　精進禪智等　種種修福德
如是諸人等　皆已成佛道　諸佛滅度已　若人善軟心　如是諸衆生　皆已成佛道
諸佛滅度已　供養舍利者　起萬億種塔　金銀及頗梨　車磲與馬瑙　玫瑰琉璃珠
清淨廣嚴飾　莊校於諸塔　或有起石廟　栴檀及沈水　木櫁并餘材　塼瓦泥土等
若於曠野中　積土成佛廟　乃至童子戲　聚沙為佛塔　如是諸人等　皆已成佛道
若人為佛故　建立諸形像　刻雕成衆相　皆已成佛道　或以七寶成　鍮石赤白銅
白鑞及鉛錫　鐵木及與泥　或以膠漆布　嚴飾作佛像　如是諸人等　皆已成佛道
綵畫作佛像　百福莊嚴相　自作若使人　皆已成佛道　乃至童子戲　若草木及筆
或以指爪甲　而畫作佛像　如是諸人等　漸漸積功德　具足大悲心　皆已成佛道
但化諸菩薩　度脫无量衆　若人於塔廟　寶像及畫像　以華香幡蓋　敬心而供養
若使人作樂　擊鼓吹角貝　簫笛琴箜篌　琵琶鐃銅鈸　如是衆妙音　盡持以供養
或以歡喜心　歌唄頌佛德　乃至一小音　皆已成佛道　若人散亂心　乃至以一華
供養於畫像　漸見无數佛　或有人禮拜　或復但合掌　乃至舉一手　或復小低頭
以此供養像　漸見无量佛　自成无上道　廣度无數衆　入无餘涅槃　如薪盡火滅
若人散亂心　入於塔廟中　一稱南无佛　皆已成佛道　於諸過去佛　在世或滅後
若有聞是法　皆已成佛道　未來諸世尊　其數无有量　是諸如來等　亦方便說法
一切諸如來　以无量方便　度脫諸衆生　入佛无漏智　若有聞法者　无一不成佛
諸佛本誓願　我所行佛道　普欲令衆生　亦同得此道　未來世諸佛　雖說百千億
无數諸法門　其實為一乘　諸佛兩足尊　知法常无性　佛種從緣起　是故說一乘
是法住法位　世間相常住　於道場知已　導師方便說　天人所供養　現在十方佛
其數如恒沙　出現於世間　安隱衆生故　亦說如是法　知第一寂滅　以方便力故

BD02195 號 1　妙法蓮華經卷一　（11-8）

无數諸法門　其實為一乘　諸佛兩足尊　知法常无性　佛種從緣起　是故說一乘
是法住法位　世間相常住　於道場知已　導師方便說　天人所供養　現在十方佛
其數如恒沙　出現於世間　安隱衆生故　亦說如是法　知第一寂滅　以方便力故
雖示種種道　其實為佛乘　知衆生諸行　深心之所念　過去所習業　欲性精進力
及諸根利鈍　以種種因緣　譬喻亦言辭　隨應方便說　今我亦如是　安隱衆生故
以種種法門　宣示於佛道　我以智慧力　知衆生性欲　方便說諸法　皆令得歡喜
舍利弗當知　我以佛眼觀　見六道衆生　貧窮无福慧　入生死險道　相續苦不斷
深著於五欲　如犛牛愛尾　以貪愛自蔽　盲瞑无所見　不求大勢佛　及與斷苦法
深入諸邪見　以苦欲捨苦　為是衆生故　而起大悲心　我始坐道場　觀樹亦經行
於三七日中　思惟如是事　我所得智慧　微妙最第一　衆生諸根鈍　著樂癡所盲
如斯之等類　云何而可度　爾時諸梵王　及諸天帝釋　護世四天王　及大自在天
并餘諸天衆　眷屬百千萬　恭敬合掌禮　請我轉法輪　我即自思惟　若但讚佛乘
衆生沒在苦　不能信是法　破法不信故　墜於三惡道　我寧不說法　疾入於涅槃
尋念過去佛　所行方便力　我今所得道　亦應說三乘　作是思惟時　十方佛皆現
梵音慰喻我　善哉釋迦文　第一之導師　得是无上法　隨諸一切佛　而用方便力
我等亦皆得　最妙第一法　為諸衆生類　分別說三乘　少智樂小法　不自信作佛
是故以方便　分別說諸果　雖復說三乘　但為教菩薩　舍利弗當知　我聞聖師子
深淨微妙音　喜稱南无佛　復作如是念　我出濁惡世　如諸佛所說　我亦隨順行
思惟是事已　即趣波羅奈　諸法寂滅相　不可以言宣　以方便力故　為五比丘說
是名轉法輪　便有涅槃音　及以阿羅漢　法僧差別名　從久遠劫來　讚示涅槃法
生死苦永盡　我常如是說　舍利弗當知　我見佛子等　志求佛道者　无量千萬億
咸以恭敬心　皆來至佛所　曾從諸佛聞　方便所說法　我即作是念　如來所以出
為說佛慧故　今正是其時　舍利弗當知　鈍根小智人　著相憍慢者　不能信是法
今我喜无畏　於諸菩薩中　正直捨方便　但說无上道　菩薩聞是法　疑網皆已除
千二百羅漢　悉亦當作佛　如三世諸佛　說法之儀式　我今亦如是　說无分別法
諸佛興出世　懸遠值遇難　正使出于世　說是法復難　无量无數劫　聞是法亦難
能聽是法者　斯人亦復難　譬如優曇華　一切皆愛樂　天人所希有　時時乃一出
聞法歡喜讚　乃至發一言　則為已供養　一切三世佛　是人甚希有　過於優曇華
汝等勿有疑　我為諸法王　普告諸大衆　但以一乘道　教化諸菩薩　无聲聞弟子
汝等舍利弗　聲聞及菩薩　當知是妙法　諸佛之祕要　以五濁惡世　但樂著諸欲
如是等衆生　終不求佛道　當來世惡人　聞佛說一乘　迷惑不信受　破法墮惡道
有慚愧清淨　志求佛道者　當為如是等　廣讚一乘道　舍利弗當知　諸佛法如是
以萬億方便　隨宜而說法　其不習學者　不能曉了此　汝等既已知　諸佛世之師

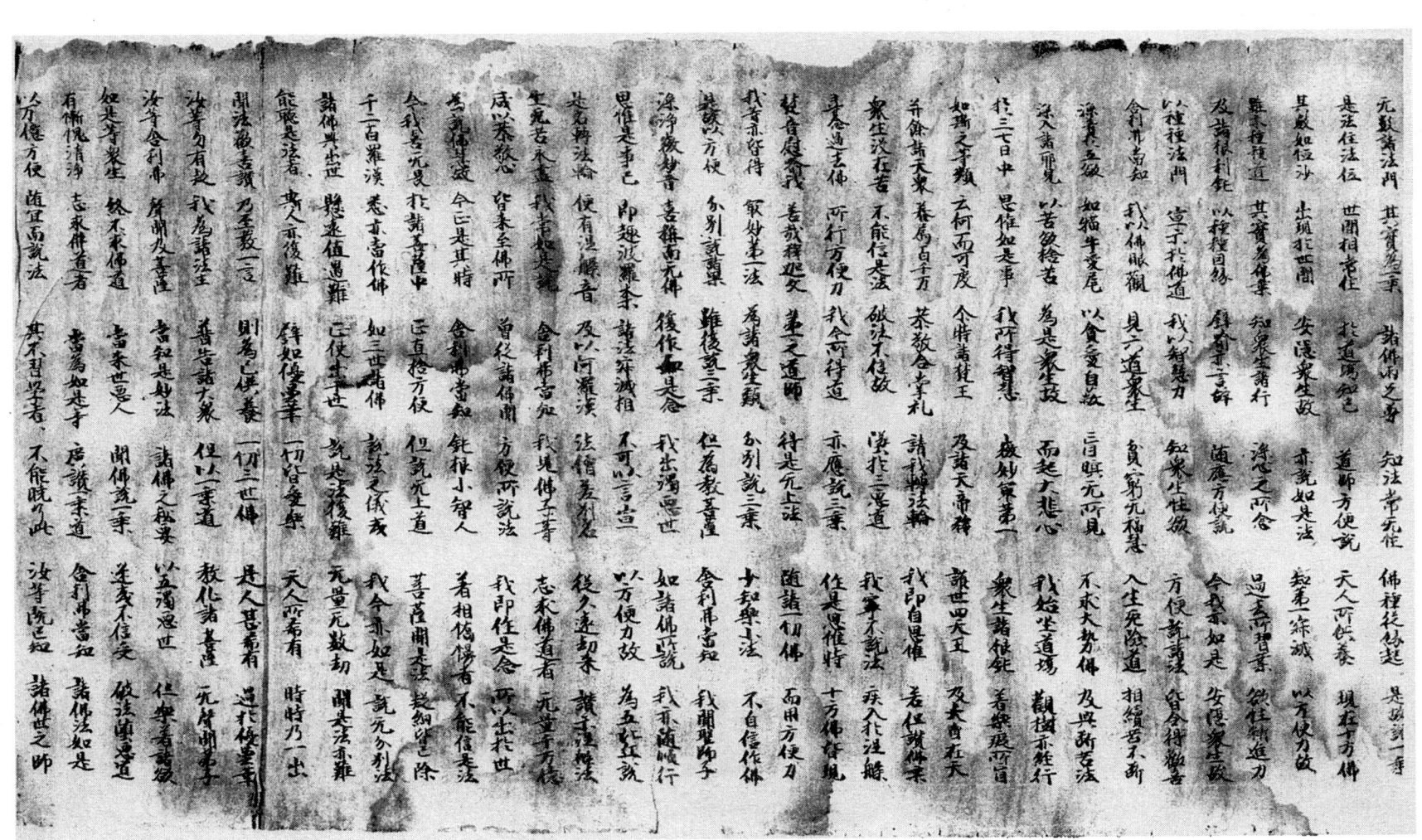

BD02195 號 1　妙法蓮華經卷一　（11-9）

汝等舍利弗　聲聞及菩薩　當知是妙法　諸佛之祕要　以五濁惡世　但樂著諸欲
如是等衆生　終不求佛道　當來世惡人　聞佛說一乘　迷惑不信受　破法墮惡道
有慚愧清淨　志求佛道者　當為如是等　廣讚一乘道　舍利弗當知　諸佛法如是
以万億方便　隨宜而說法　其不習學者　不能曉了此　汝等既已知　諸佛世之師
隨宜方便事　无復諸疑惑　心生大歡喜　自知當作佛

妙法蓮華經卷第一

妙法蓮華經譬喻品第三　卷二

爾時舍利弗踊躍歡喜，即起合掌，瞻仰尊顏，而白佛言：今從世尊聞此
法音，心懷踊躍，得未曾有。所以者何？我昔從佛聞如是法，見諸菩薩受記
作佛，而我等不豫斯事，甚自感傷，失於如來无量知見。世尊，我常獨處
山林樹下，若坐若行，每作是念：我等同入法性，云何如來以小乘法而見濟度？
是我等咎，非世尊也。所以者何？若我等待說所因成就阿耨多羅三藐三
菩提者，必以大乘而得度脫。然我等不解方便隨宜所說，初聞佛法，遇便信
受，思惟取證。世尊，我從昔來，終日竟夜，每自剋責。而今從佛聞所未聞
未曾有法，斷諸疑悔，身意泰然，快得安隱。今日乃知真是佛子，從佛口生，
從法化生，得佛法分。爾時舍利弗欲重宣此義，而說偈言：
我聞是法音　得所未曾有　心懷大歡喜　疑網皆已除　昔來蒙佛教　不失於大乘
佛音甚希有　能除衆生惱　我已得漏盡　聞亦除憂惱　我處於山谷　或在林樹下
若坐若經行　常思惟是事　嗚呼深自責　云何而自欺　我等亦佛子　同入无漏法
不能於未來　演說无上道　金色三十二　十力諸解脫　同共一法中　而不得此事
八十種妙好　十八不共法　如是等功德　而我皆已失　我獨經行時　見佛在大衆
名聞滿十方　廣饒益衆生　自惟失此利　我為自欺誑　我常於日夜　每思惟是事
欲以問世尊　為失為不失　我常見世尊　稱讚諸菩薩　以是於日夜　籌量如是事
今聞佛音聲　隨宜而說法　无漏難思議　令衆至道場　我本著邪見　為諸梵志師
世尊知我心　拔邪說涅槃　我悉除邪見　於空法得證　爾時心自謂　得至於滅度
而今乃自覺　非是實滅度　若得作佛時　具三十二相　天人夜叉衆　龍神等恭敬
是時乃可謂　永盡滅无餘　佛於大衆中　說我當作佛　聞如是法音　疑悔悉已除
初聞佛所說　心中大驚疑　將非魔作佛　惱亂我心耶　佛以種種緣　譬喻巧言說
其心安如海　我聞疑網斷　佛說過去世　无量滅度佛　安住方便中　亦皆說是法
現在未來佛　其數无有量　亦以諸方便　演說如是法　如今者世尊　從生及出家
得道轉法輪　亦以方便說　世尊說實道　波旬无此事　以是我定知　非是魔作佛
我墮疑網故　謂是魔所為　聞佛柔軟音　深遠甚微妙　演暢清淨法　我心大歡喜
疑悔永已盡　安住實智中　我定當作佛　為天人所敬　轉无上法輪　教化諸菩薩
爾時佛告舍利弗：吾今於天人沙門婆羅門等大衆中說，我昔曾於二万億
佛所，為无上道故，常教化汝，汝亦長夜隨我受學，我以方便引導汝故，生

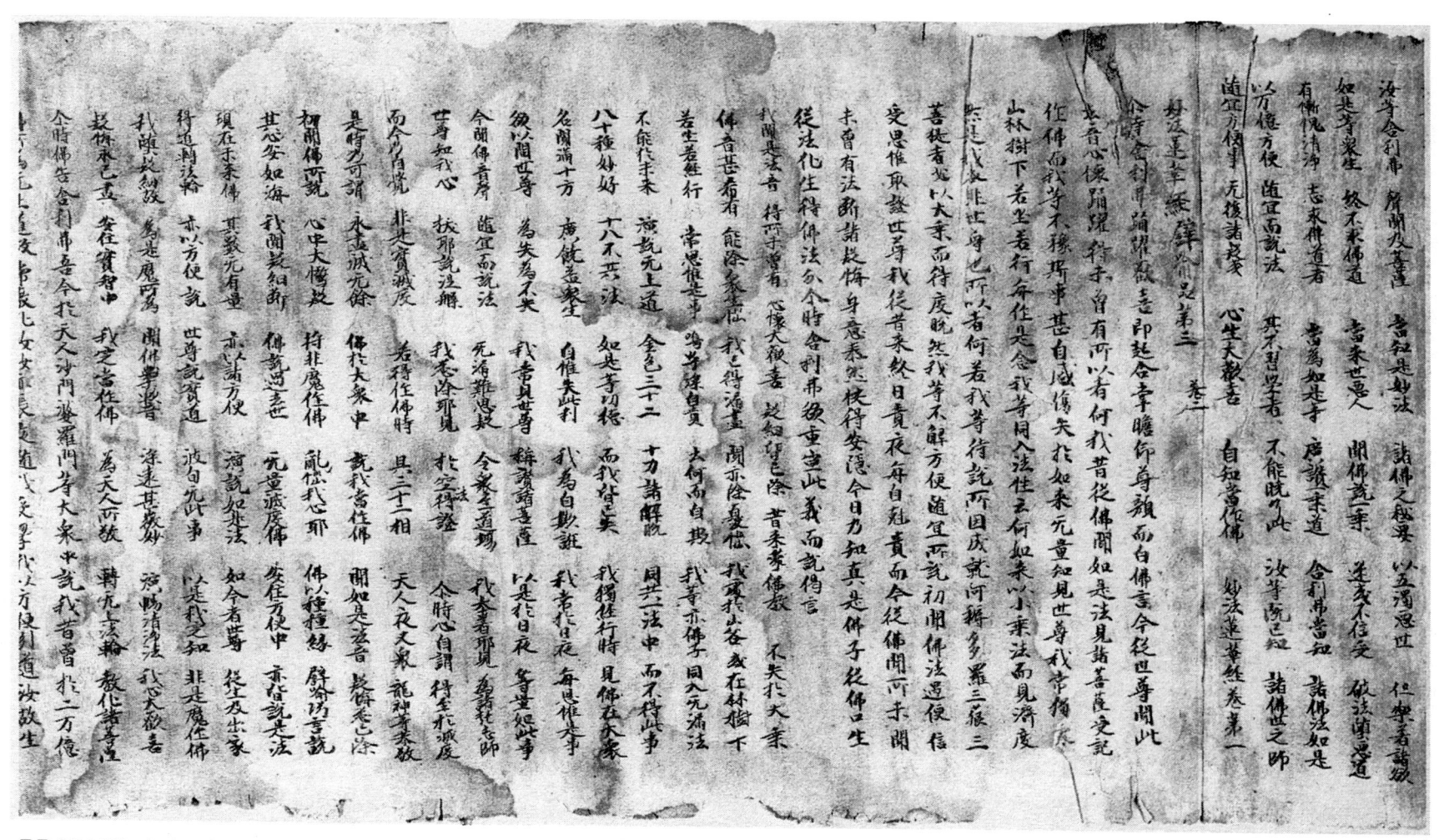

BD02195 號 1　妙法蓮華經卷一
BD02195 號 2　妙法蓮華經卷二

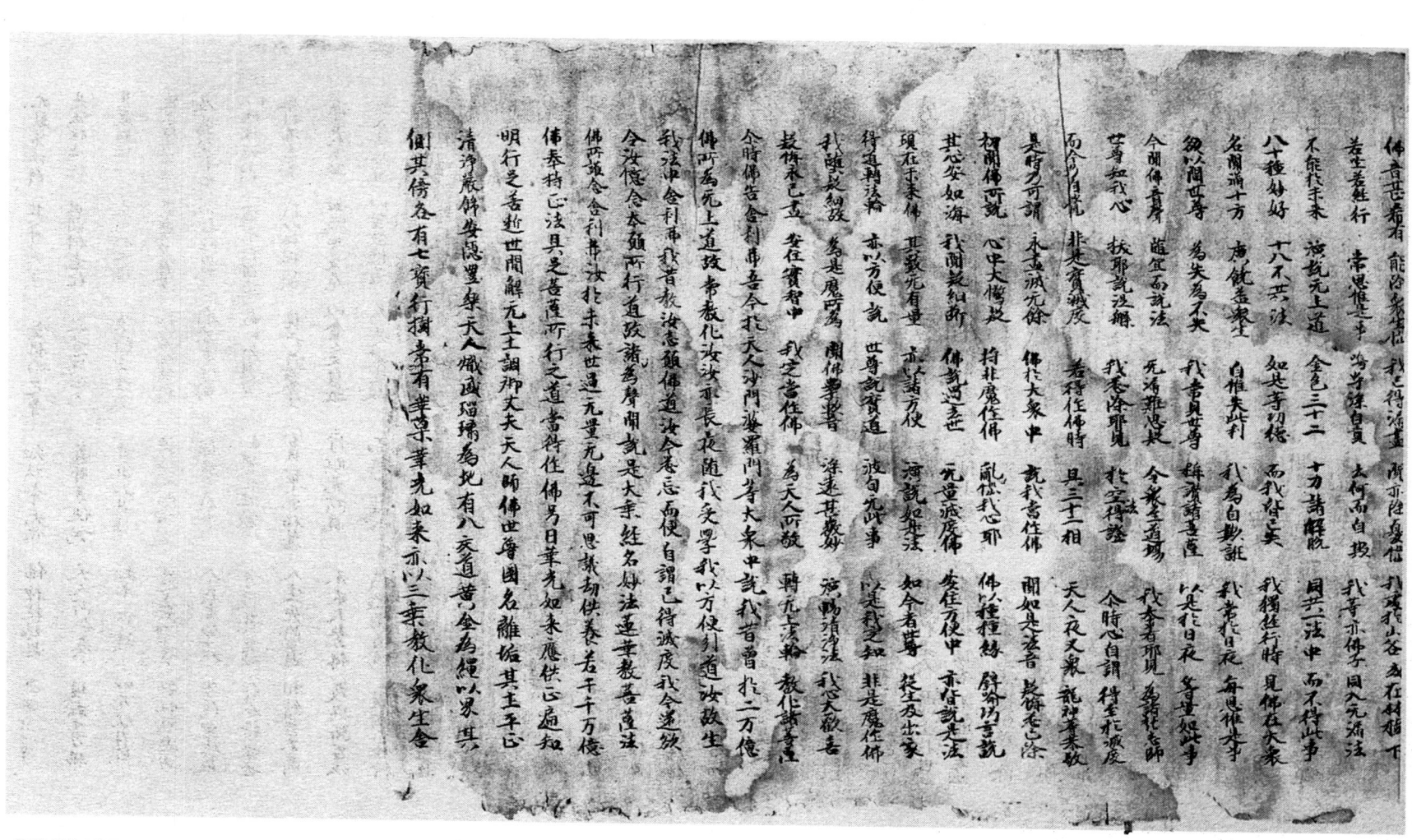

（11-10）

佛音甚希有　能除衆生惱　我已得漏盡　聞亦除憂惱　我處於山谷　或在林樹下
若坐若經行　常思惟是事　嗚呼深自責　云何而自欺　我等亦佛子　同入无漏法
不能於未來　演說无上道　金色三十二　十力諸解脫　同共一法中　而不得此事
八十種妙好　十八不共法　如是等功德　而我皆已失　我獨經行時　見佛在大衆
名聞滿十方　廣饒益衆生　自惟失此利　我為自欺誑　我常於日夜　每思惟是事
欲以問世尊　為失為不失　我常見世尊　稱讚諸菩薩　以是於日夜　籌量如是事
今聞佛音聲　隨宜而說法　无漏難思議　令衆至道場　我本著邪見　為諸梵志師
世尊知我心　拔邪說涅槃　我悉除邪見　於空法得證　爾時心自謂　得至於滅度
而今乃自覺　非是實滅度　若得作佛時　具三十二相　天人夜叉衆　龍神等恭敬
是時乃可謂　永盡滅无餘　佛於大衆中　說我當作佛　聞如是法音　疑悔悉已除
初聞佛所說　心中大驚疑　將非魔作佛　惱亂我心耶　佛以種種緣　譬喻巧言說
其心安如海　我聞疑網斷　佛說過去世　无量滅度佛　安住方便中　亦皆說是法
現在未來佛　其數无有量　亦以諸方便　演說如是法　如今者世尊　從生及出家
得道轉法輪　亦以方便說　世尊說實道　波旬无此事　以是我定知　非是魔作佛
我墮疑網故　謂是魔所為　聞佛柔軟音　深遠甚微妙　演暢清淨法　我心大歡喜
疑悔永已盡　安住實智中　我定當作佛　為天人所敬　轉无上法輪　教化諸菩薩
爾時佛告舍利弗：吾今於天人沙門婆羅門等大衆中說，我昔曾於二万億
佛所，為无上道故，常教化汝，汝亦長夜隨我受學，我以方便引導汝故，生
我法中。舍利弗，我昔教汝志願佛道，汝今悉忘，而便自謂已得滅度。我今還欲
令汝憶念本願所行道故，為諸聲聞說是大乘經，名妙法蓮華，教菩薩法，
佛所護念。舍利弗，汝於未來世，過无量无邊不可思議劫，供養若干千万億
佛，奉持正法，具足菩薩所行之道，當得作佛，號曰華光如來、應供、正遍知、
明行足、善逝、世間解、无上士、調御丈夫、天人師、佛、世尊。國名離垢，其土平正，
清淨嚴飾，安隱豐樂，天人熾盛。琉璃為地，有八交道，黃金為繩，以界其
側。其傍各有七寶行樹，常有華菓。華光如來亦以三乘教化衆生。舍

BD02195 號 2　妙法蓮華經卷二

（11-11）

万億佛
佛号阿弥陁今
故名為極樂其國
樂故名極樂又舍利
七重羅網七重行樹
故彼國名曰極樂又
寶池八功德水充滿
布地四邊階道金銀瑠
樓閣亦以金銀瑠璃頗梨
嚴飾之池中蓮華大如車
光黃色黃光赤色赤光白色白光
微妙香潔舍利弗極樂國土成就如是功德
莊嚴
又舍利弗彼佛國土常作天樂黃金為地晝
夜六時而雨曼陁羅華其國衆生常以清旦
各以衣裓盛衆妙華供養他方十万億佛即
以食時還到本國飯食經行舍利弗極樂國

BD02196號　阿彌陀經　（7–1）

莊嚴
又舍利弗彼佛國土常作天樂黃金為地晝
夜六時而雨曼陁羅華其國衆生常以清旦
各以衣裓盛衆妙華供養他方十万億佛即
以食時還到本國飯食經行舍利弗極樂國
土成就如是功德莊嚴
復次舍利弗彼國常有種種奇妙雜色之鳥
白鵠孔雀鸚鵡舍利迦陵頻伽共命之鳥是
諸衆鳥晝夜六時出和雅音其音演暢五根
五力七菩提分八聖道分如是等法其土衆
生聞是音已皆悉念佛念法念僧舍利弗汝
勿謂此鳥實是罪報所生所以者何彼佛國
土無三惡趣舍利弗其佛國土尚無三惡道
之名何況有實是諸衆鳥皆是阿弥陁佛欲
令法音宣流變化所作舍利弗彼國土微
風吹動諸寶行樹及寶羅網出微妙音譬如
百千種樂同時俱作聞是音者皆自然生念
佛念法念僧之心舍利弗其佛國土成就如
是功德莊嚴舍利弗於汝意云何彼佛何故
号阿弥陁舍利弗彼佛光明無量照十方國
無所鄣礙是故号為阿弥陁
又舍利弗彼佛壽命及其人民無量無邊阿
僧祇劫故名阿弥陁舍利弗阿弥陁佛成佛
已來於今十劫又舍利弗彼佛有無量無邊
聲聞弟子皆阿羅漢非是筭數之所能知諸
菩薩亦如是舍利弗彼佛國土成就如是功
德莊嚴

BD02196號　阿彌陀經　（7–2）

聲聞弟子皆阿羅漢非是筭數之所能知諸
菩薩亦如是舍利弗彼佛國土成就如是功
德莊嚴
又舍利弗極樂國土眾生生者皆是阿鞞䟦
致其中多有一生補處其數甚多非是筭數
所能知之但可以無量無邊阿僧祇劫說舍
利弗眾生聞者應當發願願生彼國所以何
何得與如是諸上善人俱會一處舍利弗不
可以少善根福德因緣得生彼國舍利弗若
有善男子善女人聞說阿弥陁佛執持名号
若一日若二日若三日若四日若五日若六
日若七日一心不亂其人臨命終時阿弥陁
佛與諸聖眾現在其前是人終時心不顛倒
即得往生阿弥陁佛極樂國土舍利弗我見
是利故說此言若有眾生聞是說者應當發
願生彼國土舍利弗如我今者讚歎阿弥陁
佛不可思議功德東方亦有阿閦鞞佛須弥
相佛大須弥佛須弥光佛妙音佛如是等恒
河沙數諸佛各於其國出廣長舌相遍覆三
千大千世界說誠實言汝等眾生當信是稱
讚不可思議功德一切諸佛所護念經
舍利弗南方世界有日月燈佛名聞光佛大
焰肩佛須弥燈佛無量精進佛如是等恒河
沙數諸佛各於其國出廣長舌相遍覆三千
大千世界說誠實言汝等眾生當信是稱讚

BD02196號　阿彌陀經

（7–3）

舍利弗南方世界有日月燈佛名聞光佛大
焰肩佛須弥燈佛無量精進佛如是等恒河
沙數諸佛各於其國出廣長舌相遍覆三千
大千世界說誠實言汝等眾生當信是稱讚
不可思議功德一切諸佛所護念經
舍利弗西方世界有無量壽佛無量相佛無
量幢佛大光佛大明佛寶相佛淨光佛如是
等恒河沙數諸佛各於其國出廣長舌相遍
覆三千大千世界說誠實言汝等眾生當信
是稱讚不可思議功德一切護佛所護念經
舍利弗北方世界有焰肩佛最勝音佛難沮
佛日生佛網明佛如是等恒河沙數諸佛各
於其國出廣長舌相遍覆三千大千世界說
誠實言汝等眾生當信是稱讚不可思議功
德一切諸佛所護念經
舍利弗下方世界有師子佛名聞佛名光佛
達摩佛法幢佛持法佛如是等恒河沙數諸
佛各於其國出廣長舌相遍覆三千大千世
界說誠實言汝等眾生當信是稱讚不可思
議功德一切諸佛所護念經
舍利弗上方世界有梵音佛宿王佛香上佛
香光佛大焰肩佛雜色寶華嚴身佛娑羅樹
王佛寶華德佛見一切義佛如須弥山佛如
是等恒河沙數諸佛各於其國出廣長舌相
遍覆三千大千世界說誠實言汝等眾生當
信是稱讚不可思議功德一切諸佛所護念經

BD02196號　阿彌陀經

（7–4）

遍覆三千大千世界說誠實言汝等衆生當
信是稱讚不可思議功德一切諸佛所護念經
舍利弗於汝意云何何故名一切諸佛所護
念經舍利弗若有善男子善女人聞是經受
持者及聞諸佛名者是諸善男子善女人皆
為一切諸佛共所護念皆得不退轉於阿耨
多羅三藐三菩提是故舍利弗汝等皆當信
受我語及諸佛所說舍利弗若有人已發願
今發願當發願欲生阿弥陀佛國者是諸人
等皆得不退轉於阿耨多羅三藐三菩提於
彼國土若已生若今生若當生是故舍利弗
諸善男子善女人若有信者應當發願生彼
國土舍利弗如我今者稱讚諸佛不可思議
功德彼諸佛等亦稱說我不可思議功德而
作是言釋迦牟尼佛能為甚難希有之事能
於娑婆國土五濁惡世劫濁見濁煩惱濁衆
生濁命濁中得阿耨多羅三藐三菩提為諸
衆生說是一切世間難信之法舍利弗當知
我於五濁惡世行此難事得阿耨多羅三藐
三菩提為一切世間說此難信之法是為甚難
佛說此經已舍利弗及諸比丘一切世間天人
阿修羅聞佛所說歡喜信受作礼而去

佛說阿弥陀經一卷

BD02196號　阿彌陀經　（7–5）

三菩提為一切世間說此難信之法是為甚難
佛說此經已舍利弗及諸比丘一切世間天人
阿修羅聞佛所說歡喜信受作礼而去

佛說阿弥陀經一卷

BD02196號　阿彌陀經　（7–6）

佛說阿弥陀經一卷

BD02196號　阿彌陀經　（7–7）

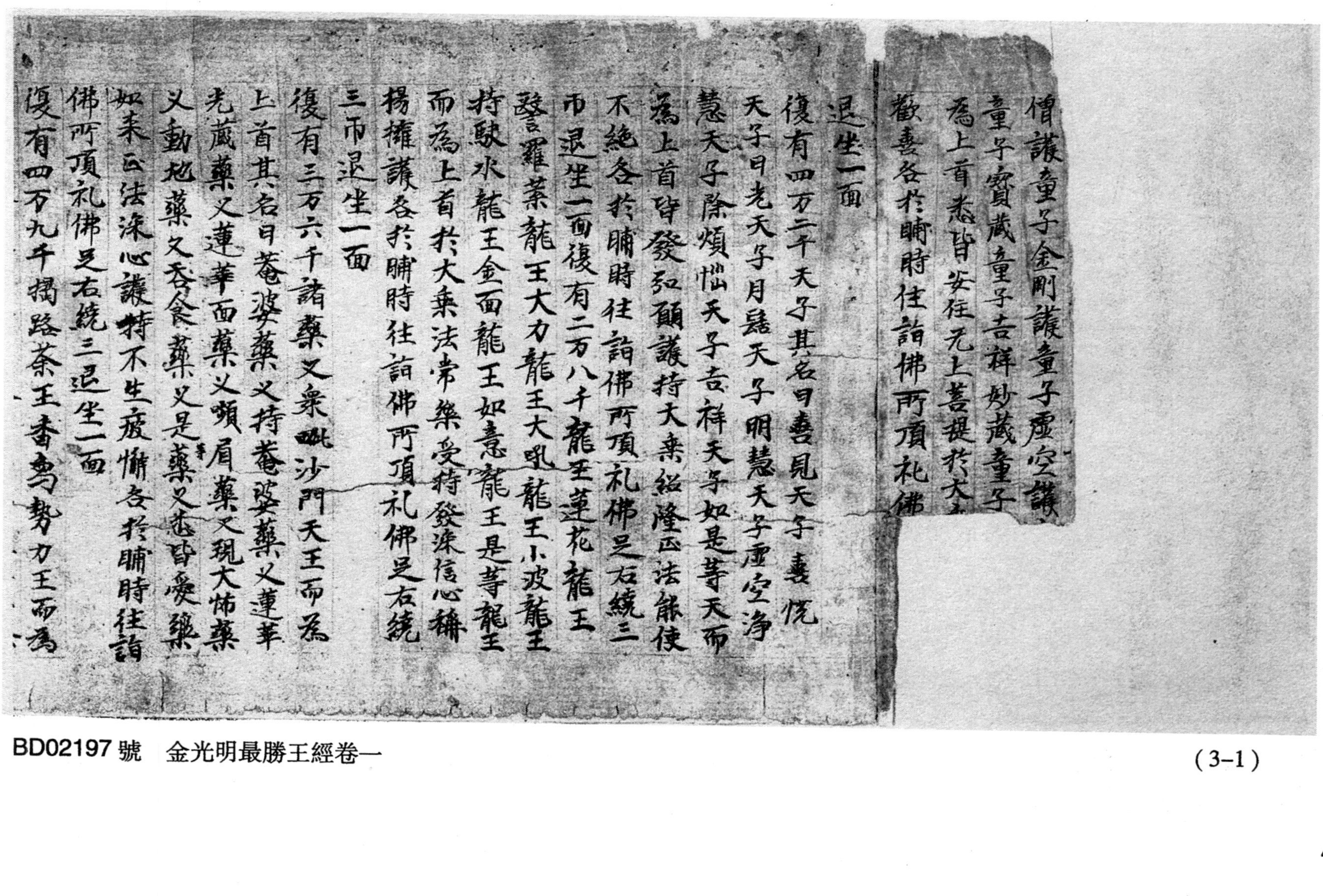

僧護童子金剛護童子虛空護
童子寶藏童子吉祥妙藏童子
為上首悉皆安住无上菩提於大乘
歡喜各於晡時往詣佛所頂礼佛
退坐一面
復有四万二千天子其名曰喜見天子喜悅
天子日光天子月髻天子明慧天子虛空淨
慧天子除煩惱天子吉祥天子如是等天而
為上首皆發弘願護持大乘紹隆正法能使
不絶各於晡時往詣佛所頂礼佛足右繞三
帀退坐一面復有二万八千龍王蓮花龍王
毉羅葉龍王大力龍王大吼龍王小波龍王
持駃水龍王金面龍王如意龍王是等龍王
而為上首於大乘法常樂受持發深信心稱
揚擁護各於晡時往詣佛所頂礼佛足右繞
三帀退坐一面
復有三万六千諸藥叉衆毗沙門天王而為
上首其名曰菴婆藥叉持菴婆藥叉蓮華
光藏藥叉蓮華面藥叉頻眉藥叉現大怖藥
叉動地藥叉吞食藥叉是藥叉悉皆愛樂
如來正法深心護持不生疲懈各於晡時往詣
佛所頂礼佛足右繞三帀退坐一面
復有四万九千揭路荼王香象勢力王而為

BD02197號　金光明最勝王經卷一　（3–1）

光藏藥叉、蓮華面藥叉、頻眉藥叉、現大怖藥
叉、動地藥叉、吞食藥叉。是等藥叉，悉皆愛樂
如來正法，深心護持，不生疲懈。各於晡時往詣
佛所，頂礼佛足，右繞三匝，退坐一面。
復有四万九千揭路荼王，香象勢力王而為
上首，及餘健闥婆、阿蘇羅、緊那羅、莫呼洛
伽等，山林河海一切神仙，并諸大國所有王眾、
中宮后妃、淨信男女、人天大眾，悉皆雲集，咸
願擁護无上大乘，讀誦受持，書寫流布。各
於晡時往詣佛所，頂礼佛足，右繞三匝，退坐
一面。如是等聲聞、菩薩、人天大眾、龍神八部，既
雲集已，各各至心，合掌恭敬，瞻仰尊容，目未
曾捨，願樂欲聞殊勝妙法。尒時，薄伽梵於日
晡時從定而起，觀察大眾而說頌曰：

金光明妙法　最勝諸經王　甚深難得聞　諸佛之境界
我當為大眾　宣說如是經　并四方四佛　威神共加護
東方阿閦尊　南方寶相佛　西方无量壽　北方天鼓音
我復演妙法　吉祥懺中勝　能滅一切罪　淨除諸惡業
及消眾苦患　常與无量樂　一切智根本　諸功德莊嚴
眾生身不具　壽命將損減　諸惡相現前　天神皆捨離
親友懷瞋恨　眷屬悉分離　彼此共乖違　珍財皆散失
惡星為變怪　或被邪蠱侵　若復多憂愁　眾苦之所逼
睡眠見惡夢　因此生煩惱　是人當澡浴　應著鮮潔衣
於此妙經王　甚深佛所讚　專注心无亂　讀誦聽受持
由經威力　能離諸災橫　及餘眾苦難　无不皆除滅
護世四王眾　及大臣眷屬　无量諸藥叉　一心皆擁衛
大辯才天女　尼連河水神　訶利底母神　堅牢地神眾
梵王帝釋主　龍王緊那羅　及金翅鳥王　阿蘇羅天眾
如是天神等　并將其眷屬　皆來護是人　晝夜常不離

BD02197 號　金光明最勝王經卷一　（3–2）

眾生身不具　壽命將損減　諸惡相現前　天神皆捨離
親友懷瞋恨　眷屬悉分離　彼此共乖違　珍財皆散失
惡星為變怪　或被邪蠱侵　若復多憂愁　眾苦之所逼
睡眠見惡夢　因此生煩惱　是人當澡浴　應著鮮潔衣
於此妙經王　甚深佛所讚　專注心无亂　讀誦聽受持
由經威力　能離諸災橫　及餘眾苦難　无不皆除滅
護世四王眾　及大臣眷屬　无量諸藥叉　一心皆擁衛
大辯才天女　尼連河水神　訶利底母神　堅牢地神眾
梵王帝釋主　龍王緊那羅　及金翅鳥王　阿蘇羅天眾
如是天神等　并將其眷屬　皆來護是人　晝夜常不離
我當說是經　甚深佛行處　諸佛秘密教　千万劫難逢
若有聞是經　能為他演說　若心生隨喜　或設於供養
如是諸人等　當於无量劫　常為諸天人　龍神所恭敬
此福聚无邊　數過於恒沙　讀誦是經者　當獲斯功德
亦為十方尊　深行諸菩薩　擁護持經者　令離諸苦難
供養是經者　如前澡浴身　飲食及香華　恒起慈悲意
若欲聽是經　令心淨无垢　常生歡喜念　能長諸功德
若以尊重心　聽聞是經者　善生於人趣　遠離諸苦難
彼人善根熟　諸佛之所讚　方得聞是經　及以懺悔法

金光明最勝王經如來壽量品第二

尒時王舍大城有一菩薩摩訶薩，名曰妙幢，
已於過去无量俱胝那庾多百千佛所承事

BD02197 號　金光明最勝王經卷一　（3–3）

……中色……
……得何況……
……識如……以故受想行
……不可得何況受想行識如當可得乃至
一切種智不可得一切種智如不可得何以
故一切種智尚不可得何況一切種智如當
可得佛告舍利弗如是如是舍利弗是實不
盡如法相法住法位甚深是中色不可得色
如不可得何以故色尚不可得何況色如當
可得乃至一切種智不可得一切種智如不
可得何以故一切種智尚不可得何況一切
種智如當可得舍利弗說是如相時二百比
丘不受一切法故漏盡得阿羅漢五百比丘
尼遠……中得法眼生天人中百千
菩薩摩訶薩……生法忍六十菩薩諸法不
受故漏盡心得解脫成阿羅漢舍利弗是六
十菩薩先世值五百佛親近供養於五百佛
法中行布施持戒忍辱精進禪定无般若波
羅蜜无方便力故行別異相作是念是施是

BD02198 號　摩訶般若波羅蜜經卷一六　（4–1）

受故漏盡心得解脫成阿羅漢舍利弗是六
十菩薩先世值五百佛親近供養於五百佛
法中行布施持戒忍辱精進禪定无般若波
羅蜜无方便力故行別異相作是念是施是
持戒是忍辱是精進是禪定无般若波羅蜜
无方便力故布施持戒忍辱精進禪定行異
別相行異別相故不得无異相不得无異相
故不得入菩薩位不得入菩薩位故得須陁
洹果乃至阿羅漢果舍利弗菩薩摩訶薩雖
有道若空若无相无作法遠離般若波羅蜜
无方便力故便於實際作證取聲聞乘舍利
弗白佛言世尊何因緣故俱行空无相无作
法遠離方便力於實際作證取聲聞乘菩
薩摩訶薩亦脩空无相无作法有方便力故
得阿耨多羅三藐三菩提佛告舍利弗有菩
薩遠離薩婆若心脩空无相无作法无方便
力故取聲聞乘舍利弗復有菩薩摩訶薩不遠
離薩婆若心脩空无相无作法有方便力故
入菩薩位得阿耨多羅三藐三菩提舍利弗譬
如有鳥身長百由旬若二百若三百由旬無
有翅從三十三天自投閻浮提舍利弗於汝
意云何是鳥中道作是念欲還上三十三天
能得還不不得也世尊舍利弗是鳥復作
是願到閻浮提欲使身不痛不惱舍利弗於
[illegible]

BD02198 號　摩訶般若波羅蜜經卷一六　（4–2）

有翅從三十三天自投閻浮提舍利弗於汝
意云何是鳥中道作是念欲還上三十三天
能得還不不得也世尊舍利弗是鳥復作
是願到閻浮提欲使身不痛不惱舍利弗於
汝意云何是鳥得不痛不惱不舍利弗言不
得也世尊是鳥到地若痛若惱若死若死等
苦何以故是尊是鳥身大而无翅故舍利弗
菩薩摩訶薩亦如是雖如恒河沙等劫脩布
施持戒忍辱精進禪定發大事生大事為得
阿耨多羅三藐三菩提故受无量願是菩
薩遠離般若波羅蜜方便力故若墮阿羅漢
若墮辟支佛道何以故是菩薩遠離薩婆若心
布施持戒忍辱精進禪定无般若波羅蜜无
方便力故墮聲聞地若辟支佛道中舍利弗
若菩薩摩訶薩雖念過去未來現在諸佛持
戒禪定智慧解脫解脫知見取相受持是人
不知不解諸佛戒定慧解脫解脫知見但聞
空无相无作名字聲而取名字聲迴向阿耨
多羅三藐三菩提菩薩摩訶薩若如是迴向
住聲聞辟支佛地中不能得過何以故遠離
般若波羅蜜方便力持諸善根迴向阿耨多
羅三藐三菩提故舍利弗有菩薩摩訶薩從
初發意以來不遠離薩婆若心行布施持戒
忍辱精進禪定不遠離般若波羅蜜方便力
故[illegible]現[illegible]諸佛

BD02198號　摩訶般若波羅蜜經卷一六　（4-3）

薩遠離般若波羅蜜方便力故若墮阿羅漢
若墮辟支佛道何以故是菩薩遠離薩婆若心
布施持戒忍辱精進禪定无般若波羅蜜无
方便力故墮聲聞地若辟支佛道中舍利弗
若菩薩摩訶薩雖念過去未來現在諸佛持
戒禪定智慧解脫解脫知見取相受持是人
不知不解諸佛戒定慧解脫解脫知見但聞
空无相无作名字聲而取名字聲迴向阿耨
多羅三藐三菩提菩薩摩訶薩若如是迴向
住聲聞辟支佛地中不能得過何以故遠離
般若波羅蜜方便力持諸善根迴向阿耨多
羅三藐三菩提故舍利弗有菩薩摩訶薩從
初發意以來不遠離薩婆若心行布施持戒
忍辱精進禪定不遠離般若波羅蜜方便力
故不取相於過去未來現在諸佛
脫解脫知見不取空解脫
作解脫門相舍利
[illegible]

BD02198號　摩訶般若波羅蜜經卷一六　（4-4）

不退諸菩薩　其數如恒沙　一心共思求　亦復不能知
又告舍利弗　无漏不思議　甚深微妙法　我今已具得
唯我知是相　十方佛亦然　舍利弗當知　諸佛語无異
於佛所說法　當生大信力　世尊法久後　要當說真實
告諸聲聞衆　及求緣覺乘　我令脫苦縛　逮得涅槃者
佛以方便力　示以三乘教　衆生處處著　引之令得出
尒時大衆中有諸聲聞漏盡阿羅漢阿若憍
陳如等千二百人及發聲聞辟支佛心比丘
比丘尼優婆塞優婆夷各作是念今者世尊
何故慇懃稱歎方便而作是言佛所得法甚
深難解有所言說意趣難知一切聲聞辟支
佛所不能及佛說一解脫義我等亦得此法
到於涅槃而今不知是義所趣尒時舍利弗
知四衆心疑自亦未了而白佛言世尊何因
何緣慇懃稱歎諸佛第一方便甚深微妙難
解之法我自昔來未曾從佛聞如是說今者
四衆咸皆有疑唯願世尊敷演斯事世尊何
故慇懃稱歎甚深微妙難解之法尒時舍利
弗欲重宣此義而說偈言
慧日大聖尊　久乃說是法　自說得如是　力无畏三昧

BD02199號　妙法蓮華經卷一

（2–1）

比丘尼優婆塞優婆夷各作是念今者世尊
何故慇懃稱歎方便而作是言佛所得法甚
深難解有所言說意趣難知一切聲聞辟支
佛所不能及佛說一解脫義我等亦得此法
到於涅槃而今不知是義所趣尒時舍利弗
知四衆心疑自亦未了而白佛言世尊何因
何緣慇懃稱歎諸佛第一方便甚深微妙難
解之法我自昔來未曾從佛聞如是說今者
四衆咸皆有疑唯願世尊敷演斯事世尊何
故慇懃稱歎甚深微妙難解之法尒時舍利
弗欲重宣此義而說偈言
慧日大聖尊　久乃說是法　自說得如是　力无畏三昧
禪定解脫等　不可思議法　道場所得法　无能發問者
我意難可測　亦无能問者　无問而自說　稱歎所行道
智慧甚微妙　諸佛之所得　无漏諸羅漢　及求涅槃者
今皆墮疑網　佛何故說是　其求緣覺者　比丘比丘尼
諸天龍鬼神　及乾闥婆等　相視懷猶豫　瞻仰兩足尊
是事為云何　願佛為解說　於諸聲聞衆　佛說我第一
我今自於智　疑惑不能了　為是究竟法　為是所行道
佛口所生子　合掌瞻仰待　願出微妙音　時為如實說

BD02199號　妙法蓮華經卷一

（2–2）

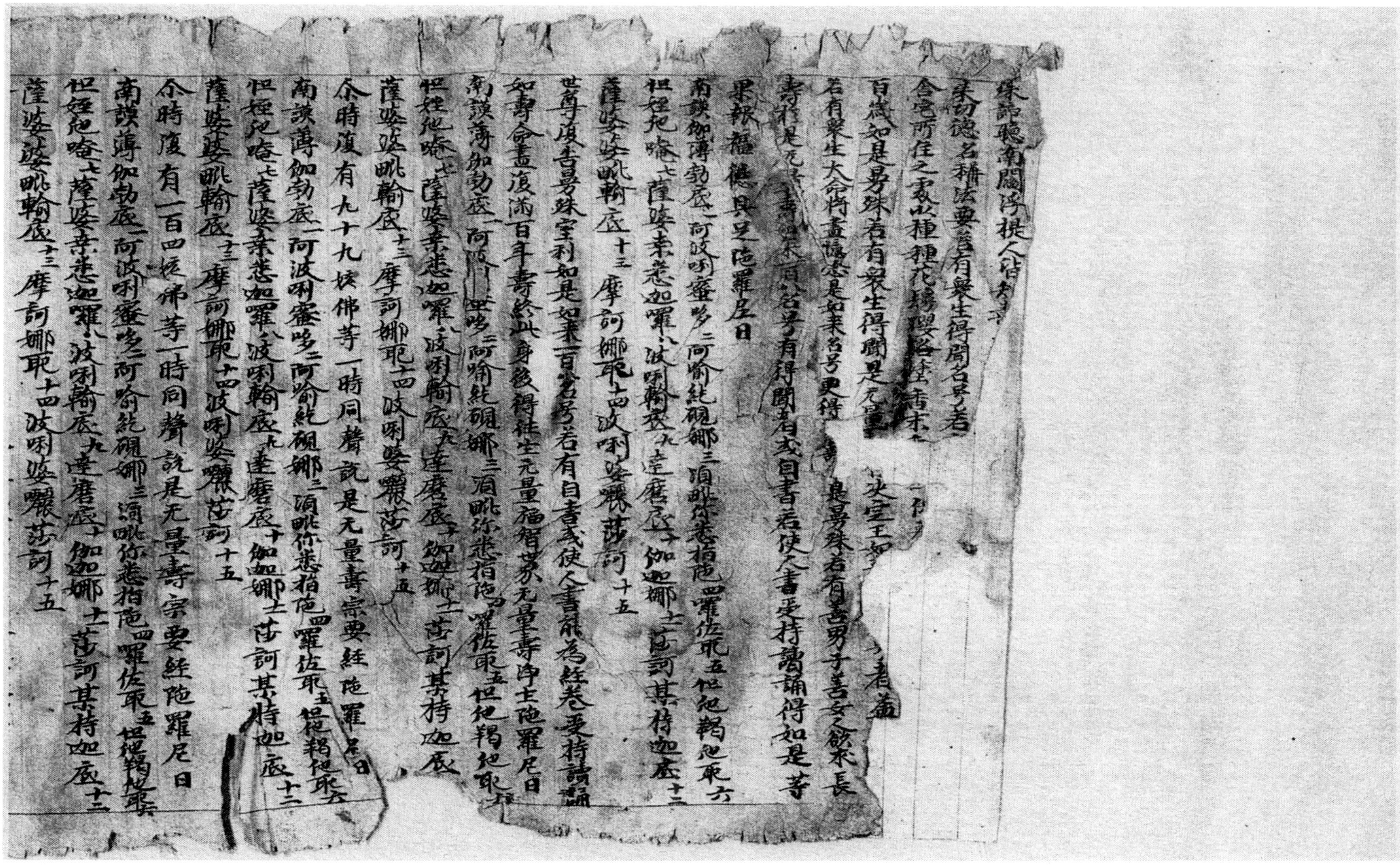

殊師聽南閻浮提人皆……
□功德名稱法要若有衆生得聞名号若
舍宅所住之處以種種花鬘瓔珞塗香末香……
百歲如是曼殊若有衆生得聞是无量……決定王如……者益
若有衆生大命將盡憶念是如來名号更得……良曼殊若有善男子善女人欲求長
壽者是无量壽……百八名号有得聞者或自書若使人書受持讀誦得如是等
果報福德具足陁羅尼日
南謨薄伽勃底一阿波唎蜜哆二阿喩紇硯娜三須毗你悉指陁四囉佐耶五怛他羯他耶六
怛姪他唵七薩婆桒悉迦囉八波唎輸底九達磨底十伽迦娜十一莎訶其持迦底十二
薩婆婆毗輸底十三摩訶娜耶十四波唎婆囉莎訶十五
世尊復告曼殊室利如是如來一百八名号若有自書或使人書爲經卷受持讀誦
如壽命盡復滿百年壽終此身後得往生无量福智世界无量壽淨土陁羅尼日
南謨薄伽勃底一阿波唎蜜哆二阿喩紇硯娜三須毗你悉指陁四囉佐耶五怛他羯他耶六
怛姪他唵七薩婆桒悉迦囉八波唎輸底九達磨底十伽迦娜十一莎訶其持迦底十二
薩婆婆毗輸底十三摩訶娜耶十四波唎婆囉莎訶十五
尒時復有九十九姟佛等一時同聲說是无量壽宗要經陁羅尼日
南謨薄伽勃底一阿波唎蜜哆二阿喩紇硯娜三須毗你悉指陁四囉佐耶五怛他羯他耶六
怛姪他唵七薩婆桒悉迦囉八波唎輸底九達磨底十伽迦娜十一莎訶其持迦底十二
薩婆婆毗輸底十三摩訶娜耶十四波唎婆囉莎訶十五
尒時復有一百四姟佛等一時同聲說是无量壽宗要經陁羅尼日
南謨薄伽勃底一阿波唎蜜哆二阿喩紇硯娜三須毗你悉指陁四囉佐耶五怛他羯他耶六
怛姪他唵七薩婆桒悉迦囉八波唎輸底九達磨底十伽迦娜十一莎訶其持迦底十二
薩婆婆毗輸底十三摩訶娜耶十四波唎婆囉莎訶十五

BD02200號　無量壽宗要經　（6–1）

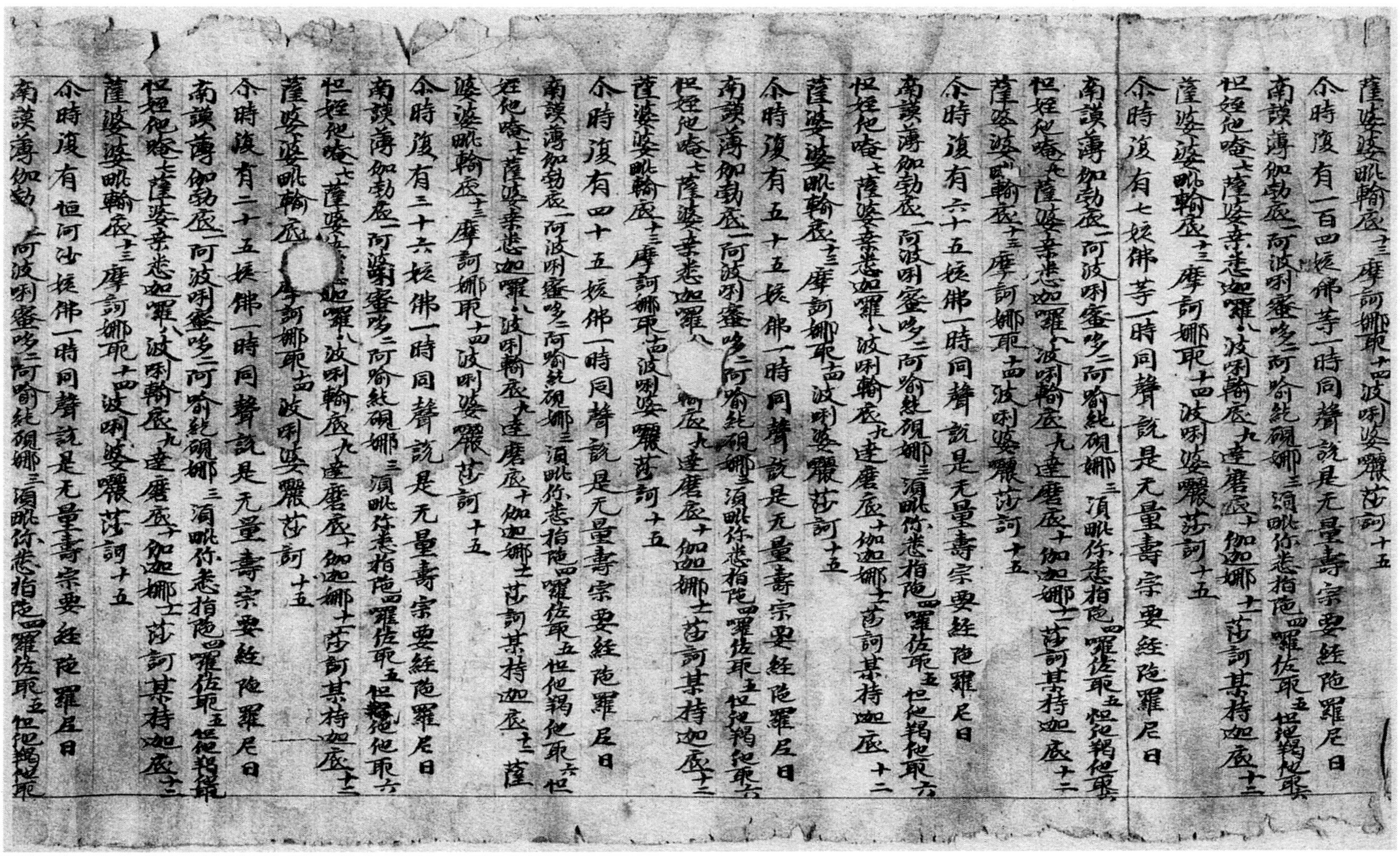

薩婆婆毗輸底十三摩訶娜耶十四波唎婆囉莎訶十五
尒時復有一百四姟佛等一時同聲說是无量壽宗要經陁羅尼日
南謨薄伽勃底一阿波唎蜜哆二阿喩紇硯娜三須毗你悉指陁四囉佐耶五怛他羯他耶六
怛姪他唵七薩婆桒悉迦囉八波唎輸底九達磨底十伽迦娜十一莎訶其持迦底十二
薩婆婆毗輸底十三摩訶娜耶十四波唎婆囉莎訶十五
尒時復有七姟佛等一時同聲說是无量壽宗要經陁羅尼日
南謨薄伽勃底一阿波唎蜜哆二阿喩紇硯娜三須毗你悉指陁四囉佐耶五怛他羯他耶六
怛姪他唵七薩婆桒悉迦囉八波唎輸底九達磨底十伽迦娜十一莎訶其持迦底十二
薩婆婆毗輸底十三摩訶娜耶十四波唎婆囉莎訶十五
尒時復有六十五姟佛等一時同聲說是无量壽宗要經陁羅尼日
南謨薄伽勃底一阿波唎蜜哆二阿喩紇硯娜三須毗你悉指陁四囉佐耶五怛他羯他耶六
怛姪他唵七薩婆桒悉迦囉八波唎輸底九達磨底十伽迦娜十一莎訶其持迦底十二
薩婆婆毗輸底十三摩訶娜耶十四波唎婆囉莎訶十五
尒時復有五十五姟佛等一時同聲說是无量壽宗要經陁羅尼日
南謨薄伽勃底一阿波唎蜜哆二阿喩紇硯娜三須毗你悉指陁四囉佐耶五怛他羯他耶六
怛姪他唵七薩婆桒悉迦囉八波唎輸底九達磨底十伽迦娜十一莎訶其持迦底十二
薩婆婆毗輸底十三摩訶娜耶十四波唎婆囉莎訶十五
尒時復有四十五姟佛等一時同聲說是无量壽宗要經陁羅尼日
南謨薄伽勃底一阿波唎蜜哆二阿喩紇硯娜三須毗你悉指陁四囉佐耶五怛他羯他耶六怛
姪他唵七薩婆桒悉迦囉八波唎輸底九達磨底十伽迦娜十一莎訶其持迦底十二薩
婆婆毗輸底十三摩訶娜耶十四波唎婆囉莎訶十五
尒時復有三十六姟佛等一時同聲說是无量壽宗要經陁羅尼日
南謨薄伽勃底一阿波唎蜜哆二阿喩紇硯娜三須毗你悉指陁四囉佐耶五怛他羯他耶六
怛姪他唵七薩婆……迦囉八波唎輸底九達磨底十伽迦娜十一莎訶其持迦底十二
薩婆婆毗輸底……摩訶娜耶十四波唎婆囉莎訶十五
尒時復有二十五姟佛等一時同聲說是无量壽宗要經陁羅尼日
南謨薄伽勃底一阿波唎蜜哆二阿喩紇硯娜三須毗你悉指陁四囉佐耶五怛他羯他
怛姪他唵七薩婆桒悉迦囉八波唎輸底九達磨底十伽迦娜十一莎訶其持迦底十二
薩婆婆毗輸底十三摩訶娜耶十四波唎婆囉莎訶十五
尒時復有恒河沙姟佛一時同聲說是无量壽宗要經陁羅尼日
南謨薄伽勃……阿波唎蜜哆二阿喩紇硯娜三須毗你悉指陁四囉佐耶五怛他羯他耶

BD02200號　無量壽宗要經　（6–2）

南謨薄伽勃底一阿波唎蜜哆二阿喻紇硯娜三須毗你悉指陁四囉佐耶五怛他羯他耶
怛姪他唵七薩婆桒悉迦羅八波唎輸底九達磨底十伽迦娜十一莎訶莫持迦底十二
薩婆婆毗輸底十三摩訶娜耶十四波唎婆囉莎訶十五
尒時復有恒河沙俱胝佛一時同聲說是无量壽宗要經陁羅尼曰
南謨薄伽勃底一阿波唎蜜哆二阿喻紇硯娜三須毗你悉指陁四囉佐耶五怛他羯他耶
怛姪他唵七薩婆桒悉迦羅八波唎輸底九達磨底十伽迦娜十一莎訶莫持迦底十二
薩婆婆毗輸底十三摩訶娜耶十四波唎婆囉莎訶十五
善男子若有自書寫教人書寫是无量壽宗要經如其命盡復得長壽而滿年陁羅尼曰
南謨薄伽勃底一阿波唎蜜哆二阿喻紇硯娜三須毗你悉指陁四囉佐耶五怛他羯他耶六
怛姪他唵七薩婆桒悉迦羅八波唎輸底九達磨底十伽迦娜十一莎訶莫持迦底十二
薩婆婆毗輸底十三摩訶娜耶十四波唎婆囉莎訶十五
若有自書寫教人書寫是无量壽宗要經讀誦受持畢竟不墮
地獄在在所生得宿命智陁羅尼曰
南謨薄伽勃底一阿波唎蜜哆二阿喻紇硯娜三須毗你悉指陁四囉佐耶五怛他羯他
耶六怛姪他唵七薩婆桒悉迦羅八波唎輸底九達磨底十伽迦娜十一莎訶莫持迦底十二
薩婆婆毗輸底十三摩訶娜耶十四波唎婆囉莎訶十五
若有自書寫教人書寫是无量壽宗要經受持讀誦如同書寫八万四千一切經典陁羅尼曰
南謨薄伽勃底一阿波唎蜜哆二阿喻紇硯娜三須毗你悉指陁四囉佐耶五怛他羯他耶六
怛姪他唵七薩婆桒悉迦羅八波唎輸底九達磨底十伽迦娜十一莎訶莫持迦底十二
薩婆婆毗輸底十三摩訶娜耶十四波唎婆囉莎訶十五
若有自書寫教人書寫是无量壽宗要經受持讀誦即是書寫八万四千部建立塔廟陁羅尼曰
南謨薄伽勃底一阿波唎蜜哆二阿喻紇硯娜三須毗你悉指陁四囉佐耶五怛他羯他耶六
怛姪他唵七薩婆桒悉迦羅八波唎輸底九達磨底十伽迦娜十一莎訶莫持迦底十二薩
婆婆毗輸底十三摩訶娜耶十四波唎婆囉莎訶十五
若有自書寫教人書寫是无量壽宗要經能消五間等一切重罪陁羅尼曰
南謨薄伽勃底一阿波唎蜜哆二阿喻紇硯娜三須毗你悉指陁四囉佐耶五怛他羯他耶
怛姪他唵七薩婆桒悉迦羅八波唎輸底九達磨底十伽迦娜十一莎訶莫持迦底十二
薩婆婆毗輸底十三摩訶娜耶十四波唎婆囉莎訶十五
若有自書寫教人書寫是无量壽宗要經受持讀誦設有重罪猶如須弥盡能除滅陁羅尼曰
南謨薄伽勃底一阿波唎蜜哆二阿喻紇硯娜三須毗你悉指陁四囉佐耶五怛他羯他耶六怛
姪他唵七薩婆桒悉迦羅八波唎輸底九達磨底十伽迦娜十一莎訶莫持迦底十二薩

BD02200號　無量壽宗要經　（6–3）

薩婆婆毗輸底十三摩訶娜耶十四波唎婆囉莎訶十五
若有自書寫教人書寫是无量壽宗要經受持讀誦設有重罪猶如須弥盡能除滅陁羅尼曰
南謨薄伽勃底一阿波唎蜜哆二阿喻紇硯娜三須毗你悉指陁四囉佐耶五怛他羯他耶六怛
姪他唵七薩婆桒悉迦羅八波唎輸底九達磨底十伽迦娜十一莎訶莫持迦底十二薩
婆婆毗輸底十三摩訶娜耶十四波唎婆囉莎訶十五
若有自書寫教人書寫是无量壽宗要經受持讀誦若魔魔之眷屬
夜叉羅剎不得其便終无枉死陁羅尼曰
南謨薄伽勃底一阿波唎蜜哆二阿喻紇硯娜三須毗你悉指陁四囉佐耶五怛他羯他耶
怛姪他唵七薩婆桒悉迦羅八波唎輸底九達磨底十伽迦娜十一莎訶莫持迦底十二
薩婆婆毗輸底十三摩訶娜耶十四波唎婆囉莎訶十五
若有自書寫教人書寫是无量壽宗要經受持讀誦當命終時有九十九姟
佛現其人前發手佛授手能遊一切佛剎莫於此經生於疑惑陁羅尼曰
南謨薄伽勃底一阿波唎蜜哆二阿喻紇硯娜三須毗你悉指陁四囉佐耶五怛他羯他耶六
怛姪他唵七薩婆桒悉迦羅八波唎輸底九達磨底十伽迦娜十一莎訶莫持迦底十二
薩婆婆毗輸底十三摩訶娜耶十四波唎婆囉莎訶十五
若有自書寫教人書寫是无量壽宗要經受持讀誦常得四天大王隨其衛護陁羅尼曰
南謨薄伽勃底一阿波唎蜜哆二阿喻紇硯娜三須毗你悉指陁四囉佐耶五怛他羯他耶六
怛姪他唵七薩婆桒悉迦羅八波唎輸底九達磨底十伽迦娜十一莎訶莫持迦底十二
薩婆婆毗輸底十三摩訶娜耶十四波唎婆囉莎訶十五
若有自書寫教人書寫是无量壽宗要經受持讀誦當得往生西方極
世界阿弥陁淨土陁羅尼曰
南謨薄伽勃底一阿波唎蜜哆二阿喻紇硯娜三須毗你悉指陁四囉佐耶五怛他羯他
耶六怛姪他唵七薩婆桒悉迦羅八波唎輸底九達磨底十伽迦娜十一莎訶莫持迦底十二
薩婆婆毗輸底十三摩訶娜耶十四波唎婆囉莎訶十五
若有方所自書寫使人書寫是无量壽經典之處則為是塔皆應恭敬作礼若
是畜生或為鳥獸得聞是經如是等類皆當不久得成一切種智陁羅尼曰
南謨薄伽勃底一阿波唎蜜哆二阿喻紇硯娜三須毗你悉指陁四囉佐耶五怛他羯他耶
怛姪他唵七薩婆桒悉迦羅八波唎輸底九達磨底十伽迦娜十一莎訶莫持迦底十二
薩婆婆毗輸底十三摩訶娜耶十四波唎婆囉莎訶十五
若有於是无量壽經自書寫使人書畢竟不受女人之身陁羅尼曰
南謨薄伽勃底一阿波唎蜜哆二阿喻紇硯娜三須毗你悉指陁四囉佐耶五怛他羯他耶六

BD02200號　無量壽宗要經　（6–4）

南謨薄伽勃底一阿波唎蜜哆二阿喻紇硯娜三 須毗你悉指陀四囉佐耶五 怛他羯他耶六
怛姪他唵七薩婆桒悉迦羅八波唎輸底九達磨底十伽迦娜十一莎訶某持迦底十二
薩婆婆毗輸底十三 摩訶娜耶十四 波唎婆囉莎訶 十五
若有於是无量壽經自書寫使人書畢竟不受女人之身陁羅尼曰
南謨薄伽勃底一阿波唎蜜哆二阿喻紇硯娜三 須毗你悉指陀四囉佐耶五 怛他羯他耶六
怛姪他唵七薩婆桒悉迦羅八波唎輸底九達摩底十伽迦娜十一莎訶某持迦底十二
薩婆婆毗輸底十三 摩訶娜耶十四 波唎婆囉莎訶 十五
若有能於是經少分能惠施者等於三千大千世界滿中七寶布施陁羅尼曰
南謨薄伽勃底一阿波唎蜜哆二阿喻紇硯娜三 須毗你悉指陀四囉佐耶五 怛他羯他耶六 怛
姪他唵七薩婆桒悉迦羅八波唎輸底九達磨底十伽迦娜十一莎訶某持迦底十二 薩
婆婆毗輸底十三 摩訶娜耶十四 波唎婆囉莎訶 十五
若有能供養是經者則是供養一切諸經等无有異陁羅尼曰
南謨薄伽勃底一阿波唎蜜哆二阿喻紇硯娜三 須毗你悉指陀四囉佐耶五 怛他羯他耶六 怛
姪他唵七薩婆桒悉迦羅八波唎輸底九達磨底十伽迦娜十一莎訶某持迦底十二 薩
婆婆毗輸底十三 摩訶娜耶十四 波唎婆囉莎訶 十五
如是毗婆尸佛 尸棄佛 毗舍浮佛 俱留孫佛 俱那含牟尼佛 迦葉佛 釋迦牟尼佛
若有人以七寶供養如是七佛其福有限書寫受持是无量壽經典所有功德不可數量陁羅尼曰
南謨薄伽勃底一阿波唎蜜哆二阿喻紇硯娜三 須毗你悉指陀四囉佐耶五 怛他羯他耶六
怛姪他唵七薩婆桒悉迦羅八波唎輸底九達磨底十伽迦娜十一莎訶某持迦底十二
薩婆婆毗輸底十三 摩訶娜耶十四 波唎婆囉莎訶 十五
若有七寶等於須彌山用布施其福上能知其限量是无量壽經典其福不可知數陁羅尼曰
南謨薄伽勃底一阿波唎蜜哆二阿喻紇硯娜三 須毗你悉指陀四囉佐耶五 怛他羯他耶六
怛姪他唵七薩婆桒悉迦羅八波唎輸底九達磨底十伽迦娜十一莎訶某持迦底十二
薩婆婆毗輸底十三 摩訶娜耶十四 波唎婆囉莎訶 十五
如是四大海水可知滴數是无量壽經典所生果報不可數量陁羅尼曰
南謨薄伽勃底一阿波唎蜜哆二阿喻紇硯娜三 須毗你悉指陀四囉佐耶五 怛他羯他
耶六 怛姪他唵七薩婆桒悉迦羅八波唎輸底九達磨底十伽迦娜十一莎訶某持迦底十二
薩婆婆毗輸底十三 摩訶娜耶十四 波唎婆囉莎訶 十五
若有自書寫使人書寫是无量壽經典又能護持供養而如恭敬供養一
切十方佛土如來无有別異陁羅尼曰
南謨薄伽勃底一阿波唎蜜哆二阿喻紇硯娜三 須毗你悉指陀四囉佐耶五 怛他羯他

BD02200號　無量壽宗要經　（6–5）

怛姪他唵七薩婆桒悉迦羅八波唎輸底九達磨底十伽迦娜十一莎訶某持迦底十二
薩婆婆毗輸底十三 摩訶娜耶十四 波唎婆囉莎訶 十五
如是四大海水可知滴數是无量壽經典所生果報不可數量陁羅尼曰
南謨薄伽勃底一阿波唎蜜哆二阿喻紇硯娜三 須毗你悉指陀四囉佐耶五 怛他羯他
耶六 怛姪他唵七薩婆桒悉迦羅八波唎輸底九達磨底十伽迦娜十一莎訶某持迦底十二
薩婆婆毗輸底十三 摩訶娜耶十四 波唎婆囉莎訶 十五
若有自書寫使人書寫是无量壽經典又能護持供養而如恭敬供養一
切十方佛土如來无有別異陁羅尼曰
南謨薄伽勃底一阿波唎蜜哆二阿喻紇硯娜三 須毗你悉指陀四囉佐耶五 怛他羯他
耶六 怛姪他唵七薩婆桒悉迦羅八波唎輸底九達磨底十伽迦娜十一莎訶某持迦底十二
薩婆婆毗輸底十三 摩訶娜耶十四 波唎婆囉莎訶 十五
布施力能成正覺　悟布施力人師子　布施力能聲普聞　慈悲階漸最能入
持戒力能成正覺　悟持戒力人師子　持戒力能聲普聞　慈悲階漸最能入
忍辱力能成正覺　悟忍辱力人師子　忍辱力能聲普聞　慈悲階漸最能入
精進力能成正覺　悟精進力人師子　精進力能聲普聞　慈悲階漸最能入
禪定力能成正覺　悟禪定力人師子　禪定力能聲普聞　慈悲階漸最能入
智慧力能成正覺　悟慧智力人師子　智慧力能聲普聞　慈悲階漸最能入
尒時如來說是經已一切世間天人阿脩羅揵闥婆等聞佛所說皆大
歡喜信受奉行
佛說无量壽宗要經
田廣談
就興

BD02200號　無量壽宗要經　（6–6）

著 錄 凡 例

本目錄採用條目式著錄法。諸條目意義如下：

1.1　著錄編號。用漢語拼音首字“BD”表示，意為“北京圖書館藏敦煌遺書”，簡稱“北敦號”。文獻寫在背面者，標註為“背”。一件遺書上抄有多個文獻者，用數字 1、2、3 等標示小號。一號中包括幾件遺書，且遺書形態各自獨立者，用字母 A、B、C 等區別。

1.2　著錄分類號。本條記目錄暫不分類，該項空缺。

1.3　著錄文獻的名稱、卷本、卷次。

1.4　著錄千字文編號。

1.5　著錄縮微膠卷號。

2.1　著錄遺書的總體數據。包括長度、寬度、紙數、正面抄寫總行數與每行字數、背面抄寫總行數與每行字數。如該遺書首尾有殘破，則對殘破部分單獨度量，用加號加在總長度上。凡屬這種情況，長度用括弧標註。

2.2　著錄每紙數據。包括每紙長度及抄寫行數或界欄數。

2.3　著錄遺書的外觀。包括：(1) 裝幀形式。(2) 首尾存況。(3) 護首、軸、軸頭、天竿、縹帶，經名是書寫還是貼簽，有無經名號，扉頁、扉畫。(4) 卷面殘破情況及其位置。(5) 尾部情況。(6) 有無附加物（蟲繭、油污、線繩及其他）。(7) 有無裱補及其年代。(8) 界欄。(9) 修整。(10) 其他需要交待的問題。

2.4　著錄一件遺書抄寫多個文獻的情況。

3.1　著錄文獻首部文字與對照本核對的結果。

3.2　著錄文獻尾部文字與對照本核對的結果。

3.3　著錄錄文。

3.4　著錄對文獻的說明。

4.1　著錄文獻首題。

4.2　著錄文獻尾題。

5　著錄本文獻與對照本的不同之處。

6.1　著錄本遺書首部可與另一遺書綴接的編號。

6.2　著錄本遺書尾部可與另一遺書綴接的編號。

7.1　著錄題記、題名、勘記等。

7.2　著錄印章。

7.3　著錄雜寫。

7.4　著錄護首及扉頁的內容。

8　著錄年代。

9.1　著錄字體。如有武周新字、合體字、避諱字等，予以說明。

9.2　著錄卷面二次加工的情況。包括句讀、點標、科分、間隔號、行間加行、行間加字、硃筆、墨塗、倒乙、刪除、兌廢等。

10　著錄敦煌遺書發現後，近現代人所加內容，裝裱、題記、印章等。

11　備註。著錄揭裱互見、圖版本出處及其他需要說明的問題。

上述諸條，有則著錄，無則空缺。

為避文繁，上述著錄中出現的各種參考、對照文獻，暫且不列版本說明。全目結束時，將統一編制本條記目錄出現的各種參考書目。

本條記目錄為農曆年份標註其公曆紀年時，未經行歲頭年末之換算，請讀者使用時注意自行換算。

條　記　目　錄

BD02124—BD02200

1.1　BD02124 號
1.3　妙法蓮華經卷一
1.4　藏 024
1.5　105:4495
2.1　(4.5 +884) ×25.8 厘米；19 紙；共 528 行，行 17 字。
2.2　01：4.5 +39.5，27；　02：46.2，28；　03：47.0，28；
04：47.0，28；　05：47.0，28；　06：47.2，28；
07：47.3，28；　08：47.2，28；　09：47.3，28；
10：45.5，27；　11：47.0，28；　12：47.3，28；
13：47.0，28；　14：47.2，28；　15：47.0，28；
16：47.0，28；　17：47.0，28；　18：46.8，28；
19：46.5，25。
2.3　卷軸裝。首殘尾全。有烏絲欄。
3.1　首 3 行中下殘→大正 262，9/1C14 ~20。
3.2　尾全→9/10B21。
4.1　妙法蓮□…□（首）。
4.2　妙法蓮華經卷第一（尾）。
8　7 ~8 世紀。唐寫本。
9.1　楷書。
11　圖版：《敦煌寶藏》，83/366A ~379A。

1.1　BD02125 號 A
1.3　妙法蓮華經卷六
1.4　藏 025
1.5　105:5814
2.1　47.7 ×25.5 厘米；1 紙；共 28 行，行 17 字。
2.3　卷軸裝。首尾均脱。經黄紙。上邊有殘裂。有烏絲欄。
3.1　首殘→大正 262，9/50C20。
3.2　尾殘→9/51A21。
8　7 ~8 世紀。唐寫本。
9.1　楷書。
11　圖版：《敦煌寶藏》，95/225A ~B。

1.1　BD02125 號 B
1.3　妙法蓮華經卷六
1.4　藏 025
1.5　105:5835
2.1　70.5 ×25 厘米；2 紙；共 44 行，行 17 字。
2.2　01：26.0，16；　02：44.5，28。
2.3　卷軸裝。首尾均殘。第 2 紙下邊有殘缺，背有鳥糞。有烏絲欄。
3.1　首殘→大正 262，9/52C3。
3.2　尾殘→9/53A19。
8　7 ~8 世紀。唐寫本。
9.1　楷書。
11　圖版：《敦煌寶藏》，95/322B ~323B。

1.1　BD02126 號 1
1.3　沙彌戒及威儀法文
1.4　藏 026
1.5　186:7133
2.1　(11 +238.5) ×27 厘米；6 紙；正面共 134 行，行 17 字。背面 59 行，行字不等。
2.2　01：11 +26，22；　02：42.5，25；　03：42.5，25；
04：42.5，24；　05：42.5，25；　06：42.5，13。
2.3　卷軸裝。首殘尾缺。首紙多殘裂。第 6 紙有烏絲欄，紙色與前 5 紙不同。
2.4　本遺書包括 12 個文獻：（一）《沙彌戒及威儀法文》，114 行，抄寫在正面，今編為 BD02126 號 1。（二）《沙彌誦五德十數文》（擬），20 行，抄寫在正面，今編為 BD02126 號 2。（三）《血書光啓三年僧善惠為母大祥追福請賓頭羅疏稿》（擬），3 行，抄寫在背面，今編為 BD02126 號背 1。（四）《僧名錄》（擬），1 行，抄寫在背面，今編為 BD02126 號背 2。（五）迴文詩（擬），2 行，抄寫在背面，今編為 BD02126 號背 3。（六）《血書五行》（擬），5 行，抄寫在背面，今編為 BD02126 號背 4。（七）《祭妹文》（擬），5 行，抄寫在背面，今編為 BD02126 號背 5。（八）

《臨曠文》，17行，抄寫在卷背，今編為BD02126號背6。（九）《為覺心妹致阿張傻婆姨等函稿》（擬），3行，抄寫在卷背，今編為BD02126號背7。（十）《尼名錄》（擬），3行，抄寫在背面，今編為BD02126號背8。（十一）《悼妹文》（擬），15行，抄寫在卷背，今編為BD02126號背9。（十二）《光啓三年僧善惠為母大祥追福請賓頭羅疏》（擬），5行，抄寫在背面，今編為BD02126號背10。

上述背面文獻抄寫方向各有顛例，詳見諸號之2.4項。著錄時，以正面文獻之卷首為首，依次著錄背面之文獻。其中背6、背7兩號，是否應該是同一個文獻，尚可斟酌。如果兩者是同一個文獻，則其次序應該是先背7，後背6。

3.4　說明：

本文獻首7行中下殘，尾全。內容為沙彌受十戒法、沙彌威儀。與諸藏所收沙彌十戒威儀均有出入。

4.2　沙彌戒及威儀法文（尾）。

8　9～10世紀。歸義軍時期寫本。

9.1　楷書。

11　圖版：《敦煌寶藏》，104/267A～273A。

1.1　BD02126號2

1.3　沙彌誦五德十數文（擬）

1.4　藏026

1.5　186:7133

2.4　本遺書由12個文獻組成，本號為第2個，抄寫在正面，20行。餘參見BD02126號1之第2項、第11項。

3.4　說明：

本文獻為沙彌誦五德十數時所用。關於五德與供僧福田，可參見《諸德福田經》。關於十數，可參見《沙彌威儀》。關於沙彌應誦五德十數，可參見《彌沙塞羯磨本》及《四分律刪繁補闕行事鈔》。

8　9～10世紀。歸義軍時期寫本。

9.1　楷書。

1.1　BD02126號背1

1.3　血書光啓三年僧善惠為母大祥追福請賓頭羅疏稿（擬）

1.4　藏026

1.5　186:7133

2.4　本遺書由12個文獻組成，本號為第3個，抄寫在背面，3行。餘參見BD02126號1之第2項、第11項。

3.3　錄文：

謹請［西南方雞］足山賓頭盧波/

羅［墮］和尚，右今月十日於閻浮世界/

沙州大賢坊就弊居奉爲亡妣/

（錄文完）

8　887年。歸義軍時期寫本。

9.1　楷書。血書。

1.1　BD02126號背2

1.3　僧名錄（擬）

1.4　藏026

1.5　186:7133

2.2　本遺書由12個文獻組成，本號為第4個，抄寫在背面，1行，抄寫方向與BD02126號背1相反。餘參見BD02126號1之第2項、第11項。

3.3　錄文：

慈力、善惠、慈力、願力、堅信、延子。/

8　887年。歸義軍時期寫本。

9.1　楷書。

1.1　BD02126號背3

1.3　迴文詩（擬）

1.4　藏026

1.5　186:7133

2.1　本遺書由12個文獻組成，本號為第5個，抄寫在背面，2行，抄寫方向與BD02126號背2相同。餘參見BD02126號1之第2項、第11項。

3.3　錄文：

多也長二病更思見欲間疑員

3.4　說明：

上文“病”，疑或為“夜”。“間”，或為“問”。本文獻應為迴文詩。應如何讀通，尚需研究。

8　887年。歸義軍時期寫本。

9.1　楷書。

1.1　BD02126號背4

1.3　血書五行（擬）

1.4　藏026

1.5　186:7133

2.4　本遺書由12個文獻組成，本號為第6個，抄寫在背面，5行，抄寫方向與BD02126號背3相反。餘參見BD02126號1之第2項、第11項。

3.4　說明：

這5行血書字跡漫漶，無法辨認。

8　887年。歸義軍時期寫本。

9.1　楷書。

1.1　BD02126號背5

1.3　祭妹文（擬）

1.4　藏026

1.5　186:7133

2.4　本遺書由12個文獻組成，本號為第7個，抄寫在背面，5行，抄寫方向與BD02126號背3相反。餘參見BD02126號1之第2項、第11項。

3.3　錄文：

維歲次丁未七月（癸酉）朔一日癸酉，兄/
什郎謹以香茶乳藥之奠，/
敬祭于故闍黎之靈，伏惟/
靈 恩同依地惟索/
（錄文完）
7.3 前有雜寫“總念善便神通”1行。
8 887年。歸義軍時期寫本。
9.1 楷書。

1.1 BD02126號背6
1.3 臨曠文
1.4 藏026
1.5 186:7133
2.4 本遺書由12個文獻組成，本號為第8個，抄寫在背面，17行，抄寫方向與BD02126號背4相反。餘參見BD02126號1之第2項、第11項。
3.3 錄文：
“臨曠聞（文）：/
無餘涅盤（槃），金棺永謝；有爲生死，火宅/
恒然（燃），但世界無常，曆（歷）二時而運轉；/
光陰遷亦（移），除四相以奔流。電光非（飛）而暫/
耀，等風燭以俄消。然今亡者，壽盡今生，/
形隨物化。舍（捨）茲白曰，奄就黄泉。至孝/
等攀號擗踊，五內分崩。戀母慈顔，痛/
摧心髓。龍 攦獻駕，送靈識於郊/
荒；索（素?）蓋分行，列凶儀於亙道。存亡永隔，/
追念何依。悲叫號咷，哀聲滿路。於是/
兆趙地以安讀（墳），澤（譯?）告詳而置母（墓）。謹莚請（清）衆，/
就次（此）郊荒，奉爲亡靈臨曠追福。又持是/
福，此用莊嚴施主合門眷屬等。爲（惟）願三寶/
覆護，萬善護持，災障不假，功德圓/
滿。摩訶般若，利樂無邊。大衆虔誠。/
（錄文完）
7.3 文後有雜寫“師禪”、“覺阿”2行4字。
8 887年。歸義軍時期寫本。
9.1 楷書。

1.1 BD02126號背7
1.3 為覺心妹致阿張傻婆姨等函稿（擬）
1.4 藏026
1.5 186:7133
2.4 本遺書由12個文獻組成，本號為第9個，抄寫在背面，3行，抄寫方向與BD02126號背5相同。餘參見BD02126號1之第2項、第11項。
3.3 錄文：
阿張傻婆姨、覺心、阿張蠻蠻、含含等。/
右覺心妹一人，先生奴子，索爲後婦，遂/
生二男：興晟、察子。前妻只是興追一身。/
（錄文完）
8 887年。歸義軍時期寫本。
9.1 楷書。

1.1 BD02126號背8
1.3 尼名錄（擬）
1.4 藏026
1.5 186:7133
2.4 本遺書由12個文獻組成，本號為第10個，抄寫在背面，3行，抄寫方向與BD02126號背6相同。餘參見BD02126號1之第2項、第11項。
3.3 錄文：
相妙、定忍、堅忍、能嚴、智惠、惠惠、惠忍、/
德意、普滿、菩提惠、福嚴、蓮花德、/
（錄文完）
7.3 前有雜寫四個“忍”字。
8 887年。歸義軍時期寫本。
9.1 楷書。

1.1 BD02126號背9
1.3 悼妹文（擬）
1.4 藏026
1.5 186:7133
2.1 本遺書由12個文獻組成，本號為第11個，抄寫在背面，15行，抄寫方向與BD02126號背7相同。餘參見BD02126號1之第2項、第11項。
3.3 錄文：
小承瘖瘂，養育成人，於親立節，/
族內有因，投師問道，理達天親，/
從今一別，忽變今晨，睹斯苦/
切，落淚霑身。嗚呼嗚呼，苦痛乾/
坤。今朝一別，再會無緣。路邊致/
祭，請晨欣珍。兄妹與蓮之/
義重，同志情深，宿因之德，/
今始爲親，何面上蒼不照，禍/
在泉門，千般藥之無達，百福/
之理難申，山高嚴之萬刃，/
若海之干淨，魂散就依二/
處，往依極落（樂）之宮。六親/
念兮哽噎，兄乃四地哀深。/
（錄文完）
3.4 說明：
本文獻與BD02126號背4之《祭妹文》（擬）所祭奠者，或為同一人。
7.3 前有雜寫“寂靜忍堅行”“忍辱精”等2行14字。

8　887 年。歸義軍時期寫本。
9.1　楷書。

1.1　BD02126 號背 10
1.3　光啓三年僧善惠為母大祥追福請賓頭羅疏（擬）
1.4　藏 026
1.5　186:7133
2.1　本遺書由 12 個文獻組成，本號為第 12 個，抄寫在背面，5 行，抄寫方向與 BD02126 號背 8 相反。餘參見 BD02126 號 1 之第 2 項、第 11 項。
3.3　錄文：
謹請西南方雞足山賓頭盧波羅墮和尚/
右今月十［日］於閻浮世界沙州於大賢坊/
就弊居奉爲［亡］妣大祥追福，受/
佛付勅，不捨蒼生，興運慈悲，/
於腳降駕。光啓三年八月十日僧善惠謹疏。/
8　887 年。歸義軍時期寫本。
9.1　楷書。

1.1　BD02127 號
1.3　無量壽宗要經
1.4　藏 027
1.5　275:7743
2.1　（17.5 + 199.5）×30.5 厘米；5 紙；共 146 行，行 30 餘字。
2.2　01：17.5 +26，28；　02：43.5，30；　03：43.5，30；
04：43.5，30；　05：43.0，28。
2.3　卷軸裝。首尾均全。首紙上下邊殘缺，第 2 紙上邊殘缺，接縫處有開裂，卷尾有蟲繭。有烏絲欄。
3.1　首 10 行上殘→大正 936，19/82A3 ~19。
3.2　尾全→19/84C29。
4.1　□□無量壽經（首）。
4.2　佛說無量壽宗要經（尾）。
7.1　卷尾有硃筆題名“張加寺”。
8　8 ~9 世紀。吐蕃統治時期寫本。
9.1　楷書。
11　圖版：《敦煌寶藏》，107/482B ~485A。

1.1　BD02128 號
1.3　大般若波羅蜜多經卷二七八
1.4　藏 028
1.5　084:2752
2.1　705.3 ×25.7 厘米；16 紙；共 441 行，行 17 字。
2.2　01：35.0，21；　02：46.5，28；　03：46.6，28；
04：46.6，28；　05：46.8，28；　06：46.7，28；
07：46.8，28；　08：46.7，28；　09：46.8，28；
10：46.8，28；　11：46.8，28；　12：46.8，28；
13：46.7，28；　14：46.6，28；　15：46.6，28；
16：16.5 +29.5，28。
2.3　卷轴装。首尾均殘。通卷上下邊有殘破，最後 2 紙殘破嚴重。有烏絲欄。
3.1　首殘→大正 220，6/409A9。
3.2　尾 18 行下殘→6/414A2 ~19。
8　8 ~9 世紀。吐蕃統治時期寫本。
9.1　楷書。
11　圖版：《敦煌寶藏》，74/640B ~650A。

1.1　BD02129 號
1.3　金剛般若波羅蜜經
1.4　藏 029
1.5　094:3700
2.1　（1.5 +93.8）×26.5 厘米；2 紙；共 53 行，行 17 字。
2.2　01：1.5 +43.1，25；　02：50.7，28。
2.3　卷轴装。首殘尾脫。經黄紙。有烏絲欄。
3.1　首 1 行上下殘→大正 235，8/749A22 ~23。
3.2　尾殘→8/749C20。
8　7 ~8 世紀。唐寫本。
9.1　楷書。
11　從該件上揭下古代裱補紙 1 塊，今編爲 BD16133 號。
圖版：《敦煌寶藏》，79/593A ~594A。

1.1　BD02130 號
1.3　灌頂章句拔除過罪生死得度經
1.4　藏 030
1.5　250:7488
2.1　（6.2 +157.8）×26.1 厘米；4 紙；共 93 行，行 17 字。
2.2　01：6.2 +10.6，09；　02：48.8，28；　03：49.3，28；
04：49.1，28。
2.3　卷軸裝。首殘尾脫。經黄紙。通卷焦脆，前 3 紙多有破裂殘損。首紙與第 3 紙均有 1 塊殘片脫落，已綴接。第 2、3 紙接縫處脫開。背有古代裱補。有烏絲欄。已修整。
3.1　首 3 行下殘→大正 1331，21/532C27 ~29。
3.2　尾殘→21/534A4。
8　7 ~8 世紀。唐寫本。
9.1　楷書。
11　圖版：《敦煌寶藏》，106/455B ~457B。

1.1　BD02131 號
1.3　大般若波羅蜜多經卷一九一
1.4　藏 031
1.5　084:2473
2.1　（16.2 +300.1）×26 厘米；8 紙；共 177 行，行 17 字。
2.2　01：02.5，01；　02：13.7 +34.6，28；　03：48.8，28；
04：49.0，28；　05：48.6，28；　06：48.7，28；

07：48.6，28；　08：21.8，08。
2.3　卷軸裝。首殘尾全。卷面有殘洞、破裂，接縫處有開裂，第2、3紙接縫處脫開。有燕尾。有烏絲欄。已修整。
3.1　首9行下殘→大正220，5/1026B13～21。
3.2　尾全→5/1028B12。
4.2　大般若波羅蜜多經卷第一百九十一（尾）。
8　8～9世紀。吐蕃統治時期寫本。
9.1　楷書。
11　圖版：《敦煌寶藏》，73/419B～423B。

1.1　BD02132號
1.3　妙法蓮華經卷三
1.4　藏032
1.5　105:5087
2.1　（8.6+724.3+1.4）×26.4厘米；16紙；共417行，行17字。
2.2　01：8.6+34.7，24；　02：49.3，28；　03：49.2，28；
04：49.2，28；　05：49.2，28；　06：49.1，28；
07：49.2，28；　08：49.4，28；　09：49.5，28；
10：49.4，28；　11：49.4，28；　12：49.3，28；
13：49.4，28；　14：49.5，28；　15：48.5，28；
16：01.4，01。
2.3　卷軸裝。首尾均殘。通卷多水漬，卷首上下有撕裂殘損，接縫處有開裂，15紙尾部殘損嚴重，卷首背有鳥糞。背有古代裱補。有烏絲欄。已修整。
3.1　首4行上下殘→大正262，9/20C8～13。
3.2　尾行上下殘→9/26C20～21。
8　9～10世紀。歸義軍時期寫本。
9.1　楷書。
9.2　有硃筆校改。
11　圖版：《敦煌寶藏》，88/557A～567B。

1.1　BD02133號
1.3　妙法蓮華經卷一
1.4　藏033
1.5　105:4546
2.1　（19.3+677.3）×25.5厘米；16紙；共436行，行17字。
2.2　01：19.3，13；　02：43.5，29；　03：43.8，29；
04：44.8，29；　05：45.4，29；　06：45.5，29；
07：45.5，29；　08：45.4，29；　09：45.5，29；
10：45.5，29；　11：45.5，29；　12：45.5，29；
13：45.5，29；　14：45.3，29；　15：45.7，29；
16：44.9，17。
2.3　卷軸裝。首殘尾全。通卷黴爛破損嚴重，卷面有等距離殘洞。尾有原軸，上軸頭已脫落，下鑲褐色軸頭。有烏絲欄。已修整。
3.1　首13行碎損→大正262，9/2C7～3A1。
3.2　尾全→9/10B21。
4.2　妙法蓮華經卷第一（尾）。
8　7～8世紀。唐寫本。
9.1　楷書。
11　圖版：《敦煌寶藏》，84/313A～322A。

1.1　BD02134號
1.3　無量壽宗要經
1.4　藏034
1.5　275:7744
2.1　164×32厘米；4紙；共107行，行30餘字。
2.2　01：41.0，28；　02：41.0，28；　03：41.0，28；
04：41.0，23。
2.3　卷軸裝。首尾均全。有烏絲欄。
3.1　首全→大正936，19/82A3
3.2　尾全→19/84C29。
4.1　大乘無量壽經（首）。
4.2　佛說無量壽宗要經一卷（尾）。
8　8～9世紀。吐蕃統治時期寫本。
9.1　行楷。
11　圖版：《敦煌寶藏》，107/485B～487B。

1.1　BD02135號
1.3　維摩詰所說經卷上
1.4　藏035
1.5　070:0984
2.1　404×26.5厘米；9紙；共225行，行17字。
2.2　01：49.0，28；　02：49.0，28；　03：49.0，28；
04：49.0，28；　05：49.0，28；　06：49.0，28；
07：49.0，28；　08：49.0，28；　09：12.0，01。
2.3　卷軸裝。首脫尾全。接縫處多有開裂，卷尾殘破。有烏絲欄。
3.1　首殘→大正475，14/541B13。
3.2　尾全→14/544A19。
4.2　維摩詰經卷上（尾）。
6.1　首→BD02160號。
8　7～8世紀。唐寫本。
9.1　楷書。
11　圖版：《敦煌寶藏》，64/261A～266B。

1.1　BD02136號
1.3　大般涅槃經（北本　異卷）卷九
1.4　藏036
1.5　115:6335
2.1　（9+800.5）×26.1厘米；16紙；共423行，行17字。
2.2　01：9+41，26；　02：51.0，27；　03：51.0，27；
04：51.0，27；　05：51.0，27；　06：51.0，27；

07：51.0，27；　08：50.5，27；　09：50.5，27；
10：50.5，27；　11：50.5，27；　12：50.5，27；
13：50.5，27；　14：50.5，27；　15：50.5，27；
16：49.5，19。
2.3　卷軸裝。首尾均全。卷首有殘破。尾有原軸，軸兩端塗黑漆，頂端點硃漆。有烏絲欄。
3.1　首4行中殘→大正374，12/417C1～4。
3.2　尾全→12/422B28。
4.1　大般涅槃經卷第九（首）。
4.2　大般涅槃經卷第九（尾）。
5　與《大正藏》本對照，經文起首分卷不同，結尾處相同。與歷代諸藏分卷均不同。
7.1　尾有硃筆題記"勘□"2字。
8　6～7世紀。隋寫本。
9.1　楷書。
11　圖版：《敦煌寶藏》，98/240A～250B。

1.1　BD02137號
1.3　大方廣佛華嚴經（唐譯八十卷本）卷一九
1.4　藏037
1.5　002:0042
2.1　（1.4＋575.1＋16）×25.3厘米；13紙；共326行，行17字。
2.2　01：01.4，01；　02：49.5，28；　03：49.4，28；
04：49.5，28；　05：49.5，28；　06：49.5，28；
07：49.3，28；　08：49.3，28；　09：49.4，28；
10：49.5，28；　11：49.4，28；　12：49.3，28；
13：31.5＋16，17。
2.3　卷軸裝。首尾均殘。卷面有多處殘洞。部分紙張有黴爛。有烏絲欄。
3.1　首1行上下殘→大正279，10/101B10。
3.2　尾全→10/105C12。
4.2　大方廣佛華嚴經卷第十九（尾）。
8　7～8世紀。唐寫本。
9.1　楷書。
10　此件二十世紀五六十年代托裱。
11　圖版：《敦煌寶藏》，56/207A～215A。

1.1　BD02138號
1.3　金光明最勝王經卷一〇
1.4　藏038
1.5　083:1985
2.1　（2.5＋470.9＋9.4）×26.7厘米；11紙；共298行，行17字。
2.2　01：2.5＋32.3，22；　02：46.5，28；　03：46.6，28；
04：46.6，28；　05：46.6，28；　06：46.7，28；
07：44.4，28；　08：44.5，28；　09：44.2，28；
10：44.5，28；　11：28＋9.4，24。
2.3　卷軸裝。首尾均殘。卷面污穢嚴重，有殘洞，多水漬。卷首背有古代裱補。有烏絲欄。
3.1　首2行上下殘→大正665，16/450C25～27。
3.2　尾6行下殘→16/455A11～16。
8　8～9世紀。吐蕃統治時期寫本。
9.1　楷書。
11　圖版：《敦煌寶藏》，71/269B～275B。

1.1　BD02139號
1.3　維摩詰所說經卷上
1.4　藏039
1.5　070:0959
2.1　297×25.5厘米；6紙；共168行，行17字。
2.2　01：49.0，28；　02：49.5，28；　03：50.0，28；
04：49.5，28；　05：49.5，28；　06：49.5，28。
2.3　卷軸裝。首尾均脫。經黄紙。卷面有殘裂。背有古代裱補。有烏絲欄。
3.1　首殘→大正475，14/539B6。
3.2　尾殘→14/541B16。
6.1　首→BD02040號。
8　7～8世紀。唐寫本。
9.1　楷書。
9.2　有行間加行。
11　圖版：《敦煌寶藏》，64/165A～169A。

1.1　BD02140號
1.3　大般若波羅蜜多經卷四二一
1.4　藏040
1.5　084:3099
2.1　（4.6＋40.3）×25厘米；1紙；共26行，行17字。
2.3　卷軸裝。首全尾脫。背有古代裱補。有烏絲欄。
3.1　首2行下殘→大正220，7/113A2～5。
3.2　尾殘→7/113B2。
4.1　大般若波羅蜜多經卷第四百廿一，/第二分無邊際品第廿三之二，三藏法師玄奘奉□□/（首）。
8　8～9世紀。吐蕃統治時期寫本。
9.1　楷書。
11　圖版：《敦煌寶藏》，76/385B。

1.1　BD02141號
1.3　大般若波羅蜜多經卷五七
1.4　藏041
1.5　084:2159
2.1　46.8×25.5厘米；1紙；共28行，行17字。
2.3　卷軸裝。首尾均脫。下部有殘缺。有烏絲欄。
3.1　首殘→大正220，5/325C27。

3.2　尾殘→5/326A26。
8　8～9世紀。吐蕃統治時期寫本。
9.1　楷書。
11　圖版：《敦煌寶藏》，72/142B。

1.1　BD02142號
1.3　大般若波羅蜜多經（兑廢稿）卷三六七
1.4　藏042
1.5　084:3011
2.1　46×26.厘米；1紙；共26行，行17字。
2.3　卷軸裝。首尾均脱。卷面有殘洞。尾有餘空。有烏絲欄。
3.1　首殘→大正220，6/890C3。
3.2　尾殘→6/890C28。
8　8～9世紀。吐蕃統治時期寫本。
9.1　楷書。
9.2　上邊有一"兑"字。
11　圖版：《敦煌寶藏》，76/94B。

1.1　BD02143號
1.3　四分律比丘含注戒本卷上
1.4　藏043
1.5　165:7005
2.1　(49.5+346.5)×32厘米；8紙；共280行，行29字。
2.2　01：49.5，35；　02：49.5，35；　03：49.5，35；
04：49.5，35；　05：49.5，35；　06：49.5，35；
07：49.5，35；　08：49.5，35。
2.3　卷軸裝。首尾均脱。首紙上下部殘損污穢嚴重，第2紙下部殘缺，脱落1塊殘片。有烏絲欄。
3.1　首殘→大正1806，40/431A29。
3.2　尾殘→40/437A24。
5　與《大正藏》本對照，文序相同，文字基本相同。有時有差異。
8　8～9世紀。吐蕃統治時期寫本。
9.1　楷書。
9.2　有行間校加字。有刮改。有重文、倒乙符號。
11　圖版：《敦煌寶藏》，103/356A～361B。

1.1　BD02144號
1.3　金剛般若波羅蜜經
1.4　藏044
1.5　094:3643
2.1　(14+316.3)×26厘米；8紙；共198行，行17字。
2.2　01：14+5.5，11；　02：46.5，28；　03：47.0，28；
04：47.0，28；　05：46.5，28；　06：46.3，28；
07：46.5，28；　08：31.0，19。
2.3　卷軸裝。首殘尾斷。卷首殘破嚴重，卷前部有等距離殘洞，卷面有破裂，第7、8紙接縫處脱開，尾紙殘破嚴重，卷背有鳥糞。有烏絲欄。
3.1　首8行上、下殘→大正235，8/749A7～14。
3.2　尾殘→8/751B11。
8　8～9世紀。吐蕃統治時期寫本。
9.1　楷書。
11　圖版：《敦煌寶藏》，79/310B～314B。

1.1　BD02145號
1.3　無量壽宗要經（兑廢稿）
1.4　藏045
1.5　275:8150
2.1　47.5×27.5厘米；1紙；共28行，行17字。
2.3　卷軸裝。首尾均脱。上邊有殘洞，下邊有殘損，卷面有蟲繭，卷背有鳥糞。有烏絲欄。
3.1　首殘→大正936，19/82B2。
3.2　尾殘→19/82C3。
8　8～9世紀。吐蕃統治時期寫本。
9.1　楷書。上邊有"兑"字。
9.2　有刮改。
11　圖版：《敦煌寶藏》，109/144B～145A。

1.1　BD02146號
1.3　金剛般若波羅蜜經
1.4　藏046
1.5　094:3566
2.1　(14+136.9)×26.5厘米；3紙；共88行，行17字。
2.2　01：14+32.4，28；　02：52.3，30；　03：52.2，30。
2.3　卷軸裝。首全尾脱。經黄打紙。卷首右下殘缺1塊，第2紙有横裂，第3紙上有撕裂、下有殘損。背有古代裱補。有烏絲欄。已修整。
3.1　首8行下殘→大正235，8/748C17～27。
3.2　尾殘→8/749C25。
4.1　金剛般若波羅蜜經（首）。
8　7～8世紀。唐寫本。
9.1　楷書。
11　圖版：《敦煌寶藏》，78/575B～577A。

1.1　BD02147號
1.3　四分比丘尼戒本
1.4　藏047
1.5　157:6976
2.1　545.5×27厘米；12紙；共331行，行23字。
2.2　01：49.5，30；　02：49.5，30；　03：49.5，30；
04：49.5，30；　05：49.5，30；　06：49.0，30；
07：49.0，30；　08：49.0，30；　09：49.0，30；
10：49.0，30；　11：11.5，07；　12：41.5，24。
2.3　卷軸裝。首脱尾全。第2紙下部殘裂，卷尾油污殘破。有

烏絲欄。
3.1　首殘→大正 1431，22/1036B2。
3.2　尾全→22/1041A18。
4.2　四分戒本（尾）。
5　與《大正藏》本相比，尾題前多“布薩竟説偈文”，錄文如下：
布薩竟説偈文：
諸佛出世第一快，聞法奉行歡喜快。
大衆和合寂滅快，衆生離苦安樂快。
（錄文完）
8　9～10 世紀。歸義軍時期寫本。
9.1　楷書。
9.2　有行間校加字、行間加行，有校改。有倒乙符號。有硃筆點删符號。
11　圖版：《敦煌寶藏》，103/223A～230A。

1.1　BD02148 號
1.3　金光明最勝王經卷一〇
1.4　藏 048
1.5　083:1998
2.1　（1.3＋188.8）×46.2 厘米；5 紙；共 116 行，行 17 字。
2.2　01：1.3＋36.6，25；　02：46.3，29；　03：46.5，30；04：46.2，28；　05：13.2，04。
2.3　卷軸裝。首斷尾全。背有古代裱補，紙上有經文。有烏絲欄。已修整。
3.1　首行下殘→大正 665，16/455A19。
3.2　尾全→16/456C19。
4.2　金光明最勝王經卷第十（尾）。
5　尾附音義。
7.1　尾有題記 3 行：“弟子李晅敬寫金光明經一部十卷，乙丑年已前/所有負債負命怨家債主，願乘慈（此）功德，速證菩/提，願得解怨釋結。府君等同霑此福。/”
8　905 年。歸義軍時期寫本。
9.1　楷書。
9.2　有行間校加字。
11　圖版：《敦煌寶藏》，71/301A～303A。

1.1　BD02149 號
1.3　瑜伽師地論卷一九
1.4　藏 049
1.5　428:8613
2.1　（5.2＋68＋5.7）×26.6 厘米；3 紙；共 48 行，行 17 字。
2.2　01：5.2＋21.1，16；　02：45，28；　03：1.9＋5.7，4。
2.3　卷軸裝。首尾均殘。卷首殘破嚴重。有烏絲欄。
3.1　首 3 行下殘→大正 1579，30/381B24～26。
3.2　尾 3 行下殘→30/382A17～18。
8　8～9 世紀。吐蕃統治時期寫本。
9.1　楷書。
11　圖版：《敦煌寶藏》，111/14B～15B。

1.1　BD02150 號
1.3　金光明最勝王經卷六
1.4　藏 050
1.5　083:1809
2.1　（1.2＋167.8）×26.6 厘米；4 紙；共 81 行，行 17 字。
2.2　01：1.2＋25.8，16；　02：47.5，28；　03：47.5，28；04：47.0，09。
2.3　卷軸裝。首斷尾全。第 2 紙斷裂，卷面多黄白色污物，卷尾端中部繫有細毛線繩。背有古代裱補。有烏絲欄。
3.1　首殘→大正 665，16/431C5。
3.2　尾全→16/432C10。
4.2　金光明最勝王經卷第六（尾）。
5　尾附音義。
7.1　卷尾有“禪定”2 字。
8　7～8 世紀。唐寫本。
9.1　楷書。
11　圖版：《敦煌寶藏》，70148B～150B。

1.1　BD02151 號
1.3　妙法蓮華經卷七
1.4　藏 051
1.5　105:6105
2.1　43×26 厘米；1 紙；共 25 行，行 17 字。
2.3　卷軸裝。首斷尾脱。經黄打紙。卷首殘破，背有鳥糞。有烏絲欄。
3.1　首殘→大正 262，9/58B8。
3.2　尾殘→9/58C6。
4.1　妙法蓮華經陀羅尼品第廿六（首）。
8　7～8 世紀。唐寫本。
9.1　楷書。
11　圖版：《敦煌寶藏》，97/22B～23A。

1.1　BD02152 號
1.3　阿彌陀經
1.4　藏 052
1.5　014:0131
2.1　（19.5＋187.3）×25.5 厘米；5 紙；共 111 行，行 17 字。
2.2　01：7.5，護首；　02：12＋37.3，27；　03：50.0，28；04：50.0，28；　05：50.0，28。
2.3　卷軸裝。首全尾脱。經黄紙。卷首右下殘缺。有烏絲欄。已修整。
3.1　首 6 行下殘→大正 366，12/346B25～C4。
3.2　尾殘→12/348A23。
4.1　佛説阿彌陀經（首）。

7.3　卷背有《大方便佛報恩經序品第一》經名、經文雜寫 5 行，文可參見大正 156，3/124A18～26。經文中夾雜有幾個雜寫字。
8　7～8 世紀。唐寫本。
9.1　楷書。
11　图版：《敦煌寶藏》，56/604B～607B。漏拍尾紙中間 8 行經文。

1.1　BD02153 號
1.3　妙法蓮華經卷三
1.4　藏 053
1.5　105:5205
2.1　（53.8 + 3.2）×26.5 厘米；2 紙；共 34 行，行 20 字（偈）。
2.2　01：48.8，29；　02：5 +3.2，05。
2.3　卷轴装。首脫尾殘。通卷下部殘缺嚴重，脫落 1 小塊殘片。
3.1　首殘→大正 262，9/26B25。
3.2　尾 2 行殘→9/27B2～5。
8　8～9 世紀。吐蕃統治時期寫本。
9.1　楷書。
11　圖版：《敦煌寶藏》，89/414A～B。

1.1　BD02154 號
1.3　金剛般若波羅蜜經
1.4　藏 054
1.5　094:4215
2.1　（28 +220）×26 厘米；6 紙；共 141 行，行 17 字。
2.2　01：11.0，06；　02：17 +37.5，28；　03：47.5，28；
04：47.5，28；　05：47.5，28；　06：40.0，23。
2.3　卷轴装。首尾均殘。經黄打紙。卷尾 2 紙横向破裂嚴重，接縫處下部開裂，卷尾正、背面有鳥糞。有烏絲欄。
3.1　首 16 行下殘→大正 235，8/750C15～751A3。
3.2　尾殘→8/752B29。
8　7～8 世紀。唐寫本。
9.1　楷書。
11　圖版：《敦煌寶藏》，82/420A～423A。

1.1　BD02155 號 A
1.3　千手千眼觀世音菩薩廣大圓滿無礙大悲心陀羅尼經鈔（擬）
1.4　藏 055
1.5　245:7466
2.1　50.4×30.3 厘米；2 紙；共 32 行，行 12 字。
2.2　01：24.4，13；　02：35.0，19。
2.3　卷轴装。首尾均全。有烏絲欄。
3.4　說明：

本文獻首全尾缺。節抄《千手千眼觀世音菩薩廣大圓滿無礙大悲心陀羅尼經》，並又重複抄寫一遍。情況如下：

①　2～8 行上，20/106B20～24
②　8 行下～10 行上，20/107A11～12
③　10 行下～15 行，20/107A28～B3
④　16～23 行上，重複①、②
⑤　23 行下～32 行，20/107A28～B6

4.1　大悲心陀羅尼（首）。
7.3　背有悉曇体梵文 2 字及“菩藏道”、“國天大通”等習字雜寫。
8　9～10 世紀。歸義軍時期寫本。
9.1　楷書。
9.2　有墨筆塗抹。
11　圖版：《敦煌寶藏》，106/341B～344A。

1.1　BD02155 號 B
1.3　觀彌勒菩薩上升兜率天經
1.4　藏 055
1.5　245:7466
2.1　42×15.4 厘米；1 紙；共 18 行，行 12 字。
2.3　卷軸裝。首尾均全。卷面有殘洞。尾有餘空。
3.1　首全→大正 452，14/418B3。
3.2　尾缺→14/418B18。
4.1　觀彌勒菩薩上生兜率天經（首）。
7.3　卷背有雜寫“如來”2 字。
8　9～10 世紀。歸義軍時期寫本。
9.2　有行間校加字。有斷句。有删除符號。
9.1　楷書。

1.1　BD02155 號 C
1.3　大文第二對緣正說分
1.4　藏 055
1.5　245:7466
2.1　30×30.2 厘米；1 紙；共 20 行，行約 26 字。
2.3　卷軸裝。首尾均斷。下邊被剪缺一條。有烏絲欄。
3.4　說明：

本文獻首全尾缺。從内容看，應為某《梵網經疏》的復疏。未為歷代大藏經所收。

4.1　大文第二對緣正說分（首）。
8　9～10 世紀。歸義軍時期寫本。
9.1　行書。

1.1　BD02155 號 D
1.3　咒食儀壹本
1.4　藏 055
1.5　245:7466
2.1　21×30 厘米；1 紙；共 14 行，行約 25 字。
2.3　卷軸裝。首尾均全。卷面有殘洞。烏絲欄。
3.4　說明：

本文獻首尾均全。未為歷代大藏經所收。

4.1　咒食儀壹本（首）。
8　9～10世紀。歸義軍時期寫本。
9.1　楷書。

1.1　BD02156號
1.3　大般若波羅蜜多經卷三七八
1.4　藏056
1.5　084:3029
2.1　（4+663.7）×25.1厘米；15紙；共391行，行17字。
2.2　01：4+15，11；　02：47.5，28；　03：47.7，28；
04：47.7，28；　05：47.6，28；　06：47.5，28；
07：47.6，28；　08：47.5，28；　09：47.6，28；
10：47.6，28；　11：47.6，28；　12：47.6，28；
13：47.5，28；　14：47.5，28；　15：30.2，16。
2.3　卷軸裝。首殘尾全。卷首殘破，通卷下部有水漬。有烏絲欄。
3.1　首2行上下殘→大正220，6/951B19～21。
3.2　尾全→6/956A6。
4.2　大般若波羅蜜多經卷第三百七十八（尾）。
5　與《大正藏》本對照，卷尾多"亦證無上正等菩提"。
7.1　第1紙背有勘記"大般若"3字。
8　8～9世紀。吐蕃統治時期寫本。
9.1　楷書。有武周新字"正"。
11　圖版：《敦煌寶藏》，76/137A～145B。

1.1　BD02157號
1.3　金剛般若波羅蜜經
1.4　藏057
1.5　094:3609
2.1　（3.2+527.6）×25.5厘米；11紙；共290行，行17字。
2.2　01：3.2+19.1，13；　02：51.0，28；　03：51.0，28；
04：51.1，28；　05：51.0，28；　06：51.1，28；
07：51.0，28；　08：51.0，28；　09：39.3，23；
10：77.0，45；　11：35.0，13。
2.3　卷軸裝。首脱尾全。卷面有等距離黴爛，古時曾將黴爛嚴重之殘洞剪齊，並用寫經紙修補。前8紙為麻紙，未入潢；後3紙用另1殘經綴補。背有多處古代裱補。有烏絲欄。已修整。
3.1　首2行下殘→大正235，8/749A5～7。
3.2　尾全→8/752C3。
4.2　金剛般若波羅蜜經（尾）。
8　7～8世紀。唐寫本。
9.1　楷書。
11　圖版：《敦煌寶藏》，79/118B～125A。

1.1　BD02158號
1.3　血書證香火本因經
1.4　藏058
1.5　461:8689
2.1　48.5×25.4厘米；1紙；共25行，行16～18字。
2.3　卷轴裝。首尾均脱。尾有餘空。有烏絲欄。
3.1　首殘→大正2879，85/1367A1。
3.2　尾缺→85/1367B1。
5　與《大正藏》本對照，有缺文，參見大正2879，85/1367A7～9。
8　7～8世紀。唐寫本。
9.1　楷書。血書。
11　圖版：《敦煌寶藏》，111/187A～B。

1.1　BD02159號
1.3　維摩詰所說經卷上
1.4　藏059
1.5　070:0879
2.1　（7+911）×24.5厘米；20紙；正面532行，行17字。
2.2　01：7+37，25；　02：49.5，28；　03：49.5，28；
04：49.5，28；　05：49.5，28；　06：48.5，28；
07：48.5，28；　08：48.5，28；　09：44.0，26；
10：16.5，10；　11：35.0，28；　12：48.5，28；
13：48.5，28；　14：48.5，28；　15：48.5，28；
16：48.5，28；　17：48.5，28；　18：48.5，28；
19：48.5，28；　20：47.0，23。
2.3　卷轴裝。首殘尾全。卷端撕裂嚴重。背有古代裱補，上抄信函文書。有烏絲欄。已修整。
3.1　首4行下殘→大正475，14/537C7～10。
3.2　尾全→14/544A19。
4.2　維摩詰經卷上（尾）。
8　9～10世紀。歸義軍時期寫本。
9.1　楷書。
11　從該件上揭下古代裱補紙6塊，今編爲BD16035號、BD16036號、BD16037號、BD16038號。
圖版：《敦煌寶藏》，63/397A～409B。

1.1　BD02160號
1.3　維摩詰所說經卷上
1.4　藏060
1.5　070:0960
2.1　（8+267.5）×26.5厘米；6紙；共157行，行17字。
2.2　01：8+22.5，17；　02：49.0，28；　03：49.0，28；
04：49.0，28；　05：49.0，28；　06：49.0，28。
2.3　卷轴裝。首殘尾脱。第4、5紙接縫處下部開裂。有烏絲欄。
3.1　首4行中下殘→大正475，14/539B16～20。
3.2　尾殘→14/541B13。
6.1　首→BD02135號。
8　8世紀。唐寫本。

9.1　楷書。
9.2　有行間校加字。
11　圖版:《敦煌寶藏》,64/169B～173A。

1.1　BD02161 號
1.3　金剛般若波羅蜜經
1.4　藏 061
1.5　094:3553
2.1　(4.3+480.5+2.5)×26 厘米;10 紙;共 275 行,行 17 字。
2.2　01:4.3+36.5,23;　02:50.0,28;　03:49.5,28;
04:49.5,28;　05:49.5,28;　06:50.0,28;
07:49.5,28;　08:49.5,28;　09:49.5,28;
10:47+2.5,28。
2.3　卷軸裝。首尾均脫。麻紙,未入潢。第 5 紙有破洞。有烏絲欄。已修整。
3.1　首 2 行下殘→大正 235,8/748C22～24。
3.2　尾行下殘→8/752B1。
8　7～8 世紀。唐寫本。
9.1　楷書。
11　圖版:《敦煌寶藏》,78/497A～503A。

1.1　BD02162 號 1
1.3　金光明經懺悔滅罪傳
1.4　藏 062
1.5　081:1360
2.1　(5.7+1365.8)×27 厘米;30 紙;共 993 行,行 27 字。
2.2　01:5.7+10.2,11;　02:47.8,35;　03:47.8,35;
04:48.0,35;　05:48.0,35;　06:48.0,35;
07:47.8,35;　08:48.0,34;　09:48.0,35;
10:48.0,35;　11:48.0,35;　12:47.7,35;
13:48.0,35;　14:48.0,35;　15:48.0,35;
16:43.0,31;　17:23.3,22;　18:47.9,35;
19:48.0,35;　20:48.0,35;　21:47.8,35;
22:48.0,35;　23:47.7,34;　24:48.0,35;
25:48.0,35;　26:48.0,35;　27:48.0,35;
28:47.3,35;　29:47.0,35;　30:44.5,21。
2.3　卷軸裝。首殘尾全。卷面多油污、水漬。尾有原軸,兩端鑲亞腰形軸頭,軸頭塗棕色漆。背有古代裱補。有烏絲欄。
2.4　本遺書包括 5 個文獻:(一)《金光明經懺悔滅罪傳》,28 行,今編為 BD02162 號 1。(二)《金光明經卷一》,215 行,今編為 BD02162 號 2。(三)《金光明經卷二》,263 行,今編為 BD02162 號 3。(四)《金光明經卷三》,236 行,今編為 BD02162 號 4。(五)《金光明經卷四》,251 行,今編為 BD02162 號 5。
3.1　首 4 行上殘→大正 663,16/358C12～17。
3.2　尾全→16/359B1。
4.2　金光明經傳(尾)。
5　《大正藏》本此《金光明經懺悔滅罪傳》附於經後,與本件位置不同。
8　8～9 世紀。吐蕃統治時期寫本。
9.1　楷書。
11　圖版:《敦煌寶藏》,67/134B～151B。

1.1　BD02162 號 2
1.3　金光明經卷一
1.4　藏 062
1.5　081:1360
2.4　本遺書由 5 個文獻組成,本號為第 2 個,215 行。餘參見 BD02162 號 1 之第 2 項、第 11 項。
3.1　首全→大正 663,16/335B2。
3.2　尾全→16/340C10。
4.1　金光明經序品第一(首)。
4.2　金光明經卷第一(尾)。
8　8～9 世紀。吐蕃統治時期寫本。
9.1　楷書。

1.1　BD02162 號 3
1.3　金光明經卷二
1.4　藏 062
1.5　081:1360
2.4　本遺書由 5 個文獻組成,本號為第 3 個,263 行。餘參見 BD02162 號 1 之第 2 項、第 11 項。
3.1　首全→大正 663,16/340C13。
3.2　尾全→16/346B9。
4.1　金光明經四天王品第六,二(首)。
4.2　金光明經卷第二(尾)。
8　8～9 世紀。吐蕃統治時期寫本。
9.1　楷書。
9.2　有刮改。

1.1　BD02162 號 4
1.3　金光明經卷三
1.4　藏 062
1.5　081:1360
2.4　本遺書由 5 個文獻組成,本號為第 4 個,236 行。餘參見 BD02162 號 1 之第 2 項、第 11 項。
3.1　首全→大正 663,16/346B12。
3.2　尾全→16/352B9。
4.1　金光明經散脂鬼神品第十,三(首)。
4.2　金光明經卷第三(尾)。
8　9～10 世紀。吐蕃統治時期寫本。
9.1　楷書。
9.2　有行間校加字。有刮改。

1.1　BD02162 號 5
1.3　金光明經卷四
1.4　藏 062
1.5　081:1360
2.4　本遺書由 5 個文獻組成，本號為第 5 個，251 行。餘參見 BD02162 號 1 之第 2 項、第 11 項。
3.1　首全→大正 663，16/352B12。
3.2　尾全→16/358A29。
4.1　金光明經流水長者子品第十六，四（首）；
4.2　金光明經卷第四（尾）。
8　8～9 世紀。吐蕃統治時期寫本。
9.1　楷書。
9.2　有刮改。

1.1　BD02163 號
1.3　佛名經（十六卷本）卷一一
1.4　藏 063
1.5　063:0721
2.1　(16 +1069.7) ×30.8 厘米；25 紙；共 451 行，行 18 字。
2.2　01：16 +14，13；　02：43.3，18；　03：43.5，18；
04：43.3，18；　05：43.3，18；　06：43.2，18；
07：43.2，18；　08：43.3，18；　09：43.3，18；
10：43.3，18；　11：43.3，18；　12：43.5，19；
13：44.5，19；　14：44.5，19；　15：44.5，19；
16：44.5，19；　17：44.5，19；　18：44.5，19；
19：44.5，19；　20：44.8，19；　21：44.8，19；
22：44.8，19；　23：44.5，19；　24：44.8，19；
25：44.0，11。
2.3　卷軸裝。首殘尾全。首紙殘缺，下邊殘裂，接縫處有開裂，尾紙下部殘裂。有烏絲欄。
3.1　首 7 行上中殘→《七寺古逸經典研究叢書》，3/第 544 頁第 85 行～第 545 頁第 92 行。
3.2　尾全→《七寺古逸經典研究叢書》，3/第 548 頁第 602 行。
4.2　佛說佛名經卷第十一（尾）。
5　與七寺本對照，文字略有出入。
7.1　卷尾有勘記“卅紙”。
8　9～10 世紀。歸義軍時期寫本。
9.1　楷書。
9.2　有硃筆行間校加字。
11　圖版：《敦煌寶藏》，61/530A～542B。

1.1　BD02164 號
1.3　金光明最勝王經卷四
1.4　藏 064
1.5　083:1695
2.1　143.5 ×26.2 厘米；，4 紙；共 84 行；行 17 字。
2.2　01：27.5，16；　02：47.5，28；　03：47.5，28；
04：21.0，12。
2.3　卷軸裝。首斷尾殘。紙張油污變硬，通卷上下邊有裂紋。背有古代裱補，有烏絲欄。
3.1　首殘→大正 665，16/420A7。
3.2　尾殘→16/421A11。
8　8～9 世紀。吐蕃統治時期寫本。
9.1　楷書。
11　圖版：《敦煌寶藏》，69/304B～306A。

1.1　BD02165 號
1.3　佛名經（十六卷本）卷一
1.4　藏 065
1.5　061:0533
2.1　169 ×26.4 厘米；4 紙；共 101 行，行 17 字。
2.2　01：43.0，25；　02：43.0，25；　03：43.0，25；
04：40 +3.5，26。
2.3　卷軸裝。首脫尾殘。第 1、2 紙接縫上方開裂。有烏絲欄。
3.1　首殘→《七寺古逸經典研究叢書》，3/第 21 頁第 203 行。
3.2　尾 2 行中下殘→《七寺古逸經典研究叢書》，3/第 29 頁第 303 行。
5　與七寺本對照，文字略有不同。
7.3　卷背雜寫“夫裕禮”、“戊寅年十月二日”及雜畫等。
8　9～10 世紀。歸義軍時期寫本。
9.1　楷書。
11　圖版：《敦煌寶藏》，59/613B～615A。

1.1　BD02166 號
1.3　金有陀羅尼經
1.4　藏 066
1.5　254:7566
2.1　(7 +127.5) ×26.2 厘米；3 紙；共 82 行，行 17～18 字。
2.2　01：7 +37.3，27；　02：45.2，28；　03：45.0，27。
2.3　卷軸裝。首殘尾全。卷首下部有撕裂破損，卷尾下部有藏文字迹。有烏絲欄。
3.1　首全→大正 2910，85/1455C16。
3.2　尾全→85/1456C10。
4.1　金有陀羅尼經（首）。
4.2　金有陀羅尼經一卷（尾）。
7.1　卷首背面有寺院題名“圖”字，爲敦煌靈圖寺簡稱。卷尾寫藏文題名 Lo－an－ta－bris（魯安達寫）。
8　8～9 世紀。吐蕃統治時期寫本。
9.1　楷書。
11　圖版：《敦煌寶藏》，107/12B～14A。

1.1　BD02167 號
1.3　維摩詰所說經卷上
1.4　藏 067

1.5 070:0880
2.1 （792.9+91）×26 厘米；19 紙；共 520 行，行 17 字。
2.2 01：27.5，16； 02：47.5，28； 03：47.5，28；
04：48.0，28； 05：47.5，28； 06：47.5，28；
07：47.8，28； 08：48.0，28； 09：47.5，28；
10：47.5，28； 11：47.5，28； 12：47.5，28；
13：47.5，28； 14：48.0，28； 15：47.8，28；
16：47.8，28； 17：47.5，28； 18：3+45，28；
19：46.0，28。
2.3 卷軸裝。首尾均殘。卷中有多處破裂，卷尾上部殘缺。有烏絲欄。已修整。
3.1 首殘→大正 475，14/537C17。
3.2 尾 54 行上殘→14/543B18～544A17。
8 8～9 世紀。吐蕃統治時期寫本。
9.1 楷書。
11 圖版：《敦煌寶藏》，63/410A～422A。

1.1 BD02168 號
1.3 金剛般若波羅蜜經
1.4 藏 068
1.5 094:3697
2.1 （6.5+472.5）×26 厘米；11 紙；共 286 行，行 17 字。
2.2 01：6.5+44，28； 02：50.8，28； 03：42.2，28；
04：42.5，28； 05：42.5，28； 06：42.5，28；
07：42.5，28； 08：42.5，28； 09：42.7，28；
10：42.6，28； 11：37.7，06。
2.3 卷軸裝。首脫尾全。麻紙，未入潢。卷首右下殘缺，卷中有殘裂，接縫處有開裂。有燕尾。有烏絲欄。
3.1 首 4 行下殘→大正 235，8/749A18～23。
3.2 尾全→8/752C3。
4.2 金剛般若波羅蜜經（尾）。
8 7～8 世紀。唐寫本。
9.1 楷書。
11 圖版：《敦煌寶藏》，79/566B～572B。

1.1 BD02169 號
1.3 金剛般若波羅蜜經
1.4 藏 069
1.5 094:3857
2.1 （3.5+165.5+16.1）×25 厘米；5 紙；共 114 行，行 17 字。
2.2 01：3.5+41.5，28； 02：45.0，28； 03：45.5，28；
04：33.5+11.6，28； 05：04.5，02。
2.3 卷軸裝。首脫尾殘。麻紙。前 2 紙下部殘缺嚴重。有烏絲欄。
3.1 首 3 行下殘→大正 235，8/749A18～22。
3.2 尾 9 行上下殘→8/750B18～26。
8 7～8 世紀。唐寫本。
9.1 楷書。
11 圖版：《敦煌寶藏》，80/615B～617B。

1.1 BD02170 號
1.3 金剛般若波羅蜜經
1.4 藏 070
1.5 94:4392
2.1 （2.3+64.9）×26.2 厘米；2 紙；共 30 行，行 17 字。
2.2 01：（2.3+49.6），29； 02：15.3，01。
2.3 卷軸裝。首殘尾全。經黄紙。卷首下部脱落 1 塊殘片，已綴接。卷尾殘破嚴重。有燕尾。有烏絲欄。已修整。
3.1 首殘→大正 235，8/752B1。
3.2 尾全→8/752C3。
4.2 金剛般若□□蜜經（尾）。
8 7～8 世紀。唐寫本。
9.1 楷書。
11 圖版：《敦煌寶藏》，83/96B～97A。

1.1 BD02171 號
1.3 金光明最勝王經卷四
1.4 藏 071
1.5 083:1680
2.1 （1.5+175.7）×26.3 厘米；5 紙；共 106 行，行 17 字。
2.2 01：1.5+15，10； 02：47.2，28； 03：47.0，28；
04：47.0，28； 05：19.5，12。
2.3 卷軸裝。首殘尾斷。紙張發硬變脆，有斷裂。背有古代裱補。有烏絲欄。
3.1 首行上殘→大正 665，16/418C11。
3.2 尾殘→16/420A7。
8 8～9 世紀。吐蕃統治時期寫本。
9.1 楷書。
11 圖版：《敦煌寶藏》，69/248A～250A。

1.1 BD02172 號
1.3 妙法蓮華經卷七
1.4 藏 072
1.5 105:5895
2.1 244.5×26 厘米；6 紙；共 123 行，行 17 字。
2.2 01：10.0；護首； 02：49.5，25； 03：49.5，26；
04：49.5，26； 05：49.5，26； 06：36.5，20。
2.3 卷軸裝。首全尾斷。有護首，有芨芨草天竿，護首上有繫縹帶孔，護首有墨寫經名。卷面有等距離水漬，卷背有鳥糞。有烏絲欄。
3.1 首全→大正 262，9/55A12。
3.2 尾殘→9/56C1。
4.1 妙法蓮華經妙音菩薩品第二十四（首）。

7.4　護首有經名、卷次“妙法蓮華經卷第七”。上有經名號。
8　7~8世紀。唐寫本。
9.1　楷書。
11　圖版:《敦煌寶藏》,95/652A~655A。

1.1　BD02173號
1.3　妙法蓮華經卷三
1.4　藏073
1.5　105:5078
2.1　(17.2+814.7)×26.2厘米;18紙;共487行,行17字。
2.2　01:17.2+5.1,12;　02:47.6,28;　03:47.7,28;
04:47.7,28;　05:47.7,28;　06:47.4,28;
07:47.6,28;　08:47.7,28;　09:47.6,28;
10:47.6,28;　11:47.7,28;　12:47.5,28;
13:47.5,28;　14:47.5,28;　15:47.8,28;
16:47.8,28;　17:47.8,28;　18:47.4,27。
2.3　卷軸装。首殘尾全。打紙。卷首殘破。下邊有撕裂。有烏絲欄。
3.1　首9行下殘→大正262,9/20B20~C1。
3.2　尾全→9/27B9。
4.2　妙法蓮華經卷第三(尾)。
8　7~8世紀。唐寫本。
9.1　楷書。
11　圖版:《敦煌寶藏》,88/474B~486A。

1.1　BD02174號
1.3　菩薩戒大科
1.4　藏074
1.5　154:6792
2.1　51.5×30.5厘米;2紙;正面25行,行字不等。背面34行,行字不等。
2.2　01:42.5,20;　02:09.0,05。
2.3　卷軸装。首全尾斷。兩紙接縫處開裂。有烏絲欄。卷背有梵文習字34行。
2.4　本遺書包括2個文獻:(一)《菩薩戒大科》,25行,抄寫在正面,今編為BD02174號。(二)《梵文習字》(擬),34行,抄寫在背面,今編為BD02174號背。
3.4　説明:
本文獻為某《梵網經疏》的科分。未為歷代大藏經所收。
4.1　菩薩戒大科一本(首)。
7.3　卷面有梵文雜寫。
8　9~10世紀。歸義軍時期寫本。
9.1　楷書。
11　圖版:《敦煌寶藏》,101/610B~612A。

1.1　BD02174號背
1.3　梵文習字(擬)
1.4　藏074
1.5　154:6792
2.4　本遺書由2個文獻組成,本號為第2個,抄寫在背面,34行。餘參見BD02174號之第2項、第11項。
3.4　説明:
本文獻為梵文習字,所抄寫均為梵文字母。
8　9~10世紀。歸義軍時期寫本。
9.1　悉曇体。

1.1　BD02175號
1.3　妙法蓮華經卷二
1.4　藏075
1.5　105:4865
2.1　313.8×25.4厘米;7紙;共191行,行17字。
2.2　01:45.1,28;　02:44.7,28;　03:44.6,28;
04:45.0,28;　05:44.8,27;　06:44.8,27;
07:44.8,25。
2.3　卷軸装。首尾均脱。經黄紙。卷首有撕裂殘損,接縫處有開裂,卷下部有水漬。有烏絲欄。
3.1　首殘→大正262,9/12A2。
3.2　尾殘→9/14B20。
8　7~8世紀。唐寫本。
9.1　楷書。
11　圖版:《敦煌寶藏》,87/118B~122B。

1.1　BD02176號
1.3　妙法蓮華經卷二
1.4　藏076
1.5　105:4887
2.1　421.2×28.6厘米;10紙;共240行,行17字。
2.2　01:42.2,24;　02:42.0,24;　03:41.9,24;
04:42.0,24;　05:42.1,24;　06:42.0,24;
07:42.2,24;　08:42.2,24;　09:42.3,24;
10:42.3,24。
2.3　卷軸装。首尾均脱。有烏絲欄。
3.1　首殘→大正262,9/12C13。
3.2　尾殘→9/16A15。
8　8世紀。唐寫本。
9.1　楷書。
11　圖版:《敦煌寶藏》,87/164A~169B。

1.1　BD02177號
1.3　金光明最勝王經卷一
1.4　藏077
1.5　083:1473
2.1　(62.1+2)×25.4厘米;2紙;共43行,行17字。
2.2　01:22.1,15;　02:40+2,28。

2.3　卷轴装。首尾均殘。上下邊殘破。有烏絲欄。
3.1　首行殘→大正665，16/404C15～17。
3.2　尾行上殘→16/405B11。
8　8～9世紀。吐蕃統治時期寫本。
9.1　楷書。
11　圖版：《敦煌寶藏》，68/37。

1.1　BD02178號
1.3　大般若波羅蜜多經卷九
1.4　藏078
1.5　084:2030
2.1　(5+552.8)×25.厘米；13紙；共329行，行17字。
2.2　01：5+7，07；　02：47.2，28；　03：47.3，28；
04：47.4，28；　05：47.5，28；　06：47.2，28；
07：47.3，28；　08：47.2，28；　09：47.4，28；
10：47.4，28；　11：47.3，28；　12：47.3，28；
13：25.3，14。
2.3　卷轴装。首殘尾全。卷上部水漬黴變，有淡紅色污漬。有烏絲欄。
3.1　首3行上下殘→大正220，5/47A4～6。
3.2　尾全→5/50C13。
4.2　大般若波羅蜜多經卷第九（尾）。
8　8～9世紀。吐蕃統治時期寫本。
9.1　楷書。
11　圖版：《敦煌寶藏》，71/411B～418B。

1.1　BD02179號
1.3　四分戒本疏卷三
1.4　藏079
1.5　169:7047
2.1　436×29.5厘米；9紙；共315行，行27字。
2.2　01：48.5，39；　02：48.5，39；　03：48.5，39；
04：48.5，39；　05：48.5，39；　06：48.5，39；
07：48.5，39；　08：48.5，39；　09：48.0，03。
2.3　卷轴装。首脱尾全。接縫處有開裂。有烏絲欄，上下雙邊欄。
3.1　首殘→大正2787，85/610C13。
3.2　尾全→85/616C8。
4.2　戒疏卷第三（尾）。
6.1　首→BD02182號。
7.3　首紙上邊有“受”字。
8　9～10世紀。歸義軍時期寫本。
9.1　楷書。
9.2　上邊有校改字。有倒乙、刪節號、重文符號。
11　圖版：《敦煌寶藏》，104/14A～18B。

1.1　BD02180號
1.3　金剛般若波羅蜜經
1.4　藏080
1.5　094:4183
2.1　(2+259.9)×26厘米；6紙；共143行，行17字。
2.2　01：2+47，28；　02：49.8，28；　03：50.0，28；
04：49.8，26；　05：49.8，27；　06：13.5，06。
2.3　卷轴装。首殘尾全。第2紙下方有缺損。背有古代裱補。有烏絲欄。
3.1　首行下殘→大正235，8/750C20～21。
3.2　尾全→8/752C3。
4.2　金剛般若波羅蜜經（尾）。
8　8世紀。唐寫本。
9.1　楷書。
11　圖版：《敦煌寶藏》，82/336B～339B。

1.1　BD02181號
1.3　妙法蓮華經卷五
1.4　藏081
1.5　105:5478
2.1　(17+854.9)×26.1厘米，19紙，共492行，行17字。
2.2　01：12.0，07；　02：5+42，28；　03：48.0，28；
04：48.0，28；　05：48.2，28；　06：48.2，28；
07：48.0，28；　08：48.2，28；　09：48.2，28；
10：48.0，28；　11：47.6，28；　12：47.7，28；
13：47.8，28；　14：48.0，28；　15：48.0，28；
16：47.9，28；　17：48.1，28；　18：48.0，28；
19：45.0，09。
2.3　卷轴装。首殘尾全。經黄打紙。卷首殘破，前部有等距殘缺；卷下邊多黴斑，接縫處有開裂。尾有原軸，軸頭已斷。有烏絲欄。
3.1　首11行下殘→大正262，9/38C22～39A3。
3.2　尾全→9/46B14。
4.2　妙法蓮華經卷第五（尾）。
8　7～8世紀。唐寫本。
9.1　楷書。
11　圖版：《敦煌寶藏》，92/406B～419B。

1.1　BD02182號
1.3　四分戒本疏卷三
1.4　藏082
1.5　169:7046
2.1　1024×30.5厘米；25紙；共727行，行27字。
2.2　01：4.5，護首；　02：42.0，29；　03：42.5，31；
04：42.5，31；　05：42.5，31；　06：42.5，31；
07：42.5，31；　08：42.5，31；　09：42.5，31；
10：42.5，31；　11：42.5，31；　12：42.5，31；
13：42.5，31；　14：42.5，31；　15：42.5，31；

16：42.5，31；　17：42.5，31；　18：42.5，31；
19：42.5，31；　20：42.5，31；　21：42.5，31；
22：42.5，31；　23：42.5，31；　24：42.5，28；
25：42.5，19。
2.3 卷軸裝。首尾均全。尾紙有殘洞。背有古代裱補。有烏絲欄。
3.1 首全→大正 2787，85/594C13。
3.2 尾殘→85/610C13。
4.1 四分戒本疏卷第三，沙門慧述（首）。
6.2 尾→BD02179 號。
7.1 首紙卷背有勘記“四分戒疏一本”，上有經名號。
8 8～9 世紀。吐蕃統治時期寫本。
9.1 楷書。
9.2 有行間校加字。有重文、倒乙符號。
11 圖版：《敦煌寶藏》，104/1B～13B。

1.1 BD02183 號
1.3 雜寶藏經（兑廢稿）卷七
1.4 藏 083
1.5 142:6682
2.1 48×27.8 厘米；1 紙；共 28 行，行 17 字。
2.3 卷軸裝。首尾均脱。有烏絲欄。
3.1 首殘→大正 203，4/481B1。
3.2 尾殘→4/481C3。
8 7～8 世紀。唐寫本。
9.1 楷書。
9.2 本件上邊有兩個“兑”字，旁注“爲證字孔”幾字。該行“證”字殘破。
11 圖版：《敦煌寶藏》，101/150A～B。

1.1 BD02184 號
1.3 妙法蓮華經卷一
1.4 藏 084
1.5 105:4664
2.1 （3.3+438.5）×26.3 厘米；10 紙；共 234 行，行 16～17 字。
2.2 01：3.3+6.1，10；　02：48.3，26；　03：48.2，26；
04：48.1，26；　05：48.8，27；　06：48.4，26；
07：48.6，26；　08：46.7，26；　09：48.4，26；
10：46.9，15。
2.3 卷軸裝。首殘尾全。卷面有殘洞，下邊多殘破。有燕尾。有烏絲欄。
3.1 首 2 行上中殘→大正 262，9/6A21～23。
3.2 尾全→9/10B21。
4.2 妙法蓮華經卷第一（尾）。
8 8 世紀。唐寫本。
9.1 楷書。

11 圖版：《敦煌寶藏》，85/206A～211B。

1.1 BD02185 號
1.3 妙法蓮華經卷三
1.4 藏 085
1.5 105:5152
2.1 426.6×25.4 厘米；9 紙；共 250 行，行 16～20 字。
2.2 01：48.1，28；　02：47.3，28；　03：47.4，28；
04：47.4，28；　05：47.4，28；　06：47.4，28；
07：47.3，28；　08：47.3，28；　09：47.0，26。
2.3 卷軸裝。首脱尾全。末紙尾部上方有殘裂，卷尾上下有蟲繭。有烏絲欄。
3.1 首殘→大正 262，9/23B18。
3.2 尾全→9/27B9。
4.2 妙法蓮華經卷第三（尾）。
8 9～10 世紀。歸義軍時期寫本。
9.1 楷書。
11 圖版：《敦煌寶藏》，89/229B～235A。

1.1 BD02186 號
1.3 妙法蓮華經卷三
1.4 藏 086
1.5 105:5124
2.1 341.7×27.3 厘米；7 紙；共 196 行，行 16～18 字。
2.2 01：49.2，28；　02：49.0，28；　03：49.0，28；
04：48.8，28；　05：48.6，28；　06：48.6，28；
07：48.5，28。
2.3 卷軸裝。首尾均脱。紙較厚。接縫處有開裂。有烏絲欄。
3.1 首殘→大正 262，9/22A24。
3.2 尾殘→9/25A22。
8 9～10 世紀。歸義軍時期寫本。
9.1 楷書。
9.2 有刮改。
11 圖版：《敦煌寶藏》，89/82A～87A。

1.1 BD02187 號
1.3 金剛般若波羅蜜經
1.4 藏 087
1.5 094:4334
2.1 （3.3+33.5）×25.5 厘米；1 紙；共 20 行，行 17 字。
2.3 卷軸裝。首殘尾脱。經黄紙。有烏絲欄。
3.1 首行上殘→大正 235，8/751C5。
3.2 尾殘→8/752A2。
5 與《大正藏》本對照，本卷經文無冥司偈，參見大正 235，8/751C16～19。
8 7～8 世紀。唐寫本。
9.1 楷書。

11　圖版：《敦煌寶藏》，83/7A。

1.1　BD02188 號
1.3　妙法蓮華經（八卷本）卷八
1.4　藏 088
1.5　105:5947
2.1　（3.2+635.2）×26 厘米；14 紙；共 340 行，行 17 字。
2.2　01：3.2+44.5，25；　02：48.2，26；　03：48.5，26；
04：48.5，26；　05：48.5，26；　06：48.5，26；
07：48.5，26；　08：48.6，26；　09：48.2，26；
10：48.6，26；　11：48.5，26；　12：48.6，26；
13：48.3，26；　14：09.2，03。
2.3　卷軸裝。首殘尾全。經黃紙，研光上蠟。首紙上下邊有殘裂。尾紙利用《添品妙法蓮花經》卷六的廢寫經紙。卷背塗抹一塊硃漆。有烏絲欄。
3.1　首行下殘→大正 262，9/57B22～23。
3.2　尾全→9/62B1。
4.2　妙法蓮華經卷第八（尾）。
5　與《大正藏》本相比，分卷不同。為八卷本。尾紙利用《添品妙法蓮花經》卷六的廢寫經紙，前面尚殘留原經 1 行陀羅尼“卌，跋廬優曼誅奴弛，奈多夜卌一”，可參見大正 264，9/187A6。
8　7～8 世紀。唐寫本。
9.1　楷書。
11　圖版：《敦煌寶藏》，96/138A～146B。

1.1　BD02189 號
1.3　大方便佛報恩經卷一
1.4　藏 089
1.5　052:0446
2.1　189.6×25.8 厘米；4 紙；共 112 行，行 17 字。
2.2　01：47.6，28；　02：47.5，28；　03：47.4，28；
04：47.1，28。
2.3　卷軸裝。首尾均脱，全卷破損嚴重，有烏絲欄。
3.1　首脱→大正 156，3/126B20。
3.2　尾脱→3/127C17。
6.1　首→來 34。
8　7～8 世紀。唐寫本。
9.1　楷書。有武周新字“圀”，使用周遍。
11　圖版：《敦煌寶藏》，59/197A～199B。

1.1　BD02190 號
1.3　維摩詰所說經卷中
1.4　藏 090
1.5　070:1104
2.1　（13.5+276+5）×25 厘米；7 紙，共 171 行，行 17 字。
2.2　01：13.5+3.5，10；　02：48.0，28；　03：48.0，28；
04：48.0，28；　05：48.0，28；　06：48.0，28；
07：32.5+5，21。
2.3　卷轴装。首尾均殘。卷前部有殘裂，接縫處有開裂，通卷多水漬。有烏絲欄。
3.1　首 8 行中下殘→大正 475，14/544B15～23。
3.2　尾 3 行上下殘→14/546B20～23。
8　9～10 世紀。歸義軍時期寫本。
9.1　楷書。
11　圖版：《敦煌寶藏》，65/343A～347A。

1.1　BD02191 號
1.3　金光明最勝王經卷一〇
1.4　藏 091
1.5　083:1970
2.1　（13.2+591）×26.4 厘米；14 紙；共 370 行，行 17 字。
2.2　01：13.2+6.8，12；　02：44.7，28；　03：44.9，28；
04：45.0，28；　05：45.0，28；　06：45.0，28；
07：45.0，28；　08：44.8，28；　09：45.0，28；
10：45.0，28；　11：45.0，28；　12：45.0，28；
13：45.0，28；　14：44.8，22。
2.3　卷轴装。首殘尾全。卷面油污。有烏絲欄。
3.1　首 8 行上殘→大正 665，16/451B7～14。
3.2　尾全→16/456C19。
4.2　金光明最勝王經卷第十（尾）。
5　尾附音義。
8　8～9 世紀。吐蕃統治時期寫本。
9.1　楷書。
9.2　有行間校加字。有刮改。
11　圖版：《敦煌寶藏》，71/176B～184A。

1.1　BD02192 號
1.3　佛名經（二十卷本）卷五
1.4　藏 092
1.5　062:0574
2.1　（3.5+436.5）×25.5 厘米；10 紙；共 241 行，行 17 字。
2.2　01：3.5+40.5，24；　02：44.0，24；　03：44.0，24；
04：44.0，24；　05：44.0，24；　06：44.0，24；
07：44.0，24；　08：44.0，24；　09：44.0，24；
10：44.0，25。
2.3　卷轴装。首殘尾脱。卷中接縫多有開裂，卷尾殘破嚴重。有烏絲欄。
3.1　首 2 行下殘→BD00633 號第 217 行。
3.2　尾殘→BD00633 號第 458 行。
8　8～9 世紀。吐蕃統治時期寫本。
9.1　楷書。
11　圖版：《敦煌寶藏》，60/110B～116B。

1.1　BD02193 號
1.3　大般涅槃經（北本）卷一八
1.4　藏 093
1.5　116:6557
2.1　（39.5 +6.5）×26.5 厘米；1 紙；共 28 行，行 17 字。
2.3　卷轴装。首脱尾殘。有烏絲欄。
3.1　首殘→大正 374，12/472A13。
3.2　尾 4 行下殘→12/472B12 ~16。
5　與《大正藏》本對照，有闕文，參大正 374，12/472A16 ~17。
8　7 ~8 世紀。唐寫本。
9.1　楷書。
9.2　有硃筆斷句及校改。
11　圖版：《敦煌寶藏》，100/310A ~B。

1.1　BD02194 號
1.3　大般若波羅蜜多經卷二七一
1.4　藏 094
1.5　084:2729
2.1　（3.5 +684.6）×25.7 厘米；17 紙；共 424 行，行 17 字。
2.2　01：03.5，02；　02：45.0，28；　03：45.2，28；
04：45.1，28；　05：45.1，28；　06：45.2，28；
07：45.2，28；　08：45.4，28；　09：45.1，28；
10：45.1，28；　11：45.1，28；　12：45.2，28；
13：45.3，28；　14：45.1，28；　15：45.0，28；
16：45.0，28；　17：04.0，02。
2.3　卷轴装。首殘尾全。尾有原軸，兩端塗黑漆。第 3 紙下邊殘破。首紙背有古代裱補。有烏絲欄。
3.1　首 2 行上殘→大正 220，6/371C15 ~16。
3.2　尾全→6/376C5。
4.2　大般若波羅蜜多經卷第二百七十一（尾）。
8　8 ~9 世紀。吐蕃統治時期寫本。
9.1　楷書。
9.2　有行間校加字。有刮改。有倒乙。
11　圖版：《敦煌寶藏》，74/548B ~557A。

1.1　BD02195 號 1
1.3　妙法蓮華經卷一
1.4　藏 095
1.5　105:4493
2.1　（6.5 +388.9）×26.5 厘米；10 紙；共 288 行，行 24 ~30 字不等。
2.2　01：6.5 +35.5，31；　02：42.0，31；　03：42.5，31；
04：42.5，30；　05：42.8，30；　06：42.3，30；
07：42.5，31；　08：42.8，31；　09：09.5，07；
10：46.5，36。
2.3　卷轴装。首殘尾脫。卷內有殘洞。背有古代裱補。有刻劃欄。
2.4　本遺書包括 2 個文獻：（一）《妙法蓮華經卷一》，252 行，今編為 BD02195 號 1。（二）《妙法蓮華經卷二》，36 行，今編為 BD02195 號 2。
3.1　首 5 行上中殘→大正 262，9/3B29 ~C7。
3.2　尾全→9/10B21。
4.2　妙法蓮華經卷第一（尾）。
5　與《大正藏》本對照，卷中文字有重複抄寫之處。
8　8 ~9 世紀。吐蕃統治時期寫本。
9.1　楷書。
9.2　有行間校加字。
11　圖版：《敦煌寶藏》，84/347A ~352B。

1.1　BD02195 號 2
1.3　妙法蓮華經卷二
1.4　藏 095
1.5　105:4493
2.4　本遺書由 2 個文獻組成，本號為第 2 個，36 行。餘參見 BD02195 號 1 之第 2 項、第 11 項。
3.1　首全→大正 262，9/10B24。
3.2　尾殘→9/11B24。
4.1　妙法蓮華經譬喻品第三，卷二（首）。
8　8 ~9 世紀。吐蕃統治時期寫本。
9.1　楷書。

1.1　BD02196 號
1.3　阿彌陀經
1.4　藏 096
1.5　014:0155
2.1　（31 +200.7）×27.3 厘米；5 紙；共 104 行，行 17 字。
2.2　01：31 +6，15；　02：49.0，28；　03：48.5，28；
04：48.7，28；　05：48.5，05。
2.3　卷軸裝。首殘尾全。首紙有殘裂，第 3 紙有 1 個殘洞。有烏絲欄。已修整。
3.1　首 11 行上殘→大正 366，12/346C10 ~347A4。
3.2　尾全→12/348A29。
4.2　佛說阿彌陀經一卷（尾）。
8　8 ~9 世紀。吐蕃統治時期寫本。
9.1　楷書。
11　圖版：《敦煌寶藏》，57/12B ~15A。

1.1　BD02197 號
1.3　金光明最勝王經卷一
1.4　藏 097
1.5　083:1455
2.1　（4 +90.1）×25 厘米；3 紙；共 59 行，行 17 字。
2.2　01：4 +6.6，04；　02：43.0，28；　03：40.5，27。

2.3　卷軸裝。首尾均殘。全卷破碎嚴重。有烏絲欄。已修整。
3.1　首4行下殘→大正665，16/403C2～6。
3.2　尾殘→16/404C1。
8　8～9世紀。吐蕃統治時期寫本。
9.1　楷書。
11　圖版：《敦煌寶藏》，67/658A～659A。

1.1　BD02198號
1.3　摩訶般若波羅蜜經卷一六
1.4　藏098
1.5　088:3442
2.1　（6.5＋99.4＋6.2）×25.3厘米；4紙；共61行，行17字。
2.2　01：04.8，02；　02：1.7＋48.6，28；　03：50.8，28；　04：06.2，03。
2.3　卷軸裝。首尾均殘。卷面有殘洞。有烏絲欄。已修整。
3.1　首3行上下殘→大正223，8/336A17～19。
3.2　尾3行下殘→8/336C21～23。
6.1　首→BD02250號。
8　5～6世紀。南北朝寫本。
9.1　隸楷。
11　圖版：《敦煌寶藏》，77/661B～663A。

1.1　BD02199號
1.3　妙法蓮華經卷一
1.4　藏099
1.5　105:4662
2.1　50.7×25.4厘米；1紙；共28行，行17字。
2.3　卷軸裝。首尾均脫。經黃紙。卷面有1殘洞，上邊有殘損，卷面變色。有烏絲欄。
3.1　首殘→大正262，9/6A16。
3.2　尾殘→9/6C2。
8　7～8世紀。唐寫本。
9.1　楷書。
11　圖版：《敦煌寶藏》，85/201B～202A。

1.1　BD02200號
1.3　無量壽宗要經
1.4　藏100
1.5　275:7988
2.1　（7.5＋203.5）×30.5厘米；5紙；共141行，行30餘字。
2.2　01：7.5＋28，24；　02：44.0，30；　03：44.0，30；　04：44.0，30；　05：43.5，27。
2.3　卷軸裝。首殘尾全。第1、2紙上下邊有撕裂殘缺，第2、3紙中間有等距離殘洞，接縫處有開裂。背有古代裱補。有烏絲欄。
3.1　首5行中下殘→大正936，19/82A10～19。
3.2　尾全→19/84C29。
4.2　佛說無量壽宗要經（尾）。
7.1　卷尾有寫經生題名“田廣談”與寺院題名“龍興”，爲敦煌龍興寺簡稱。
8　8～9世紀。吐蕃統治時期寫本。
9.1　行楷。
9.2　有倒乙。
11　圖版：《敦煌寶藏》，108/452A～455A。

新舊編號對照表

一、千字文號與北敦號、縮微膠卷號對照表

千字文號	北敦號	縮微膠卷號
藏 024	BD02124 號	105：4495
藏 025	BD02125 號 A	105：5814
藏 025	BD02125 號 B	105：5835
藏 026	BD02126 號 1	186：7133
藏 026	BD02126 號 2	186：7133
藏 026	BD02126 號背 01	186：7133
藏 026	BD02126 號背 02	186：7133
藏 026	BD02126 號背 03	186：7133
藏 026	BD02126 號背 04	186：7133
藏 026	BD02126 號背 05	186：7133
藏 026	BD02126 號背 06	186：7133
藏 026	BD02126 號背 07	186：7133
藏 026	BD02126 號背 08	186：7133
藏 026	BD02126 號背 09	186：7133
藏 026	BD02126 號背 10	186：7133
藏 027	BD02127 號	275：7743
藏 028	BD02128 號	084：2752
藏 029	BD02129 號	094：3700
藏 030	BD02130 號	250：7488
藏 031	BD02131 號	084：2473
藏 032	BD02132 號	105：5087
藏 033	BD02133 號	105：4546
藏 034	BD02134 號	275：7744
藏 035	BD02135 號	070：0984
藏 036	BD02136 號	115：6335
藏 037	BD02137 號	002：0042
藏 038	BD02138 號	083：1985
藏 039	BD02139 號	070：0959
藏 040	BD02140 號	084：3099
藏 041	BD02141 號	084：2159
藏 042	BD02142 號	084：3011
藏 043	BD02143 號	165：7005
藏 044	BD02144 號	094：3643
藏 045	BD02145 號	275：8150

千字文號	北敦號	縮微膠卷號
藏 046	BD02146 號	094：3566
藏 047	BD02147 號	157：6976
藏 048	BD02148 號	083：1998
藏 049	BD02149 號	428：8613
藏 050	BD02150 號	083：1809
藏 051	BD02151 號	105：6105
藏 052	BD02152 號	014：0131
藏 053	BD02153 號	105：5205
藏 054	BD02154 號	094：4215
藏 055	BD02155 號 A	245：7466
藏 055	BD02155 號 B	245：7466
藏 055	BD02155 號 C	245：7466
藏 055	BD02155 號 D	245：7466
藏 056	BD02156 號	084：3029
藏 057	BD02157 號	094：3609
藏 058	BD02158 號	461：8689
藏 059	BD02159 號	070：0879
藏 060	BD02160 號	070：0960
藏 061	BD02161 號	094：3553
藏 062	BD02162 號 1	081：1360
藏 062	BD02162 號 2	081：1360
藏 062	BD02162 號 3	081：1360
藏 062	BD02162 號 4	081：1360
藏 062	BD02162 號 5	081：1360
藏 063	BD02163 號	063：0721
藏 064	BD02164 號	083：1695
藏 065	BD02165 號	061：0533
藏 066	BD02166 號	254：7566
藏 067	BD02167 號	070：0880
藏 068	BD02168 號	094：3697
藏 069	BD02169 號	094：3857
藏 070	BD02170 號	94：4392
藏 071	BD02171 號	083：1680
藏 072	BD02172 號	105：5895

藏 073	BD02173 號	105：5078
藏 074	BD02174 號	154：6792
藏 074	BD02174 號背	154：6792
藏 075	BD02175 號	105：4865
藏 076	BD02176 號	105：4887
藏 077	BD02177 號	083：1473
藏 078	BD02178 號	084：2030
藏 079	BD02179 號	169：7047
藏 080	BD02180 號	094：4183
藏 081	BD02181 號	105：5478
藏 082	BD02182 號	169：7046
藏 083	BD02183 號	142：6682
藏 084	BD02184 號	105：4664
藏 085	BD02185 號	105：5152
藏 086	BD02186 號	105：5124
藏 087	BD02187 號	094：4334
藏 088	BD02188 號	105：5947
藏 089	BD02189 號	052：0446
藏 090	BD02190 號	070：1104
藏 091	BD02191 號	083：1970
藏 092	BD02192 號	062：0574
藏 093	BD02193 號	116：6557
藏 094	BD02194 號	084：2729
藏 095	BD02195 號 1	105：4493
藏 095	BD02195 號 2	105：4493
藏 096	BD02196 號	014：0155
藏 097	BD02197 號	083：1455
藏 098	BD02198 號	088：3442
藏 099	BD02199 號	105：4662
藏 100	BD02200 號	275：7988

二、縮微膠卷號與北敦號、千字文號對照表

縮微膠卷號	北敦號	千字文號
002：0042	BD02137 號	藏 037
014：0131	BD02152 號	藏 052
014：0155	BD02196 號	藏 096
052：0446	BD02189 號	藏 089
061：0533	BD02165 號	藏 065
062：0574	BD02192 號	藏 092
063：0721	BD02163 號	藏 063
070：0879	BD02159 號	藏 059
070：0880	BD02167 號	藏 067
070：0959	BD02139 號	藏 039
070：0960	BD02160 號	藏 060
070：0984	BD02135 號	藏 035
070：1104	BD02190 號	藏 090
081：1360	BD02162 號 1	藏 062
081：1360	BD02162 號 2	藏 062
081：1360	BD02162 號 3	藏 062
081：1360	BD02162 號 4	藏 062
081：1360	BD02162 號 5	藏 062
083：1455	BD02197 號	藏 097
083：1473	BD02177 號	藏 077
083：1680	BD02171 號	藏 071
083：1695	BD02164 號	藏 064
083：1809	BD02150 號	藏 050
083：1970	BD02191 號	藏 091
083：1985	BD02138 號	藏 038
083：1998	BD02148 號	藏 048
084：2030	BD02178 號	藏 078
084：2159	BD02141 號	藏 041
084：2473	BD02131 號	藏 031
084：2729	BD02194 號	藏 094
084：2752	BD02128 號	藏 028
084：3011	BD02142 號	藏 042
084：3029	BD02156 號	藏 056
084：3099	BD02140 號	藏 040
088：3442	BD02198 號	藏 098
094：3553	BD02161 號	藏 061
094：3566	BD02146 號	藏 046
094：3609	BD02157 號	藏 057
094：3643	BD02144 號	藏 044
094：3697	BD02168 號	藏 068
094：3700	BD02129 號	藏 029
094：3857	BD02169 號	藏 069
094：4183	BD02180 號	藏 080
094：4215	BD02154 號	藏 054
094：4334	BD02187 號	藏 087
105：4493	BD02195 號 1	藏 095
105：4493	BD02195 號 2	藏 095
105：4495	BD02124 號	藏 024
105：4546	BD02133 號	藏 033
105：4662	BD02199 號	藏 099
105：4664	BD02184 號	藏 084
105：4865	BD02175 號	藏 075

105：4887	BD02176 號	藏 076
105：5078	BD02173 號	藏 073
105：5087	BD02132 號	藏 032
105：5124	BD02186 號	藏 086
105：5152	BD02185 號	藏 085
105：5205	BD02153 號	藏 053
105：5478	BD02181 號	藏 081
105：5814	BD02125 號 A	藏 025
105：5835	BD02125 號 B	藏 025
105：5895	BD02172 號	藏 072
105：5947	BD02188 號	藏 088
105：6105	BD02151 號	藏 051
115：6335	BD02136 號	藏 036
116：6557	BD02193 號	藏 093
142：6682	BD02183 號	藏 083
154：6792	BD02174 號	藏 074
154：6792	BD02174 號背	藏 074
157：6976	BD02147 號	藏 047
165：7005	BD02143 號	藏 043
169：7046	BD02182 號	藏 082
169：7047	BD02179 號	藏 079
186：7133	BD02126 號 1	藏 026
186：7133	BD02126 號 2	藏 026
186：7133	BD02126 號背 01	藏 026
186：7133	BD02126 號背 02	藏 026
186：7133	BD02126 號背 03	藏 026
186：7133	BD02126 號背 04	藏 026
186：7133	BD02126 號背 05	藏 026
186：7133	BD02126 號背 06	藏 026
186：7133	BD02126 號背 07	藏 026
186：7133	BD02126 號背 08	藏 026
186：7133	BD02126 號背 09	藏 026
186：7133	BD02126 號背 10	藏 026
245：7466	BD02155 號 A	藏 055
245：7466	BD02155 號 B	藏 055
245：7466	BD02155 號 C	藏 055
245：7466	BD02155 號 D	藏 055
250：7488	BD02130 號	藏 030
254：7566	BD02166 號	藏 066
275：7743	BD02127 號	藏 027
275：7744	BD02134 號	藏 034
275：7988	BD02200 號	藏 100
275：8150	BD02145 號	藏 045
428：8613	BD02149 號	藏 049
461：8689	BD02158 號	藏 058
94：4392	BD02170 號	藏 070